Lexikon der biblischen Eigennamen

O. Odelain – R. Séguineau

LEXIKON DER BIBLISCHEN EIGENNAMEN

Übersetzt und für die Einheitsübersetzung der Heiligen Schrift
bearbeitet von Franz Joseph Schierse

J. Glaser
Weihnachten
1981

Patmos Verlag Düsseldorf
Neukirchener Verlag Neukirchen-Vluyn

Die französische Originalausgabe erschien unter dem Titel
„Dictionnaire des noms propres de la Bible“
in den Verlagen du Cerf und Desclée de Brouwer, beide Paris

CIP-Kurztitelaufnahme der Deutschen Bibliothek
Odelain, Olivier:
Lexikon der biblischen Eigennamen / O. Odelain ;
R. Séguineau. Übers. u. für d. Einheitsübers. d.
Heiligen Schrift bearb. von Franz Joseph Schierse.
1. Aufl. – Düsseldorf : Patmos Verlag ;
Neukirchen-Vluyn : Neukirchener Verlag,
1981.
Einheitssacht.: Dictionnaire des noms propres
de la Bible ⟨dt.⟩
NE: Séguineau, Raymond; Schierse, Franz Joseph
[Bearb.]; HST

1. Auflage 1981
Umschlaggestaltung von Ralf Rudolph nach der französischen
Vorlage von Gérard Hoeltzel
Satz und Druck: Gebr. Rasch, Bramsche
ISBN 3-491-77237-0 (Patmos Verlag)
ISBN 3-7887-0664-3 (Neukirchener Verlag)

INHALTSVERZEICHNIS

VORWORT

Dieses aus dem Französischen übernommene „Lexikon der biblischen Eigennamen" stellt einen neuen, in seiner Art bisher einzigartigen Wörterbuchtyp dar. Es verzeichnet in etwa 3800 Registrierungen sämtliche in der Bibel vorkommenden Namen (Götter, Engel, Menschen, Titel, Orte, Länder, Flüsse, Berge, Völker, Stämme, Clans und Sippen). Zu jedem Namen werden – entsprechend seiner Bedeutung und der Häufigkeit seines Vorkommens – hauptsächlich die von der Bibel selbst mitgeteilten Informationen geboten. Archäologische und profanhistorische Daten treten gelegentlich ergänzend hinzu.

Viele Personen und Orte nennt die Bibel nur ein einziges Mal, oft ist die Schreibweise unsicher, die geographische Lage unbekannt, der Träger des Namens eine unbedeutende Persönlichkeit. Auf den ersten Blick erhält der Benutzer des Lexikons in diesen Fällen keine zusätzliche Auskunft, und er fragt sich vielleicht, warum solche „nichtssagenden" Namen überhaupt verzeichnet werden. Der Grund ist nicht nur in der angestrebten Vollständigkeit zu suchen, die sich gegen jede noch so gut begründete Auswahl sträuben mußte. Tiefer gesehen, handelt es sich um ein anthropologisches und zuletzt theologisches Phänomen. In der Sicht der Bibel, die sich Gottes Sehweise zu eigen macht, ist kein Ort zu klein, kein Mensch zu gering, als daß man ihn übersehen oder weglassen dürfte. Wahrscheinlich ist die Bibel sogar das einzige Dokument der Antike, das so zahlreiche Namen von einfachen Menschen aus dem Volk, einschließlich ihrer Herkunftsbezeichnungen, aufbewahrt hat.

Wozu dient dann aber ein Lexikon, das auf weite Strecken hin nicht viel mehr an Auskunft bieten kann als ein Adreß- oder Telefonbuch? Ich meine, der absonderlich klingende Vergleich trifft genau den Punkt. Das Namenslexikon will gewiß, soweit es dies kann, informieren, darüber hinaus aber will es vor allem *Kommunikation* ermöglichen. Kommunikation, Gespräche, Gemeinschaft mit Menschen, die vor mehreren tausend Jahren gelebt, geirrt, geliebt und gelitten haben? Aufsuchen von Orten, die längst in Schutt und Asche gesunken, vom Wüstensand begraben sind?

Wenn es wahr ist, was Mk 12, 27 von Gott sagt, er sei „doch nicht ein Gott von Toten, sondern von Lebenden", bekommt auch das Kommunikationsproblem ein anderes Gesicht. Die Menschen der Bibel sind nicht vergangen, Gott hat sie „beim Namen gerufen" (Jes 43, 1), nicht nur die Großen der Weltgeschichte, die Kaiser, Könige, Fürsten, Propheten und Hohenpriester, sondern auch und gerade die Kleinen, die Unscheinbaren, die vor der Welt Niedrigen und Verachteten (vgl. 1 Kor 1, 26–28). Der Benutzer des Lexikons möge deshalb bedenken, daß er es mit lebenden Menschen, mit Zeitgenossen Gottes zu tun hat, daß er Orte aufsucht, die im Gedächtnis der Ewigkeit Wandel, Zerstörung und Untergang überdauert haben. So verstanden, kann er aus dem Lexikon mehr herauslesen als nur eine Fülle von fremden Namen und Ortsbezeichnungen. Auch er stößt überall auf Widersacher und Feinde, auch ihn ängstigen Heimatlosigkeit, Fremde, Vertreibung und Flucht, auch für ihn ist die Erde ein stets gefährdetes und bedrohtes Land – und trotzdem: Immer wieder findet er Gefährten und Rastplätze auf seinem Weg zu Gott.

Franz Joseph Schierse

EINFÜHRUNG

I. ALLGEMEINES

1. Von der Konkordanz zum Lexikon

Im Unterschied zu einer *Konkordanz,* die – in der Reihenfolge der biblischen Bücher und manchmal in Unterabschnitte gegliedert – alle Stellen angibt, an denen ein bestimmtes Wort begegnet, bietet das Lexikon zu jedem aufgenommenen Wort eine Auskunft, die statt wörtlicher Zitate die entsprechenden Texte inhaltlich zusammenfaßt, sie nach historischen und anderen Gesichtspunkten ordnet und gliedert. Während die Konkordanz, vor allem wenn sie sich nicht auf bloße Stellenangaben beschränkt, ein weites Feld eröffnet und, zumindest für die häufiger gebrauchten Wörter, viele Einzelheiten anführt, ermöglicht das Lexikon eine schnellere und auch kritischere Information. Dagegen muß sich der Benutzer einer Konkordanz aus den zahlreichen Stellenangaben selbst eine systematische Zusammenfassung erarbeiten und die wesentlichen Gesichtspunkte herausfinden. Hinzu kommt, daß ein Lexikonartikel auch solche Informationen verarbeitet, die aus Texten stammen, in denen das Stichwort (z. B. ein Eigenname) nicht begegnet. So wird zum Beispiel in 1 Kön 20, 42 der gefangene und freigelassene *Ben-Hadad II.* einfach „Mann" genannt, oder *Salomo,* der Erbauer des Tempels, heißt in Esr 5, 11 „ein großer König von Israel". Und das Loblied auf den Hohenpriester *Simon,* den Sohn des Onias, dessen Name nur in Sir 50, 1 erscheint, erstreckt sich bis Sir 50, 21.

2. Vom Allgemeinbegriff zum Eigennamen

Im Gegensatz zum Allgemeinbegriff, der eine Gattung, eine generelle Idee oder einen Sinnbereich umschreibt, bezeichnet der Eigenname Individuen oder individuelle Wirklichkeiten: Götter *(Apis, Baal, Jahwe);* Menschen *(Abraham, Pilatus);* Orte *(Jerusalem, Libanon, Hakeldamach);* Flüsse *(Jordan, Nil);* Sterne *(Siebengestirn, Orion)* usw. Ferner gibt es Gruppen, die eine eigene historische Realität haben und deshalb namentlich benannt werden können: Völkerschaften *(Hetiter, Nabatäer);* philosophische Schulen *(Epikureer);* politische Parteien *(Zeloten);* religiöse Gemeinschaften *(Hasidäer, Pharisäer).*
Dieses Lexikon enthält alle Eigennamen der Bibel von *Aaron* bis *Zyrene,* es umfaßt alle Bücher der Schrift, angefangen von der Genesis, in der *Jahwe* der erste Eigenname ist, der in der Bibel begegnet (Gen 2, 4), bis zur Offenbarung des Johannes, wo der Name *Jesus* das Neue Testament abschließt (Offb 22, 21). Bei manchen Namen, die aufgenommen wurden, läßt sich streiten, ob sie in ein Verzeichnis von Eigennamen oder in ein allgemeines Sprachwörterbuch gehören, wie *Ebene, Elohim, Pharao.* Nach einigem Zögern wurden auch *Leviatan* und *Tehom* aufgenommen, die Namen des personhaft vorgestellten Urmeers und Chaosungeheuers.

3. Gesamtstatistik

Das Lexikon verzeichnet in ca. 3800 Registrierungen 3550 Eigennamen (AT 3000 + NT 550), von denen 310 nur im Neuen Testament vorkommen. Diese Namen beziehen sich auf ungefähr 4420 verschiedene Realitäten, Personen, Orte usw. (AT 3800; NT 600), von denen sich 380 nur im Neuen Testament finden.
Manche Personen oder Orte haben mehrere Namen: *Gideon/Jerubbaal; Johannes/Markus; Petrus/Kephas/Simon; Meer von Kinneret/See Gennesaret/Galiläisches Meer/See Tiberias.* Umgekehrt kann ein und derselbe Name verschiedene Personen oder Orte bezeichnen. So begegnet man sechs Trägern des Namens *Josua/Jesus,* acht des Namens *Philippus,* elf des Namens *Michael/Michal,* dreizehn *Josef,* achtzehn *Simeon/Simon,* zwanzig *Hananias/Hananja,* sechsundzwanzig *Johanan/Johannes,* achtundzwanzig *Zacharias/Sacharja.* Ebenso zählt man unter den Orten zwei *Betanien,* zwei *Betlehem,* zwei *Cäsarea,* vier *Bet-Schemesch,* vier *Gilgal,* fünf *Afek/Afeka,* elf *Rama/Ramot.*
Insgesamt werden in der Bibel bis zu 37540mal Eigennamen gebraucht (davon 5040 im NT), das macht ungefähr ein Achtel des Textes aus.
Von den 4420 in der Heiligen Schrift erwähnten Personen und Orten wird fast die Hälfte (2100) nur ein einziges Mal genannt. 740 erscheinen zweimal, 50 siebenmal *(Aschera, Goliat, Kohelet, Jabbok ...);* weitere 50 fünfzigmal und mehr *(Betlehem, Elischa, Noach ...);* 26 hundertmal und mehr *(Elija, Kanaan, Petrus ...);* 5 zweihundertmal und mehr (der Patriarch *Josef, Josua, Jordan, Pharao, Zebaot);* 9 dreihundertmal und mehr *(Philister, Salomo, Abraham, Babylon, Aaron, Leviten, Juden, Jakob,* der König *Saul);* 6 fünfhundertmal und mehr *(Christus, Ägypten, Mose, Juda, Jesus, Jerusalem);* 3 tausendmal und mehr *(David, Elohim, Israel).* Den absoluten Rekord (selbst im Verhältnis zu den übrigen Wörtern, von denen das hebräische *amar* = sprechen 5300mal gebraucht wird) hält der Name *Jahwe*: er begegnet etwa 6800mal.

4. Ursprung, Entwicklung, Deformation, Transformation von Eigennamen

In ihrer großen Mehrheit sind die Eigennamen der Bibel hebräischen Ursprungs. Viele Namen stammen jedoch aus fremden Sprachen, teils sind es einfach Transskriptionen, teils wurden sie hebräisiert oder gräzisiert. Aus dem Ägyptischen kommen: *Schischak, Tirhaka, Mose, Merari, Pinhas, Pitom, Schihor...;* akkadischen Ursprungs sind: *Assur, Kelach, Salmanassar, Sargon, Sanherib...;* persische Namen: *Kyrus, Darius, Xerxes...;* griechische: *Alexander, Berenike, Demetrius, Heliodor, Timotheus, Nikopolis, Philadelphia...;* lateinische: *Kornelius, Luzius, Memmius, Quintus, Forum Appii, Puteoli...*
Im Lauf der Geschichte haben manche Namen unterschiedliche Form angenommen. Der Wandel, dem sie unterworfen waren, erklärt sich:
– aus den Dialektunterschieden innerhalb ein und derselben Sprache. So geht *Jahwe* in *Jahu, Jeho, Jo* über;
– aus Zufälligkeiten der Aussprache oder der Textüberlieferung. So wird *Jibleam* durch Buchstabenvertauschung zu *Bileam, Sakmai* zu *Samlai*; durch Verwechslung von Buchstaben wird aus *Reguël Déuël,* aus *Rodaniter Dodanim;*
– durch den Übergang von einer Sprache zur anderen. So wird das ägyptische *Hi-ku-pta* zum griechischen *Aigyptos, Ägypter;* das akkadische *Tukulti-Apil-Esharra* im hebräischen zu *Tiglat-Pileser;* aus dem hebräischen *Ashdod* wird das griechische *Azotos,* aus *Zurischaddai* wird *Sarasadai,* aus *Ekron* wird *Akkaron;* aus *Aza* wird *Gaza;* aus *Amorah* wird *Gomorra,* aus *Jabne* wird *Jamnia;* aus *Galed* wird im aramäischen *Jegar Sahaduta,* aus *Re'u'el* wird *Reguël,* aus *Tachpanhes* wird *Daphne,* aus *Hege* wird *Hegai,* aus *Jamlech* wird *Jamliku;*

– aus der Absicht, durch Verballhornung des Namens den Träger zu beleidigen oder verächtlich zu machen, vor allem im Hinblick auf heidnische Gottheiten *(Astarte, Baal, Marduk, Melek, Nebo)*. So wird *Eschbaal* zu *Isch-Boschet, Merib-Baal* zu *Mefiboschet (boschet* = Schande anstelle von Baal); *Marduk* wird nach dem hebräischen *meborak* (= Verfluchter) *Merodach* vokalisiert; *Abed Nabu* wird zu *Abed-Nego* entstellt. Auch gewöhnliche Personen- und Ortsnamen werden verballhornt: *Tabeal* (Gott ist gut) wird vom masoretischen Text *Tabal* (Tunichtgut) vokalisiert, *Marratim* wird zu *Meratajim,* das heißt aus der geographischen Bezeichnung für Babylon als „Zweistromland" wird der Schimpfname „Doppeltrotz" oder „zweifache Bitterkeit";
– infolge veränderter historischer Umstände. Die Stadt *Zefat* heißt nach ihrer Zerstörung *Horma* (= Bann); die Stadt *Lajisch* wird nach der Besetzung durch die Daniter in *Dan* umbenannt; die Stadt *Akko* erhält von Ptolemäus II. den Namen *Ptolemaïs;* das alte Königreich *Juda* wird in römischer Zeit zum „Land der Juden" oder *Judäa* (vgl. den Übergang von *Samaria* zu *Samarien,* von *Gilead* zu *Gileaditis,* von *Edom* zu *Idumäa).* Im Zuge kultureller Wandlungen wird die ägyptische Stadt *On* das griechische *Heliopolis.* Der hebräische Name *Josua* wird gräzisiert *Jason* oder *Jesus, Simeon* (hebr. *Schim'on)* wird *Simon.* Manche Namen sind Übersetzungen: *Thomas* (= Zwilling) wird *Didymus, Tabita* (= Gazelle) wird *Dorkas; Numenius* (= am Neumond [geboren]) ist wahrscheinlich eine Übersetzung des hebräischen *Hodesch.*
Einige Namen dienen als Decknamen. So verwenden die Kryptogramme eine verschlüsselte Sprache: *Scheschach* meint *Babel, Simri,* das vielleicht *Simki* zu lesen ist, ist wahrscheinlich ein Kryptogramm für Elam.

5. Personen- und Ortsnamen

a) Es gibt etwa hundert Eigennamen, die sowohl von Personen als auch von Orten und Gegenständen getragen werden. Dies gilt von Götternamen wie *Amon, Baal, Gad, Hermes, Nebo,* von Ortsnamen (das sind die meisten Fälle) wie *Abel, Adam, Haran, Jiftach, Lydia, Tarsis, Jesreel,* von den Säulen des Tempels *(Boas, Jachin),* von einer Zisterne namens *Sira* oder einer Höhe wie *Gareb.* Den gleichen Namen haben eine Stadt und ein Sternbild: *Kesil.*
b) Manche Ortsnamen leiten sich von einer mehr oder minder berühmten Persönlichkeit her, zum Beispiel die „Tenne des *Ornan",* die „Eiche des *Mamre*", die „Dörfer *Jaïrs*", der „Garten *Usas*", der „Turm des *Hananel*", die „Säulenhalle *Salomos*", das „Tor *Josuas*". Auf der Hand liegt die Verwandtschaft zwischen *Antiochien* und *Antiochus, Seleuzia* und *Seleukus, Ptolemaïs* und *Ptolemäus, Philippi* und *Philippus, Cäsarea* und *Cäsar, Tiberias* und *Tiberius, Antipatris* und *Antipater.*
c) Zu den vielen Dingen, die beim Lesen der Bibel auffallen, gehört die Tatsache, daß zwischen Menschen und Orten häufig eine *genealogische* Beziehung hergestellt wird. Das literarische Genus des „Stammbaums" wird so oft angewandt, daß man die biblische Geschichte in erster Linie als „Genealogie" bezeichnen kann. Die oft monotone Wiederholung der Worte „zeugen", „Vater des . . .", „Sohn des . . ." bedeutet aber nicht immer, daß es sich um eine Abstammung im biologischen Sinn handelt, bei der man die Kette der Generationen in absteigender (vgl. Mt 1) oder aufsteigender (vgl. Lk 3) Linie verfolgen könnte. Häufig wird in diesen „Stammbüchern" ein Mann zum Vater einer Stadt oder eines Volkes gemacht. Eine solche ethnische Gruppe oder ein solches Land gelten dann als Abkömmlinge des eponymen Stammvaters, jener berühmten Persönlichkeit, der sie ihren Namen verdanken. Wenn der biblische Autor den Ursprung der Völker in dieser Weise darstellt, will er betonen, daß ein Volk nicht nur biologische Wurzeln hat, sondern auch aus anderen Ereignissen wie Einwanderungen, Kriegen, Eheschlüssen und Bündnissen zusammengewachsen ist. So verweisen die Beziehungen zwischen „Sichem, dem Sohn des Hiwiters Hamor" und der „Jakobstochter Dina" in Gen 34 auf die Tatsache, daß

„Sichem“, die „Fremdenstadt“, von einer israelitischen Gruppe erobert wurde. In Num 27 werden die Namen der „Töchter Zelofhads“ zugleich zu den „Geschlechtern Manasses“ gezählt. In Esr 2 lassen sich die aus dem Exil zurückgekehrten Israeliten, die über ihre Herkunft nicht mehr Bescheid wissen, unter dem Namen ihrer Aufenthaltsorte in die Verzeichnisse eintragen. So kommt es, daß der Name eines Menschen zum Namen eines Gebiets wird und daß in einer Genealogie plötzlich der Name einer ganzen Stadt auftaucht.
Die Genealogien sind also mehr als Auszüge aus einem „Standesamtsregister“, sie unterstreichen die Zusammengehörigkeit aller Generationen in der Lebens- und Schicksalsgemeinschaft des Gottesvolkes. Auch die Völkertafel von Gen 10 hat eine spirituelle Bedeutung: sie verkündet die Berufung aller Völker in die Nachkommenschaft Abrahams, des Abkömmlings Sems, des Sohnes Noachs, jenes Abrahams, „durch den alle Geschlechter der Erde gesegnet werden sollen“.

6. Listen von Eigennamen

a) Neben den dreißig mehr oder minder ausführlichen Listen der „Stämme Israels“, die man auf S. 377 findet, enthält die Bibel eine große Zahl von Namensverzeichnissen (Genealogien, Personenlisten, Völkertafeln, Städtelisten). Manchmal handelt es sich um bloße Aufzählungen wie die Liste der zwölf aramäischen Stämme, die von Nahor abstammen, der zwölf Söhne Ismaels oder der zwölf Nachkommen Esaus. Andere Verzeichnisse sind mit kurzen oder längeren Anmerkungen ausgestattet wie die Listen der Urväter vor und nach der Sintflut, die Stationsverzeichnisse des Exodus oder die Namen der zwölf Fürsten, die das Opfer der Heiligtumsweihe in Num 7, 10–83 darbringen. Zum Teil sind es ganz kurze Listen wie die der fünf Könige von Midian (Num 31, 8), der sieben Diakone (Apg 6, 5), dann wieder sind die Listen sehr lang wie die Völkertafel Gen 10 oder das Verzeichnis der Heimkehrer in Esr 2/Neh 7.
Die Wiedergabe aller Listen von Eigennamen – eine Liste beginnt schon mit zwei Namen! – wäre kaum sinnvoll. Dafür findet man auf S. 372ff eine Zusammenstellung der wichtigsten und aufschlußreichsten Listen von Eigennamen.
b) In den sogenannten „historischen“ Büchern ist das Vorkommen von Eigennamen naturgemäß am größten. Die eindrucksvollste Zusammenstellung findet sich in 1 Chron 1–9. Dort werden etwa 1680 Eigennamen aufgeführt. Den zweiten Platz nehmen die Kapitel Jos 15–21 mit 758 Namen ein. Zu nennen sind noch Gen 10 (124), Esr 2 (140), Neh 11 (140), Neh 12 (176).
c) Aber auch in den poetischen, prophetischen und didaktischen Büchern fehlt es nicht an Überraschungen. So enthält Ps 60, 8–11 eine Liste von zehn und Ps 83, 7–12 eine solche von zwanzig Eigennamen. Das Hohelied zählt vierzig Namen, und selbst im kurzen 3. Johannesbrief sind es noch drei.

7. Bedeutung der Eigennamen

a) Das Lexikon bietet für die meisten Eigennamen eine Übersetzung. Manche Ortsnamen sind sogar unter ihrer deutschen Bezeichnung aufgenommen worden, zum Beispiel „Akazienschlucht“ (Joël 3, 18), „Walkerquelle“ (Jos 15, 7), „Schilfmeer“ (Ex 15, 4 u. ö.), „Taltor“ (2 Chr 26, 9), „Skorpionensteige“ (Jos 15, 3). Andere, die sich in ihrer ursprünglichen Form erhalten haben, lassen sich übersetzen, zum Beispiel *Ajalon* = Hirsche; *Migdol* = Turm; *Bet-El* = Haus Gottes; *Baskama* = Feigenbaum; *Kirjat-Jearim* = Wälderstadt; *Neapolis* = Neustadt; *Har he-Halach* = kahler Berg. Unter den hebräischen, griechischen und sonstigen Namen findet man auch zahlreiche geläufige deutsche Vor- und Nachnamen: *Baruch* = Benedikt, *Barsillai* = Barzel („Eisen“), *Haggedol* = Groß, *Hakkatan* = Klein, *Mischmanna* = Dick,

Laban = Weiß, *Niger/Pinhas* = Schwarz, *Edom/Rufus* = Roth, *Auranus* = Alt, *Schual* = Fuchs, *Alkimus/Ben Hajil* = Held.

b) Viele Namen sind durch einen sprachlichen Vergleich mit den in ihnen enthaltenen Wörtern leicht zu deuten: *Hieronymus* = Dessen Name heilig ist; *Philippus* = Pferdeliebhaber; *Beerzet* = Ölquelle; *Migdal-Eder* = Herdenturm. Andere Eigennamen werden von den biblischen Autoren selbst erklärt. Zum Teil handelt es sich um wortgetreue Übersetzungen, zum Beispiel die drei in Gen 26, 20–22 erwähnten Brunnen: *Esek* = Zank, *Sitna* = Streit, *Rehobot* = Weiter Raum. An verschiedenen Stellen wird eine volkstümliche Etymologie geboten, die hauptsächlich auf Assonanzen beruht, zum Beispiel *Penuël* = Antlitz Gottes, und oft völlig von der eigentlichen Bedeutung abweicht, zum Beispiel wird *Abraham* = der geliebte Vater in Gen 17, 5 mit *Ab-hamon* = Vater vieler (Völker) erklärt. *Babel* = Gottestor wird Gen 11, 9 mit *‚bali'* (= verwirren) zusammengebracht; *Samuel* = Name Gottes soll nach 1 Sam 1, 20 *sch'al El* (= von Gott erbeten) bedeuten. Die Namen der zwölf Söhne Jakobs erfahren in Gen 29, 32 bis 30, 23 Interpretationen, in denen die Umstände ihrer Geburt mit Anklängen an den Wortsinn verknüpft werden.

c) Etwa 450 Namen der Bibel (400 Personen- und 50 Ortsnamen) haben *theophorischen* Charakter, das heißt, sie verweisen auf eine Gottheit. Es handelt sich:

– um den Allgemeinbegriff „Gott", hebräisch *El (Natanael* = Gott hat gegeben; *Jesreel* = Gott sät) oder griechisch *Theos (Theophilus* = Gottlieb; *Dositheus* = Gottesgabe). Im ganzen gibt es mehr als 120 solcher Eigennamen;

– um Begriffe, die den Gottesnamen ersetzen, zum Beispiel *Ab* = Vater (*Abschalom* = der Vater ist Friede), *Ah* = Bruder (*Ahitub* = Mein Bruder ist gut), *Am* = Onkel (*Amminadab* = Mein Onkel ist freigebig), *Adon* = Herr (*Adoniram* = Mein Herr ist erhaben), *Melech* = König (*Melchisedek* = Mein König ist gerecht), *Schaddai* = Mächtig, *Zur* = Fels (*Zurischaddai* = Mein Fels ist der Mächtige). Insgesamt gibt es um die fünfhundert solcher Namen;

– um den Eigennamen des Gottes Israels, *Jahwe* in seinen verschiedenen Formen (*Netanja* = Jahwe hat gegeben; *Jojada* = Jahwe weiß es; *Jonadab* = Jahwe ist freigebig). Insgesamt sind es etwa 130 Eigennamen;

– um verschiedene fremde Götter: *Baal (Eschbaal, Baal-Pegor*... etwa 20 Namen), *Pitom, Apollo (Apollophanes...), Artemis, Assur, Bacchus, Bel, Bet-El, Demeter, Gad, Hadad, Hermes, Horus, Lagamar, Marduk, Mot, Nebo, Nergal, Poseidon, Ra, Rimmon, Sin, Zeus (Diothrephes...).* Insgesamt sind es an die fünfzig solcher Namen;

– um eine Kurzform oder, häufiger, Verstümmelung dieser Gottesnamen, was zu kaum mehr erkennbaren Bildungen führt: *Micha* ist eine abgekürzte Form von *Michael* (Wer ist wie Gott?) oder von *Michaja* (Wer ist wie Jahwe?); *Natan* ist eine Kurzform von *Jonatan* oder *Netanja* (Jahwe hat gegeben) bzw. von *Elnatan* oder *Natanael* (Gott hat gegeben). Das Lexikon verzeichnet etwa sechzig solcher Namen.

d) Die Bedeutung einer nicht unbeträchtlichen Anzahl von Namen, auch von sehr wichtigen, ist verlorengegangen und bleibt für uns ein Geheimnis (*Aaron, Akko, Ammon, Aschkelon, Jericho, Isebel, Schinar*). Bei anderen ist die vorgeschlagene Bedeutung umstritten, weil der Ursprung des Namens nicht sicher ist oder weil durch den Übergang von einer Sprache zur anderen Deformationen aufgetreten sind (z. B. *Ahitofel, Bileam, Gideon, Sinai*).

II. DIE MENSCHEN DER BIBEL

A. Die Personennamen

1. Bedeutung der Personennamen

Wie im ganzen Alten Orient haben auch in der Bibel die Personennamen fast immer einen (profanen oder religiösen) Sinn.
a) Namen, die auf Umstände der Geburt hinweisen:
– Daten oder zeitgenössische Ereignisse. *Haggai* = Geboren an einem Festtag; *Geschem* = Geboren in der Regenzeit; *Schabbetai* = Geboren an einem Sabbat; *Ikabod* = „Wo ist die Herrlichkeit (Israels)?“ oder „Dahin ist die Herrlichkeit“ wegen der Niederlage Israels und der Eroberung der Bundeslade.
– Situation des Vaters. *Gerschom* = Gast geworden im fremden Land (Name, den Mose seinem erstgeborenen Sohn im Land Midian gab).
– neue Geburt nach dem Verlust eines Kindes. *Schillem* = (Jahwe) hat Ersatz gegeben (für das tote Kind).
b) Namen, die auf ein körperliches Merkmal hinweisen: *Edom* und *Rufus* = rot, rötlich; *Esau* = rauh, zottig; *Gehasi* = mit hervortretenden Augen; *Seresch* = struppig; *Naama* = hübsch; *Dalfon* = schlaflos; *Nahor* = Schnarcher; *Perez* = Scheißer und *Galal* = Misthaufen stammen aus der Fäkalsprache.
c) Namen, die eine Beziehung zum Charakter, Temperament usw. ausdrücken: *Andreas* = tapfer; *Jakob* = Betrüger; *Kislon* = schwerfällig, dumm; *Nabal* = gotteslästerlicher Tor; *Noomi* = meine Wonne; *Epaphroditus* und *Erastus* = liebenswert; *Eumenes* wohlwollend; *Onesimus* = nützlich; *Bileam* = Vielfraß; *Ikkesch* = verdorben.
d) Tiernamen: *Lea* und *Rebekka* = Kuh; *Egla* = Färse; *Becher* = junges Kamel; *Hamor* = Esel; *Elon* = Widder; *Immer* = Hammel; *Rahel* = Schaf; *Kaleb* = Hund; *Seeb* = Wolf; *Hesir* = Schwein; *Dischon, Efer* und *Tabita* = Gazelle; *Jaël* = Antilope; *Arje = Löwe; Achbor* = Maus; *Hagab* = Heuschrecke; *Debora* = Biene; *Gaal* = Skarabäus (Käfer); *Nahasch* = Schlange; *Schefufan* = Viper; *Tahasch* = Delphin; *Nimschi* = Languste; *Zippora* = Vogel; *Oreb* = Rabe; *Jona* = Taube; *Aja* = Geier; *Hogla, Kore* = Rebhuhn; *Nekoda* = Wasserhuhn; *Parosch* = Floh.
e) Namen von Bäumen, Pflanzen, Blumen, Früchten: *Elon* = Terebinthe; *Tamar* = Palme; *Zalaf* = Kapernstrauch; *Rimmon* = Granatbaum; *Koz* = Pinie; *Asa* und *Hadassa* = Myrte; *Habakuk* = Basilikum; Pfefferminz; *Susanna* = Lilie; *Rhode* = Rose; *Assur* = Mispel; *Diblajim* = Feigen.
f) Theophorische Namen vgl. S. XIII.
g) Namen mit symbolischer Bedeutung: *Immanuel* = Gott mit uns; *Schear-Jaschub* = Ein Rest wird zurückkehren; *Maher-Schalal-Hasch-Bas* = Schnelle Beute – Rascher Raub; *Jesreel* = Gott sät; *Lo-Ammi* = Nicht-mein-Volk; *Lo-Ruhama* = Nichtgeliebt; *Jesus* = Retter.
h) Verschiedene Namen: *Achsa* = Fußspange; *Anak* = Kette; *Zeror* = Kieselstein; *Kephas* = Fels; *Kisch* = Geschenk; *Barak, Jizhar* und *Regem* = Blitz; *Jidbasch* = Honig; *Berenike* = Sieg usw.

2. Beinamen, Doppelnamen, Titel

a) Etwa dreißig Personen haben einen Beinamen:
– die seleukidischen und ptolemäischen Könige: *Epiphanes* (Alexander Balas und Antiochus IV.); *Eupator* (Antiochus V.), *Tryphon* (Diototus); *Philometor* (Ptolemäus VI.); *Euergetes* (Ptolemäus VII.); *der Große* (Antiochus III.);

– die fünf Söhne des Mattatias: *Gaddi* (Johannes); *Tassi* (Simon); *Makkabäer* (Judas); *Auranus* (Eleasar); *Apphus* (Jonatan);
– hohe Beamte: *der Ammoniter* (Tobija); *der Agagiter* (Haman); *Makron* (Ptolemäus);
– Persönlichkeiten des Neuen Testaments: *Barnabas* (Josef); *Barsabbas* (Josef und Judas); *Boanerges* (Jakobus und Johannes); *Nazoräer* (Jesus); *Iskariot* (Simon und Judas); *Justus* (Josef und Jesus); *Markus* (Johannes); *Niger* (Simeon); *Paulus* (Saulus); der *Kleine* (Jakobus); Zelot (Simon).

b) Einige Personen erhalten einen neuen Namen: *Tiglat-Pileser,* der König von Assyrien, nimmt den Namen *Pul* an, als er sich der Herrschaft über Babylon bemächtigt; *Eljakim,* der König von Juda, muß sich durch den Pharao Necho die Namensänderung *Jojakim* gefallen lassen; ähnlich wird *Mattanja* durch einen Befehl Nebukadnezzars in *Zidkija* umbenannt (Krönungsnamen? Zeichen des Vasallenverhältnisses?); Doppelnamen führen auch die Könige *Schallum* (Joahas), *Asarja* (Usija), *Jedidja* (Salomo).
In anderen Fällen markiert die Namensänderung einen schicksalshaften Wandel: *Abram* wird Abraham, *Sarai* wird Sara, *Jakob* wird Israel.

c) Manche Namen, die wie Eigennamen klingen, sind in Wirklichkeit Herrschertitel: *Pharao, Cäsar, Augustus, Kandake.* Und selbst eine Amtsbezeichnung wird als Eigenname verstanden: *rab-schake* = Obermundschenk wird zu *Rabschake* (Sir 48, 18).

3. Vaternamen

Die Bibel, die ein großes Interesse an Genealogien verrät, benennt eine Person oft nach ihrem Vater. Die Bezeichnung „Sohn des“ oder „Tochter des“ entspricht übrigens dem patronymen Suffix der slawischen oder nordischen Sprachen: Andrej *Petrovitsch,* Anders *Pedersson* = Andreas, Sohn des Peter.

a) Von den 1700 Personen, die in der Bibel erwähnt werden, sind 300 (von 400 Personen getragen) bloße Vaternamen, das heißt, der Vater spielt in den Texten keine andere Rolle als die, seinem Sohn oder seiner Tochter den Namen zu geben: Josua, *Sohn des Nun;* Kaleb, *Sohn des Jefunne;* Balak, *Sohn des Zippor;* Jerobeam, *Sohn des Nebat;* Alexander, *Sohn des Philippus;* Matthäus, *Sohn des Alphäus;* Levi, *Sohn des Alphäus;* Simon, *Sohn des Johannes;* Simon *Barjona.* Das dem Vaternamen vorangestellte „Sohn des“ (hebr. *‚ben‘;* aram. *‚bar‘*) oder „Tochter des“ (hebr. *‚bat‘*) genügt oft, um den Sohn oder die Tochter namentlich zu benennen. Das ist zum Beispiel der Fall bei fünf Statthaltern Salomos: *Ben-Hur, Ben-Deker, Ben-Hesed, Ben-Amminadab, Ben-Geber;* bei einem hohen Beamten in Damaskus *Ben-Tabeel;* bei einer Frau aus Juda *Batschua.* Der Befehlshaber von Jericho, Ptolemäus, wird einmal auch nur mit seinem Vaternamen bezeichnet: *Sohn des Abub.* Während bei diesen Namensformen der Name des Vaters niemals allein begegnet, wird der Name des Sohnes oft ohne Hinweis auf den Vater gebraucht: *Josua, Kaleb, Balak, Jerobeam, Simon.*

b) In 120 andereren Fällen hat der Vater, auch wenn er der Namensgebung dient, eine vom Sohn unabhängige Existenz und eine mehr oder minder ausführliche eigene Geschichte. So erscheint der 48mal erwähnte Isai nur 19mal als Vatername für seinen Sohn David. Selbstverständlich gilt dies auch für die anderen Könige Judas. Im Neuen Testament begegnet zum Beispiel *Zacharias* (9mal) nur einmal in der Formel: Johannes, *Sohn des Zacharias.* Hier kann der Vatername für sich allein den Sohn oder die Söhne bezeichnen: der *Sohn Isais* meint eindeutig David; die *Söhne des Zebedäus* meinen eindeutig Johannes und Jakobus.

c) Ausnahmsweise kann auch die Mutter den Kindern ihren Namen geben, zum Beispiel Sabad (Josachar), *Sohn der Schimat;* Josabad, *Sohn der Schomer* oder *Schimrit.* Das auffälligste Beispiel ist *Zeruja,* die Tochter Isais und Schwester Davids. Ihr Name, der 26mal vorkommt, erscheint 23mal als „Muttername“ ihrer Söhne Abischai, Asaël und Joab. Sie werden einzeln oder auch zusammen als „Sohn“ bzw. „Söhne der Zeruja“ bezeichnet.

B. Soziologisches Panorama

Wer sind die Menschen der Bibel?
Die Bibel zählt zwischen 3000 und 3100 namentlich genannte Personen, davon 2900 Männer und nur 170 Frauen. Die überwiegende Mehrheit stammt aus dem Volk Israel, und der Rest, weniger als 500, das heißt kaum ein Sechstel, verteilt sich auf die übrigen Nationen.
Bei vielen handelt es sich um offensichtlich unbedeutende Persönlichkeiten, ihr Name erscheint unter zahlreichen anderen auf einer Liste oder wird nur beiläufig erwähnt. Dazwischen erheben sich die Großen, jene Männer und Frauen, die „Geschichte machen", die das Schicksal der Völker und Institutionen entscheidend prägen: *Abraham, Mose, David, Esra, Maria, Jesus, Paulus.* Unter denen, die eine – manchmal sehr kurze – Geschichte haben oder einen genau bezeichneten Platz einnehmen, gibt es eine bunte Reihe von Gestalten: einfache Leute aus dem Volk und hochgestellte Persönlichkeiten, demütige Diener und machthungrige Herren, Könige und Hirten, Propheten, Priester, Heerführer und Gesetzgeber, Handwerker und Künstler, reiche Grundbesitzer, Familien- und Stammesoberhäupter, Vorgesetzte jeder Art, Gesandte, Weise und Narren, Unbestechliche, wie *Eleasar* und *Rasi,* und Verräter, wie *Doëg* und *Rodokus,* Henker und Martyrer, Helden und Feiglinge, Widerstandskämpfer, wie *Judas der Makkabäer,* und Kollaborateure, wie der Vogt *Simon,* treue Freunde, wie *Jonatan* und *David, Jesus* und *Lazarus, Marta* und *Maria,* Heilige und Gottlose, Gläubige und Ungläubige. Es gibt Persönlichkeiten, die im hellen Licht der Geschichte stehen, wie *Salomo* und *Sargon.* Andere sind unbeschadet ihrer historischen Existenz zu einer literarischen Figur geworden, wie *Nebukadnezzar,* und schließlich gibt es solche, die rein legendären Ursprungs sind, wie *Og.* Man stößt auf symbolische Gestalten wie *Judit,* auf literarische Figuren wie den armen *Lazarus* und den barmherzigen *Samariter.* Die Bibel repräsentiert sich so als ein Spiegel der Menschheit. Es finden sich in ihr Menschen, wie sie die Geschichtsschreiber gesehen, und Gestalten, wie sie sich die Dichter vorgestellt haben.

1. Könige und Herrscher

Die Bibel erwähnt etwa 175 Könige und Herrscher, 50 in Israel und 125 bei anderen Völkern.

a) In Israel
Vor der Einrichtung des Königtums lag die Macht in den Händen der großen Volksführer *(Mose, Josua).* An ihre Stelle traten später die „großen" Richter (*Otniël, Ehud, Debora* und *Barak, Gideon, Jiftach, Simson*) und die „kleinen" Richter *(Schamgar, Tola, Jaïr, Ibzan, Elon, Abdon).* Der Versuch *Abimelechs,* seine Königsherrschaft über Sichem zu festigen, scheitert in blutigen Kämpfen. *Samuel,* Richter und Prophet, setzt den ersten König, *Saul,* ein, auf den dessen Sohn *Eschbaal* folgt. Aber erst *David* und *Salomo* geben dem israelitischen Königtum seine wahre Bedeutung. Nach dem Tod Salomos besteigen zwischen 931 und 587 v. Chr. neunzehn Könige und eine Königin *(Atalja)* – alle aus dem Hause Davids – den Thron in Juda (→ Juda d), während im Nordreich Israel (→ Israel d) neunzehn Könige aus neun verschiedenen Dynastien oder Familien sich zwischen 931 und 722 in der Herrschaft ablösen. Könige gibt es dann erst wieder – allerdings mit sehr beschränkten Vollmachten – unter römischer Vorherrschaft (*Herodes der Große* und seine Nachfolger).

b) In anderen Nationen
An der Spitze der Großmächte erwähnt die Bibel (wenn man die namentlich genannten und die identifizierbaren zusammenzählt) sieben oder acht Pharaonen und acht Könige der Ptolemäer in

Ägypten, sechs Könige von Assur, drei Könige von Babylon, zwei Könige der Meder (*Kyaxares* und *Astyages*), sieben Könige von Persien, vier Könige von Mazedonien, vierzehn Könige der Seleukiden in Syrien und vier römische Kaiser.
Von den kleineren Königreichen und Stadtstaaten findet man einen König von Sparta *(Ares)*, zwei Könige von Pergamon (*Attalus* und *Eumenius*), einen König von Kappadozien *(Ariarathes)*, sechs Könige von Aram in Damaskus, einen König von Zoba *(Hadad-Eser)*, einen König von Geschur *(Talmai)*, einen König von Hammat *(Toï)*, zwei Könige von Tyrus und Sidon (*Hiram* und *Etbaal*), drei Könige von Ammon, vier Könige von Moab, zwei Könige der Nabatäer (*Aretas I.* und *Aretas IV.*), zehn Könige von Edom, sieben Könige von Midian, einen König von Amalek *(Agag)*, zwei Könige der Philister (*Abimelech* und *Achisch*), neun Könige von Kanaan (*Adoni-Besek, Horam, Jabin, Jobab* und *Adoni-Zedek* mit seinen Verbündeten), zwei amoritische Könige (*Og* und *Sihon*), die neun Könige von Gen 14 (*Melchisedek, Amrafel* mit seinen Verbündeten, *Bera*), und einen König von Massa *(Lemuël)*.
Vgl. die Könige und Herrscher in der Synopse der Hauptpersonen S. 412ff.
Siehe auch *Arphax*; *Arjoch* 2°; *Belschazzar* und *Darius* 4°.

2. Hohe Beamte und Würdenträger

Von den Menschen, die in Israel oder in anderen Völkern auf sehr unterschiedlichen Ebenen Autorität ausüben, kennt die Bibel eine recht große Zahl mit Namen. Neben den Stammeshäuptlingen, den Leitern eines Clans oder einer Familie (vgl. die Listen S. 373) sowie den Ältesten (wie *Kabri* und *Karmi*), die meist nur kollektiv benannt werden und gewissermaßen einen „Stadtrat" bilden, gebührt den hohen Beamten und anderen Repräsentanten der Staatsgewalt ein besonderer Platz.

a) In Israel
– Zur Königszeit: Haushofmeister und oberste Minister (*Arza, Obadja, Jotam, Schebna, Eljakim* und vielleicht *Asrikam*); Schreiber und Staatssekretäre *(Eliab, Ahija, Eljakim, Schebna, Schafan, Elischama, Jonatan)*; Kanzler (*Joschafat*, zwei *Joach*); ein Vorgesetzter der Statthalter *(Asarja)*; ein Aufseher des Frondienstes *(Adoniram)*; Ratgeber des Königs *(Ahitofel, Secharja)*; Schildträger *(David, Bidkar, Pekach)*; Vertraute des Königs *(Huschai, Sabud)*; Eunuchen *(Ebed-Melech, Netan-Melech)*; Kammerherren *(Seraja, Blastus)*; zwölf Statthalter zur Zeit Salomos (1 Kön 4, 8–19); Gouverneure der Hauptstädte: in Jerusalem *(Josua, Maaseja)*, in Samaria *(Sebul, Amon)*; Polizeihauptleute *(Joasch, Maaseja, Jerachmeel)*.
– Unter der babylonischen, persischen, griechischen und römischen Herrschaft werden als Gouverneure oder Hochkommissare genannt: *Gedalja, Scheschbazzar, Serubbabel, Nehemia, Jonatan;* ein Ethnarch *(Simon)*; Tetrarchen *(Herodes, Philippus)*; Distriktvorsteher (*Refaja*, zwei *Schallum, Malkija, Nehemja, Haschabja*); Verwalter von Städten *(Hanani, Hananja)*.

b) *In anderen Ländern:*
– Babylon: ein hoher Würdenträger *(Nebuschasban)*; ein oberster Kammerherr *(Aschpenas)*.
– Persien: ein Großwesir oder oberster Minister *(Haman)*; ein Obermundschenk *(Nehemia)*; ein Staatssekretär für jüdische Angelegenheiten *(Esra)*; ein königlicher Schatzmeister *(Mitredat)*; Provinzstatthalter *(Tattenai, Rehum, Sanballat, Tobija, Geschem)*; ein Aufseher über die königlichen Wälder *(Asaf)*.
– Syrien zur Seleukidenzeit: Reichsverweser bzw. königliche Regenten *(Lysias, Philippus)*; Minister *(Heliodor, Lasthenes)*; Statthalter bzw. Gouverneure *(Apollonius, Gorgias, Kendebäus, Ptolemäus, Hegemonides)*; Gesandte des Königs *(Philippus, Andronikus)*.

– Römisches Reich: ein Konsul *(Luzius);* Prokonsuln *(Gallio, Sergius Paulus);* Legaten *(Quintus Memmius, Titus Manius, Quirinius);* Prokuratoren bzw. Statthalter *(Pilatus, Felix, Porzius Festus);* ein „Erster" von Malta *(Publius);* ein Mitglied des Areopags in Athen *(Dionysius).*

3. Militärische Führer

Die Bibel nennt zahlreiche Heerführer, Generäle und Offiziere.
In Israel: *Barak* zur Zeit der Richter; *Abner* unter Saul; *Joab* unter David; *Eliab* unter Salomo; *Adna, Johanan, Amasja, Eljada, Josabad* unter Joschafat; *Hananja, Jehiël, Maaseja* unter Usija; *Jischmael, Johanan, Jonatan, Seraja, Jaasanja* unter Gedalja; *Judas Makkabäus* und seine Hauptleute *Secharja, Dositheus, Sosipater, Asarja, Josef; Jonatan Makkabäus* und seine Hauptleute *Mattatias* und *Judas; Simon Makkabäus* und seine Hauptleute *Johanan* und *Judas* (seine Söhne) und *Jonatan.*
In den anderen Nationen: der Philister *Pichol;* der Kanaaniter *Sisera;* die Aramäer *Schobek* und *Naaman;* die Babylonier *Nergal-Sarezer* und *Nebusaradan;* die Syrer *Nikanor* und *Seron;* Söldnerführer wie *Apollonius, Krates;* die Römer: *Lysias,* ein Tribun; *Kornelius* und *Julius,* Hauptleute.
Neben den Offizieren sind zu erwähnen die „Helden" und „Recken", zum Beispiel die„Helden Davids" (Liste S. 378); *Sichri,* ein efraimitischer Held; *Arje* und *Argob,* moabitische Krieger; *Goliat,* ein Philister, und viele andere mehr.
Fremdländische Söldner bilden die königliche Garde: *Kereter* und *Peleter* unter David; *Karer* unter Atalja.

4. Propheten

Die Bibel verwendet den Titel „Prophet" (Seher, Mann Gottes) für sehr verschiedenartige Persönlichkeiten. Einige von ihnen üben Funktionen aus, die weit über das eigentliche Prophetische hinausreichen (z. B. *Mose*). Andere werden nur gelegentlich „Propheten" genannt *(Abraham, Eldad, Medad).*
In die Kategorie der Propheten, Menschen des Gotteswortes und Menschen des Gottesgeistes, Bewahrer des Bundes und Zeugen der Zukunft, lassen sich etwa vierzig Personen einreihen. Sie gehören zu einer Bewegung, die von der Einsetzung des Königtums bis zum Ende der persischen Zeit reicht. Unter ihnen findet man Berufspropheten, Mitglieder einer Prophetenschule *(Zidkija, Sohn des Kenaana),* und berufene Propheten wie *Amos, Jesaja, Jeremia, Ezechiel.* Es gibt starke Persönlichkeiten *(Samuel, Natan, Elija, Elischa)* und Männer, deren Rolle weniger deutlich ist (die beiden *Oded, Asarja, Eliëser, Hanan,* zwei *Schemaja*), unerbittlich strenge Gottesmänner *(Hosea, Jeremia)* und charakterlose Lügner *(Hananja, Ahab, Zidkija),* Aristokraten *(Jesaja),* Schafzüchter *(Amos)* und Priester (*Jeremia, Ezechiel, Sacharja, Secharja*). Einige wurden wegen ihrer Botschaft ins Gefängnis geworfen *(Hanani, Micha Sohn des Jimla, Jeremia),* andere haben ihre Treue zum Gotteswort mit dem Leben bezahlt *(Secharja, Urija).*
Unter dem Namen von dreizehn dieser Propheten sind Schriften erhalten: *Amos, Hosea, Micha der Moreschetiter, Jesaja, Zefanja, Jeremia, Nahum, Habakuk, Ezechiel, Haggai, Sacharja, Obadja, Joël.* Das Buch Jona (4. Jahrhundert v. Chr.) ist dem Propheten *Jona, dem Sohn des Amittai,* einem Zeitgenossen Jerobeams II., zugeschrieben worden (787–747 v. Chr.), und das Buch *Maleachi* stammt von einem anonymen Propheten des 5. Jahrhunderts. Die Bibel erwähnt außerdem – verlorengegangene – Schriften von *Gad, Natan* (?), *Ahija aus Schilo, Elija, Jehu, Schemaja, Iddo* sowie die „Geschichten der Seher" (2 Chron 33, 19), die fälschlicherweise als Werk eines *„Hosai"* (= Seher) verstanden wurden.
Auch Frauen haben prophetische Funktionen ausgeübt *(Mirjam, Debora, Hulda, Noadja, Hanna).*

Das Neue Testament nennt christliche Propheten *(Agabus)*, die Propheten und Lehrer der antiochenischen Gemeinde (*Barnabas, Simeon Niger, Luzius von Zyrene, Manaën* und *Saulus/Paulus* sowie *Judas* und *Silas*. Und Jesus wird als der in Dtn 18, 15 angekündigte Prophet betrachtet.
Außerhalb Israels nennt die Bibel nur einen Propheten und Wahrsager: *Bileam.*

5. Priester, Leviten und Synagogenvorsteher

a) Die Priester:
Die Bibel nennt etwa 210 Priester in Israel. Die meisten von ihnen begegnen im chronistischen Geschichtswerk (Bücher der Chronik, Esra und Nehemia). Seltener sind die Hinweise in anderen Büchern (Gen 46; Ex 6; Num 3. 26).
Vor der Zeit Salomos sind die als Priester bezeichneten Personen Hüter von Ortsheiligtümern (*Eli* und seine Söhne *Hofni* und *Pinhas* in Schilo; *Ahimelech* in Nob; der Mose-Enkel *Jonatan* in Dan), andere sind der Person des Königs zugeteilt (*Ahija* bei Saul; *Abjatar* und *Zadok* bei David).
Seit der Errichtung des Zentralheiligtums durch Salomo zeigt sich eine feste Organisation des Priestertums. [Das schismatische Nordreich, in dem nur ein einziger Priester *(Amazja)* vom Heiligtum in Bet-El namentlich erwähnt wird, ist davon nicht betroffen.] Unter den Mitgliedern dieser Hierarchie nennt die Bibel die Hohenpriester *Zadok, Asarja, Amarja, Juda, Asarja, Urija, Asarja, Hilkija* und *Seraja* (von Salomo bis zum Untergang Jerusalems); danach *Jeschua, Jojakim, Eljaschib, Jojada, Johanan, Jaddua, Onias I., Simon, Onias II., Onias III., Jason, Menelaus, Alkimus, Jonatan* (Makkabäer) und *Simon* (Makkabäer) – von der Rückkehr aus dem Exil bis zur Makkabäerzeit. Am Beginn der christlichen Zeit werden *Hannas, Kajaphas* und *Hananias* erwähnt. Neben den Hohenpriestern hört man von Obersten der Tempelpolizei *(Paschhur, Juda, Zefanja, Jojakim)*, einem Vogt des Tempelschatzes *(Simon)*, einem Aufseher über die Priester *(Sabdiël)*, einem Aufseher über die Tempelvorräte *(Schelemja)* und Tempelräume *(Eljaschib)*.
Manche Priester wirken als Lehrer *(Elischama, Joram)* oder Propheten *(Jeremia, Ezechiel, Sacharja)*, Schreiber, das heißt Staatssekretär für die jüdischen Angelegenheiten *(Esra)*, Gesandte *(Eupolemus)*. Ein Priester *(Mattatias)* ergreift die Initiative zum bewaffneten Aufstand gegen den Hellenismus.
Nach dem Exil werden die beiden Priestergeschlechter, das des *Zadok* und das des *Abjatar,* von Aaron als dem eponymen Stammvater abgeleitet, und zwar über seinen Sohn *Eleasar, den Vater des Pinhas,* zu Zadok und über seinen Sohn *Itamar* zu Abjatar. Diese beiden Familien bilden 24 Priesterklassen. Der Priester *Zacharias,* der Vater Johannes des Täufers, gehört zur achten Klasse, der des *Abija.*
Außerhalb von Israel werden nur fünf Priester erwähnt: *Melchisedek,* Priester des El Eljon und König von Salem; *Potifera,* ägyptischer Priester von On; *Jitro,* midianitischer Priester; *Etbaal,* Priester der Astarte und König von Tyrus und Sidon; *Mattan,* Baalspriester in Jerusalem.

b) Die Leviten:
Die Bibel nennt etwa 300 Leviten mit Namen, hauptsächlich im Werk des Chronisten.
→ Levi; siehe auch die Liste S. 382.
Im Neuen Testament wird *Barnabas,* der aus Zypern stammt, als Levit bezeichnet.

c) Die Synagogenvorsteher:
Synagogenvorsteher – es handelt sich um Laien, die unter den Notabeln ausgewählt werden – erscheinen nur im Neuen Testament. Es sind drei: *Jairus* in Kafarnaum, *Krispus* und *Sosthenes* in Korinth.

6. Andere Berufe und Funktionen

Aus der Fülle anderer Berufe oder Tätigkeiten sind in der Bibel genannt: Hirten *(Abel, Jakob),* Viehzüchter *(Jabal, Nabal, Amos, Ijob),* Ackerbauer *(Kain, Boas, Nabot),* Fischer *(Petrus, Jakobus, Zebedäus,* der einen Fischereibetrieb leitet), zwei Schmiede *(Tubal-Kajin, Alexander),* verschiedene Kunsthandwerker wie Ziseleure, Drechsler, Bildhauer *(Bezalel, Oholiab),* ein Bronzearbeiter *(Hiram),* Goldschmiede *(Malkija, Usiël, Demetrius),* ein Gerber *(Simon),* Zeltmacher *(Aquila, Paulus),* ein Hersteller von Duftstoffen *(Schallum),* ein Jurist *(Zenas),* ein Advokat *(Tertullus),* ein Professor *(Tyrannus),* Schriftsteller *(Jason von Zyrene, Jesus, Sohn des Sirach),* ein Übersetzer *(Lysimachus),* Bibelgelehrte *(Esra, Gamaliel, Apollos),* Sekretäre *(Baruch, Tertius),* Zauberkünstler *(Simon, Bar-Jesus),* Steuereinnehmer *(Matthäus, Zachäus),* ein Scharfrichter *(Arjoch),* ein Arzt *(Lukas),* Sklaven, Diener, Hausverwalter: *Jarha,* ein Knecht Scheschans; *Pura,* Diener des Gideon; *Ziba,* Diener des Königs Saul, dann seines Sohnes Merib-Baal; *Gehesi,* Diener des Propheten Elischa; *Malchus,* Knecht des Hohenpriesters Hannas oder Kajaphas; *Onesimus,* Sklave des Philemon.

7. Aufrührer, Revolutionäre

Neben bloß verbalen Bestreitern der Autorität des Mose wie *Datan* und *Abiram* gibt es aktive Gegner eines etablierten Regimes, die sich – manchmal ohne Erfolg – um einen Umschwung bemühen, wie *Gaal* in Sichem, *Abschalom* in Jerusalem. Andere rufen eine Spaltung hervor, wie der Benjaminit *Scheba* oder *Jerobeam,* der Sohn des Nebat.

Häufiger gelingt es Gewalttätern durch Meuchelmord, Machthaber umzubringen: *Baana* und *Rechab* töten den König Eschbaal; *Sabad* und *Josabad* den König Joasch; *Jischmaël* den Statthalter Gedalja; *Adrammelech* und *Sarezar* ihren Vater, den König Sanherib; *Sabdiël* den König Alexander Balas. Gelegentlich bringen sie einen Mann ihrer Wahl an die Macht: der Oberpriester *Jojada* setzt seinen Neffen *Joasch* nach einem Komplott gegen die Königin Atalja zum Herrscher ein; oder sie besteigen selbst den Thron: so im Nordreich *Bascha, Simri, Jehu, Schallum, Menahem, Pekach, Hoschea.*

Unter der Besetzung des Landes durch fremde Mächte entstehen nationalistische, terroristische, revolutionäre Bewegungen. Ein Priester (*Mattatias,* der Vater der „Makkabäer") bildet die ersten Widerstandsgruppen gegen die Seleukiden, um die religiösen und politischen Freiheiten des jüdischen Volkes zu verteidigen. Vorbild des jüdischen Widerstandes ist eine Frau, Judit. Zur Zeit Jesu formiert sich die jüdische Aufstandsbewegung gegen die römische Besatzungsmacht. An ihrer Spitze stehen *Theudas* und *Judas,* der Galiläer. Zu den Zeloten zählte ein Mitglied des Zwölferkreises *(Simon)* und vielleicht *Barabbas.* Auch *Judas Iskariot* hatte möglicherweise Beziehungen zu gewalttätigen Gruppen.

8. Frauen und Mädchen

Die Namen von gut vierzig Frauen, die in der Bibel erwähnt werden, sind unbekannt. Die Texte benennen sie nur durch den *Namen ihrer Väter oder ihrer Männer:* die Frau und die beiden Töchter des Lot; die Frau des Potifar; sechs Töchter des Jitro; die Tochter des Jiftach; die Mutter und die Frau des Simson; die Frau des Pinhas, des Sohnes Elis; die Frau Jerobeams I., die Frau des Naaman und ihre junge Magd; die Frau des Propheten Jesaja und die des Propheten Ezechiel; die Frau und die Töchter des Ijob; die Frau des Pilatus; die vier Töchter des Evangelisten Philippus. Andere Frauen werden durch den *Namen der Stadt,* in der sie wohnen, gekennzeichnet: die Frau aus Tebez, die Hexe von En-Dor, die Frauen von Abel-Bet-Maacha, Tekoa, Schunem, die Witwe von Sarepta, von Nain, die wahrsagende

Magd in Philippi. Auch das *Herkunftsland* kann den Eigennamen ersetzen: die Königin von Saba, die Kanaaniterin, die Samariterin. Schließlich werden einige Frauen nur mit ihrem offiziellen *Titel* bezeichnet: die Kandake von Äthiopien; die Tachpenes („Königinmutter", „First Lady") von Ägypten.
Ohne namentlich genannt zu werden, lassen sich vier Frauen identifizieren. Es handelt sich um *Laodike* und *Berenike,* die Frauen des Antiochus II., um *Kleopatra,* eine Tochter Antiochus' des Großen, um *Salome,* die Tochter der Herodias. Die meisten namentlich genannten Frauen sind Israelitinnen oder Jüdinnen *(Hanna, Batseba, Ester, Maria).* Daneben gibt es Ägypterinnen *(Asenat, Kleopatra),* Midianiterinnen *(Zippora),* Moabiterinnen *(Rut, Schomer),* Amoriterinnen *(Naama, Schimat),* Kanaaniterinnen *(Batschua, Tamar),* Hetiterinnen *(Basemat, Jehudit),* Phönizierinnen *(Isebel),* Aramäerinnen *(Lea, Rahel),* Syrerinnen *(Antiochis),* Griechinnen *(Damaris, Phöbe),* Römerinnen *(Klaudia).*
Weitaus die meisten sind Ehefrauen und Mütter *(Hanna, Noomi, Susanna, Maria);* Frauen eines Königs *(Ahinoam, Isebel, Kleopatra),* eines obersten Ministers *(Seresch),* eines königlichen Haushofmeisters *(Johanna),* eines Statthalters *(Basemat, Tafat),* eines Priesters *(Elisabet, Joscheba),* Einige sind Konkubinen *(Ketura, Rizpa, Antiochis),* andere Dirnen *(Rahab, Kosbi, Gomer)* und eine Ehebrecherin *(Batseba).*
Es fehlt auch nicht an Frauen, die eine öffentliche Funktion oder einen bestimmten Beruf ausüben: Man findet eine regierende Königin *(Atalja),* Königinnen, die mit einem König verheiratet sind *(Waschti, Ester* u. a.), Königinmütter (16 in Juda: *Batseba, Naama . . . Hamutal;* zwei in Israel: *Zerua, Isebel),* Heldinnen *(Debora, Jaël, Judit),* Prophetinnen *(Mirjam, Debora, Hulda, Noadja, Hanna),* eine Diakonin *(Phöbe),* eine Näherin *(Tabita),* eine Zeltmacherin *(Priszilla),* eine Geschäftsfrau *(Chloë),* eine Purpurhändlerin *(Lydia),* zwei Hebammen *(Schifra* und *Pua),* eine Amme *(Debora),* Hirtinnen *(Rahel, Zippora),* Mägde, Dienerinnen *(Hagar, Bilha, Silpa, Rhode).* Vgl. die Liste S. 384ff.
Was die Frauen in der Umgebung Jesu und die Christinnen betrifft, vergleiche die übernächste Nummer (10.) und die Liste S. 388f.

9. Kinder und Jugendliche

Die Bibel enthält mehrere Kindheitsgeschichten *(Isaak, Ismael, Mose, Samuel, Jesus* u. a.). Einige Personen sind nur als Kinder oder Jugendliche bekannt.
Man kennt die Namen – sie sind zugleich ein Programm – der beiden kleinen Knaben des Propheten Jesaja *(Schear-Jaschub, Maher-Schalal-Hasch-Bas)* und der drei Kinder des Propheten Hosea, zwei Knaben *(Jesreel, Lo-Ammi)* und ein Mädchen *(Lo-Ruhama).* Auch lesen wir die Namen von drei Kindern, die im zartesten Alter gestorben sind *(Abija,* Sohn des Königs Jerobeam I.; *Abiram* und *Segub,* Söhne des Hiël von Bet-El). Vom kleinen *Ikabod* wissen wir nichts anderes, als daß er geboren wurde. Schließlich seien noch zwei Jugendliche genannt, *Jeter,* der älteste Sohn Gideons, und *Eutychus,* der in Troas aus dem Fenster fällt. Von den übrigen Kindern und Jugendlichen, die in der Bibel auftreten, sind die Namen nicht überliefert, wie das erste frühverstorbene Kind des David und der Batseba, der Sohn der Schunemiterin, die Tochter des Jairus, der Sohn der Witwe von Nain, die Tochter der Kanaaniterin und der Neffe des Paulus.

10. Christen

Das Neue Testament hat uns die Namen von etwa 150 Jesusjüngern oder Christen aufbewahrt, davon sind 30 Frauen. Unter denen, die Jesus während seines irdischen Lebens begegneten und ihm ihre Sympathie entgegenbrachten oder seine Jünger wurden, gibt es einige, die nach Ostern nicht mehr erwähnt werden.

Dies gilt von den Herrenbrüdern Josef und Simon, von Lazarus und seinen Schwestern Marta und Maria, von Josef aus Arimatäa und Nikodemus, von Maria Magdalene, Maria, der Mutter des Jakobus, von Johanna, Salome, Susanna, Zachäus und Zebedäus.

a) Geographische Einteilung
Nach Pfingsten bilden sich überall christliche Gemeinden: In Palästina (*Jerusalem,* wo die Kirche um die Zwölf und Maria heranwächst; *Joppe; Cäsarea),* in Syrien *(Damaskus,* wo Paulus bekehrt wird; *Antiochia,* das bald zum Mittelpunkt der christlichen Missionstätigkeit werden sollte). Dank der paulinischen Missionsreisen entstehen Gemeinden auf Zypern *(Paphos),* in Kleinasien *(Lystra, Derbe, Ephesus, Troas* u. a.), in Mazedonien *(Philippi, Beröa, Thessalonich),* in Griechenland *(Athen, Korinth, Kenchreä),* in Italien, wo es aber schon vor der Ankunft des Paulus Gemeinden gegeben hat. Vgl. die Namensliste der Christen S. 388f.

b) Religiöse und berufliche Unterscheidungen
Unter den ersten Christen findet man zunächst hauptsächlich Juden: palästinensische Juden, „Hebräer" (die *Zwölf: Petrus, Jakobus, Johannes . . . Matthias; Maria,* die Mutter Jesu; der Herrenbruder *Jakobus; Josef Barsabbas, Judas Barsabbas; Maria* und ihr Sohn *Markus; Hananias* und *Saphira; Tabita* u. a.); Juden aus der Diaspora, „Hellenisten" (die *„Sieben": Stephanus, Philippus . . . Nikolaus;* die *„Fünf"* von Antiochia: *Barnabas, Simeon . . . Paulus; Aquila und Priszilla; Andronikus, Aristobul, Timotheus,* der von einem griechischen Vater und einer jüdischen Mutter abstammte).
Bald stößt man auch auf Heidenchristen (manche von ihnen waren bereits Anhänger des Judentums, Proselyten oder Gottesfürchtige) griechischer Herkunft *(Dionysius, Damaris, Apelles, Tryphäna, Tryphosa)* und römischer Herkunft *(Klaudia, Kornelius, Julius, Rufus, Urbanus).*
Verschieden ist auch die gesellschaftliche Herkunft wie die berufliche Tätigkeit. Man findet Sklaven und Freigelassene *(Onesimus, Rhode, Ampliatus, Hermas, Herodion, Nereus, Patrobas, Persis),* Fischer *(Petrus, Andreas, Jakobus, Johannes),* einen Schmied *(Alexander),* Zeltmacher *(Aquila* und *Priszilla),* eine Näherin *(Tabita),* eine Händlerin *(Lydia),* einen Stadtkämmerer *(Erastus),* einen Magistratsbeamten *(Dionysius),* einen Prokonsul *(Sergius Paulus).*

c) Unterschiedliche Gestalten
Das Neue Testament zeigt uns Missionare, die unermüdlich in ihrem apostolischen Eifer sind und einen ausgeprägten Charakter haben *(Paulus),* Martyrer *(Stephanus, Antipas),* selbstlose Persönlichkeiten *(Barnabas)* und andere, die auf ihren eigenen Vorteil bedacht sind *(Hananias* und *Saphira),* ehrgeizige Gemeindeleiter *(Diotrephes)* und Mitarbeiter, die ihre Aufgabe treu erfüllen *(Timotheus, Titus, Gaius);* Christinnen, die mit Hingabe den Gemeinden dienen *(Phöbe, Persis, Maria);* träge und nachlässige Genossen *(Demas, Hermogenes, Phygelus),* Häretiker *(Philetus, Hymenäus, Alexander),* Mitglieder abgefallener Gruppen (*Nikolaïten,* Anhänger der *Isebel).* Kurz, es ist eine Kirche, in der sich jede christliche Generation wiedererkennen kann.

III. DIE GEOGRAPHIE DER BIBEL

1. Die Welt der Bibel

Die Offenbarung Gottes in der Geschichte hat zugleich geographische und topographische Dimensionen, und die „biblische Geschichte“ ist mit „biblischen Reiserouten“ verknüpft: Wanderungen und Zurückfluten der Völker, siegreiche und gescheiterte Feldzüge, Invasionen, Okkupationen, Deportationen, Vertreibung von Nomaden, Umsiedlung und Seßhaftwerden, Handelsverkehr auf dem Land und Handelsschiffahrt auf dem Meer, Gesandtschaften aller Art, Wallfahrten und anderes mehr. Die Leute der Bibel sind in jeder Hinsicht Menschen, die unterwegs sind. Auf den Wegen der Bibel verknüpfen die Namen der Einzelmenschen und die Namen der Völker ihr Geschick mit dem Schicksal von Orten, Städten und Ländern, durch die sie hindurchziehen oder in denen sie sich niederlassen, um nach kürzerer oder längerer Zeit wieder aufzubrechen. In gewisser Hinsicht kann man sogar sagen, daß die Orte selber wandern, daß die politischen und religiösen Mittelpunkte ihren Ort wechseln, daß Städte verschwinden, um manchmal wieder an etwas anderer Stelle aufgebaut zu werden. Und wenn die Berge „beständiger“ sind und die Flüsse ihrem Lauf verhältnismäßig treu bleiben, das „Land der Bibel“ hat im Lauf der Geschichte sein Antlitz tiefgreifend verändert.
Was aber meint der Ausdruck „Land der Bibel“? Der geographische Horizont der Bibel spannt sich um den „Nabel der Erde“ (Bezeichnung Jerusalems als Mittelpunkt der Welt). Es reicht im Westen bis zu den „Inseln der Völker“, symbolisiert durch den Namen „Tarschisch“ (in Spanien?), im Osten bis nach Indien, im Norden bis an die Ufer des Schwarzen Meers und nach Armenien, im Süden bis nach Arabien und Äthiopien.

2. Bedeutung der Ortsnamen

a) Viele Ortsnamen enthalten ein gemeinsames Element, eine Art Präfix *(Abel, Beer, Bet, En, Gat, Hazar)*.
„Abel“ = Wiese, Anger; z. B. *Abel-Mehola* = Tanzwiese (vgl. die deutschen Ortsnamen Wiesenbach, Wiesenfeld . . .).
„Beer“ = Brunnen; z. B. *Beer-Elim* = Brunnen der Götter oder der Terebinthen.
„Bet“ = Haus, Tempel, Festung und schließlich Ort, z. B. *Bet-ha-Gan* = Haus des Gartens.
„En“ = Quelle; z. B. *Enajim* = Die zwei Quellen, *En-Dor* = Quelle des Dor, *En-Gedi* = Zickleinquelle (vgl. im Deutschen etwa die Orte Quickborn, Brunnenthal).
„Gat“ = Kelterpresse und im weiteren Sinn jede landwirtschaftliche Einrichtung, daher auch „Pachthof“; z. B. *Gat-Hefer* = Brunnenhof; *Getsemani* = Ölpresse (vgl. die deutschen Suffixe -dorf, -hof).
„Hazar“ = Park, Feld; z. B. *Hazar-Susim* = Feld der Pferde.
b) Zahlreiche Namen verweisen auf geographische oder sonstige Eigentümlichkeiten: auf eine Anhöhe, einen Hügel *(Akropolis, Ofel, Bozkat, Dabbeschet, Gibeon, Rama)*, einen Aussichtspunkt *(Dok, Mizpa)*, eine Höhle *(Machpela)*, eine Senke *(Zölesyrien* = syrisches Tiefland), auf die Lage an einem Wasserlauf *(Mesopotamien* = Zwischenstromland; *Amphipolis* = von einem Fluß umflossene Stadt), auf die äußere Gestalt, die Form (die *„Tyrische Steige“; Joppe, Schafir* = die Schöne; *Gihon* = die Aufwallende [Quelle]; *Jordan* = der Herabsteigende), auf die Farbe *(Libanon* = weißer [Berg]; *Libna* = weiße [Stadt]; *Libnat* = weißer [Fluß]; *Zalmon* = dunkler [Berg]; das Rote Meer; *Adummim* = die roten [Erden]), auf die Vegetation: Akazien *(Schittim)*, Eichen oder Terebinthen *(Elon, Elim)*, Feigenbaum *(Betfage)*, Granatbaum *(En-Rimmon)*, Olivenhain *(Birsajit)*, Ölberg, auf die Nachbarschaft einer Tränke

(Nahalal) oder eines öffentlichen Müllabladeplatzes *(Ge-Hinnom)*, von Steinbrüchen *(Schebarim)*, einer heißen Quelle *(Hammat)*, auf einen Ort, an dem Tiere wechseln oder zusammenkommen, Ziegen *(En-Gedi)*, Hirsche *(Ajalon)*, Pferde *(Hazar-Susim)*, Füchse *(Hazar-Schual)*, Hyänen *(Zeboim)*.
c) Andere Namen erinnern an historische Persönlichkeiten und Umstände: *Pentapolis, Dekapolis* (Bund von fünf oder zehn Städten), *Tiberias* (Stadt des Tiberius), *Cäsarea* (Kaiserstadt) oder an volkstümliche Überlieferungen: *Hügel der Vorhäute, Beracha-Tal; Bet-Pazzez* = Ort, an dem man zerschmettert; *Bet-Jeschimot* = Haus der Verwüstungen; *Massa, Meriba* = Prüfung, Versuchung; *Esek* = Streit; *Beerscheba* = Brunnen der Sieben oder Eidbrunn.
Zu den theophorischen Ortsnamen siehe oben S. XIII.

3. Physikalische Geographie

a) Berge und Hügel
Die genaue Lage zahlreicher Berge, Hügel und Höhen, die in der Bibel erwähnt werden, ist unbekannt, zum Beispiel der Hügel *Amma*, der Berg *Efron*, die Höhe *Gareb*, der Berg *Mizar*.
Die wichtigsten oder bekanntesten Gebirge verteilen sich folgendermaßen:
Im Westjordanland: im Süden der Gebirgszug *Seir* mit dem „Kahlenberg", das Gebirge *Juda*, der Zionsberg, der Ölberg; in der Mitte das Gebirge *Efraim*, der *Ebal* und der *Garizim, Gilboa*, der *Karmel;* im Norden der *Tabor*.
Im Ostjordanland: die Gebirgskette der *Abarim* mit den Gipfeln des *Nebo* und des *Pisga*. Auf der Sinaihalbinsel: der *Sinai* oder *Horeb*. In Syrien: der *Libanon* und der *Antilibanon* mit dem *Hermon* und dem *Amana*. Im Süden des Kaukasus der Berg *Ararat*. In Griechenland der *Olymp*.

b) Ebenen und Täler
Neben den großen Ebenen und Tälern wie der Ebene *Jesreel*, die in die Ebene von *Bet-Schean* übergeht (die „Große Ebene"), der Ebene *Scharon* und der Jordanebene in Israel sowie dem Tal des Libanon und der Ebene von *Aram* oder *Paddan-Aram* in Obermesopotamien nennt die Bibel in Palästina noch zahlreiche andere, meist kleinere Täler und Ebenen. So im Westen des Jordan das Tal *Achor* und das *Hyänental*, im Süden des Toten Meers das Tal von *Siddim* und das *Salztal*. Im Westen des Toten Meers das *Beracha-Tal* und das Tal von *Eschkol*. In der Nähe von Jerusalem das Tal *Ge-Hinnom*, die *Rafaïter-Ebene*, das *Königstal* und das nur Jes 22, 1.5 genannte *„Tal der Vision"*, vielleicht auch die *Akazienschlucht*. Am Abhang zum Mittelmeer das Tal von *Zefata*, das *Terebinthental*, die Täler von *Sorek* und *Jiftach-El*.
Schließlich haben zwei Täler eine symbolische Bedeutung, das Tal *Joschafat* und das Tal *der Pracht → Gogs*.

c) Flüsse, Ströme, Bäche
Der in Palästina am häufigsten erwähnte Fluß ist selbstverständlich der *Jordan*. Unter seinen Nebenflüssen wird im Osten der *Jabbok* genannt (der *Jarmuk* erscheint kein einziges Mal), außerdem verschiedene Bäche und Wadis (*Kerit*, vielleicht auch *Nimrim* und der *Weidenbach*). Im Westen ist es der Bach *Mochmur*. Ins Tote Meer münden am Ostufer der *Arnon*, im Süden der *Sered*, im Westen der *Kidron*. Ins Mittelmeer fließen der *„Bach Ägyptens"*, die Bäche *Besor, Me-Jarkon, Kana*, der *Schihor-Libnat* und der *Kischon*.
Außerhalb Palästinas werden genannt: der *Nil* (Ägypten), der *Abana* und der *Parpar* (Damaskus), der *Eleutherus* (Phönizien), der *Tigris*, der *Eufrat*, sein linker Nebenfluß der *Habor*, die Kanäle *Kebar* und

Sud (Mesopotamien) sowie der *Ulai,* der *Susa* bewässert. Nicht zu lokalisieren sind der *Abrona* und die beiden Paradiesesflüsse *Gihon* und *Pischon.*

d) Meere, Seen, Inseln

Unter siebzehn verschiedenen Bezeichnungen spricht die Bibel im Grunde nur von vier Meeren oder Seen: vom *Mittelmeer* (mit drei seiner Teile, der Adria, dem Zilizischen und Pamphylischen Meer, sowie der Bucht der Syrte); vom *Roten Meer,* dem *Toten Meer* (mit der Halbinsel, der „Zunge“) und vom *Galiläischen Meer* oder dem *See Tiberias.*
Alle dreizehn erwähnten Inseln liegen im Mittelmeer.

e) Wüsten

Die Wüste nimmt in der Bibel einen verhältnismäßig weiten Raum ein. Außer der Wüste von *Damaskus* (1 Kön 19, 15) und der Steppe *Gibeon* (2 Sam 2, 24) liegen alle anderen namentlich genannten Wüsten im Süden Palästinas und noch weiter südlich auf der Sinai-Halbinsel: die Wüste *Juda* (oder Judäa), die die Wüsten von *Tekoa, Jeruël, En-Gedi, Sif* und *Maon* einschließt; der *Negeb,* der sich von Beerscheba bis zur Wüste von Kadesch erstreckt; die Wüste von *Edom,* östlich der Araba. Auf der Sinai-Halbinsel liegen die Wüsten *Sin, Schur, Zin, Paran* und *Sinai.*

f) Wälder

Außer dem berühmten *„Libanonwald“* erwähnt die Bibel nur drei Wälder, die nicht sicher zu lokalisieren sind: der Wald von *Heret* (1 Sam 22, 5), der Wald von *Efraim* (2 Sam 18, 6) und der Wald des *Negeb* (Ez 21, 2–3).

4. Geographie der Menschenwelt

a) Länder, Völker, Stämme

Es ist nicht leicht, die Länder oder Völker der Bibel genau aufzuzählen. Mag sich das natürliche Landschaftsbild auch nur wenig verändern, die Grenzen, die Bevölkerung, die Bezeichnungen, die Einflußzonen wechseln ständig im Lauf der Geschichte. Das Entstehen eines neuen Reiches führt nicht nur zu einer Neuordnung der Provinzen, sondern oft auch zum Austausch, zur Vertreibung oder Vernichtung von Völkerschaften. Die Welt Herodots (5. Jahrhundert v. Chr.) ist nicht mehr die Welt Homers (9. Jahrhundert v. Chr.) und noch nicht die Welt des Strabo im 1. Jahrhundert v. Chr. Ein Bibelatlas bietet ein anderes Bild des Alten Orients, je nachdem er die Epoche des Neuen Reiches im ägyptischen Theben, der Blütezeit Assyriens, des persischen Großreichs, der griechischen Vorherrschaft oder des Römischen Weltreiches darstellt.
Deshalb muß man sich hüten, Begriffen, die in verschiedenen Zusammenhängen auftreten, immer die gleiche Bedeutung beizulegen. Die *Kanaaniter,* die vorisraelitischen Bewohner des Heiligen Landes, sind nicht mit der syrophönizischen Kanaaniterin von Mt 15, 22 / Mk 7, 26 gleichzusetzen – vom Beinamen „Kananäus“ für Simon (Mk 3, 18) ganz zu schweigen. Die *Hetiter,* die zur Zeit der Landnahme in Kanaan wohnten, haben eine nur sehr entfernte Beziehung zum hetitischen Großreich in Anatolien, das um 1200 v. Chr. unterging. *„Israel“* kann das Großreich Davids und Salomos bezeichnen oder das Nordreich und auch nach 722 das Königreich Juda. Seinerseits meint *„Juda“* einmal nur den Stamm Juda, dann das Königreich Juda mit Einschluß von Benjamin und wieder mehr einschränkend das Gebiet von Judäa, die Umgebung von Jerusalem. *„Idumäa“* ist zwar nur ein anderer Name für *„Edom“,* aber die Territorien, die diesem Namen entsprechen, sind nur teilweise identisch, da die Edomiter allmählich nach Osten abgedrängt wurden. *„Asia“* bezeichnet in den Makkabäerbüchern das Königreich der Seleukiden, aber

im Neuen Testament die römische Provinz „Asia Proconsularis". Unter *„Griechen"* sind häufiger die Repräsentanten der hellenistischen Kultur und Zivilisation als die Bewohner Griechenlands zu verstehen. Die *„Römer"* von Apg 25, 16 repräsentieren einfach das (die Rechte des Angeklagten respektierende) Gerichtswesen des Römischen Reiches. In den *„Juden"* des Johannesevangeliums darf man nicht das jüdische Volk als solches, sondern höchstens seine ungläubigen Führer verurteilt sehen.
Das Wort *„Land"* kann sich in der Bibel zunächst auf weit ausgedehnte Gebiete beziehen *(Ägypten, Äthiopien, Arabien, Mesopotamien, Assyrien, Chaldäa, Elam, Persien, Medien, Indien, Griechenland, Mazedonien, Italien, Spanien).* Aus dem Land *„Kanaan"* wird dann das Land *„Israel"* mit seinen Nachbarländern *Phönizien, Philisterland, Syrien, Moab, Edom, Midian.* Dieses ganze Gebiet bildet gleichsam eine Brücke zwischen Afrika und Asien. Mit „Land" werden aber auch Provinzen bezeichnet *(Samarien, Galiläa, Bithynien, Pontus),* kleinere Gebiete (Land *Gilead),* Stammesterritorien (Land *Juda, Benjamin, Naftali, Sebulon, Judäa)* und schließlich die engere Nachbarschaft und Umgebung einer Stadt (Land von *Hefer,* von *Schaalim, Schalischa, Schual, Sinim, Tob).*
Die in der Bibel erwähnten Völker sind einmal die Angehörigen der großen Nationen *(Ägypter, Assyrer, Perser, Meder, Syrer, Araber, Griechen, Römer).* Dann werden aber auch mehr oder weniger bedeutende Stämme, von denen einige nur schwer zu identifizieren sind, „Völker" genannt, so die durch einen Stammesnamen gekennzeichneten *Ahaschtari, Aschuriter, Daniter, Mëuniter, Nefusiter, Keniter, Schumatiter.* Andere „Völker" tragen den Namen eines Häuptlings *(Amalek, Duma, Efa, Hazor, Nadab, Pekod, Salmon, Schoa, Jischi)* oder eines eponymen Stammvaters, dem sie als „Söhne" zugeordnet werden (die Söhne *Ammons, Jambris, Anaks, Bajans, Bezais, Chelëuds, Fasirons, Rassis', Sets).* Die Übersetzungen machen dieses „Sohnesverhältnis" nicht immer sichtbar. So sind die Israeliten in Wirklichkeit die „Söhne Israels"; gleiches gilt von den *Benjaminitern, Efraimitern, Judäern, Manassitern.*
Bei der Landnahme Kanaans haben die Israeliten die alten Völkerschaften nicht vertrieben oder ausgerottet, wie aus Ri 1, 21.29–35 hervorgeht. Die Bibel nennt zahlreiche Fremde, die in irgendeiner Form dem Volk Israel angegliedert wurden: *Kanaaniter* (die Frau des Juda Batschua und die Frau des Simeon), *Hetiter* (Efron und Urija), *Edomiter* (Doëg), *Moabiter* (Rut und Schomer), *Ammoniter* (Zelek und Schobi), *Philister* (Ittai und Obed-Edom aus Gat), *Ägypter* (Asenat, Jarha und Bitja), *Äthiopier* (Ebed-Melech), *Ismaeliter* (Obil).

b) Städte, Ortschaften

1. Statistik
Das Wort „Stadt" wird in der Bibel sowohl für Großstädte wie Antiochia in Syrien und Korinth verwendet – die am Beginn der christlichen Ära 300000 bzw. mehr als eine halbe Million Einwohner zählten –, als auch für kleine Marktflecken oder einfache Dörfer wie *Anatot, Betlehem, Nazaret.*
In dieser großen Bandbreite erscheinen etwa 700 „Städte" (von denen 300 nur einmal erwähnt werden): 550 in Palästina und Transjordanien, wobei die meisten im Westjordanland liegen (vgl. die Liste S. 374); 150 in anderen Ländern: Ägypten 16, Phönizien 8, Aram-Syrien 20, Mesopotamien (Assyrien-Babylon) 28, Persien-Elam-Medien 4, Kleinasien 30, Griechenland-Mazedonien 13, Italien 5, Inseln im Mittelmeer 7.

2. Verschiedene Arten von Städten
Neben den Hauptstädten der Staaten (*Assur, Ninive, Babylon, Memfis, Jerusalem, Rabba der Ammoniter, Damaskus, Antiochia, Athen, Rom*) erscheinen die Hauptstädte der römischen Provinzen: *Tarsus* (Zilizien), *Ephesus* (Asia), *Thessalonich* (Mazedonien), *Korinth* (Achaia); die Hauptorte der Bezirke und Distrikte: *Bet-Kerem, Mizpa, Bet-Zur, Keïla* im Judäa der persischen Epoche (Jos 15, 21–62 beschreibt die elf Kantone des Landes Juda, ohne ihre Hauptorte zu nennen); die Hauptsitze der

Geschlechter oder Toparchien im Judäa der Seleukiden: *Efraim, Lydda, Ramatajim;* befestigte Plätze: *Lachisch, Bet-Zur, Geser, Ajalon, Megiddo, Taanach;* Asylstädte: *Hebron, Sichem, Kadesch, Bezer, Ramot-Gilead, Golan, Daphne* in Syrien; „heilige" Städte: *Beerscheba, Mamre, Nob, Bet-El, Gilgal, Schilo, Sichem, Dan,* und natürlich *Jerusalem,* die „Heilige Stadt" schlechthin, und wieder *Daphne* in Syrien, weit bekannt durch ihr Apollo-Heiligtum, sowie *Ephesus,* die „Tempelhüterin der großen Artemis"; levitische Städte: *Hebron, Libna, Gibeon, Geba, Anatot, Sichem, Geser;* eine Stadt, die den besonderen Status einer römischen Kolonie besaß: *Philippi.*
Hinzu kommen noch die Hafenstädte (etwa vierzig). Sie verteilen sich folgendermaßen: am Schwarzen Meer, das aber nicht als solches genannt wird, *Sampsame;* – am Roten Meer *Ezjon-Geber;* – an den Küsten des Mittelmeers *Alexandria* in Ägypten; an der syrophönizischen Küste: *Jamnia, Joppe, Cäsarea, Akko, Ptolemaïs, Tyrus, Sidon, Gebal, Tripolis, Orthosia, Seleuzia;* – an der kleinasiatischen Küste: *Side, Attalia, Phaselis, Myra, Patara, Myndos, Milet, Ephesus, Smyrna, Adramyttium, Assos, Troas;* ferner: *Neapolis* in Mazedonien; *Kenchreä* in Griechenland; *Rhegium* und *Puteoli* in Italien; *Syrakus* auf Sizilien; *Lasäa* und *Phönix* auf Kreta; *Mitylene* auf der Insel Lesbos; *Rhodos* auf der Insel gleichen Namens; *Paphos* und *Salamis* auf Zypern; *Arwad,* eine der syrischen Küste vorgelagerte Insel.
Manche Städte sind in Konföderationen zusammengeschlossen, so die gibeonitische Tetrapolis (*Gibeon, Beerot, Kefira* und *Kirjat-Jearim);* die Pentapolis in der Senke des Toten Meers (*Sodom, Gomorra, Adma, Zebojim* und *Zoar*); die Pentapolis im Philisterland (*Gaza, Aschdod, Aschkelon, Gat, Ekron*); die Dekapolis (*Skythopolis, Gerasa, [Pella], Gadara, [Abila, Hippos, Dion, Kanatha]* und *Damaskus).*
Schließlich gibt es auch noch legendäre oder symbolisch gemeinte Orte wie *Henoch, Elymais, Betulia.*

3. Einzelheiten des Stadtbildes

Gewöhnlich berichtet die Bibel keine Einzelheiten über die Topographie, den Plan oder die Gebäude einer Stadt. Die seltenen Ausnahmen betreffen vor allem Jerusalem, dessen Mauern mit freudigem Stolz besungen werden: die zahlreichen Tore *(Schaftor, Quelltor, Aschentor, Fischtor, Scherbentor . . .);* die hohen Türme *(Turm Mea, Ofenturm, Turm Hananel);* die Burg *(Antonia),* der *Tempel* und der königliche *Palast* mit dem *Roßtor,* dem *Wassertor,* dem *Wachttor,* dem *Tor Schallechet;* die Bezirke der *Neustadt;* die *Walkerfeldstrasse;* die Quellen des *Gihon* und die *Drachenquelle* , die Teiche *Betesda* und *Schiloach.*
Ferner erwähnt die Bibel in Sichem den Tempel des *El-Berit* und *Migdal-Sichem,* die *Akropolis;* in Samaria den *Ofel* und den *Teich;* im ammonitischen Rabba die *Wasserstadt* oder *Unterstadt* sowie die Stadt oder *Akropolis;* in Heschbon das Tor *Bat-Rabbim* und die *Wasserbecken;* in Damaskus die *Gerade Straße;* in Ephesus das *Theater* und die *Schule des Tyrannus.*
Relativ zahlreich sind die Städte, in denen die Existenz einer oder mehrerer Synagogen angezeigt wird *(Kafarnaum, Nazaret, Jerusalem, Damaskus, Salamis, Antiochia in Pisidien, Ikonium, Thessalonich, Beröa, Athen, Korinth und Ephesus).*

4. Von gestern bis heute

Die in der Bibel erwähnten Städte oder Ortschaften haben ein sehr unterschiedliches Schicksal erfahren. Manche von ihnen sind verschwunden. Die einen bleiben den Geographen unbekannt (wie *Bealot, Kyamon, Dalmanuta, Eglat-Schelischija, Kirjat-Huzot),* oder sie sind schwer zu lokalisieren (*Almon-Diblatajema, Elkosch, Tarschisch*). Andere, die in der Vergangenheit berühmt waren, sind von Ärchäologen wieder ausgegraben worden, so in Israel *Lachisch, Caesarea, Jericho, Sichem, Tirza, Megiddo* (mit seinen zwanzig übereinander liegenden Siedlungen), *Kafarnaum, Hazor;* in Ägypten *Memfis,* dessen Ruinen zum Aufbau der Nachbarstädte wie Kairo gedient haben; in Mesopotamien *Ur, Babylon, Ninive;* in Persien *Susa* und *Persepolis;* in der Türkei *Perge, Ephesus, Milet.*
Einige Städte haben die Jahrhunderte nicht ohne Katastrophen, mehrfache Zerstörungen und Wiederaufbauten überstanden, teilweise auf den Ruinen selbst, teilweise in der unmittelbaren Nachbarschaft

(das heutige *Jericho* liegt zwei Kilometer von *Tell es-Sultan,* dem antiken Stadthügel, entfernt). Von manchen Großstädten sind nur noch kleine Dörfer übriggeblieben wie *Samaria* (das heutige *Sebaste)* oder *Bet-Schean* (das heutige *Beisan*). Andere Orte haben sich zu relativ bedeutenden Städten entwickelt wie *Beerscheba, Aschdod, Hebron, Betlehem, Nazaret, Akko, Sur* (Tyrus), *Saida* (Sidon), *Antakya* (syrisches Antiochien), *Antalya* (Attalia), *Assuan* (Syene) – von den heutigen Großstädten gar nicht zu reden: *Gaza, Tel Aviv-Jafo* (Joppe), *Jerusalem, Amman* (Rabba der Ammoniter), *Konya* (Ikonion), *Izmir* (Smyrna), *Thessalonich, Korinth, Athen, Rom.*

c) Namentlich bezeichnete „Stätten“

In der gesamten Bibel begegnet man, meist außerhalb von Städten und Ortschaften, einer gewissen Zahl von namentlich bezeichneten Stätten. Mehrfach erläutert der biblische Autor selbst die eigentümliche Bedeutung dieser Orte, indem er den Namen die eine oder andere Formel hinzufügt: „er gab diesem Ort den Namen . . .“, „man nannte diese Stelle . . .“, „am Ort, der . . . genannt wird“ (vgl. Gen 28, 19: *Bet-El;* 32, 31: *Penuël;* 33, 17: *Sukkot;* Ex 15, 23: *Mara;* 17, 7; *Massa, Meriba;* Num 11, 3: *Tabera;* Mt 27, 33: *Golgota;* Joh 19, 13: *Lithostrotos;* Offb 16, 16: *Harmageddon).* In den meisten Fällen ist die angegebene Erklärung eine volkstümliche Etymologie.

Die Stätten bewahren die Erinnerung an eine Theophanie, an ein historisches Ereignis, an eine Legende. Es können Orientierungspunkte sein, die eine Route abstecken, oder die das Ziel einer Wallfahrt, einen berühmten Kultort bezeichnen. Dann gibt es Stellen, an denen ein Wildwechsel stattfindet oder an denen ein markanter Baum bzw. Busch steht. Im einzelnen sind zu erwähnen: *Erscheinungsorte Jahwes* („Jahwe mein Panier“, „Jahwe ist Heil“, „Jahwe sieht“); *Tennen* (Tenne des Arauna, die „Dornbuschtenne“ = Goren-Atad, Tenne Kidons); *Steine und Felsen* (Stein des Bohan, Schlangenstein, Felsenhöhle von Etam, Rabenfels, Rimmon, Fels der Trennung oder Ungewißheit); *Felder* (Walkerfeld, Helkat-Hazzuurim, Hakeldamach); *Quellen* (Gihonquelle, Drachenquelle); *Bäume* (Eiche des Zaanannim, des Mamre, des More [oder Orakeleiche], Träneneiche, Eiche bei Tabor, Palme der Debora); *Steigen* oder *Pässe* (von Adummim, von Bet-Horon, von Gur, Heres, Luhit, Skorpionensteige). Unter den namentlich bezeichneten Stätten seien noch genannt: das „Prophetenhaus“ bei Rama, die „Wegraffung Usas“ (*Perez-Usa*), die Zisterne Sira, die Wolfskelter (*Seeb*), das Tal Joschafat, die „Giergräber“ (*Kibrot-Taawa*).

IV. RELIGION UND MYTHOLOGIE

a) Mythische Völker

Die biblischen Texte haben uns die Namen mancher legendärer Giganten der Vorzeit aufbewahrt: die *Nefilim,* die *Titanen,* die *Rafaïter* von Baschan und Gilead, die *Anakiter* im Westjordanland, die *Samsummiter* im Ammoniterland, die *Emiter* in Moab. Die *Horiter* gehören ebenfalls zu jenen legendären Gegnern der vier Könige von Gen 14 (vgl. Dtn 2, 10–12.20–22).

b) Aufenthaltsort der Toten

Das Jenseits wird fast nur mit den Worten „Hades" (hebr. Scheol) oder seinen Äquivalenten: Abgrund und „Tartarus" bezeichnet. Es ist der Aufenthaltsraum, in dem die Toten ein düsteres Schattendasein führen und wo der „König der Schrecken" (Ijob 18, 14) herrscht. Im Munde Jesu bzw. der Evangelisten wird die „Hölle" zum Symbol der Verfluchung und ewigen Pein.

c) Kosmische Mächte. Engel und Dämonen

Manche poetischen Texte schildern die Großtaten Gottes, besonders das Schilfmeerwunder, als Sieg Jahwes über die personifizierten kosmischen Mächte, über das Meer, den Drachen, über Leviatan, die Rahab, den Abgrund (Tehom). Hier wird angespielt auf den Kampf des babylonischen Gottes *Marduk* gegen die *Tiamat* oder auf die Kämpfe des kanaanäischen *Baal* gegen seine Feinde *„Jam"*, das „Urmeer", und *„Mot"*, den Tod.

Von Engeln ist in der Bibel oft die Rede, meist aber bleiben sie anonym: der „Engel Jahwes" oder „des Herrn", „ein Engel", „ein Engel Gottes" oder „des Himmels". Oft heißt es nur ganz allgemein „Engel" oder „die Engel". Die drei einzigen namentlich genannten Engel sind *Rafael, Gabriel, Michael.*

Die Bibel kennt keine Kämpfe oder Rivalitäten unter den Göttern, wie sie in den alten Mythen beschrieben werden, dafür erwähnt sie aber wiederholt personifizierte böse Mächte, die sich gegen Gott erheben: *Satan, Beliar, Beelzebul, Aschmodai, Asasel* und *Lilit,* das Nachtgespenst (Jes 34, 14).

d) Gott und die Götter

Als menschliches und irdisches Buch ist die Bibel auch und vor allem das Buch Gottes. Sie lehrt die Menschen mit geduldiger Erziehungsweisheit, sich von den Götzen loszusagen, jenen „anderen Göttern" (Ex 23, 13), von denen etwa 60 mit oder ohne Namen genannt werden (→ GÖTTER). Stattdessen sollen die Menschen dem „lebendigen Gott dienen" (1 Thess 1, 9), jenem einzigen Gott, auf den Juden, Christen und Moslems ihren Glauben gründen (→ JAHWE). Gott und die Götter sind in der biblischen Geschichte gegenwärtig durch die Macht, die sie ausüben oder die man ihnen zuschreibt, durch die Tempel, Stelen, Bäume, die ihnen geweiht sind, durch den Kult und die Gebete, die man an sie richtet, durch die Personen und Orte, die ihren Namen tragen (vgl. S. XIII die theophorischen Namen).

Die Heilsgeschichte, deren Ursprünge bis auf das erste Wort der Schöpfungsgeschichte zurückgehen, soll sich in dem Augenblick vollenden, da der Sohn, das Fleisch gewordene Wort Gottes, bei seiner letzten Ankunft (Offb 22, 20) „seine Herrschaft Gott dem Vater übergibt", nachdem er „jede Macht, Gewalt und Kraft vernichtet hat . . ., damit Gott über alles und in allem herrsche" (1 Kor 15, 24.28). Dem Land der Bibel wird das verheißene Land Gottes, die wahre Erde der Lebenden folgen. Alle Städte seit *Henoch,* der ersten Stadt, und *Babel,* dem Ort der Trennung und Zerstreuung der Völker, werden Platz machen der Ewigen Stadt, der „von Gott bereiteten Stadt" (Hebr 11, 16), dem *„neuen Jerusalem"* (Offb 21, 2). Auf dieses Ziel hin sind die Menschen der Bibel, jene „Fremdlinge" und „Gäste", unterwegs. Und dort wird die aus dem ersten *Adam* hervorgegangene Menschheit, versammelt um den zweiten, neuen *Adam,* ihre endgültige Einheit finden.

HINWEISE ZUR BENUTZUNG DES LEXIKONS

Die Artikel können je nach der Wichtigkeit des entsprechenden Eigennamens folgende Angaben enthalten:

1. den Eigennamen
2. seine Häufigkeit in der Bibel
3. seine Umschrift in der Ursprache oder einer der antiken Übersetzungen
4. seine Bedeutung
5. seine etymologischen Beziehungen
6. den Artikel selbst
7. Verweise auf andere Artikel.

Zu diesen Punkten nun einige Erläuterungen:

1. Der Eigenname (in Großbuchstaben)

a) Die *Schreibweise* richtet sich nach der neuen Einheitsübersetzung, die ihrerseits den „Loccumer Richtlinien" folgt. Außerdem wurden wichtigere Namen auch in der geläufigen Schreibweise bisheriger Bibelübersetzungen aufgenommen, um dem Benutzer das Auffinden des entsprechenden Artikels zu erleichtern, z. B. THABOR → Tabor; HESEKIEL → Ezechiel; OSEE → Hosea; SOPHONIAS → Zefanja.

Ein in eckige Klammern gesetzter Eigenname zeigt an, daß das betreffende Wort als solches nicht in der Bibel vorkommt, z. B. [SELEUKIDEN]; [MITTELMEER].

b) Der *Name* ist

– einfach, z. B. AARON, DAVID, RAHEL, oder zusammengesetzt, z. B. ADONI-ZEDEK, TIGLAT-PILESER;

– manchmal von mehreren Zusätzen begleitet, die folgendes ausdrücken können:

eine Familienbeziehung (Sohn, Tochter, Frau, Vater, Mutter), z. B. **Sohn des Alphäus** → Jakobus 2°; **Mutter des Jakobus** → Maria 4°;

einen Herkunftsort, z. B. **von Schunem** (Schunemiterin) → Abischag; **der Tischbiter** → Elija oder einen Titel bzw. eine Funktion, z. B. **König von Salem** → Melchisedek; **Statthalter von Judäa** → Pilatus.

Die sekundären Angaben sind wie der Name fett gedruckt, aber in Minuskeln.

c) Wenn ein Name mehrere Schreibweisen hat, sei es im Original, sei es im Deutschen, wird er unter der bekanntesten und repräsentativsten Form aufgeführt, z. B. HISKIJA für *Ezechias;* MITREDAT statt *Mithridates;* JOSCHAFAT statt *Josaphat* oder *Jehoschaphat.* Jede Schreibweise findet man aber an der entsprechenden alphabetischen Stelle des Lexikons.

2. Die Häufigkeit des Eigennamens

Die Häufigkeit ist in Klammern angegeben, z. B. ANDREAS (13); JESUS (923).

a) Die Zahl bezieht sich auf den Urtext. In den Übersetzungen ist der Eigenname öfters weggelassen und durch ein Pronomen ersetzt, an anderen Stellen wiederum ist er um der Deutlichkeit willen hinzugefügt worden. Ähnliches gilt für die „Geschlechtsnamen". Wo das Hebräische oder Griechische *„Gibeoniter", „Karmeliter", „Sidonier"* usw. sagt, steht in deutschen Übersetzungen oft „aus" bzw. „von Gibeon", „Karmel", „Sidon".

b) In zwei Fällen steht bei den Eigennamen keine Zahlenangabe, einmal wenn der Name unter einer anderen Schreibweise behandelt wird (z. B. EBJATAR → Abjatar) und wenn der Name von mehreren Personen oder Orten getragen wird. Die Häufigkeit ist dann bei jedem einzelnen Namensträger vermerkt, z. B. ABEL: 1° **Abel** (12) . . . ; 2° **Abel** (1) . . . ; 3° **Abel** (1).

c) Die in Klammern gesetzte Zahl entspricht nicht immer den im Artikel angeführten Belegstellen, und das aus folgenden Gründen:

– es ist unmöglich und nutzlos, alle 923 Stellen, an denen *Jesus,* alle 1150 Stellen, an denen *David,* oder die 6800 Stellen, an denen *Jahwe* genannt wird, im einzelnen anzuführen.

– manche Eigennamen werden häufig im Zusammenhang mit einem anderen Namen gebraucht, auf den dann ein → hinweist. So sind von 48 Stellen, an denen der Name *Isai* (Jesse) vorkommt, 19 unter DAVID zu suchen.
– die angeführten Stellen wollen wichtige Sachinformationen bieten. Es kann deshalb vorkommen, daß dieselbe Stelle mehrmals zitiert wird, um verschiedene Tatbestände zu beleuchten. So beschreibt 1 Kön 11, 1–3 sowohl die prunkvolle Hofhaltung *Salomos* als auch seine gefährliche Toleranz gegenüber heidnischen Religionen.
d) Wenn zwei oder mehrere Namen gewöhnlich zusammen genannt werden, wird ihre Häufigkeit jeweils gesondert an ihrem alphabetischen Ort angegeben; z. B. AQUILA (6) und **Priska** oder **Priszilla;** PRISKA (3), PRISZILLA (3); 4° **Hananias** (3) und seine Frau **Saphira;** SAPHIRA (1); es sei denn, die Namen werden gleich oft gebraucht; z. B. AHIMAN, **Scheschai** und **Talmai** (3); DATAN und **Abiram** (11).
e) Bei den besonders häufigen Namen sind auch die Zahlen für die einzelnen biblischen Bücher oder Schriftengruppen angegeben, zum Beispiel bei AARON, ABRAHAM, ISRAEL, JAHWE.
f) Bei Eigennamen, die mit festen Zusätzen verbunden sind, wird auch die Häufigkeit jedes einzelnen Elements verzeichnet: z. B. 5° **Johannes** (91), **Sohn des Zacharias** (1), **der Täufer** (15).
Es wurde jedoch darauf verzichtet, die Häufigkeit der Zusätze „König von Israel“ oder „König von Juda“ anzugeben, weil dies zur Überlastung der Artikel durch Zahlen und Klammern geführt hätte, z. B. 2° **Jehu** (49), **Sohn des Joschafat** (2), **Sohn des Nimschi** (5), zehnter König von Israel (841–814).

3. Die Umschrift der Eigennamen

Die Umschrift in eine antike Sprache ist **kursiv** gesetzt.
a) Die Transkription wird durch die Abkürzungen *hebr., aram., gr., akk., babyl., ug., ägypt., lat., arab., pers.,* eingeleitet. Aus technischen Gründen, weil weder mit diakritischen Zeichen noch mit einem anderen Alphabet gearbeitet werden konnte, vermittelt die Umschrift oft nur einen ungefähren Eindruck.
b) Eine Umschrift wird nur geboten, wenn sich hinter dem gleichlautenden deutschen Namen verschiedene sprachliche Wurzeln verbergen (z. B. bei ABEL) oder wenn sich die deutsche Schreibweise zu weit von der ursprünglichen Form entfernt hat (z. B. bei AARON, hebr. *Aharon),* ferner wenn der Vergleich mit anderen Worten oder Sprachen erleichtert wird (z. B. NEBUKADNEZZAR, gr. *Nabuchodonosor)* und schließlich wenn aus der Umschrift die Bedeutung des Namens besser hervorgeht (z. B. NATAN, Abk. von hebr. *Netanja* = „Jahwe hat gegeben“).

4. Die Bedeutung der Namen (in „Anführungszeichen“)

Eine Angabe fehlt, wenn die Bedeutung völlig unbekannt oder ganz unsicher ist.
Bei den zusammengehörigen Namen (z. B. **Gideon = Jerubbaal; Oreb** und **Seeb**) wird die Erklärung an der jeweiligen alphabetischen Stelle geboten: GIDEON; JERUBBAAL; OREB; SEEB.
Die Bedeutung des Namens wird manchmal auch durch den Hinweis auf eine Schriftstelle erläutert, z. B. AHAS, „[Jah] hält fest [um zu leiten]“; vgl. Ps 73, 23–24.

5. Die etymologische Verwandtschaft zwischen den Eigennamen (ist in Klammern gesetzt)

Auf die Bedeutung des Namens oder – wenn eine Angabe fehlt – gleich auf den Eigennamen und seine Transkription folgt unter Umständen ein Hinweis:
a) mit „vgl.“ auf ein verwandtes Wort, z. B. BET-PAZZEZ (vgl. Pizzez); PIZZEZ (vgl. Bet-Pazzez); oder auf ein Stichwort, unter dem alle Wörter derselben Wurzel angegeben sind. So verweist EBED-MELECH auf *Ebed* und auf *Melech.* Dann findet man unter *Ebed* 11 Wörter derselben Wurzel und unter *Melech* 24 Wörter derselben Wurzel.
b) mit „siehe“ auf einen gleichbedeutenden Eigennamen, der aber eine andere Wurzel hat oder aus einer anderen Sprache stammt: z. B. KIRJAT (vgl. Ekron . . .; siehe Ir-Heres; Amphipolis); ZADOK (vgl. Adoni-Zedek . . .; siehe Justus).

6. Der Inhalt des Artikels

Abgesehen von den Artikeln, die einfach nur auf einen anderen Namen verweisen, z. B. ARIOCH → ARJOCH; OCHRAN (5), (vgl. Achar), Vater des → PAGIËL, enthalten die Artikel des Wörterbuchs zwei Elemente: einen kürzeren oder längeren Text und die Stellenangaben, die den Text belegen sollen. Der Umfang richtet sich nach der Bedeutung des Namens und der Häufigkeit seines Vorkommens.

So steht die Bedeutung der Persönlichkeit des Ezechiel, wie sie aus den 48 Kapiteln seines Buches hervorgeht, in keinem Verhältnis zu dem nur dreimaligen Vorkommen seines Namens. Umgekehrt kann Holofernes, obwohl 44mal genannt, in einem recht bescheidenen Artikel abgehandelt werden. Ein anderes Beispiel: Der Name „Malta" ist nur ein einziges Mal erwähnt, aber von der Insel handeln dreizehn Verse (Apg 27, 43 bis 28, 11).

Die Artikel können folgendermaßen gegliedert sein:

a) Wenn ein Eigenname sich auf ein und dieselbe Person bzw. ein und denselben Ort bezieht, wird er entweder in Abschnitte gegliedert, die durch Buchstaben a), b), c) . . . und eine nachfolgende Überschrift gekennzeichnet sind, z. B. AARON, a) *Aaron und der Exodus;* b) *Aaron und das Priestertum,* oder er ist einfach in verschiedene Absätze untergeteilt, z. B. BAAL 1°; SICHEM.

b) Wenn ein Eigenname von mehreren Personen oder Orten getragen wird, ist der Artikel in 1°, 2°, 3° . . . gegliedert, z. B. ABEL 1° . . . 3°; SECHARJA 1° . . . 28°.

Selbstverständlich können manche dieser Gliederungen ihrerseits wieder mehrere Abschnitte oder Absätze enthalten, z. B. JOHANNES 1°; JUDAS 1°; 5°.

Wenn ein Eigenname Äquivalente besitzt, werden sie mit dem Gleichheitszeichen = (von einem ? gefolgt, wenn die Beziehung nicht sicher ist) eingeführt und in fetten Buchstaben gesetzt, z. B. 1° **Hebron . . . = Kirjat-Arba;** KINNERET b) **Meer von Kinneret . . . = Wasser von Gennesar . . . = See Gennesaret . . . = Galiläisches Meer . . . = Meer von Tiberias.**

NB. Man kann die Artikel dieses Wörterbuchs auf zwei unterschiedliche Weisen lesen: Um eine *rasche Information* über einen bestimmten Namen zu gewinnen, genügt es, den Text zu lesen und die Stellenhinweise zu überfliegen. Um aber die Person oder den Ort, für die man sich interessiert, im Detail zu studieren, muß man die angeführten Schriftstellen genau nachschlagen.

7. Die Verweise (sind durch einen → gekennzeichnet)

Verweise begegnen sowohl innerhalb eines Artikels, z. B. verweist JUDA 1° d, wo das Königreich Juda behandelt wird, auf → ISRAEL d) (Israel = Nordreich) und später auf → DAVID b (das Königtum Davids und die davidische Dynastie), als auch, häufiger, am Ende des Artikels, eines Abschnitts oder einer numerierten Untergliederung. Die Verweise haben also eine zweifach ergänzende Funktion:

a) Sie geben an, unter welchen Stichwörtern des Lexikons die Verwendungen des Namens zu finden sind, die im betreffenden Artikel nicht behandelt werden. So verweist z. B. NEBAT (26) auf JEROBEAM 1°, wo dieser 26mal „Sohn des Nebat" genannt wird.

b) Sie nennen Artikel, die zusätzliche Informationen bieten, z. B. JUDA 1° d, wo es um das Königreich Juda geht, wird auf zwanzig Könige von Juda verwiesen: ABIJA 2° . . . JOTAM 2°; zugleich verweist dieser Abschnitt auf die Hauptstadt Judas: JERUSALEM. Dort wiederum wird am Ende des Artikels auf andere Namen der Stadt verwiesen: ARIEL 3°; JEBUS usw. sowie auf ihre Könige: ADONI-ZEDEK . . ., ihre Hügel, Quellen, Tore und Bezirke.

Die Verweise sind alphabetisch geordnet, z. B. findet man unter ISRAEL d: ACHAB 1°; BASCHA . . . SIMRI 4° (die historische Ordnung der Thronfolge wird in der Chronologie auf S. 390 ff. geboten).

ABKÜRZUNGEN UND SIGEL

Abk.	Abkürzung von
ägyp.	ägyptisch
akk.	akkadisch
aram.	aramäisch
AT	Altes Testament
atl.	alttestamentlich
babyl.	babylonisch
dt.	deutsch
E	elohistische Tradition
Evv.	Evangelien
fem.	weiblich
f, ff	folgend, folgende (Verse)
gr.	griechisch
gr.luk.	griechische Rezension Lukians
hebr.	hebräisch
J	jahwistische Tradition
K	*Ketib* (das Geschriebene)
Kap.	Kapitel
Kh.	*Khirbet* (Ruine)
Korr.	Korrektur
LA	Lesart
lat.	lateinisch
LXX	Septuaginta
MT	masoretischer Text
NT	Neues Testament
ntl.	neutestamentlich
P	priesterschriftliche Tradition
par, parr	Parallelstelle(n) der Evangelien
pers.	persisch
Q	*Qere* (was zu lesen ist)
sum.	sumerisch
ug.	ugaritisch
V.VV.	Vers, Verse
var.	Variante
vgl.	vergleiche
W.	*Wadi* (Flußbett)
wörtl.	wörtlich
z. B.	zum Beispiel
/	Verwandtschaft zweier Eigennamen
//	Parallelstelle
×	mal (5 × = 5mal)
±	ungefähr, etwa
=	gleichbedeutend
?	zweifelhaft, unsicher
→	siehe
[ ]	Eigenname oder Wort, das sich nicht in der Bibel findet
ɔ	Zeichen für den hebr. Buchstaben *Aleph*.
c	Zeichen für den hebr. Buchstaben *Ajin*.

Die mit Anführungszeichen („. . .“) zitierten Bibeltexte sind gewöhnlich der Einheitsübersetzung entnommen, falls es sich nicht um eine wörtlichere Wiedergabe des Urtextes handelt.

VERZEICHNIS DER BIBLISCHEN BÜCHER

Am	Das Buch Amos
Apg	Die Apostelgeschichte
Bar	Das Buch Baruch
1 Chr	Das 1. Buch der Chronik
2 Chr	Das 2. Buch der Chronik
Dan	Das Buch Daniel
Dtn	Deuteronomium (= 5 Mose)
Eph	Der Brief an die Epheser
Esr	Das Buch Esra
Est	Das Buch Ester
Ex	Exodus (= 2 Mose)
Ez	Das Buch Ezechiel
Gal	Der Brief an die Galater
Gen	Genesis (= 1 Mose)
Hab	Das Buch Habakuk
Hag	Das Buch Haggai
Hebr	Der Brief an die Hebräer
Hld	Das Hohelied
Hos	Das Buch Hosea
Ijob	Das Buch Ijob
Jak	Der Brief des Jakobus
Jdt	Das Buch Judit
Jer	Das Buch Jeremia
Jes	Das Buch Jesaja
Joel	Das Buch Joel
Joh	Das Evangelium nach Johannes
1 Joh	Der 1. Brief des Johannes
2 Joh	Der 2. Brief des Johannes
3 Joh	Der 3. Brief des Johannes
Jon	Das Buch Jona
Jos	Das Buch Josua
Jud	Der Brief des Judas
Klgl	Die Klagelieder des Jeremia
Koh	Kohelet
Kol	Der Brief an die Kolosser
1 Kön	Das 1. Buch der Könige
2 Kön	Das 2. Buch der Könige
1 Kor	Der 1. Brief an die Korinther
2 Kor	Der 2. Brief an die Korinther
Lev	Levitikus (= 3 Mose)
Lk	Das Evangelium nach Lukas
1 Makk	Das 1. Buch der Makkabäer
2 Makk	Das 2. Buch der Makkabäer
Mal	Das Buch Maleachi
Mich	Das Buch Micha
Mk	Das Evangelium nach Markus
Mt	Das Evangelium nach Matthäus
Nah	Das Buch Nahum
Neh	Das Buch Nehemia
Num	Numeri (= 4 Mose)
Obd	Das Buch Obadja
Offb	Die Offenbarung des Johannes
1 Petr	Der 1. Brief des Petrus
2 Petr	Der 2. Brief des Petrus
Phil	Der Brief an die Philipper
Phlm	Der Brief an Philemon
Ps	Die Psalmen
Ri	Das Buch der Richter
Röm	Der Brief an die Römer
Rut	Das Buch Rut
Sach	Das Buch Sacharja
1 Sam	Das 1. Buch Samuel
2 Sam	Das 2. Buch Samuel
Sir	Das Buch Jesus Sirach
Spr	Das Buch der Sprichwörter
1 Thess	Der 1. Brief an die Thessalonicher
2 Thess	Der 2. Brief an die Thessalonicher
1 Tim	Der 1. Brief an Timotheus
2 Tim	Der 2. Brief an Timotheus
Tit	Der Brief an Titus
Tob	Das Buch Tobit
Weish	Das Buch der Weisheit (= Sap)
Zef	Das Buch Zefanja

LEXIKON

A

AARON (358), hebr. *Aharon,* Bruder des Mose und der Mirjam, aus dem Stamm Levi, Helfer des Mose und Ahnherr der Priesterklasse. Aaron erscheint 300 x im Pentateuch, danach in Jos 21, 4.10.13.19; 24, 5.33; Ri 20, 28; 1 Sam 12, 6.8; Chron-Esr-Neh 24 x; Tob 1, 7; 1 Makk 7, 14; Ps 9 x; Sir 6 x; Mich 6, 1. NT: 5 x (Lk 1, 5; Apg 7, 40; Hebr 5, 4; 7, 11; 9, 4).

a) Aaron und der Exodus aus Ägypten

Aaron wird Mose von Gott als Dolmetscher beigegeben (Ex 4, 14–30) oder als sein Prophet (Ex 7, 1–2). Mit Mose erscheint er vor Pharao, um ihn zu überreden, die Hebräer ziehen zu lassen (Ex 5, 1–6, 13; 7, 1–7). Um seinen Starrsinn zu brechen, droht er ihm die „ägyptischen Plagen" an (Ex 7–12). Er steht Mose beim Exodus und beim langen vierzigjährigen Zug durch die Wüste zur Seite (vgl. Num 33, 1; Jos 24, 5; 1 Sam 12, 6.8; Ps 77, 21; 105, 26–27; Mich 6, 4), um das Volk, das immer zum Murren und Hadern geneigt ist, ins Gelobte Land zu führen (Ex 16–19; Num 14; 16; 20; Ps 106, 16). Er stützt den Arm des Mose in der Schlacht gegen Amalek (Ex 17, 10–12), nimmt an der Musterung des Volkes teil (Num 1–4), begleitet Mose auf den Berg (Ex 19, 24), wo er zur Schau des Gottes Israels zugelassen wird (Ex 24, 10). Während Mose Gott auf dem Sinai von Angesicht zu Angesicht begegnet, stellt Aaron unter dem Druck des Volkes ein goldenes Kalb her und läßt es zu, daß Israel Götzendienst treibt (Ex 32; vgl. Apg 7, 40). Im Einverständnis mit Mirjam lehnt er sich gegen Mose auf (Num 12). Jahwe wirft Mose und Aaron ihren Unglauben vor (Num 20, 12), so daß sie das Gelobte Land nicht betreten dürfen. Aaron stirbt auf dem Berg Hor (Num 20, 23–29; Dtn 32, 50) oder in Moser (Dtn 10, 6) im Alter von 123 Jahren (Num 33, 39).

b) Aaron und das Priestertum

Aaron, Levit (Ex 4, 14), Sohn des Amram und der Jochebed, ist Angehöriger eines unbedeutenden Clans (Amramiter) des Stammes Levi (Ex 6, 16–20; Num 26, 58–59; 1 Chr 5, 27–29; 23, 13; vgl. Ex 2, 1). Die Episode vom Aaronsstab (Num 17, 16–26; vgl. Hebr 9, 4) stellt ihn als Stammesältesten dar. Er heiratet Elischeba, die ihm vier Söhne schenkt: Nadab, Abihu, Eleasar und Itamar (Ex 6, 23). Nach Ex 28–29 weiht Mose ihn und seine Söhne zum Priesterdienst für Jahwe (vgl. Ex 29, 44; Lev 8–9; Ps 133, 2; Sir 45, 6–22.25). Aaron wird etwa 15 x Priester genannt, Hoherpriester nur Esr 7, 5 (vgl. indirekt Hebr 9, 7 mit Bezug auf Lev 16, 2f). Und in der Tat erscheint er als der erste Hohepriester, als Oberhaupt der priesterlichen Linie der Aaronssöhne (etwa 20 x), dergestalt, daß die Ausdrücke „Aaron und seine Söhne" (Ex 27, 21 u. ö.), die „Söhne Aarons" (Ex 28, 40 u. ö.), „du und deine Söhne" (Num 18, 1; 2, 7–9), „das Haus Aarons" (Ps 115, 10.12; 118, 3; 135, 19), „unter den Töchtern Aarons" (Lk 1, 5; vgl. Num 18, 11.19) die Priesterkaste bezeichnen. Es sind jene, die ausgesondert wurden, um das Allerheiligste und seine Einrichtungsgegenstände zu weihen, Weihrauchopfer vor Jahwe zu bringen, seinem Namen für immer zu dienen und ihn zu preisen (1 Chr 23, 13), den Kult zu leiten, das Volk zu segnen und ihm Sühne zu schaffen, Israel über das Gesetz zu belehren (Sir 45, 15–17). Wegen seiner Weihe wird Aaron „heilig" genannt (Sir 45, 6), „Heiliger des Herrn" (Ps 106, 16). Seine Macht, für das Volk fürbittend einzutreten, wird

mehrfach betont (Num 17, 6–15; vgl. Weish 18, 20–25; Ps 99, 6). Der Hebr stellt das Hohepriestertum Christi dem durch Aaron repräsentierten Priestertum des Alten Bundes gegenüber. Wie Aaron von Gott berufen (Hebr 5, 4), führt Jesus ein neues Priestertum ein, das an die Stelle des aaronitischen tritt und dem geheimnisvollen Priestertum des Melchisedek gleicht (Hebr 7, 11).
Vater des → ABIHU 1°; ELEASAR 1°; ITAMAR; NADAB 1°. Die wichtigsten „Abkömmlinge"
→ ESRA 2°; PINHAS 1°; ZADOK 1°; Liste S. 381

AB-, „Vater", siehe Dtn 32, 6; 2 Sam 7, 14; Ps 68, 6; 89, 27; Jes 9, 5 u. ö. (vgl. Abi ..., Eliab), Gottestitel, der in die Zusammensetzung mehrerer Eigennamen eingegangen ist.

ABADDON (6), „Verderben", „Zerstörung" (siehe Aschmodai), poetische Bezeichnung des Aufenthaltsorts der Toten (Ijob 26, 6; 28, 22; 31, 12; Ps 88, 12; Spr 15, 11), war vielleicht ursprünglich Name einer unterirdischen Gottheit. In Offb 9, 11 heißt der „Engel des Abgrunds" auf hebr. *„Abaddon",* auf gr. *„Apollyon"* („Verderber"), was an den griechischen Gott Apoll denken läßt. → HADES.

ABAGTA (1), Eunuch (Est 1, 10), erwähnt mit → MEHUMAN und anderen.

ABANA (1), *(ᑫAmana),* Fluß, der im Antilibanon entspringt und mit dem Parpar einen der „Flüsse von Damaskus" (2 Kön 5, 12) bildet.

ABARIM (5), (vgl. Ije-Abarim), Gebirgskette östlich des Jordan und des Toten Meers, eine der letzten Stationen des Exodus (Num 33, 47f). Einer seiner Gipfel ist der Nebo, von dem aus Mose das Gelobte Land sieht (Num 27, 12; Dtn 32, 49). Das personifizierte Jerusalem wird aufgefordert, auf die Höhen des Libanon, des Baschan und Abarim hinaufzusteigen und seine Klagen hinauszuschreien (Jer 22, 20). Das „Tal Abarim" (Ez 39, 11) ist Korr. des hebr. „Tal der Durchreisenden" (= *oberim).*

ABDA, „Diener" (vgl. Ebed).
1° **Abda** (1), Vater des → ADONIRAM.
2° **Abda** (1), Neh 11, 17 → OBADJA 11°.

ABDEEL (1), „Diener Gottes" (vgl. Ebed), Vater des → SCHELEMJA 2°.

ABDENAGO → ABED-NEGO

ABDI, Abk. von Obadja, „Diener Jahwes" (vgl. Ebed).
1° **Abdi** (1), Levit des Clans Merari, Vater des Kischi, Ahnherr des Sängers Etan (1 Chr 6, 29). Vgl. den Folgenden:
2° **Abdi** (1), Levit des Clans Merari, Vater des → KISCH 4°.
3° **Abdi** (1), Israelit der Söhne Elam, Mann einer Ausländerin, die er zurückschickt (Esr 10, 26).

ABDIAS → OBADJA

ABDIËL (1), „Diener Gottes" (vgl. Ebed), Vater des → AHI 1°.

ABDON, „Kleiner Diener" (vgl. Ebed).
1° **Abdon, Sohn des Hillel aus Piraton** (2), „kleiner" Richter, acht Jahre lang tätig. Er hatte vierzig Söhne und dreißig Enkel, die auf siebzig Eseln ritten (Ri 12, 13–15). In 1 Sam 12, 11 korrigieren manche Kommentare das hebr. *Bedan* in *Abdon,* andere lesen mit dem griech. Text *Barak.*
2° **Abdon** (1), Benjaminit der Söhne Scheschachs, Familienoberhaupt in Jerusalem (1 Chr 8, 23).
3° **Abdon** (2), Benjaminit, erstgeborener Sohn des Jëiël, des „Vaters Gibeons" (1 Chr 8, 30 // 9, 36).
4° **Abdon, Sohn des Micha** (1) → ACHBOR 2°.
5° **Abdon** (3), Stadt im Gebiet des Stammes Ascher (Jos 19, 28), wo das Hebr. *Ebron* liest; zugesprochen den Leviten des Clans Gerschon (Jos 21, 30 // 1 Chr 6, 59), östlich von Achsib.

ABED-NEGO (15), Deformation des aram. *Abed-Nabu* „Diener des Nabu", Beiname des → ASARJA 21°.

ABEL, hebr. 1°: *hebel* „Hauch, Rauch", daher

„Vergänglichkeit", akk. *aplu* „Sohn"; 2° – 3°: Abel, „Bach" oder „Au" (vgl. die Zusammensetzungen mit Abel-).
1° **Abel** (12), Sohn von Adam und Eva, Hirt, dessen Opfergabe Gott gefällt im Gegensatz zum Opfer des Kain, seines älteren Bruders, der ihn aus Neid tötet (Gen 4, 2–16.25; vgl. Weish 10, 3; Mt 23, 35 par; Hebr 11, 4; 1 Joh 3, 12). Nach Hebr 12, 24 „redet" das Blut Jesu „lauter" als das Blut Abels.
2° **Abel** (1) → Abel-Bet-Maacha.
3° **Abel** (1) ?, 1 Sam 6, 18, hebr. „bis Abel, der großen", oder „bis zur großen Steppe" (Text dunkel).

ABEL-BET-MAACHA (4), „Au des Hauses Maacha", befestigte Stadt im äußersten Norden Palästinas, nahe bei Dan, in der Joab, Befehlshaber der Armee Davids, der Revolte des Scheba, des Sohnes Bichris, ein Ende macht (2 Sam 20, 14–22). Die Stadt wurde zur gleichen Zeit wie Ijon durch Ben-Hadad, den König von Aram, eingenommen (1 Kön 15, 20) und später durch Tiglat-Pileser, den König von Assyrien (2 Kön 15, 29).
= **Abel** (1), 2 Sam 20, 18.
= **Abel-Majim** (1), 2 Chr 16, 4.
= **Abel-Majim** (1), Jdt 4, 4 (Var. des gr. *Belmain*).
= ? **Bet-Maacha** (1), 2 Sam 23, 34 (Korr. des hebr. „Sohn eines Maachatiter"), Heimat des → Elifelet 2°. Heute *Tell Abil el Qamh*.

ABEL-KERAMIM (1), „Weinbergsau" (vgl. Bet-Kerem), östlich des Jordan. Jiftach verfolgte hier die Ammoniter (Ri 11, 33).

ABEL-MEHOLA (3), „Tanzwiese" (vgl. Mahol), Stadt in der Jordanebene, wohin sich die von Gideon verfolgten Midianiter flüchteten (Ri 7, 22). Gehört zum 5. Bezirk Salomos (1 Kön 4, 12)
= **Mehola** (2), 1 Sam 18, 19; 2 Sam 21, 8. Heimat des → Adriel; Elischa (vgl. Meholatiter).
= **Sefat-Abel-Mehola** (1), „Ufer" bei Abel-Mehola (Ri 7, 22).

ABEL-MIZRAJIM (1), „Au der Ägypter" oder „Trauer der Ägypter" (Wortspiel: *abel/ebel* = Au/Trauer), mit Goren-Atad („Tenne Atads") im Ostjordanland identifiziert, wo die Söhne Jakobs die Totenklage um ihren Vater abhielten (Gen 50, 10f). Lage unbekannt.

ABEL-SCHITTIM (1), „Akazienau" → Schittim 1°.

ABEZ → Ebez.

ABGATHA → Abagta.

ABI (1), „Mein Vater" (vgl. die Zusammensetzungen mit Ab-, Abi- und -ab), 2 Kön 18, 2 → Abija 4°.

ABIA (3) → Abija 2°; 6°.

ABIALBON (1), „Mein Vater ist Baal" (2 Sam 23, 31).
= **Abiël** (1), Krieger Davids aus Bet-Araba (1 Chr 11, 32).

ABIASAF (1), „Mein Vater schützt" (vgl. Asaf), Levit aus dem Clan Kehat, einer der drei Söhne und Sippen des Korach (Ex 6, 24).
= **Ebiasaf** (4), Ahnherr Samuels (1 Chr 6, 8.22), des Sängers Heman (1 Chr 6, 22) und des → Schallum 11°.

ABIB (3), Monatsname (Ex 13, 4; 23, 15; Dtn 16, 1). Ährenmonat (März/April).

ABIBAAL → Abialbon.

ABIDA (2), „Der Vater weiß" (vgl. Jada), einer der fünf Söhne Midians, gelten als Söhne der Abrahamskonkubine Ketura (Gen 25, 4 // 1 Chr 1, 33).

ABIDAN (5), „Mein Vater ist Richter" (vgl. Dan), **Sohn des Gidoni** (5), Führer des Stammes Benjamin (Num 2, 22; 7, 60; 10, 24), leitet die Musterung seines Stammes (Num 1, 11), bringt die Opfergaben für die Altarweihe am 9. Tag herbei (Num 7, 60–65).

ABIËL, „Mein Vater ist Gott".

1° **Abiël** (2), Großvater des Königs Saul und des Abner (1 Sam 14, 51). Vater des → KISCH 1°.
2° **Abiël aus Bet-Araba** (1) → ABIALBON

ABIËSER, „Mein Vater ist Stütze" (vgl. Eser).
1° **Abiëser** (1), zweiter Sohn (der älteste Sohn ist Machir, der Vater Gileads) und Clan des Manasse (Jos 17, 2) oder auch Sohn der Molechet, der Schwester Gileads (1 Chr 7, 18). Das berühmteste Mitglied des Clans Abiëser ist Gideon.
= **Jezer** (1), ältester Sohn Gileads, des Sohnes Machir, dessen Abkömmlinge die Sippe der **Jezeriter** bilden (Num 26, 30).
→ JOAS 1°; OFRA 1°.
2° **Abiëser aus Anatot** (3), Benjaminit, Held Davids (2 Sam 23, 27 // 1 Chr 11, 28), verantwortlich für den (militärischen) Dienst des 9. Monats (1 Chr 27, 12).

ABIËSRITER (3), Ri 6, 11.24; 8, 32, Clan, der sich ableitet von → ABIËSER 1°.

ABIGAJIL (14), **Frau des Nabal von Karmel** (5), verhindert durch ihre großzügige Initiative, daß David ihren Mann aus Rache ermorden läßt. Nach dem Tod des Nabal nimmt David sie als zweite Frau (1 Sam 25). Sie folgt David ins Exil zu Achisch von Gat (1 Sam 27, 3), wird Gefangene der Amalekiter (1 Sam 30, 5), begleitet David nach Hebron, wo er zum König gesalbt wird (2 Sam 2, 2). Der zweite Sohn Davids Kilab (2 Sam 3, 3 // 1 Chr 3, 1: Daniel) wird von Abigajil in Hebron geboren.

ABIGAL (3), Tochter Isais (nach dem Gr.; nach dem Hebr. „Tochter des Nahasch"), Schwester Davids, Frau des Ismaeliters Jeter (2 Sam 17, 25; 1 Chr 2, 16f).
Mutter des → AMASA 1°.

ABIHAJIL, „Mein Vater ist stark" (vgl. Ben-Hajil).
1° **Abihajil** (1), Vater des → ZURIËL.
2° **Abihajil** (1), Ahnherr der Gaditer, in Geschlechtsregister aufgezeichnet unter der Regierung des Königs Jotam von Juda (1 Chr 5, 14ff).
3° **Abihajil** (2), gr. *Aminadab* (Est 2, 15; 9, 29), Vater der → ESTER.
4° **Abihajil** (1), Frau des Abischur, aus dem Clan Jerachmeel (1 Chr 2, 29).
5° **Abihajil** (1), Mutter des → MAHALAT 2°.

ABIHU, gr. *Abiud,* „Mein Vater ist er".
1° **Abihu** (12), Sohn Aarons, dessen Geschichte mit der seines älteren Bruders verbunden ist → NADAB 1°.
2° **Abiud** (2), Sohn Serubbabels und Ahnherr Jesu (Mt 1, 13).

ABIHUD (1), „Mein Vater ist Majestät" (vgl. Hod), 1 Chr 8, 3 → EHUD 1°.

ABIJA, gr. *Abia,* „Mein Vater ist Jahwe" (vgl. Eliab; Joab).
1° **Abija** (2), jüngerer Sohn Samuels, bestechlicher Richter in Beerscheba wie sein älterer Bruder Joël (1 Sam 8, 2–5; vgl. 6, 13).
2° **Abija** (13), **Abijahu** (2), **Abijam** (5) oder **Abia** (2) zweiter König von Juda (913–911), Sohn Rehabeams (1 Chr 3, 10) und der Maacha, der Enkeltochter Abschaloms (1 Kön 15, 1.2; 2 Chr 11, 20.22) oder der Michaja, der Tochter Uriëls (2 Chr 13,2). Von seinem Vater auf seine zukünftige Rolle vorbereitet (2 Chr 11, 22), folgt er ihm auf den Thron und herrscht drei Jahre in Jerusalem (1 Kön 14, 31–15, 8 // 2 Chr 12, 16–13, 23). Ein Krieg zwischen ihm und Jerobeam I., dem König von Israel, wird in 1 Kön 15, 7 erwähnt und in 2 Chr 13, 2–18 als „heiliger Krieg" dargestellt. Ihm geht eine Ansprache voraus, in der Abija seine Thronrechte gegen Jerobeam verteidigt. Der Kampf endet mit einem überwältigenden Sieg Judas.
Abija ist einer der Ahnherren Jesu (Mt 1, 7). Sein Sohn und Nachfolger → ASA 1°.
3° **Abija** (1), Sohn Jerobeams, des ersten Königs von Israel, jung gestorben (1 Kön 14, 1–18), der einzige aus dem Hause Jerobeam, an dem sich noch etwas Gutes vor dem Herrn gefunden hat (V. 13).
4° **Abija** (2), Tochter des Sacharja (1) oder Secharja (1), Mutter des Königs Hiskija (2 Kön 18, 2: hebr. *Abi;* 2 Chr 29, 1).
5° **Abija** (1), Benjaminit, einer der neun Söhne des Becher, Kriegsheld und Familienoberhaupt (1 Chr 7, 8f).

6° **Abija** (2), Haupt der achten Priesterklasse (1 Chr 24, 10); Klasse, zu der Zacharias, der Vater Johannes des Täufers, gehört (Lk 1, 5).
7° **Abija** (3), Priester, der mit Serubbabel aus dem Exil zurückgekehrt ist (Neh 12, 4), unterschreibt die Verpflichtung, das Gesetz zu beobachten (Neh 10, 8), gibt seinen Namen einer priesterlichen Familie (Neh 12, 17).

ABILENE (1), Gebiet um die Hauptstadt *Abila* im Antilibanon, nordöstlich von Damaskus. Tetrarchie des Lysanias (Lk 3, 1).

ABIMAËL (2), einer der dreizehn Söhne Joktans (Gen 10, 28 // 1 Chr 1, 22). Stamm (oder Ort) in Südarabien.

ABIMELECH, „Mein Vater ist König" (vgl. Melech).
1° **Abimelech** (24), **König von Gerar** (1), nimmt Sara, die Abraham für seine Schwester ausgegeben hat, zu sich. Rechtzeitig gewarnt, gibt er Sara wieder zurück und entgeht so der Strafe Gottes (Gen 20). Diese elohistische Geschichte – eine Dublette von Gen 12, 10–20 (J), in der Pharao die Stelle des Abimelech einnimmt – hat ihre Parallele in Gen 26, 1–11 (J), wo es Abimelech, ein **König der Philister** (2), mit Isaak und seiner Frau Rebekka zu tun hat. Ebenso hat ein Bündnis in Beerscheba zwischen Abimelech und Abraham (Gen 21, 22–32) sein Gegenstück in Gen 26, 15–33, wo Isaak den Platz Abrahams einnimmt.
2° **Abimelech** (41), **Sohn des Jerubbaal** (4), d. h. des Gideon (Ri 8, 31). Nachdem er seine siebzig Brüder umgebracht hat, macht er sich zum König über Sichem. In einer berühmten Rede vergleicht Jotam, der jüngste Sohn Jerubbaals, der allein das Massaker überlebt hat, den Abimelech mit einem Dornbusch, den die Bäume zum König über sich proklamieren. Drei Jahre später revoltieren die Bewohner von Sichem gegen Abimelech, werden aber geschlagen. Während der Belagerung der Stadt Tebez stirbt Abimelech, als eine Frau einen Mühlstein vom Wall herabwirft und ihm den Kopf zerschmettert (Ri 9; vgl. 2 Sam 11, 21: hebr. *Abimelech, Sohn des Jerubbeschet* und 11, 22 nach dem Gr.).
3° **Abimelech** (1), Ps 34, 1 → ACHISCH.
4° **Abimelech** (1), 1 Chr 18, 16, korr. in → AHIMELECH 2°.

ABINADAB, „Mein Vater ist großherzig" (vgl. Nadab)
1° **Abinadab** (4), dritter Sohn des Königs Saul (1 Chr 8, 33 // 9, 39), getötet in der Schlacht bei Gilboa (1 Sam 31, 2 // 1 Chr 10, 2).
2° **Abinadab** (3), zweiter Sohn des Isai und Bruder Davids (1 Chr 2, 13; 1 Sam 16, 8), einer der drei älteren Söhne Isais, die „mit Saul in den Krieg gezogen waren" (1 Sam 17, 13–30).
3° **Abinadab** (5), wohnhaft in Kirjat-Jearim, sein Haus liegt auf einer Anhöhe. Bei ihm wird die Bundeslade Jahwes nach ihrer Ankunft von Bet-Schemesch untergebracht (1 Sam 7, 1–2), und von ihm aus wird sie später nach Jerusalem überführt (2 Sam 6, 3–8 // 1 Chr 13, 7).
Vater des → ACHJO 1°; ELEASAR 2°; USA 1°.
4° **Sohn Abinadabs** oder **Ben-Abinadab** (1), verheiratet mit Tafat, einer Tochter Salomos, Statthalter des 4. Distrikts Salomos (1 Kön 4, 11).

ABINOAM (4), „Mein Vater ist gnädig" (vgl. Noomi), Ri 4, 6.12; 5, 1.12. Vater des → BARAK.

ABIRAM, gr. *Abiron,* „Mein Vater ist erhaben" (vgl. Rama).
1° **Abiram** (11), Sohn des Rubeniten Eliab. Seine Geschichte ist mit der seines Bruders → DATAN verknüpft.
2° **Abiram** (1), ältester Sohn des Hiël von Betel, gestorben (als Bauopfer?) beim Wiederaufbau Jerichos (1 Kön 16, 34).

ABISCHAG aus Sunem (5), ein junges, schönes Mädchen, das den alten König David pflegt (1 Kön 1, 3–4.15). Nach Davids Tod will Adonija sie heiraten, aber sein Versuch, auf diese Weise das Königtum zu beanspruchen, bringt ihm den Tod (1 Kön 2, 17–22).

ABISCHAI (25), „Vater des Isai" oder „Mein Vater ist Opfergabe" siehe Jes 18, 7 (vgl. Isai), **Sohn der Zeruja** (9), **Bruder des Joab** (4) und der Asaël, Neffe Davids (1 Chr 2, 13–16), Führer der

Eliteeinheit der Dreißig (2 Sam 23, 18f), einer der treuesten Helden Davids. Um David zu schützen, ist er bereit, Saul auf den Boden zu spießen (1 Sam 26, 6–9), dem Schimi das Haupt abzuschlagen (2 Sam 16, 5–11), und er will den König hindern, diesen zu begnadigen (2 Sam 19, 22f). Er tötet einen der Philister-Riesen, der David fast erschlagen hätte (2 Sam 21, 16f). Nach 2 Sam 3, 30.39 hat Abischai mit Joab den Meuchelmord an Abner begangen, um so den Tod seines Bruders Asaël zu rächen (2 Sam 2, 17–24). Abischai und Joab schlagen die Ammoniter in die Flucht (2 Sam 10, 9–14), verfolgen Abschalom (2 Sam 18, 2–14) und den aufständischen Benjaminiten Scheba (2 Sam 20, 6–10). Abischai schlägt 18000 Edomiter im Salztal (1 Chr 18, 12), obwohl 2 Sam 8, 13 diesen Sieg David und Ps 60, 2 ihn Joab zuschreibt. David beklagt sich mehrfach über die Gewalttätigkeit dieser beiden Söhne der Zeruja (2 Sam 3, 39; 19, 23; vgl. 1 Sam 26, 9; 2 Sam 16, 10; 19, 23).

ABISCHUA, „Mein Vater ist edel" (vgl. Schua 1°).
1° **Abischua** (4), Sohn des Pinhas, Abkömmling Aarons und Ahnherr des Priesters Zadok (1 Chr 5, 30.31; 6, 35; Esr 7, 5).
2° **Abischua** (1), Sohn des Bela, des Erstgeborenen Benjamins (1 Chr 8, 4).

ABISCHUR, (2), Sohn des Schammai, des Mannes der Abihajil, Vater des Achban und des Molid, vom Clan Jerachmeël (1 Chr 2, 28–29).

ABITAL (2), „Mein Vater ist [wie der] Tau" (vgl. Hamutal), eine der Frauen Davids, Mutter des → SCHEFATJA 1°.

ABITUB (1), „Mein Vater ist gut" (vgl. Tob), Benjaminit, Sohn des Gera (oder des Schaharajim) und der Huschim, Bruder des Elpaal (1 Chr 8, 11).

ABJATAR (30), „Der Vater hat Überfluß" (vgl. Jeter), gr. *Abiathar,* **Sohn des Ahimelech** (4), des **Sohnes Ahitub** (1), 1 Sam 22, 20; 23, 6; 30, 7; 2 Sam 8, 17; Abkömmling des Priesters Eli, überlebt als einziger das Massaker der Priesterschaft von Nob, verbündet sich mit dem umherirrenden David (1 Sam 22, 20–23) und trägt das Ephod mit Wahrsagelosen (23, 6–9; 30, 7).
Abjatar und Zadok, zusammen Priester unter David (2 Sam 8, 17; 20, 25; vgl. 1 Kön 4, 4; 1 Chr 15, 11). Als David vor seinem Sohn Abschalom flieht, begleiten sie ihn mit der Bundeslade ins Kidrontal. Auf Befehl des Königs kehren sie nach Jerusalem zurück (2 Sam 15, 24–29), damit sie ihn durch ihre zwei Söhne über die Situation auf dem laufenden halten (2 Sam 15, 35f; 17, 15f). Nach dem Tod Abschaloms rufen sie die Ältesten Judas auf, David auf den Thron zurückzurufen (19, 12–15). In der Thronfolgefrage ergreift Abjatar die Partei des Adonija, während Zadok sich für Salomo entscheidet (1 Kön 1, 7–45; 2, 22). Nach dem Tod Davids verbannt Salomo Abjatar nach Anatot. So nimmt er ihm zugunsten Zadoks das Priestertum (1 Kön 2, 26–27.35; vgl. 1 Sam 2, 31–35).
Nach 1 Chr 27, 34 ist Abjatar anstelle des Ahitofel der Ratgeber Davids geworden.
Zur Abstammung von Levi und Aaron siehe S. 382.
= **Abjatar** (1), Mk 2, 26 mit Bezug auf 1 Sam 21, 2–7, wo es sich tatsächlich aber um Ahimelech, den Vater des Abjatar, handelt.
Vater des → AHIMELECH 2°; JONATAN 3°.

ABNER (63), „Der Vater ist die Leuchte", siehe Ps 18, 29 (vgl. Ner), **Sohn des Ner** (12), Benjaminit, Vetter des Saul und sein Heerführer (1 Sam 14, 50–51; vgl. 17, 55–57; 20, 25). David, vom Heer Sauls verfolgt, macht sich über die Art lustig, wie Abner für die Sicherheit seines Königs sorgt (1 Sam 26, 5–16). Beim Tod Sauls setzt Abner den Sohn Sauls Isch-Boschet (Eschbaal) zum König ein (2 Sam 2, 8–10). Mit den Leuten Eschbaals greift Abner Joab und die Leute Davids an. In der Schlacht bei Gibeon tötet Abner Asaël, den Bruder Joabs, der sich zu seiner Verfolgung aufgemacht hatte (2 Sam 2, 12–32). Wegen eines Verhältnisses zu einer Nebenfrau Sauls überwirft sich Abner mit Eschbaal (2 Sam 3, 6–8) und verbündet sich mit David (2 Sam 3, 9–21). Auf dem Weg von Hebron, wo David ihm ein Festmahl bereitet hatte, wird er von Joab auf betrügerische Weise zurückgeholt und heimtückisch ermordet – aus Rache für Asaël (2 Sam 3, 22–27; vgl. 4, 1). Abner wird in Hebron begraben (2 Sam 4, 12). Als David von der Ermordung hört, beteuert er seine Unschuld und ordnet eine Totenklage über Abner an (2 Sam 3, 27–39). David beauftragt Salomo, Abner zu rächen (1 Kön 2, 5.32). Auf die von Abner dargebrachten Opfergaben wird 1 Chr 26, 28 angespielt. Vater des → JAASIËL 3°.

ABRAHAM (258), „Der Vater liebt" (nach dem Akk.) oder **Abram** (61), „Der Vater ist erhaben" (vgl. Rama). *Abram* begegnet in Gen 11, 26 bis 17, 5; 1 Chr 1, 27; Neh 9, 7; *Abraham* begegnet in Gen 17, 6 – 50, 23 (133); Ex bis Dtn (18); Chr bis Neh (9); Ps (4); Jes bis Mich (7); deuterokanonische Bücher (12); NT (73).

a) Geschichte Abrahams (um 1850 v. Chr.): Gen 11, 26 – 25, 11.

Abraham stammt aus einem polytheistischen aramäischen Clan (Jos 24, 2.14–15), der in Ur in Untermesopotamien beheimatet und dessen Ahnherr Terach, ein Abkömmling Sems (Gen 11, 10.24–27), des Sohnes Noachs (Gen 5, 32), war. Mit Sarai, seiner Frau, und seinem Neffen Lot zieht er nach Haran (Gen 11, 31). Dort ruft ihn Gott, in ein unbekanntes Land aufzubrechen (Hebr 11, 8), und er verspricht ihm eine zahlreiche Nachkommenschaft (Gen 12, 1–3). Mit 75 Jahren verläßt Abram Haran und zieht nach dem Land Kanaan (Gen 12, 4f), wo er sich in Hebron niederläßt (13, 8).
Gen 14 erzählt den Feldzug der vier Könige des Ostens, die Begegnung Abrams mit Melchisedek und mit dem König von Sodom (vgl. Hebr 7, 1–10).
Mit 86 Jahren hat Abram einen Sohn, Ismael, den ihm Hagar, die ägyptische Magd, gebar (Gen 16). Der aber ist für ihn nicht das „Kind der Verheißung" (17, 19; vgl. Gal 4, 28; Röm 9, 7–9). Gott schließt einen Bund mit Abram, ändert seinen Namen in Abraham („Vater einer Menge von Völkern", Gen 17, 4–6), erneuert die Ankündigung einer Nachkommenschaft, der für immer das Land gegeben werden soll, und ordnet das Zeichen der Beschneidung für alle männlichen Nachkommen Abrahams an (17, 6–14). Isaak, der Erbe der Verheißungen (Hebr 11, 9), wird von einem hundertjährigen Mann und einer neunzigjährigen Frau geboren (Gen 17, 17; 18, 11; Röm 4, 19; Hebr 11, 11–12), wie es die Gotteserscheinung bei Mamre dem Abraham und der Sara verheißen hatte (Gen 18, 9–15).
Die Geburt Isaaks führt zur Verstoßung der Hagar und des Ismael, damit der Sohn der Magd nicht mit dem Sohn der Verheißung das Erbe antrete (Gen 21, 8–14). Dann aber befiehlt Gott dem Abraham, diesen Sohn zu opfern (Gen 22). Nachdem Gott den Glauben Abrahams so auf die Probe gestellt hat (1 Makk 2, 52; Weish 10, 5; Hebr 11, 17), bekräftigt er die Verheißung der Nachkommenschaft. Die gleiche Verheißung wird dem Isaak zuteil, zum Lohn dafür, daß Abraham gehorsam war (Gen 26, 3–5; vgl. Sir 44, 22–23). Beim Tod Saras kauft Abraham das Feld Machpela bei Hebron (Gen 23). Vor seinem Sterben schickt er einen seiner Knechte nach Mesopotamien, um für seinen Sohn Isaak eine Frau zu holen (Gen 24). Die Geschichte Abrahams endet in Gen 25 mit einer von ihm über seine Nebenfrau Ketura abgeleiteten Liste der arabischen Völker (25, 1–4) und mit dem Bericht über seinen Tod im Alter von 175 Jahren und sein Begräbnis in Machpela (25, 7–11).

b) Gestalt Abrahams

Freund Gottes (2 Chr 20, 7; Jes 41, 8; Dan 3, 35; Jak 2, 23; vgl. Gen 17, 1–2; 18, 17; 19, 29. Vgl. *El Khalil* (= der Freund), arabischer Name Hebrons.
Knecht Gottes (Ex 32, 13; Dtn 9, 27; 2 Makk 1, 2; Ps 105, 6.42).
Glaubender, für gerecht erklärt wegen seines Glaubens (Gen 15, 6; 26, 5; 1 Makk 2, 52; Sir 44, 20; Röm 4, 3–9.12–16; Gal 3, 6–9; Hebr 11, 8–17; Jak 2, 21–23).
Großzügiger Gastgeber (Gen 18, 1–8; vgl. Hebr 13, 2).
Fürbittender Beter bei seinem berühmten Eintreten für Sodom (Gen 18, 22–23).

c) *Abraham, Isaak, Jakob*

Die Berufung Abrahams zum Glauben hat in der Geschichte der Gottesoffenbarung eine solche

Bedeutung, daß Gott sich selbst als Gott Abrahams (8) vorstellt oder vorgestellt wird (Gen 24, 27.42.48; 26, 24; 31, 53; Est 4, 17 Var.; Ps 47, 10), oder als der „Gott Abrahams und Isaaks" (3) (Gen 28, 13; 31, 42; 32, 10), der „Gott Abrahams, Isaaks und Jakobs" oder „Israels" (12) (Ex 3, 6.15–16; 4, 5; 1 Kön 18, 36; 1 Chr 29, 18; 2 Chr 30, 6; Mt 22, 32 par; Apg 3, 13; 7, 32).
Die Bibel verweist etwa 30 x auf die drei ersten Ahnherren des auserwählten Volkes. Ihnen hat Jahwe das Land versprochen und gegeben (Gen 35, 12; 50, 24; Ex 6, 8; 33, 1; Num 32, 11; Dtn 1, 8; 6, 10; 9, 5; 30, 20; 34, 4; Bar 2, 34). Mit ihnen hat er den Bund geschlossen und mit einem Schwur bekräftigt (Ex 2, 24; Lev 26, 42; Dtn 29, 12; 2 Kön 13, 23; 1 Chr 16, 16–17 // Ps 105, 6–10; 2 Makk 1, 2; Sir 44, 22–23). Ihnen, seinen Knechten (Ex 32, 13; Dtn 9, 27), ist er erschienen (Ex 6, 3), ihnen, die „unsere Väter seit Anbeginn waren" (Tob 4, 12; vgl. Ex 3, 6.15–16; 4, 5; Dtn 1, 8; 6, 10; 9, 5; 29, 12; 30, 20; 1 Chr 29, 18; Apg 3, 13). Und sie werden beim Festmahl im Gottesreich einen Ehrenplatz einnehmen (Mt 8, 11; Lk 13, 28; vgl. 16, 22f). Die drei Namen finden sich auch zusammen in Jdt 8, 26; Jer 33, 26; Dan 3, 35 und als Ahnherren Jesu (Mt 1, 2; Lk 3, 34).

Nachkommenschaft Abrahams

Die Verbindung zwischen demVolk, dem das Gelobte Land (das Land Abrahams: Tob 14, 7) gegeben wurde, und dem „Fels, aus dem ihr gehauen seid" (Jes 51, 1–2), wird auf zweifache Weise formelhaft ausgedrückt:
„Abraham, unser (euer) Vater" (Jos 24, 3; Sir 44, 19; Jes 51, 2; vgl. 63, 16; Lk 3, 8; 16, 24.30; Joh 8, 39.53.56; Agp 7, 2; Röm 4, 12.16; Jak 2, 21), unser Stammvater (Röm 4, 1).
Das *„Geschlecht Abrahams"* (2 Chr 20, 7; 1 Makk 12, 21; Jes 41, 8; Apg 13, 26; Röm 11, 1), „Nachkommenschaft Abrahams" (Jer 33, 26; Lk 1, 55; Joh 8, 33.37; Röm 9, 7; 2 Kor 11, 22; Gal 3, 16.29; Hebr 2, 16), die „Söhne oder Kinder Abrahams" (Mt 3, 9 par; Lk 13, 16; 19, 9; Joh 8, 39; vgl. Gen 12, 2.7; 13, 16; 15, 13 u. ö.; Sir 44, 19; Jes 63, 16; Ez 33, 24).
Die wahre Zugehörigkeit zum neuen Israel, zum echten Volk Abrahams, ist nicht an die biologische Abstammung geknüpft. Aber jene, die sich zum Glauben bekennen, die „die Werke Abrahams" (Joh 8, 39) tun, das sind die Kinder Abrahams (Gal 3, 7), die Nachkommenschaft, die auf dem Glauben Abrahams beruht, der unser aller Vater ist (Röm 4, 16), sogar der Vater der Heiden (Gal 3, 14). Auch Jesus (Mt 1, 1; Lk 3, 23.34; Gal 3, 16) und jene, die zu ihm gehören (Gal 3, 29), bilden die Nachkommenschaft Abrahams, aber Jesus, der Sohn Abrahams (Mt 1, 1), ist größer als Abraham (Joh 8, 53) und kann den Juden sagen: „Noch ehe Abraham wurde, bin ich" (Joh 8, 58).
Seine Frau → SARA 1°
Seine Nebenfrauen → HAGAR; KETURA.
Seine Söhne → ISAAK; ISMAEL; MIDIAN . . .

ABRAM → ABRAHAM (ab Gen 17, 5).

ABRONA
1° **Abrona** (2), hebr. *Abronah,* gr. *Ebrona,* Station des Exodus vor Ezjon-Geber (Num 33, 34–35).
2° **Abrona** (2) gr. *Abrona,* unbekannter Fluß (Jdt 2, 24) → HABOR.

ABSCHAI → ABISCHAI

ABSCHALOM, „Mein Vater ist Friede" (vgl. Salem).
1° **Abschalom** (107), dritter Sohn Davids, geboren von Maacha in Hebron (2 Sam 3, 3 // 1 Chr 3, 2), berühmt wegen seiner Schönheit und seines Charmes (2 Sam 14, 25–26). Er hatte drei Söhne und eine Tochter, Tamar (2 Sam 14, 27).
Um die Ehre seiner Schwester Tamar zu rächen, läßt Abschalom seinen Halbbruder Amnon ermorden, danach flieht er zu Talmai, dem König von Geschur (2 Sam 13). Durch Vermittlung einer Frau aus Tekoa erwirkt Joab bei David die Rückkehr des Abschalom (2 Sam 14). Dann nutzt Abschalom den latenten Gegensatz zwischen den Nordstämmen und Juda aus, verführt das Herz der Leute aus Israel (2 Sam 15, 1–6), begibt sich nach Hebron, wo er mit Ahitofel den Aufruhr gegen David schürt (15, 7–12). David, der aus Jerusalem fliehen muß (15, 13–29; vgl. 1 Kön 2, 7; Ps 3, 1), gewinnt die Unterstützung des Huschai,

um die Pläne Abschaloms zu vereiteln (2 Sam 15, 30–37; vgl. 16, 15–19). Auf den Rat des Ahitofel hin nimmt Abschalom demonstrativ die Nebenfrauen Davids zu sich (2 Sam 16, 20–23). Danach konsultiert er nacheinander Ahitofel und Huschai und hält sich, zu seinem Verderben, an den Rat des Huschai (2 Sam 17). Das Heer Abschaloms wird von David geschlagen, und Abschalom selbst, der sich mit seinen Haaren in einer Eiche verfangen hat, wird von Joab durchbohrt (2 Sam 18, 5–17; vgl. 19, 11). Er wird unter dem Gedenkstein „Abschaloms Hand" begraben (18, 18). Davids Schmerz über den Tod seines ungetreuen Sohnes (19, 1–9) ist ein bewegendes Zeugnis der Vaterliebe.
2° **Abschalom** (4), Vater der → MAACHA 9°.
Mit dem Vorhergehenden identisch?
3° **Abschalom** (3), einer der jüdischen Emissäre, die zu Lysias geschickt werden (2 Makk 11, 16–17).
Vater des → JONATAN 19°; MATTATIAS 2°.

ABUB (2), ein vermutlich arab. Name, (1 Makk 16, 11.15) Vater des → PTOLEMÄUS 11°.

ACHAB → AHAB

ACHAIA (10), römische Provinz, die den Peleponnes und Griechenland (ohne Mazedonien und Epirus) umfaßte. Paulus hielt sich dort während seiner zweiten Missionsreise auf (1 Thess 1, 7–8; vgl. Apg 17, 15 – 18, 18). Später begibt sich auch Apollos nach Achaia (Apg 18, 27 – 19, 1). Vor Ende seiner dritten Missionsreise faßt Paulus den Plan, durch Achaia zu reisen (Agp 19, 21), und hält sich dort drei Monate auf (Apg 20, 2: „Griechenland" ist hier = Achaia). Kurz vorher hatte er einen Brief an „die Gemeinde Gottes in Korinth und alle Heiligen in ganz Achaia" (2 Kor 1,1) geschrieben. Als „erste Frucht Achaias" (1 Kor 16, 15) wird das „Haus des Stephanas" genannt. Die Gläubigen Achaias beteiligen sich auch an der Kollekte des Paulus für die arme Jerusalemer Gemeinde (Röm 15, 26–27; 2 Kor 9, 2 (Kap. 9 ist vermutlich ein eigenes Kollektenschreiben an die Gemeinden Achaias). Dagegen beglückwünscht sich Paulus, niemals etwas für sich selbst von den Christen Achaias angenommen zu haben (2 Kor 11, 10).
Prokonsul → GALLIO.
Hauptstadt der Provinz → KORINTH.
Städte → ATHEN; KENCHREÄ.

ACHAIKUS (1), „aus Achaia", Christ in Korinth, der sich mit Stephanas und Fortunatus nach Ephesus begibt, um Paulus einen Brief der korinthischen Gemeinde zu überbringen (1 Kor 16, 17; vgl. 7, 1).

ACHAN (6), hebr. *Akan* (vgl. Jakan), **Sohn des Karmi** (oder aus der Familie) **des Sabdi** (2), Sohn (oder aus dem Clan) **des Serach** (4), **vom Stamm Juda** (4). Bei der Einnahme Jerichos verletzt er das Banngebot (Jos 7, 1), was zur Niederlage vor Ai führt. Josua entdeckt den Schuldigen und läßt ihn zusammen mit seinen Angehörigen im Tal Achor steinigen (Jos 7, 16–25; vgl. 22, 20).

ACHAR (1), „Unglücksträger" (1 Chr 2, 7) identisch mit → ACHAN.

ACHAZ → AHAS.

ACHBAN (1), Sohn des Abischur und der Abihajil, vom Clan Jerachmeel (1 Chr 2, 19).

ACHBOR, „Die Maus"
1° **Achbor** (3), Vater des Königs von Edom → BAAL-HANAN 1°.
2° **Achbor** (2), **Sohn des Michaja** (1), Mitglied der vom Hohenpriester Hilkija angeführten Delegation, die der König Joschija nach der Auffindung des Gesetzbuches zur Prophetin Hulda schickte (2 Kön 22, 12–20).
= **Abdon, Sohn des Micha** (1), 2 Chr 34, 20–28.
3° **Achbor** (2), mit dem Vorhergehenden identisch?
Vater des → ELNATAN 1°.

ACHER → AHER.

ACHI → AHI.

ACHIA → AHOACH.

ACHIKAR (9), „Mein Bruder ist kostbar", **Sohn des Hanael** (1), Minister der assyrischen Könige Sanherib und Asarhaddon, als Verwandter – Vetter oder Neffe – des Tobit vorgestellt (Tob 1, 21–22). Er begünstigt die Rückkehr Tobits, der wegen seiner Pietät gegenüber den Toten hatte flüchten müssen, nach Ninive (1, 22) und sorgt zwei Jahre lang für den Unterhalt des Erblindeten (2, 10). Achikar teilt die Freude Tobits über seine Heilung, zusammen mit einem anderen Vetter, dem Nadab (11, 18). Als Opfer der Intrigen Nadabs, den er als Amtsnachfolger adoptiert hatte, wird er zur Hinrichtung geführt, aber wegen seiner guten Werke rehabilitiert (14, 10). In Tob 14, 15 ist wahrscheinlich Kyaxares anstelle von Achikar zu lesen.

ACHIM (2), Ahnherr Jesu (Mt 1, 14).

ACHIOR (13), nach dem hebr. *Ahior,* „Mein Bruder ist Licht" (vgl. Ur 2°).
Der Autor des Buches Judit läßt Achior, den Heerführer der Ammoniter – eine Gestalt, die wohl von der Figur des weisen und guten Heiden Achikar inspiriert ist (Tob 1, 21) – vor dem assyrischen General Holofernes eine Rede über die Geschichte Israels halten (Jdt 5, 5–21; vgl. 11, 9). Den Israeliten ausgeliefert, teilt er ihnen die bedrohlichen Pläne des Holofernes mit (5, 22 bis 6, 20). Nach Judits Heldentat und dem Sieg Israels bekehrt sich Achior zum Judentum (14, 5–10).

ACHISCH (21), **Sohn des Maoch** (1) oder **des Maacha** (1), **König von Gat** (4). Bei ihm sucht David Zuflucht vor Saul. Aus Furcht vor den Dienern des Achisch stellt sich David wahnsinnig (1 Sam 21, 11–16; vgl. Ps 34, 1, wo Achisch **Abimelech** genannt wird). Eine andere Tradition, die in 1 Sam 27–29 enthalten ist, schildert den Aufenthalt Davids bei den Philistern weit ausführlicher: David wechselt mit 600 Mann in philistäisches Gebiet über (27, 1–4), dort gibt ihm Achisch die Stadt Ziklag (27, 5–12). Achisch will David am Kampf gegen Saul beteiligen, aber dieser gibt eine ausweichende Antwort (28, 1–2). Unter dem Druck seiner David feindlich gesinnten Heerführer bittet Achisch David, das Gebiet der Philister zu verlassen (29, 1–11). Zu Achisch flüchten sich später zwei Sklaven des Schimi, und als dieser die Entlaufenen aus Gat zurückholt, wird er von Salomo zum Tod verurteilt (1 Kön 2, 39–42).

ACHJAN (1), „Kleiner Bruder" (vgl. Ahi), Manassiter, Sohn des Schemida (1 Chr 7, 19).

ACHJO, „Kleiner Bruder" (vgl. Ahi).
1° **Achjo** (3), **Sohn des Abinadab** aus Kirjat-Jearim. Er führt mit seinem Bruder Usa das Gefährt, auf dem die Bundeslade vom Haus seines Vaters nach Jerusalem gebracht wird (2 Sam 6, 3–4 // 1 Chr 13, 7).
2° **Achjo** (2), Benjaminiter aus Gibeon (1 Chr 8, 31 // 9, 37).
3° **Achjo** (1), 1 Chr 8, 14 (die meisten Autoren lesen mit dem Gr. „seinen Bruder" anstelle des hebr. *Achjo*).

ACHLAI, „Möge es Gott gefallen ..." oder „Bruder meines Gottes"?
1° **Achlai** (1), Sohn des Scheschan, Abkömmling Jerachmeels (1 Chr 2, 31).
2° **Achlai** (1), Vater des → SABAD 3°.

ACHOR (5), „Unglück" (vgl. Achar), Tal bei Jericho, an der Grenze zwischen Juda und Benjamin (Jos 15, 7), wo Achan, der bei der Einnahme Jerichos den Bann verletzt hatte, gesteinigt und verbrannt wurde (Jos 7, 24–26). Gleichwohl soll dieses „Unglückstal" in der Zukunft ein „Tor der Hoffnung" werden (Hos 2, 17; vgl. Jes 65, 10).

ACHRACH (1), 1 Chr 8, 1 → AHIRAM.

ACHSA (5), „Fußspange" (vgl. Jes 3, 16), Tochter Kalebs (1 Chr 2, 49), dem Kenasiter Otniël zur Frau gegeben, nachdem dieser die Stadt Kirjat-Sefer (= Hebron) eingenommen hatte. Als Abschiedsgeschenk erhält sie von ihrem Vater Wasserquellen im Negeb (Jos 15, 16–19 // Ri 1, 12–15).

ACHSAI (1), Neh 11, 13 = **Jachsera** (1) 1 Chr 9, 12. Ahnherr des Priesters → AMASAI 4°.

ACHSCHAF (3), kanaanäische Stadt (Jos 11, 1)

deren König von den Israeliten besiegt wird (Jos 12, 20). Sie wird dem Stamm Ascher gegeben (Jos 19, 25).

ACHSIB (vgl. Kosbi).
1° **Achsib** (1), Stadt in der Ebene Juda (Jos 15, 44).
= **Bet-Achsib** (1) Mich 1, 14 (Korr. des hebr. „die Häuser" von Achsib).
= **Kesib** (1), Gen 38, 5. Stadt des Kanaaniters Schua, dessen Tochter Juda heiratet
= ? **Koseba** (1), 1 Chr 4, 22. Durch Schela zu Juda gehörig.
2° **Achsib** (2), kanaanäische Stadt nördlich von Akko an der Grenze zu Ascher (Jos 19, 29), die dieser Stamm nicht besetzen kann (Ri 1, 31).

ADA, „Geschmeide" (vgl. Adaja; Adiel; Aditajim, Elada; Jedo).
1° **Ada** (3), erste Frau des Lamech und Mutter von Jabal und Jubal (Gen 4, 19–21.23).
2° **Ada** (5), **Tochter des Hetiters Elon** (1), Frau Esaus (Gen 36, 2), Mutter des Elifas (34, 4.10), als Mutter der Söhne oder Fürsten des Elifas genannt (36, 11–12.15–16).

[ADAD] → Adrammelech.

ADAD → Hadad.

ADADA (1), Jos 15, 22 → Aroër 3°.

ADAJA, „Jahwe ist geschmückt" (vgl. Ada)
1° **Adaja** (1), Vater der → Jedida.
2° **Adaja** (1), Levit des Clans Gerschon, Ahnherr des Sängers Asaf (1 Chr 6, 26).
3° **Adaja** (1), Benjaminiter der Söhne Schimis, Familienhaupt in Jerusalem (1 Chr 8, 21).
4° **Adaja** (1), Vater des → Maaseja 2°.
5° **Adaja** (1), Ahnherr des → Maaseja 15°.
6° **Adaja, Sohn des Jeroham – Sohn des Pelalja, Sohn des Amzi, Sohn des Secharja** (1) – **Sohn des Paschhur, Sohn des Malkija** (2), Priester in Jerusalem nach dem Exil (1 Chr 9, 12 // Neh 11, 12).

ADALJA (1), Est 9, 8. Bruder des → Parschandata.

ADAM, „Aus roter Erde" (vgl. Adama)
1° **Adam** (19). Das hebr. Wort *adam* (540) wird von *adamah* („rote, zum Ackerbau geeignete Erde") hergeleitet. Gewöhnlich übersetzt man es mit dem Gattungsbegriff „Mensch" oder „die Menschen", aber in 19 Fällen legt sich die Übersetzung durch einen Eigennamen nahe. Außer in Lk 3, 38 kann der Ausdruck „Sohn Adams" oder „Adamskinder" – hebr. *ben adam* (108, davon 93 in Ez = Menschensohn) oder im Plural (47) –, den man als solchen vor allem in poetischen Texten findet (Num 23, 19; Ps 8, 5; 80, 18 u. ö.; Sir 40, 1), auch mit „ein Mensch", „menschliches Wesen", „Menschenkinder" wiedergegeben werden.
Von den Menschen zu Adam. Der Ausdruck „Söhne Adams" will die Beziehung der Menschen zu dem von der göttlichen Weisheit behüteten „Urvater der Welt" (Weish 10, 1; vgl. Ijob 15, 7; 20, 4; Dtn 4, 32) betonen und auf die Hinfälligkeit des menschlichen Wesens verweisen: aus dem Nichts gemacht (2 Makk 7, 28), von der Erde genommen (Gen 2, 7; Weish 7, 1; Sir 33, 10), die er bebauen und pflegen soll (Gen 2, 15; vgl. 3, 17–19) und zu der er zurückkehrt (Sir 17, 1; vgl. 17, 32), nachdem er an Gott den Geist zurückgibt (Koh 12, 7), den er von ihm empfangen hat (Gen 2, 7; Num 16, 22; Sach 12, 2; Mal 2, 15; Hebr 12, 9). Gleichwohl ist dieser vom Schöpfer der Welt gemachte Mensch (2 Makk 7, 23; vgl. Jes 45, 12) nach Gottes eigenem Bild gestaltet (Gen 1, 26–27; 5, 2; 9, 6; Weish 2, 23), zur Unverweslichkeit bestimmt (Weish 2, 23); vgl. 2 Petr 1, 4) und mit Gottes Macht über die Welt ausgestattet (Gen 2, 19; Weish 9, 2; 10, 2). Adam, der Sohn Gottes (Lk 3, 38), stellt sich so als der eine Ursprung dar, aus dem Gott das ganze Menschengeschlecht hervorgehen ließ (Mal 2, 15; Apg 17, 26), als Stammvater der gesamten Menschheitsfamilie (Gen 5; 1 Chr 1, 1; Weish 10, 1; Sir 49, 16; Jud 14).
Adam stirbt mit 930 Jahren, nachdem er Kain, Abel und – als Ersatz für ihn – Set gezeugt hat (Gen 4, 1–2.25). Von weiteren Söhnen und Töchtern berichtet Gen 5, 4.
Adam und die ihm gleichartige Hilfe, die Gott ihm gibt (Gen 2, 18; Tob 8, 6) und die er „Eva" nennt, weil sie Mutter aller Lebenden ist (Gen 3, 20), erscheinen als das erste von Gott geschaffene

Menschenpaar (1 Tim 2, 13), jene zwei, aus denen das ganze Menschengeschlecht hervorgegangen ist (Tob 8, 6).
Der neue Adam. Adam, der erste Mensch, der von der Erde stammt (1 Kor 15, 45–47), ist auch der erste Sünder, dessen Tat den Tod für seine ganze Nachkommenschaft zur Folge hat (Röm 5, 12), ist die Gestalt dessen, der kommen soll (Röm 5, 14), des zweiten Menschen, des letzten Adam, der nicht von der Erde, sondern vom Himmel stammt (1 Kor 15, 47). Christus ist das Urbild des neuen Menschen, der von Gott geschaffen ist in Gerechtigkeit, Heiligkeit und Wahrheit (vgl. Eph 4, 24), die Quelle der Gnade (Röm 5, 17–18) und lebendigmachender Geist (1 Kor 15, 45).
2° **Adam** (2), Ort am Jordan bei der Einmündung des Jabbok (Jos 3, 16), wo Israel den „Bund gebrochen hat" (Hos 6, 7; falls man nicht übersetzt: „wie Adam" oder „nach Menschenart").
= **Adama** (2), Jordanfurt, bei der sich Gießereien befinden (1 Kön 7, 46 // 2 Chr 4, 17: falls „Adama" nicht mit „in Formen aus festem Lehm" zu übersetzen ist).

ADAMA, „Rote Erde" (vgl. Adam; Adummim; Edom).
1° **Adama** (1), Ortschaft in Naftali (Jos 19, 36).
2° **Adama** (2) → ADAM 2°.
3° **Adama** → ADMA.

ADAMI-NEKEB (1), Ortschaft zwischen dem See Gennesaret und dem Berg Tabor (Jos 19, 33).

ADBEEL (2), einer der zwölf Söhne und Häupter des Clans Ismael (Gen 25, 13 // 1 Chr 1, 29).

ADDAR
1° **Addar** (1) → ARD.
2° **Addar** (1) → HAZAR-ADDAR.

ADDI (1), Ahnherr Jesu nach Lk 3, 28.

ADDON (1) oder **ADDAN** (1), unbekannte Ortschaft in Babylon, in der sich Israeliten aufhalten (Esr 2, 59 // Neh 7, 61).

ADIËL, „Gott hat sich geschmückt" (vgl. Ada).
1° **Adiël** (1), Simeoniter, Haupt eines Clans (1 Chr 4, 36ff).
2° **Adiël** (1), Vater des Priesters Masai → AMASAI 4°.
3° **Adiël** (1), Vater des → ASMAWET 4°.

ADIN (4), „Lüstling" (vgl. Eden 2°), Israelit, ein Führer des Volkes, dessen Söhne mit Serubbabel (Esr 2, 15 // Neh 7, 20) und Esra (Esr 8, 6) aus dem Exil zurückkehren. Er unterzeichnet die Verpflichtung, das Gesetz zu beobachten (Neh 10, 17).

ADINA (1), (vgl. Eden 2°), **Sohn des Rubeniters Schisa** (1), Krieger Davids, Haupt der Rubeniter und für die „Dreißig" verantwortlich (1 Chr 11, 42).

ADITAJIM (1), „Die beiden Schmuckstücke" (vgl. Ada), Jos 15, 36; → HADID.

ADLAI (1), Vater des → SCHAFAT 5°.

ADMA (5), gr. *Adama,* Stadt der Pentapolis, nahe bei Sodom und Gomorra (Gen 10, 19) und zugleich mit diesen untergegangen (Dtn 29, 22; Hos 11, 8; vgl. Weish 10, 6).
König → SCHINAB.

ADMATA (1), pers. Name, ein Offizier (Est 1, 14), erwähnt mit → MEMUCHAN.

ADNA, hebr. 1°: *Adnah;* 2°–3°: *Adna* (vgl. Eden 2°)
1° **Adna** (1), Offizier im Heer Judas unter Joschafat (2 Chr 17, 14).
2° **Adna** (1), Israelit aus den Söhnen Pahat-Moabs, Mann einer Ausländerin, die er zurückschickt (Esr 10, 30).
3° **Adna** (1), Haupt einer priesterlichen Familie aus Harim zur Zeit des Hohenpriesters Jojakim (Neh 12, 15).

ADNACH (1), manassitischer Heerführer, mit David verbündet vor dessen Königtum (1 Chr 12, 21).

ADOMITER → EDOMITER.

ADONIAS → ADONIJA.

ADONI-BESEK (3), „Besek ist mein Herr" oder „Herr von Besek" (vgl. Besek). Adoni-Besek wird von den Söhnen Judas bei Besek geschlagen und verstümmelt, wie er selber seine Feinde an Händen und Füßen verstümmelt hatte. Er stirbt in Jerusalem (Ri 1, 5–7). Vielleicht ist Adoni-Besek wegen Jos 10, 1–3 in Adoni-Zedek zu ändern.

ADONIJA, „Mein Herr ist Jahwe".
1° **Adonija** (24) **Sohn der Haggit** (5), vierter der in Hebron geborenen Davidssöhne (2 Sam 3, 2–4 // 1 Chr 3, 1–2), meldet in den letzten Lebenstagen Davids seinen Anspruch auf den Thron an und wird dabei von Joab (vgl. 1 Kön 2, 28) und Abjatar (1 Kön 1, 5–10) unterstützt. Natan und Batseba berichten dem König vom Komplott des Adonija (1 Kön 1, 11–27), worauf David Salomo zum König weihen läßt (VV. 28–40). Auf diese Nachricht hin flieht Adonija voll Angst und ergreift die Hörner des Altars, doch Salomo begnadigt ihn (VV. 41–53). Nach dem Tod Davids verlangt Adonija die Abischag von Sunem, die den alternden David gepflegt hatte, zur Frau; dafür läßt ihn Salomo töten (1 Kön 2, 13–25).
2° **Adonija** (1), einer der acht Leviten, die der König Joschafat mit zwei Priestern und fünf Beamten in die Städte Judas schickte, um sie das Gesetz zu lehren (2 Chr 17, 7–9).
3° **Adonija** (1), ein Fürst des Volkes, unterschreibt die Verpflichtung, das Gesetz zu beobachten (Neh 10, 17).

ADONIKAM (3), „Mein Herr steht aufrecht" (vgl. Jakim). Israelit, Familienhaupt, dessen Söhne mit Serubbabel (Esr 2, 13 // Neh 7, 18) und Esra (Esr 8, 13) aus dem Exil zurückkehren.

ADONIRAM (2), „Mein Herr ist erhaben" (vgl. Ram), Abk. **Adoram** (5), **Sohn des Abda** (1), Oberaufseher des Frondienstes unter David (2 Sam 20, 24), danach unter Salomo (1 Kön 4, 6; 5, 28). Als der junge König Rehabeam ihn zu den abgefallenen Nordstämmen sandte, wurde er vom Volk gesteinigt (1 Kön 12, 18 // 2 Chr 10, 18) (hebr. *Hadoram).*

[ADONIS], „Mein Herr" → TAMMUS.

ADONI-ZEDEK (2), „Mein Herr ist Gerechtigkeit" (vgl. Zadok), König von Jerusalem (5), bildet mit den benachbarten Amoriterkönigen eine Koalition **(Debir, König von Eglon; Hoham, König von Hebron; Piram, König von Jarmut; Jafia, König von Lachisch)** gegen Gibeon. Josua greift ein und schlägt die fünf Könige, die sich in die Höhle von Makkeda flüchten. Sie werden aufgehängt und ihre Leichname in die Höhle geworfen (Jos 10, 1–26; 12, 10).

ADORA (1) →ADORAJIM.

ADORAJIM (1), 8 km westlich von Hebron (heute Dura), von Rehabeam befestigte Stadt (2 Chr 11, 9).
= **Adora** (1), von wo aus Tryphon in Judäa einrückt (1 Makk 13, 20).

ADORAM → ADONIRAM

ADRAMMELECH (akk. *Adadmilki,* „[Der Gott] Adad ist König" oder „Ratgeber" (vgl. Melech).
1° **Adrammelech** (1), assyrischer Gott, zu dessen Ehren die Leute von Sefarwajim ihre Söhne verbrennen (2 Kön 17, 31).
2° **Adrammelech** (2) und **Sarezer** (2), zwei der Söhne des Assyrerkönigs Sanherib, die ihren Vater im Tempel des Nisroch ermorden und sich dann in das Land Ararat flüchten (2 Kön 19, 37 // Jes 37, 38; vgl. 2 Chr 32, 21; Tob 1, 21).

ADRAMYTTIUM (1), Hafen an der Küste Mysiens, heute das türkische Edremit. In Cäsarea besteigt Paulus ein Schiff nach Adramyttium (Apg 27, 2).

ADRIA (1), in der Antike Teil des Mittelmeers, der zwischen Griechenland, Italien und Afrika lag. Paulus erlebt hier Sturm und Schiffbruch (Apg 27, 27).

ADRIËL (2), Parallelform von Asriël (vgl. Eder), **Sohn des Barsillai** (1) aus Mehola (2), heiratet Merab, die älteste Tochter Sauls, die dem David versprochen war (1 Sam 18, 19); sie schenkt ihm fünf Söhne, die später von den Gibeonitern aufgehängt werden (2 Sam 21, 8–9).

ADUËL (1), Naftaliter, Ahnherr des Tobit und Tobias (Tob 1, 1).

ADULLAM (11), gr. *Odollam,* Stadt Kanaans, deren König von Josua besiegt wird (Jos 12, 15). Sie liegt in der Ebene Juda (15, 35; Mich 1, 15), wurde von Rehabeam wiederhergestellt (2 Chr 11, 7). Bei der Rückkehr aus dem Exil ließen sich hier Judäer nieder (Neh 11, 30). Nahe der Stadt befindet sich eine Grotte, in der sich David auf der Flucht vor Saul versteckte (1 Sam 22, 1; 2 Sam 23, 13 // 1 Chr 11, 15).
= **Odollam** (1), wo Judas Makkabäus ein Opfer für die Gefallenen darbringt (2 Makk 12, 38). Etwa 25 km im Südosten von Jerusalem. Heimat des → Hira.

ADULLAMITER, Mann aus Adullam (Gen 38, 1).

ADUMMIM (2), „Die Roten" (vgl. Adama), an der Grenze von Juda und Benjamin (Jos 15, 7; 18, 17). An- bzw. Abstieg auf halbem Weg zwischen Jerusalem und Jericho.

AFEK, AFEKA
1° **Afek** (3), Stadt in der Küstenebene, deren König von Josua besiegt wird (Jos 12, 18). Dort versammeln sich die Philister (1 Sam 4, 1; 29, 1).
= **Antipatris** (1), wo Paulus bei seinem Transport von Jerusalem nach Cäsarea die Nacht zubringt (Apg 23, 31).
2° **Afek** (3), Ortschaft östlich des Sees Gennesaret. Dort wird Ben-Hadad II., König von Aram, vom israelitischen König Ahab besiegt (1 Kön 20, 26–30). Der Prophet Elischa sagt dem König Joasch von Israel voraus, er werde dort die Aramäer vernichten (2 Kön 13, 17). Heute *Fiq.*
3° **Afek** (1), Stadt in Ascher (Jos 19, 30).
= **Afik,** unabhängig gebliebene phönizische Stadt (Ri 1, 31). Vermutlich **Kurdane** bei Akko.
4° **Afeka** (1), Ort im Gebirge Juda (Jos 15, 53).
5° **Afeka** (1), in Phönizien, im Gebiet von Sidon (Jos 13, 4). Vielleicht *Afka* im NO von Beirut.

AFIACH (1), 1 Sam 9, 1, Benjaminiter, Ahnherr des → Kisch 1°.

AGABUS (2), christlicher Prophet in Jerusalem, kommt nach Antiochia, wo er eine Hungersnot ankündigt (Apg 11, 27–28). Später sagt er in Cäsarea die Gefangennahme des Paulus voraus (Apg 21, 10–11).

AGAG, AGAGITER
1° **Agag** (8), **König von Amalek** (3), besiegt (vgl. Num 24, 7) und gefangengenommen. Saul schenkt ihm trotz des Banngebots das Leben (1 Sam 15, 8–9.20). Samuel tötet ihn vor Jahwe in Gilgal (1 Sam 15, 32–33).
2° **Agagiter** oder **aus Agag** (6), Beiname des Judenverfolgers Haman, unklar ob Orts- oder Stammesbezeichnung (Est 3, 1.10; 8, 3.5; 9, 24). → Haman 1°.

AGE (1), nach dem hebr. Vater des Schamma (2 Sam 23, 11). Hat einen Sohn, Jehonatan oder Jonatan, der in 1 Chr 11, 34 „Sohn des *Schage*" genannt wird. Manche Kommentare korrigieren *Age* in *Ela.*

AGGÄUS → Haggai

AGRIPPA, gr. *Agrippas*
1° **Herodes [Agrippa I.]** → Herodes 3°.
2° **[Herodes] Agrippa II.** → Herodes 4°.

AGUR, Sohn des Jake (1), Weiser aus dem arab. Stamm Massa, dem Spr 30, 1–14 zugeschrieben werden.

ÄGYPTEN (753), gr. *Aigyptos* (58), ägypt. *Hiku-ptah,* „Haus des Gottes Ptah" (urspr. Beiname von Memfis), hebr. → *Mizrajim.* Land am Unterlauf des Nils, im äußersten SO des „fruchtbaren Halbmonds", eingeteilt in „Gaue" (Jes 19, 2), umfaßt Oberägypten (Tob 8, 3) – von Elephantine bis Memfis – und Unterägypten – von Memfis bis zum Mittelmeer. Seine Grenze zu Palästina wird wiederholt erwähnt: 1 Kön 5, 1 // 2 Chr 9, 26; 2 Chr 26, 8; 1 Makk 3, 32; 11, 59.
In den Patriarchengeschichten erscheint Ägypten

als ein *Zufluchtsland.* Abram zieht wegen einer Hungersnot dorthin (Gen 12, 10 – 13, 1). Aus dem gleichen Grund schickt Jakob seine Söhne nach Ägypten (Gen 42, 1). Dort finden sie ihren Bruder Josef wieder (Gen 42–45). Vom Pharao eingeladen, kommt Jakob in dieses Land des Überflusses (Gen 45, 16–20; 46–49) und läßt sich dort mit seiner Familie nieder (Gen 46, 8–27; Ex 1, 1–7; Jdt 5, 10). Dort sterben auch Jakob und Josef (Gen 50). In der späteren Geschichte Israels wird Ägypten wieder zum Zufluchtsland der Geächteten und Verfolgten, wie Jerobeam (1 Kön 11, 40; 12, 2), Urija (Jer 26, 21f), der Edomiter Hadad (1 Kön 11, 17f), Josef und Maria (Mt 2, 13–19). Aus Furcht vor östlicher Invasion und Besatzung wollen viele Israeliten nach Ägypten auswandern (Jer 41, 16–18), werden aber von den unheilvollen Folgen gewarnt (Jer 42, 13–22).

Ägypten erscheint aber vor allem (mehr als 400 ×) als ein *Land der Unterdrückung:* Ex 1, 8–14; 2, 23–24; 3, 7–9.16–17; 5, 4–23; 6, 5–9; 18, 9–10; Num 20, 15; Ri 10, 11–12; 1 Sam 12, 8; Weish 10, 15; 19, 16; Hebr 11, 25–26. Es ist ein Ort der Knechtschaft, ein „Sklavenhaus“: Ex 13,3.14; 20, 2; Dtn 5, 15; 6, 12.21; 7, 8; 8, 14; 13, 6.11; 15, 15; 16, 12; 24, 18.22; 26, 6–8; Jos 24, 17; Ri 6, 8–9; 1 Sam 2, 27; Neh 9, 17; Jdt 5, 11; Jer 34, 13; Mich 6, 4. Ein „Schmelzofen“ (Dtn 4, 20; 1 Kön 8, 51; Jer 11, 4), aus dem Gott sein Volk „hinausgeführt“ hat oder „hinaufsteigen“ ließ: Ex 3, 17; 7, 4; Lev 11, 45; 19, 36; 26, 13; Num 15, 41; Dtn 8, 14; 20, 1; Ri 2, 12. Dabei hat sich Gott des Mose und Aaron bedient (Ex 3, 10–12; 6, 13.26; 14, 11; 17, 3; 32, 1.7.23; Num 20, 16; Dtn 9, 12), indem er die Zeichen und Wunder in Ägypten vervielfacht (Ex 3, 20; 4, 21; 7, 3; Num 14, 22; Dtn 6, 22; Jos 9, 9; Ps 78, 12.43; 106, 7.13.21–22; 135, 9; Weish 10, 16; Jer 32, 20–21; Apg 7, 36), die in Wahrheit Strafgerichte sind, die „ägyptischen Plagen“ (Ex 3, 20; 7 – 12; 15, 26; 18, 8; 19, 4; Num 3, 13; 8, 17; Dtn 4, 34; 7, 15–19; 28, 27–60; 1 Sam 4, 8; Jdt 5, 12; Ps 78, 51; 81, 6; 105, 27–38; Am 4, 10). Der „Auszug aus Ägypten“ (Ex 19, 1; Num 1, 1; 9, 1; 33, 38; Dtn 9, 7; 16, 3; Ri 19, 30; 2 Kön 21, 15; Jes 11, 16; Jer 7, 25; Mich 7, 15) war eine Befreiung (Ex 3, 8; 6, 6; 18, 9–10; Dtn 7, 8; 9, 26; Ri 6, 9; 1 Sam 10,18; Apg 7, 34), ein Loskauf (Dtn 13, 6; 15, 15; 24, 18; 2 Sam 7, 23; 1 Chr 17, 21; Est 4, 17; Mich 6, 4; Apg 7, 35), eine Rettung (Ri 10, 12; Jud 5). Das Exodusthema (150 ×) wird in Weish 10, 15 bis 12, 27 und 16, 1 bis 19, 22 aufgenommen, ohne das Wort Ägypten auszusprechen.

Ägypten ist also ein Land der Verbannung (Weish 19, 10; Apg 13, 17) gewesen, wo die Israeliten als „Fremde“ gelebt haben (Gen 15, 13; Ex 2, 22; 22, 20; 23, 9; Lev 19, 34; Dtn 10, 19; 23, 8; Apg 7, 6), und das 430 Jahre lang (Ex 12, 40; vgl. Gen 15, 13; Gal 3, 17; Num 20, 15), wohin Gott sie zurückzuschicken droht (Dtn 28, 68; Hos 8, 13; 9, 3). Gleichwohl bleibt es in ihrem Gedächtnis ein *Land der Verlockung und Sehnsucht,* ein Land, das „von Milch und Honig fließt“ (Num 16, 13), wo sie „an den Fleischtöpfen saßen und Brot genug zu essen hatten“ (Ex 16, 3; Num 11, 4–6; vgl. Gen 41, 29–31), wohin zurückzukehren sie immer wieder versucht werden (Ex 13, 17; 14, 11–12; Num 14, 2–4; Apg 7, 39). Es ist ein bedeutendes Handelszentrum, berühmt vor allem wegen seiner Leinentücher (Spr 7, 16; Jes 19, 9–10; Ez 27, 7) seiner Pferde (Dtn 17, 16; 1 Kön 10, 28–29 // 2 Chr 1, 16–17; 9, 28; Jes 31, 3). Als Pflegestätte der Kultur und der Weisheit erscheint es: Gen 41, 8; 1 Kön 5, 10; Jes 19, 11–12; Weish 17, 7; Sir Prolog 29; Apg 7, 22. In der Tat hat es zahlreiche jüdische Kolonien in Ägypten gegeben (vgl. 2 Makk 1, 1.10; Sir Prolog 27–34; vgl. Apg 2, 5–10), besonders in Elephantine. Ägypten stellt auch eine starke Militärmacht dar, und in Zeiten östlicher Bedrohung (Assur, Babylon) ist Israel versucht, sie um Hilfe zu bitten (2 Kön 18, 21–24 // Jes 36, 6–9) oder bei ihr Zuflucht zu suchen (vgl. oben). Die Propheten dagegen mahnen das Volk: „Ägypten ist nur ein Mensch und kein Gott“ (Jes 31, 3), „die Hilfe Ägyptens ist nichtig und nutzlos“ (Jes 30, 2–7), es ist ein „geknicktes Schilfrohr“ (2 Kön 18, 21 // Jes 36, 6). Die Anlehnung an Ägypten verrät nicht nur einen Mangel an Glauben, sondern birgt auch die Gefahr der Anstekkung durch Götzendienst (Lev 18, 3; Esr 9, 1; Ez 20, 7–8) und Zauberei (Jes 19, 1.3). So wird Ägypten auch zum Aufenthaltsort der Dämonen (Tob 8, 3), zum Typus der götzendienerischen und dem Gottesvolk feindlichen Mächte (Offb 11, 8; vgl. Weish 11, 15–16; 12, 23–27; 15, 14–19).

In der Vergangenheit war Ägypten ein Werkzeug der Pläne Gottes, jetzt aber zittert es seinerseits vor denen, die es einst in Schrecken setzte. Es kennt den Tag, an dem Jahwe sich wider Ägypten erheben wird (Jes 19; Jer 46; Ez 29 – 32), um seinen Hochmut zu demütigen und aus dem Land eine Wüste zu machen (Ez 32, 12–15; vgl. Joel 4, 19; Dan 11, 42). Aber Ägypten wird sich bekehren, und während der Pharao des Exodus überheblich erklärte: „Wer ist Jahwe? ... Ich kenne keinen Jahwe" (Ex 5, 2), wird es eines Tages einen Jahwe geweihten Altar in Ägypten geben (Jes 19, 19). Das Volk der Ägypter wird mit allen Völkern der Erde nach Jerusalem hinaufziehen, um den König Jahwe Zebaot anzubeten und das Laubhüttenfest zu feiern (Sach 14, 16–19).
Ägypten und Assyrien → ASSUR 1°.
→ HAM; GOSCHEN 1°; KUSCH 1°; MIDI 1°; PATROS; RAHAB 1°.
Könige → PHARAONEN; PTOLEMÄER.
Ägypter → HAGAR; POTIFAR 1°; JARHA.
Städte → ALEXANDRIA; HANES; IR-HERES; MEMFIS; MIGDOL; NO; ON 1°; PI-BESET; PITOM; RAMSES 2°; SO (SAIS); SIN 3°; SYENE; TACHPANHES.
Ortsname → ABEL-MIZRAJIM.
Meer → ROTES MEER; Flüsse → NIL;
Götter → AMON 4°; APIS; HORUS; PTAH; RÂ.

ÄGYPTER, ÄGYPTISCH (36): Gen 12, 12.14; 16, 1.3; 21,9; 25, 12; 39, 1–2.5; 43, 32; Ex 1, 19; 2, 11–12.14.19; Lev 24, 10; Dtn 23, 8; 26, 6; Jos 24, 7; 1 Sam 30, 11.13; 2 Sam 23, 21; ;1 Chr 2, 34; 11, 23; Esr 9, 1; Jdt 5, 12; Apg 7, 22.24.28; 21, 38; Hebr 11, 29.

AHAB, hebr. *Achcab,* „Bruder des Vaters".
1° **Ahab** (91) **Sohn des Omri** (3), siebter König von Israel (874–853) aus der dritten Dynastie. Die Bibel charakterisiert die Herrschaft Ahabs als die eines gottlosen Königs, schlimmer als die seiner Vorgänger (1 Kön 16, 28–30). Von seiner Frau, der Phönizierin Isebel, zum Götzendienst verführt (1 Kön 16, 31–33; vgl. 21, 25–26; 2 Kön 10, 18; 21, 3), betrachtet ihn der Prophet Elija als „Verderber Israels" (1 Kön 18, 17–18). Der Forderung Elijas nachkommend, ruft Ahab das Volk zu einem Opfer auf dem Karmel zusammen, und das endet mit der Tötung der Baalspropheten (18, 19–46). Elija kündigt Ahab das Ende der Trokkenperiode an (18, 41–46). Gegen die Aramäer führt Ahab zwei siegreiche Feldzüge (1 Kön 20). Von seiner Frau gedrängt, nimmt Ahab in einem ungerechten Prozeß dem Nabot seinen Weinberg weg (21, 1–16). Elija droht das göttliche Strafgericht an (21, 17–24), und Ahab zeigt Reue, so daß Jahwe die Strafe auf die Zeit seines Sohnes Joram verschiebt (21, 27–29). Zusammen mit Joschafat, dem König von Juda, unternimmt Ahab einen unglücklichen Feldzug gegen die Aramäer. Er stirbt in der Schlacht bei Ramot-Gilead und wird in Samaria begraben (22, 1–38 // 2 Chr 18, 2–34). Die Bibel bewahrt das Andenken an die Bautätigkeit Ahabs (1 Kön 22, 39), vor allem aber beklagt sie die sittliche Verderbnis des Hauses Ahab (2 Kön 8, 18 // 2 Chr 21, 6.13; 2 Kön 8, 27 // 2 Chr 22, 2–4; Mich 6, 16), über das Jehu als Rächer bestellt wird (2 Kön 9, 7–9; 21, 13; 2 Chr 22, 7–8).
Seine Söhne → JORAM 4°; AHASJA 1°.
Seine Tochter → ATALJA 1°.
2° **Ahab** (2) **Sohn des Kolaja** (1), falscher Prophet, Zeitgenosse des Jeremia, zugleich mit Zidkija an Nebukadnezzar ausgeliefert, der beide lebendig verbrennen läßt (Jer 29, 21–23).

AHARHEL Sohn des Harum (1), Clan des Achhur in Juda (1 Chr 4, 8).

AHAS, gr. *Achaz,* „[Jahwe] ergreift [bei der Hand]", siehe Ps 73, 23 (vgl. Ahusam; Ahusat; Achsai; Joahas; Ahasja).
1° **Ahas** (39), **Sohn Jotams** (2), **Sohn Usijas** (1), zwölfter König von Juda (736–716). Zeitgenosse des israelitischen Königs Pekach (2 Kön 16, 1) und des Hoschea (2 Kön 17, 1) sowie der Propheten Hosea (Hos 1, 1), Jesaja (Jes 1, 1) und Micha (Mich 1, 1). Statt wie sein Ahnherr David Gerechtigkeit zu üben (2 Kön 16, 2 // 2 Chr 28, 1f), handelt er treulos gegenüber Jahwe (2 Chr 28, 19) und ahmt die Könige von Israel nach (2 Kön 16, 3),indem er das Gesetz ständig übertritt (vgl. Sir 49,4). Besonders wird ihm vorgeworfen, daß er seinen Sohn dem Moloch geopfert (2 Kön 16, 3) und auf den Höhen Opfer dargebracht habe (2 Kön 16, 4; vgl. 23, 12). Dann soll er den Altar

des Jerusalemer Tempels durch einen Altar ersetzt haben, der nach dem Modell des im Tempel von Damaskus verwendeten Altars gefertigt war (2 Kön 16, 10–16). Auch andere Veränderungen im Tempel werden beanstandet (16, 17–18). Von einer Koalition aus Israeliten und Syrern belagert (2 Kön 16, 5; Jes 7, 1–2), erkauft sich Ahas die Unterstützung des assyrischen Herrschers Tiglat-Pileser (2 Chr 28, 16), indem er ihm die Tempelschätze ausliefert (2 Kön 16, 5–9), und dies trotz der Intervention des Jesaja, der Ahas aufruft, allein auf Gott zu vertrauen (Jes 7, 1–9) und von ihm ein Zeichen zu fordern. Angesichts der Weigerung des Ahas verkündet Jesaja die Geburt des Immanuel als Zeichen der Treue Gottes gegenüber der Dynastie Davids (Jes 7, 10–16).
In 2 Kön 20, 11 // Jes 38, 8 meinen die „Stufen des Ahas“ wahrscheinlich nicht eine eigentliche Sonnenuhr, sondern eine monumentale Treppe, die Ahas erbaut hatte, um zu seinem Obergemach zu gelangen.
Ahas ist einer der Ahnherren Jesu (Mt 1, 9).
Sein Sohn und Nachfolger → Hiskija 1°.
2° **Ahas** (3), Benjaminiter, Nachkomme des Königs Saul, Sohn des Micha und Ahnherr der Söhne Azel (1 Chr 8, 35–36 // 9, 42).

AHASBAI (1), „Meine Zuflucht ist in Jahwe“? (vgl. Machseja), Vater des Helden → Elifelet 2°.

AHASVER → Xerxes

AHASCHTARI (1), judäischer Clan der Söhne Naara, kalebitischen Ursprungs (1 Chr 4, 6).

AHASJA, gr. *Ochozias* (vgl. Ahas).
1° **Ahasja** (7) Sohn des Ahab (2) und sein Nachfolger, achter König von Israel (853–852), aus der dritten Dynastie, Zeitgenosse des Joschafat von Juda (1 Kön 22, 40.52). Mit diesem versucht er vergeblich, sich am Schiffsbau in Ezjon-Geber zu beteiligen (1 Kön 22, 50; 2 Chr 20, 35–37). Nach einer schweren Niederlage befragt er den Gott Baal Zebub in Ekron. Elija verurteilt dieses Unternehmen und kündigt ihm den baldigen Tod an. Sein Bruder Joram folgt ihm auf dem Thron (2 Kön 1, 2–18).
2° **Ahasja** (33), **Sohn des Joram** (4) und sein Nachfolger, sechster König von Juda (841) (2 Kön 8, 24–26; 1 Chr 3, 11). Er unterstützt seinen Verwandten, den König Joram von Israel, im Krieg gegen Hasael, den König von Aram. Als er Joram besucht, der sich gerade in Jesreel von seinen im Krieg erlittenen Wunden heilen lassen will, bricht der Aufstand des Jehu los. Die beiden Könige werden getötet, ebenso zahlreiche Mitglieder ihrer Familien (2 Kön 8, 29; 9, 16 bis 23.27–29; 10, 12–14; 2 Chr 22, 1–9). Atalja, die Mutter des Ahasja, tritt die Thronnachfolge an (2 Kön 11, 3).
= Joahas (2) 2 Chr 21, 17; 25, 23.
Bruder der → Joscheba.
Vater des → Joasch 5°.
Großvater des → Amazja 1°.

AHAWA (3), unbekannter Ort an einem Flüß oder Kanal in Babylonien (Esr 8, 15.21.31).

AHER (1), Nachkomme Benjamins oder Dans (1 Chr 7, 12).

AHI, „Mein Bruder“ (vgl. die folgenden Zusammensetzungen mit Ahi).
1° **Ahi Sohn des Abdiël, Sohn des Guni** (1), Gaditer, Familienhaupt der Söhne Abihajils (1 Chr 5, 15).
2.° **Ahi** (1), Sohn des Schemer, Nachkomme Aschers (1 Chr 7, 34). Statt **Ahi** lesen manche Ausgaben „sein Bruder“.

AHIAM (2), **Sohn des Scharar aus °Harar** (**K derArariter)** (1), 2 Sam 23, 33 oder **Sohn des Sachar aus Harar** (1), 1 Chr 11, 35. Held Davids.

AHIËSER, „Mein Bruder ist Hilfe“ (vgl. Eser).
1° **Ahiëser Sohn des Ammischaddai** (5), Anführer des Stammes Dan (Num 2, 25; 7, 66; 10, 25), leitet die Musterung seines Stammes (Num 1, 12), bringt am zehnten Tag die Opfergabe für die Altarweihe herbei (Num 7, 66–71).
2° **Ahiëser** (1), Benjaminiterfürst, mit David vor seinem Königtum verbündet (1 Chr 12, 3).

AHIHUD (2), „Mein Bruder ist Majestät“ (vgl. Hod).

1° **Ahihud** (1), Stammesfürst der Söhne Aschers, Sohn des Schelomi (Num 34, 27).
2° **Ahihud** (1), Benjaminiter aus den Söhnen Ehuds (1 Chr 8, 7).

AHIJA, „Mein Bruder ist Jahwe"
1° **Ahija** (2) **Sohn des Ahitub** (1), Priester, Nachkomme Elis (1 Sam 14, 3). Er trägt das Orakel-Ephod in einem Krieg Sauls gegen die Philister (1 Sam 14, 18). Man muß ihn wohl von Ahimelech (1 Sam 21, 2ff) unterscheiden, der wahrscheinlich sein Bruder ist.
2° **Ahija** (1), **Sohn des Schischa,** zusammen mit seinem Bruder Elihoref Sekretär des Königs Salomo (1 Kön 4, 3).
3° **Ahija** (12) **von Schilo** (5), Prophet. In einer Symbolhandlung (der Mantel wird in zwölf Stücke zerteilt) kündigt er Jerobeam, dem Sohn Nebats, sein künftiges Königtum über die zehn Nordstämme an (1 Kön 11, 29–39; vgl. 12, 15; 2 Chr 10, 15). Später, hochbetagt und blind, erhält er den Besuch der Frau des Jerobeam. Ihr kündigt er den bevorstehenden Tod ihres kranken Kindes und den Untergang der Dynastie an (1 Kön 14, 2–18; 15, 29). Der Chronist vermerkt unter den von ihm benutzten Quellen die „Weissagung Ahijas aus Schilo" (2 Chr 9, 29).
4° **Ahija** (4), Vater des israelitischen Königs → Bascha.
5° **Ahija** (1), Sohn Jerachmeels (1 Chr 2, 25).
6° **Ahija** (1), Benjaminiter, einer der Söhne Ehuds, die Familienhäupter der von Geba nach Manahat emigrierten Bewohner waren (1 Chr 8, 7).
7° **Ahija** (1), aus Pelon (Palon, Pelaja?), Held Davids (1 Chr 11, 36).
8° **Ahija** (1), Führer des Volkes, Unterzeichner der Gesetzesverpflichtung (Neh 10, 27).
9° **Ahija** (1), 1 Chr 26, 20 (mit dem Gr. ist hier „ihre Brüder" zu lesen).

AHIKAM (20), „Mein Bruder steht aufrecht" (vgl. Jakim), **Sohn des Schafan** (3), gehört zur Delegation (bestehend aus dem Hohenpriester Hilkija und seinem Vater, dem Staatsschreiber Schafan ...), die König Joschija zur Prophetin Hulda schickte, als man das Gesetzbuch gefunden hatte (2 Kön 22, 12–20 // 2 Chr 34, 20–28). Unter der Regierung des Jojakim interveniert er zugunsten Jeremias, der wegen seiner Tempelrede mit dem Tod bedroht wurde (Jer 26, 24). Vater des → Gedalja 4°.

AHILUD
1° **Ahilud** (4), Vater des → Joschafat 3°.
2° **Ahilud** (1), Vater des → Baana 3°.

AHIMAAZ, „Mein Bruder ist erzürnt" (vgl. Maaz).
1° **Ahimaaz** (1), Vater der → Ahinoam 1°.
2° **Ahimaz** (13) **Sohn des Zadock** (3), vgl. 1 Chr 5, 34; 6, 38. Dieser Priestersohn dient zusammen mit Jonatan, dem Sohn des Priesters Abjatar, als Nachrichtenübermittler für den aus Jerusalem geflohenen David (2 Sam 15, 27.36). An der Walkerquelle postiert, werden sie von einem Kundschafter Abschaloms entdeckt und verbergen sich in Bahurim, von wo aus sie David warnen (2 Sam 17, 17–21). Nach dem Tod Abschaloms läuft Ahimaaz hinter dem Boten Joabs her und überholt ihn, so daß er David als erster den Sieg meldet (2 Sam 18, 19–32).
3° **Ahimaaz** (1), verheiratet mit Basemat, einer Tochter Salomos, Statthalter in Naftali, dem achten Bezirk Salomos (1 Kön 4, 15),

AHIMAN
1° **Ahiman, Scheschai und Talmai** (3), die drei Söhne des → Anak
2° **Ahiman** (1), Torwächter, nach dem Exil in Jerusalem (1 Chr 9, 17).

AHIMELECH, „Mein Bruder ist König" (vgl. Melech)
1° **Ahimelech** (12) **Sohn des Ahitub** (4), Priester, Abkömmling Elis, oft mit Ahija gleichgesetzt (vgl. 1 Sam 14, 3), doch eher sein Bruder, dem Heiligtum von Nob zugehörig. Vom Edomiter Doeg an Saul verraten (vgl. Ps 52, 2), weil er David die Schaubrote und das Schwert Goliats gegeben hatte, wird er mit seiner Familie und den 85 Priestern von Nob getötet. Nur Abjatar entgeht dem Massaker (1 Sam 21, 2–10; 22, 9–22; vgl. Mk 2, 25–26 parr). Vater des → Abjatar.

2° **Ahimelech** (5) **Sohn des Abjatar** (3), aufgezählt unter den Söhnen Itamars (1 Chr 24, 3.6.31), Priester unter David zugleich mit Zadok. In 2 Sam 8, 17 lesen manche Texte „Abjatar, Sohn des Ahimelech“ statt des hebr. „Ahimelech, Sohn des Abjatar“. In 1 Chr 18, 16 ist statt des hebr. „*Abimelech*“ sicher „Ahimelech“ zu lesen.
3° **Ahimelech der Hetiter** (1), begleitet David auf der Flucht (1 Sam 26, 6).

AHIMOT (1), „Mein Bruder ist Mot“ (vgl. Mot) oder akkad. *Ahimitti* „Mein Bruder ist meine Stütze“, Bruder des Amasai, Nachkomme Levis über Kehat, Ahnherr Samuels (1 Chr 6, 10). Vgl. Mahat, Sohn des Amasai (1 Chr 6, 20).

AHINADAB (1), „Mein Bruder ist großzügig“ (vgl. Nadab), **Sohn des Iddo** (1), Statthalter des siebten Distrikts Salomos in Mahanajim (1 Kön 4, 14).

AHINOAM, „Mein Bruder ist anmutig“ (vgl. Noomi).
1° **Ahinoam, Tochter des Ahimaaz** (1), Frau des Königs Saul (1 Sam 14, 50).
2° **Ahinoam aus Jesreel** (6), erste Frau Davids (1 Sam 25, 43), die ihm ins Exil zu Achisch von Gat folgt (1 Sam 27, 3), wird von den Amalekitern gefangen (1 Sam 30, 5), zieht nach Hebron, wo David zum König gesalbt wird (2 Sam 2, 2). Von ihr wird Amnon, der erste Sohn Davids, in Hebron geboren (2 Sam 3, 2 // 1 Chr 3, 1). Ahinoam wird immer zusammen – und an erster Stelle – mit Abigajil, der zweiten Frau Davids, genannt.

AHIRA Sohn des Enan (5), Haupt des Stammes Naftali (Num 2, 29; 7, 78; 10, 27), leitet die Musterung seines Stammes (Num 1, 15), bringt am 12. Tag die Opfergabe für die Altarweihe (Num 7, 78–83).

AHIRAM (2), „Mein Bruder ist erhaben“ (vgl. Rama), dritter Sohn Benjamins (Num 26, 38; 1 Chr 8, 1: Korr. des hebr. *Ahrah*), nach ihm ist die Sippe der **Ahiramiter** benannt (Num 26, 38)

AHISAMACH (3), „Mein Bruder ist meine Unterstützung“ (vgl. Semachja), Daniter (Ex 31, 6), Vater des → OHOLIAB.

AHISCHAHAR (1), Benjaminiter der Söhne Jediaëls, Krieger, Familienhaupt (1 Chr 7, 10f).

AHISCHAR (1), Palastvorsteher oder erster Minister Salomos (1 Kön 4, 6).

AHITOFEL (20), „Mein Bruder ist ein Dummkopf“?, **der Giloniter** (2), (2 Sam 15, 12; 23, 34), Ratgeber Davids (1 Chr 27, 33). Er läßt sich von Abschalom verführen (2 Sam 15, 12), aber David unterläuft die Ratschläge Ahitofels, indem er sich der Hilfe seines Vertrauten Huschai versichert (2 Sam 15, 31–37). Auf den Rat Ahitofels hin geht Abschalom zu den Nebenfrauen seines Vaters David, denn der Rat, den Ahitofel gab, galt wie ein Wort Gottes (2 Sam 16, 20–23). Als aber Ahitofel vorschlägt, sich unverzüglich mit 12000 Mann zur Verfolgung Davids aufzumachen, hält Abschalom den Rat Huschais für besser. Die Folgen der Niederlage voraussehend, kehrt Ahitofel in seinen Heimatort zurück und hängt sich auf (2 Sam 17, 1–23). Er wird durch Jojada und Abjatar ersetzt (1 Chr 27, 34).
Vater des → ELIAM 2°.

AHITUB, gr. *Achitob*, „Mein Bruder ist gut“ (vgl. Tob).
1° **Ahitub** (5), Enkel des Priesters Eli (1 Sam 14, 3). Vater des → AHIMELECH 1°; AHIJA 1°; Großvater des → ABJATAR.
2° **Ahitub** (10), Vater (2 Sam 8, 17; 1 Chr 5, 33–34.37–38; 6, 37; 18, 16; Esr 7, 2) oder Großvater (1 Chr 9, 11; Neh 11, 11) des → ZADOK 1°.
3° **Ahitub** (1), Simeoniter, Ahnherr der Judit (Jdt 8, 1).

AHOACH (1), Benjaminiter, einer der Söhne Belas (1 Chr 8, 4). Vgl. den folgenden Clan.

AHOACHITER (5), benjaminitischer Clan (1 Chr 11, 12.29; vgl. 2 Sam 23, 9–10.28; 1 Chr 27, 4) → ZALMON 1°; ELEASAR 3°.

AHUMAI (1) Nachkomme Judas über Schobal, Zoratiter-Clan (1 Chr 4, 2).

AHUSAM (1), (vgl. Ahas), judäischer Clan der Söhne Naaras, kalebitischer Herkunft (1 Chr 4, 6).

AHUSAT (1), (vgl. Ahas), Vertrauter Abimelechs, der ihn zu Isaak begleitet (Gen 26, 26).

AI, „Ruine"
1° **Ai** (35), im hebr. immer mit Artikel (*ha-Ai*). Kanaanäische Stadt, 2–3 km im SO von Bet-El gelegen, mit der sie mehrfach zusammen genannt wird, besonders um eine der ersten Stationen Abrahams im Gelobten Land zu lokalisieren (Gen 12, 8; 13, 3) und im Verzeichnis der aus dem Exil Zurückgekehrten (Esr 2, 28 // Neh 7, 32). Nach einer ersten Niederlage vor Ai (Jos 7, 2–5), an der eine Verletzung des Banngebots schuld war, geht Josua zum Angriff über. Er legt einen Hinterhalt, bemächtigt sich der Stadt, vollzieht den Bann und läßt den König aufhängen (Jos 8, 1–29; vgl. 9, 3; 10, 1–2; 12, 9).
= **Ajat** (1), Name der wiederaufgebauten Stadt (Jes 10, 28). Heute *et-Tell*.
Vgl. → Awim 1°; Aja 3°.
2° **Ai** (1), Ammoniterstadt, verwüstet (Jer 49, 3). Vielleicht in → Ar zu korrigieren.

AJA, hebr. 1° – 2°: „Geier, Milan"; 3° Fem. von Ai.
1° **Aja** (2), ältester Sohn Zibons, des dritten Sohns Seirs (Gen 36, 24 // 1 Chr 1, 40).
2° **Aja** (4), Vater der → Rizpa.
3° **Aja** (2), von Efraimitern (1 Chr 7, 28) und Benjaminitern (Neh 11, 31) bewohnte Ortschaft. Zusammen mit Bet-El genannt → Ai 1°; Awim 1°.

AJALON, „Ort der Hirsche"
1° **Ajalon** (10), 20 km westlich von Jerusalem. Kanaanäische Stadt, lange unabhängig geblieben (Ri 1, 35), trotz der Kämpfe Josuas (Jos 10, 12). Von den Danitern bewohnt (Jos 19, 42), wird sie den levitischen Kehatsöhnen zugesprochen (Jos 21, 24: zum Stamm Dan // 1 Chr 6, 54: zum Stamm Efraim). Unter Salomo gehört sie zum dritten Distrikt (1 Kön 4, 9: hebr. *Elon*), und von Rehabeam wird sie als Festung wiederhergestellt (2 Chr 11, 10). Mit der benjaminitischen Stadt Gat gibt es Streitigkeiten (1 Chr 8, 13). Unter Saul werden die Philister bei Ajalon geschlagen (1 Sam 14, 31), aber unter Ahas besetzen sie die Stadt (2 Chr 28, 18). Heute *Tell el Qoq* bei *Jalu*.
2° **Ajalon** (1), Ort in Sebulon, wo der Richter Elon begraben wird (Ri 12, 12).

AJIN „Quelle" (vgl. Änon; En-; Enan).
1° **Ajin** (1), westlich von Ribla (Harbel) im Gebiet von Damaskus (Num 34, 11).
2° **Ajin** (3), Judäische Stadt im Negeb (Jos 15, 32), gehörte früher zum Stamm Simeon (Jos 19, 7 // 1 Chr 4, 32).
3° **Ajin** (1), Jos 21, 16 wahrscheinlich identisch mit → Aschan 3°.

AKAN (1), dritter Sohn des Ezer, des sechsten der Söhne Seïrs (Gen 36, 27).
= **JAAKAN** (1), 1 Chr 1, 42.

AKAZIENSCHLUCHT → Schittim 2°.

AKKAD (1), sum. *Agade*, babylonische Stadt (Gen 10, 10). Ihr Name bezeichnet den Norden der mesopotamischen Tiefebene im Unterschied zum weiter südlich gelegenen Sumer.

AKKARON → Ekron

AKKO (2), Küstenstadt nördlich vom Karmel. Die kanaanäische Stadt wird Ascher zugeteilt (Jos 19, 30: Korr. des hebr. *'Ummah*), obwohl die Israeliten sie nicht einnehmen konnten (Ri 1, 31).
= **Ptolemaïs** (19). So heißt die Stadt in griech. Zeit nach ihrem Gönner Ptolemäus Philadelphos. Hier begegnet Jonatan dem Alexander Balas anläßlich dessen Heirat mit Kleopatra, der Tochter Ptolemäus VI. (1 Makk 10, 1.56–60), dann dem Demetrius II., als die Zitadelle von Jerusalem belagert wird (11, 20–24), und schließlich wird er dort von Tryphon gefangengehalten (12, 39–50; 13, 12). Ptolemais wird noch an anderen Stellen der Makkabäerbücher erwähnt (1 Makk 5, 15.22.55; 2 Makk 13, 24–25).
Am Ende seiner dritten Missionsreise verbringt Paulus einen Tag mit den Christen der Stadt (Apg 21, 27). Zur Zeit der Kreuzzüge erhält die Stadt den Namen Saint-Jean-d'Acre. Heute Akko.
→ Okina.

AKKOS → Koz 2°.

AKKUB
1° **Akkub** (1), einer der sieben Söhne Eljoenais, Nachkomme des Königs Jojachin (1 Chr 3, 24).
2° **Akkub** (5). **Schallum** (5) oder **Meschullam** (1) und **Talmon** (5), drei immer zusammen genannte Torwächter, die mit Serubbabel aus dem Exil zurückgekehrt sind (Esr 2,42 // Neh 7,45). Sie bleiben in Jerusalem (1 Chr 9,17 // Neh 11,19) und bewachen die Vorratshäuser an den Toren (Neh 12, 25).
3° **Akkub** (1), ein Levit, der bei der feierlichen Verlesung des Gesetzes durch Esra dem Volk die Tora erklärt (Neh 8, 7).
4° **Akkub** (1), Familienhaupt von Tempeldienern, mit Serubbabel aus dem Exil zurückgekehrt (Esr 2, 45).

ALAMMELECH (1). (vgl. Melech), Ort in Ascher (Jos 19, 26).

ALEMA (2), 1 Makk 5, 26.35: Ort identisch mit → HELAM.

ALEMET
1° **Alemet** (2), Ort in Benjamin inmitten der Söhne Bechers (1 Chr 7, 8); levitische Stadt (1 Chr 6, 45).
= **Almon** (1) (Jos 21, 18). Immer mit Anatot verknüpft. Heute *Kirbet Almit*, 2 km NO von Anatot.
2° **Alemet** (2), Benjaminiter, einer der drei Söhne des Joadda, Nachkomme Sauls (1 Chr 8, 36 // 9, 42).

ALEXANDER, „Der die Menschen schützt“ (vgl. Andreas)
1° **Alexander [der Große]** (3), **Sohn des Philippus** (2), König von Mazedonien (336–323): 1 Makk 1, 1–8 berichtet kurz über die Eroberung des persischen Reichs und wie nach Alexanders Tod das Weltreich unter seine Generäle geteilt wurde. 1 Makk 6, 2 erwähnt einen Tempel in Elymais, wo die reiche Waffenrüstung Alexanders aufbewahrt ist. Auf das Alexanderreich wird in Dan 2,40 (Eisen) und 7, 7 (das vierte Tier mit den eisernen Zähnen) angespielt, und Alexander selbst erscheint unter dem Symbol des Ziegenbocks (8, 5–8.21–22; vgl. 11, 3–4).
2° **Alexander [Balas]** (24), Sohn (?) des Antiochus Epiphanes und selbst **Epiphanes** (1) genannt (1 Makk 10, 1), König von Syrien (150–145). Alexander und sein Widersacher Demetrius I. umwerben Jonatan, um ihn als Bündnispartner zu gewinnen. Alexander setzt Jonatan als Hohenpriester ein (1 Makk 10, 1–45), der ihn im Kampf gegen Demetrius unterstützt (VV. 46–50). Dann geht Alexander ein Bündnis mit Ägypten ein (er heiratet Kleopatra) und bindet Jonatan fest an sich (VV. 51–66). Er erschrickt über die Rückkehr Demetrius II. (V. 68), kann aber wegen der Niederlage, die Jonatan dem Statthalter von Zölesyrien, Apollonius, bereitet, aufatmen und bedenkt Jonatan mit großen Ehrungen (VV. 88–89). In einer Schlacht gegen Ptolemäus ergreift Alexander die Flucht, und der Araber Sabdiel schlägt ihm den Kopf ab (1 Makk 11, 1–20). Tryphon hatte zur Partei des Alexander gehört (1 Makk 11, 39).
Vater des → ANTIOCHUS 5°.
3° **Alexander** (1), Bruder des Rufus und Sohn Simons von Zyrene (Mk 15, 21).
4° **Alexander** (1), aus einer hohenpriesterlichen Familie, wohnt dem Verhör des Petrus und Johannes vor dem Hohen Rat bei (Apg 4, 6).
5° **Alexander** (2), Jude, der beim Aufruhr der Silberschmiede in Ephesus erfolglos vermitteln will (Apg 19, 33–34).
6° **Alexander** (2), der Schmied, ein aus der Gemeinde ausgeschlossener Christ (1 Tim 1, 20), der entschiedener Gegner des Evangeliums geworden ist (2 Tim 4, 14–15).

ALEXANDRINER (4), aus Alexandria stammend, einer Stadt, die von Alexander d. Gr. im äußersten NW des Nildeltas gegründet wurde. Hier befand sich eine starke jüdische Gemeinde, zu der Apollos gehört hatte (Apg 18, 24). Mitglieder dieser Gemeinde stritten in Jerusalem mit Stephanus (Apg 6, 9ff). Alexandria war auch der Heimathafen vieler Handelsschiffe (Apg 27, 6; 28, 11).

ALKIMUS (15) „Tapfer" (vgl. Jakim). Ein dem Hellenismus ergebener Jude, erschlich sich das Hohepriesteramt anstelle des Menelaus, der ebenfalls das Amt erschlichen hatte. Er ließ sich seine Würde von Demetrius I. bestätigen (1 Makk 7, 5–9; 2 Makk 14, 3.13). In Judäa begleitete er den Statthalter Bakchides, der über das Gebiet zwischen dem Euphrat und Ägypten herrschte, machte den Schriftgelehrten und Hasidäern heuchlerische Angebote und ließ sich von Bakchides die Leitung der Provinz Judäa übertragen. Dort zog er sich durch seine Untaten die Feindschaft des Judas und seiner Kampfgenossen zu (1 Makk 7, 8–25). Aus Eifersucht auf die Freundschaft, die sich zwischen Judas und Nikanor gebildet hatte, denunzierte er den Nikanor bei Demetrius (2 Makk 14, 26–27). Nach dem Tod des Nikanor sandte Demetrius zum zweitenmal Bakchides und Alkimus nach Judäa, und in diesem Kampf fand Judas der Makkabäer den Tod (1 Makk 9, 1–18). In dem Augenblick, da Alkimus die Trennungsmauer zwischen den beiden Tempelhöfen niederreißen ließ, wurde er vom Schlag getroffen und starb 159 v. Chr. (1 Makk 9, 54–57).

ALLON (1), „Eiche", Simeoniter, Haupt eines Clans (1 Chr 4, 37).

ALMODAD (2), erster der dreizehn Söhne Joktans, eines südarabischen Stammes oder Gebiets, nicht zu identifizieren (Gen 10, 26 // 1 Chr 1, 20).

ALMON → ALEMET.

ALMON-DIBLATAJEMA (2), (vgl. Diblajim), moabitischer Ort zwischen Dibon und Nebo, Station des Exodus (Num 33, 46–47).
= ? **Bet-Diblatajema** (1), Jer 48, 22, auf der Mescha-Stele erwähnt. Lokalisierung unsicher.

ALPHÄUS, gr. *Halphaios* (vgl. Halfi).
1° **Alphäus** (4), Vater des Apostels Jakobus (Mt 10, 3 // Mk 3, 18 // Lk 6, 15 // Apg 1, 13). Er wird gelegentlich mit Klopas gleichgesetzt (Joh 19, 25). → JAKOBUS 2°.
2° **Alphäus** (1), Mk 2, 14, Vater des Apostels Levi oder → MATTHÄUS.

ALUSCH (2), Station des Exodus in der Wüste Sinai vor Refidim (Num 33, 13–14).

ALWA (1) oder **Alja** (1), „Hoheit" (vgl. Alwan; Eli; Jaala; Jaël), ein Fürst (oder Clan) Edoms (Gen 36, 40 // 1 Chr 1, 51).

ALWAN (1) oder **Aljan** (1), erster der fünf Söhne des Schobal, des Sohnes Seïrs (Gen 36, 23 // 1 Chr 1, 40).

AM- (oder **-am**), „Onkel väterlicherseits", Verwandter, daher „Volk", ein Element, das als Gottestitel in der Zusammensetzung mehrerer Eigennamen erscheint (vgl. Ammiel; Ammihud; Amram usw.).

AMAD (1), „Volk für immer", Ort in Ascher (Jos 19, 26).

AMAL (1), „Mühe", Ascheriter, Sohn des Heldai, Krieger, Familienhaupt (1 Chr 7, 35).

AMALEK (39) → AMALEKITER.

AMALEKITER (12). Als Nachkommen Esaus vorgestellt (Gen 36, 12.16; 1 Chr 1, 36), bewohnt dieses sehr alte Nomadenvolk (vgl. Num 24, 20) den Negeb und das Gebirge Seïr (Gen 14, 7; Num 13, 29; 14, 25). Am Sinai schlägt Josua die Amalekiter, mit denen Gott im Krieg liegt von „Generation zu Generation" (vgl. Ex 17, 8–16; Dtn 25, 17.18; vgl. 1 Chr 4, 43; Ps 83, 8) und deren Andenken Jahwe auslöschen wird (Dtn 25, 19; Num 24, 20). Als Israel fast schon im Gelobten Land angelangt ist, wird es von den Amalekitern bei Horma geschlagen (Num 14, 40–45). Zur Zeit der Richter verbünden sie sich gegen Israel mit den Moabitern und Ammonitern (Ri 3, 13), danach mit Midian (Ri 6, 3–6.33; 7, 12; 10, 12). Auch Saul führt den heiligen Krieg gegen Amalek (1 Sam 14, 48; 15, 1–7), verschont aber den König Agag, den Samuel dann tötet (15, 8–24.32–33). David unternimmt einen Raubzug gegen sie (1 Sam 27, 8), und diese wiederum fallen im Negeb und gegen Ziklag ein (1 Sam 30, 1–4). Vom Feldzug Davids gegen die Amalekiter berichten:

1 Sam 30, 4–31; 2 Sam 1, 1; vgl. 2 Sam 8, 12; 1 Chr 18, 11. Ein Amalekiter bringt David die Nachricht vom Tod Sauls in Gilboa (2 Sam 1, 2–16), was den Boten das Leben kostet. Nach Ri 12, 15 soll es in Efraim (vgl. Ri 5, 14 hebr.) einen „Amalekiterberg" gegeben haben, vielleicht zur Erinnerung an einen Raubzug dieser Nomaden im Norden. König → AGAG.

AMAM (1), Stadt im Negeb, zu Juda gehörig (Jos 15, 26).

AMANA (vgl. Amon 1°–3°)
1° **Amana** (1), ein Gipfel des Antilibanon (Hld 4, 8).
2° **Amana** (1) → ABANA

AMARJA, „Jahwe spricht" (vgl. Imri; Omar. Siehe Kolaja)
1° **Amarja** (6), Nachkomme Aarons und Großvater des Priesters Zadok (1 Chr 5, 33.37; 6, 37; Esr 7, 3).
2° **Amarja** (1) oder **Amarjahu** (1), zweiter der vier Söhne Hebrons, Levit aus dem Clan Kehat (1 Chr 23, 29 // 24, 23).
3° **Amarja** (1), Oberpriester zur Zeit des Königs Joschafat (2 Chr 19, 11).
4° **Amarja** (1), einer der sechs Leviten, die unter der Aufsicht des Jimnasohnes Kore für die Verteilung der Opfergaben zur Zeit des Königs Hiskija aufgestellt wurden (2 Chr 31, 15).
5° **Amarja** (1), Ahnherr des Propheten → ZEFANJA 2°.
6° **Amarja** (3), Priester, aus dem Exil mit Serubbabel und Jeschua zurückgekehrt (Neh 12, 2), Unterzeichner der Gesetzesverpflichtung (Neh 10, 4). Sein Familienhaupt ist zur Zeit Jojakims Johanan (Neh 12, 13).
7° **Amarja** (1), Israelit aus den Söhnen Sakkais, schickt seine ausländische Frau zurück (Esr 10, 42).
8° **Amarja** (1), Judäer, Nachkomme des Perez, Ahnherr des → ATAJA.

AMASA, „[Jahwe] trägt" (vgl. Amoz 2°).
1° **Amasa** (157) **Sohn des Jeter** (3) oder **Jitra** (1), **des Ismaeliters** (2), und der Abigal, der Schwester Davids. Vetter Joabs und wie dieser Vetter Abschaloms und Neffe Davids (2 Sam 17, 25; vgl. 1 Chr 2, 17). Abschalom macht ihn zum militärischen Führer seines Aufstands (2 Sam 17, 25). Um ihn wieder für sich zu gewinnen, setzt ihn David zum Heerführer in Juda anstelle Joabs ein (2 Sam 19, 12–14). Joab schlägt ihn ohne Wissen Davids beim Großen Stein von Gibeon mit dem Schwert nieder (2 Sam 20, 4–13). Auf dem Sterbebett beauftragt David seinen Sohn Salomo, diesen Meuchelmord zu rächen (1 Kön 2, 5–6). Die Komplizenschaft Joabs im Komplott des Adonja liefert Salomo die Gelegenheit, Joab hinzurichten und Amasa (wie Abner) zu rächen (1 Kön 2, 32).
2° **Amasa Sohn des Hadlai** (1), einer der vier Offiziere des Nordreichs (2 Chr 28, 12), die dem Appell des Propheten Oded folgen und ihre gefangenen judäischen Brüder aus Mitleid verpflegen und freilassen (2 Chr 28, 5–15).

AMASAI
1° **Amasai** (3), Levit aus dem Clan Kehat, Bruder des Ahimot (1 Chr 6, 10).
Vater des → MAHAT 1°.
2° **Amasai** (1), Führer der Dreißig, spricht ein prophetisches Wort über David (1 Chr 12, 19). In 1 Chr 11, 20 heißt der Führer der Dreißig *Abischai,* ein Bruder Joabs.
3° **Amasai** (1), einer der Priester, die vor der Bundeslade die Trompete blasen (1 Chr 15, 24).
4° **Amasai** (Korr. des hebr. *Amaschsai)* **Sohn Asarels des Sohnes Achsais des Sohnes Meschillemots des Sohnes Immers** (1) (Neh 11, 13).
= **Masai Sohn Adiëls, des Sohnes Jachseras des Sohnes Meschullams des Sohnes Meschillemots, des Sohnes Immers** (1), Priester in Jerusalem nach dem Exil (1 Chr 9, 12).

AMASCHSAI (1) Neh 11, 13 → AMASAI 4°.

AMASJA (1), „Jahwe trägt" (vgl. Amoz), **Sohn des Sichri** (1), „Freiwilliger" Offizier der Armee des Königs Joschafat (2 Chr 17, 16).

AMAZJA, „Jahwe ist stark", gr. *Amasias* (vgl. Amzi; Amoz).
1° **Amazja** (35) **Sohn des Joasch** (6) **Sohn des**

Ahasja (2), neunter König von Juda (796–781). Als Nachfolger des Joasch (2 Kön 12, 22 // 1 Chr 24, 27; 1 Chr 3, 12) erhält Amazja einen gedämpft ehrenvollen Nachruf (2 Kön 14, 1–4 // 2 Chr 25, 1–2; vgl. 2 Kön 15, 3 // 2 Chr 26, 4). Er läßt die Mörder seines Vaters hinrichten, verschont aber ihre Söhne (2 Kön 14, 5–6 // 2 Chr 25, 3–4).
Um die Edomiter anzugreifen, mustert er die Judäer und will auch efraimitische Söldner anwerben, aber von einem Gottesmann gewarnt, schickt er die Efraimiter wieder nach Haus und schlägt 10000 Edomiter im Salztal (2 Chr 25, 5–12; vgl. 2 Kön 14, 7). Dann führt er in Juda den Kult der Götter von Seïr ein, aber ein Prophet sagt ihm das Strafgericht voraus (2 Chr 25, 14–16). Durch einen Sieg über Edom übermütig geworden, greift er, der „Dornstrauch auf dem Libanon", bei Bet-Schemesch den König Joasch von Israel an, wird gefangengenommen und nach Jerusalem gebracht, wo Joasch den Tempel und den königlichen Palast plündert (2 Kön 14, 8–17 // 2 Chr 25, 17–25). Von einem Anschlag bedroht, flieht Amazja nach Lachisch, wird dort von seinen Mördern eingeholt und erschlagen (2 Kön 14, 18–20 // 2 Chr 25, 26–28).
Seine Mutter → JOADDAN.
Sein Sohn und Nachfolger → USIJA 4°.
2° **Amazja** (3), Priester des Heiligtum von Bet-El. Verklagt den Propheten Amos bei Jerobeam II. und weist ihn aus Bet-El aus. Amos antwortet, indem er sich auf die ihm von Gott anvertraute Sendung beruft und dem Priester das Gericht ankündigt, das ihn und seine Familie treffen wird (Am 7, 10–17).
3° **Amazja** (1), Simeoniter, Vater des → JOSCHA.
4° **Amazja** (1), Levit aus dem Clan Merari, Ahnherr des Sängers Etan (1 Chr 6, 30).

AMI (1), abgeleitete Form von → AMON 3°.

AMITTAI (2), (vgl. Amon 1°–3°), 2 Kön 14, 25; Jon 1, 1: Vater des Propheten → JONA 1°.

AMMA (Hügel von) (1), hebr. *Gib'at-Ammah,* „Giach gegenüber am Weg in die Steppe von Gibeon" (2 Sam 2, 24). Nicht identifiziert.

AMMIËL, „Mein Onkel ist Gott" (vgl. Am-).
1° **Ammiël Sohn des Gemalli** (1), Clanführer im Stamm Dan, von Mose als Vertreter seines Stamms zum Auskundschaften Kanaans geschickt (Num 13, 12).
2° **Ammiël** (3), Vater des → MACHIR 2°.
3° **Ammiël** (1) → ELIAM 1°.
4° **Ammiël** (1), Torwächter, sechster Sohn des Obed-Edom (1 Chr 26, 5).

AMMIHUD, „Mein Onkel ist Majestät" (vgl. Am-; Hod).
1° **Ammihud** (6), Efraimiter, Ahnherr Josuas, des Sohnes Nuns (1 Chr 7, 26).
Vater des → ELISCHAMA 1°.
2° **Ammihud** (1), Vater des → SCHEMUËL 1°.
3° **Ammihud** (1), Vater des → PEDAHEL.
4° **Ammihud** (1), *(ᵏAmmihur),* Vater des → TALMAI 2°.
5° **Ammihud** (1), Vater des → UTAI 1°.

AMMINADAB, gr. *Aminadab*, „Mein Onkel ist freigebig" (vgl. Am-; Nadab).
1° **Amminadab** (13), Judäer, Nachkomme des Perez und Ahnherr Davids (Rut 4, 19–20; 1 Chr 2, 10) und Jesu (Mt 1, 4; Lk 3, 33).
Vater des → NACHSCHON; der → ELISCHEBA.
2° **Amminadab** (1), Sohn des Kehat, Vater des Korach und Ahnherr Samuels (1 Chr 6, 7).
3° **Amminadab** (2), Nachkomme Kehats, Familienhaupt des Clans Usiël, ist an der Überführung der Bundeslade beteiligt (1 Chr 15, 10–11).

AMMISABAD, „Mein Onkel hat ein Geschenk gemacht" (vgl. Am-; Sabad), Sohn des Helden Benaja, des Sohnes Jojadas (1 Chr 27, 6).

AMMISCHADDAI (5), „Mein Onkel ist Schaddai = allmächtig", Vater des → AHIESER 1°.

AMMON, AMMONITER und **Söhne Ammons** (136), (vgl. *Ben-Ammi*). Land und Volk östlich des Unterlaufs des Jordan.

a) Ammon und Moab, Ammoniter und Moabiter

Die Ammoniter werden in der schwankhaften Erzählung Gen 19, 36–38 auf einen Ahnherrn

„Ben-Ammi" (Sohn meines Verwandten) zurückgeführt, der aus der inzestuösen Verbindung des Abrahamneffen Lot mit seiner jüngeren Tochter hervorgegangen sei (wie Moab von Lot und seiner älteren Tochter).

Die ihrer Herkunft nach aramäischen **Ammoniter und Moabiter,** die „Söhne Lots" (Dtn 2, 9.19; Ps 83, 9) werden oft zusammen genannt und gelten als die Feinde Israels: beim Auszug aus Ägypten (Dtn 2, 19–21.37; vgl. Ri 11, 15; Dtn 23, 5), zur Zeit der Richter (Ri 3, 12–13), unter Saul (1 Sam 14, 47), unter David (2 Sam 8, 12 // 1 Chr 18, 11), unter Joschafat (2 Chr 20, 1–23), unter Jojakim (2 Kön 24, 2). Vgl. Ps 83, 6–9; Jdt 5, 2; 7, 17–18. Israel und seine Führer lassen sich von ammonitischen und moabitischen Sitten und Gottheiten verführen (Ri 10, 6; 1 Kön 11, 1–7.33; 2 Kön 23, 13; Esr 9, 1; Neh 13, 23). So dürfen Ammoniter und Moabiter nicht zur Gemeinde Jahwes zugelassen werden (Dtn 23, 4; vgl. Neh 13, 1–2). Gegen Ammon und Moab wenden sich auch viele Prophetensprüche in einem Atemzug: Jes 11, 14; Jer 9, 24–25; 25, 21; 27, 2–3; 49, 1–6; Ez 25, 1–7; Dan 11, 40–41; Am 1, 13–14; Zef 2, 8–11.

b) Ammon, Ammoniter, Ammoniterland

Als Israel das Land des Amoriterkönigs Sihon erobert, macht es am Jabbok halt, an „der Grenze zu den Ammonitern" (Num 21, 24; vgl. Dtn 2, 37; 3, 16; Jos 13, 10). Die Söhne Gads erhalten zum Erbbesitz die Hälfte des Ammoniterlandes bis Aroër, das Rabba gegenüberliegt (Jos 13, 25). Der Richter Jiftach widmet sich ganz dem Kampf gegen die Ammoniter (Ri 10, 6 – 12, 3). Saul schlägt die Ammoniter, deren König Nahasch das gileaditische Jabesch bedroht (1 Sam 11, 1–11). Als der Ammoniterkönig Hanun die Gesandten Davids beleidigt (2 Sam 10, 1–5 // 1 Chr 19, 1–5), kommt es zu einem ersten siegreichen Feldzug gegen die mit den Aramäern verbündeten Ammoniter (2 Sam 10, 6–19 // 1 Chr 19, 6–19). In einem zweiten Feldzug kommt der Hetiter Urija ums Leben. Die Hauptstadt Rabba wird eingenommen (2 Sam 11; 12, 26–31 // 1 Chr 20, 1.3). Die Ammoniter zahlen Tribut an Usija (2 Chr 26, 8), danach an Jotam (2 Chr 27, 5). Nach der Ermordung des Gedalja flieht Jischmael mit den von ihm gemachten Gefangenen zu den Ammonitern (Jer 41, 10.15). Ezechiel kündigt das Strafgericht über Ammon an (Ez 21, 33–37). Bei der Rückkehr der Exilierten versuchen die Ammoniter, den Wiederaufbau zu verhindern (Neh 4, 1–2). In der Makkabäerzeit liefert Judas den Ammonitern zahlreiche Kämpfe (1 Makk 5, 6–7), und der Hohepriester Jason, der die Hellenisierung der Juden begünstigt, muß zweimal im Ammoniterland Zuflucht suchen (2 Makk 4, 26; 5, 7).

Könige → Baalis; Hanun 1° ; Nahasch 1°.

Ammoniter → Achior; Naama 2°; Schimat; Tobija 4°; Zelek.

Nationale Gottheit → Milkom.

Hauptstadt → Rabba 1°.

Statthalter → Hyrkanus 1°; Tobija 4°.

AMNON, „treu" (vgl. Amon 1°–3°).

1° **Amnon** (17), ältester Sohn Davids, geboren von der Ahinoam aus Jesreel in Hebron (2 Sam 3, 2 // 1 Chr 3, 1). Er vergewaltigt seine Halbschwester Tamar (2 Sam 13, 1–18). Abschalom, der Bruder Tamars, bricht wegen dieser Schandtat mit Amnon (VV. 19–22). Zwei Jahre später läßt er ihn bei einem Festmahl ermorden und muß dafür außer Landes gehen (VV. 23–33). Drei Jahre danach stimmt David, über den Tod Amnons getröstet, der Rückkehr Abschaloms nach Jerusalem zu (VV. 37.39).

2° **Amnon** (1), Judäer, ein Sohn Schimons (1 Chr 4, 20).

AMOK (2), (vgl. Bet-Emek; Emek-Keziz), akk. *Emqu* „Fähig", mit Serubbabel und Jeschua aus dem Exil zurückgekehrter Priester (Neh 12, 7), nach ihm wird eine Priesterfamilie benannt (Neh 12, 20).

AMON 1°–3°: hebr. „Treu" (vgl. Amana; Amittai; Amnon).

1° **Amon** (2), Stadtoberster von Samaria, an den der König Ahab den Propheten Micha, den Sohn des Jimla, zur Einkerkerung zurückschickt (1 Kön 22, 26 // 2 Chr 18, 25).

2° **Amon** (16), fünfzehnter König von Juda (642–640), Sohn des Manasse (1 Chr 3, 14) und der Meschullemet, ist wie sein Vater Götzendie-

ner und Jahwe ungetreu. Er stirbt als Opfer eines Komplotts seiner Diener (2 Kön 21, 18–24 // 2 Chr 33, 20–25). Man begräbt ihn neben seinem Vater im Garten des Usa (2 Kön 21, 26). Amon wird von Mt 1, 10 (griech. *Amos)* zu den Ahnherren Jesu gezählt.
Sein Sohn und Nachfolger → JOSCHIJA 1°.
3° **Amon** (1), Familienhaupt von Knechten Salomos, die aus dem Exil zurückkehren (Neh 7, 59) = **Ami** (Esr 2, 57).
4° **Amon** (2), ägypt. „verborgen", ägypt. Gott, der unter verschiedenen Menschen- und Tiergestalten dargestellt wird (besonders mit dem Widderkopf), Gott der Stadt Theben (= No), dem Jeremia einen „Besuch" Jahwes ankündigt (Jer 46, 25).
Stadt Amons → NO.

AMORITER (87), sum. *Mar.tu* (vgl. die Stadt *Mari*), vorisraelitische semitische Völkergruppe, aus Mesopotamien kommend. Als Söhne Kanaans, d. h. als kanaanäischer Clan vorgestellt (Gen 10, 15–16), sind die Amoriter in der Bibel tatsächlich oft mit den Kanaanitern identisch (vgl. z. B. Num 14, 39–45 und Dtn 1, 41–44). Sie werden 22 x in der Liste der „sieben Völker" (Apg 13, 19) aufgezählt, die das Land Kanaan zur Zeit der Landnahme bewohnen und sich dort noch lange halten (vgl. Ri 3, 5; 1 Sam 7, 14; 2 Sam 21, 2; 1 Kön 9, 20). Die Amoriter werden bereits zur Patriarchenzeit erwähnt, als die vier Könige des Ostens in das Gebiet südlich des Toten Meers einfallen (Gen 14, 1.5.7). Kanaan wird auch das „Land der Amoriter" (Num 21, 13.31; Jos 24, 8; Ri 10, 8.11; Jdt 5, 15; Am 2,10) oder das „Bergland der Amoriter" (Dtn 1, 7.19–20; vgl. 1, 44) genannt. Bei der Landnahme soll Israel die Bewohner Kanaans vertreiben und ihre Städte besetzen (Num 21, 25.31–32; 32, 39; Dtn 1, 7; Jos 24, 8.18; Ri 11, 21–23; vgl. Num 22, 2). Die Amoriter, deren Wuchs den Zedern an Höhe gleichkam und die „stark wie Eichen waren" (Am 2, 9–10; vgl. Dtn 9, 1–2), machten auf die Israeliten einen furchterregenden Eindruck (Dtn 1, 27; Jos 7, 7). Tatsächlich wird Israel mehrmals von ihnen geschlagen (Dtn 1, 44; Ri 1, 34–35), aber Jahwe befreit sein unterdrücktes Volk aus ihrer Hand (Ri 10, 11–12). Die Bosheit der Amoriter (Gen 15, 16) und ihr Götzendienst werden wiederholt angeprangert (Jos 24, 15; Ri 6, 10; 1 Kön 21, 26; 2 Kön 21, 11; vgl. Ex 23, 24; 34, 14–16). Noch Ezechiel erinnert das von Jahwe erwählte und von David eroberte Jerusalem an seinen heidnischen Ursprung: „Dein Vater war ein Amoriter und deine Mutter eine Hetiterin" (Ez 16, 3.45). „Amoriter" und „Hetiter" bezeichnen hier einfach die Bevölkerung Kanaans.
Die Amoriter, genannt unter den sieben Völkern → KANAAN a).
Die fünf amoritischen Könige im Westjordanland → ADONI-ZEDEK.
Die zwei amoritischen Könige im Ostjordanland → OG; SIHON.
Amoriter → MAMRE.

AMOS
1° **Amos** (8), „Träger" (vgl. Amasja).
Das Buch Amos, das zu den zwölf kleinen Propheten gerechnet wird, verwendet 7 x den Namen des Propheten (Am 1, 1; 7, 8–14; 8, 2). Der Name begegnet noch Tob 2, 6 (Zitat von Am 8, 10). Das NT zitiert zweimal das Buch Amos, ohne den Namen des Propheten zu nennen (Apg 7, 42 = Am 5, 25–27 gr. und Apg 15, 16–17 = Am 9, 11–12).
Aus Tekoa (Am 1, 1) im Süden von Jerusalem gebürtig, wo er Schafhirt und Feigenzüchter war (7, 14), übt Amos sein Prophetenamt um 750 v. Chr. unter Jerobeam II. von Israel und Usija von Juda aus (1, 1). Er wirkt hauptsächlich in Bet-El am königlichen Heiligtum, wo er das Mißfallen des Priesters Amazja erregt (7, 10–17). Ohne ein Berufsprophet zu sein (7, 14), ist Amos vor allem durch seine Angriffe gegen den Luxus der Reichen und ihre Unterdrückung der Armen berühmt geworden (4, 1; 6). Darüber hinaus wandte er sich gegen den veräußerlichten Kult (4, 4–5; 7, 21–23), rief das Volk auf, wahrhaft Gott zu suchen (5, 4–6) und nach Gottes Wort „zu hungern" (8, 11–12).
2° **Amos** (2), Ahnherr Jesu (Mt 1, 10; Lk 3, 25). In Mt 1, 10 lesen mehrere alte Handschriften Amon→ AMON 2°.

AMOZ (13), „Stark“, Abk. von *Amazja* (2 Kön 19, 2.20; 20, 1; 2 Chr 26, 22; 32, 20.32; Jes 1, 1; 2, 1; 13,1; 20, 2; 37, 2.21; 38, 1).
Vater des Propheten → JESAJA.

AMPHIPOLIS (1), „Der um die Stadt herum ist“ (vgl. Dekapolis; Heliopolis . . .; Ir-Heres). Stadt in Mazedonien, fast vollständig vom Strymonfluß umgeben (daher der Name). Paulus macht dort auf seiner zweiten Missionsreise Station, als er sich von Philippi nach Thessalonich begibt (Apg 17, 1).

AMPLIATUS (1), ein Christ, den Paulus in Röm 16, 8 grüßt.

AMRAFEL (2), akk. *Amur-pi-el,* „Der Mund Gottes hat gesprochen“?, **König von Schinar** (2), besiegt mit seinen Verbündeten **Arjoch, König von Ellasar** (2), **Kedor-Laomer, König von Elam** (2), und **Tidal, König der Heiden** (27), verschiedene Völkerschaften und die fünf Könige der Städte des Siddimtales (Sodom, Gomorra . . .). Abraham, dessen Neffe Lot als Gefangener weggeführt wird, holt Amrafel und seine Verbündeten ein und schlägt sie nördlich von Damaskus (Gen 14, 1 – 15, 17; vgl. Hebr 7, 1). Amrafel ist nicht mit Hammurabi gleichzusetzen.

AMRAI (1) → JAMBRI.

AMRAM, „Der Onkel ist erhaben“? (vgl. Rama).
1° **Amram** (13), erster der vier Söhne des Levisohnes Kehat (Ex 6, 18; Num 26, 58; 1 Chr 5, 28; 23, 12), heiratet seine Tante Jochebed, die ihm Aaron, Mose (Ex 6, 20; 1 Chr 23, 13) und Mirjam (Num 26, 59; 1 Chr 5, 29; vgl. Ex 2, 1–10) gebiert. Er stirbt 120 Jahre alt (Ex 6, 20).
Unter seinem Namen bilden seine Nachkommen die erste Sippe des Kehat, die Sippe der **Söhne Amrams** (Num 3, 19; 1 Chr 6, 3–4; 24, 20) oder der **Amramiter** (Num 3, 27), deren Aufgaben in 1 Chr 26, 23–28 (vgl. 23, 25–32) erläutert werden.
2° **Amram** (1), Israelit aus den Söhnen Banis, schickt seine ausländische Frau zurück (Esr 10, 34).

AMRAMITER (2), Num 3, 27; 1 Chr 26, 23. Clan des → AMRAM 1°.

AMZI, Abk. von Amazja.
1° **Amzi** (1), Levit des Clans Merari und Ahnherr des Sängers Etan (1 Chr 6, 31).
2° **Amzi** (1), Neh 11, 12. Ahnherr des Priesters → ADAJA 6°.

ANA
1° **Ana** (6), der vierte Sohn Seïrs (Gen 36, 20 // 1 Chr 1, 38) und der vierte der Fürsten (oder Clans) der Horiter (Gen 36, 29). Er hat einen Sohn, Dischon (Gen 36, 25 // 1 Chr 1, 41), und eine Tochter → OHOLIBAMA 1°. Vgl. den Folgenden.
2° **Ana** (6), **jüngerer Sohn des Zibon** (2), er selber der dritte Sohn Seïrs (1 Chr 1, 40), Hirt, entdeckt (warme) Wasserquellen in der Wüste (Gen 36, 24). Seine Tochter → OHOLIBAMA 2° wird eine der Frauen Esaus. In Gen 36, 2.14 liest das Hebr. *Ana, Tochter des Zibon.* Vgl. den Vorhergehenden.

ANAB (2), „Weintraube“, alte Stadt der Anakiter (Jos 11, 21) im Bergland Juda. Etwa 20 km SO von Hebron.

ANAHARA (1), Ort in Issachar (Jos 19, 19).

ANAJA, „Jahwe antwortet“.
1° **Anaja** (1), vornehmer Laie, steht bei der feierlichen Verlesung des Gesetzes zur Rechten Esras (Neh 8, 4).
2° **Anaja** (1), Führer des Volkes, Unterzeichner der Gesetzesverpflichtung (Neh 10, 23).

ANAK (9) und seine Söhne oder Nachkommen die **Anakiter** (9), „Die Halsketten(leute)“. Die von Mose nach Kanaan geschickten Kundschafter kommen nach Hebron, wo sie **Ahiman, Scheschai** und **Talmai** (3), die drei Anaksöhne, treffen (Num 13, 22). Kaleb nimmt den Anaksöhnen Hebron weg (Jos 15, 14; vgl. Ri 1, 20), und der Stamm Juda schlägt sie im Kampf (Ri 1, 10).
Diese vorisraelitische Bevölkerung Palästinas, die das „Bergland der Amoriter“ bewohnte (Dtn 1,18; vgl. Jos 14, 12), wird als ein Geschlecht von

Riesen vorgestellt (Num 13, 28–33; Dtn 9, 2), wie die Rafaiter (Dtn 2, 10–11.21). Von Josua (angeblich) ausgerottet, bestehen sie weiter fort in Gaza, Gat und Aschdod (Jos 11, 21–22). Der alte Name Hebrons „Kirjat-Arba" wird auf einen gewissen **Arba,** den „größten Mann" unter den Anakitern (Jos 14, 15), den „Vater Anaks" (Jos 15, 13) zurückgeführt.
→ Goliat; Nefilim; Rafaïter 1°; Titanen.

ANAMITER (2), hebr. *Anamin,* zu Ägypten gehöriges Volk (Gen 10, 13 // 1 Chr 1, 11), nicht identifiziert, vielleicht aber zwischen Jerusalem und Geser, das Salomo vom Pharao als Geschenk erhält, zu lokalisieren (vgl. 1 Kön 9,16f).

ANAMMELECH (1), (vgl. Melech, was an Moloch erinnert), einer der Götter, zu dessen Ehren die Leute von Sefarwajim Kinderopfer darbringen (2 Kön 17, 31).

ANAN (1), „nackt" (vgl. Anani; Ananeja), Führer des Volkes, Mitunterzeichner der Gesetzesverpflichtung (Neh 10, 27).

ANANEJA „Jahwe hat sich kundgetan" (vgl. Anan).
1° **Ananeja** (1), identisch mit → Betanien 1°.
2° **Ananeja** (1), Ahnherr des → Asarja 18°.

ANANI (1), abgeleitete Form von *Ananeja.* Einer der sieben Söhne des Eljoënai, Abkömmling des Königs Jojachin (1 Chr 3, 24).

ANANIAS → Hananias

ANAT (2), ug. „Quelle", Name einer westsemitischen Göttin, Schwester des Baal (vgl. Anatot; Atargateum; Bet-Anat); „Sohn des Anat" (Ri 3, 31) meint vielleicht „aus Bet-Anat stammend"
→ Schamgar.

ANATOT (vgl. Anat).
1° **Anatot** (14) **im Land Benjamin** (2), 6 km nordwestlich von Jerusalem (beim heutigen *Anata*), levitische Stadt (Jos 21, 18 // 1 Chr 6, 45) Benjamins (Jer 1, 1; vgl. Neh 11, 32; 1 Chr 7, 8), Heimat der priesterlichen Familie des Abjatar (1 Kön 2, 26), des Jeremia (Jer 1, 1; 29, 27) und seines Vetters Hanamel, der dort ein Grundstück besitzt (Jer 32, 7–9). Jeremia muß von seinen Landsleuten viel leiden (Jer 11, 21–23); von ihnen kehren 128 aus dem Exil zurück (Esr 2, 23 // Neh 7, 27). Anatot wird auch als eine Etappe der von Norden kommenden Eindringlinge auf dem Weg nach Jerusalem genannt (Jer 10, 30).
Heimat des → Abiëser 2°; Jehu 3°.
2° **Anatot** (1), Fürst des Volkes, Mitunterzeichner der Gesetzesverpflichtung (Neh 10, 20).

ANATOTITER (5), 2 Sam 23, 27; 1 Chr 11, 28; 12, 3; 27, 12; Jer 29, 27. Bewohner von
→ Anatot 1°.

ANDREAS (13), gr. Name „Der Männliche" (vgl. Alexander; Andronikus; Nikanor), Bruder des Simon Petrus (Mt 4, 18; Mk 1, 16; Joh 1, 40; 6, 8), aus Betsaida gebürtig (Joh 1, 44), bewohnt dasselbe Haus in Kafarnaum wie Petrus (Mk 1, 29). Mit Petrus, Jakobus und Johannes gehört er zu den vier bevorzugten Jüngern: Er ist unter den vier Erstberufenen (Mt 4, 18–20 // Mk 1, 16–18; vgl. Lk 5, 1–11); in der Liste der Zwölf steht sein Name an zweiter (Mt 10, 2; Lk 6, 14) oder vierter (Mk 3, 18; Apg 1, 13) Stelle. Nach Mk 13, 3 hält Jesus die Parusierede ausschließlich vor diesen vier Jüngern. Nach Joh 1, 35–42 war Andreas zunächst Jünger des Täufers, danach einer der ersten beiden Jünger Jesu; er meldet Petrus seine Begegnung mit dem Messias und führt ihn zu Jesus. Vor der Brotvermehrung weist er Jesus auf einen Knaben hin, der fünf Brote und zwei Fische bei sich hat (Joh 6, 8). Mit Philippus stellt er schließlich die Verbindung her zwischen den gebildeten Griechen und Jesus (Joh 12, 21–22).
→ Zwölf Liste S. 383.

ANDRONIKUS, „Menschenbesieger" (vgl. Andreas; Berenike; Nikolaus ; Nikopolis; Thessalonich).
1° **Andronikus** (4), Stellvertreter des Antiochus Epiphanes; von Menelaus angestiftet, mißachtet er das Asylrecht und ermordet den Hohenpriester Onias III. Er wird dann selber vom König zum Tod verurteilt (2 Makk 4, 31–38).

2° **Andronikus** (1), Repräsentant des Antiochus Epiphanes, residierte wahrscheinlich in Sichem am Fuß des Garizim (2 Makk 5, 23).
3° **Andronikus** (1), Judenchrist, zusammen mit Junias in der Grußliste des Röm genannt. War mit Paulus im Gefängnis und schon vor ihm Missionar (Röm 16, 7).

ÄNEAS (2), gelähmter Mann in Lydda, von Petrus geheilt (Apg 9, 33–35).

ANER
1° **Aner** (2), Bruder des Amoriters Mamre (Gen 14, 13), begleitet Abraham bei der siegreichen Verfolgung der vier Großkönige (Gen 14, 24).
2° **Aner** (1), 1 Chr 6, 55 → TAANACH.

ANIAM (1), Manassiter, Sohn des Schemida (1 Chr 7, 19).

ANIM (1), Ort im Bergland Juda 20 km südlich von Hebron (Jos 15, 50).

ANNA → HANNA.

ANNAS → HANNAS.

ÄNON (1), „Die Quellen" (vgl. En-), bei Salim. Lage ungewiß: einige km südlich von Skythopolis? bei Ain Farah? Wasserreiche Stelle, an der Johannes tauft (Joh 3, 23).

ANTILIBANON (1) Gebirgskette, die vom Libanon durch ein 120 km langes und 12 km breites Tal getrennt ist. An seine Bewohner richtet Nebukadnezzar eine Botschaft (Jdt 1, 7).

ANTIOCHENER von Jerusalem (2), 2 Makk 4, 9.19 → ANTIOCHIA 1°.

ANTIOCHIA, „[Stadt] des Antiochus" (vgl. Antiochus).
1° **Antiochia** (28) in Syrien, am Orontes, um 300 v. Chr. durch Seleukus I. gegründet, Hauptstadt des Königsreichs, dann der römischen Provinz Syrien. Heute *Antakja.*
Als der Hellenismus in Israel eindrang, hatten einige Juden das antiochenische Bürgerrecht erhalten. Sie wurden „Antiochener von Jerusalem" genannt (2 Makk 4, 9.19). In Antiochia gab es eine bedeutende jüdische Kolonie (2 Makk 4, 36). Nach der Plünderung des Tempelschatzes in Jerusalem eilt Antiochus Epiphanes nach Antiochia (2 Makk 5, 21), um von dort aus einen Feldzug gegen Persien anzutreten (1 Makk 3, 37). In Antiochia rekrutiert Lysias fremde Söldner, bevor er nach Judäa zurückkehrt (1 Makk 4, 35). Dorthin flüchtet sich Nikanor, nachdem er von den Juden geschlagen wurde (2 Makk, 8, 35). Die römischen Gesandten melden den Juden ihre Ankunft in Antiochia (2 Makk 11, 36). Als Antiochus V. von Jerusalem zurückkehrt, findet er seine Hauptstadt in der Hand des Philippus und muß sie ihm wieder entreißen (1 Makk 6, 63; vgl. 2 Makk 13, 23–26). Demetrius I. begibt sich, König geworden, nach Antiochia, der königlichen Residenz seiner Väter (1 Makk 7, 1–2). Er befiehlt Nikanor, den gefangenen Judas Makkabäus dorthin zu bringen (2 Makk 14, 27). Alexander Balas zieht sich nach Antiochia zurück, als er von der Ankunft des Demetrius II. in Syrien hört (1 Makk 10, 68). Ptolemäus VI. dringt, durch Verrat begünstigt, in Syrien ein und bemächtigt sich der Stadt (1 Makk 11, 13). Demetrius II., von Jonatan in Antiochien unterstützt (1 Makk 11, 44–51), wird von Tryphon, dem General des Alexander Balas, angegriffen, und dieser erobert die Stadt (1 Makk 11, 56).
Nach dem Martyrium des Stephanus wird in Antiochia das Evangelium von Christen verkündigt, die aus Jerusalem vertrieben wurden (Apg 11, 19–21). Dann wird Antiochia durch Barnabas und Paulus, die hier ein Jahr bleiben (Apg 11, 22–26), nach Jerusalem zum Zentrum der christlichen Missionstätigkeit. In Antiochia nennt man die Jünger zum erstenmal „Christen" (Apg 11, 26). Von der Gemeinde, in der es Propheten und Lehrer gab, werden Barnabas und Paulus zur Mission ausgesandt (Apg 13, 1–3). Dorthin kehrt Paulus nach seinen zwei ersten Missionsreisen zurück (Apg 14, 26; 15, 35; 18, 22). Zwischen der überwiegend judenchristlichen Urgemeinde in Jerusalem und der mehrheitlich heidenchristlichen antiochenischen Gemeinde bestanden zahlreiche

und nicht immer ungetrübte Beziehungen, wie der Besuch des Propheten Agabus (Apg 11, 27), der Streit um die Weitergeltung des mosaischen Gesetzes (Apg 15, 22–35), der im „antiochenischen Zwischenfall", der öffentlichen Auseinandersetzung zwischen Petrus und Paulus, die Gemeinde zu spalten droht (Gal 2, 11–14).
Heimat des → Nikolaus.
Hafen von Antiochia → Seleuzia.
Tempel bei Antiochia → Daphne 1°.
2° **Antiochia** (4) **in Pisidien** (1), Hauptstadt der Provinz Pisidien in Kleinasien. Paulus und Barnabas besuchen diese Stadt auf ihrer ersten Missionsreise (Apg 13, 13–14) und predigen dort mehrere Sabbatte hintereinander (VV. 15–44). Wegen der Feindseligkeit der Juden, an ihrer Spitze die Damen der vornehmen Gesellschaft, ziehen die Missionare nach Ikonium (VV. 45–51). In Lystra werden sie von Juden, die aus Antiochia und Ikonium kommen, weiter verfolgt (14, 19). Von Derbe aus kehren sie nach Antiochia zurück und stärken dort die Herzen der Jünger (14, 21–22). Die Pastoralbriefe erinnern an die „Verfolgungen und Leiden, denen (Paulus) in Antiochia, Ikonion und Lystra ausgesetzt war" (2 Tim 3, 11).
→ Galatien 1°.

ANTIOCHIS (1), Konkubine des Antiochus Epiphanes, der er die zilizischen Städte Tarsus und Mallus schenkt (2 Makk 4, 30).

ANTIOCHUS – Die Träger des Namens 1°–6° gehören zur Dynastie der → Seleukiden.
1° **[Antiochus II. Theos],** König von Syrien (261–246 v. Chr.).
= **König des Nordens** (1). Dan 11, 6 enthält Anspielungen auf seine zweite Ehe mit Berenike, der Tochter Ptolemäus II., des „Königs des Südens", und auf seinen Tod, den er gemeinsam mit Frau und Kind erleiden mußte: Alle drei wurden von Laodike, seiner ersten Frau, vergiftet.
Vater des → Seleukus 2°.
2° **Antiochus III.** (2) **der Große** (1), Sohn Seleukus' II., genannt „Großkönig von Asien", d. h. König von Syrien (223–187 v. Chr.). Er wird 189 bei Magnesia am Sipylos vom Konsul Luzius Cornelius Scipio besiegt und muß den schweren Tribut des Vertrages von Apamäa zahlen (1 Makk 8, 6–8).
= **König des Nordens** (3). Dan 11, 10–19 spielt auf verschiedene Episoden seines Lebens an: ein erster Feldzug gegen Ägypten, bei dem er Palästina erobert (V. 10); seine Niederlage (217) durch Ptolemäus IV. in Rafia (V. 11–12); seine Gegenoffensive und die Eroberung Sidons nach der Schlacht von Paneas im Jahr 198 (VV. 12–15); die Besetzung Palästinas (V. 16); die Heirat seiner Tochter Kleopatra, die er Ptolemäus V. in der Hoffnung gibt, Ägypten zu annektieren, eine getrogene Hoffnung, da Kleopatra die Interessen Ägyptens verteidigt (V. 17); seine Angriffe gegen kleinasiatische Städte, die von Ägypten abhängig sind, und schließlich die römische Intervention und seine totale Niederlage bei Magnesia am Sipylos durch L. C. Scipio (V. 18). Antiochus stirbt bei der Plünderung eines Tempels des Bel in Elymais (V. 19) → Liste S. 409.
Vater des → Antiochus 3°; Seleukus 4°.
3° **Antiochus IV.** (25) **Epiphanes** (5), **Sohn des Antiochus III.** (1), König von Syrien (175–164 v. Chr.). Vor seinem Herrschaftsantritt Geisel in Rom, führt dann dieser „gottlose Sproß" (1 Makk 1, 10; vgl. 1 Makk 2, 48.62; 2 Makk 10, 10) mehrere Feldzüge gegen Ägypten (1 Makk 1, 16–20; 2 Makk 5, 1), raubt den Tempel von Jerusalem aus (1 Makk 1, 21–24 // 2 Makk 5, 15–21), befiehlt die Hellenisierung Israels (1 Makk 1, 41–63 // 2 Makk 6, 1–11), beauftragt Lysias, zunächst Persien zu erobern und sich dort viel Geld zu beschaffen, um dann Israel und was von Jerusalem noch übrig ist zu vernichten (1 Makk 3, 27–37; vgl. 2 Makk 2, 20). Er stirbt in Persien mit der Erkenntnis, daß die Jerusalem zugefügten Untaten der Grund für sein elendes Ende waren (1 Makk 6, 1–17 // 2 Makk 1, 13–16; 9, 1–129; 10, 9; vgl. 11, 23). Dazu macht 2 Makk noch folgende Angaben: Antiochus wird in Jerusalem freudig begrüßt (2 Makk 4, 21–22); bei seiner Rückkehr aus Zilizien, wo er eine Revolte niedergeschlagen hat, „vergießt er Tränen", als er hört, daß der Hohepriester Onias umgebracht wurde, und bestraft den Mörder Andronikus (4, 30–31; 36–38). Gleichwohl foltert er sieben Brü-

der und ihre Mutter zu Tode (Kap. 7). Schließlich ist er Autor eines der vier Briefe, die den Friedensvertrag mit den Juden betreffen (11, 27–33). Das Buch Daniel enthält zahllose Anspielungen auf Antiochus IV. und seine Geschichte. Er ist das „kleinere Horn“ (Dan 7, 8) mit dem „frechen Maul“ (vgl. 7, 25; 11, 36; 1 Makk 1, 24; 2 Makk 5, 17). Seine Expansionspolitik gegenüber Ägypten und Judäa, die Entweihung des Tempels, die Abschaffung des jüdischen Kults und die Ersetzung Jahwes durch den olympischen Zeus werden in Dan 8, 9–11 angedeutet, während 9, 26–27 sein schreckliches Ende voraussagt. Dan 11 schildert noch einmal im Detail, wenn auch andeutungsweise, das Leben des Antiochus, besonders seine Verfolgungen der Juden (VV. 21–39) und sein Ende (VV. 40–45).
Seine Söhne → ALEXANDER 2°?; ANTIOCHUS 4°.
Seine Konkubine → ANTIOCHIS.
4° **Antiochus V.** (13) **Eupator** (5) **Sohn des Antiochus [Epiphanes]** (1), König von Syrien (164–161). Als Kind steht er zunächst unter der Vormundschaft des Lysias (1 Makk 3, 33), dann des Philippus (1 Makk 6, 14–15.55; vgl. 2 Makk 9, 25). Nach dem Tod seines Vaters folgt er ihm auf dem Thron und erhält den Namen „Eupator“ (1 Makk 6, 16–17; vgl. 2 Makk 2, 20; 10, 10.13). Im Anschluß an einen Feldzug gegen Juda (1 Makk 6, 28–54 // 2 Makk 13,1–2.9–19) gewährt er den Juden die Religionsfreiheit (1 Makk 6, 55–63 // 2 Makk 11, 22–26; 13, 20–26). Er ist Autor einer der vier Briefe, die den Friedensvertrag betreffen (2 Makk 11, 22–26). Den verbrecherischen Hohenpriester Menelaus läßt er hinrichten (2 Makk 13, 3–4). Er wird zur gleichen Zeit wie Lysias getötet, und ihm folgt Demetrius I. (1 Makk 7, 2–4 // 2 Makk 14, 2).
5° **Antiochus VI. [Dionysos]** (5) **Sohn des Alexander [Balas]** (1), König von Syrien (145–142). Schon als Kind herrscht er unter der Vormundschaft eines seiner Generäle, [Diodotus] Tryphon (1 Makk 11, 39–40. 54–55). Er bestätigt Jonatan in seiner hohenpriesterlichen Würde, ernennt ihn zum Gouverneur über Zölesyrien und setzt Simon zum Befehlshaber der Küstenzone ein (11, 57–59). Vom ehrgeizigen Tryphon wird er auf perfide Weise getötet (12, 39–40; 13, 31–32).
6° **Antiochus VII. [Sidetes]** (6) **Sohn des Demetrius I.** (1), König von Syrien (138–129). Er richtet an Simon Makkabäus einen Brief, in dem er dessen Titel bestätigt (1 Makk 15, 1–9), schließt Tryphon in Dor ein (VV. 10–14), danach verweigert er im Verlauf der Belagerung Simon die militärische Unterstützung, zeigt sich zunehmend feindlich und spart nicht mit Drohungen (VV. 25–36).
7° **Antiochus** (2), Vater des → NUMENIUS.

ANTIPAS, Abk. von *Antipatros* (vgl. Antipater).
1° **[Antipas]** HERODES 2°.
2° **Antipas** (1), christlicher Martyrer aus Pergamon, der Hochburg des Kaiserkults (Offb 2, 13).

ANTIPATER, gr. *Antipatros,* „Anstelle des Vaters“ (vgl. Antipas; Antipatris; Kleopatra; Kleopas; Eupator; Patrobas; Patroklus).
1° **Antipater Sohn des Jason** (2), mit Numenius, dem Sohn des Antiochus, Gesandter der Juden nach Sparta und Rom (1 Makk 12, 16–17; 14, 22).
2° **[Antipater],** Vater des → HERODES 1°.

ANTIPATRIS (1), nach Antipater 2° benannte Stadt, die Herodes d. Gr. auf dem alten Afek errichtete → AFEK 1°.

[ANTONIA], Burg, die Herodes d. Gr. um 37 v. Chr. zu Ehren des Triumvir Antonius an der NW-Ecke des Jerusalemer Tempels anstelle der alten Akropolis erbaute (2 Makk 4, 12.28; 5, 5; vgl. Neh 2, 8; 7, 2). Hier lag eine römische Garnison (vgl. Apg 21, 34–40; 22, 24; 23, 10.16.32).

ANTOTIJA (1), Benjaminiter aus den Söhnen Scheschaks, Familienhaupt in Jerusalem (1 Chr 8, 24).

ANUB (1), Sohn des Koz, aus einem kalebitischen Clan in Juda (1 Chr 4, 8).

APELLES (1), ein Christ, der sich „in Christus bewährt hat“ (Röm 16, 10).

APHEK → AFEK

APHEKA → Afeka

APHIA → Afiach

APIS (1), gr. Name des ägypt. *Hapi,* des heiligen Stiers, der Inkarnation des Gottes Ptah, des Schutzherrn von Memfis. Zu seinen Lebzeiten wurde er beim Tempel des Ptah aufgezogen. Nach seinem Tod wurde er im Serapeum bestattet und als Osiris-Apis oder Osar-Api (Jer 46, 15 gr.) verehrt. Im selben Vers meint „dein Starker" ebenfalls Apis.

[APOLLO], (vgl. Apollonia; Apollonius; Apollophanes; Apollos), einer der bekanntesten und vielseitigsten griechischen Götter → Abaddon (Offb 9, 11); Daphne.

APOLLONIA (1), (vgl. Apollos), Stadt in Mazedonien, auf halbem Weg zwischen Amphipolis und Thessalonich, von Paulus während seiner zweiten Missionsreise besucht (Apg 17, 1).

APOLLONIUS

1° **Apollonius** (4) **Sohn des Menestheus** (2), auch **Sohn des Tharseas** (1) genannt, **Befehlshaber von Zölesyrien und Phönizien** (2), 2 Makk 3, 5 (Var. *Apollonius von Tarsus*); 4, 4 (175–164 v. Chr.). Der Vogt Simon teilt ihm mit, daß der Tempelschatz von Reichtümern überquillt. Apollonius meldet dies Seleukus IV; der schickt Heliodor zur Plünderung (2 Makk 3, 6–8). Der Hohepriester Onias ist besorgt über den schlechten Einfluß, den Apollonius auf Simon ausübt, und beschwert sich beim König (2 Makk 4, 4–6). Apollonius erscheint noch einmal als syrischer Gesandter bei der Hochzeit des Ptolemäus VI. Philometor (2 Makk 4, 21). Vater des → Apollonius 4°.

2° **Apollonius** (3) **der Anführer der Mysier** (= einer Söldnertruppe aus Mysien) (2), wird gegen Jerusalem gesandt, wo er ein großes Blutbad anrichtet (1 Makk 1, 29–32 // 2 Makk 5, 24–26). Während eines zweiten Feldzugs gegen Israel wird er von Judas geschlagen und getötet. Judas nimmt sich sein Schwert (1 Makk 3, 10–12).

3° **Apollonius Sohn des Gennäus** (1), einer der fünf syrischen Feldherrn, die den Juden keinen Frieden gönnen (2 Makk 12, 2).

4° **Apollonius** (5), Sohn des Apollonius 1°, **Statthalter von Zölesyrien** (1), General Demetrius' II., fordert Jonatan zum Kampf heraus, wird aber geschlagen (1 Makk 10, 69–85).

APOLLOPHANES (1), „Offenbarung des Apoll" (vgl. Apollos; Epiphanes), wird zugleich mit Timotheus und Chäreas von den Soldaten des Makkabäers Judas bei der Einnahme von Geser erschlagen (2 Makk 10, 37).

APOLLOS (10), Abk. von *Apollonios,* aus Alexandria gebürtiger Jude, „redekundig und in der Schrift bewandert". Er war „unterwiesen im Weg des Herrn . . . und trug die Lehre von Jesus genau vor" (Apg 18, 24–25). In Ephesus legten ihm Priszilla und Aquila „den Weg Gottes noch genauer" dar (V. 26), bevor er nach Korinth ging (VV. 27–28; 19, 1). Sein Wirken in Korinth hat vielleicht zu den Spaltungen und Übertreibungen beigetragen, gegen die sich Paulus wenden muß (1 Kor 1, 11–12; 3, 4–6.22; 4, 6; vgl. 16, 12). Ob er mit dem in Tit 3, 13 genannten Apollos identisch ist, erscheint höchst fraglich.

APOLLYON (1) „Zerstörer" (Offb 9, 11) → Abaddon.

APPAJIM (2), „Die Nasenflügel" (vgl. Harumaf), Judäer, Nachkomme Onams vom Clan Jerachmeel (1 Chr 2, 30–31). Korr. → Efraim 5°.

APPHIA (1), Christin der Gemeinde von Kolossä, vielleicht Frau des Philemon und Mutter des Archippus (Phlm 2).

AQUILA (6) und **Priska** oder **Priszilla,** ein aus Pontus stammendes judenchristliches Ehepaar. Paulus begegnet ihm in Korinth, als es sich dort – aus Rom durch ein antisemitisches Edikt des Kaisers Klaudius vertrieben – für einige Zeit aufhält. Er arbeitet in ihrem Haus als Zeltmacher (Apg 18, 2–3). Um Aquila und Priszilla bildet sich eine Hausgemeinde (Röm 16, 5; 1 Kor 16, 19). Paulus nennt beide seine Mitarbeiter, denen er und die heidenchristlichen Gemeinden viel verdanken (Röm 16, 3–4). Als Paulus am Ende seiner zweiten Missionsreise Korinth verließ, begleitete ihn das Ehepaar nach Ephesus (Apg 18, 18–19). Dort unterwiesen sie Apollos noch genauer im Glauben (Apg 18, 26). Die Erinnerung an Aquila und Priszilla lebt noch in der Grußliste 2 Tim 4, 19 fort.

AR (5), befestigte Stadt der Moabiter, die die Schluchten des Arnon beherrscht (Num 21, 15). Ar kann auch das Land Moab bezeichnen (Dtn 2, 9.18.29). In Jer 49, 3 ist *Ar* Korr. des hebr. *Ai* = **Ar-Moab** (3), mehrmals zerstört (Num 21, 28; Jes 15, 1). In Num 22, 36 wird das hebr. *„Stadt von Moab“* oft in *Ar-Moab* geändert.

ARA (1), aus Ascher, einer der drei Söhne Jitrans, ein auserlesener, kriegstüchtiger Mann und Familienhaupt (1 Chr 7, 38).

ARAB (1), Ort im Gebirge Juda (Jos 15, 52), etwa 12 km im SSW von Hebron. Heimat des → PAARAI.

ARABA (25), „Steppe“ (vgl. Araber; Bet-Araba), Senke, in der das Tote Meer, der Jordan, der See Gennesaret liegen. Im Süden zieht sie sich bis zum Golf von Akaba hin.
a) **Die Araba** (19), in dem einen oder anderen ihrer Teilgebiete, mit Ausnahme des Toten Meers.
Im Verlauf des Exodus wenden sich die Israeliten vom „Weg durch die Araba“ ab (Dtn 2, 8). Die von Israel besetzte Araba stellt einen Teil des Gelobten Landes dar (Dtn 1, 1.7; 4, 49; Jos 11, 2.16; 12, 1.8; vgl. Jos 8, 14). Vorher gehörte das Gebiet den Kanaanitern (Dtn 11, 30) oder dem Amoriterkönig Sihon (Jos 12, 3). Die Araba bildet die Grenze zwischen den Stämmen, die auf beiden Seiten des Jordans siedeln (Dtn 3, 17), während die Grenze Benjamins bis zur Araba reicht (Jos 18, 18). Wenn man sich ins Ostjordanland begibt, durchquert man die Araba (2 Sam 2, 29: Abner; 4, 7: Rechab und sein Bruder; 2 Kön 25, 4 // Jer 39, 4 // 52, 7: Zidkija).
Der zwischen dem Süden des Toten Meers und dem Golf von Akaba gelegene Teil der Araba → SALZTAL.
b) **Das Meer der Araba** (5) → TOTES MEER.
c) **Der Bach der Araba** (1), Am 6, 14: soll sich in den Jordan ergießen, nicht weit vom Toten Meer; er markiert die Südgrenze des Nordreichs.

ARABER (16), **ARABIEN** (9), hebr. *Arab* „Steppenmensch“, Gesamtbezeichnung der Nomadenclans der syro-arabischen Wüste, später das Königreich im SO Israels und besonders das Reich der Nabatäer. Die älteste Erwähnung dieses Volks findet sich vielleicht in Jer 3, 2: Israel wird mit einer Dirne verglichen, die sich auf den Straßen herumtreibt „wie ein Araber in der Wüste“.
Die Araber zahlen Salomo Tribut mit Gold und Silber (2 Chr 9, 14 // 1 Kön 10, 15), an Joschafat mit Widdern und Böcken (2 Chr 17, 11). Sie treiben Handel mit Tyrus (Ez 27, 21). Unter Joram greifen sie Juda an (2 Chr 21, 16–17) und beteiligen sich an der Ermordung der älteren Söhne des Königs (2 Chr 22, 1). Usija leistet ihnen Widerstand (2 Chr 26, 7). Gegen sie richten sich prophetische Drohreden (Jes 13, 20; 21, 13–17; Jer 25, 23–24; 49, 28–33). Die aus dem Exil zurückgekehrten Juden werden am meisten von den Arabern am Wiederaufbau gehindert (Neh 4, 1). Zur Makkabäerzeit nimmt Timotheus die Araber als Hilfstruppen in sein Heer auf (1 Makk 5, 39). Alexander Balas sucht in Arabien Zuflucht, doch der Araber Sabdiël schlägt ihm den Kopf ab (1 Makk 11, 16–17). Jonatan bringt den *Sabadäer* genannten Arabern eine Niederlage bei (1 Makk 12, 31–32). Arabien wird auch unter den Etappen erwähnt, die das Heer des Holofernes zurücklegt (Jdt 2, 25–26).
Arabien → NABATÄER.
Araber → GESCHEM; JAMLIKU; SABDIËL 3°; HAZOR 3°; ISMAEL; KUSCH 1°; KEDAR; KETURA.

ARABITER (1), aus Arab stammend (2 Sam 23, 35) → ARAB.

ARACH
1° **Arach** (1), aus Ascher, einer der drei Söhne des Ulla, Krieger, Familienhaupt (1 Chr 7, 39).
2° **Arach** (2), Israelit, Haupt einer Familie, deren

Söhne mit Serubbabel aus dem Exil zurückkehren (Esr 2, 5 // Neh 7, 10).
Vater des → SCHECHANJA 7°.

ARAD, „Wildesel“
1° **Arad** (5), kanaanäische Stadt im Negeb, deren König von Israel besiegt wird (Num 21, 1; 33, 40; Jos 12, 14), wird eine Stadt Judas „an der Grenze zu Edom im Negeb“ (Jos 15, 21) (Korr. des hebr. *Eder*). Die mit Mose verwandten Keniter bewohnen das Land **südlich von Arad** (Ri 1, 16). Heute *Tell Arad,* etwa 30 km südlich von Hebron.
2° **Arad** (1), Benjaminiter der Söhne Berias, Familienhaupt in Jerusalem (1 Chr 8, 15).

ARAM
1° **Aram, Aramäer** (144), gr. *Syria, Syros,* Bezeichnung der im Norden Palästinas wohnenden Völker.
a) Die *Aramäer* leiten sich von Sem her über einen eponymen Ahnherrn *Aram* (Gen 10, 22 // 1 Chr 1, 17: unmittelbar; Gen 22, 20–24; vgl. Gen 11, 10–24: über Kemuel, einen der zwölf Söhne des Sem-Nachkommen Nahor). Söhne Arams sind Uz, Hul, Geter und Masch oder Meschech. (Gen 10, 23 // 1 Chr 1, 17). Die Aramäer stammen angeblich aus Kir (Am 9, 7; vgl. Am 1, 15), das vielleicht mit Ur in Untermesopotamien identisch ist. Ihre Sprache wird das *Aramäische* genannt (2 Kön 18, 26 // Jes 36, 11; Esr 4, 7; Dan 2, 4), das *Syrische* (in 2 Makk 15, 36) und das *Hebräische* im NT. Die Aramäer befinden sich fast ständig im Streit mit Israel. Das war schon so zur Zeit der Landnahme, als Aram und Geschur den Söhnen Machirs die Zeltdörfer Jairs wegnahmen (1 Chr 2, 23). Machir stammt von einer aramäischen Konkubine des Manasse (1 Chr 7, 14). Streitigkeiten gab es auch später unter David (2 Sam 10, 15–19 // 1 Chr 19, 16–19; vgl. 2 Sam 8, 12) und noch zur Zeit der Zerstörung Jerusalems (2 Kön 24, 2; Jer 35, 11).
Die Israeliten dienen den Göttern Arams (Ri 10, 6), wie es dann später der König Ahas tut (2 Chr 28, 23).
Korrekturen von *Aram* in *Edom* werden manchmal vorgeschlagen: Ri 3, 8.10; 2 Sam 8, 13; 1 Kön 11, 25; 2 Chr 20, 2; Ez 16, 57; 27, 16.
Städte → ARPAD; HAMAT 1°.

b) *Kleine aramäische Königreiche um Damaskus* → BET-REHOB; GESCHUR; MAACHA 1°; TOB; ZOBA.
c) *Aramäisches Königreich von* → DAMASKUS.
d) **Aram-Naharajim, Paddan-Aram** → MESOPOTAMIEN.
e) **Syrien** (16), gr. *Syria,* Abk. von *Assyria,* gr. Transkription von *Aram,* bezeichnet in 1 Makk den Hauptteil des großen Seleukidenreiches, das den Juden feindlich gesinnt war (1 Makk 7, 39; 10, 67; 11, 2.60). Hauptstadt war Antiochia. Nach Jdt 1,12 schwört Nebukadnezzar, die Gebiete von Zilizien, Damaskus und Syrien zu verwüsten.
Im NT steht das Wort für die römische Provinz Syrien. Sehr bald wurden in Damaskus (Apg 9) und Antiochia (Apg 11, 19f) Gemeinden gegründet. Für diesen Raum war das sog. Aposteldekret bestimmt (Apg 15, 23), und Paulus hielt sich immer wieder dort auf (Apg 15, 41; 18, 18; 20, 3; 21, 3; Gal 1, 21). In Mt 2, 23 meint „ganz Syrien“ praktisch Galiläa und die benachbarten Gegenden (vgl. Mk 1, 28).
Könige → SELEUKIDEN.
Statthalter → QUIRINIUS.
General → SERON.
Syrer oder Aramäer → NAAMAN 3°.
Hauptstadt → ANTIOCHIA 1°.
f) **Zölesyrien** (1), ursprünglich das Tal zwischen dem Libanon und dem Antilibanon, später Palästina und Phönizien.
Befehlshaber → APOLLONIUS 4°.
Grenzfluß → ELEUTHERUS.
Zölesyrien und Phönizien (5), Gebiet, das Heliodor zu besichtigen vorgibt (2 Makk 3, 8).
Befehlshaber → APOLLONIUS 1°; LYSIAS 1°; PTOLEMÄUS 9°.
g) **Syrophönizierin** (1), aus der römischen Provinz Syrien stammende Frau, deren Tochter von Jesus geheilt wird (Mk 7, 26 // Mt 15, 22: kanaanäische Frau).
2° **Aram** (1), aus dem Stamm Ascher, dritter Sohn des Schemer, Krieger und Familienhaupt (1 Chr 7, 34).
3° **Aram** (2), Ahnherr Jesu → RAM 1°.

ARAM-NAHARAJIM (5), „Aram der zwei Flüsse“ [Tigris u. Euphrat] → MESOPOTAMIEN c).

ARAN (2), zweiter Sohn Dischans, des siebten Sohns Seïrs (Gen 36, 28 // 1 Chr 1, 42: hebr. *Sohn Dischons*).

ARARAT (5), akk. *Urartu,* bezeichnet Armenien (Jer 51, 27), wohin die beiden Söhne Sanheribs fliehen, nachdem sie ihren Vater umgebracht haben (2 Kön 19, 37 // Jes 37, 38; vgl. Tob 1, 21). Ararat heißt auch der Berg, auf dem die Arche Noachs gelandet sein soll (Gen 8, 4).

ARAUNA (9), in 2 Sam 24, 16–24; = **Ornan** (12), in 1 und 2 Chr; **der Jebusiter** (6), ein Hetiter oder Horiter, der in Jerusalem eine Tenne besitzt, die David von ihm abkaufen will, um einen Altar zu errichten. Arauna bringt Rinder und Brennholz herbei, David bezahlt alles und bringt ein Brandopfer dar (2 Sam 24, 16–25 // 1 Chr 21, 15–26.28). Salomo errichtet später an dieser Stelle den Tempel (2 Chr 3, 1). Nach 1 Chr 21, 20 hatte Ornan vier Söhne. Der hebr. Text von 2 Sam 24, 23 spiegelt vielleicht eine Überlieferung wider, wonach Arauna ein Jebusiterkönig war.

ARBA → ANAK; KIRJAT-ARBA.

ARBATITER (2), 2 Sam 23, 31; 1 Chr 11, 32 aus → BET-ARABA.

ARBATTA (1), Gegend zwischen Galiläa und Samarien. Von hier bringt Judas Makkabäus die jüdischen Frauen und Kinder in Sicherheit (1 Makk 5, 23).

ARBELA (1), heute *Khirbet Irbid,* im NW von Tiberias; auf seinem Gebiet befindet sich Mesalot, das von Alkimus und Bakchides belagert und eingenommen wird (1 Makk 9, 2).

ARCHELAUS (1), „Führer des Volkes" (vgl. Archippus; Aristarch), Sohn Herodes' d. Gr. und der Malthake, Bruder des Herodes Antipas, Ethnarch von Judäa, Samarien und Idumäa (4 v. Chr. bis 6 n. Chr.). Als Josef hört, daß Archelaus über Judäa herrscht, zieht er nach Nazaret (Mt 2, 22). Archelaus wurde nach Vienne in Gallien verbannt.

ARCHIPPUS (2), „Oberst der Reiterei"? (vgl. Archelaus; Philippus), Christ der Gemeinde von Kolossä (Kol 4, 17) und vielleicht Sohn des Philemon und der Apphia (Phlm 2).

ARD (2), „Buckliger" (vgl. Ardon), Sohn Benjamins (Gen 46, 21) oder Sohn Belas, des Benjaminsohnes (Num 26, 40). Die Nachkommen Ards bilden die Sippe der **Arditer** (Num 26, 40).
= ? **Addar** (1), 1 Chr 8, 3.

ARDON (1), (vgl. Ard), Sohn Kalebs und seiner Frau Asuba (1 Chr 2, 18).

ARELI (2), letzter der sieben Söhne Gads (Gen 46, 16), nach ihm ist die Sippe der **Areliter** benannt (Num 26, 17).

AREOPAG (2) gr. *Areios pagos,* „Areshügel", im Westen der Akropolis von Athen. Ursprünglich hatte hier der Rat der Stadt seinen Sitz, aber zur Zeit des Paulus versammelte er sich beim Marktplatz. Wo Lukas sich den genauen Ort der Areopagrede vorgestellt hat, auf dem Hügel oder am Markt, ist schwer zu entscheiden (Apg 17, 19.22).

AREOPAGIT (1), Mitglied des Areopags → DIONYSIUS.

ARES (2), (vgl. Areopag), **König der Spartaner** (1) (309–265 v. Chr.), schickt einen Brief an den jüdischen Hohenpriester Onias, in dem es heißt, Juden und Spartaner seien „Brüder und stammten beide von Abraham ab" (1 Makk 12, 20; vgl. 12, 7).

ARETAS, arab. *Harita,* „Metallarbeiter".
1° **Aretas I.** (1), Nabatäerkönig, hält den unrechtmäßigen Hohenpriester Jason in Petra gefangen, dem aber die Flucht gelingt (2 Makk 5, 8).
2° **Aretas** IV. (1), Nabatäerkönig, dessen Ethnarch in Damaskus die Flucht des Paulus nicht verhindern kann (2 Kor 11, 32) → HERODES 2°.

ARGOB
1° **Argob** (4), Gegend um Baschan, östlich des

Sees Gennesaret. Der Bezirk Argob umfaßte zahlreiche Städte, die der halbe Stamm Manasse in Besitz nahm (Dtn 3, 4.13). Später bemächtigt sich Jaïr, der Sohn Manasses, dieses Gebiets und gibt ihm seinen Namen: „Zeltdörfer Jaïrs" (Dtn 3, 14). Unter Salomo gehört Argob zum sechsten Distrikt (1 Kön 4, 13).
2° **Argob und Arje** (1), zwei Männer, die zur gleichen Zeit wie der israelitische König Pekachja in Samaria ermordet werden (2 Kön 15, 25). Vielleicht sind die beiden Namen zu streichen oder in *Argob und die Zeltdörfer Jairs* zu ändern.

ARIARATHES V. (1), König von Kappadozien (162–131), Freund der Römer; an ihn ist der Brief gerichtet, der das Bündnis zwischen Juden und Römern bekanntmacht (1 Makk 15, 22).

ARIADAI (1), pers. Name, Bruder des → PARSCHANDATA.

ARIDATA (1), pers. Name, ein anderer Bruder des → PARSCHANDATA.

ARIËL, hebr. *Ari'el*, „Löwe Gottes" oder „Herd Gottes".
1° **Ariël** (2), Name der zwei moabitischen Helden, die von Benaja, dem Sohn Jojadas, getötet werden (2 Sam 23, 20 // 1 Chr 11, 22). Man kann auch übersetzen: „die beiden Söhne Ariëls".
2° **Ariël** (1), ein Botschafter, den Esra zu Iddo schickt (Esr 8, 16).
3° **Ariël** (6), symbolischer Name für Jerusalem (Jes 29, 1–2.7; 33, 7 Korr.). Vielleicht gehört hierzu auch der „Opferherd" von Ez 43, 15–16, auf dem die Brandopfer dargebracht wurden (hebr. *har'el* oder *ari'el*); dies würde den kultischen Charakter Jerusalems unterstreichen.

ARIMATHÄA (4), etwa 14 km NO von Lod (Mt 27, 57 // Mk 15, 43; Lk 23, 51; Joh 19, 38) = RAMA 2°. Heimat des → JOSEF 11°.

ARISAI (1), Bruder des → PARSCHANDATA.

ARISTARCH (5), „Ausgezeichneter Herrscher" (vgl. Aristobul, Archelaus), **Mazedonier** (2) **aus Thessalonich** (1), Reisebegleiter des Paulus (Apg 19, 29: in Ephesus beim Aufstand der Silberschmiede; 20, 4: von Griechenland nach Syrien; 27, 2: von Cäsarea nach Rom). Mitgefangener des Paulus (Apg 27, 2; Kol 4, 10; Phlm 24: Mitarbeiter).

ARISTOBUL, „Vom besten Rat" (vgl. Aristarch; Eubulus).
1° **Aristobul** (1), jüdischer Gelehrter in Alexandria, Ratgeber des Königs Ptolemäus, aus priesterlichem Geschlecht (2 Makk 1, 10).
2° **Aristobul** (1), in seinem Haus befindet sich eine Gruppe von christlichen Sklaven oder Freigelassenen (Röm 16, 10).

ARJE (1) „Löwe" → ARGOB 2°.

ARJOCH, gr. *Arioch*.
1° **Arjoch, König von Ellasar** (2), verbündet mit → AMRAFEL.
2° **Arjoch, König der Elamiter** (1), kämpft auf seiten Nebukadnezzars (Jdt 1, 6).
3° **Arjoch** (5), Oberster der Scharfrichter des Königs Nebukadnezzar. Soll die Weisen von Babylon umbringen, weil sie den Traum des Königs nicht deuten konnten, aber Daniel verhindert die Hinrichtung, indem er sich von ihm zum König führen läßt (Dan 2, 14–15.24–25).

ARKITER
1° **Arkiter** (2), Stamm an der phönizischen Küste, von Kanaan hergeleitet (Gen 10, 17 // 1 Chr 1, 15).
2° **Arkiter** (6), vermutlich kanaanäischer Clan im SW von Betel (Jos 16, 2).
Arkiter → HUSCHAI 1°; ATROT-ADDAR.

AR-MOAB (3) → AR.

ARMONI (1), einer der beiden Söhne Sauls und der Rizpa, die David den Gibeonitern zur Hinrichtung ausliefert (2 Sam 21, 8).

ARNAN (1), Nachkomme des Königs Jojachin über Serubbabel und Hananja (1 Chr 3, 21).

ARNI (1), Nachkomme des Perez, Ahnherr Davids und Jesu (Lk 3, 33; vgl. Mt 1, 3; Rut 4, 19; 1 Chr 2, 9–10).

ARNON (25), „Von Lorbeerbäumen oder Kiefern umsäumt“ (vgl. Oren), Bach am Ostufer des Toten Meers. Er wird meist als (theoretische) Grenze zu Moab genannt (Num 21, 13–14; 22, 36; Ri 11, 18; vgl. Jes 16, 2; Jer 48, 19) und als Südgrenze der israelitischen Stämme im Ostjordanland (Num 21, 24.26.28; Dtn 2, 24; 3, 8.16; Jos 12, 1; Ri 11, 22.26). Nach Ri 11, 13 bildet er die Südgrenze zu Ammon. Heute *Wadi Mujib.*
Im Arnon → Aroër 1°.

AROD (1), Num 26, 17, oder **ARODI** (1), Gen 46, 16 (auch hier ist Arod zu verwenden), sechster der sieben Söhne Gads, nach ihm benannt die Sippe der **Aroditer** (Num 26, 17).

AROËR
1° **Aroër** (12), **am Ufer des Arnonbachs** oder **-tals** (7), Stadt in Gad (Num 32, 34) oder Ruben (Jos 13, 16; 1 Chr 5, 8) und schließlich moabitisch (Jer 48, 20; vgl. Jes 16, 2). Wie der Arnon wird die Stadt vor allem als Grenze genannt, sei es zum Amoriterreich des Königs Sihon (Dtn 2, 36; 3, 12; 4, 48; Jos 12, 2; 13, 9.16), das von Israel erobert wurde (Ri 11, 26), sei es zu dem Gebiet, das Joab bei der Musterung inspizierte (2 Sam 24, 5), sei es zu dem Land hin, das Hasaël, der König von Aram, Israel wegnahm (2 Kön 10, 33). Heute *Khirbet Ara'ir.*
2° **Aroër** (3), Stadt in Gad, gegenüber von Rabba der Ammoniter (Jos 13, 25). Jiftach schlägt die Ammoniter von Aroër bis Minnit (Ri 11, 33).
Heimat des → Hotam 2°.
3° **Aroër** (2), Stadt Judas im Negeb (Jos 15, 22: hebr. *Adada*). David sendet von seiner Beute Geschenke an die Ältesten von Aroër (1 Sam 30, 28).
4° **Aroër** (1), Stadt vielleicht identisch mit 1° oder 2° und irrtümlich in einem Spruch gegen Damaskus erwähnt (Jes 17, 2). Manchmal korrigiert man nach dem Gr. in „seine Städte“.

AROËRITER (1), 1 Chr 11, 44 aus → Aroër 2°.

ARPAD (6), akk. *Arpadda,* Stadt in Syrien, 30 km nördlich von Aleppo. Sie wird zur gleichen Zeit wie Hamat von Sanherib zerstört (2 Kön 18, 34 // Jes 36, 19; 2 Kön 19, 13 // Jes 37, 13; vgl. Jes 10, 9), und ein Jahrhundert später muß sie wie Hamat vor der babylonischen Bedrohung zittern (Jer 49, 23). Heute *Tell Erfad.*

ARPACHSCHAD (9), gr. *Arphaxad,* Sohn des Sem und Vater des Schelach (Gen 10, 22.24 // 1 Chr 1, 17.18; Gen 11, 10–13 // 1 Chr 1, 24).
= **Arpachschad** (1), Ahnherr Jesu (Lk 3, 36). Vermutlich die Horiter von *Arrapah* östlich des Tigris. Im Gebiet von Kirkuk.

ARPHAXAD(5), **König der Meder in Ekbatana** (1), historisch unbekannt. Sein Name soll wohl an den Gründer des Mederreichs Phraortes (675–653) erinnern. Nach Jdt 1, 1–5. 13.15 wurde er von Nebukadnezzar vernichtend geschlagen.

ARSAKES (3), **König von Persien und Medien** (1). Es handelt sich um Mitredat I. Arsakes VI. (171–138), den Gründer des Partherreichs. Er läßt Demetrius II., der auf sein Gebiet eingedrungen war, gefangennehmen (1 Makk 14, 2–3). Auch er erhält den Brief über das Bündnis zwischen Juden und Römern (1 Makk 15, 22).

ARTAXERXES, hebr. *Artachschasta,* gr. *Arthasastha* (Esr; Neh) oder *Artaxerxes* (Est), iran. *Artachschasa,* „Der ein Reich der Gerechtigkeit hat“ oder „Der zur Herrschaft Arta (= die personifizierte Weltordnung) hat“.
1° **Artaxerxes** (15), **König von Persien** (4) oder **der Perser** (1), (465–423). Es handelt sich um Artaxerxes I. Langhand, Nachfolger des Xerxes, unter dessen Regierung man gewöhnlich die Tätigkeit des Esra und Nehemia ansetzt.
Zur Zeit des Artaxerxes schreiben die persischen Beamten Samariens an den König und zeigen die Juden wegen des Wiederaufbaus Jeusalems an (Esr 4, 7–23). Nach Esr 6, 14 vollenden die Juden den Wiederaufbau des Tempels gemäß der Anordnung des Kyrus, des Darius und Artaxerxes, aber die Erwähnung des zuletzt genannten ist anachronistisch. Nach Esr 7, 1–29; 8, 1 zieht Esra im siebten Jahr des Königs Artaxerxes mit einer

Gruppe von Familienhäuptern nach Jerusalem, ausgestattet mit einem Dokument vom „König der Könige“ (7, 12), das ihn berechtigt, Juda zu inspizieren und vom persischen Hof Gold und Silber nach Jerusalem zu bringen. Auch Nehemia, der Mundschenk des Königs (Neh 1, 11), wird vom König ermächtigt, nach Juda zurückzukehren (Neh 2, 1–9). Dort wird er zum Statthalter vom 20. bis 32. Jahr des Königs Artaxerxes eingesetzt (Neh 5, 14). Dieser Artaxerxes wird Neh 13, 6 „König von Babel“ genannt. Die apokryphen „Erinnerungen Nehemias“ (2 Makk 2, 13) erzählen, wie der vom persischen König entsandte Nehemia das heilige Feuer des alten Tempels entdeckt (2 Makk 1, 18–36).
2° **Artaxerxes** → XERXES.

ARTEMAS (1), vermutlich Abk. des gr. *Artemidoros,* „Geschenk der Artemis“, ein in Tit 3, 12 erwähnter christlicher Missionar.

ARTEMIS (5), lat. *Diana,* Muttergöttin von Ephesus. Die Stadt gilt als „Tempelhüterin der Großen Artemis und ihres vom Himmel gefallenen Bildes“ (Apg 19, 35). Durch die Predigt des Paulus gegen die „mit Händen gemachten Götter“ (V. 26) droht den Silberschmieden von Ephesus geschäftlicher Verlust und Erwerbslosigkeit (VV. 24–25). Aber auch „dem Heiligtum der großen Göttin Artemis droht Gefahr, nichts mehr zu gelten, ja, sie selbst, die von der ganzen Provinz Asien und von der ganzen Welt verehrt wird, wird ihre Hoheit verlieren (V. 27). Nur mit Mühe kann die aufgebrachte Menge beruhigt werden, die mehr als zwei Stunden lang schreit: „Groß ist die Artemis von Ephesus!“ (VV. 28.34).
→ NANÄA.

ARUBBOT (1), „Fenster“ oder „Schleusen“?, im dritten Distrikt Salomos, zwischen Samarien und dem Karmel (1 Kön 4, 10).

ARUMA (1), Ort im SO von Sichem, wohin Abimelech nach seinem Sieg über Gaal zurückkehrt (Ri 9, 41).
= **Ruma** (1), Heimat der Sebuda, der Mutter des Königs Jojakim (2 Kön 23, 36). Heute *Khirbet el-Ormah.*

ARWAD (2), gr. *Aradios, Arados,* nördlich von Tripolis gelegene Insel, 3 km von der Küste. Heute *Ruad.* Ihre Bewohner, die **Arwaditer,** sind kananäischen Ursprungs (Gen 10, 18 // 1 Chr 1, 16). Von Arwad rekrutierte Tyrus Ruderer und Soldaten (Ez 27, 8.11).
= **Arados** (1), an die so benannte Insel ist der Brief des Konsuls Luzius gerichtet, der das Bündnis zwischen Römern und Juden bekanntgibt (1 Makk 15, 23).

ARZA (1), Palastvorsteher in Tirza. In seinem Haus wird der israelitische König Ela ermordet, als er sich bei einem Gelage betrank (1 Kön 16, 9).

ASA, „Myrtenstrauch“ oder „Heiler“?
1° **Asa** (59), dritter König von Juda (911–870). Nachfolger seines Vaters Abija (1 Kön 15, 8 // 2 Chr 13, 23; vgl. 1 Chr 3, 10), im 20. Jahr Jerobeams I. von Israel (1 Kön 15, 9), herrscht er 41 Jahre lang (V. 10), so daß er Zeitgenosse folgender Könige von Israel wird: Nadab (1 Kön 15, 25); Bascha (15, 28.3) Ela (16, 8); Simri (16, 10.15); und Ahab (16, 29).
Die ersten zehn Jahre seiner Regierung sind friedlich (2 Chr 13, 23; vgl. aber 15, 19). Von Bascha angegriffen, erkauft Asa sich mit den Schätzen des Tempels und des Palastes die Unterstützung Ben-Hadads I., des Königs von Damaskus (1 Kön 15, 16–20 // 2 Chr 16, 1–4). Doch der Prophet Hanani wirft ihm vor, sich auf den König von Aram und nicht auf Jahwe verlassen zu haben. Daraufhin wird er von Asa ins Gefängnis geworfen (2 Chr 16, 7–10). Asa läßt die Steine und Balken, mit denen Bascha Rama befestigt hatte, wegschleppen und das Material zur Befestigung von Geba und Mizpa verwenden (1 Kön 15, 17.22 // 2 Chr 16, 1.6). Dort legt er auch eine Zisterne gegen Bascha an (Jer 41, 9). Er erobert Städte in Efraim (2 Chr 15, 8; vgl. 17, 2), verfügt über eine schlagkräftige Armee (2 Chr 14, 7) und schlägt den Kuschiter Serach, der in Juda eingedrungen war (2 Chr 14, 8–14). „Er tat, was dem Herrn gefiel... wie David“ (1 Kön 15,11.14 // 2 Chr 14, 1; 15, 17; vgl. 1 Kön 22, 43 // 2 Chr 20, 32; 21, 12). Die Tempeldirnen vertreibt er aus dem Land (1 Kön 15, 12; aber nicht alle: 22, 47), die Höhenheiligtümer werden

abgeschafft (2 Chr 14, 2–4; vgl. aber 1 Kön 15, 14 // 2 Chr 15, 17) und ebenso die Götzenbilder, auch die seiner Großmutter (1 Kön 15, 13 // 2 Chr 15, 16). Nach 2 Chr 15, 1–15 war es der Prophet Asarja, der den König zu dieser religiösen Reform (mit feierlichem Opfer und Erneuerung des Gottesbundes) veranlaßte. Im Alter litt Asa an einer Fußkrankheit (1 Kön 15, 23 // 2 Chr 16, 12), die der Chronist als Strafe für das dem Propheten Hanani zugefügte Unrecht und die harten Maßnahmen gegenüber einem Teil des Volks ansieht (2 Chr 16, 10). Auch wird vermerkt, daß er in seiner Krankheit nicht bei Jahwe, sondern bei den Ärzten Hilfe suchte (2 Chr 16, 12). Dem Toten (1 Kön 15, 24) bereitete man ein außergewöhnlich großes Leichenfeuer (2 Chr 16, 13–14).
Asa (gr. *Asaph*) wird zu den Ahnherrn Jesu gezählt (Mt 1, 7–8).
Seine Großmutter → Maacha 9°.
Sein Sohn und Nachfolger → Joschafat 6°.
2° **Asa** (1), Vater des Leviten → Berechja 8°.

ASAËL, „Gott macht“ (vgl. Asaja; Asiel; Eleasa; Maaseja; Jaasai; Jaasiel).
1° **Asaël** (15), **Bruder Joabs** (3) und des Abischai, die drei Zerujasöhne (2 Sam 2, 18; 1 Chr 2, 16). Als Angehöriger der Elitetruppe der „Dreißig“ (2 Sam 23, 24 // 1 Chr 11, 26) zeichnet er sich besonders in der Schlacht von Gibeon aus. „Wie eine Gazelle im Gelände“ verfolgt er Abner, den Heerführer Sauls, und wird von diesem mit der Lanze durchbohrt (2 Sam 2, 18–23. 30–32). Asaël wird von seinen beiden Brüdern, die Abner in Hebron ermorden, gerächt (2 Sam 3, 27–30). Der Chronist macht ihn zum Heerführer, der für den militärischen Dienst des vierten Monats verantwortlich gewesen sei (1 Chr 27, 7).
2° **Asaël** (1), einer der acht Leviten, die der König Joschafat mit zwei Priestern und fünf Beamten ausschickte, um die Städte Judas im Gesetz zu unterweisen (2 Chr 17, 7–9).
3° **Asaël** (1), einer der zehn Leviten, die zur Zeit des Königs Hiskija den Konanja und Schimi in der Arbeit unterstützten (2 Chr 31, 12–13).
4° **Asaël** (1), Vater des → Jonatan 13°.

ASAF, „Gott mehrt“ oder „sammelt“ (vgl. Abiasaf; Josef).
1° **Asaf** (41) **Sohn des Berechja** (2), ist mit Heman und Jedutun (oder Etan) einer der drei eponymen Ahnherren der Tempelsänger. Er begegnet nur in 1 und 2 Chr, Esr, Neh und Ps. Nach 1 Chr 6, 24–28 gehört er zur Nachkommenschaft des Levisohns Gerschon. Aus dem Exil kehren 128 (oder 148) Sänger zurück, und diese „Söhne Asafs“ werden von den Leviten unterschieden (Esr 2, 41 // Neh 7, 44). Dagegen sind sie Esr 3, 10 mit den Leviten gleichgesetzt.
Asaf nimmt an der feierlichen Übertragung der Bundeslade als Sänger und Zimbelspieler teil (1 Chr 15, 17.19; vgl. 2 Chr 5, 12; Esr 3, 10). David stellt ihn an den ersten Platz vor der Lade, um Jahwe zu feiern und zu loben (1 Chr 16, 4–5.7). Damit soll ein ständiger Dienst nach einem täglichen Ritual begründet werden (1 Chr 16, 37; vgl. 2 Chr 35, 15). Die Söhne Asafs leiten vier Sängerklassen, die erste, dritte, fünfte und siebte (1 Chr 25, 2.9–10.12.14), in die Leitung der anderen zwanzig teilen sich die Söhne Hemans und Jedutuns.
Als Sänger und Musiker spielt Asaf, wie Heman und Jedutun, eine prophetische Rolle (1 Chr 25, 1–2; 2 Chr 29, 30). Nach Neh 12, 46 hat es schon seit den Tagen Davids und Asafs Vorsteher der Sänger sowie Lob- und Danklieder gegeben. Unter Hiskija preist man Gott „mit Worten Davids und des Sehers Asaf“ (2 Chr 29, 30). Vielleicht existierte ein Psalter Asafs, der unter anderen die Pss 50 und 73–83 enthielt.
Nachkommen → Mattanja 3°; 4°; 5°; Usi 5°; Jachzeel; Secharja 16°; 17°; 25°; Sakkur 4°.
2° **Asaf** (4), Vater des Herolds → Joach 1°.
3° **Asaf** (1), Verwalter der königlichen Wälder des Artaxerxes, der ihm Holz für den Wiederaufbau verschafft (Neh 2, 8).
4° **Asaf** (1), 1 Chr 26, 1 → Abiasaf.
5° **Asaf** (2), Mt 1, 7–8 → Asa 1°.

ASAJA, „Jahwe hat getan“ (vgl. Asael).
1° **Asaja** (3), Levit aus dem Merariterclan (Genealogie 1 Chr 6, 14–15); Vorsteher, an der Übertragung der Bundeslade beteiligt (1 Chr 15, 6.11).
2° **Asaja** (1), Simeoniter, führend in seinem Clan (1 Chr 4, 36 ff).

3° **Asaja** (1), Judäer aus dem Clan Schela (hebr. *Schiloniter*), wohnhaft in Jerusalem (1 Chr 9, 5).
4° **Asaja** (3), Minister des Königs Joschija, Mitglied der vom Hohenpriester Hilkija geleiteten königlichen Delegation, die nach der Auffindung des Gesetzbuches zur Prophetin Hulda geschickt wird (2 Kön 22, 12–20 // 2 Chr 34, 20–28).

ASAN (1), Vater des → Paltiel 1°.

ASANJA (1), „Jahwe hat recht" (vgl. Osni; Jaasanja), Vater des Leviten → Jeschua 5°.

ASARAMEL (1), (vgl. Ammi), Transkription des hebr. *Hazar am El,* „Vorhof des Volkes Gottes"? oder „Fürst des Volkes Gottes" (1 Makk 14, 27).

ASAREL, 1° hebr. *Asareel;* 2° – 7° hebr. *Azareel* „Gott hat geholfen".
1° **Asarel** (1), vierter der Söhne Jehallelels, kalebitischer Clan (1 Chr 4, 16).
2° **Asarel** (1), Korachiter, mit David vor seinem Königtum verbündet (1 Chr 12, 7).
3° **Asarel** (1) → Usiel 3°.
4° **Asarel** (1) **Sohn des Jeroham** (1), Führer des Stammes Dan (1 Chr 27, 22).
5° **Asarel** (1), Israelit der Söhne des Sakkai, schickt seine ausländische Frau zurück (Esr 10, 41).
6° **Asarel** (1), Vater des → Amasai 4°.
7° **Asarel** (1), Levit, Sohn Asafs (?), spielt bei der Einweihung der Jerusalemer Mauer ein Instrument (Neh 12, 36).

ASARELA (1), Sänger, Sohn Asafs (1 Chr 25, 2) = **Jesarela** (1), Leiter der siebten Sängerklasse (1 Chr 25, 14).

ASARHADDON (6), akk. *Assur-aha-iddin* „[Der Gott] Assur hat einen Bruder geschenkt", **König von Assyrien** oder **Assur** (2), (680–669). Er folgt seinem Vater Sanherib auf dem Thron, nachdem dieser von zweien seiner Brüder ermordet wurde (2 Kön 19, 37 // Jes 37, 38; vgl. Tob 1, 1). Seine Generäle nehmen Manasse, den König von Juda, gefangen (2 Chr 33, 11). Die in Esr 4, 2 erwähnte Deportation war vielleicht mit dem ägyptischen Feldzug Asarhaddons und der Eroberung von Tyrus verknüpft. – In den drei Stellen des Tob (1, 21.22; 2, 1) ist Asarhaddon eine Korr. des gr. *Sacherdonos*.
Vater des → Assureanipal

ASARJA, , „Jahwe hat geholfen", gr. *Azarias* (vgl. Eser).
1° **Asarja** (1), Sohn des Etan, Nachkomme des Judas durch Serach (1 Chr 2, 8).
2° **Asarja** (2), Nachkomme Attais und Ahnherr des Elischama, vom Clan Jerachmeel (1 Chr 2, 38–39).
3° **Asarja Sohn des Natan** (1), Oberster der Statthalter Salomos (1 Kön 4, 5).
4° **Asarja Sohn des Zadok** (1), Priester zur Zeit Salomos (1 Kön 4, 2).
= **Asarja** (2), 1 Chr 5, 35 (die Bemerkung von V. 36 bezieht sich besser auf den Asarja von V. 35).
5° **Asarja** (3), Ahnherr Zadoks und des Vorhergehenden (Esr 7, 3; 1 Chr 5, 36–37: die Reihe *Amarja-Ahitub-Zadok* ist eine Wiederholung von VV. 33–34; vgl. Esr 7, 3–4).
6° **Asarja** (4), Nachkomme Zadoks und der beiden Vorhergehenden (1 Chr 5, 39.40; 9, 11; Esr 7, 1). Mit den beiden folgenden identisch?
7° **Asarja** (2), [Nachkomme Zadoks], Hoherpriester. Er widersetzt sich mit 24 mutigen Priestern dem König Usija, der im Tempel das Rauchopfer darbringen wollte (2 Chr 26, 17.20).
8° **Asarja** (2), Hoherpriester „aus dem Haus Zadok" zur Zeit des Königs Hiskija (2 Chr 31, 10.13).
9° **Asarja** (2), Mitunterzeichner der Gesetzesverpflichtung (Neh 10, 3), Trompetenbläser bei der Mauerweihe in Jerusalem (Neh 12, 33: ein oder zwei Priester).
Vgl. → Esra 3°.
10° **Asarja Sohn des Oded** (1), Prophet, mahnt den König Asa zur religiösen Reform (2 Kön 15, 1–8).
11° **Asarja** (2), zwei aus den sechs Söhnen des Königs Joschafat von Juda, die von ihrem älteren Bruder Joram nach seiner Thronbesteigung ermordet wurden (2 Chr 21, 2–4.13).
12° **Asarja** (9), ein anderer Name des Königs → Usija 4°.

13° **Asarja Sohn des Jeroham** (1) und **Asarja Sohn des Obed** (1), zwei der fünf Offiziere, die in das Komplott gegen Atalja verwickelt waren (2 Chr 23, 1–14).
14° **Asarja Sohn des Johanan** (1), einer der vier Offiziere des Nordreichs (2 Chr 28, 12), die dem Appell des Propheten Oded zur Nächstenliebe an ihren gefangenen judäischen Brüdern folgen (VV. 5–15).
15° **Asarja Sohn des Hoschaja** (2), judäischer Offizier → JAASANJA 2°.
16° **Asarja** (2), Nachkomme Levis, Vater des → JOEL 5°.
17° **Asarja Sohn des Jehallelel** (1), Levit aus dem Clan Merari, nimmt an der Reinigung des Tempels bei der Reform des Hiskija teil (2 Chr 29, 12).
18° **Asarja (2), Sohn des Maaseja, Sohn des Asaneja** (1), Freiwilliger beim Wiederaufbau der Jerusalemer Mauer (Neh 3, 23–24).
19° **Asarja** (1) → SERAJA 9°.
20° **Asarja** (1), erklärt dem Volk das Gesetz bei der feierlichen Verlesung durch Esra (Neh 8, 7).
21° **Asarja** (10), Beiname **Abed-Nego** (15), einer der drei Gefährten Daniels → HANANJA 17°.
22° **Asarja** (6) **Sohn Hananjas des Großen** (1) → RAFAEL 2°.
23° **Asarja** (3), Führer des Volkes, der in Abwesenheit der Makkabäischen Brüder Judas und Simon zusammen mit Josef, dem Sohn Secharjas, in Judäa einen Interimsfrieden sichern soll (1 Makk 5, 18–19). Trotz der erhaltenen Anweisungen marschieren aber beide aus Ruhmgier nach Jamnia und werden in die Flucht geschlagen (1 Makk 5, 56–62).
= **Esri** (2), 2 Makk 8, 23 (Korr. des gr. *Eleazar*), soll auf Weisung des Judas vor der Schlacht das Heilige Buch vorlesen; nimmt am Feldzug gegen Gorgias an den Grenzen zu Idumäa teil (2 Makk 12, 36: Korr, des gr. *Esdris*).
24° **Asarja** (1), 2 Chr 22, 6 zu korrigieren in *Ahasja* (= Ochozias).

ASAS (1), Abk. von *Asaja,* Rubeniter (1 Chr 5, 8), Vater des → BELA 3°.

ASASEL (4), Name eines Wüstendämons, wohl in Bocksgestalt vorgestellt. Am Versöhnungsfest wird ein mit den Sünden Israels beladener Bock zu ihm hinausgeschickt (Lev 16, 8.10.26). LXX und Vulgata haben Asasel irrtümlich mit *caper emissarius* (= entsandter Bock) übersetzt.

ASASJA, „Jahwe zeigt sich stark" (vgl. Asas; Asisa; Asan; Maasja; Usija; Usa; Usi; Usiël).
1° **Asasja** (1), Levit, spielt Zither vor der Lade (1 Chr 15, 21).
2° **Asasja** (1), Efraimiter, Vater des → HOSCHEA 3°.
3° **Asasja** (1), einer der zehn Leviten, die zur Zeit des Königs Hiskija dem Konanja und Schimi bei der Arbeit im Tempel helfen (2 Chr 31, 12–13).

ASBUK (1), Vater des → NEHEMJA 2°.

ASCHAN, „Rauch"
1° **Aschan** (1), Stadt in der Ebene Juda (Jos 15, 42).
= **Bor-Aschan** (1 Sam 30, 30).
2° **Aschan** (2), Stadt in Simeon (Jos 19, 7 // 1 Chr 4, 32). Vgl. die vorhergehende?
3° **Aschan** (1), eine der vorhergehenden(?). Levitische Stadt (1 Chr 6, 44 // Jos 21, 16: *Ajin* wird oft mit gr. Mss. in *Aschan* korrigiert).

ASCHBEL (3), Sohn Benjamins: zweiter (Num 26, 38; 1 Chr 8, 1) oder dritter (Gen 46, 21). Seine Nachkommen bilden die Sippe der **Aschbeliter** (Num 26, 38).

ASCHDOD (17), gr. *Azotos.* Der alte Sitz der Anakiter (Jos 11, 22) wird zur Stadt der philistäischen Pentapolis, zwischen Gaza und Joppe im SW Palästinas gelegen. Die Stadt gehört zu jenen Gebieten der Philister, die auch der alt gewordene Josua nicht erobern konnte (Jos 13, 2–3). Sie wird Juda zugeschrieben (15, 46–47).
Die Philister bringen die eroberte Bundeslade nach Aschdod in den Tempel ihres Gottes Dagon, doch die Bewohner der Stadt werden von der Beulenpest heimgesucht (1 Sam 5; 6, 17–18). Der König Usija reißt die Mauern von Aschdod nieder (2 Chr 26, 6). Sargon II. erobert die Stadt 711 v. Chr. (Jes 20, 1). Sie ist oft Adressat prophetischer Drohreden (Am 1, 8; Jer 25, 20; Zef 2, 4;

Sach 9, 6). Die **Aschdoditer** hindern die Heimkehrer am Wiederaufbau Jerusalems (Neh 4, 1–2). Gleichwohl heirateten manche Juden aschdoditische Frauen (Neh 13, 23); ihre Kinder sprechen das Aschdoditische und vergessen die Sprache ihrer Väter (V. 24).
= **Azotos** (13). In der Makkabäerzeit wird die Stadt mehrfach angegriffen: von Judas (1 Makk 5, 68; vgl. 4, 15), von Jonatan, der Apollonius in die Flucht schlägt und die Stadt samt dem Dagontempel in Flammen aufgehen läßt (10, 77–85; 11, 4), von Johannes Hyrkanus, der die Wachttürme der benachbarten Felder in Brand steckt (16, 10). Simon gründet hier eine jüdische Siedlung (14, 34). Nach Jdt 2, 28 hat Holofernes die Bevölkerung von Aschdod terrorisiert. – Stadt und Gebiet wurden vom Evangelisten Philippus missioniert (Apg 8, 40).
Mögliche Korr.: Am 3, 9 (*Aschdod* in *Assur*); 1 Makk 9, 15 (*Azotos* in *Azara* = Baal-Hazor).
→ PENTAPOLIS 2°; PHILISTER.

ASCHENTOR (4), hebr. *Aschpot,* im SW Jerusalems beim Abfallhaufen der Stadt (auch „Misttor" genannt). Auf dem Weg, den Nehemia bei seiner nächtlichen Mauerinspektion nimmt (Neh 2, 13); von Nehemia wiederhergestellt (Neh 3, 13.14); auf dem Prozessionsweg bei der Mauerweihe (12, 31). Später „Tor der Essener" genannt. Identisch(?) mit dem → SCHERBENTOR.

ASCHER (42), gr. *Aser,* volkstümliche Etymologie: „Ich Glückliche" und „sie werden mich glücklich preisen" (vgl. Gen 30, 13).
Ascher ist Sohn Jakobs und der Silpa, der Magd der Lea (Gen 30, 12–13; 35, 26). Er hat vier Söhne und eine Tochter (Gen 46, 17; 1 Chr 7, 30–31), von denen fünf Sippen hergeleitet werden (Num 26, 44–47). In der Liste der Stämme Israels nimmt Ascher, der eponyme Ahnherr des gleichnamigen Stammes, einen Platz unter den fünf letzten ein (abgesehen von Ez 48, 2 und Offb 7, 6).
Das von Ascher beanspruchte Gebiet wird Jos 19, 24–31 abgegrenzt. Im Westen reicht es bis zum Mittelmeer (Ri 5, 17). Es ist ein wegen des Karmels reiches Land (vgl. Gen 49, 20; Dtn 33, 24–25). Ascher gehört zum neunten Bezirk Salomos (1 Kön 4, 16). Städte Aschers werden den levitischen Gerschonsöhnen zugeteilt (Jos 21, 6.30 // 1 Chr 6, 47.59). Die Musterung des Stammes ergibt jeweils 41500 (Num 1, 41), 53400 (Num 26, 47) und 26000 (1 Chr 7, 30–40) Männer. Ascher unterstützt Gideon im Feldzug gegen Midian (Ri 6, 35; 7, 23). Dem Chronisten zufolge kommen aus Ascher 40000 Männer, um an der Krönung Davids in Hebron teilzunehmen (1 Chr 12, 37) aber nur wenige Leute zur Paschafeier des Hiskija (2 Chr 30, 11).
= **Aser** (2) Lk 2, 36; Offb 7, 6 (in der Einheitsübersetzung immer: Ascher).
→ Liste der Stämme S. 376f.
Heimat des → AHIHUD; HANNA 3°; PAGIËL; SETUR.
Hauptstadt → AKKO.

ASCHERA (7), mit der ugar. Göttin *Athirat* gleichgesetzt, Gemahlin des Hochgottes El (Identifizierung umstritten). In der Bibel ist Aschera eine kanaanäische Vegetationsgottheit, oft mit Astarte verwechselt und dem Baal zugeordnet (Ri 3, 7; 1 Kön 18, 19; 2 Kön 23, 4.7). Die Großmutter des Königs Asa läßt ein Götzenbild der Aschera herstellen (1 Kön 15, 13 // 2 Chr 15, 16, und der König Manasse stellt eins in den Tempel (2 Kön 21, 7), aber Joschija wirft es ins Feuer (2 Kön 23, 4). Aschera bezeichnet auch den „heiligen Pfahl" – Emblem der Gottheit und Symbol der Fruchtbarkeit –, der bei den Heiligtümern errichtet wurde (Ex 34, 13; Dtn 16, 21 u. ö.).

ASCHHUR, Vater des Tekoa (2), ist nach 1 Chr 2, 24 kalebitischen Ursprungs und darum mit Juda verbunden. Nach 1 Chr 4, 5 ist er Vater mehrerer Gruppen (VV. 6–10), die ebenfalls zu Juda gehören.

ASCHIMA (1), syrische Göttin, deren Kult in Samarien durch die Leute aus Hamat eingeführt wurde (2 Kön 17, 30). In Am 8, 14 ist „das Götzenbild von Samaria" vielleicht eine ironische Entstellung des Namens (*Aschima* – *aschma*), zumindest handelt es sich um eine verächtliche Anspielung auf das Heiligtum von Samaria.

ASCHKELON (12), gr. *Askalon,* Stadt der philistäischen Pentapolis (Jos 13, 3), zwischen Aschdod und Gaza an der Küste gelegen.
Juda nimmt Aschkelon und sein Gebiet in Besitz (Ri 1, 18). Simson tötet hier dreißig Leute (Ri 14, 19). Bei der Rücksendung der Bundeslade zahlen die Philister von Aschdod auch an Aschkelon eine goldene Beule als Wiedergutmachung (1 Sam 6, 17–18). Die Stadt wird zusammen mit Gat in der Totenklage Davids über die gefallenen Saul und Jonatan genannt (2 Sam 1, 20). Ferner ist sie Gegenstand prophetischer Drohreden (Am 1, 8; Jes 25, 20; 47, 5–7; Zef 2, 4.7; Sach 9,5).
= **Askalon** (4). Um dem Schicksal von Aschdod zu entgehen, empfangen die Bewohner von Askalon den Makkabäer Jonatan mit großen Ehren (1 Makk 10, 86; 11, 60). Der vor Askalon angerückte Simon schwenkt nach Joppe ab (1 Makk 12, 33). Nach Jdt 2, 28 versetzt das Vorrücken des Holofernes die Bevölkerung der Stadt in Schrecken.

ASCHKENAS (3), erster der drei Söhne Gomers (Gen 10, 3 // 1 Chr 1, 6), bezeichnet die → SKYTHEN, die Jer 51, 27 mit anderen Völkern gegen Babylon zusammenruft.

ASCHMODAI (2), „Der zugrunde richtet"? (vgl. Abaddon), Gegenbild zum Engel Rafael („Gott heilt"). Im Testament Salomos ist er wie in Tob 3, 8.17 der Feind der ehelichen Verbindung. Eine Beziehung zum iran. *Aeschma,* einem der sieben Dämonen des Parsismus, ist möglich, aber nicht sicher.

ASCHNA
1° **Aschna** (1), Ort in der Ebene Juda (Jos 15, 33). Unbekannt.
2° **Aschna** (1), anderer Ort im judäischen Tiefland (Jos 15, 43). Vielleicht das heutige *Idna,* 13 km westlich von Hebron.

ASCHPENAS (1), Oberster der Eunuchen am Hof Nebukadnezzars (Dan 1, 3).

ASCHTAROT (7), „Ort der Astarte", Stadt etwa 35 km östlich des Sees Gennesaret. Aschtarot und Edrei, Königsstädte des Og von Baschan (Dtn 1, 4 // Jos 12, 4; Jos 9, 10; 13, 12), gehen in den Besitz des östlichen Teils von Manasse über (Jos 13, 31). Aschtarot wird den levitischen Gerschonsöhnen zugeteilt (1 Chr 6, 56 // Jos 21, 27).
= **Aschterot-Karnajim** (1), wo Kedar-Laomer mit seinen Verbündeten die Rafaiter schlägt (Gen 14, 5). Heimat des → USIJA 1°.

ASCHURITER (1), Nachkommen Jokschans über Dedan; werden von Abraham und seiner Konkubine Ketura hergeleitet (Gen 25, 3). Identisch vielleicht mit → ASSUR 2°.

ASCHWAT (1), aus Ascher, letzter der drei Söhne des Jaflet, Krieger und Familienhaupt (1 Chr 7, 33).

ASEKA (7), etwa 30 km SW von Jerusalem. Josua schlägt hier die verbündeten kanaanäischen Könige (Jos 10, 10–11). Stadt der Schefela (Jos 15, 35), von den Philistern besetzt (1 Sam 17, 1), von Rehabeam befestigt (2 Chr 11, 9), widersteht Aseka eine Zeitlang der Belagerung durch Nebukadnezzar (Jer 34, 7). Sie wird nach dem Exil von den Judäern wiederbesetzt (Neh 11, 30). Heute *Tell Zakarija.*

ASENAPPAR (1) → ASSURBANIPAL.

ASENAT (3), aus dem ägypt. *Ns-Nit,* „Der [Göttin] Neith gehörig", **Tochter des Potifera, Priesters von On** (3), Frau, die dem Mose vom Pharao gegeben wird (Gen 41, 45) und die ihm zwei Söhne schenkt, Manasse und Efraim (Gen 41, 50; 46, 20).

ASER → ESER

ASFAR (1), Zisterne in der Wüste Tekoa SO von Betlehem, wohin sich Simon und Jonatan flüchten (1 Makk 9, 33). Vielleicht die Zisternen von *Khirbet bir ez-Za'faran,* 6 km südlich von Tekoa.

ASGAD (4), hebr. „Gad ist mächtig" (vgl. Gad), pers. *Izgad,* „Botschafter", Laie, Familienhaupt, dessen Söhne mit Serubbabel aus dem Exil zurückkehren (Esr 2, 12 // Neh 7, 17; mit Esra Esr 8, 12), Mitunterzeichner der Gesetzesverpflichtung (Neh 10, 16).

ASIDÄER → HASIDÄER

ASIËL (vgl. Asaël)
1° **Asiël,** Simeoniter, Ahnherr des → JEHU 5°.
2° **Asiël** (1), Tob 1, 2: Naftaliter, Ahnherr des TOBIT und TOBIAS.

ASIËLITER → USIËLITER

ASIEN (27). In den Makkabäerbüchern bezeichnet Asien das Seleukidenreich (Kleinasien und westliches Asien), das nach der Niederlage des Antiochus III. bei Magnesia am Sipylos an die Römer übergegangen war. Als „Könige Asiens" gelten und „das Diadem Asiens tragen": → ANTIOCHUS 2°; PTOLEMÄUS 6°; SELEUKUS 4°; TRYPHON.
Die von den Parthern auf den Hochebenen des Irans gezogenen Pferde hatten Weltruf (2 Makk 10, 24).
Im NT bezeichnet Asien die prokonsularische römische Provinz (= Mysien, Lydien, Karien und manchmal Phrygien). Juden und Proselyten aus Asien sind in Jerusalem beim ersten christlichen Pfingsten (Apg 2, 9). Wenige Jahre später findet man solche im Disput mit Stephanus (6, 9). Kleinasiatische Juden schüren auch die Empörung gegen Paulus in Jerusalem (21, 27; vgl. 24, 19). Paulus verkündet das Evangelium zum großen Teil in Asien (Apg 20, 18), zuerst in Phrygien (16, 6), dann in der ganzen Provinz Asia (19, 10.22.26; vgl. 27, 2). Dort wirkt er zahlreiche Bekehrungen (19, 26), Epänetus, „die Erstlingsgabe der Provinz Asien" (Röm 16, 5), ist nur einer unter den vielen namentlich bekannten (vgl. Apg 20, 4). In Asien muß Paulus aber auch ungezählte Leiden und Verfolgungen ertragen (2 Kor 1, 8; vgl. 1 Kor 15, 32; Apg 19, 27). Der Gemeinde von Korinth werden Grüße der asiatischen Christen übermittelt (1 Kor 16, 19). An Gemeinden Asiens sind 1 Petr und Offb 1, 4 – 3, 22 gerichtet. Hauptstadt der Provinz Asiens → EPHESUS.
Kleinasien (= Türkei) → BITHYNIEN; KAPPADOZIEN; KARIEN; ZILIZIEN; GALATIEN 1°; LYKAONIEN; LYDIEN; MYSIEN; PAMPHYLIEN; PHRYGIEN; PISIDIEN; PONTUS.

ASISA (1), (vgl. Asas), Israelit aus den Söhnen Sattus, schickt seine ausländische Frau zurück (Esr 10, 27).

ASMAWET
1° **Asmawet aus Bahurim** (2), Krieger Davids (2 Sam 23, 31; 1 Chr 11, 33).
2° **Asmawet** (2), Benjaminiter, einer der drei Söhne des Joadda (1 Chr 8, 36) oder des Jara (1 Chr 9, 42), Nachkomme Sauls.
3° **Asmawet** (1), 1 Chr 12, 3. Benjaminiter, Vater des Pelet und des → JESIËL. Vielleicht heißt „Söhne Asmawets" aber einfach „Leute aus dem Ort Asmawet" (vgl. unten 5°).
4° **Asmawet Sohn des Adiël** (1), Aufseher der königlichen Schätze (1 Chr 27, 25).
5° **Asmawet** (2), Ort in Benjamin bei Anatot, 7 km NNO von Jerusalem. Die „Söhne Asmawets" kehren zur gleichen Zeit wie Serubbabel aus dem Exil zurück (Esr 2, 24), und Sänger kommen aus Asmawet zur Mauerweihe nach Jerusalem (Neh 12, 29).
= **Bet-Asmawet** (1), Neh 7, 28. Heute *Hizma.*

ASNA (1), ägypt. Name, Familienhaupt von aus dem Exil zurückgekehrten Tempeldienern (Esr 2, 50).

ASNOT-TABOR (1), (vgl. Tabor), auf der Grenze zu Naftali (Jos 19, 34). Vielleicht *Umm Jubeil* nördlich vom Taborberg.

ASPATA (1), pers. Name, Bruder des → PARSCHANDATA.

ASRIËL (3), Sohn des Manasse und seiner aramäischen Konkubine (1 Chr 7, 14) oder Sohn des Gilead, d. h. Enkel Manasses (Num 26, 31). Die Söhne Asriels bilden die Sippe der **Asriëliter** (Num 26, 31; vgl. Jos 17, 2).

ASRIKAM, „Meine Hilfe erhebt sich" (vgl. Ps 44, 27).

1° **Asrikam** (1), Palastvorsteher des Königs Ahas, getötet vom Efraimiter Sichri (2 Chr 28, 7).
2° **Asrikam** (2), Benjaminiter, erstgeborener Sohn Azels, Nachkomme Sauls (1 Chr 8, 38 // 9, 44).
3° **Asrikam** (2), Ahnherr des Leviten → SCHEMAJA 7°.
4° **Asrikam** (1), der letzte der drei Söhne Nearjas, Nachkomme des Königs Jojachin (1 Chr 3, 23).

ASSER (1), Tob 1, 2 → HAZOR 1°.

ASSER → ASCHER

ASSIR, „Gefangener" (vgl. Moserot)
1° **Assir** (2), Nachkomme Levis über Kehat, Sohn und Clan des Korach (Ex 6, 24), gilt als Ahnherr Samuels (1 Chr 6, 7.12).
2° **Assir** (2), Nachkomme des Vorhergehenden, gilt als Ahnherr Samuels (1 Chr 6, 8) und des Sängers Heman (6, 18).

ASSOS (2), Hafen in Mysien, wo Paulus sich am Ende seiner dritten Missionsreise nach Jerusalem einschifft (Apg 20, 13–14).

ASSUERUS → XERXES.

ASSUR (vgl. Asarhaddon; Assurbanipal).
1° **Assur, Assyrien, Assyrer** (181), Stadt, Land und Volk am Tigris, „jenseits des Flusses" = Eufrat (Jes 7, 20), das Obermesopotamien entsprechende Gebiet (der Norden des heutigen Irak).
Das Wort. Assur ist der Name der ältesten Hauptstadt (durch Ninive ersetzt), wahrscheinlich in Gen 2, 14 und Ez 27, 23 erwähnt. Assur bezeichnet auch den Nationalgott, dessen Name sich in denen der Könige Asarhaddon und Assurbanipal findet. Überall handelt es sich übrigens um Assyrien.
Assur wird von einem Ahnherrn *Aschschur,* einem Nachkommen Sems hergeleitet (Gen 10, 22 // 1 Chr 1, 17). Nach Gen 10, 11 zog dieser Assur aus und „erbaute Ninive", aber manche Kommentare verstehen den Vers so: „(Nimrod) zog aus (von Schinar) nach Assur und erbaute Ninive". Das Wort wird 94 × gebraucht, also in mehr als der Hälfte aller Verwendungen, im Ausdruck „König(e) Assurs oder Assyriens". Etwa 20 × sind Angelegenheiten assyrischer Könige im allgemeinen oder eines schwer zu identifizierenden Herrschers angesprochen. In Jes 7, 17.20; 8, 7; vgl. 8, 4 scheint „König von Assur" eine Glosse zu sein.
Das assyrische Reich. Die Macht Assyriens erreichte ihren Höhepunkt im 8. Jahrhundert (Tiglat-Pileser III. 745–727), zur Zeit der Könige von Israel und Juda. Unter Pekach von Israel fand die erste Deportation statt (2 Kön 15, 29; vgl. Am 5, 27; Tob 1, 2–3.10: irrtümlicherweise Salmanassar V. zugeschrieben). Weitere Deportationen folgten, besonders unter Sargon II. (2 Kön 17, 6.23; vgl. Jer 50, 17). Gegen Juda zieht Assyrien am Beginn des 7. Jahrhunderts zu Felde. Sanherib greift die Verbündeten des Westens, zu denen Hiskija gehört, an (2 Kön 18, 13 f; vgl. 20, 6 // Jes 38, 6), scheitert aber schließlich (2 Kön 19, 35 // Jes 37, 36 // Sir 48, 21).
Mehrere Texte spielen auf die Grausamkeit der assyrischen Invasionen an (2 Kön 19, 11.17–19 // Jes 37, 11.18–20; 2 Chr 30, 6; Neh 9, 32; vgl. Hos 13, 15: *der Ostwind*). Dies erklärt die Drohreden der Propheten gegen Assyrien und besonders Ninive (Jes 10, 5–13; 14, 25; 30, 27–33; 31, 4–9; Mich 5, 4–5; Zef 2, 13). Der Stolz des Königs von Assur wird bestraft (Jes 10, 12; Sach 10, 11), seine Truppen werden, wie die anderer Mächte, in die Unterwelt hinabsteigen (Ez 32, 22). Und das schreckliche Orakel Nahums (1, 14; 2 – 3) hat sich für den Verfasser des Tobit schon erfüllt (Tob 14, 4.15). Die assyrische Gefahr bildet auch den historisierenden Rahmen für Jdt: Judit, „die Jüdin", steht Holofernes gegenüber, dem obersten General des assyrischen Heeres (Jdt 5, 1; 6, 1; 13, 13). Es ist die Armee der „Söhne Assurs", ein dem Buch eigentümlicher Ausdruck (Jdt 6,17; 7, 17–24; 12, 13; 14, 2f.12) für jenes mächtige und furchtbare Heer (2, 14–18; 9, 7; 16, 3–4), das schließlich vor Betulia besiegt wird (8, 9; 10, 11; 14, 19; 15, 6).
Assyrien und Ägypten. Das zwischen diesen beiden mächtigen Nachbarn gelegene Israel ist sowohl Durchzugs- und Aufmarschgebiet (2 Kön 23, 29; Jes 20, 4) als auch selbst immer wieder von

dem einen oder anderen bedroht, so daß es sich als kleines Land fast gezwungen sieht, die eine Macht gegen die andere zur Hilfe zu rufen. Wenn das hebräische Volk am Anfang seiner Geschichte von Ägypten unterdrückt wurde, so setzt Assyrien dem Königreich Israels ein schreckliches Ende (Jes 52, 4; Hos 9, 3; 10, 6; 11, 5). Gottes Volk sucht trügerische politische Allianzen und vergebliche Unterstützung bald in Ägypten, bald in Assyrien (Jer 2, 18; Klgl 5, 6; Ez 16, 26–29; 23, 3–27; Hos 5, 13; 7, 11–13; 8, 9; 12, 2). Gott aber wird die Verbannten sowohl aus Ägypten als auch aus Assyrien zurückführen (Jes 11, 11–16; 27, 12–13; Hos 11, 11; Sach 10, 10). Und eines Tages werden sich die Unterdrücker bekehren, die Heerstraße der Invasion wird ein Weg friedlichen Austausches werden, und ein gemeinsamer göttlicher Segen wird die drei Völker vereinen: „Gesegnet ist Agypten, mein Volk, und Assur, das Werk meiner Hände, und Israel, mein Erbbesitz" (Jes 19, 22–25).
Könige → Asarhaddon; Assurbanipal (Asenappar); Salmanassar; Sargon; Sanherib; Tiglat-Pileser; und, irrtümlich als solche bezeichnet: Darius 1°; Nebukadnezzar (Nabuchodonosor).
Götter → Assur (vgl. oben); Nisroch.
Städte → Kelach; Ninive; Rehobot-Ir; Resen.
2° **Assur** (4), arab. Stamm im Süden Palästinas (Num 24, 22.24; Ps 83,9; vgl. Gen 25, 18; 2 Sam 2, 9).
→ Aschuriter.

ASSURBANIPAL (1), aram. *Asenappar* (vgl. Assur), Sohn Asarhaddons, König von Assyrien (669–630?), siedelt Leute aus Südmesopotamien in Samarien an (Esr 4, 10). Nach Nah 3, 8–9 hat Assurbanipal vielleicht das ägyptische Theben erobert (663).

ASTARTE (9), hebr. *Aschtoret* – schmähende Verballhornung von *Aschtart,* wie das hebr. *boschet* (Schande) vokalisiert; siehe Isch-Boschet; Mefiboschet; Molechat; Tofet; Jerubbeschet; auch Ewil-Merodach – (vgl. Aschtarot; Aschterot-Karnajim), Göttin der Liebe und der Fruchtbarkeit, entsprechend der ugar. *Athtart,* der babyl. *Ischtar* und der aramäischen *Atar.* Sie wird in Sidon verehrt, und Salomo führt ihren Kult ein (1 Kön 11, 5.33; 2 Kön 23, 23). Auch bei den Philistern besitzt sie einen Tempel (1 Sam 31, 10). Die Pluralform „Baale und Astarten" bezeichnet die kananäischen Gottheiten, von denen sich die Israeliten oft verführen ließen (Ri 2, 13; 10, 6; 1 Sam 7, 3–4; 12, 10). Schließlich werden Astarte und Aschera manchmal durcheinandergebracht (vgl. Ri 2, 13; 3, 7; 10, 6; 2 Kön 23, 4).
→ Atargateum; [Ischtar].

ASTYAGES (1), letzter König der Meder, von Kyrus besiegt (um 550), der ihm nachfolgt (Dan 14, 1).

ASUBA „Verlassene".
1° **Asuba** (2), Frau Kalebs (1 Chr 2, 18–19).
2° **Asuba Tochter des Schilhi** (2), Mutter Joschafats, Königs von Juda (1 Kön 22, 42 // 2 Chr 20, 31).
3° **Asuba („Verlassene"),** symbolischer Name für Jerusalem (Jes 62, 4).

ASUR, Abk. von *Asarja;* „Mispel".
1° **Asur** (1), Vater des → Hananja 4°.
2° **Asur** (1), Vater des → Jaasanja 4°.
3° **Asur** (1), Fürst des Volkes, Mitunterzeichner der Gesetzesverpflichtung (Neh 10, 18).

ATACH (1), Ort in Juda (1 Sam 30, 30). Das hebr. *Atach* wird manchmal in *Eter* korrigiert.

ATAJA (1), „Jahwe ist überlegen"?, **Sohn des Usija des Sohnes Secharjas des Sohnes Amarjas des Sohnes Schefatjas des Sohnes Mahalalels** (1), Judäer, Nachkomme des Perez, wohnt in Jerusalem nach dem Exil (Neh 11, 4).

ATALJA, „Jahwe ist erhaben" (vgl. Atlai).
1° **Atalja** (15), **Tochter Ahabs** (2) und der Isebel. Frau des Königs von Juda Joram (2 Kön 8, 18 // 2 Chr 21, 6), ist diese **(Enkelin)Tochter Omris** (2) die Mutter des judäischen Königs Ahasja (2 Kön 8, 26 // 2 Chr 22, 2). Als dieser ermordet wird, läßt Atalja die ganze königliche Nachkommenschaft Judas hinmetzeln. Nur der kleine Joasch entgeht

dem Massaker und lebt während der sechsjährigen Regierungszeit der Atalja (841–835) in der Verborgenheit (2 Kön 11, 1–3 // 2 Chr 22, 10–12). Ein vom Priester Jojada angezettelter Staatsstreich stürzt die Königin; sie wird getötet, und Joasch besteigt den Thron (2 Kön 11, 13 – 16, 20 // 2 Chr 23, 12–15.21). Sie hatte den Baalskult stark begünstigt (2 Chr 24, 7; vgl. 2 Kön 12, 18).
2° **Atalja** (1), Benjaminiter der Söhne Jerohams, Familienhaupt in Jerusalem (1 Chr 8, 26).
3° **Atalja** (1), aus den Söhnen Elams, Vater des → JESCHAJA 4°.

ATARA (1), „Krone", „Diadem" (vgl. Atarot), eine der Frauen des Jerachmeel, Mutter Onams (1 Chr 2, 26).

ATARGATEUM (1), (vgl. Atargatis), Tempel der Göttin Atargatis (2 Makk 12, 26).
= ? **Karnajim** (2), Tempel der zweigehörnten Astarte, wo Judas Makkabäus 25000 Feinde abschlachtet (2 Makk 12, 21.26).

[ATARGATIS], aram. *Atarateh* (aus den Varianten der beiden Götternamen *Athtar* und *Anat* zusammengesetzt), syrische Hochgöttin der hellenistischen Zeit, mit der zweigehörnten Astarte gleichgesetzt. Astarte und Atargatis wurden beide der himmlischen Aphrodite angeglichen.

ATARIM (Weg von) (1), Num 21, 1. Unbekannt.

ATAROT, „Kronen" (vgl. Atara; Atrot-Addar; Atrot-Bet-Joab; Atrot-Schofan).
1° **Atarot** (2), Stadt in Gad (Num 32, 3.34). Heute *Khirbet Ataruz,* etwa 10 km östlich des Toten Meers.
2° **Atarot** (1), Stadt an der Grenze zwischen Efraim und Manasse (Jos 16, 7). Nördlich von Jericho.
3° **Atarot** (1), Grenzort der Arkiter (Jos 16, 2).
= **Atrot-Arach** (2), Korr. des hebr. *Atrot-Addar,* an der Grenze zwischen Efraim und Benjamin (Jos 16,5; 18, 13).

ATER, „Krumm".
1° **Ater** (3), Israelit, Familienhaupt, dessen Söhne mit Serubbabel aus dem Exil zurückkehren (Esr 2, 16 // Neh 7, 21), Mitunterzeichner der Gesetzesverpflichtung (Neh 10, 18).
= **Jehiskija** (1), Esr 2, 16 oder **Hiskija** (1), Neh 7, 21. In Neh 10, 18 ist **Hiskija** (1) von Ater unterschieden.
2° **Ater** (2), Haupt einer Familie von Torwächtern, die mit Serubbabel aus dem Exil zurückkehren (Esr 2, 42 // Neh 7, 45).

ATHENOBIUS (2), „Freund des Königs" Antiochus'VII. und sein Gesandter bei Simon Makkabäus, um von ihm die Rückgabe der außerhalb Judäas eroberten Städte zu erreichen (1 Makk 15, 28–36).

ÄTHIOPIEN, gr. Name, „[Land der] schwarzen Gesichter" → KUSCH 1°.

ATLAI (1), (vgl. Atalja), Israelit aus den Söhnen Bebais, schickt seine ausländische Frau zurück (Esr 10, 28).

ATROT-ADDAR (2), (vgl. Atarot)
→ ATAROT 3°.

ATROT-BET-JOAB (1), „Kronen des Hauses Joab", Ort Judas, von Juda hergeleitet über Hur und Salmon (1 Chr 2, 54).

ATROT-SCHOFAN (1), Ort in Gad (Num 32, 35).

ATTAI
1° **Attai** (2), Sohn der Tochter Scheschans und seines ägypt. Dieners Jarha, vom Clan Jerachmeëls (1 Chr 2, 35–36).
2° **Attai** (1), Gaditer, mit David vor seinem Königtum verbündet (1 Chr 12, 12; vgl. VV. 9–16).
3° **Attai** (1), zweiter Sohn der Maacha und des Königs Rehabeam (2 Chr 11, 20).

ATTALIA (1), (vgl. Attalus), Hafen Pamphyliens, erbaut von König Attalus II. Paulus und Barnabas besteigen hier am Ende ihrer ersten Missionsreise ein Schiff nach Antiochia in Syrien (Apg 14, 25–26). Heute *Antalja* (Türkei).

ATTALUS II. (1), König von Pergamon (159–138), Freund der Römer. Auch an ihn ist der Brief des Konsuls Luzius gerichtet, der das Bündnis zwischen Juden und Römern bekanntmacht (1 Makk 15, 22).

[ATUM] → PITOM

AUGUSTUS
1° **Augustus** (1), römischer Kaiser (27 v. Chr. – 14 n. Chr.). Lk 2, 1 erwähnt einen Befehl des Kaisers Augustus, „alle Bewohner des Reiches in Steuerlisten einzutragen".
2° **[Augustus] = Sebastos** (2), wie Kaiser (Cäsar) ein Titel des regierenden römischen Herrschers (Apg 25, 21.25).

AURANUS (1), (vgl. Awaran?), schon bejahrter und ruchloser Anführer der 3000 Mann des Lysimachus, die gegen Jerusalem mit Gewaltakten vorgehen (2 Makk 4, 40).

AWA (1), Stadt Syriens, vielleicht am Orontes (heute *Tell Kafr Aya*?), von den Assyrern erobert. Die Bewohner, die **Awiter,** werden nach Samarien deportiert, wohin sie ihre Götter Nibhas und Tartak mitbringen (2 Kön 17, 24.31).
= **Iwa** (3), dessen Götter (2 Kön 18, 34) und Könige sich unfähig zeigen, ihr Volk aus der Hand Sanheribs zu retten (2 Kön 19, 13 // Jes 37, 13).

AWARAN (2), „Der Erweckte" oder „Der durchbohrt"? (vgl. Auranus?), Beiname des → ELEASAR 9°.

AWIM, Awiter
1° **Awim** (1), Ort in Benjamin (Jos 18, 23). Zusammengenannt mit Bet-El → AI 1°; AJA 3°.
2° **Awiter** (2), bei Gaza angesiedelte Halbnomaden (Dtn 2, 23; Jos 13, 3).
3° **Awiter** (1), 2 Kön 17, 31; Bewohner von → AWA.

AWIT (2), Hauptstadt Hadads, des Königs von Edom (Gen 36, 35 // 1 Chr 1, 46).

AXA → ACHSA

AZALJA (2), „Jahwe steht zur Seite" (vgl. Bet-Ezel), Vater des → SCHAFAN 1°.

AZARIAS → ASARJA

AZEL (6), „Vornehm", Benjaminiter, Nachkomme Sauls; er hatte sechs Söhne (1 Chr 8, 37–38 // 9, 43–44).

AZMON (3), Ort an der Südgrenze Judas, bei Kadesch-Barnea und dem Bach Ägyptens (Num 34, 4–5; Jos 15, 4).

AZOR, abgeleitete Form von Asarja (Azarias).
1° **Azor** (2), Ahnherr Jesu (Mt 1, 13–14).
2° **Azor** (1), Stadt Dans (Jos 19, 45 LXX; hebr. *Jehud*). Heute *Azor* östlich von Tel-Aviv.

AZOTOS (13) → ASCHDOD.

B

BAAL, hebr. *Ba^c al,* „Herr", „Eigentümer", „Gatte" (vgl. Baala; Baalat; Baara; Bealot; Bealja; Bel; Eschbaal; Gur-Baal; Ischbaal; Ittobaal; Meribaal; Kirjat-Baal; Jerubbaal usw.)

1° **Baal** (78), kanaanäischer Gewitter- und Regengott, lenkt Sonnenschein und gewährt Fruchtbarkeit. Man feierte seinen Tod (vgl. Dtn 14, 1) zu Beginn des Sommers, wenn die Vegetation aufhörte. Gelegentlich wird er mit der Astarte (oder Aschera), der Liebes- und Fruchtbarkeitsgöttin, zusammen genannt (2 Kön 21, 3–7; 23, 4–13). Meist aber ist Baal, die Baale oder „die Baale und Astarten" (Ri 2, 11–13; 3, 7; 10, 6–10; 1 Sam 12, 10) eine Kollektivbezeichnung für ganz verschiedene Gottheiten, jene „anderen Götter" (Dtn 13, 2; 2 Kön 5, 17 u. ö.), jene „fremden Götter", die in 1 Sam 7, 3–4 mit den Astarten genau parallel gesetzt werden. An einen Ortsnamen gebunden (vgl. Baal-Hermon, Baal-Pegor), bezeichnet Baal den göttlichen Eigentümer und Beschützer, den „Patron" des Ortes, und der Kult dieser verschiedenen Baale entspricht regionalen Erwartungen. Aus Reaktion gegen den Baalskult sind die mit *Baal* zusammengesetzten Namen oft verändert worden: *Baal* wurde durch *El, Jah* oder *boschet* (Schande) ersetzt (→ BAAL-BERIT; BEELADA; MERIBBAAL). „Die Schande" ist sogar zum Eigennamen des Baalsbildes geworden (Hos 4, 7; 9, 10; Jer 11, 13).

Israel ist oft versucht, Jahwe zu verlassen, um den Baalen zu dienen (Ri 3, 7; 10, 6–10; 1 Sam 12, 10; 1 Kön 18, 18; 2 Kön 17, 16; Jer 23, 27; Hos 2, 10–19) oder sich einer synkretistischen Religion anzupassen, in der Jahwe und Baal zusammen verehrt werden (vgl. 2 Kön 23, 4 f). Dann wieder schwankt es vom einen zum anderen (1 Kön 18, 21; Jer 7, 9–10). Zur Zeit der Richter kämpft Gideon mit aller Kraft gegen den Baalskult (Ri 6, 25–32), aber er ist kaum gestorben, da geben sich die Israeliten wieder den Baalen hin (8, 33).

Im Nordreich begünstigt Ahab – und nach ihm sein Sohn Ahasja (1 Kön 22, 54) – den Baalskult (1 Kön 16, 31–32). Baal erscheint als der Konkurrent Jahwes. Am Karmel fordert Elija das Volk auf, zwischen dem lebendigen Gott (vgl. 1 Kön 17, 1) und jenem oft abwesenden oder schlafenden Baal zu wählen (1 Kön 18, 18–40). Inmitten des allgemeinen Abfalls (2 Kön 17, 16; vgl. Hos 4, 7; 11, 2; 13, 1; Tob 1, 5) haben „siebentausend ihr Knie nicht vor Baal gebeugt" und werden deshalb von Jahwe verschont (1 Kön 19, 18; vgl. Röm 11, 4). Jehu vernichtet auf hinterlistige Weise den Baalskult und seine Anhänger (2 Kön 10, 18–28). Unter Jerobeam II. wendet sich Hosea leidenschaftlich gegen den Baalskult (Hos 2, 10–19) und erinnert an den Abfall bei Baal-Pegor (9, 10).

In Juda klagt zunächst Zefanja (1, 4) und dann vor allem Jeremia die Propheten an, die im Namen Baals gesprochen haben (Jer 2, 8; 23, 13), die Judäer und Israeliten, die ihm Höhen und Altäre errichtet haben (Jer 11, 13; 19, 5; 32, 35), die ihm Weihrauch gestreut (Jer 7, 9; 11, 17; 32, 29), bei ihm geschworen haben (Jer 12, 16), kurz alle, die den Baalen gefolgt sind (Jer 2, 23; 9, 13). Atalja (2 Chr 24, 7) Ahas (2 Chr 28, 2), Manasse (2 Kön 21, 3–7 // 2 Chr 33, 3–7) tun sich als treue Baalsdiener hervor, während Joschafat „die Baale nicht aufsucht" (2 Chr 17, 3). Nach dem Tod der Atalja zerstört das Volk von Juda den Baalstempel und tötet seinen Priester (2 Kön 11, 18 // 2 Chr 23, 17). Die religiöse Reform des Joschija reinigt den Jerusalemer Tempel von Kultgegenständen,

die dem Baal geweiht waren, unterdrückt die Priester und Anhänger des Gottes, entweiht seine Höhenheiligtümer und Altäre (2 Kön 23, 4–14 // 2 Chr 34, 3–7).
→ ASCHERA; ASTARTE; HADAD 1°.
2° **Baal** (1), Rubeniter, Nachkomme Joels, Vater des Beera (1 Chr 5, 5).
3° **Baal** (2), Benjaminiter aus Gibeon (1 Chr 8, 30 // 9, 36).
4° **Baal** (1), 1 Chr 4, 33 → BAALAT 3°.

BAALA, hebr. *Baᵓalah,* „Herrin", „Dame" (vgl. Baal; Bealot).
1° **Baala** (4) **in Juda** (1) → KIRJAT-JEARIM; BAALAT 1°; 2°.
2° **Baala** (1), Stadt der Söhne Judas im Negeb (Jos 15, 29).
= **Bala** (1), ehemals von den Simeonitern besetzt (Jos 19, 3).
= **Bilha** (1), 1 Chr 4, 29.
→ BAALAT; BAALAT-BEER.
3° **Baala** (1), Hügel an der NW-Grenze Judas (Jos 15, 11).
→ BAALAT 2°.

BAALAT, „Dame" (vgl. Baal).
1° **Baalat** (1), Stadt in Dan (Jos 19, 44). Identisch mit → BAALA 1° oder 2°.
2° **Baalat** (2), von Salomo befestigte Stadt (1 Kön 9, 18 // 2 Chr 8, 6). Identisch mit → BAALA 1°, 2° oder 3°.
3° **Baalat** (1), Simeon zugeteilter Ort (1 Chr 4, 33: Korr. des hebr. *Baal*).
= **Baalat-Beer** (1), Jos 19, 8. Vermutlich identisch mit → BAALA 2°.

BAALAT-BEER (1), „Herrin des Brunnes"
→ BAALAT 3°.

BAAL-BERIT (2), „Baal des Bundes", der unter diesem Namen von den kanaanäischen Sichemitern verehrte Baal, den die Israeliten übernehmen (Ri 8, 33; 9, 4).
= **El-Berit** (1), in dessen Tempel sich die Vornehmen von Migdal-Sichem flüchten (Ri 9, 46).

BAAL-GAD (3), „Baal des (Gottes) Gad", im Tal des Libanon gelegen zu Füßen des Hermonberges (Jos 11, 17; 13, 5). Der Ausdruck „von Baal-Gad ... bis zu den kahlen Bergen" bezeichnet wahrscheinlich die Nord- und Südgrenze des Zwölf-Stämme-Territoriums genauer (Jos 11, 17; 12, 7) als die volkstümliche Formel „von Dan bis Beerscheba". Vgl. (?) → BAAL-HERMON.

BAAL-HAMON (1), „Herr der Menge" oder „der Reichtümer" (vgl. Hamona), unbekannter Ort (Hld 8, 11).

BAAL-HANAN, „Baal hat Gnade erwiesen", während der phönizische Name *Hannibal* „Gnade sei Baal" bedeutet (vgl. Hanan).
1° **Baal-Hanan** (4) **Sohn des Achbor** (3), König von Edom (Gen 36, 38–39 // 1 Chr 1, 49–50).
2° **Baal-Hanan von Bet-Gader** (1), Aufseher der Öl- und Feigenbäume in der Schefela (1 Chr 27, 28).

BAAL-HAZOR (1), „Baal von Hazor" (vgl. Hazor), Ortschaft 25 km nördlich von Jerusalem, „bei Efraim". Dort ließ Abschalom seinen Halbbruder Amnon ermorden, um seine Schwester Tamar zu rächen (2 Sam 13, 23).
= **Hazor** (1), Ort, den die Benjaminiter nach der Rückkehr aus dem Exil in Besitz nehmen (Neh 11, 33).
= **Asara** (1), Transkription des aram. *Hazara* (hebr. *Hazor*); Judas Makkabäus hat den rechten Flügel des Bakchides zurückgedrängt und verfolgt ihn bis zu den Bergen von Asara (1 Makk 9, 15: Korr. des gr. *Azotos*). Heute *Tell el-Asur* (1011 m).

BAAL-HERMON (2) (vgl. Hermon), dem Baal geweihter Tempel oder Ort an den Abhängen des Hermon, Südgrenze des Siedlungsgebietes der Hetiter, Nordgrenze des östlichen Stamms Manasse (1 Chr 5, 23).
Vgl. (?) → BAAL-GAD.

BAALIS (1), „Sohn der Wonnen"?, **König der Ammoniter** (1), beauftragt den Netanjasohn Jischmael, den Statthalter Gedalja zu töten (Jer 40, 14).

BAAL-MEON (3), „Herr von Maon", einer Stadt Rubens (Num 32, 38; 1 Chr 5, 8), dann Moabs, deren Zerstörung Ez 25,9 ankündigt.
= **Bet-Baal-Meon** (1), Stadt Rubens (Jos 13, 17).
= **Bet-Meon** (1), Stadt Moabs (Jer 48, 23).
= **Meon** (1) oder *Beon* (Num 32, 3), von den Stämmen Transjordaniens beanspruchte Stadt. Heute *Ma*ᶜ*in,* 7 km SW von Medeba.

BAAL-PEGOR, „Herr von Pegor", gr. *Beelphegor* (vgl. Pegor).
1° **Baal von Pegor, Baal-Pegor** (4), Lokalgottheit des Gebirges Pegor, deren „Joch Israel auf sich nimmt", indem es sich der Unzucht mit moabitischen Frauen hingibt und dem Baal Opfer darbringt, bevor es ins Gelobte Land zieht (Num 25, 3.5; Dtn 4, 3; Ps 106, 28). In Hos 9, 10 ist Baal durch das Schmähwort „Boschet" (Schande) ersetzt.
= **Pegor** (4), lokale Form des Baal. In der priesterlichen Tradition erinnert „die Plage wegen Pegor" (Num 25, 18; 31, 16) oder der „Frevel von Pegor" (Jos 22, 17) an eine zweifache Untreue Israels gegenüber Jahwe: die Unzucht mit moabitischen Weibern und die Unzucht mit der Midianiterin Kosbi (vgl. Num 25, 6–8).
2° **Baal-Pegor** (2), Höhenheiligtum des Gottes Baal-Pegor. Die Israeliten geben sich hier dem Götzendienst hin und werden am selben Ort bestraft (Dtn 4, 3; Hos 9, 10).
Nachbarort → BET-PEGOR. Vgl. auch PEGOR 1°.

BAAL-PERAZIM (4), „Herr der Breschen" (vgl. Perez), Ort im Süden Jerusalems (?), wo David die Philister schlägt und ausruft: „Der Herr hat die Reihen meiner Feinde vor meinen Augen durchbrochen, wie Wasser einen Damm durchbricht" (2 Sam 5, 20 // 1 Chr 14, 11).
= **Perazim** (1), Jes 28, 21.

BAAL-SCHALISCHA (1) → SCHALISCHA.

[BAAL-SCHAMEM], „Herr des Himmels", phönizischer Gott, der dem Olympischen Zeus angeglichen wird → ZEUS.

BAAL-TAMAR (1), „Baal von der Palme", Ort in Benjamin, NW von Gibea (Ri 20, 33).

BAAL-ZEBUB → BEELZEBUL 1°.

BAAL-ZEFON (3), „Baal des Nordens" (vgl. Zifjon). Im 6. Jahrhundert wird der Gott Baal-Zefon an der Spitze der Gottheiten von Tachpanhes genannt. Der Ort Baal-Zefon liegt Pi-Hahirot gegenüber am Roten Meer (Ex 14, 2.9; Num 33, 7).

BAANA, hebr. 1° -2°. 6° -7°: *Ba*ᶜ*anah;* 3° -5°: *Ba*ᶜ*ana*ʾ. 1° **Baana** und **Rechab** (4), **Söhne des Rimmon aus Beerot** (3), Benjaminiter, Anführer einer Streifschar im Dienst des Saulsohnes Ischbaal (2 Sam 4, 2). Während der Mittagsruhe schleichen sie sich bei ihrem Herrn ein, töten ihn und bringen das abgeschlagene Haupt David. Der läßt diese ruchlosen Männer, die einen „rechtschaffenen Mann" getötet haben, hinrichten. Ihre Leichname werden, ohne Hände und Füße, in Hebron aufgehängt (2 Sam 4, 5–12).
2° **Baana** (2), Vater des → HELED.
3° **Baana Sohn des Ahilud** (1), Statthalter des fünften Distrikts Salomos (1 Kön 4, 12).
4° **Baana Sohn des Huschai** (1), Statthalter des neunten Distrikts Salomos (1 Kön 4, 16).
5° **Baana** (1), mit dem Folgenden identisch? Vater des → ZADOK 3°.
6° **Baana** (2), einer der zwölf Führer der Heimkehrer (Esr 2, 2 // Neh 7, 7). Mit dem Vorhergehenden identisch?
7° **Baana** (1), ein Führer des Volkes, Mitunterzeichner der Gesetzesverpflichtung (Neh 10, 28).

BAARA (1), Abk. vom hebr. *Ba*ᶜ*alram,* „Baal ist erhaben", eine der zwei Frauen, die der Benjaminiter Schaharajim (oder Gera?) verstößt (1 Chr 8,8).

BAASEJA → MAASEJA 18°

BABEL, BABYLON, BABYLONIEN (327), hebr. *Babel,* akk. *Bab-ilu* „Tor Gottes" (vgl. Serubbabel), gr. *Babylon,* Stadt, Land und Volk in Untermesopotamien (Süden des heutigen Irak).

a) Babylon und die biblische Geschichte

Die ältesten biblischen Texte über Babylon sind

Gen 10, 10 und 11, 2–9. In der Völkertafel erscheint Babel unter den Hauptstädten des Reiches, das der mesopotamische Held Nimrod gründet, und die Turmbauerzählung spielt auf die berühmten Ziggurats (Stufentempel) an, die in den Himmel zu wachsen schienen. Der Name Babel wird hier künstlich vom hebr. *balal* (verwirren, durcheinanderbringen) hergeleitet. In der Vielfalt und Unverständlichkeit fremder Sprachen sieht der Text eine Strafe für den Götzendienst und das imperialistische Streben der Menschen nach religiös-politischer Einheit, für das Babylon als Beispiel dient (vgl. Jes 13, 19; 14, 4; Jer 51, 41.53; Dan 4, 27).
Nach dem Fall des Nordreichs im Jahr 721 deportieren die assyrischen Könige mehrmals Babylonier nach Samarien (2 Kön 17, 24–41; vgl. Esr 4, 2.9–10).
Als Hiskija nach seiner wunderbaren Heilung den Besuch der Gesandten des babylonischen Königs Merodach-Baladan mit Freuden empfängt (vgl. 2 Chr 32, 31), sagt ihm Jesaja voraus, daß eines Tages die Schätze seines Palastes nach Babylon geschleppt und mehrere seiner Nachkommen „Kämmerer im Palast des Königs von Babel" sein würden (2 Kön 20, 14–18 // Jes 39, 3–7). So erscheint Babylon vor allem als die Macht, die dem Königtum in Juda ein Ende setzt. Es ist das Land der Verbannung, in das immer wieder neue Ströme von Deportierten ziehen (2 Kön 24, 16; 25, 28; 1 Chr 9, 1; 2 Chr 36, 20; Mich 4, 10; Apg 7, 43; vgl. Am 5, 27), unter ihnen die Könige Judas: Manasse (2 Chr 33, 11) und später Jojakim (2 Chr 36, 6), Jojachin (2 Kön 24, 15–16; 25, 28; vgl. 2 Chr 36, 10; Jer 24, 1; 27, 20; 28, 4; Bar 1, 9; Mt 1, 11–12.17) und Zidkija (2 Kön 25, 7 // Jer 39, 7 // 52, 11; Jer 32, 5; 34, 3; vgl. Ez 12, 13; 17, 12–20). Mit ihnen werden die Schätze des Tempels und des königlichen Palastes nach Babylon gebracht (2 Kön 20,17 // Jes 39, 6; 2 Kön 25, 13 // Jer 52, 17; 2 Chr 36, 7.10.18; Esr 5, 14; 6, 5; Jer 20, 5; 27, 16–22; 28, 3). Jeremia warnt die fern von ihrem Land und dem Tempel Lebenden (vgl. Ps 137), falschen Propheten Glauben zu schenken (Jer 29, 8–9.15.21–23). In Wahrheit werde die Prüfung lange dauern (Bar 6, 1–2), die Verbannten sollten sich darauf einrichten und auch für die Stadt beten, in die Jahwe sie weggeführt habe (Jer 29, 4–7.28). Doch müssen sie sich hüten, die Götter Babylons zu verehren (Jes 21, 9; 46, 1–2; Bar 6, 3f; vgl. Dan 3, 1; 14, 3.23). Das Babylonische Exil dauert etwa 50 Jahre (587–538). Die Zahl 70 (Jer 25, 11–12; 29, 10; Dan 9, 2; vgl. Sach 1, 12) ist eine runde Ziffer, sie kann aber auch die ungefähre Dauer der Unterbrechung des Tempelkults bezeichnen (587–515) (2 Chr 36, 21–22).
Der Fall der „Jungfrau, Tochter Babel" (Ps 137, 8; Jes 47, 1; Jer 50, 42; 51, 33; Sach 2, 11) – oder **„Tochter Chaldäas"** (Jes 47, 1.5), „dem Schmuckstück der Chaldäer" (Jes 13, 19), die auch „Scheschach" (Jer 25, 26; 51, 41) genannt wird – wird von den Propheten oft angekündigt (Jes 13, 1–22; 14, 4–23; 21, 1–9; 43, 14; 46, 1–13; 48, 14; Jer 50; 51). Jahwe werde Babylon strafen und sein unterdrücktes Volk rächen (Ps 137, 8; Jes 21, 10; 47, 3; 48, 14; Jer 51, 6, 24.35). Dies geschah 539, als der Perser Kyrus die Stadt eroberte und den Gefangenen die Heimkehr erlaubte (vgl. Esr 1, 2–4). Die aus Babel Zurückkehrenden (Esr 1, 11; 2, 1; 7, 6; 8, 1; Sach 6, 10) bringen auch die Einrichtungsgegenstände des Tempels mit (Esr 1, 7–11; 5, 14; 6, 5) sowie Gold und Silber, das sie in der Provinz Babel sammeln durften (Esr 7, 15–16). Die glückliche Heimkehr wird als ein neuer Exodus dargestellt, als eine Art nochmaliger Befreiung aus ägyptischer Knechtschaft (Jes 11, 15–16; 35, 6–10; 40, 1–5; 41, 18; 43, 19–20; 51, 11; Ps 126 u. ö.). Babylon aber soll eines Tages, wie auch alle anderen heidnischen Nachbarn Israels, den wahren Gott erkennen (Ps 87, 4). Stadt und Land werden noch erwähnt in Tob 14, 4; 1 Makk 6, 4; 2 Makk 8, 20 und an mehreren Stellen des Buches Daniel (Dan 2, 12–27.48; 4, 3–5; 5, 7–29 u. ö.).

b) Babylon als Symbol

Wie Babel in der biblischen Urgeschichte die große Stadt ist, die in ihrem Hochmut Gott entthronen will (Gen 11, 2–9), so wird Babylon seit dem Exil das Symbol aller Reiche, die sich gegen Gott und sein Volk erheben, und sein König Nebukadnezzar erscheint als Typ des stolzen und gotteslästerlichen Herrschers (Jes 14; Dan 2; 3; 4, 26–27). Man kann nicht vergessen, daß Babylon Jerusalem zerstört, seine Bewohner hingemordet,

den Tempel in Brand gesteckt, die Führungsschicht deportiert hat (2 Chr 36, 17–21). Für die Zukunft stehen sich zwei grundverschiedene Gestalten gegenüber. Auf der einen Seite das neue Jerusalem, der religiöse Mittelpunkt des Heiligen Landes, in dem nur ein demütiges und bescheidenes Volk, das seine Zuflucht im Namen Jahwes sucht, wohnen darf (vgl. Zef 3, 12), und auf der anderen Seite „Babylon die Große" (Dan 4, 27; Offb 14, 8; 17, 5.18; 18, 2.10.16.19.21), unverschämt und hochfahrend gegen Jahwe (Jer 50, 29–32), die „Herrin der Reiche", die ewige Herrschaft beansprucht und sich allen überlegen fühlt (Jes 47, 5–10). Auf der einen Seite die Braut und Ehefrau (Hos 2; Jes 62, 4–5; Offb 21, 2), auf der anderen „die große Hure" (Offb 17; 19, 2; vgl. Hab 2, 15–16; Jer 51, 7), deren Unzucht und Zauberei die Völker verführt hat (Jes 47, 9.12; Offb 18, 23).
In der Offb meint Babylon Rom, „die große Stadt, die über die Könige der Erde herrscht" (Offb 17, 18) und die „auf den sieben Bergen sitzt" (17, 9), deren Machtanspruch schuld am Tod von Propheten und Heiligen ist (18, 24). Einst war Babylon der Becher in Jahwes Hand, der die Völker berauschte (Jer 51, 7), der Hammer, mit dem Gott die ganze Erde zertrümmerte (Jer 50, 23; 51, 20–23; vgl. Jes 14, 6) und besonders sein auserwähltes Volk (Jes 21, 10), jetzt ist es der Verbannungsort für die Glieder der Kirche (1 Petr 5, 13; vgl. 1, 1), der Verbündete Satans, des Drachens (Offb 12, 9), und des Antichrist, des Tieres (Offb 13; 17). Deshalb wird es seinerseits den „Zornbecher Gottes" trinken (Offb 16, 19), es wird vernichtet werden, versenkt im Meer (18, 21) oder verbrannt in ewiger Glut (18, 9–10, 18; 19, 3). Das Strafgericht über Babylon wird den Hallelujagesang der Engel und Heiligen auslösen, aller Bewohner der Gottesstadt (Offb 19).
→ CHALDÄA; MERATAJIM; SCHESCHACH; SCHINAR.
Könige → EWIL-MERODACH; MERODACH-BALADAN; NEBUKADNEZZAR; vgl. auch ARTAXERXES 1°; BELSCHAZZAR (BALTHASAR); KYRUS; PUL.
Götter → BEL; ISCHTAR; MARDUK; NEBO 4°; NERGAL.
Kanäle → AHAWA; KEBAR; KEBAR; SUD.

BAËSA → BASCHA.

BAGOAS (6), häufiger Name bei pers. Eunuchen. Der über alle Angelegenheiten des Holofernes gesetzte Eunuch (Jdt 12, 11.13.15; 13, 1.3) entdeckt den enthaupteten Leichnam seines Herrn (14, 13–18).

BAHURIM (7), Ort in Benjamin, östlich des Ölbergs, auf dem Weg nach dem Jordantal. Dort trennt sich die zu David zurückkehrende Michal von ihrem Mann Paltiel (2 Sam 3, 16). Auf der Flucht vor Abschalom kommt David durch Bahurim, wo Schimi ihn beschimpft (2 Sam 16, 5). Jonatan und Ahimaaz, die Späher Davids, verbergen sich vor den Dienern Abschaloms in einer Zisterne des Ortes (2 Sam 17, 18). – Der Wortlaut von 2 Sam 13, 34 ist umstritten. Vielleicht muß man nach der LXX hinzufügen: „... Ich habe Leute gesehen, die den Weg von Bahurim herabkommen".
Heimat des → ASMAWET 1°; SCHIMI 6°.

BAJANITER → BEONITER.

BAKBAKAR (1) → BAKBUKJA.

BAKBUK (2), „Dummkopf" (vgl. Babukja), Familienhaupt von Tempeldienern, die aus dem Exil zurückkehren (Esr 2, 51 // Neh 7, 53).

BAKBUKJA (3), Levit, Sänger zur Zeit des Hohenpriesters Jeschua (Neh 12, 9.25), wohnt in Jerusalem (Neh 11, 17).
= **Bakbakar** (1), Levit in Jerusalem (1 Chr 9, 15).

BAKCHIDES (21), „Sohn" oder „Nachkomme des Bacchus", Gouverneur über „das Land jenseits des Flusses", d. h. vom Eufrat bis an die Grenze Ägyptens (1 Makk 7, 8).
Demetrius I. schickt ihn zweimal in Begleitung des Hohenpriesters Alkimus nach Judäa. Beim erstenmal macht er den Juden trügerische Friedensangebote und läßt Leute hinrichten, die zu

ihm übergelaufen waren (7, 9–20). Beim zweitenmal besiegt er die Juden in der Schlacht von Berea, in der Judas Makkabäus den Tod findet (9, 1–18). Dann setzt er im Land eine Verwaltung aus ihm ergebenen Männern ein (9, 25–26), verfolgt Jonatan, den Nachfolger des Judas (9, 32–34. 43–49), legt überall in Judäa feste Städte an (9, 50–57; vgl. 10, 12) und kehrt nach dem Tod des Alkimus zum König zurück. Ein drittesmal marschiert er in Judäa ein, um Jonatan und Simon in Bet-Basi zu belagern. Er scheitert und schließt mit Jonatan Frieden (9, 58–72). Eine siegreiche Schlacht des Judas gegen Timotheus und Bakchides wird in 2 Makk 8, 30 erwähnt.

BAKENOR (1), unbekannt (2 Makk 12, 35). Oft nach 2 Makk 12, 17 in „Tubianer" korrigiert.

BALAAM → BILEAM.

BALADAN (2), akk. *Apal-iddina,* „[Der Gott] hat einen Sohn geschenkt", Vater des → MERODACH-BALADAN.

BALAK (44), **Sohn des Zippor** (7), **König von Moab** (6). Als Israel die Amoriter geschlagen hat, läßt Balak den Seher Bileam kommen, damit der Israel verfluche. Der Fluch würde unfehlbar den Sieg gewährleisten. Statt der erwarteten Verfluchung aber spricht Bileam den Segen über Israel aus (Num 22, 2–18.35–41; 23; 24, 10–14.25; vgl. Jos 24, 9; Ri 11, 25; Mich 6, 5; Offb 2, 14).

BALAMON → JIBLEAM.

BALTHASAR → BELSCHAZZAR.

BAMOT-BAAL (2), „Höhen des Baals", von wo aus Bileam einen Teil Israels erspäht (Num 22, 41); eine Ruben zugeteilte Stadt (Jos 13, 17).
= **Bamot** (2), (vgl. Oholibama) in Moab, NO des Toten Meers. Eine der letzten Stationen des Exodus (Num 21, 19–20).

BANI (vgl. Benaja).
1° **Bani der Gaditer** (1), Krieger Davids (2 Sam 23, 36).
2° **Bani** (1), Levit vom Clan Merari, Ahnherr des Sängers Etan (1 Chr 6, 31).
3° **Bani** (1), Judäer, Ahnherr des → UTAI 1°.
4° **Bani** (4), Israelit, Familienhaupt, dessen Söhne mit Serubbabel aus dem Exil zurückkehren (Esr 2, 10 // Neh 7, 15: *Binnui*) und mit Esra (Esr 8, 10 LXX). Unter ihnen schicken einige ihre ausländischen Frauen zurück (Esr 10, 34). Bani gehört zu den Mitunterzeichnern der Gesetzesverpflichtung (Neh 10, 15).
5° **Bani** (1), mit dem Folgenden identisch?, Vater des → REHUM 3°.
6° **Bani** (4), einer der Leviten, die dem Volk bei der feierlichen Verlesung das Gesetz erklären (Neh 8, 7), die am öffentlichen Sündenbekenntnis teilnehmen und das Volk zum Lobpreis Gottes auffordern (Neh 9, 4–5), Unterzeichner der Gesetzesverpflichtung (Neh 10, 14).
7° **Bani** (1), Nachkomme Asafs, Vater des → USI 5°.
8° **Bani** (1), Familienhaupt, dessen Söhne zum Teil ihre ausländischen Frauen verstoßen. In Esr 10, 29 ist aber vielleicht „Bigwai" zu lesen.
9° **Bani** (1), Esr 10, 38 → BINNUI 1°.
10° **Bani** (1), einer der Leviten, die an der Zeremonie des Sündenbekenntnisses teilnehmen (Neh 9, 4: korr. vielleicht „Binnui").

BARABBAS (11), aram. *Bar-abba,* „Sohn des Vaters", Vorname **Jesus** (1), ein „berüchtigter Mann ... im Gefängnis" (Mt 27, 16), „Mörder" (Apg 3, 14), „Straßenräuber" (Joh 18, 40), wahrscheinlich ein zelotischer Bandenführer, der den Aufruhr gegen die römische Besatzung schürte (vgl. Mk 15, 7; Lk 23, 19. 25). Von den Hohenpriestern beeinflußt, verlangt die Menge von Pilatus die Freilassung des Barabbas (Mt 27, 15–26 // Mk 15, 6–15 // Lk 23, 13–25).

BARACHEL (2), „Gott segnet" (vgl. Beracha), Vater des → ELIHU 5°.

BARACHIAS → BERECHJA oder → JEBERECHJA.

BARAK (15), „Blitz", **Sohn Abinoams** (4) **aus Kedesch in Naftali** (1). Von der Prophetin Debora gedrängt, sammelt Barak Krieger aus Naftali und

Sebulon, fällt vom Taborberg über das kanaanäische Heer des Sisera her und schlägt es bei Taanach. Sisera wird aber nicht von Barak, sondern von einer Frau, Jaël, getötet (Ri 4, 6–22). Diese Episode wird auch in einem poetischen Text besungen, im „Lied der Debora" (Ri 5), das zu den ältesten Überlieferungen der Bibel gehört. Barak zählt zu den „großen Richtern", den Befreiern Israels (vgl. 1 Sam 12, 11 LXX; hebr. liest *Bedan,* korr. in *Abdon;* Hebr 11, 32).

BARIACH (1), einer der sechs Söhne Schechanjas, Nachkomme des Königs Jojachin von Juda (1 Chr 3, 22).

BARJESUS (1), aram. „Sohn des Jesus" oder „des Jeschua" (Apg 13, 6).
= **Elymas** (1), jüdischer Zauberer in Paphos (Zypern), in der Umgebung des Prokonsuls Sergius Paulus. Stellt sich gegen die Predigt des Paulus und wird nach Apg 13, 6–12 mit Blindheit geschlagen.

BARJONA (1), aram. „Sohn des Jonas" (sehr umstritten ist die Bedeutung „Terrorist"), Vatername des Simon (Mt 16, 17).
→ PETRUS.

BARKOS (2), Familienhaupt von aus dem Exil zurückgekehrten Tempeldienern (Esr 2, 53 // Neh 7, 55).

BARNABAS (28), nach Apg 4, 36 „Sohn des Trostes", Beiname, der von den Aposteln dem **Josef, ein Levit aus Zypern** (1), zugelegt wurde (Apg 4, 36). Vetter des Markus (Kol 4, 10), großzügig und freigebig (Apg 4, 36–37), „ein trefflicher Mann, erfüllt vom Heiligen Geist und von Glauben" (11, 23), in Apg 14, 4.14 Apostel genannt.
In Jerusalem setzt er sich für den neubekehrten, noch mißtrauisch betrachteten Paulus ein (Apg 9, 26–27). Von der Urgemeinde nach dem syrischen Antiochia gesandt, holt er Paulus dorthin, wo sie beide ein ganzes Jahr zusammen arbeiten (11, 22–26). Beide bringen dann eine Kollekte für die Armen nach Jerusalem (11, 29–30) und kehren mit Markus zurück (12, 25). In der Liste der „Propheten und Lehrer" der antiochenischen Gemeinde steht Barnabas an erster und Saulus an letzter Stelle (13, 1). Als Missionare der antiochenischen Gemeinde verkündigen sie das Evangelium vor Juden und Heiden. Die Etappen dieser Missionsreise sind: Zypern (13, 5–12), Perge in Pamphylien, wo Markus ausscheidet (13, 13), Antiochia in Pisidien (13, 14–52), Ikonium (14, 1–6), Lystra, wo Barnabas für Zeus und Paulus für Hermes gehalten werden (14, 7–19), Derbe und Rückkehr nach dem syrischen Antiochia (14, 20–28). In Antiochia kommt es an der Streitfrage, ob neubekehrte Heiden beschnitten werden müssen, zu einer ernsten Krise. Barnabas und Paulus sollen den Konflikt vor den Führern der Jerusalemer Urgemeinde ausbreiten (Apg 15, 1–4.12; vgl. Gal 2, 1–13), und ihnen, die „beide für den Namen Jesu Christi, unseres Herrn, ihr Leben eingesetzt haben" (Apg 15, 26), wird auch die Übermittlung der Konzilsbeschlüsse an die Gemeinde von Antiochia anvertraut (Apg 15, 22–25). Nach einiger Zeit trennen sich Paulus und Barnabas in heftigem Streit, weil Paulus den Markus nicht mehr auf die Missionsreise mitnehmen möchte. So reist Paulus mit Silas nach Kleinasien, Barnabas und Markus nehmen ein Schiff nach Zypern (15, 36–40). Vielleicht haben Paulus und Barnabas später wieder zusammen gearbeitet (1 Kor 9, 6).

BARNEA → KADESCH-BARNEA.

BARSABBAS, aram. *Bar-saba,* „Sohn des Erhabenen" oder *Bar-schabba,* „Sohn des Sabbats".
1° **Barsabbas** (1), anderer Name des → JOSEF 12°.
2° **Barsabbas** (1), Beiname des → JUDAS 9°.

BARSILLAI „Aus Eisen"
1° **Barsillai** (7), **der Gileaditer** (5) **aus Roglim** (2), ein sehr reicher alter Mann, der David während seines Aufenthalts in Mahanajim mit allem Nötigen versorgt. Wegen seines hohen Alters lehnt er das Angebot Davids ab, für den Rest des Lebens im königlichen Palast zu wohnen (2 Sam 17, 27–28; 19, 32–40.) Auf dem Sterbebett gibt David die Anweisung, die Söhne Barsillais mit Respekt zu behandeln (1 Kön 2, 7). Vgl. den Folgenden.
Sein Sohn → KIMHAM 1°.

2° **Barsillai** (4), Priester, Schwiegersohn des Vorhergehenden, dessen Namen er übernommen hat. Seine Nachkommen können, aus dem Exil zurückgekehrt, ihre echte israelitische Abstammung nicht nachweisen (Esr 2, 61–62 // Neh 7, 63–64).
3° **Barsillai** (1), Vater des → ADRIËL.

BARTHOLOMÄUS (4), aram. *Bar-tolmai* „Sohn des Tolmai" (vgl. Talmai), erscheint nur in den Listen der Zwölf, wo er in der zweiten Gruppe (mit Philippus, Thomas und Matthäus) auf dem zweiten (Mt 10, 3; Mk 3, 18; Lk 6, 14) oder dritten (Apg 1, 13) Platz steht. Weil Bartholomäus beidemal neben Philippus steht, ist er mit Natanael gleichgesetzt worden (vgl. Joh 1, 45f).
→ ZWÖLF; Liste S. 383.

BARTIMÄUS (1), aram. „Sohn des Timäus", **Sohn des Timäus** (1), blinder Bettler, wird von Jesus beim Auszug aus Jericho geheilt (Mk 10, 46–52).

BARUCH, „Gesegneter" (vgl. Beracha).
1° **Baruch** (25) **Sohn des Nerija** (6) oder **Nerijahu** (3) oder **Nerias** (1) **Sohn des Machseja** (1) oder **Maasias** (1) – die genauere Genealogie Bar 1, 1 –, Sekretär des Jeremia.
Der Prophet überträgt ihm den Kauf des Ackers in Anatot (Jer 32, 12–16). Im 4. Jahr des Jojakim (605) diktiert Jeremia, der den Tempel nicht mehr betreten darf, dem Baruch seine gesamten bisherigen Reden und Sprüche (Jer 36, 4–8.18). Im Dezember 604 liest Baruch sie dem Volk im Tempel vor (36, 9–10), anschließend den obersten Hofbeamten (VV. 11–17). Auf ihren Rat hin verbergen sich Baruch und Jeremia. Der König läßt die Buchrolle verbrennen und befiehlt, die Schuldigen einzusperren (36, 19.26). Baruch schreibt eine neue Rolle, identisch mit der ersten (36, 27.32). Zur Belohnung sagt ihm Jeremia voraus, daß er zwar keine großen Vorhaben realisieren, aber sein Leben retten werde (45, 1–5). Nach dem Fall Jerusalems werfen die aufrührerischen Judäer Jeremia vor, er lasse sich von Baruch beeinflussen. Prophet und Sekretär werden nach Ägypten verbannt (43, 3.6). Nach Bar 1, 1–8 soll Baruch selber das Buch in Babylon geschrieben haben, das seinen Namen trägt. Er habe es den Deportierten vorgelesen und es dann nach Jerusalem zum Vorlesen geschickt. Er soll auch in Babylon die Einrichtungsgegenstände des Tempels zurückerhalten haben.
Vermutlich Bruder des → SERAJA 3°.
2° **Baruch Sohn des Sabbai** (**^{Q}Sakkai**) (1) restauriert die Mauer Jerusalems „vom Winkel bis zur Tür des Hauses des Hohenpriesters Eljaschib" (Neh 3, 20).
3° **Baruch** (1), Priester, Mitunterzeichner der Gesetzesverpflichtung (Neh 10, 7).
4° **Baruch** (1), Judäer, Vater des → MAASEJA 15°.

BASCHA (28), hebr. *Ba'scha,* gr. *Baasa,* **Sohn des Ahija** (4), **Issachariter** (1), dritter König von Israel (909–886), Begründer der zweiten Dynastie. Dieser Usurpator ermordet seinen König Nadab während der Belagerung von Gibbeton, läßt sich zum König ausrufen und rottet die königliche Familie Jerobeams aus (1 Kön 15, 27–29.33; vgl. 14, 14). Zwischen ihm und seinem Nachbarn Asa, dem König von Juda, gibt es häufige Streitigkeiten (1 Kön 15, 16.32). Während Bascha die Festung Rama ausbaut, greift Asa an und wird von Ben-Hadad, dem König von Aram, unterstützt. Bascha muß sich zurückziehen (1 Kön 15, 17–22). Seine Hauptstadt ist Tirza, und dort wird er auch beerdigt (1 Kön 16, 5–6). Die Königsbücher urteilen über ihn sehr hart. Er sei auf dem Weg Jerobeams gewandelt und seine Dynastie werde deshalb das gleiche Schicksal erleiden wie die Jerobeams (1 Kön 15, 34; 16, 1–4.7; 21, 22; 2 Kön 9, 9). Simri hat sie ausgerottet (1 Kön 16, 11–13).
Sein Sohn und Nachfolger → ELA 3°.

BASCHAN (60), „Glattes Land", fruchtbare Ebene östlich des Sees Gennesaret zwischen dem Hermon und dem Jarmuk, ein Gebiet berühmt wegen seiner bewaldeten Berge (Ps 68, 16.23; Jes 33, 9; Jer 22, 20; Nah 1, 4), seiner Eichen (Jes 2, 13; Ez 27, 6; Sach 11, 2), seiner Weiden und seines Viehs (Dtn 32, 14; Ps 22, 13; Jer 50, 19; Ez 39, 18; Am 4, 1; Mich 7, 14), seiner wilden Tiere (Dtn 33, 22).
Herrschaftsgebiet des Amoriterkönigs Og (Jos 12,

5), wird Baschan von Israel eingenommen (Dtn 3, 1 // Num 21, 33). Es umfaßt besonders die Konföderation von Argob (Dtn 3, 3–14) oder die „Zeltdörfer des Jaïr" (Dtn 3, 14; Jos 13, 30–31). In das Gebiet teilen sich der östliche Halbstamm Manasse (Jos 13, 11–12; 17, 1.5; 21, 6 // 1 Chr 6, 47; Jos 22, 7; 2 Kön 10, 33; 1 Chr 5, 23) und der Stamm Gad (1 Chr 5, 11–16). Unter Salomo gehört es zum 12. Distrikt (1 Kön 4, 13).
Der Name Baschan hat im griechisch-römischen *Batanäa* überlebt.
Städte → ASCHTAROT; EDREÏ 1°; GOLAN; SALCHA.
Könige → OG.
→ GILEAD 1° d).

BASEMAT „Duftend".
1° **Basemat** (6) **Tochter des Hetiters Elon** (1), Gen 26, 34, oder Tochter Ismaels und Schwester der Nebajot (1), Gen 36, 3; sie ist eine der Frauen Esaus, dem sie einen Sohn, Reguël, gebiert (Gen 36, 4.10); dessen Söhne werden „Söhne Basemats" genannt (Gen 36, 13.17).
2° **Basemat Tochter Salomos** (1), Frau des Ahimaaz, Statthalter des 8. Distrikts Salomos (1 Kön 4, 15).

BASKAMA (1), syr. *Bet-Seqma,* „Haus des Maulbeerfeigenbaums", an der Westecke des Vorgebirges vom Karmel. Tryphon tötet hier den Jonatan (1 Makk 13, 23).

[BASTET] → PI-BESET.

BATANE (1), Jdt 1, 9. Heute *Khirbet Beit Anum,* wenige km nördlich von Hebron.
→ BET-ANOT.

BAT-RABBIM (1), „Tochter der Zahlreichen", daher „Volkreich", „Groß" (vgl. Rabba), Name eines stark benutzten Tores, vielleicht von Heschbon im Ostjordanland (Hld 7, 5).

BATSCHUA, „Tochter des Schua" (vgl. Schua 1°).
1° **Batschua, die Kanaaniterin** (1) 1 Chr 2, 3.
= **die Tochter des Schua** (2) **des Kanaaniters** (1), Frau des Jakobsohnes Juda, dem sie drei Söhne schenkt: Er, Onan und Schela (Gen 38, 2–5.12).
2° **Batschua Tochter des Ammiël** (1)
→ BATSEBA.

BATSEBA (11), hebr. *Bat-Scheba,* gr. *Bethsabee,* „Tochter der Fülle" (vgl. Scheba), **Tochter des Eliam** (1), **Frau des Urija** (5), **des Hetiters** (2), eine „sehr schöne Frau", die von David verführt wird, während ihr Mann im Krieg ist. Batseba wird schwanger, und David läßt Urija in der Schlacht den Tod finden (2 Sam 11, 2–17). Nach der Trauerzeit wird Batseba Davids Frau (VV. 26–27). Der Prophet Natan klagt David wegen seines zweifachen Verbrechens an (12, 9–10; vgl. Ps 51, 1). Das Kind, das „die Frau des Urija" David gebiert, stirbt (2 Sam 12, 15). Der zweite Sohn Batsebas ist Salomo (12, 24).
Natan und Batseba mischen sich in den Streit um die Thronfolge. David bestimmt Salomo und schaltet seinen ältesten Sohn Adonija aus (1 Kön 1, 11–21.28–31). Als Batseba später den jungen König bittet, dem Adonija wenigstens die Abischag von Schunem zur Frau zu geben, wird sie abgewiesen (1 Kön 2, 13–24).
= **Batschua Tochter des Ammiël** (1), 1 Chr 3, 5: danach hätte sie vier Söhne von David gehabt: Schima, Schobab, Natan und Salomo.
Batseba wird im Stammbaum Jesu unter der Bezeichnung erwähnt: „die Frau des Urija" (Mt 1, 6).

BAZLUT (1), Familienhaupt von aus dem Exil zurückgekehrten Tempeldienern (Esr 2, 52 // Neh 7, 54).

BEALJA (1), „Jahwe ist Herr" (vgl. Baal), Benjaminiter, mit David vor dessen Königtum verbündet (1 Chr 12, 6).

BEALOT, „Damen" (vgl. Baala).
1° **Bealot** (1), Ort im Negeb von Juda (Jos 15, 24), unbekannt.
2° **Bealot** (1), Ort im 9. Distrikt Salomos (1 Kön 4, 16). Unbekannt. Korr. nach der LXX in „Felsküste" möglich (zwischen Akko und Tyrus?).

BEBAI, akk. *Bibi,* „Kind", gr. *Babi.*
1° **Bebai** (6), Familienhaupt, dessen Söhne mit Serubbabel aus dem Exil zurückkehren (Esr 2, 11 // Neh 7, 16) oder mit Esra (Esr 8, 11). Unter ihnen sind einige, die ihre ausländischen Frauen zurückschicken (Esr 10, 28). Mitunterzeichner der Gesetzesverpflichtung (Neh 10, 16).
Vater des → SECHARJA 23°.
2° **Bebai** (1), unbekannte Stadt in Israel (Jdt 15, 4).

BECHER, „Junges Kamel" (vgl. Bechorat).
1° **Becher** (4), zweiter Sohn Benjamins nach Gen 46, 21 und 1 Chr 7, 6. Seine Nachkommen bilden die Sippe der **Söhne Bechers** (1 Chr 7, 8–9).
2° **Becher** (1), zweiter Sohn Efraims, dessen Nachkommen die Sippe der **Becheriter** bilden (Num 26, 35).
= ? **Bered** (1), Sohn des Schutelach, Sohn Efraims (1 Chr 7, 20).

BECHORAT (1), „Erstgeborener" (vgl. Becher; Bichri; Bichriter; Bochru), Benjaminiter, Ahnherr Sauls und des → KISCH 1°.

BEDAD (2), Vater des Edomiterkönigs
→ HADAD 2°.

BEDAN
1° **Bedan** (1), Name eines sonst unbekannten Richters (1 Sam 12, 11). Man korr. gewöhnlich nach der LXX: *Barak.*
2° **Bedan** (1), Manassiter, Nachkomme Machirs über Scheresch und Ulam; wird unter den Söhnen Gileads aufgeführt (1 Chr 7, 17).

BEDJA (1), vielleicht Abk. von hebr. *Abedjah* „Diener Jahwes" oder des hebr. *bejad Jahwe* „Durch die Hand Jahwes", Israelit aus den Söhnen Banis, verstößt seine ausländische Frau (Esr 10, 35).

BEELJADA (2), „Baal weiß" (vgl. Jada), 1 Chr 14, 7.
= **Eljada** (2), einer der in Jerusalem geborenen Söhne Davids (2 Sam 5, 16; 1 Chr 3, 8).

BEELZEBUL „Baal der Fürst", lat. *Beelzebub* „Fliegengott", diese Verballhornung des kanaanäischen Gottes *Baal-Zebul,* der besonders in Ekron verehrt wurde, findet sich schon in der atl. Form *Baal-Zebub.* Die Evangelien haben den ursprünglichen Namen aufgenommen, um den Fürsten oder Anführer der Dämonen zu bezeichnen.
1° **Baal-Zebub, Gott von Ekron** (4), Der israelitische König Ahasja (Ochozias) läßt nach einem schweren Unfall den Gott um Rat fragen. Elija, der unbeugsame Gegner des Baalskults, fragt, ob es denn in Israel keinen Gott gebe, und kündigt dem König seinen baldigen Tod an (2 Kön 1, 2–6. 16).
2° **Beelzebul** (7), **Anführer der Dämonen** (4). Jesus wird von seinen Gegnern als „Beelzebul" (Mt 10, 25) oder als „von Beelzebul besessen" (Mk 3, 22) bezeichnet. Sie behaupten auch, daß er „nur mit Hilfe von Beelzebul, dem Anführer der Dämonen", die Dämonen austreibe (Mt 12, 24. 27 // Lk 11, 15–19; vgl. Mt 9, 34; Mk 3, 22).

BEER, „Brunnen" (vgl. Beera; Beer-Elim; Beeri; Beerot; Beerscheba; Baalat-Beer).
1° **Beer** (1), Station des Exodus, nördlich des Arnon in Moab (Num 21, 16).
= ? **Beer-Elim** (1), Jes 15, 8.
2° **Beer** (1), Ort, vielleicht nördlich von Bet-Schean gelegen; dorthin flüchtet Jotam vor Abimelech (Ri 9, 21).

BEERA (vgl. Beer).
1° **Beera** (1), Nachkomme Joels, Anführer der Rubeniter, von Tiglat-Pileser deportiert (1 Chr 5, 4–6).
2° **Beera** (1), Ascheriter, einer der elf Söhne des Zofach (1 Chr 7, 37).

BEER-ELIM (1) „Brunnen der Götter" oder „der Terebinthen" (vgl. Beer; El; Elim).
→ BEER 1°.

BEERI, „Vom Brunnen".
1° **Beeri der Hetiter** (1), Vater der → JUDIT 1°.
2° **Beeri** (1), Vater des Propheten → HOSEA.

BEER-LAHAI-ROI (3), „Brunnen des Lebendigen, der nach mir schaut"; vielleicht Name einer früheren Lokalgottheit. Mit diesem Brunnen sind die Überlieferungen um Hagar, die Magd Saras (Gen 16, 14), und um Isaak (24, 62; 25, 11) verknüpft. Lage unbekannt, „zwischen Kadesch und Bered" (16, 14).

BEEROT (11), „Die Brunnen", eine der vier Gibeoniterstädte (Jos 9, 17), die Benjamin zugeteilt werden (Jos 18, 25; 2 Sam 4, 2). Die Bewohner von Beerot fliehen nach Gittajim (2 Sam 4, 3). Beerotiter kehren mit Serubbabel aus dem Exil zurück (Esr 2, 25 // Neh 7, 29).
= **Berea** (1), Schauplatz der Schlacht gegen Bakchides, in der Judas Makkabäus den Tod findet (1 Makk 9, 4). Var. *Beerset.* Heute *El-Bire,* 16 km nördlich von Jerusalem.
Heimat der → NACHRAI; RIMMON 4°.

BEERSCHEBA (34), gr. *Bersabee,* „Brunnen der sieben (Schafe)" oder „Eidbrunn" (vgl. Beer; Scheba 2°–4°).
Beerscheba ist der Schauplatz eines Bündnisses zwischen Abraham und Abimelech, bei dem es um den Besitz eines Brunnens geht, für den Abraham *sieben* Schafe zahlt (Gen 21, 25–32). Ein Parallelbericht (26, 23–33) spricht von Abimelech und Isaak. Hier werden beim Bündnis „Schwüre" ausgetauscht. Der Brunnen wird Schiba und der Ort Beerscheba genannt (V. 33). Schon die von Sara verjagte Hagar flieht in die Wüste von Beerscheba (21, 14). Abraham läßt sich dort nieder und ruft den El Olam, den „Gott der Ewigkeit" an (21, 33). Isaak wendet sich an den Gott seines Vaters Abraham (26, 23–25) und Jakob an den Gott seines Vaters Isaak (46, 1). Von Beerscheba zieht Jakob nach Mesopotamien (28, 10), und bei seiner Reise nach Ägypten empfängt er dort göttliche Verheißungen (46, 1–6). Zu diesem alten Väterheiligtum pilgern die Israeliten auch noch in der Königszeit (Am 5, 5; 8, 14).
Berscheba ist eine Stadt im Negeb von Juda (Jos 15, 28), doch hat sie vorher den Söhnen Simeons gehört (Jos 19, 2; 1 Chr 4, 28). Hier üben die Söhne Samuels das Richteramt aus (1 Sam 8, 2). Der Prophet Elija kommt durch den Ort (1 Kön 19, 3), als er zum Horeb wandert. An der Südgrenze von Juda gelegen (2 Kön 23, 8; 2 Chr 19, 4), ist Beerscheba zugleich der südlichste Punkt von ganz Israel, dessen Nordgrenze in Dan liegt. Daher kommt der Ausdruck „von Dan bis Beerscheba" (7) (Ri 20, 1; 1 Sam 3, 20; 2 Sam 3, 10; 17, 11; 24, 2.15; 1 Kön 5, 5) oder „von Beerscheba bis Dan" (2) (1 Chr 21, 2; 2 Chr 30, 5; vgl. 2 Sam 24, 6–7; Am 8, 14). Bei der Rückkehr aus dem Exil wird Beerscheba wieder von den Söhnen Judas besiedelt (Neh 11, 27.30). Heute *Beer Scheva.*
Heimat der → ZIBJA 2°.

BEESCHTERA (1), Jos 21, 27 → ASCHTAROT.

BEKTILET (2), unbekannte Stadt. Nach Jdt 2, 21 soll sie sich drei Tagereisen nördlich von Ninive befinden.

BEL (18) heißt wie Baal „Herr" (vgl. Belschazzar); der Name bezeichnet gewöhnlich Marduk (Merodach), den höchsten Gott Babylons (Jer 50, 2; vgl. Dan 14, 3–22.28). Mit dem Fall Babylons verschwindet auch Bel (Jes 46, 1; Jer 51, 44), ein tauber und ohnmächtiger Gott (Bar 6, 40).
Vater des → NEBO 4°.

BELA, „Verpraßt"? (vgl. Bileam).
1° **Bela** (4), **Sohn des Beor** (2), edomitischer König in Dinhaba (Gen 36, 32–33 // 1 Chr 1, 43–44).
2° **Bela** (7), erstgeborener Sohn Benjamins (Gen 46, 21; Num 26, 38; 1 Chr 7, 6; 8, 1). Die drei Listen seiner Söhne stimmen nicht überein (Num 26, 40: zwei Söhne; 1 Chr 7, 7: fünf Söhne; 1 Chr 8, 3–5: acht Söhne). Seine Nachkommen bilden den Clan der **Belaiter** (Num 26, 38), geteilt in zwei Sippen, die Arditer und die Naamaniter (Num 26, 40).
3° **Bela Sohn des Asas des Sohnes Schemas des Sohnes des Joëls** (1), Rubeniter (1 Chr 5, 8).
4° **Bela** (2), Stadt, gleichgesetzt mit → ZOAR.
Ihr König ist verbündet mit → BERA.

BELBAJIM → JIBLEAM

BELIAR (1) bezeichnet in 2 Kor 6, 15 Satan als

Widersacher Christi. Der Name kommt vom atl. **Belial** (25), hebr. *beli-ja'al* „unnütz, nichts wert" und wird meist als Adjektiv übersetzt (Dtn 13, 14; Ri 19, 22; 20, 13 u. ö.). In einigen Fällen erscheint das Wort wie ein Eigenname und bezeichnet entweder den Tod bzw. die Unterwelt (2 Sam 22, 5 // Ps 18, 5; vgl. Ps 41, 9) oder den Satan (vielleicht Ps 101, 3; Spr 16, 27) bzw. seine Repräsentanten (Nah 1, 11; 2, 1).

BELMAIN → ABEL-MAJIM

BELSCHAZZAR (10), akk. *Bel-schar-uzur* „Bel beschütze den König", gr. *Baltasar* (vgl. Bel; Sarezer), **König von Babylon** (1), Dan 7, 1, **König der Chaldäer** (1), Dan 5, 30, und Sohn des Nebukadnezzar (Bar 1, 11–12; vgl. Dan 5, 18.22). In Wirklichkeit war der historische Belschazzar der Sohn Nabonids und führte niemals den Königstitel. In Bar 1, 11–12 wird empfohlen, für Nebukadnezzar und Belschazzar zu beten. Vom Festmahl des Belschazzar, bei dem eine Menschenhand geheimnisvolle Worte an die Wand schrieb, erzählt Dan 5. In der folgenden Nacht wird Belschazzar umgebracht. In die Regierungszeit Belschazzars sind zwei Träume Daniels datiert (Dan 7, 1; 8, 1).

BELTSCHAZZAR (10), akk. *Belit-schar-uzur* „Schütze das Leben des Königs", gr. *Baltasar* (vgl. Sanballat; Sarezer), Dan 1, 7; 2, 26; 4, 5–6.15–16; 5, 12; 10, 1. Beiname des → DANIEL 4°.

BENAJA, „Jahwe baut auf", gr. *Banaias* (vgl. Bani; Binnui; Bunni; Jabne; Jabneel; Jibneja; Jibnija).

1° **Benaja** (24), **Sohn des Jojada** (20) **aus Kabzeel** (2), der berühmteste der dreißig Helden Davids. Er erschlägt zwei moabitische Krieger, einen ägyptischen Riesen und tötet einen Löwen in einer Zisterne (2 Sam 23, 20–23 // 1 Chr 11, 22–25). Führer der Leibgarde Davids (2 Sam 8, 18 // 20, 23 // 1 Chr 18, 17), unterstützt er die Thronfolge Salomos gegen Adonija (1 Kön 1, 8–44). Auf Befehl des neuen Königs tötet er Adonija (1 Kön 2, 25), Joab (2, 29–34) und Schimi (2, 46). Salomo macht ihn zum Heerführer (1 Kön 2, 35; 4, 4). Umstritten ist die Angabe des Chronisten, daß er für den (militärischen) Dienst des dritten Monats verantwortlich war (1 Chr 27, 5–6).
Vater des → AMMISABAD.

2° **Benaja** (3) **aus Piraton** (3), Held Davids (2 Sam 23, 30 // 1 Chr 11, 31). Der Chronist macht aus ihm einen Efraimiter, der für den militärischen Dienst des elften Monats verantwortlich gewesen sei (1 Chr 27, 14).

3° **Benaja** (1), Simeoniter, führend in seinem Clan (1 Chr 4, 36).

4° **Benaja** (3), Levit, Torwächter und dem Dienst an der Bundeslade zugeteilt (1 Chr 15, 18), Harfenspieler (15, 20; 16, 5).

5° **Benaja** (2), bläst vor der Bundeslade die Trompete (1 Chr 15, 24; 16, 6).

6° **Benaja** (1), vielleicht identisch mit 1°, Vater des → JOJADA 2°.

7° **Benaja** (1), Nachkomme Asafs, Ahnherr des → JACHZEEL.

8° **Benaja** (1), einer der zehn Leviten, die zur Zeit des Königs Hiskija dem Konanja und Schimi im Tempel halfen (2 Chr 31, 13).

9° **Benaja** (2), Vater des → PELATJA 2°.

10° **Benaja** (4), vier Israeliten: 1. aus den Söhnen Parosch (Esr 10, 25); 2. aus den Söhnen Pahat-Moab (10, 30); 3. aus den Söhnen Bani (10, 35); 4. aus den Söhnen Nebo (10, 43). Alle schicken ihre ausländischen Frauen zurück.

BEN-AMMI (1), „Sohn meines Verwandten" (vgl. Am-; Ammon), Namen, der dem Ahnherrn der Ammoniter gegeben wird (Gen 19, 38).

BENE-BERAK (1), akk. *Banai Barqa,* Ort in Dan (Jos 19, 45). Etwa 8 km SO von Joppe.

BENE-JAAKAN (3), „Söhne Jaakans", Station des Exodus in der Wüste Sin (Num 33, 31–32; Dtn 10, 6).

BEN-HADAD, „Sohn des Hadad" (vgl. Hadad 1°–4°).

1° **Ben-Hadad I.** (4), **Sohn des Tabrimmon Sohn des Hesjon** (1), König von Aram (4), **der in**

Damaskus residiert (2), um 900 v. Chr. Mit Bascha von Israel verbündet, nimmt er gleichwohl das ihm von Asa, dem König von Juda, angebotene Gold und Silber und fällt in das Reich des Bascha ein. Dieser zieht sein Heer an die Grenze zu Juda zurück (1 Kön 15, 18–20 // 2 Chr 16, 2–4). Nach 2 Chr 16, 7 hat der Seher Hanani den König Asa getadelt, weil er beim König von Aram Unterstützung gesucht habe.
2° **Ben-Hadad II.** (16), **König von Aram** (10), vermutlich Sohn und Nachfolger des Vorhergehenden (um 875 v. Chr.). Als Ahab sich weigert, alle seine Forderungen zu erfüllen, belagert Ben-Hadad Samaria (1 Kön 20, 1–12), doch Ahab bringt ihm eine schwere Niederlage bei (20, 13–21). Bei einem zweiten Feldzug wird Ben-Hadad wieder (bei Afek) geschlagen, doch schließt Ahab mit ihm einen Vertrag und läßt ihn frei (20, 22–34. 42). Drei Jahre später greift Ahab Ben-Hadad an, um ihm Ramot-Gilead zu entreißen, findet aber dabei den Tod (1 Kön 22, 1–35 // 2 Chr 18, 1–34). Ben-Hadad belagert wiederum Samaria, ebenfalls ohne Erfolg (2 Kön 6, 24 – 7, 16). Der kranke Ben-Hadad schickt Hasaël, um Elischa zu konsultieren. Nach seiner Rückkehr bringt Hasaël Ben-Hadad um und wird an seiner Stelle König (2 Kön 8, 7–15). Vielleicht ist Ben-Hadad II. der „König von Aram", dessen Heerführer
→ NAAMAN 3° ist.
3° **Ben-Hadad III.** (5) **Sohn des Hasaël** (2), König von Aram (um 797–773), unterdrückt die Israeliten unter Joahas (2 Kön 13, 3–4) und Joasch, der ihn jedoch „dreimal" schlägt (2 Kön 13, 16–25). Dieser Ben-Hadad ist wahrscheinlich in Am 1, 4 und Jer 49, 27 gemeint.

BEN-HAJIL (1), „Sohn des Hajil" oder „Der Tapfere" (vgl. Abihajil), einer der fünf von Joschafat entsandten Beamten, die mit zwei Priestern und acht Leviten die judäischen Städte im Gesetz unterweisen sollen (2 Chr 17, 7–9).

BEN-HANAN (1), „Sohn des Hanan"
→ HANAN 9°.

BEN-HINNOM, „Sohn des Hinnom"
→ GE-HINNON

BENINU (1), Levit, Mitunterzeichner der Gesetzesverpflichtung (Neh 10, 14). Mögliche Korr. in *Kenani*.

BENJAMIN, hebr. *Binjamin,* „Sohn der Rechten", d. h. des Südens (vgl. Jamin).
1° **Benjamin** (165), letzter der Jakobssöhne und Stämme Israels, zweiter Sohn Rahels (nach Josef). Die Mutter hatte ihn vor ihrem Tod → **Ben-Oni** („Unheilskind") genannt, aber Jakob änderte diesen Namen in Benjamin, „Erfolgskind" (Gen 35, 18). Er ist der einzige Sohn Jakobs, der im Gelobten Land geboren wurde, zwischen Bet-El und Efrata (Gen 35, 16). Er wird 12× in der Josefsgeschichte genannt; denn mit seinem älteren Bruder verbindet ihn eine herzliche Zuneigung (Gen 42—45). Es gibt drei Listen der Söhne und Nachkommen Benjamins (Gen 46, 21; 1 Chr 7, 6–12; 8) und eine Liste der Clans (Num 26, 38–41). Die Stärke des Stamms ändert sich je nach den Musterungen: 35400 (Num 1, 37); 45600 (Num 26, 41); 54434 (1 Chr 7, 6–11).
Das Stammesgebiet liegt westlich des Jordans zwischen den Gebieten Judas, Dans und Efraims (vgl. Jos 18, 11–28, wo fünf Bergrücken genannt werden, auf die Dtn 33, 12 anspielt). An der Grenze zu Juda wird Jerusalem unter die Städte Benjamins gezählt (Jos 18, 28), doch konnten vor David weder Juda (Jos 15, 63) noch Benjamin (Ri 1, 21) die Jebusiter vertreiben. Unter Salomo gehört Benjamin zum elften Distrikt (1 Kön 4, 18). Mehrere Städte des Stammes werden den Leviten zugesprochen (Jos 21, 4.17–18 // 1 Chr 6, 45. 50). Der Boden ist steinig und karg (1 Sam 9, 4; Jer 37, 12), ein Durchzugsland. So lebten die Benjaminiter zum Teil auch von Raubüberfällen (Gen 49, 27).
Benjamin ist ein kämpferischer Stamm mit tüchtigen (Ri 20, 16) und grausamen (Gen 49, 27; vgl. Ri 3, 15f) Kriegern. Dies zeigt besonders der unversöhnliche Krieg zwischen Israeliten und Benjaminitern infolge des Verbrechens von Gibea (Ri 19–21), ein Krieg, den Israel mit dem Verlust eines ganzen Stammes bezahlen mußte. Der erste König von Israel ist aber ein Benjaminiter (Sam 9–10; vgl. 2 Sam 21, 14; 1 Chr 12, 2; Apg 13, 21). Die Feindschaft zwischen Benjamin und Juda

setzt sich auch nach dem Bündnis mit David (2 Sam 3, 19; vgl. 1 Chr 12, 17) fort, wie die Flüche des Schimi (2 Sam 16, 5f) oder der Aufstand des Scheba (2 Sam 20) beweisen. Bei der Reichstrennung versucht Rehabeam Juda und Benjamin zu mobilisieren, um Israel wiederzuvereinigen (1 Kön 12, 21–23 // 2 Chr 11, 5–12.23), und befestigt die Städte in Juda und Benjamin (2 Chr 11, 20–23). Seitdem ist Benjamin mit Juda eine unauflösliche Schicksalsgemeinschaft eingegangen, sowohl auf militärischem Gebiet (2 Chr 14, 7: unter Asa; 2 Chr 17, 14.17: unter Joschafat; 2 Chr 25, 5: unter Amazja) als auch auf dem der religiösen Reformen (2 Chr 15, 1–9: unter Asa; 2 Chr 31, 1: unter Hiskija; 2 Chr 34, 9.32: unter Joschija). Nach dem Exil besiedeln Benjaminiter und Judäer wieder das Land (Esr 1, 5; 4, 1; 10, 9), die Stadt Jerusalem (Neh 11, 4–8 // 1 Chr 9, 3–9) und die Provinz (Neh 11, 31f), wie es Jeremia vorausgesagt hatte (Jer 32, 8.44; 33, 13).
Auf die Nähe Benjamins zum Jerusalemer Tempel (oder dem Heiligtum von Schilo) spielt wahrscheinlich Dtn 33, 12 an (der „Liebling des Herrn", der „in Sicherheit wohnt").
Benjamin in den Stammeslisten → S. 376f.
Berühmte Benjaminiter → JONATAN 2°; PAULUS 1°; SAUL; ferner: ABIDAN; ABIËSER 2°; EHUD; ELIDAD; KUSCH 2°; MORDECHAI; PALTI 1°; KISCH 1°; SCHEBA 2°; SCHIMI 5°; 6°.
Bedeutende Städte → ANATOT; GEBA; GIBEA 1°.
2° **Benjamin-Tor** (5), im Norden des Tempels und von Jerusalem gelegen (Jer 37, 13; 38, 7; Ez 48, 32; Sach 14, 10). Manche Gelehrten unterscheiden es vom „oberen Benjamintor", das in den Tempel führt, wo Jeremia in den Block gelegt wurde (Jer 20, 2). Dieses „obere Tor" am Jerusalemer Tempel wurde vom König Jotam gebaut (2 Kön 15, 35 // 2 Chr 27, 3).
3° **Benjamin** (1), Benjaminiter aus den Söhnen Jediaël, Krieger und Familienhaupt (1 Chr 7, 10).
4° **Benjamin** (1), Israelit aus den Söhnen Harim, schickt seine ausländische Frau zurück (Esr 10, 32).
5° **Benjamin** (1), Freiwilliger beim Wiederaufbau (Neh 3, 23).
6° **Benjamin** (1), Priester, Trompetenbläser bei der Mauerweihe in Jerusalem (Neh 12, 34).

BENJAMINITER (13), hebr. *Ben-Jemini* oder *Isch-Jemini* (Ri 3, 15; 19, 16; 1 Sam 9, 1.4.21; 22, 7; 2 Sam 16, 11; 19, 17; 20, 1; 1 Kön 2, 8; 1 Chr 27, 12; Est 2, 5; Ps 7, 1) → BENJAMIN 1°.

BEN-ONI (1), „Sohn meines Unglücks" (vgl. Bet-Awen; Bikat-Awen), Name, den die sterbende Rahel ihrem Sohn gibt (Gen 35, 18).
→ BENJAMIN 1°.

BEN-SOHET (1), „Sohn des Sohet" → SOHET 2°.

BEON (1), Num 32, 3 → BAAL-MEON.

BEONITER (1), gr. *Söhne Bajan,* halbnomadischer, vermutlich arabischer Stamm, der von der Wegelagerei lebte und den Judas in dessen Fluchttürmen verbrennen ließ (1 Makk 5, 4–5).

BEOR
1° **Beor** (2), Vater des Edomiterkönigs → BELA 1°.
2° **Beor** (9), Vater des Sehers → BILEAM 1°.

BERA (1), „Durch Bosheit", **König von Sodoma** (6), bildet mit **Birscha** (1), **König von Gomorra** (3), **Schinab** (1), **König von Adma** (2), **Schemeber** (1), **König von Zebojim** (2), und dem **König von Bela** (2) eine Koalition gegen den gemeinsamen Unterdrücker Kedor-Laomer. Der Zusammenstoß im Tal von Siddim endet mit der Niederlage des Königs von Sodoma und seiner Verbündeten. Abraham verfolgt Kedor-Laomer, entreißt ihm die Beute und gibt sie dem König von Sodoma zurück, so daß dieser nicht mehr sagen kann, er habe Abraham reich gemacht (Gen 14).

BERACHA, „Segensspruch" (vgl. Barachel; Baruch; Berechja; Jeberechja).
1° **Beracha** (1), Benjaminiter, mit David vor der Königsherrschaft verbündet (1 Chr 12, 3).
2° **Beracha-Tal** (2), vielleicht zwischen Tekoa und En-Gedi, wo Joschafat und sein Heer nach ihrem Sieg über Ammon, Moab und Edom den Herrn priesen, deshalb „Preistal" (2 Chr 20, 25f).

BERAJA (1), „Jahwe hat geschaffen", Benjaminiter aus den Söhnen des Schimi, Familienhaupt in Jerusalem (1 Chr 8, 21).

BEREA (1) → BEEROT.

BERECHJA, „Jahwe segnet", gr. *Barachias* (vgl. Beracha).
1° **Berechja** (2), 1 Chr 6, 24; 15, 17. Vater des → ASAF 1°.
2° **Berechja** (1), Levit, Torwächter bei der Bundeslade (1 Chr 15, 23).
3° **Berechja Sohn des Meschillemot** (1), einer der vier Offiziere des Nordreichs (2 Chr 28, 12), die dem Appell des Propheten Oded folgen und ihre gefangenen judäischen Brüder aus Mitleid versorgen und freilassen (VV. 5–15).
4° **Barachias** (1), Vater des → SECHARJA 6°.
5° **Jeberechja** (1), Vater des → SECHARJA 8°.
6° **Berechja** (2), Vater des → SACHARJA.
7° **Berechja** (1), einer der fünf Söhne des Meschullam, Nachkomme des Königs Jojachin (1 Chr 3, 20).
8° **Berechja Sohn des Asa, Sohn des Elkana** (1), Levit, wohnt nach dem Exil in den Dörfern der Netofatiter (1 Chr 9, 16).
9° **Berechja** (3), Vater des → MESCHULLAM 14°.

BERED
1° **Bered** (1) → BECHER 2°.
2° **Bered** (1), Ort bei Kadesch; zwischen Kadesch und Bered liegt der Brunnen Lahai-Roi (Gen 16, 14). → BEER-LAHAI-ROI.

BERENIKE, gr. „Trägerin des Sieges" (vgl. Andronikus).
1° **[Berenike]**, Tochter des Ptolemäus II. Philadelphus, Frau des → ANTIOCHUS 1°.
2° **Berenike** (3), Tochter des Herodes Agrippa I., Schwester Agrippas II. und der Drusilla, lebt bei ihrem Bruder. Mit ihm und dem Statthalter Festus hört sie in Cäsarea die Verteidigungsrede des Paulus an (Apg 25, 13.23; 26, 30).

BERI (1), aus Ascher, einer der elf Söhne des Zofach (1 Chr 7, 36).

BERIA, hebr. *Beri'ah*
1° **Beria** (6), letzter (dritter oder vierter) Sohn Aschers, hat zwei Söhne, Heber und Malkiël (Gen 46, 17 // 1 Chr 7, 30–31). Ihre Nachkommen bilden die Sippe der **Beriaiter** (Num 26, 44–45).
2° **Beria** (1), Sohn Efraims, geboren nach dem Tod seiner anderen Söhne (1 Chr 7, 23). Der Name wird von der Mutter mit dem hebr. *bera'ah* („im Unglück") in Verbindung gebracht. Der efraimitische Clan Beria wird vielleicht Benjamin zugeordnet. Vgl. den Folgenden.
3° **Beria** (2), Benjaminiter, einer der Familienhäupter von Ajalon, der Sieger über die Leute von Gat (1 Chr 8, 13). Sein Bruder und seine Söhne werden in den VV. 14–16 genannt. Vgl. den Vorhergehenden.
4° **Beria** (2), Levit aus dem Clan Gerschon, letzter der vier Söhne des Schimi (1 Chr 23, 10.11).

BERIMITER → BICHRITER.

BERÖA
1° **Beröa** (1), von Seleukus I. verliehener Name einer Stadt, die heute *Alep* heißt (100 km östlich von Antiochia in Syrien). Hier wird Menelaus nach Landessitte in einen Turm mit glühender Asche geworfen und verbrannt (2 Makk 13, 4–6).
2° **Beröa** (3), Stadt Mazedoniens, westlich von Thessalonich. Paulus, Silas und Timotheus kommen auf der zweiten Missionsreise hierher, nachdem sie Thessalonich überstürzt verlassen mußten. Die Juden von Beröa zeigen sich freundlicher als die von Thessalonich. Während Paulus nach Athen weiterreist, bleiben Silas und Timotheus noch einige Zeit in Beröa (Apg 17, 10–14). Heute *Werria*.
Heimat des → SOPATER.

BERODACH-BALADAN → MERODACH-BALADAN

BEROTA (1), Stadt an der (idealen) Nordgrenze des Gelobten Landes zwischen Hamat und Damaskus (Ez 47, 16).
= ? **Berotai** (1), Stadt des Königreichs Zoba, nördlich von Damaskus, von wo David eine große Menge Erz heimbrachte (2 Sam 8, 8 // 1 Chr 18, 8: *Kun*).

BESAI (2), Familienhaupt von aus dem Exil zurückgekehrten Tempeldienern (Esr 2, 49 // Neh 7, 52).

BESEK (vgl. Adoni-Besek).
1° **Besek** (1), Ort zwischen Sichem und Bet-Schean. Hier mustert Saul Israel (1 Sam 11, 8). Heute *Khirbet Ibziq*.
2° **Besek** (1), vielleicht westlich von Bet-Horon oder (unwahrscheinlicher) mit dem Vorhergehenden identisch. Juda und Simeon schlagen hier Adoni-Zedek (Ri 1, 4–5).

BESODJA (1), „Im Verborgenen Jahwes"?, Vater des → MESCHULLAM 13°.

BESOR (Bach) (3), wo David zweihundert seiner Leute sich lagern läßt (1 Sam 30, 9–10.21). Heute Zufluß oder Hauptlauf des *N. Besor*.

BETACH → TEBACH.

BETANIEN, hebr. *Bet'ani*, „Haus des Armen" oder „Haus des Ananias".
1° **Betanien** (11), Ort am Ostabhang des Ölbergs, 3 km östlich von Jerusalem (Joh 11, 18). Das Dorf (Lk 10, 38) wird von Jesus besonders in seinen letzten Lebenstagen aufgesucht (Mk 11, 1–12 // Mt 21, 1.17; Lk 19, 29). Dort wohnen Marta, Maria und Lazarus (Joh 11, 1; 12, 1; vgl. Lk 10, 38–42), auch Simon der Aussätzige (Mt 26, 6–13 // Mk 14, 3–9), in dessen Haus die „Salbung von Betanien" stattfindet (vgl. Joh 12, 1–11). In Betanien erweckt Jesus den Lazarus (Joh 11), und dorthin verlegt Lk 24, 50–51 die Himmelfahrt.
= **Ananeja** (1), nach dem Exil von den Benjaminitern in Besitz genommen (Neh 11, 32). Heute *El-Eizariya*.
2° **Betanien** (1), Ort, „auf der anderen Seite des Jordans, wo Johannes taufte" (Joh 1, 28). Var. *Bethabara*. Genaue Lage ungewiß.

BET-ANAT (3), „Haus der [Göttin] Anat" (vgl. Anat), zusammen mit Bet-Schemesch genannt. Stadt in Obergaliläa, blieb lange Zeit unabhängig (Ri 1, 33), befestigter Ort Naftalis (Jos 19, 38). Lage ungewiß.

BET-ANOT (1), Haus der [Göttin] Anat"? (vgl. Anat), Ort im Gebirge Juda (Jos 15, 59).
= ? **Batane** (1), Jdt 1, 9. Heute *Khirbet Beit Anum*, wenige km nördlich von Hebron.

BET-ARABA (4), „Haus der Steppe" (vgl. Araba), Grenzstadt zwischen Juda und Benjamin (Jos 15, 6; 18, 18 LXX). Unter den Städten der Wüste Juda (Jos 15, 61) oder des Stammes Benjamin (Jos 18, 22) genannt. Im SO von Jericho, *Ain Garba*. Heimat des → ABIËL 2°.

BET-ARBEEL (1), vom moabitischen König Schalman verwüstete Stadt (Hos 10, 14). Vermutlich das heutige *Irbid* im nördlichen Transjordanien.

BET-ASCHBEA (1), „Haus des Überflusses" (vgl. Scheba), Ort in Juda, in dem Byssusbearbeiter wohnen (1 Chr 4, 21).

BET-ASMAWET → ASMAWET 5°.

BET-AWEN (7), „Haus der Schlechtigkeit" (vgl. Ben-Oni; Bikat-Awen), spöttische Bezeichnung für das Heiligtum von Bet-El, das „Gotteshaus", das zum Ort eines götzendienerischen Kults geworden war (Hos 4, 15; 5, 8; 10, 5; vgl. Am 5, 5). In Jos 7, 2 wird aber Bet-Awen von Bet-El unterschieden. Ähnlich heißt es Jos 18, 12–13: die Grenze Benjamins ende in der Wüste von Bet-Awen und gehe von dort nach Lus, „das ist Bet-El". Daß Michmas östlich von Bet-Awen liege, sagt 1 Sam 13, 5. In 1 Sam 14, 23 LXX steht für Bet-Awen *Bet-Horon*.

BET-BAAL-MEON (1), „Haus des Baal von Maon" → BAAL-MEON.

BET-BARA (2), vermutlich im Süden von Bet-Schean. Leute aus Efraim besetzen hier die Wasserstellen vor den Midianitern (Ri 7, 24).

BET-BASI (2), Ortschaft zwischen Betlehem und Tekoa, wahrscheinlich von den „Söhnen Bezais" nach dem Exil gegründet (vgl. Esr 2, 17). Der von Jonatan und Simon befestigte Platz wurde von Bakchides belagert, aber ohne Erfolg (1 Makk 9, 62–68). Heute *Beit-Bazza*.

BET-BIRI (1), ein von den Söhnen Simeons bewohnter Ort (1 Chr 4, 31 // Jos 19, 6: *Bet-Lebaot*).

BET-DAGON, „Haus des Dagon" (vgl. Dagon).
1° **Bet-Dagon** (1), Ort in der Schefela (Jos 15, 41). Vermutlich zwischen Lod und Jafo.
2° **Bet-Dagon** (1), an der Grenze zu Ascher (Jos 19, 27).
3° **Bet Dagon** (1), Tempel des Dagon in Aschdod, von Jonatan in Brand gesteckt (1 Makk 10, 83–84; 11, 4). → DAGON.

BET-DIBLATAJIM (1), (vgl. Diblajim)
→ ALMON-DIBLATAJEMA.

BET-EDEN (1), „Haus des Vergnügens"? (vgl. Eden 4°?), Am 1, 5. Vielleicht symbolischer Name für Damaskus.

BET-EKED (2), Ort, an dem bei einer Zisterne die Brüder des Königs von Juda Ahasja erschlagen wurden (2 Kön 10, 12.14). Vermutlich *Beit-Qad*, 5 km östlich von Djenin.

BET-EKED-ROIM (1), „Bet-Eked der Hirten" (2 Kön 10, 12). Genauere Ortsbezeichnung von
→ BET-EKED.

BET-EL, „Haus Gottes" (Gen 28, 16–17. 22).
1° **Bet- El** (75), Stadt 17 km nördlich von Jerusalem, auf dem Weg nach Sichem (Ri 20, 31; 21, 19). = **Lus** (7), kanaanäische Stadt, bei der sich ein heiliger Baum (Gen 35, 8; vgl. Ri 4, 5) und ein Heiligtum befanden, in dem der Gott Bet-El verehrt wurde (Jer 48, 13). Folglich gaben die Israeliten der Stadt Lus den Namen Bet-El (Gen 28, 19; 35, 6; 48, 3; Jos 16, 2; 18, 13; Ri 1, 23).
Bet-El ist einer der Orte, an denen Abraham zeltet (Gen 12, 8; 13, 3) und Jakob Station macht (Gen 28, 10–22). Von hier aus entdeckt Abraham das Land, das Gott ihm geben will (Gen 13, 14). Hier hat der Traum der „Jakobsleiter" (Gen 28, 10–22) seinen Ort, und hier erscheint Gott dem Jakob (Gen 35, 1–15; 48, 3; vgl. Hos 12, 5). So wird Bet-El ein Patriarchenheiligtum. Mit Ai ist es eine der ersten Städte, die Josua erobert (Jos 7, 2; 8, 9–17; vgl. 12, 9. 16). Unter den Städten Benjamins genannt (Jos 18, 22), liegt es eigentlich auf der Grenze zu Benjamin (Jos 18, 13) und wird von Efraim in Besitz genommen (Jos 16, 1–2; 1 Chr 7, 28). Nach Ri 1, 22–26 hat das Haus Josef Bet-El nur durch Verrat eines seiner Bewohner eingenommen. Dieser sei freigelassen worden und habe anderswo eine Stadt mit Namen Lus gegründet. Die Israeliten begeben sich nach Bet-El, um Gott zu befragen (Ri 20, 18.26; 21, 2; 1 Sam 10, 3) oder um die Richter aufzusuchen (1Sam 7, 16; vgl. Ri 4, 5). Im 9. Jahrhundert ist die Stadt Sitz einer Prophetenschule um Elija und Elischa (2 Kön 2, 1–3; vgl. 1 Kön 13). Nach der Reichstrennung wird Bet-El für das Nordreich zum nationalen Zentralheiligtum mit seinem Goldenen Kalb, der „Sünde Jerobeams" (1 Kön 12, 26–33; 13; vgl. 2 Kön 10, 29; 23, 4.15–20). Amos wendet sich leidenschaftlich gegen diesen Kult (Am 3, 14; 4, 4; 5, 5–6; vgl. Tob 2, 6) und wird vom Priester Amazja aus Bet-El vertrieben (Am 7, 10–13). Hosea spottet über das „Gotteshaus" Bet-El, das zum Bet-Awen, zum „Haus der Schlechtigkeit" geworden ist (Hos 5, 8; 10, 5.15). Nach dem Fall Samarias wird einer der deportierten Priester nach Bet-El zurückgebracht, damit er die aus Babylon angesiedelten Völkerschaften im Gesetz unterweise (2 Kön 17, 28). Im Zuge der religiösen Reform des Joschija werden auch in Bet-El die Altäre und Höhen zerstört (2 Kön 23, 4.15–20). Nach dem Edikt des Kyrus kehren Leute von Bet-El aus dem Exil zurück (Esr 2, 28 // Neh 7, 32), und Benjaminiter bewohnen die Stadt (Neh 11, 31). In der Makkabäerzeit ist Bet-El eine der von Bakchides befestigten Städte Judäas (1 Makk 9, 50).
In 1 Sam 30, 27 ist vermutlich *Betul* (→ BETUEL) anstelle des hebr. *Bet-El* zu lesen.
Heimat des → HIËL.
2° **Bet-El** (1), kanaanäische Gottheit, in Bet-El verehrt (Jer 48, 13). Auf aramäischen Inschriften erscheint sie in der Zusammensetzung zahlreicher Namen.

BET-EMEK (1), „Haus der Ebene" (vgl. Amok), Ort in Ascher (Jos 19, 27). Heute *Tell Mimas* im NO von Akko.

BETEN (1), „Pistazie"? (vgl. Betonim?), Ort in Ascher (Jos 19, 25). Heute *Khirbet Ibtin*, etwa 20 km im SO von Akko.

BETESDA (1), „Haus der Barmherzigkeit" (vgl. Hesed), Joh 5, 2 (Var. *Bethzatha, Bezatha, Bet saida*), Teich mit fünf Säulenhallen in Jerusalem beim Schafstor. Jesus heilt hier am Sabbat einen Lahmen (Joh 5, 2–9).

BET-EZEL, „Nachbarhaus" (vgl. Azalja), wahrscheinlich Ort in der Schefela, dessen Zerstörung Mich 1, 11 ankündigt.

BETFAGE (3), „Haus der Feigen", Nachbarort von Betanien, am Abhang des Ölbergs. Jesus läßt hier den Esel holen, auf dem er in Jerusalem einreitet (Mk 11, 1f // Mt 21, 1 // Lk 19, 29).

BET-GADER (1), „Haus der Einfriedung" (vgl. Gedor), Ort kalebitischen Ursprungs in Juda (1 Chr 2, 51). Vermutlich identisch mit
→ GEDOR 1°.

BET-GAMUL (1), „Haus der Wiedervergeltung" (vgl. Gamliel), Stadt in Moab, der Jer 48, 23 das „Gericht" ankündigt. Einige km im NO von Aroër bei *Khirbet el Jumaiyil*.

BET-GILGAL (1), (vgl. Gilgal), in der Nähe Jerusalems (Neh 12, 29).
Identisch (?) mit → GILGAL 3°.

BET-HANAN (1), Ortschaft zwischen Ajalon und Gibeon, im zweiten Distrikt Salomos (1 Kön 4, 9). Heute *Beit-Anan*.

BET-HARAM (1), Stadt in Gad (Jos 13, 27).
= **Bet-Haran** (1), Num 32, 36. Heute *Tell Iktanu?*, einige km östlich des Jordan.

BET-HOGLA (3), „Haus des Rebhuhns" (vgl. Hogla), 5 km SO von Jericho. An der Grenze zwischen Juda und Benjamin (Jos 15, 6; 18, 19), zu den Städten Benjamins gezählt (18, 21). Heute *Ein Hajla*.

BET-HORON (19), gr. *Baithoron*, „Haus des (Gottes) Horon", zwei benachbarte Orte in Efraim (1 Chr 7, 24; Jos 16, 3.5), an der Grenze zu Benjamin (Jos 18, 13–14):

Bet-Horon (das obere) (2), Jos 16, 5; 2 Chr 8, 5. Heute *Beit-Ur el Fauqa*, um 16 km NW von Jerusalem.
Bet-Horon (das untere) (4), Jos 16, 3; 18, 13; 1 Kön 9, 17; 2 Chr 8, 5. Heute *Beit-Ur-et-Tachta*, etwa 18 km NW von Jerusalem.
Der Doppelort liegt auf der gewöhnlichen Einfallstraße (Jos 10, 10–11; vgl. Sir 46, 6; 1 Sam 13, 18; 14, 23 LXX; 1 Makk 3, 16.24; vgl. 7, 39), er wurde von Salomo befestigt (1 Kön 9, 17; 2 Chr 8, 5) und später von Bakchides (1 Makk 9, 50). Die Söldner des Königs Amazja haben ihn ausgeplündert (2 Chr 25, 13). Bet-Horon wird den Leviten des Clans Kehat zugeteilt (Jos 21, 22 // 1 Chr 6, 53). Das Buch Judit verlegt die Stadt nach Samarien (Jdt 4, 4).
→ HORONITER.

BET-JESCHIMOT (4), „Haus der Verwüstungen", einige Kilometer östlich der Einmündung des Jordan in das Tote Meer. Letzte Station des Exodus (Num 33, 49), an der Grenze zum Königreich Sihon (Jos 12, 3), Stadt Rubens (Jos 13, 20). Heute wahrscheinlich *Tell Azeima* bei Suweima.

BET-KAR (1), „Haus des Widders" oder „der Wiese"?, nicht weit vom benjaminitischen Mizpa (1 Sam 7, 11). Unbekannt.

BET-KEREM (2), „Haus des Weinbergs" (vgl. Abel-Keramim; Karmel; Karmi?), Ort in Juda, vermutlich in der Umgebung Betlehems (Jer 6, 1). Distrikts-Hauptort nach dem Exil (Neh 3, 14).
= **Karem** (1), im Gebirge Juda (Jos 15, 59 LXX).

BET-LEAFRA (1), Wortspiel mit *afar* (Staub) in Mich 1, 10. Stadt der Schefela. Unbekannt.

BET-LEABOT (1), „Haus der Löwen", Stadt im Negeb, von den Söhnen Simeons in Besitz genommen (Jos 19, 6).
= **Lebaot** (1), zur Stadt Judas geworden (Jos 15, 32).

BETLEHEM, hebr. *Bet-lehem*, „Haus des Brotes" oder „Haus der [Gottheit] Lahmu" (vgl. Lachmi).

1° **Betlehem** (47) **in Juda** (10) oder **Judäa** (2), 8 km südlich von Jerusalem.
= **Efrata** (4), bewohnt vom kalebitischen Clan Efrata, der dem Ort seinen Namen gegeben hat (1 Chr 4, 4; Jos 15, 59 LXX; Rut 1, 2; 4, 11; 1 Sam 17, 12; Mich 5, 1). Die Erwähnung Betlehems im Zusammenhang mit Efrata in Gen 35, 19 und 48, 7 ist eine Glosse, die sich auf ein anderes Efrata nördlich von Jerusalem bezieht.
Betlehem steht in der Liste der im Gebirge Juda gelegenen Städte (Jos 15, 59 LXX). Der Ort ist zeitweilig von den Philistern besetzt (2 Sam 23, 14–16 // 1 Chr 11, 16–18), er wird von Rehabeam zur Festung ausgebaut (2 Chr 11, 6). Unter den Heimkehrern werden auch Betlehemiter genannt (Esr 2, 21 // Neh 7, 26). Aus Betlehem stammt der den Efraimiter Micha begleitende Levit, der Priester am Heiligtum von Dan wird (Ri 17, 7–9), die unglückliche Nebenfrau des Leviten aus Efraim (Ri 19), vor allem aber stammen aus Betlehem die Ahnherren der königlichen Familie von Juda: Elimelech, der Mann der Noomi und Schwiegervater der Rut (Rut 1, 1–2. 19–22) sowie Boas (2, 4; 4). Nach Betlehem kommt Samuel, um unter den Söhnen Isais einen König zu suchen (1 Sam 16, 1. 4ff). So wird Betlehem „die Stadt Davids" (1 Sam 20, 6; vgl. 20, 28; Lk 2, 4.11; Joh 7, 42). Dort ist auch die Heimat der Davidsvettern Joab, Abischai und Asaël (vgl. 2 Sam 2, 32). Jesus, der Nachkomme Davids, wird der messianischen Prophetie entsprechend (Mich 5, 1; vgl. Mt 2, 5–6) in Betlehem geboren (Mt 2, 1; Lk 2, 11; Joh 7, 42).
→ Efrata 1°.
Heimat des → Boas; Elhanan 1°–2°; Elimelech; Isai.
Nachbarort → Kimham 2°.
2° **Betlehem** (3), genannt unter den Städten Sebulons (Jos 19, 15); Heimat des Richters Ibzan (Ri 12, 8–10), doch könnte es sich hier auch um Betlehem 1° handeln. Heute *Beit Lahm*, 11 km westlich von Nazaret.

BETLEHEMITER (4), 1 Sam 16, 1.18; 17, 58; 2 Sam 21, 19: Leute aus → Betlehem 1°.

BET-MARKABOT (2), „Haus der Wagen" (vgl. Rechab), Ort im Negeb, von den Söhnen Simeons besetzt (Jos 19, 5; 1 Chr 4, 31). In der Parallelstelle Jos 15, 31 heißt der Ort → Madmanna.

BET-MEON (1), „Haus des Maon" (vgl. Maon) → Baal-Meon.

BET-NIMRA (2), siehe akk. *Namru*, „Durchsichtig" (vgl. Nimrim), Ortschaft in Gad, östlich des Jordan (Num 32, 36; Jos 13, 27).
= **Nimra** (1), Num 32, 3. Vielleicht am Ufer der „Wasser von Nimrim" (Jes 15, 7; Jer 48, 34).

BETOMESTAJIM (2), mit Betulia zusammengenannte Stadt, die angeblich „Jesreel gegenüber vor der Ebene nahe bei Dotan" liegt (Jdt 4, 6; 15, 4). Unbekannt.

BETONIM (1), (vgl. Beten?), Stadt Gads, jenseits des Jordan (Jos 13, 26). Heute *Khirbet Batneh*.

BET-PAZZEZ (1), „Ort, an dem man zerschmettert" (vgl. Pizzez), in der Liste der Städte Issachars (Jos 19, 21).

BET-PEGOR (4), „Haus des Pegor" (vgl. Pegor), Ort in den Steppen Moabs (Dtn 3, 29; 4, 46); ihm gegenüber ist Mose begraben (Dtn 34, 6), Ruben zugeteilt (Jos 13, 20). Im NW des Bergs Nebo.
Nachbarort → Baal-Pegor 2°.

BET-PELET (3), „Haus des Überlebenden" (vgl. Pelet 1°–2°), Stadt im Negeb von Juda (Jos 15, 27), von Judäern nach dem Exil wiederbesiedelt (Neh 11, 26).
Heimat des → Helez 1°.
Zu vergleichen (?) mit → Pelet 1°–2°; Peleter; Peletiter.

BETPHAGE → Betfage.

BET-RAFA (1), „Haus des Rafa" (vgl. Rafael), Ort kalebitischen Ursprungs in Juda (1 Chr 4, 12). Unbekannt.

BET-REHOB (2), „Haus des Marktplatzes" (vgl. Rehob), Ri 18, 21; 1 Sam 14, 47 LXX.

= **Rehob** (2), Land (oder Stadt) im Tal nördlich von Lajisch (Ri 18, 28), bis wohin die Kundschafter des Mose gekommen sein wollen (Num 13, 21). Aramäische Bevölkerung (2 Sam 10, 6), als Feinde Sauls genannt (1 Sam 14, 47 LXX), mit den Ammonitern gegen David verbündet, der sie aber schlägt (2 Sam 10, 6–14).

BET-SACHARJA (2), Ortschaft 10 km nördlich von Bet-Zur und 20 km im SW von Jerusalem. Judas Makkabäus wird hier vom König Antiochus V., der Elephanten in der Schlacht einsetzte, geschlagen (1 Makk 6, 32–47; vgl. 2 Makk 13, 1–2.15–16).
Heute *Khirbet Beit Zacharia.*

BETSAIDA, „Haus des Fischfangs" (vgl. Sidon).
1° **Betsaida** (7) **in Galiläa** (1), Joh 12, 21. Am Nordufer des Sees Gennesaret, östlich des Jordan. Heimat der Apostel Petrus, Andreas und Philippus (Joh 1, 44; 12, 21). In der Nähe sucht man einen Ort der „Brotvermehrung" (Lk 9, 10; vgl. Mk 6, 45). Beim Verlassen des Orts heilt Jesus einen Blinden (Mk 8, 22–26). Betsaida wird zusammen mit seinen Nachbarstädten das Gericht angedroht (Mt 11, 21 // Lk 10, 13).
2° **Betsaida** (1) → BETESDA.

BET-SAJIT, Vulg. *Bethzetha,* „Olivenförmig" (vgl. Ölberg). Bakchides läßt hier viele Juden an der „großen Zisterne" niedermetzeln (1 Makk 7, 19). Vermutlich *Beit Zeita,* 6 km nördlich von Bet-Zur, wo man einen Brunnen mit einer Wendeltreppe gefunden hat.

BET-SCHEAN (12), gr. *Baithsan,* lat. *Bethsan,* „Haus der Ruhe" oder „Haus der (Schlangengottheit) Scha'an". Strategischer Punkt zwischen Jesreel/Esdrelon (20 km westlich) und dem Jordan (5 km östlich). Stadt Manasses (Jos 17, 11; 1 Chr 7, 29), wo sich die Kanaaniter lange Zeit halten (Jos 17, 16; Ri 1, 27), von den Philistern besetzt, die an den Mauern die Leichname Sauls und seiner Söhne aufhängen (1 Sam 31, 10–12; 2 Sam 21, 12). Gehört zum 5. Distrikt Salomos (1 Kön 4, 12). Judas lagert hier nach der Zerstörung Efrons (1 Makk 5, 52), und hier treffen sich Tryphon und Jonatan (1 Makk 12, 40–41).
= **Skythopolis** (2), Name der Stadt in hellenistischer Zeit; beherbergt eine Judenkolonie, die von der heidnischen Bevölkerung gut behandelt wird, so daß sie dem grausamen Schicksal Efrons entgeht (2 Makk 12, 29–30). Lager des Holofernes (Jdt 3, 10).
Heute *Bet-Schean.*
→ DEKAPOLIS; EBENEN 2°.

BET-SCHEMESCH, „Haus" oder „Tempel der Sonne" (vgl. Simson).
1° **Bet-Schemesch** (17), Stadt in der Schefela an der Grenze zwischen Juda und Dan (Jos 15, 10), den Leviten des Clan Kehat zugesprochen (Jos 21, 16 // 1 Chr 6, 44), im 2. Distrikt Salomos (1 Kön 4, 9). Die Lade Jahwes machte hier bei ihrer Rückkehr aus dem Philisterland Halt (1 Sam 6, 9–20). Amazja von Juda forderte hier Joasch von Israel zum Kampf heraus und wurde gefangen (2 Kön 14, 8–13 // 2 Chr 25, 20–23). Unter Ahas wird die Stadt von den Philistern erobert (2 Chr 28, 18).
Heute *Khirbet Rumeila.*
= **Har-Heres** (1), lange unabhängig gebliebene Amoriterstadt (Ri 1, 35).
= **Ir-Schemesch** (1), von Dan bewohnt (Jos 19, 41).
Heimat des → JOSCHUA.
2° **Bet-Schemesch** (1), Ort an der Grenze zwischen Issachar und Naftali (Jos 19, 22).
3° **Bet-Schemesch** (3), Stadt Naftalis in Obergaliläa (Jos 19, 38), blieb lange unabhängig (Ri 1, 33).
4° **Bet-Schemesch** (1), bezeichnet *Heliopolis,* dessen ägyptischer Name *On* war (Jer 43, 13)
→ ON 1°.

BET-SCHEMESCHITER (2), von oder aus Bet-Schemesch (1 Sam 6, 14.18).

BET-SCHITTA (1), „Haus der Akazie" (vgl. Schittim), Ort zwischen Jesreel und Bet-Schean, wohin sich die von Gideon geschlagenen Midianiter flüchteten (Ri 7, 22). Heute *Schatta.*

BET-TAPPUACH (1), „Haus des Apfelbaums" (vgl. Tappuach), Stadt im Gebirge Juda (Jos 15, 33). Etwa 8 km westlich von Hebron.

BET-ZUR (19), „Haus des Felsens", gr. *Bethsur* (vgl. Zur), etwa 8 km NW von Hebron. Stadt im Gebirge Juda (Jos 15, 58), kalebitischen Ursprungs (1 Chr 2, 45), von Rehabeam befestigt (2 Chr 11, 7) und unter Nehemia zu einer Distriktshauptstadt in Judäa geworden (Neh 3, 16).
In der Makkabäerzeit spielt Bet-Zur eine bedeutende Rolle (15 x erwähnt). Die Stadt nimmt eine strategische Position im Süden Judäas gegenüber Idumäa ein (1 Makk 4, 29; 2 Makk 11, 5), wird von Judas zur Festung ausgebaut (1 Makk 4, 51; 6, 7.26), von Antiochus V. belagert und eingenommen (1 Makk 6, 31–50; 2 Makk 13, 19–22), von Bakchides neu befestigt (1 Makk 9, 52; 10, 14) und schließlich von Simon Makkabäus wiedererobert (1 Makk 1, 65–66; 14, 7–33).

BETUËL
1° **Betuël** (9) **der Aramäer** (2), einer der zwölf Söhne Nahors, geboren von seiner Frau Milka (Gen 22, 22–23), Neffe Abrahams (vgl. 22, 20), Vater des Laban (28, 5) und der Rebekka (22, 23; 28, 2), Großvater mütterlicherseits des Jakob (28, 2). Bei der Heirat der Rebekka mit Isaak spielt Betuel eine Nebenrolle (24, 50–51) im Vergleich zu der ihres Bruders Laban (24, 29.33) und ihrer (namentlich nicht benannten) Mutter (vgl. 24, 28.53.55–60).
Vater von → LABAN 1°; REBEKKA.
2° **Betuël** (1), Stadt Simeons im Negeb (1 Chr 4, 30).
= **Betul** (2), Jos 19, 4 (// 15, 30: *Kesil*); 1 Sam 30, 27 (Korr. des hebr. *Betel*).

BETULIA (20), unbekannte Stadt (der Name soll vielleicht an Betuël oder Bet-El erinnern), Heimat der Judit (Jdt 8, 2–4; 16, 21–23), vorgestellt als Bergfestung, die den Zugang von Samarien nach Judäa beherrscht (4, 6–7; vgl. 8, 21). Holofernes belagert die Stadt (7), nachdem er zuvor den Ammoniter Achior an die Bewohner ausgeliefert hat (6, 10–14; 11, 9). Judit ermahnt die Ältesten der Stadt zum Widerstand (8, 9f) und rettet Betulia, indem sie Holofernes tötet (10, 6; 11, 9; 12, 7; 13, 10; 15, 3; 16, 21.23).

BEZAI (3), abgeleitet von *Bezalel,* Familienhaupt, dessen Söhne mit Serubbabel aus dem Exil zurückkehren (Esr 2, 17 // Neh 7, 23). Mitunterzeichner der Gesetzesverpflichtung (Neh 10, 19).
→ BET-BASI.

BEZALEL, hebr. *Bezal'el* „Im Schatten Gottes" (vgl. Bezai; Zilla).
1° **Bezalel** (8) **Sohn des Uri** (4) **Sohn des Hur** (3) **vom Stamm Juda** (3), Künstler, der mit Oholiab, dem Sohn Ahisamachs vom Stamm Dan, das Wüstenheiligtum errichtet und die verschiedenen Kultgegenstände anfertigt (Ex 31, 2–11; 35, 30–35; 36, 1–2; 37, 1 ff; 38, 22–23; vgl. 1 Chr 2, 20; 2 Chr 1, 5).
2° **Bezalel** (1), Israelit aus den Söhnen Pahat-Moab, schickt seine ausländische Frau zurück (Esr 10, 30).

BEZER „Festung", gr. *Bosor* (vgl. Bosor; Bozra; Bosora; Mibzar).
1° **Bezer** (4), Asylstadt in Ruben (Dtn 4, 45 // Jos 20, 8), den Leviten des Clans Merari zugeteilt (1 Chr 6, 63 // Jos 21, 36 LXX).
Vermutlich identisch mit → BOZRA 2°.
2° **Bezer** (1), aus Ascher, einer der elf Söhne des Zofach (1 Chr 7, 37).

BICHRI (8), (vgl. Bechorat), Benjaminiter, Vater des → SCHEBA 2°.

BICHRITER (1), 2 Sam 20, 14 (Korr. des hebr. *berim),* Anhänger des Bichrisohns Scheba.

BIDKAR (1), „Sohn des Deker"? (vgl. Deker), Schildträger Jehus, wirft den Leichnam des Königs Joram auf das Feld des Nabot aus Jesreel (2 Kön 9, 25–26).

BIGTA (1), pers. Name, Eunuch, genannt mit → MEHUMAN.

BIGTAN und Teresch (3), pers. Namen, zwei Eunuchen, Palastwächter. Ihr Komplott gegen Xerxes (Ahasveros) wird von Mordechai entdeckt und gemeldet (Est 1, 1^{m}: Korr. des gr. *Gabatha* und *Tharra;* 2, 21–23; 6, 2; hebr. *Bigtana*).

BIGWAI (7), einer der zwölf Anführer der Heimkehrer (Esr 2, 2 // Neh 7, 7), Familienhaupt (Esr 2, 14 // Neh 7, 19; vgl. Esr 8, 14). Von seinen Söhnen schicken einige ihre ausländischen Frauen zurück (Esr 10, 29: Korr. des hebr. *bani*). Bigwai gehört zu den Führern des Volkes, die die Gesetzesverpflichtung mitunterzeichnen (Neh 10, 17).

BIKAT-AWEN (1), „Tal der Schlechtigkeit" (vgl. Bet-Awen; Ben-Oni), Am 1, 5. Schwer zu identifizieren, vielleicht symbolischer Name für Damaskus.

BILDAD (5), (vgl. Eldad?) **von Schuach** (5), zusammen mit Elifas von Teman und Zofar dem Naamatiter die „drei Freunde", die Ijob in seinem Elend besuchen, um ihn zu trösten (Ijob 2, 11; 8, 1; 18, 1; 25, 1; vgl. 32, 1). Am Ende wirft Gott ihnen vor, nicht richtig über ihn gesprochen zu haben, wie sein Knecht Ijob (Ijob 42, 7–10).

BILEAM, gr. *Balaam,* „Vielfraß"? (vgl. Bela?).
1° **Bileam** (63) **Sohn des Beor** (9), Wahrsager (Jos 13, 22).
Seine Geschichte wird im Rahmen der israelitischen Besitznahme des Ostjordanlandes erzählt. Nach der Niederlage der Amoriter ruft der Moabiterkönig Balak Bileam herbei, damit er Israel verfluche. Doch der ruft in einer Reihe von Sprüchen den Segen über Israel herab (vgl. Mich 6, 5). In Num 22–24 sind zwei Traditionen (J und E) miteinander vermischt: In der einen ist Bileam ein aramäischer Wahrsager von den Ufern des Eufrat (22, 5; 23, 7), ein Anbeter Jahwes (22, 18), den Gott ermächtigt, dem Ruf des moabitischen Königs zu folgen (22, 20). In der anderen Tradition versucht Bileam gegen den Willen Gottes zum König zu reiten und wird vom Engel aufgehalten (die Episode von der sprechenden Eselin 22, 22–35).
Bileam werden vier Segenssprüche über Israel in den Mund gelegt: 23, 7–10; 23, 18–24; 24, 3–9; 24, 15–19. Auf sie folgen drei Gerichtssprüche, die das Ende der Amalekiter, Keniter und Seevölker ankündigen (24, 20–24).
An anderen Stellen macht die Bibel aus Bileam einen Feind Israels. Wenn er Israel segnet, dann gegen seinen Willen (Dtn 23, 5–6; Jos 24, 9–10; vgl. Neh 13, 2), und er hat Israel zum Götzendienst verführt (Num 31, 16). Schließlich wird er den Midianitern zugerechnet, mit denen er von der Hand der Israeliten stirbt (Num 31, 8; Jos 13, 22). Das NT bleibt auf dieser Linie: Bileam ist der Typus des Irrlehrers schlechthin (2 Petr 2, 15; Jud 11; Offb 2, 14).
2° **Bileam** (1) → JIBLEAM.

BILGA (4), Priester, Leiter der 15. Priesterklasse (1 Chr 24, 14; vgl. Neh 12, 18), mit Jeschua aus dem Exil zurückgekehrt (Neh 12, 5).
= **Bilgai** (1), Mitunterzeichner der Gesetzesverpflichtung (Neh 10, 9).
Aus der Priesterklasse des Bilga → SIMEON 6°.

BILHA
1° **Bilha** (10), Magd des Laban, dann seiner Tochter Rahel (Gen 29, 29), Nebenfrau Jakobs, von Ruben vergewaltigt (Gen 35, 22). Von Jakob und Bilha stammen Dan und Naftali (Gen 30, 3–8; 35, 25), die Halbbrüder Josefs (37, 2), und ihre Clans (Gen 46, 23–25 // 1 Chr 7, 12–13).
2° **Bilha** (1) → BAALA 2°.

BILHAN
1° **Bilhan** (2), erster der drei Söhne Ezers, des sechsten der Söhne Seïrs (Gen 36, 27 // 1 Chr 1, 42).
2° **Bilhan** (2), Benjaminiter aus dem Clan Jediaël (1 Chr 7, 10f).

BILSCHAN (2), akk. *Be-el-schu-nu,* „Ihr Herr", einer der zwölf Anführer der Heimkehrer (Esr 2, 2 // Neh 7, 7).

BIMHAL (1), aus Ascher, zweiter der drei Söhne Jaflets, Krieger und Familienhaupt (1 Chr 7, 33).

BINA (2), Benjaminiter, Sohn Mozas, Nachkomme des Königs Saul und Ahnherr der Söhne des Azel (1 Chr 8, 37 // 9, 43).

BINNUI (vgl. Benaja).
1° **Binnui** (2), Israelit, Familienhaupt, dessen Söhne mit Serubbabel aus dem Exil heimkehren (Neh

7, 15 // Esr 2, 10: *Bani*). Einige schicken ihre ausländischen Frauen zurück (Esr 10, 38: statt *Bani* und *Binnui* heißt es wohl „von den Nachkommen Binnuis").
2° **Binnui** (1), Israelit aus den Söhnen des Pahat-Moab, verstößt seine ausländische Frau (Esr 10, 30).
3° **Binnui** (7) **Sohn des Henadad** (3), Levit (Neh 12, 8), vermutlich unter den Anführern der Leviten (12, 24), Vorsteher des halben Distrikts von Keila (3, 18), Freiwilliger bei der Ausbesserung der Jerusalemer Mauer (3, 24), Teilnehmer des Sühnegottesdienstes (9, 4: Korr. des hebr. *Bani*), Mitunterzeichner der Gesetzesverpflichtung (10, 10).
Vater (?) des → NOADJA 1°.

BIRSAJIT (1), „Brunnen des Ölbaums", sein Vater Malkiël ist aus Ascher (1 Chr 7, 31).

BIRSCHA (1), „Durch Bosheit"? (vgl. Kuschan-Rischatajim), **König von Gomorra** (3), Gen 14, 2.8.10. Verbündet mit → BERA.

BISCHLAM (1), „In Übereinstimmung" (vgl. Salem), Beamter des persischen Königs in Samarien (Esr 4, 7). Korr. in *beschalem* („gegen Jerusalem") möglich.

BISETA (1), Eunuch, genannt mit → MEHUMAN.

BISJOTJA (1), unbekannte Stadt Judas im Negeb (Jos 15, 28). Wahrscheinlicher ist die Übersetzung in „seine Tochterstädte " (von Beerscheba).

BITHYNIEN (2), Landschaft im NW Kleinasiens, bildet mit Pontus eine römische Provinz. Der Plan des Paulus, sich auf seiner zweiten Missionsreise dorthin zu begeben, kommt nicht zustande (Apg 16, 7). Zur Zeit des 1 Petr gibt es dort Christen (1, 1).

BITJA (1), ägypt. „Königin", Tochter des Pharao, Frau Mereds, Mutter mehrerer Söhne, in der Genealogie Kalebs (1 Chr 4, 17–18).

BLASTUS (1), Kämmerer des Herodes Agrippa I., Vermittler zwischen den Bewohnern von Tyrus und dem König (Apg 12, 20).

BOANERGES (1), „Donnersöhne", Beiname der Zebedäussöhne Jakobus und Johannes (Mk 3, 17; vgl. Lk 9, 54).

BOAS, gr. *Booz,* „In ihm ist die Kraft".
1° **Boas** (25), reicher jüdäischer Grundbesitzer in Betlehem, naher Verwandter der Moabiterin Rut, deren Mann gestorben ist. Da ein noch näherer Verwandter auf sein „Löserecht" verzichtet, heiratet Boas die Rut, die ihm einen Sohn, den Obed, schenkt. Dieser ist der Vater Isais, des Vaters Davids (Rut 2 – 4; vgl. 1 Chr 2, 11–15).
Mt 1, 5 macht Boas zum Sohn der Rahab und, wie Lk 3, 2, zum Ahnherrn Jesu.
2° **Boas** (2) → JACHIN 3°.

BOCHIM (2), „Die Weinenden"?, der Ortsname wird in Ri 2, 5 durch das Weinen der Israeliten erklärt, doch fehlen genauere Angaben. Korr. nach dem gr. in *Bet-El* möglich (Ri 2, 1). Vielleicht identisch mit der „Tränenеiche" (Gen 35, 8).

BOCHRU (2), (vgl. Bechorat), Benjaminiter, der zweite der sechs Söhne des Azel, Nachkomme Sauls (1 Chr 8, 38 // 9, 44). Im gr. Text steht „Erstgeborener", aber dann gibt es nur fünf Söhne Azels.

BOHAN (2), „Daumen"?, **Sohn Rubens,** dessen **Stein** die Grenze zwischen Juda und Benjamin bildet (Jos 15, 6; 18, 17). Im NW des Toten Meers.

BOR-ASCHAN (1), „Zisterne des Rauchs"
→ ASCHAN 1°.

BOR-SIRA (1), Zisterne in der Umgebung Hebrons (2 Sam 3, 26), wo Joab mit Abner zusammenkommt, bevor er ihn tötet.
→ SIRA.

BOSOR (vgl. Bezer).
1° **Bosor** (2), Stadt in Gilead, wo Juden eingeschlossen sind, die Judas Makkabäus befreit

(1 Makk 5, 26.36). Etwa 65 km östlich des Sees Gennesaret. Heute *Busr el-Hariri.*
2° **Bosor** (1), Vater des Bileam (2 Petr 2, 15:var. *Beor*).

BOSORA (2), (vgl. Bezer), Stadt in Gilead, wo Juden eingeschlossen sind. Judas Makkabäus erobert die Stadt und zerstört sie (1 Makk 5, 26.28). Etwa 40 km SO von Bosor. Das *Bostra* der Griechen und der Römer. Heute *Busra eski-Scham.*

BOZEZ (1) und **Senne,** zwei gegenüberliegende Felszacken, die eine an der Nordseite gegenüber Michmas, die andere südlich gegenüber Geba (1 Sam 14, 4–5).

BOZKAT (2), „Höhe", Nachbarort von Lachisch, in der Schefela (Jos 15, 39), Heimat Jedidas, der Mutter des Königs Joschija (2 Kön 22, 1).

BOZRA „Festung", gr. *Bosor, Bosorra* (vgl. Bezer).
1° **Bozra** (7), das heutige *Buseira,* etwa 40 km südlich des Toten Meers. Gegen diese alte Hauptstadt Edoms richten sich zahlreiche prophetische Drohreden (Jes 34, 6; Jer 49, 13.22; Am 1, 12; Jes 63, 1; vgl. Offb 19, 13). Die „befestigte Stadt" in Ps 108, 11 ist wahrscheinlich Bozra. In Mich 2, 12 ist anstelle des hebr. *in Bozra* zu lesen „im Pferch". Heimat des Königs
→ Jobab 2°.
2° **Bozra** (1), Stadt Moabs, der das Gericht angekündigt wird (Jer 48, 24). Vielleicht identisch mit
→ Bezer 1°.

BUGAËR (1), „Großsprecher"?, verderbte Form von „Agagiter"? Verballhornung des Namens Bagoas, der Artaxerxes III. vergiftete? Beiname in Est 12, 6 des → Haman 1°.

BUKKI (vgl. Bukkija).
1° **Bukki Sohn des Jogli** (1), verantwortlicher Stammesfürst Dans bei der Verteilung Kanaans (Num 34, 22).
2° **Bukki** (4), Nachkomme Aarons und Ahnherr Zadoks (1 Chr 5, 31; 6, 36; Esr 7, 4).

BUKKIJA (2), (vgl. Bukki), aus den Söhnen Hemans, Leiter der sechsten Sängerklasse (1 Chr 25, 4.13).

BUL (1), Name des Regenmonats Oktober/November (1 Kön 6, 38).

BUNA (1), ein Sohn Jerachmeels, Nachkomme Judas (1 Chr 2, 25).

BUNNI (vgl. Benaja)
1° **Bunni** (1), Ahnherr des Leviten
→ Schemaja 7°.
2° **Bunni** (1), Levit, Teilnehmer am gemeinsamen Sündenbekenntnis (Neh 9, 4).
3° **Bunni** (1), ein Führer des Volkes, Mitunterzeichner der Gesetzesverpflichtung (Neh 10, 16).

BUS
1° **Bus** (2), einer der zwölf Söhne des Abrahamsbruders Nahor, geboren von seiner Frau Milka (Gen 22, 21). Arabischer Stamm im NW Arabiens (Jer 25, 23).
→ Busiter.
2° **Ben-Bus** (1), Gaditer unter den Söhnen Abihajils; oder nach einer anderen Lesart „Bus, Ahnherr Abihajils" (1 Chr 5, 14).

BUSI (1), Priester, Vater des Propheten
→ Ezechiel 1°.

BUSITER (2), hebr. *Buzi,* vom arabischen Stamm Bus (Ijob 32, 2.6).
→ Elihu 5°.

BYBLOS → Gebal 1°.

C

CARMEL → Karmel.

CÄSAR → Kaiser.

CÄSAREA, Name von Städten, die zu Ehren des Kaisers [Augustus] erbaut wurden.
1° **Cäsarea** (15), Hafenstadt am Mittelmeer, 50 km nördlich von Joppe, zwischen 12–9 v. Chr. von Herodes d. Gr. erbaut.
Paulus besteigt hier ein Schiff nach Tarsus (Apg 9, 30) und wahrscheinlich als Gefangener nach Rom (vgl. 27, 1–2). Von seiner zweiten und dritten Missionsreise geht er hier an Land (18, 22; 21, 8). Hier stirbt Herodes Agrippa I. (12, 19–23). Agrippa II. hält sich mit Berenike einige Zeit in der Stadt auf (25, 13), in der die römischen Statthalter residieren (25, 1.6) und die eine römische Garnison beherbergt. Nach seiner Verhaftung wird Paulus hierhergebracht (23, 23.33), wo er zwei Jahre lang gefangen bleibt (25, 4.13). In Cäsarea hat es schon sehr früh Christen gegeben. Petrus tauft hier den Hauptmann Kornelius (Apg 10, 1.24; vgl. 11, 11), und der Evangelist Philippus wohnt hier mit seiner Familie (8, 40), bei der sich Paulus am Ende seiner dritten Missionsreise einige Tage aufhält (21, 8–16).
2° **Cäsarea Philippi** (2), in der Nähe der Jordanquellen gelegene Stadt, die um 3–2 v. Chr. von Herodes Philippus wiederaufgebaut wurde. In diese Gegend wird das Messiasbekenntnis des Petrus verlegt (Mt 16, 13 // Mk 8, 27). Heute *Banias*.

CHABRIS → Kabri.

CHALDÄA, CHALDÄER (87), hebr. *Kasdim* (vgl. Kesed), Land und Volk im südlichen Mesopotamien und später Name für Babylonien.
Nur wenige Texte erinnern die Israeliten an ihre chaldäische Herkunft (Jdt 5, 5–6; vgl → Ur 1°) oder – in allegorischer Form – an ihre verfehlte Bündnispolitik mit den ägyptischen, assyrischen und chaldäischen (oder babylonischen) Nachbarn (Ez 16, 29; 23, 14–23). Die Hauptmasse des Wortgebrauchs betrifft die Epoche des Neubabylonischen Reichs, das am Ende des 7. Jahrhunderts v. Chr. seine Herrschaft über den ganzen Vorderen Orient ausdehnte. So beschreibt Hab 1 – 2 die Invasion der Chaldäer, eines „grausamen, ungestümen Volks“ (1, 6), einer Gottesgeißel. Beim Aufstand des Jojakim (um 600) sandte Nebukadnezzar hauptsächlich chaldäische Truppen, um Jerusalem zu zerstören (2 Kön 24, 2). Dann werden die Chaldäer vor allem im Zusammenhang mit dem Untergang Judas erwähnt: Belagerung Jerusalems, Zerstörung der Stadt und des Tempels, Deportation des Königs Zidkija und der Bevölkerung, Einsetzung Gedaljas als Statthalter in Mizpa (2 Kön 25 // Jer 39, 4–10; 40, 9–10; 41, 1–3.17–18; 52, 7–8.14–17; vgl. Bar 1, 1–2; Ez 12, 13). Jeremia, der diese Ereignisse miterlebt hat, hielt sie für unvermeidlich (Jer 22, 25; 32, 4–29; 37), weil Juda mit den Chaldäern kollaboriert habe (Jer 37, 13–14). Aber den im Chaldäerland angesiedelten Exilierten (vgl. Ez 1, 3; 11, 24) wird der Rat gegeben, die Hoffnung nicht zu verlieren (Jer 24, 5; 32, 25.43). Ein Tag werde kommen, an dem das Blut Jerusalems auf die Bewohner Chaldäas zurückfallen werde (Jer 51, 35; vgl. Ps 137, 8), an dem Jahwe sie strafen werde (Jes 43, 14; Jer 50–51). Dann würden die Deportierten Babel, das Land der Chaldäer, verlassen

(Jes 48, 20). Auf die Eroberung des Chaldäerreichs durch die Meder spielt Dan 9, 1 an.
„Chaldäer“ meint in Ijob 1, 17 räuberische Nomaden und in Dan 2, 2.4.5.10; 3, 8; 4, 4; 5, 7–11 mit Astrologie beschäftigte Wahrsager, die man damals für Leute chaldäischer Herkunft hielt.
In Dan 1, 4 wird die Keilschrift, in der die Gebildeten unterwiesen waren, als „Schrift und Sprache der Chaldäer“ bezeichnet.
Eponymer Ahnherr → KESED.
„Könige der Chaldäer“ → BELSCHAZZAR; NEBUKADNEZZAR.
Chaldäer = ? Söhne des → CHELËUD.
Städte → BABYLON; UR 1°.

CHARAX (1), vielleicht befestigter Platz im Ostjordanland, an dem der Statthalter des Ammoniterlands residiert (2 Makk 12, 17). Wahrscheinlicher aber ist Charax mit „der Palisadenwall“ zu übersetzen.

CHÄREAS (2), Befehlshaber von Geser (Gazara). Judas Makkabäus tötet ihn, seinen Bruder Timotheus und Apollophanes (2 Makk 10, 32.37).

CHARMIS → KARMI..

CHASIDÄER → HASIDÄER.

CHASPHO → KASPIN.

CHELEËR (1), unbekannter Volksstamm (Jdt 2, 23).

CHELËUD (Die Söhne des) (1), vermutlich die Chaldäer (Jdt 1, 6).

CHELUS (1), unbekannte Stadt, die Jdt 1, 9 in der Gegend von Beerscheba zu suchen scheint.

CHERUBIM → KERUB.

CHIOS (1), Insel im Ägäischen Meer, westlich von Smyrna. Paulus hat hier vielleicht Station gemacht (Apg 20, 15).

CHLOË (1), vermutlich Geschäftsfrau in Korinth, deren Leute in Handelsangelegenheiten unterwegs waren; so auch in Ephesus, wo sie mit Paulus zusammentreffen (1 Kor 1, 11).

CHOBA (3), unbekannter Ort (Jdt 4, 4; 15, 4.5).

CHOBAR → KEBAR.

CHODORLAHOMOR → KEDOR-LAOMER.

CHOROZAIN (2), gr. *Chorozin,* lat. *Corozain,* Stadt in Galiläa, 3 km nördlich von Kafarnaum. Jesus beklagt ihre Unbußfertigkeit (Mt 11, 21 // Lk 10, 13).

CHRISTUS (540) → JESUS b).

CHUS (1), ein im Wadi Mochmur gelegener Ort (Jdt 7, 18). Im NO von Sichem?

CHUZAS, Beamter des Herodes [Antipas] (1), Lk 8, 3. Mann der → JOHANNA.

CILICIEN → ZILIZIEN.

CÖLESYRIEN → ZÖLESYRIEN.

CYPERN → ZYPERN.

CYRENE → ZYRENE.

CYRENIUS → QUIRINIUS.

CYRUS → KYRUS.

D

DABBESCHET (1), „Buckel“?, an der Westgrenze Sebulons, am Ufer des Kischon (Jos 19, 11). Etwa 10 km nördlich von Megiddo.

DABERAT (3), (vgl. Debir ?), an der Ostgrenze Sebulons (Jos 19, 12), Ortschaft Issachars (19, 20 LXX; hebr. *Ha-Rabbit),* den Leviten des Clans Gerschon zugeteilt (21, 28 // 1 Chr 6, 57). Im Süden des Berges Tabor.

DAGON (16), ugar. *Dgn;* akk. *Dagan* (vgl. Bet-Dagon), Gottheit des amoritischen Pantheons von Mari in Mesopotamien, die später in Ugarit (Syrien) und Palästina übernommen wurde. Im AT ist Dagon der Hauptgott der Philister, dessen berühmtester Tempel in Aschdod steht (Ri 16, 23–24; 1 Sam 5, 2–7; 1 Chr 10, 10). Dieser Dagontempel wurde von Jonatan in Brand gesteckt (1 Makk 10, 83–84; 11, 4).

DALFON (1), akk. *Dullupu,* „Ohne Schlaf“ (vgl. Jidlaf), Bruder des → PARSCHANDATA.

DALMANUTA (1), Mk 8, 10 (// Mt 15, 39: *Magadan*). Lage unbekannt.

DALMATIEN → ILLYRIEN

DAMARIS (1), Frau in Athen, zugleich mit dem Areopagiten Dionysius zum christlichen Glauben bekehrt (Apg 17, 34).

DAMASKUS (67), Stadt am Fuß des Hermon (vgl. Hld 7, 5), am Rand der syrischen Wüste. Bedeutende Handelszentrale (Ez 27, 18; vgl. Am 3, 12). An der Nordgrenze des Gelobten Landes (vgl. Ez 47, 16–18; 48, 1; Sach 9, 1).
Als *Hauptstadt des mächtigen aramäischen Reiches* stellt das oft siegreiche und grausame Damaskus (Am 1, 3–5) eine permanente Bedrohung für Israel dar: unter David (2 Sam 8, 5–6 // 1 Chr 18, 5–6); unter Salomo gegen Reson (1 Kön 11, 23–25); unter Ahab und Joram gegen Ben-Hadad II. und Hasaël (1 Kön 20, 34; 2 Kön 8, 7–9); unter Jerobeam II., der „Damaskus und Hamat an Israel zurückgebracht hat“ (2 Kön 14, 28: Text unsicher); unter Ahas gegen Rezin, der aber vom Assyrer Tiglat-Pileser in Damaskus um 732 ergriffen und getötet wird (2 Kön 16, 9; Jes 7, 8; 8, 4; 10, 9; 17, 1–3). Damals wurden auch die Israeliten des Nordreichs „jenseits von Damaskus“ deportiert (Am 5, 27). Nach seinem Zusammentreffen mit Tiglat-Pileser in Damaskus errichtete Ahas in Jerusalem einen Altar, wie er ihn in Damaskus gesehen hatte (2 Kön 16, 10–12; vgl. 2 Chr 28, 33). Als Assyrien im Jahr 605 untergeht und Ägypten bei Karkemisch geschlagen wird, kündigt Jeremia die baldige Zerstörung von Damaskus durch die Babylonier an (Jer 49, 23–27).
Könige Arams in Damaskus → BEN-HADAD 1°–3°; HASAËL; RESON; REZIN 1°.
Heimat des → ELIËSER 1°; NAAMAN 3°.
Symbolische Namen (?) für Damaskus → BET-EDEN; BIKAT-AWEN.
Im *Syrien der Seleukiden* (oder der Lagiden) wurde Damaskus durch Antiochia ersetzt. Der Makkabäer Jonatan durchzog das Gebiet bis Damaskus (1 Makk 11, 62; 12, 32). Nach Jdt 1, 7, 12; 2, 27 ist Nebukadnezzar auch in das Land der **Damaszener** eingefallen, aber seine Truppen seien in der Nähe von Damaskus geschlagen worden (15, 5).
Nach 63 v. Chr. gehörte *Damaskus* zur *Dekapolis.* In der Stadt lebte eine bedeutende jüdische Kolo-

nie (vgl. Apg 9, 2). Auf dem Weg nach Damaskus wurde Saulus (um 34 oder 36) von Christus berufen (Apg 9, 1–9 // 22, 5–11; 26, 12–16) und in das Haus des Judas auf der „Geraden Straße" geschickt, wo er Hananias traf (Apg 9, 10–18 // 22, 12–16). Der Neubekehrte begann auch gleich in Damaskus Jesus als den Christus zu verkündigen (Apg 9, 19–22.27; vgl. 26, 20) Um 36 oder 38 n. Chr. kam Paulus nach Damaskus zurück (Gal 1, 17), und obwohl die **Stadt der Damaszener** vom Statthalter des Königs Aretas streng bewacht wurde, entging er auf abenteuerliche Weise der Festnahme (2 Kor 11, 32–33).
Flüsse in Damaskus → Abana; Parpar.
→ Aram 1°; Dekapolis; Hoba.

DAN, von der hebr. Wurzel *din*, „richten", Gen 30, 6; 49, 16 (vgl. Abidan; Daniel; Dina).
1° **Dan** (51), Sohn Jakobs und der Rahelmagd Bilha (Gen 30, 6; 35, 25), eponymer Ahnherr eines der zwölf Stämme Israels. Trotz der priesterschriftlichen Musterungszahlen (Num 1, 39; 2, 25; 26, 42) ist Dan nur ein kleiner Stamm mit einem einzigen Clan (Num 26, 42; vgl. Gen 46, 23), der nach Ri 18, 11 600 Menschen zählt.
Das Stammesgebiet liegt westlich von Benjamin zwischen Efraim, Juda und dem Mittelmeer (Jos 19, 40–46). Aber der Druck der Amoriter (Ri 1, 34–35), dann der Philister (Ri 13—16) zwang die Daniter, nach Nordpalästina, in die Gegend um Lajisch auszuweichen (Ri 18; Jos 19, 47). Dan wird auch in den Liedern und Sprüchen Gen 49, 16–17 (Richter/Dan), Dtn 33, 22 (Löwe/Lajisch), Ri 5, 17 (Seeleute) besungen.
Levitenstädte in Dan (Jos 21, 5.23).
Dan in den Stammeslisten → S. 376f.
Daniter → Ahieser 1°; Ammiël 1°; Asarel 3°; Bukki 1°; Hiram 2°; Manoach; Oholiab; Simson; Schelomit 1°.
2° **Dan** (23), Stadt an einer der Jordanquellen, 5 km westlich von Banias. Vor ihrer Eroberung durch die Daniter hieß die Stadt:
= **Lajisch** (4), Ri 18, 7.14.27–29.
= **Leschem** (2), Jos 19, 47.
= **? Lescha** (1), Gen 10, 19 (Nordgrenze Kanaans).
Dan ist im äußersten Norden des Gelobten Landes (Dtn 34, 1; vgl. Jer 4, 15; 8, 16; Gen 14, 14). Der Ausdruck „von Dan bis Beerscheba" markiert so die Nord- und die Südgrenze Israels (Ri 20, 1; 1 Sam 3, 20; 2 Sam 3, 10; 17, 11; 24, 2.15; 1 Kön 5, 5). Es gibt auch die umgekehrte Formel „von Beerscheba bis Dan" (1 Chr 21, 2; 2 Chr 30, 5; vgl. 2 Sam 24, 6–7; Am 8, 14).
Der König Jerobeam stellt das Goldene Kalb (1 Kön 12, 29–30; 2 Kön 10, 29; Am 8, 14; Tob 1, 5) in einem schon alten Heiligtum auf (vgl. Ri 17–18; 2 Sam 20, 18). Die Stadt wird vom Aramäerkönig Ben-Hadad eingenommen (1 Kön 15, 20 // 2 Chr 16, 4).
3° **Dans Lager** (2), hebr. *Mahane-Dan,* Ortsname, der die Erinnerung an einen vorübergehenden Aufenthalt der Daniter festhält, bei Zora (Ri 13, 25; 18, 12).
4° **Dan** (1), arab. Stamm wie Usal? (Ez 27, 19: hebr. *Vedan).*

DANIEL, „Gott ist Richter" (vgl. Dan).
1° **Daniel** (3), antiker Volksheld, aus den ugar. Texten für seine Weisheit und Gerechtigkeit bekannt (vgl. Ez 28, 3). Seine Anwesenheit – neben Noach und Ijob – in einem sündigen Land reiche nicht aus, um von diesem Land das Strafgericht abzuwenden (Ez 14, 14–20).
2° **Daniel** (1) → Kilab.
3° **Daniel** (2), Priester der Söhne Itamars, mit Esra aus dem Exil zurückgekehrt (Esr 8, 2), Mitunterzeichner der Gesetzesverpflichtung (Neh 10, 7).
4° **Daniel** (126), nach dem Danielbuch ein junger Judäer, der mit Hananja, Mischael und Asarja an den Hof Nebukadnezzars deportiert wurde (Dan 1, 3–21). Dort erhält er den Namen **Beltschazzar** (Dan 1, 7). Im Unterschied zu den Weisen Babylons versteht es Daniel, den Traum des Königs zu deuten (Dan 2), und wird dafür zum Obersten der Wahrsager und Zeichendeuter bestellt (vgl. 5, 11.14; 13, 45). Bei einem Festmahl deutet dann Daniel dem König den Sinn der geheimnisvollen Schrift, die auf der Wand erscheint (Dan 5). Die Eifersucht der Statthalter bringt ihn in die Löwengrube, doch wegen seiner Rechtschaffenheit wird er „aus den Tatzen der Löwen errettet" (Dan 6; vgl. 1 Makk 2, 60).
Der Traum Daniels: die vier Tiere und das Gottes-

gericht mit dem Menschensohn (Dan 7); Vision vom Widder und vom Ziegenbock (Dan 8). Die Siebzig-Wochen-Prophetie und ihre Erklärung durch Gabriel (Dan 9, 1–27; vgl. Mt 24, 15). Vision vom in Linnen gekleideten Mann: die Zeit des Zornes und des Endes (Dan 10–12). Die Danielgestalt erscheint auch in den Geschichten von der keuschen Susanna (Dan 13), von den Priestern des Bel (Dan 14, 1–22) und von der großen Schlange (14, 23–42).

DANITER (5), Ri 13, 2; 18, 1.11.30; 1 Chr 12, 36. Die Angehörigen des Stammes → DAN 1°.

DANNA (1), akk. *Dannatu,* „Festung" (vgl. Medan), Stadt im Gebirge Juda (Jos 15, 49).

DAPHNE, „Lorbeerbaum", Nymphe, die sich in einen Lorbeerbaum verwandelt, als Apollo sie fangen will.
1° **Daphne bei Antiochia** (1), durch sein Apollo-Heiligtum berühmter Ort, mit dem Asylrecht ausgestattet. Menelaus läßt den hierher geflüchteten Hohenpriester Onias töten (2 Makk 4, 33–34). Vom syrischen Antiochia 8 km südlich gelegen.
2° **Daphne,** klassischer Name von → TACHPANHES.

DARDA (2), gehört mit Heman und Kalkol zu den Söhnen Mahols, die (in Kanaan?) als berühmte Weise gelten (1 Kön 5, 11). In 1 Chr 2, 6 wird er unter die fünf Söhne des Judasohnes Serach (hebr. *Dara*) gezählt.

DARIUS, gr. *Dareios,* hebr. *Darjawesch,* altpers. *Darajavahus,* „Der das Gute bewahrt".
1° **Darius I. [Hystaspes]** (16), **König der Perser** (2), (522–486), ermächtigt im 2. Jahr seiner Regierung die Juden (520), den Wiederaufbau des Tempels fortzusetzen (Esr 4, 5.24; 5, 5–7; 6, 1–14), der im 6. Jahr (515) vollendet wird (Esr 6, 15). Das Auftreten des Propheten Haggai ist nach dem 2. Jahr des Darius datiert (Hag 1, 1.15; 2, 10), das des Propheten Sacharja nach dem 2. (Sach 1, 1.7) und nach dem 4. Jahr (Sach 7, 1). In Esr 6, 22 ist mit dem „König von Assur" Darius gemeint, wobei Assur ganz Mesopotamien bezeichnet (und nicht das schon längst untergegangene Assyrerreich).
2° **Darius II. [Nothos] der Perser** (1), König der Perser (423–405), Neh 12, 22 (wo es sich aber auch um Darius III. handeln könnte).
3° **Darius III. [Kodomannos], König der Perser und Meder** (1), (336–330), von Alexander dem Großen besiegt (1 Makk 1, 1).
4° **Darius** (8) **Sohn des Artaxerxes** (hebr. *des Assuerus* = Xerxes), **aus dem Stamm der Meder** (1) (Dan 9, 1), **der Meder** (Dan 6, 1; 11, 1); er macht Daniel zum Großwesir, ist aber gezwungen, ihn in die Löwengrube werfen zu lassen und dann wieder herauszuholen (Dan 6, 2–29). Dieser König Darius ist der Geschichtsschreibung unbekannt.

DARKON (2), Familienhaupt von Knechten Salomos, die aus dem Exil zurückkehren (Esr 2, 56 // Neh 7, 58).

DATAN und Abiram (11), **Söhne Eliabs** (4), Rubeniter (Num 16, 1.12; 26, 9; Dtn 11, 6). Der jahwistisch-elohistische Bericht von ihrem Aufstand (Num 16, 1b–2a.12–15.25.26.27b–34), der in den priesterschriftlichen Bericht vom Aufstand Korachs gegen Aaron eingefügt ist, erzählt, wie beide während des Exodus die Autorität des Mose als Führer Israels verwerfen und ihm nicht mehr auf dem Weg nach Kanaan folgen wollen. Lästerlich behaupten sie, das „von Milch und Honig fließende Land" sei nicht das Gelobte Land, sondern Ägypten, wo Israel Sklave war (Num 16, 12–15). Ein Strafgericht rafft die Aufrührer und ihre Familien hinweg (16, 25–34; Vgl. Dtn 11, 6; Ps 106, 17; Sir 45, 18).

DATEMA (1), Festung im Ostjordanland, wohin sich die in Gilead verfolgten Juden flüchteten (1 Makk 5, 9). Lage nicht identifiziert.

DAVID (1150), „Vielgeliebter", siehe 1 Sam 16, 21–22; 18, 1.5.22.28; 20, 17. (Vgl. Dodo; Dodai; Dodawa; Eldad; Elidad; Medad; Jedida; Jedidja; Bildad?; Jiddo?.) Vielleicht ist *david* aber nur ein Allgemeinbegriff („Befehlshaber", „Kriegsführer"), der zum Eigennamen geworden ist: vgl. das *davidum* der Tafeln von Mari.

= **Sohn Isais** (19); 1 Sam 16, 18; 20, 27.30–31; 22, 7–13; 25, 10; 2 Sam 20, 1; 23, 1; 1 Kön 12, 16; 1 Chr 10, 14; 12, 19; 29, 26; 2 Chr 10, 16; Sir 45, 25; Apg 13, 22.
König von Juda und Israel (1010–970).

a) Geschichte Davids: 1 Sam 16—31; 2 Sam; 1 Kön 1—2; vgl. 1 Chr 11—29. Abgesehen von der eng zusammenhängenden Darstellung 2 Sam 9 – 20; 1 Kön 1 – 2, hat die Geschichte Davids den Charakter einer Textkomposition aus verschiedenen, z. T. dublettenhaften Überlieferungen. Noch bevor David als der achte Sohn des Betlehemiters Isai namentlich genannt wird, von Samuel „gesalbt inmitten seiner Brüder" (1 Sam 16, 1–13), stellen ihn die Texte schon als jenen dar, den Gott sich auserwählt hat, um ihm das Königtum Sauls, des Verworfenen, zu übertragen (1 Sam 13, 14; 15, 28; vgl. 28, 17; 2 Sam 3, 10; 1 Chr 10, 14).
Der junge David, Harfenspieler nach 1 Sam 16, 14–23, Schafhirt nach 1 Sam 17, 12.15.20.28, kommt an den Hof Sauls, dessen Nachfolger er werden soll. Sein Sieg über den Riesen Goliat, Symbol seiner lebenslangen Feindschaft mit den Philistern (1 Sam 17, 1–53; vgl. 19, 8; 23, 1.28; 28, 1; 2 Sam 5, 17–25; Sir 47, 7) – bei denen er jedoch zeitweilig Zuflucht findet (1 Sam 21, 11–16; 27 ff) –, weckt die bösartige Eifersucht Sauls, der ihn mehrmals zu töten versucht (1 Sam 18, 10–16; 19, 9–17; 23, 14–28). Schwiegersohn des Königs geworden, der ihm seine jüngste Tochter Michal gegeben hat (1 Sam 18, 17–30), und beschützt durch die Freundschaft des Saulssohnes Jonatan (1 Sam 18, 2–3; 19, 1–7; 20, 17.23; 23, 16–18), muß David gleichwohl vom Hof fliehen (1 Sam 20), wird Bandenführer, räuberisch und grausam (1 Sam 27, 10 f; 30, 16 f), von Saul verfolgt, dem er mehrfach entgeht und den er selber schont (1 Sam 22–26, 25; vgl. Ps 63, 1).
Nach dem Tod Sauls (vgl. 2 Sam 1) wird David in Hebron zunächst zum König von Juda gesalbt (2 Sam 2, 1–4.11), dann dank des Bündnisses mit Abner, dem Feldherrn Sauls, zum König von Israel (2 Sam 5, 1–3 // 1 Chr 11, 1–3). Er nimmt Jerusalem ein, macht es zu seiner Hauptstadt (2 Sam 5, 6–10 // 1 Chr 11, 4–9) und läßt dorthin die Lade Gottes überführen (2 Sam 6, 1–23 // 1 Chr 13; vgl. Ps 132, 6–10.13–14). Als er einen Jahwetempel errichten will, kündigt ihm der Prophet Natan feierlich an, Gott werde ihm ein „Haus" bauen, das ewigen Bestand haben solle (2 Sam 7 // 1 Chr 17). David führt siegreiche Kriege gegen die Philister, Moabiter, Aramäer, Edomiter (2 Sam 8) und Ammoniter (2 Sam 11 // 1 Chr 20, 1), so daß es vorübergehend zur Bildung eines Großreichs kommt. Er begeht ein doppeltes Verbrechen: den Ehebruch mit Batseba und die Ermordung des Urija (2 Sam 11). Das Ende seiner Regierungszeit wird überschattet von den Aufständen seines Sohnes Abschalom (2 Sam 15—18) und des Benjaminiters Scheba (2 Sam 20) sowie von den Intrigen, die sich um seine Nachfolge ranken (1 Kön 1). David bestimmt Salomo zu seinem Thronerben (1 Kön 1, 28–33; vgl. 1 Chr 23, 1), er stirbt und wird in der Davidsstadt begraben (1 Kön 2, 10).

b) Das Königtum und die Dynastie Davids

David war 30 Jahre alt, als er König wurde, und er regierte 40 Jahre als König. In Hebron regierte er 7 Jahre und sechs Monate über Juda, und in Jerusalem regierte er 33 Jahre über ganz Israel und Juda (2 Sam 5, 4–5 // 2, 11 // 1 Chr 3, 4; vgl. 29, 26–27). Als zweiter König über Israel hat David dem Königtum eine endgültige Prägung gegeben, so daß der Thron Israels (1 Kön 2, 4; 8, 25; 9, 5; Sir 47, 11; Jer 33, 17) zum „Thron Davids" (25) geworden ist (2 Sam 7, 16; 1 Kön 2, 45; 1 Makk 2, 57; Ps 132, 11–12; Jes 9, 6). Der grundlegende Text ist die schon angeführte Natanverheißung vom Bau eines „Hauses" (33) und von dem immerwährenden Bestand des königlichen Throns (2 Sam 7, 11–16 // 1 Chr 17, 11–14). Gott schließt mit David und seinen Söhnen, die das Königtum Jahwes über Israel ausüben (1 Chr 28, 5; 29, 23; 2 Chr 13, 5.8; vgl. 21, 7; 23, 3), einen unverbrüchlichen Bund, daß die königliche Erbfolge vom Vater auf einen einzigen seiner Söhne übergeht (Sir 45, 25). Das königliche Haus Juda ist gleichbedeutend mit dem „Haus Davids" (Jer 21, 11–12; vgl. Jes 7, 2.13), und in Jerusalem, wo „die Throne des Hauses David" stehen (Ps 122, 5), halten die Könige, die „auf dem Thron Davids sitzen", ihren Einzug (Jer 17, 25; 22, 2–4). Der Fall des Königreichs Juda läßt den Blick in die Zukunft schweifen: „Seht, es kommen Tage ... da werde ich David einen gerechten Sproß erwecken" (Jer 23, 5 // 33, 15). Israel und Juda werden Jahwe, ihrem Gott, und „David, ihrem König, den ich ihnen erstehen lasse", dienen (Jer 30, 9; vgl. Hos 3, 5). Und der Ausdruck „mein Knecht David" (Ez 34, 23–24; 37, 24–25; Jer 33, 21; Ps 144, 10) wird zum messianischen Titel. Die davidische Dynastie findet in Jesus, dem *„Sohn Davids"* (14), ihren Abschluß (Mt 1, 1; 9, 27; 12, 23; 15, 22; 20, 30–31; 21, 9.15; 22, 42–45; Mk 10, 47–48; 12, 35–37; Lk 18, 38–39; 20, 41–44; vgl. Lk 1, 32; 3, 31). Er ist der „Nachkomme Davids" (Röm 1, 3; vgl. Lk 2, 4), der „Sproß aus der Wurzel Isais" (Röm 15, 12; vgl. Offb 5, 5), der „Heilige, Wahrhaftige, der den Schlüssel Davids hat" (Offb 3, 7; vgl. Jes 22, 22).

c) Die Gestalt Davids

Ein schöner Mann (1 Sam 16, 12.18), ein tapferer Krieger (1 Sam 16, 18; 2 Sam 17, 8; 1 Chr 22, 8; 28, 3; Ps 89, 20), beliebt bei den Menschen (1 Sam 18, 5.16.22.28), seinem König treu (1 Sam 22, 14), den er achtet, weil Jahwe ihn gesalbt hat (1 Sam 24, 7; 26, 9), treu auch gegenüber seinen Freunden (2 Sam 9, 7; vgl. 1, 26), gütig wie Gott (2 Sam 9, 3; vgl. 1 Sam 20, 14), einem Engel Gottes ähnlich (1 Sam 29, 9; 2 Sam 14, 17; 19, 28), voll Demut (1 Sam 18, 23; 2 Sam 7, 18; 12, 13; 24, 17) und Barmherzigkeit (1 Sam 24, 10–12, 17–20; vgl. 26). Vor allem aber ist David der Mann Gottes (2 Chr 8, 14; Neh 12, 24.36), des Gottes, der mit ihm ist (1 Sam 16, 18; 17, 37; 18, 12.14.28; 20, 13; 2 Sam 5, 10) und der „der Gott Davids" ist (2 Kön 20, 5 // Jes 38, 5; 2 Chr 21, 12). Er ist der „Knecht Gottes" (Ps 36, 1; Apg 4, 25; 13, 36; vgl. 2 Sam 3, 18; 1 Kön 3, 6; Ps 89, 4.21; Jer 33, 21 u. ö.), ein Mann „nach dem Herzen Gottes" (1 Sam 13, 14; Apg 13, 22), den Gott sich erwählt hat (1 Sam 16, 1–12; 1 Kön 8, 16 // 2 Chr 6, 6; Sir 47, 22), der vor Gott wandelt in Treue, Gerechtigkeit, Gradheit des Herzens (1 Kön 3, 6), in Gesetzestreue (1 Makk 2, 57) und in der Liebe zu Gott (Sir 47, 8.22). Er ist das ideale Urbild des Königs (vgl. Ps 101), dessen Verhalten als Maßstab dient, um seine Nachfolger zu beurteilen, und das heißt vor allem zu verurteilen (1 Kön 3, 3.14; 9, 4; 11, 4.6.33.38; 14, 8; 15, 3.5.11; 2 Kön 14, 3; 16, 2; 18, 3; 22, 2; 2 Chr 7, 17; 11, 17; 17, 3; Sir 49, 4). Die David und seiner Dynastie gegebenen Verheißungen (2 Sam 7, 5–16) verpflichten Jahwe für immer (2 Sam 3, 9; 1 Kön 6, 12; 8, 15.24–26; 9, 5; 2 Kön 8, 19; 21, 7; 2 Chr 1, 9; 21, 7; Ps 89, 4.29.36.50; 132, 11; Sir 47, 22; Jes 55, 3; vgl. 2 Chr 6, 42), so daß sich Jahwe „wegen seines Knechtes David", gebunden fühlt (1 Kön 11, 13.32.34; 15, 4; 2 Kön 8, 19 // 2 Chr 21, 7; 2 Kön 19, 34 // Jes 37, 35; 2 Kön 20, 6; Ps 132, 10; vgl. Sir 47, 12), trotz der Schatten und menschlichen Schwächen, die über dem Königtum liegen.

David, der „als Hirt" für Israel „mit lauterem Herzen sorgte" und es „mit klugen Händen führte" (Ps 78, 72), ist auch der Sänger der Lieder Israels (2 Sam 23, 1; vgl. 22, 1 // Ps 18, 1), der Harfenspieler (1 Sam 16, 16–23; 18, 10; 19, 9), der vor der Lade Gottes tanzt (2 Sam 6, 5.14–16.21). Nach dem Chronisten hat er den Plan zum Tempel entworfen (1 Chr 22.28), den Bau vorbereitet (1 Chr 29), den Gesang, die Musik und den Kult im Tempel geordnet (1 Chr 6, 16; 15, 16; 16, 4–8.37; 25, 1; 2 Chr 7, 6; 23, 18; 29, 25–30; Neh 12, 2–4). Die Musikinstrumente Davids werden auch Am 6, 5 erwähnt. Der Psalter spricht David 74 Psalmen zu: 3–9; 11–32; 34–41; 51–65; 68–70; 86; 101; 103; 108–110; 122; 124; 131; 133; 138–145; vgl. 2 Makk 2, 13; Sir 47, 8–10; Mt 22, 42–45; Apg 1, 16.20; 2, 25.34; 4, 25; Röm 4, 6; 11, 9; Hebr 4, 7.

d) David als Vorbild Christi

David, der *König* Israels (2 Sam 6, 20; 2 Chr 8, 11; 29, 27; 35, 4; Esr 3, 10), der *Hirt* Israels (2 Sam 5, 2; 7, 8; Ps 78, 70–72), durch den Geist Gottes inspirierter *Prophet* (1 Sam 16, 13; 2 Sam 23, 2; Mt 22, 43; Apg 1, 16; vgl. Jes 11, 2; 2 Sam 14, 17) und *Priester* (2 Sam 6, 13–14.17), ist eines der signifikativsten Vorbilder Christi. Geboren wie David in Betlehem (Lk 2, 11; Joh 7, 42), Sproß aus der Wurzel Isais (Röm 15, 12; vgl. Jes 11, 1), dem Gott den Thron seines Vaters David geben werde (Lk 1, 32), ist Jesus der wahre König Israels (Mt 27, 42 // Mk 15, 32; Joh 1, 49; 12, 13; vgl. Apg 1, 6), der wahre Hirt Israels (Mt 2, 6; vgl. Mich 5, 3; Ez 34, 23–24). Er ist Prophet (Mt 21, 11; Lk 7, 16), ausgestattet mit dem Geist Gottes (Mt 3, 16; Lk 4, 18; vgl. Jes 11, 2). Zum Priester ist er eingesetzt

durch einen ebenso unverbrüchlichen Schwur (Ps 110, 4; Hebr 5, 6) wie jener, der das Herrscherhaus David und das Zionheiligtum schützt (Ps 132, 11–14). David und Jesus verbindet die gleiche Liebe zum Hause Gottes (1 Chr 29, 3; Ps 26, 8; 69, 10; Joh 2, 17; vgl. Lk 2, 49). Der Anblick Davids, der unter ständigem Weinen und mit verhülltem Haupt den Ölberg hinansteigt (2 Sam 15, 30), der auf seinem Weg die Beschimpfungen Schimis erdulden muß (2 Sam 16, 5–14), läßt an das Ölbergsleiden Jesu (Lk 22, 39–44) denken und an die Schmähungen des Kreuzwegs. David ist aber nur die „Leuchte Israels" (2 Sam 21, 17), Jesus ist das „Licht der Welt" (Joh 8, 12).
Seine Frauen → ABIGAJIL; AHINOAM 2°; BATSEBA; MICHAL.
Seine Söhne → ABSCHALOM 1°; ADONIJA 1°; AMNON 1°; SALOMO 1°; JERIMOT 4°.
Andere Söhne → Liste S. 380
Seine Helden → Liste S. 378
Davidsstadt → JERUSALEM a).
Stadt Davids → BETLEHEM 1°.
Turm Davids (unbekannt), Hld 4, 4.

DEBIR, „Der dahinter ist" (vgl. Daberat?)
1° **Debir** (1), **König von Eglon** (4), Amoriter, verbündet mit → ADONI-ZEDEK.
2° **Debir** (11), alte kanaanäische Stadt, eingenommen vom Clan Kaleb (Ri 1, 11–13 // Jos 15, 15–17) oder von Josua (Jos 10, 38–39; vgl. 11, 21; 12, 13). In der Liste der Städte des Gebirges Juda (Jos 15, 49), zugeteilt den Leviten Kehats (Jos 21, 15 // 1 Chr 6, 43).
= **Kirjat-Sefer** (5), alter Name von Debir (Ri 1, 11–12 // Jos 15, 15–16; 15, 49 LXX). 13 km südlich von Hebron.
3° **Debir** (1), an der Grenze Judas (Jos 15, 7), im NW des Toten Meers. Lage unbekannt.

DEBORA, gr. *Debbora,* „Biene"
1° **Debora, Amme Rebekkas** (1), begraben unterhalb von Bet-El, unter der Träneneiche (Gen 35, 8).
2° **Debora** (8), **Frau des Lappidot** (1), Prophetin und Richterin, übt ihre Funktionen aus unter der „Debora-Palme", zwischen Rama und Bet-El (Ri 4, 4–5). Dem Aufruf Deboras folgend und von ihr begeistert, greift Barak das Heer Siseras an und vernichtet es bei Taanach (4, 6–27).
Das „Deboralied" (Ri 5) gehört zu den ältesten Texten der Bibel, es stellt die Geschichte in poetischer Form dar und nennt Debora „Mutter in Israel" (V. 7).
Andere Prophetinnen → MIRJAM 1°.
3° **Debora, Mutter des Hananel** (1), Ahnfrau des Tobit und Tobias (Tob 1, 8).

DEDAN (11), Stamm in Nordarabien, an den Grenzen zu Edom (Jer 49, 8; Ez 25, 13). Vielleicht auch Name einer edomitischen Stadt?
Von Dedan gibt es (zusammen mit Scheba) zwei Stammbäume: Der eine führt ihn über Kusch auf Ham zurück (Gen 10, 7 // 1 Chr 1, 9), der andere macht ihn zum Enkel Abrahams und seiner Nebenfrau Ketura (Gen 25, 3 // 1 Chr 1, 32).
Ein Volk von Karawanenreisenden (Jes 21, 13; Jer 25, 23 // *Tema;* Ez 38, 13 // *Scheba*), das unter anderen auch mit Tyrus Handel treibt (Ez 27, 15.20).

DEDANITER (1), Jes 21, 13 → DEDAN.

DEGUËL → REGUËL.

DEHAJE (1), Esr 4, 9. Kein Eigenname, vermutlich aram. *di-hu* „das sind".

DEKAPOLIS (3), „Die Zehn Städte" (vgl. Amphipolis). Eine zwischen 63 v. Chr. und 106 n. Chr. entstandene Konföderation von zehn Städten, die zur römischen Provinz Syrien gehörten: westlich des Jordan Skythopolis (= Bet-Schean), östlich des Jordan von Süden nach Norden Philadelphia (heute *Amman*), Gerasa, [Pella], Gadara, Abila, [Hippos, Dion, Kanata] – die vier zuletzt genannten östlich des Sees Gennesaret – und Damaskus.
Jesus begegnet einem Besessenen in Gerasa oder Gadara (Lk 8, 26–39 // Mt 8, 28–34 // Mk 5, 1–20). Andere Beziehungen zu Jesus (Mt 4, 25; Mk 7, 31).

DEKER (Sohn des) oder **Ben-Deker** (1), (vgl. Bidkar), Statthalter des 2. Distrikts Salomos (1 Kön 4, 9).

DELAJA, „Jahwe hat (aus der Gefahr) gezogen".
1° **Delaja** (2) **Sohn des Schemaja** (1), einer der Minister des Königs Jojakim, die – von der Verlesung der Jeremia-Reden ergriffen – beim König erfolglos gegen die Verbrennung des Buches Einspruch erheben (Jer 36, 12.25).
2° **Delaja** (2), Familienhaupt, dessen Söhne bei der Heimkehr aus dem Exil ihre echte israelitische Abstammung nicht nachweisen können (Esr 2, 60 // Neh 7, 62).
3° **Delaja** (1), Vater des → SCHEMAJA 22°.
4° **Delaja** (1), einer der sieben Söhne des Eliënai, Nachkomme des Königs Jojachin (1 Chr 3, 24).
5° **Delaja** (1), Vorsteher der 23. Priesterklasse (1 Chr 24, 18).

DELILA (6), altarab. „kokette Frau", aus dem Tal Sorek; durch List erfährt sie das Geheimnis der Stärke Simsons und liefert ihn den Philistern aus (Ri 16, 4–20).

DELOS (1), Insel des Ägäischen Meers, an die der Brief des Konsuls Luzius mit der Bekanntgabe des Bündnisses zwischen Juden und Römern gerichtet ist (1 Makk 15, 23). Ausgrabungen haben eine Synagoge zutage gefördert.

DEMAS (3), Abk. von *Demetrius?,* neben Lukas als Mitarbeiter des Paulus genannt (Kol 4, 14; Phlm 24), soll ihn „aus Liebe zu dieser Welt" verlassen haben (2 Tim 4, 10).

[DEMETER] → DEMETRIUS.

DEMETRIUS, „von der Demeter [der griechischen Göttin des Ackerbaus] abstammend". 1°–2° → SELEUKIDEN.
1° **Demetrius I. [Soter]** (20) **Sohn des Seleukus IV.** (2): 1 Makk 7, 1; 2 Makk 14, 1. König von Syrien (161–150).
In Rom als Geisel gehalten, gelingt es ihm zu entfliehen; er läßt den jungen Antiochus V. ermorden und wird an seiner Stelle König. Um den jüdischen Aufstand zu unterdrücken, schickt er zweimal Bakchides und Alkimus nach Judäa, ebenso den Nikanor (1 Makk 7, 1–26 // 2 Makk 14, 1–13; 1 Makk 9, 1ff; vgl. 2 Makk 14, 26f). Demetrius wird jedoch von den mit den Juden verbündeten Römern gewarnt (1 Makk 8,31–32). Im Thronstreit zwischen Demetrius und Alexander Balas schlägt sich Jonatan zur Partei Alexanders, obwohl Demetrius ihm verlockende Angebote gemacht hatte (1 Makk 10, 1–47). Als es zwischen beiden zur Schlacht kommt, stirbt Demetrius (10, 48–50.52).
Vater des → ANTIOCHUS 6°; DEMETRIUS 2°.
2° **Demetrius II. [Nikator]** (26) **Sohn des Demetrius** (1), König von Syrien (145–138 und 129–125).
Von Kreta gekommen, ernennt er Apollonius zum General; der aber wird von Jonatan geschlagen (1 Makk 10, 67–89). Die Ansprüche des Demetrius auf den Thron werden von Ptolemäus VI. unterstützt, indem er seine Tochter dem Alexander Balas wegnimmt und ihm zur Frau gibt. Alexander wird besiegt, getötet, und Demetrius wird König (1 Makk 11, 9–19). Zunächst kommt es zwischen Demetrius und den Juden zu friedlichen Vereinbarungen (1 Makk 11, 20–52), dann überwirft sich der König mit Jonatan; der verbündet sich mit dem jungen Antiochus VI. und bekämpft Demetrius (11, 53–74; 12, 24–34). Nach dem Tod Jonatans wendet Demetrius seine Gunst Simon Makkabäus zu (13, 34–42; 14, 38ff). Demetrius wird auch als Adressat des Briefes genannt, in dem der Konsul Luzius das Bündnis zwischen Juden und Römern bekanntgibt (15, 22). Unter seiner Regierung schreiben die Juden Jerusalems an die Juden in Ägypten einen Brief (2 Makk 1, 7). Schließlich ist Demetrius Gefangener des Partherkönigs Mitredat I. Arsakes gewesen (1 Makk 14, 1–3).
3° **Demetrius** (2), Silberschmied in Ephesus, stellt kleine Artemistempel her. Die erfolgreiche Predigt des Paulus beeinträchtigt sein Geschäft, er organisiert eine Protestkundgebung im Theater von Ephesus. Der Stadtschreiber beruhigt schließlich die Menge mit dem Hinweis, daß es legale Mittel gebe, um sich Gehör zu verschaffen (Apg 19, 24–38).
4° **Demetrius** (1), angesehenes Mitglied der Gemeinde, in der Diotrephes den Ton angibt, oder ein Missionar aus dem Kreis des „Ältesten" (3 Joh 12).

DEMOPHON (1), (vgl. Nikodemus), einer der fünf syrischen Feldherrn, die den Juden keine Ruhe lassen (2 Makk 12, 2).

DERA → Darda.

DERBE (4), Stadt Lykaoniens in Kleinasien, zwischen Ikonion und Tarsus. Paulus besucht sie mit Barnabas auf seiner ersten Missionsreise (Apg 14, 6.20) und mit Silas auf seiner zweiten Reise (16, 1).
Heimat des → Gaius 2°.

DESSAU (1) → Hadascha.

DËUËL → Reguël.

DIASPORA (2), „Zerstreuung" (vgl. 2 Makk 1, 27; Neh 1, 8; Ps 147, 2), Gesamtheit der Israeliten und dann der Juden, die außerhalb Palästinas leben. Gründe: die Vertreibungen durch die Assyrer (nach dem Fall Samarias 722/721) und die Babylonier (nach dem Fall Jerusalems 587), aus denen viele Juden nicht zurückkehrten; außerdem wirtschaftliche, berufliche und sonstige Gründe. Hauptzentren: Alexandria (Ägypten), Antiochia (Syrien), Babylon (Mesopotamien), Rom. Zahl der Diasporajuden zu Beginn der christlichen Zeitrechnung: vielleicht 7 Millionen gegenüber mindestens 1 Million palästinensischer Juden.
Zur geographischen Ausdehnung der Diaspora vgl. Jes 11, 11; 1 Makk 15, 22f; Apg 2, 9–11; Joh 7, 35.
In Jak 1, 1 ist wohl symbolisch die ganze Christenheit gemeint, die als Zwölfstämmevolk in der Zerstreuung dieser Welt lebt (vgl. 1 Petr 1, 1).

DIBLA (1) Ez 6, 14 → Ribla

DIBLAJIM (1), „Zwei Feigenkuchen", Hos 1, 3. Vater der → Gomer 2°.

DIBON
1° **Dibon** (8), von den Amoritern zerstörte moabitische Stadt (Num 21, 30), von den Gaditern wiederaufgebaut (Num 32, 34), den Rubenitern zugeteilt (Num 32, 3; Jos 13, 9.17), gehört später den Moabitern (Jes 15, 2; Jer 48, 18.22).
= **Dibon-Gad** (2), Etappe des Exodus (Num 33, 45–46).
= **Dimon** (2), Stadt in Moab (Jes 15, 9). Etwa 20 km östlich des Toten Meers und 5 km nördlich des Arnon. Heute *Tell Diban,* wo 1868 die Stele des Moabiterkönigs → Mescha 4° gefunden wurde.
2° **Dibon** (1), Stadt von Judäern nach dem Exil bewohnt (Neh 11, 25).
= **Dimon** (1), Stadt im Negeb von Juda (Jos 15, 22); Korr. des hebr. *Dimona.*

DIBRI (1), Daniter, Vater der → Schelomit 1°.

DIDYMUS (3), gr. *Didymos,* „Zwilling" (Joh 11, 16; 20, 24; 21, 2) → Thomas.

DIFAT → Rifat.

DIKLA (2), vgl. aram. „Dattelpalme", einer der dreizehn Söhne Joktans, eines südarabischen Stammes oder Gebietes, nicht identifiziert (Gen 10, 27 // 1 Chr 1, 21).

DILAN (1), hebr. Wurzel *dl',* „herausragend sein", Stadt in der Schefela (Jos 15, 38).

DIMNA (1), Jos 21, 35 → Rimmon 2°.

DIMON → Dibon 1°.

DIMONA → Dibon 2°.

DINA (8), „Prozeß" (vgl. Dan), **Tochter Jakobs** (3), (Gen 34, 3.7.19) und der Lea (Gen 30, 21; 34, 1; 46, 15), von Sichem geschändet und dann von ihm zur Frau verlangt; sie wird von ihren Brüdern Simeon und Levi blutig gerächt (Gen 34; vgl. 49, 5–7; Jdt 9, 2–4).

DINHABA (2), Stadt des Edomiterkönigs Bela (Gen 36, 32 // 1 Chr 1, 43).

DIONYSIUS der Areopagit (1), nach der Rede des Paulus in Athen zum Glauben bekehrt (Apg 17, 34).

DIONYSOS (2), griechischer Gott des Weins und der ekstatischen Raserei, auch *Bacchus* genannt, besonders gefeiert bei den *Dionysien* (Festen des Dionysos). Unter Antiochus Epiphanes mußten die Juden mit Efeu bekränzt an der Dionysosprozession teilnehmen (2 Makk 6, 7). Nikanor droht, an der Stelle des Jerusalemer Tempels dem Dionysos ein prächtiges Heiligtum zu errichten, wenn ihm Judas nicht ausgeliefert würde (14, 33).

DIOSKORUS (2), wahrscheinlich Name des Schaltmonats (2 Makk 11, 21.38). Möglich auch Xanthikus (Februar/März).

DIOSKUREN (1), „Söhne des Zeus" (vgl. Zeus), Kastor und Pollux, Schutzpatrone der Seeleute. Paulus besteigt in Malta ein alexandrinisches Schiff mit dem Dioskurenzeichen (Apg 28, 11).

DIOTREPHES (1), „Säugling des Zeus" (vgl. Zeus), Leiter einer christlichen Gemeinde, der den vom „Ältesten" entsandten Missionaren die Aufnahme verweigert (3 Joh 9–10).

DI-SAHAB (1), „Der Gold hat" (vgl. Me-Sahab), Ort im Ostjordanland (Dtn 1, 1). Lage unbekannt.

DISCHAN (5), (vgl. Dischon), letzter der sieben Söhne des Horiters Seir (Gen 36, 21 // 1 Chr 1, 38) und Führer der Horiter (Gen 36, 30). Er hat zwei Söhne: Uz und Aran (Gen 36, 28 // 1 Chr 1, 42: hebr. *Dischon*). In Gen 36, 26 ist statt *Dischan Dischon* zu lesen.

DISCHON, „Gazelle", „Steinbock"?
1° **Dischon** (5), fünfter der Söhne des Horiters Seïr (Gen 36, 21 // 1 Chr 1, 38) und Führer der Horiter (Gen 36, 30). Er hat vier Söhne (Gen 36, 26 // 1 Chr 1, 41).
2° **Dischon** (2), Sohn des Ana, des vierten Sohns Seïrs (Gen 36, 25 // 1 Chr 1, 41).

DODAI (1), (vgl. David), **der Ahoachiter** (1) → ELEASAR 3°.

DODANIM → RODANITER

DODAWA (1), „Vielgeliebter Jahwes" (vgl. David), Vater des → ELIËSER 6°

DODO „Sein Vielgeliebter" (vgl. David).
1° **Dodo** (1), Issachariter, Ahnherr des → TOLA 2°.
2° **Dodo** (2), Vater des → ELHANAN 2°.
3° **Dodo** (2), Vater des → ELEASAR 3°.

DOËG (6), **der Edomiter** (5), der Anführer der Hirten Sauls (1 Sam 21, 8) oder der beste unter seinen Läufern (22, 17). Er berichtet Saul, daß der Priester Ahimelech von Nob Jahwe um Rat für David gefragt und diesem Lebensmittel sowie das Schwert Goliats gegeben habe (22, 9–10; vgl. Ps 52, 2). Auf Befehl Sauls stößt er dann 85 Priester von Nob und die Bewohner des Orts nieder. Nur Abjatar entgeht dem Massaker (22, 18–22).

DOFKA (2), nach der hebr. Wurzel *dphq,* „schlagen", Station des Exodus nach der Wüste Sin (Num 33, 12–13).

DOK (1), „Beobachtungsposten"?, kleine Festung, in der Ptolemäus, Sohn des Abub, im Jahr 134 den Makkabäer Simon ermordet (1 Makk 16, 15). Lag wahrscheinlich auf einem Berggipfel im NW von Jericho.

DOR (7), (vgl. En-Dor), Stadt an der Mittelmeerküste, südlich des Karmel, von den Kanaanitern bewohnt (Jos 11, 2). Der König von Dor wird von den Israeliten geschlagen (12, 23), die Stadt mit dem Umland an Manasse und Ascher verteilt (Jos 17, 11: Korr. des hebr. *En-Dor;* 1 Chr 7, 29). In Wirklichkeit bleibt Dor noch lange in der Hand der Kanaaniter (Ri 1, 27). Unter Salomo gehört der „Höhenrücken von Dor" zum 4. Distrikt, an dessen Spitze der Schwiegersohn des Königs steht (1 Kön 4, 11).
= **Dora** (3), dort hat Antiochus VII. den Tryphon eingeschlossen (1 Makk 15, 11–14.25).

DORKAS → TABITA

DORYMENES (2), Vater des → PTOLEMÄUS 9°.

DOSITHEUS, „Geschenk Gottes" (vgl. Artemas; Heliodor; Theodotus; Zenas; siehe auch Natan).
1° **Dositheus** (1), bringt zusammen mit seinem Sohn **Ptolemäus** die griechische Übersetzung des Esterbuches den jüdischen Gemeinden Ägyptens (Est 10, 31).
2° **Dositheus** (3), Tubianer, d. h. aus dem von der Familie des Tobija verwalteten Gebiet (2 Makk 12, 35), Feldherr des Judas Makkabäus (12, 19), nimmt Timotheus gefangen (12, 24), wird aber in Idumäa verwundet, als er sich des Gorgias bemächtigen will (12, 35).

DOTAN (3), Ortschaft 25 km nördlich von Sichem. Dort soll Josef von seinen Brüdern verkauft worden sein (Gen 37, 17–28), und dort soll Elischa eine ganze Abteilung aramäischer Soldaten gefangengenommen haben (2 Kön 6, 13–19).
= **Dotaia** (1), in dessen Nähe Holofernes mit seiner Armee lagert (Jdt 3, 9).
= **Dotaim** (4), nicht weit von Betulia (Jdt 4, 6; 7, 3.18; 8, 3).

DRACHE → LEVIATAN.

DRACHENQUELLE (1), Quelle oder Brunnen in Jerusalem (Neh 2, 13), zwischen dem Taltor und dem Aschentor.

DRUSILLA (1), Jüdin, jüngste Tochter Herodes Agrippas I., Schwester Agrippas II. und der Berenike. Sie verläßt ihren ersten Mann, den König Azizus von Emesa (Syrien), um den römischen Prokurator von Judäa Felix zu heiraten. Vor ihr und Felix soll Paulus über „Gerechtigkeit, Enthaltsamkeit und das bevorstehende Gericht" gesprochen haben (Apg 24, 24–25).

DUMA „Schweigen"?
1° **Duma** (3), einer der zwölf Söhne Ismaels (Gen 25, 14 // 1 Chr 1, 30), nordarab. Stamm, vermutlich in der Nachbarschaft Edoms (Jes 21, 11). Heute Oase in Saudi-Arabien, 450 km östlich von Akaba.
2° **Duma** (1), Stadt im Gebirge Juda (Jos 15, 52). Etwa 15 km SW von Hebron. Heute *ed Doma.*

DURA (1), akk. *Duru,* „Mauer", „Burg", Ebene in Babylon (Dan 3, 1). Geographisch nicht zu identifizieren.

DYSTROS (1), Monatsname (Tob 2, 12). Wahrscheinlich Januar/Februar.

E

EBAL
1° **Ebal** (5) → GARIZIM.
2° **Ebal** (2), dritter der fünf Söhne Schobals, des Sohnes Seïrs (Gen 36, 23 // 1 Chr 1, 40).
3° **Ebal** (1) → OBAL.

EBED, „Knecht“ (vgl. Abda; Abdeel; Abdiël; Abdon; Abed-Nego; Ebed-Melech; Obadja; Obed; Obed-Edom).
1° **Ebed** (5), Ri 9, 26, 28.30–31.35 (Korr. in *Obed* unwahrscheinlich), Vater des → GAAL.
2° **Ebed Sohn Jonatans** (1), Familienhaupt der Söhne Adins, mit Esra heimgekehrt (Esr 8, 6).

EBED-MELECH (6), „Knecht des Königs“ oder „Knecht des (Gottes) Melech“ (vgl. Ebed; Melech), **der Kuschiter** (4), Eunuch am Hof des Königs Zidkija. Nach Intervention beim König zieht er Jeremia aus der Zisterne, in die man ihn geworfen hatte, heraus (Jer 38, 7–13). Zum Dank dafür sagt ihm der Prophet voraus, daß er in der bevorstehenden Katastrophe mit dem Leben davonkommen werde (39, 16–18).

EBEN-BOHAN → BOHAN.

EBENEN
1° **Jordanebene** (15) → JORDAN 2°.
2° **Die große Ebene** (2), gr. *to pedion to mega,* zwischen Bet-Schean und dem Jordan. Der Makkabäer Judas und sein Bruder Jonatan durchqueren sie (1 Makk 5, 52; 12, 49).
3° **Die Ebene,** manchmal Übersetzung für die → ARABA.
4° **Ebene Aram,** hebr. *Paddan-Aram* → MESOPOTAMIEN.
5° **Ebene** → SCHARON 1°.
6° **Ebene** → JESREEL 2° b).

EBEN-ESER (3), „Stein der Hilfe“ (vgl. Eser; Schlangenstein), Ort, an dem Israeliten und Philister zur Zeit Samuels mehrmals zusammenstießen: Niederlagen Israels (1 Sam 4, 1; 5, 1: Eroberung der Bundeslade); Niederlage der Philister (7, 11–12: Samuel richtet zum Andenken an den Sieg den Stein „Eben-Eser“ auf). Die Lage des Orts in 1 Sam 7 (// *Mizpa*) scheint von der in 1 Sam 4 und 5 (// *Afek*) verschieden zu sein.

EBER, hebr. *Heber* (vgl. Hebräer).
1° **Eber** (12), Enkel des Arphaxad und Vater des Peleg und Joktan (Gen 10, 24–25 J // 1 Chr 1, 18–19); Urenkel Sems und Vater des Peleg (Gen 11, 14–17 P // 1 Chr 1, 25 // Lk 3, 35). Schließlich kommen die beiden Stammbäume doch zusammen, da Gen 10, 21 (J) Sem als Ahnherrn „aller Söhne Ebers“ bezeichnet, und zu ihnen muß man auch die *Hebräer* und damit Israel rechnen (vgl. Neh 24, 24).
2° **Eber** (1), Gaditer, Familienhaupt (1 Chr 5, 13).
3° **Eber** (1), Benjaminiter der Söhne Elpaals, beheimatet in der Gegend von Lod (Lydda), 1 Chr 8, 12.
4° **Eber** (1), Benjaminiter der Söhne Scheschaks, Familienhaupt in Jerusalem (1 Chr 8, 22).
5° **Eber** (1), Haupt der priesterlichen Familie Amok zur Zeit des Hohenpriesters Jojakim (Neh 12, 20).

EBEZ (1), (vgl. Ibzan), Stadt Issachars (Jos 19, 20).

EBJASAF → ABIASAF.

EBRON (1), Jos 19, 28 → ABDON 5°.

EDEMA → ADAMA 1°.

EDEN
1° **Eden** (15), akk. *Edinu,* sum. *Edin,* „Steppe", „Wüste", von Israel als „Lust", „Wonne" interpretiert. Als geographischer Name nicht zu lokalisieren (Gen 2, 8; 4, 16). Es gibt mehrere Formulierungen:
– *Eden* wird unterschieden vom *Garten* (hebr. *gan;* gr. *paradeisos):* ein Fluß entspringt in Eden, umspült den mit großen Bäumen bepflanzten Garten (Gen 2, 8.10; vgl. Offb 2, 7).
– *Garten Eden:* ihn soll der Mensch bebauen und bewachen (Gen 2, 15), doch verliert er ihn durch seine Schuld (3, 23–24); dem verwüsteten Land oder der Wüste gegenübergestellt (Ez 36, 35; Joel 2, 3; vgl. Sir 24, 30).
– *Eden* wird mit dem *Garten Jahwes* identifiziert, im Gegensatz zur Wüste oder Steppe ein Ort der Freude, der Danksagung und Musik (Jes 51, 3); identifiziert auch mit dem *Gottesgarten,* der wegen seiner Bäume berühmt (Ez 31, 9.16.18), von einer Mauer aus Edelsteinen umgeben ist (Ez 28, 13; vgl. Offb 21, 18–20). Liebe und Gottesfurcht werden mit einem „Paradies" des Segens verglichen (Sir 40, 17.27). Jesus verspricht dem „guten Schächer", noch heute mit ihm im „Paradies" zu sein (Lk 23, 43). Das Bild des Garten Eden hat schließlich Offb 22, 1–2 inspiriert (vgl. Ez 47, 1–12).
2° **Eden** (1), „Lust", „Lüstling" (vgl. Adin; Adina; Adna), **Sohn des Joach** (1), Levit des Clans Gerschon, nimmt an der Reinigung des Tempels bei der Reform des Hiskija teil (2 Chr 29, 12).
= **Jiddo** (1), Sohn des Joach (1 Chr 6, 6).
3° **Eden** (1), einer der sechs Leviten, die unter der Aufsicht des Jimnasohnes Kore für die Lebensmittelverteilung zuständig sind (2 Chr 31, 15).
4° **Eden** (3), akk. *Bit Adini* (vgl. Bet-Eden), Stadt am mittleren Eufrat, von den Assyrern erobert (2 Kön 19, 12 // Jes 37, 12), treibt Handel mit Tyrus (Ez 27, 23).

EDER, 1° – 3°: Parallelform von *Eser* (vgl. Adriel); 4° „Herde".
1° **Eder** (1), Benjaminiter der Söhne Berias, Familienhaupt in Jerusalem (1 Chr 8, 15).
2° **Eder** (2), Levit des Clans Merari, zweiter der drei Söhne des Muschi (1 Chr 23, 23; 24, 30).
3° **Eder** (1), Jos 15, 21 → ARAD 1°.
4° **Eder** → MIGDAL-EDER.

EDNA (7), (vgl. Adna; Adnach), Frau des Raguel, Mutter der Sara und Großmutter des Tobias (Tob 7, 2–3.8.13–16; 8, 4.11–12.18.21; 10, 12–13; 14, 13).

EDOM (100), gr. *Edom, Idumäa,* „Rothaarig" (vgl. Adama; Obed-Edom; Rufus).
Ein zwischen dem Toten Meer und dem Golf von Akaba wohnhaftes Volk, zunächst im Osten, dann im Westen des Salztales (vgl. Jos 15, 1.21; Ri 1, 36).
Nach Gen 25, 30; 36, 1.8–9.43 ist der eponyme Ahnherr Edoms Esau, der Zwillingsbruder Jakobs, des Ahnherrn Israels. Auch das Land Edom wird manchmal **Esau** genannt (Jer 49, 8.10; Obd 6), **das Gebirge Esau** (Obd 8–9.19.21), **das Haus Esau** (Obd 18), und die Edomiter heißen **die Söhne Esaus** (Dtn 2, 4.8.12.22.29; Jdt 7,8.18; 1 Makk 5, 3.65).
Edom/Esau läßt sich im Land Seïr nieder (Gen 32, 4; 33, 14.16; 36, 6–9; Dtn 2, 4f.8.29; Jos 24, 4), nachdem die Söhne Esaus die Horiter vertrieben haben (Dtn 2, 12.22). So erklärt es sich, daß Edom **Seïr** genannt wird (Jes 21, 11; Ez 25, 8; vgl. Num 24, 18; Ri 5, 4) oder **Bergland von Seïr** (Ez 35, 2–3.7.15), und die Edomiter sind **die Seïriter** (2 Chr 25, 11.14) oder **die Bewohner des Berglands Seïr** (2 Chr 20, 10.22–23; vgl. Sir 50, 26).
Es gibt zwei Listen der Fürsten oder Clans von Edom (Gen 36, 15–19 und 36, 40–43 // 1 Chr 1, 51–54), ebenso eine Liste der Edomiterkönige, die wahrscheinlich vor der Eroberung des Landes durch Israel herrschten (Gen 36, 31–39 // 1 Chr 1, 43–50).
Während des Exodus zieht Israel um Edom herum (Num 20, 14–21.23; 21, 4; 33, 37; Ri 11, 17–18; 2 Chr 20, 10; doch vgl. Dtn 2, 1–8.29). Zur Zeit der Richter versucht Edom, sich im Süden Judas

festzusetzen (Ri 3, 8–10: korr. *Aram* in *Edom*). Krieg zwischen Saul und Edom (1 Sam 14, 47). Eroberung Edoms durch David, der es zu einem Verwaltungsbezirk macht (2 Sam 8, 13–14; 1 Kön 11, 15–16; Ps 60, 2; vgl. 1 Chr 18, 11). Salomo heiratet Edomiterinnen (1 Kön 11, 1), benutzt den Hafen Ezjon-Geber am Roten Meer (1 Kön 9, 26). Dann erlangt Edom vielleicht eine gewisse Unabhängigkeit (1 Kön 11, 14.17–25), verliert sie aber wieder (22, 48). Eine Koalition der Moabiter, Ammoniter und Edomiter wird von Joschafat von Juda geschlagen (2 Chr 20, 2.10.22–23). Der König von Juda und sein Vasall, der König von Edom, unterstützen Joram von Israel in seinem Feldzug gegen Mescha von Moab (2 Kön 3, 8–9.12). Unter Joram befreit sich Edom von der Vormundschaft Judas (2 Kön 8, 20–22), wird aber von Amazja geschlagen (2 Kön 14, 7.10). Als Nutznießer des syro-efraimitischen Kriegs gegen Ahas holt sich Edom die Stadt Elat wieder (2 Kön 16, 6; vgl. 2 Chr 28, 17). Beim Fall Jerusalems (587) dringt Edom, vielleicht gedrängt von den Nabatäern, die einen Teil seines Landes besetzen, in Juda ein und plündert die Bevölkerung aus (Ps 137, 7; Klgl 4, 21–22; Ez 25, 12; 35, 5.12.15; 36, 5; Obd 10–16). Seitdem wird Edom, das Brudervolk Israels (Dtn 2, 4.8; 23, 8; Am 1, 11; Obd 10.12; Mal 1, 2), zum Erbfeind Jerusalems (vgl. Ps 83, 7; Dan 11, 41), auf den die Propheten das rächende Gericht Gottes herabrufen (Jes 34; 63, 1–6; Jer 49, 7–22; Ez 25, 12–14; 35; Joel 4, 19; Obd; Mal 1, 3–5). Am Tag seiner Wiederherstellung wird Israel wieder über Edom herrschen (Num 24, 18; Ps 60, 10–11; Jes 11, 14; Obd 19; Am 9, 12).
NB.: Wegen der im Hebr. leichten Verwechslung von *Edom* und *Aram* werden folgende Korr. vorgenommen: Ri 3, 8.10; 2 Sam 8, 13; 1 Kön 11, 25; 2 Kön 3, 26; 16, 6; 2 Chr 20, 2; Ez 27, 16.
→ ESAU; SEÏR 1°; TEMAN; UZ 4°.
Könige → BAAL-HANAN 1°; BELA 1°; HADAD 2°–4°; HUSCHAM; KUSCHAN-RISCHATAJIM; SAMLA; SAUL; JOBAB 2°.
Edomiter → DOËG.
Hauptstädte → BOZRA 1°; SELA.
= **Idumäa** (7), griechischer Name für Edom, das nach dem Fall Jerusalems (587) den Süden Palästinas bis Hebron besetzt hatte. Im Grenzgebiet von Idumäa und Judäa stößt Judas Makkabäus mit den seleukidischen Armeen zusammen (1 Makk 4, 15.29). Um sich vor den aus Idumäa vorgetragenen Angriffen, wie später dem des Antiochus V. (1 Makk 6, 31), zu schützen, befestigt Judas Bet-Zur (1 Makk 4, 61). Militärische Unternehmungen des Judas gegen Idumäa sind häufig (1 Makk 5, 3.65; 2 Makk 10, 15–23; 12, 32–37).
In der Menge, die sich um Jesus drängt, sind auch Idumäer (Mk 3, 8).
Feldherr Idumäas → GORGIAS.
Idumäer → HERODES 1°–5°.

EDOMITER (12), Dtn 23, 8; 1 Sam 21, 8; 22, 9.18.22; 1 Kön 11, 1.14.17; 2 Kön 16, 6; 2 Chr 25, 14; 28, 17; Ps 52, 2 → EDOM.

EDREÏ
1° **Edreï** (7), Königsstadt des Og in Baschan, von Israel erobert und von den Söhnen Machirs, den Söhnen Manasses, in Besitz genommen (Num 21, 33 // Dtn 3, 1; Dtn 1, 4; 3, 10; Jos 12, 4; 13, 12.31). Heute *Der^{c}a,* 106 km südlich von Damaskus.
2° **Edreï** (1), befestigte Stadt Naftalis (Jos 19, 37). Unbekannt.

EFA
1° **Efa** (3), arab. Stamm (Jes 60, 6), mit den Midianitern verwandt (Gen 25, 4 // 1 Chr 1, 33). Die Söhne Midians sind Söhne Keturas, der Nebenfrau Abrahams.
2° **Efa, Nebenfrau Kalebs** (1), 1 Chr 2, 46.
3° **Efa** (1), Kalebiter der Söhne Jahdais (1 Chr 2, 47).

EFAI (1), (1), (^{Q}*Ephai,* ^{K}*Ophai*), **der Netofatiter** (1), Jer 40, 8 // 2 Kön 25, 23. Seine Söhne befinden sich unter den Heerführern, die nach der Einnahme Jerusalems durch Nebukadnezzar Johanan, den Sohn Kareachs, umgeben (vgl. Jer 40, 13; 41, 11.13.16; 42, 8; 43, 4–5).

EFER, „Gazelle" (vgl. Efron).
1° **Efer** (2), midianitischer Clan (Gen 25, 4 // 1 Chr 1, 33).
2° **Efer** (1), einer der Söhne Esras, zu Kaleb gerechnet (1 Chr 4, 17).

3° **Efer** (1), Familienhaupt im östlichen Halbstamm Manasse (1 Chr 5, 24).

EFES-DAMMIM (1), Lager der Philister zwischen Socho und Aseka (1 Sam 17, 1).
= **Pas-Dammim** (1), wo Eleasar, ein Sohn Dodos, Held Davids, die Philister angreift (1 Chr 11, 13 // fehlt in 2 Sam 23, 9). Genaue Lage unsicher.

EFLAL (2), (vgl. Pelalja), Nachkomme der Tochter Scheschans, vom Clan Jerachmeël (1 Chr 2, 37).

EFOD (1), Manassiter, Vater des → Hanniël 1°.

EFRAIM, „Fruchtbares (Land)"; volkstümliche Etymologie Gen 41, 52 (vgl. Efrata).
1° **Efraim** (184), Sohn Josefs und der Asenat, jüngerer Bruder Manasses, wie dieser in Ägypten geboren (Gen 41, 52; 46, 20) und gleichfalls von Jakob adoptiert, der ihm sogar den Vorrang vor seinem älteren Bruder gibt (Gen 48, 1–20). Eponymer Ahnherr des gleichnamigen Stammes.
Nachkommen und Clans Efraims (Num 26, 35–37; 1 Chr 7, 20–28). Mehrere Musterungen des Stammes (Num 1, 32; 2, 18; 26, 37). Bevölkerung mit Kanaanitern vermischt (Jos 16, 10; Ri 1, 29). Einzelne Clans, wie der des Beria, sind vielleicht in andere Stammesgebiete ausgewandert (→ Beria 2° und 3°).
Efraim und Manasse bilden zwei Stämme (Jos 14, 4), manchmal unter dem Namen **Josef** (Gen 49, 22; Dtn 27, 12) oder **die Söhne Josefs** (Num 26, 28–37; Jos 16, 1–4; 17, 14–18; 1 Chr 7, 29) zusammengefaßt. Häufig werden sie nebeneinander genannt (Dtn 34, 2; Ps 60, 9 // 108, 9; Jes 9, 20; 2 Chr 30, 1; 34, 6.9). In Offb 7, 8 bezeichnet „Josef" den Stamm Efraim.
Das Gebiet von Efraim ist in Jos 16, 5–10 eingegrenzt. Es umfaßt zwischen Benjamin und Manasse das **Gebirge Efraim** (32) oder „Gebirge Israels" (Jos 11, 16–21), von Efraim und Manasse besiedelt (Jos 17, 15–18). Efraim nimmt jedoch eine vorherrschende Position ein und sucht diese Hegemonie zu halten (Gen 48, 19f; Ri 8, 1–3; 12, 1–6), indem es sich weit in Manasse ausdehnt, bis Sichem (Jos 20, 7) und Samaria (Jes 7, 9). Heimat oder Tätigkeitsfeld der Richter Ehud (Ri 3, 27), Debora (4, 5), Tola (10, 1) und Abdon (12, 15). In Efraim wird dem Micha der Priester seines Heiligtums weggeführt (Ri 17, 1.8; 18, 2.13), die Nebenfrau eines Leviten geschändet (19, 1.18), erhebt sich Scheba gegen David (2 Sam 20, 21). Efraim wird zum bedeutendsten der Nordstämme (vgl. 2 Sam 2, 9), der Kern des künftigen Reiches Israel, so sehr, daß „Efraim" (64 ×, davon 37 × in Hos und 12 × in Jes 7; 9; 11; 17; 28) eine – oft poetische – Bezeichnung des Nordreichs darstellt. Daher wird Efraim auch „mein erstgeborener Sohn" (Jer 31, 9) genannt, ganz wie Israel (Ex 4, 22). Salomo macht aus dem Gebirge Efraim den ersten Distrikt des vereinigten Königreichs (1 Kön 4, 8), nach seinem Tod aber stellt sich der Efraimiter Jerobeam an die Spitze eines Aufstands, der zum Schisma zwischen Juda und Efraim führt (Jes 7, 17; vgl. Ps 78, 67). Asa von Juda besetzt efraimitische Städte (2 Chr 15, 8f), über die sein Sohn Joschafat Vögte bestellt (2 Chr 17, 2; 19,4). Am Vorabend des Kriegs gegen Edom schickt Amazja seine efraimitischen Söldner zurück (2 Chr 25, 7.10). Nach dem syro-efraimitischen Angriff gegen Ahas (vgl. Jes 7, 2.5) lassen Offiziere aus Efraim ihre gefangenen jüdäischen Brüder frei (2 Chr 28, 12). Dann kommt der Zusammenbruch Efraims (vgl. Jes 7, 8–9; 17, 3; 28, 1.3). Die religiösen Reformen des Hiskija (2 Chr 30, 1.10.18; 31, 1) und des Joschija (2 Chr 34, 6.9) finden bei manchen Efraimitern Anklang. Wie Efraim wird auch Juda verstoßen werden (Jer 7, 15). Eines Tages jedoch wird es wiederhergestellt werden (Jer 31, 9.18–20) und sich mit Juda versöhnen (Ps 60, 9; Jes 11, 13; Ez 37, 16.19; Sach 9, 10).
Efraim in den Stammeslisten → S. 376f.
Andere Efraimiter → Benaja 2°; Elischama 1°; Elkana 1°; Helez 1°; Jerobeam 1°; Josua 1°; Samuel 3°; Sichri 10°.
Städte im Gebirge Efraim → Gibea 3°; Piraton; Rama 2°; Schamir 3°; Sichem; Timnat-Serach.
→ Zemarajim (Berg)
2° **Efraimtor** (4), in der Nordmauer Jerusalems (2 Kön 14, 13 // 2 Chr 25, 23); auf dem Platz davor baut sich die Bevölkerung Laubhütten (Neh 8, 16). An ihm führt auch die Prozession bei der Mauereinweihung vorbei (Neh 12, 39).

3° **Wald Efraim** (1), wo Abschalom den Tod fand (2 Sam 18, 6). Im Ostjordanland bei Mahanajim.
4° **Efraim** (2), Nachbarstadt von Baal-Hazor (2 Sam 13, 23). Sie liegt nahe der Wüste, und Jesus zieht sich in sie zurück (Joh 11, 54).
= **Efrata** (5), bei Bet-El. Rahel stirbt hier und wird hier begraben (Gen 35, 16.19; 48, 7). Gleichsetzung mit Betlehem ist eine späte Glosse (vgl. 1 Sam 10, 2; Jer 31, 15). Die Bundeslade soll sich hier aufgehalten haben (Ps 132, 6).
= **Ofra** (2), von den Philistern angegriffen (1 Sam 13, 17); zu den Städten Benjamins gezählt (Jos 18, 23).
= **Efron** (1), durch Abija von Juda erobert (2 Chr 13, 19).
= **Aferema** (1), Vorort einer der drei Gaue, die vermutlich vom Makkabäer Judas erobert wurden (1 Makk 11, 34).
Heute *et-Taiyibeh,* 20 km NO von Jerusalem.
5° **Efraim** (2), Nachkomme Onams, vom Clan Jerachmeel (1 Chr 2, 30–31; Korr. des hebr. *Appajim*).

EFRAIMITER (3), hebr. *Ephrati* (Ri 12, 5; 1 Sam 1, 1: oder *Efratiter*; 1 Kön 11, 26 → EFRAIM 1°.

EFRATA, „Fruchtbar" (vgl. Efraim).
1° **Efrata** (8), Frau des Hezron, dann des Kaleb (1 Chr 2, 19.24: hebr. *Efrat*), Mutter des Hur (2, 50), der seinerseits Vater Betlehems ist (4, 4; vgl. 2, 51.54); daher die Gleichsetzung von Efrata mit → BETLEHEM 1°, daher die Bezeichnung **Efratiter Betlehems** für Elimelech und seine Söhne (Rut 1, 2) sowie für Isai, den Vater Davids (1 Sam 17, 12).
2° **Efrata** (5) → EFRAIM 4°.

EFRATITER (3), hebr. *Ephrati,* Rut 1, 2; 1 Sam 1, 1 (oder Efraimiter); 17, 12 → EFRATA 1°.

EFRON (vgl. Efer)
1° **Efron** (12) **Sohn des Zohar** (2) **der Hetiter** (5), von dem Abraham das Feld und die Höhle Machpela kauft (Gen 23, 8–18; vgl. 25, 9; 49, 29–30; 50, 13).
→ MACHPELA.
2° **Efron** (1), Berg an der Grenze zwischen Juda und Benjamin (Jos 15, 9). Nicht identifiziert.
3° **Efron** (1) → EFRAIM 4°.
4° **Efron** (2), befestigte Stadt im Ostjordanland, von Judas zerstört (1 Makk 5, 46–51 // 2 Makk 12, 27–28). Gegenüber von Bet-Schean. Heute *et-Taiyibeh.*

EGLA (2), „junge Kuh" (vgl. Eglat-Schelischija; Eglon; En-Eglajim), Mutter Jitreams, des sechsten der in Hebron geborenen Davidssöhne (2 Sam 3, 5 // 1 Chr 3, 3).

EGLAJIM (1), Stadt Moabs (Jes 15, 8), SSW vom heutigen *Karak.*

EGLAT-SCHELISCHIJA (2), „Die dritte [Stadt] der jungen Kuh" oder „Die drei[jährige] junge Kuh"? (vgl. Egla), Stadt Moabs, mit Horonajim genannt (Jes 15, 5; Jer 48, 34). Unbekannt.

EGLON (vgl. Egla)
1° **Eglon, König von Moab** (5), durch eine Koalition mit den Ammonitern und Amalekitern bemächtigt er sich der Palmenstadt (Jericho) und behält sie 18 Jahre. Der benjaminitische Richter Ehud beendet seine Herrschaft, indem er ihn hinterrücks erdolcht (Ri 3, 12–25; vgl. 1 Sam 12, 9).
2° **Eglon** (8), von Josua eingenommene kanaanäische Königsstadt (Jos 10, 34–37), in der Schefela Judas (15, 39), westlich von Hebron.
König → DEBIR 1°.

EGREBEL (1), Ort „bei Chus, am Bach Mochmur" (Jdt 7, 18). Im NO von Sichem vorgestellt?

EHI (1), nach Gen 46, 21 einer der zehn Söhne Benjamins.

EHUD (vgl. Ohad)
1° **Ehud** (10) **Sohn des Gera** (1), **Benjaminiter** (1). Er „richtet" oder vielmehr „befreit" seinen Stamm vom moabitischen Joch (Ri 3, 15). Anläßlich einer Tributzahlung erdolcht er den Moabiterkönig Eglon in Jericho (3, 15–26; 4, 1). In 1 Chr 8, 3 ist statt des hebr. „Gera und Ahihud" zu lesen „Gera, Vater Ehuds". Seine Nachkommen sind Familienhäupter in Geba (1 Chr 8, 6–7).

2° **Ehud** (1), Benjaminiter der Söhne Jediaëls, Krieger und Familienhaupt (1 Chr 7, 10). Mit dem Vorhergehenden identisch?

EKBATANA (14), aram. *Achmeta,* **in Medien** (3), Tob 3, 7; 14, 13.14, **in der Provinz Medien** (1), Esr 6, 2. Hauptstadt von Medien, Sommerresidenz der persischen Könige (vgl. Jdt 1, 1–2.14). Unter Darius entdeckt man in den Archiven der Stadt ein Dokument, das den Wiederaufbau des Jerusalemer Tempels betrifft (Esr 6, 2). Antiochus Epiphanes kommt hier auf der Rückreise von Persepolis vorbei (2 Makk 9, 3). Heimat Raguels, des Schwiegervaters des Tobias (Tob 3, 7; vgl. 5, 6; 6, 6–10; 7, 1), dann des Tobias selbst (14, 12–14). Heute *Hamadan* 700 km NO von Persepolis.

EKER (1), „Nachkomme", jüngster der drei Söhne Rams, vom Clan Jerachmeël (1 Chr 2, 27).

EKRON (22), gr. *Akkaron,* „Die Stadt" (vgl. Kirjat). Stadt der philistäischen Pentapolis (Jos 13, 3; 1 Sam 6, 16–18), wo die Bundeslade nach ihrer Eroberung durch die Philister und vor ihrer Rücksendung nach Israel aufgestellt ist (1 Sam 5, 10–12; 6, 1–12.16–18). Zahlreich sind die Prophetensprüche gegen die Philisterstädte, besonders gegen Ekron (Jer 25, 20; Am 1, 8; Zef 2, 4). Sacharja sagt die Eingliederung der Stadt in das Gelobte Land voraus (Sach 9, 5.7).
Ekron wird zu den Städten der Schefela Judas gezählt (Jos 15, 45–46; vgl. Ri 1, 18; 1 Sam 7, 14; 17, 52) und zu den Städten Dans (Jos 19, 43). Nach Jos 15, 11 liegt es auf der Grenze zwischen Juda und Dan.
= **Akkaron** (1), von Alexander Balas an den Makkabäer Jonatan gegeben (1 Makk 10, 89). Etwa 35 km westlich von Jerusalem.
Heute *Khirbet el-Muqanna.*
Gott Ekrons → BEELZEBUL 1°.

EKRONITER (2), Jos 13, 3; 1 Sam 5, 10. Bewohner von → EKRON.

EL, „Macht"?, akk. *ilu,* arab. *allah,* bezeichnet als Eigenname den höchsten Gott des phönizischen Pantheons (→ ASCHERA). Er wird unter den verschiedensten Titeln in den kanaanäischen Heiligtümern von Bet-El, Beerscheba, Mamre usw. verehrt. In der Patriarchenzeit wird der Gott Abrahams Isaaks oder Jakobs mit dem Hochgott El gleichgesetzt (vgl. Gen 33, 20): er heißt **El Eljon,** „Höchster Gott" (Gen 14, 18–22), in Jerusalem; **El Berit,** „Bundesgott" (Ri 8, 33; vgl. 9, 46), in Sichem; **El Bet-El,** „Gott von Bet-El" (Gen 35, 7), in Bet-El; **El Olam,** „Gott, der Ewige" (Gen 21, 33), in Beerscheba; **El Roï,** „Gott, der nach mir schaut" (Gen 16, 13), in Beer-Lahai-Roï im Negeb; **El Schaddai** (→ SCHADDAI) in Mamre. Vielleicht auch **El Qannach,** „eifersüchtiger Gott" (Ex 20, 5; 34, 14; Dtn 4, 24; 5, 9; 6, 15; vgl. Jos 24, 19; Nah 1, 2).
El ist ein Element in der Zusammensetzung vieler Eigennamen wie *El-hanan, Eli-melech* ... oder *Isra-el, Jo-el* usw.
→ ELOACH; ELOHIM; SCHADDAI; JAHWE.

ELA, hebr. 1° – 5°: *Elach* „Eiche" (vgl. Elim; Terebinte); 6° – 7°: *Ela.*
1° **Ela** (2), einer der Fürsten oder Clans von Edom (Gen 36, 41 // 1 Chr 1, 52).
2° **Ela** (2), nach 1 Chr 4, 15 Sohn Kalebs und Vater des Kenas. Identisch mit dem Vorhergehenden?
3° **Ela** (4) **Sohn des Bascha** (1), vierter König von Israel (886–885) aus der zweiten Dynastie, Nachfolger seines Vaters. Seine Hauptstadt ist Tirza. Zeitgenosse des Asa von Juda. Er wird mit seiner ganzen Familie von Simri, der sich auf den Thron setzt, ermordet (1 Kön 16, 6.8–14).
4° **Ela** (4), Vater des israelitischen Königs → HOSCHEA 2°.
5° **Ela Sohn des Usi Sohn des Michri** (1), Benjaminiter, Familienhaupt in Jerusalem nach dem Exil (1 Chr 9, 8).
6° **Ela** (1), Vater des → SCHIMI 8°.
7° **Ela** (1), Vater des → SCHAMMA 3°.

ELAD (1), „Gott hat bezeugt", (vgl. Joëd) → ERAN.

ELADA (1), „Gott hat geschmückt" (vgl. Ada) → ERAN.

ELALE (5), „Gott steigt"? (vgl. Alwa), Stadt im Ostjordanland, immer zusammen mit Heschbon genannt, von Ruben besetzt (Num 32, 37; vgl. 32, 3), dann von Moab (Jes 15, 4; 16, 9; Jer 48, 34). Heute *El-Al* (4 km nördlich von Heschbon).

ELAM
1° **Elam** (17), von der priesterlichen Tradition auf Sem zurückgeführt (Gen 10, 22 // 1 Chr 1, 17), Land östlich von Untermesopotamien, im gegenwärtigen Iran, in der Gegend von Susa. Elamiter finden sich unter den Völkerschaften, die von Assurbanipal nach Samarien umgesiedelt werden (Esr 4, 9). Elamitische Söldner dienen als hervorragende Bogenschützen in den assyrischen Armeen (Jes 22, 6). Elam gehört zu den Ländern der jüdischen Diaspora (Jes 11, 11; Apg 2, 9; vgl. Tob 2, 10). Eines Tages wird Babylon von Elam und den Medern erobert werden (Jes 21, 2), aber auch Elam wird die Schrecken der Invasionen erfahren (Jer 25, 25; 49, 34–39; vgl. Ez 32, 24). Elam ist eine Provinz des Seleukidenreiches (Dan 8, 2).
= **Elymais** (1), hellenistischer Name für Elam (Tob 2, 10).
König → KEDOR-LAOMER.
Hauptstadt → SUSA.
→ ELYMAIS; ELAMITER; SIMRI 5°.
2° **Elam** (2), Ort in Juda, nach dem Exil wieder bewohnt (Esr 2, 31 // Neh 7, 34). Westlich von Bet-Zur.
3° **Elam** (1), Benjaminiter der Söhne Scheschak, Familienhaupt in Jerusalem (1 Chr 8, 24).
4° **Elam** (1), Korachiter, Torwächter, fünfter der sieben Söhne des Meschelemja (1 Chr 26, 3).
5° **Elam** (6), Familienhaupt, dessen Söhne mit Serubbabel aus dem Exil zurückkehren (Esr 2, 7 // Neh 7, 12) und mit Esra (Esr 8, 7). Schicken ihre ausländischen Frauen heim (Esr 10, 26). Mitunterzeichner der Gesetzesverpflichtung (Neh 10, 15).
Unter seinen Söhnen → SCHECHANJA °.
6° **Elam** (1), Priester, Teilnehmer an der Mauerweihe in Jerusalem (Neh 12, 42).

ELAMITER (3), Esr 4, 9; Jdt 1, 6 (Elymäer); Apg 2, 9. Bewohner von → ELAM 1°.

ELASA, hebr. *El'asah,* „Gott hat gemacht" (umgekehrte Form von *Asael).*
1° **Elasa** (2), Nachkomme der Tochter Scheschans, vom Clan Jerachmeël (1 Chr 2, 39–40).
2° **Elasa** (2), Benjaminiter, Nachkomme des Königs Saul und Ahnherr der Söhne Azels (1 Chr 8, 37 // 9, 43).
3° **Elasa Sohn des Schafan** (1) und **Gemarja Sohn des Hilkija,** Gesandte des Königs Zidkija beim König Nebukadnezzar; sie überbringen auch den Brief des Jeremia an die ersten Verbannten in Babylon (Jer 29, 3).
4° **Elasa** (1), Priester aus den Söhnen Paschhur, schickt seine ausländische Frau zurück (Esr 10, 22).
5° **Elasa** (1), Ort, wo der Makkabäer Judas sein Lager aufschlägt (1 Makk 9, 5).
Vielleicht *Khirbet Il'asa* bei Bet-Horon.

ELAT (8), (vgl. Elim), Station auf dem Exodus (Dtn 2, 8), an der Küste des Roten Meers im Golf von Akaba, bei der Stadt Ezjon-Geber, mit der Elat zeitweilig verwechselt werden konnte (1 Kön 9, 26 // 2 Chr 8, 17). Die Stadt wurde von Usija von Juda wiederaufgebaut (2 Kön 14, 22 // 2 Chr 26, 2) und unter Ahas von den Edomitern endgültig zurückgewonnen (2 Kön 16, 6).
Vielleicht alte Bezeichnung → EL-PARAN.

ELDAD (2), „Gott hat geliebt" (vgl. David), gerät mit Medad in prophetische Verzückung (Num 11, 26–27).

ELDAGA (2), „Gott wünscht", einer der fünf Söhne Midians, die als Söhne der Ketura, der Nebenfrau Abrahams, gelten (Gen 25, 4 // 1 Chr 1, 33).

ELEASAR, gr. Transkription des hebr. *El'azar,* „Gott hat geholfen" (vgl. Eser).
1° **Eleasar** (64) **Sohn Aarons** (12), aus der priesterlichen Tradition bekannt. Dritter der vier Söhne Aarons und Priester wie diese (Ex 6, 23; 28, 1; Num 26, 60; 1 Chr 5, 29). Nach dem Tod Nadabs und Abihus übt er das Priestertum mit seinem Bruder Itamar aus (Lev 10, 6.12.16; Num 3, 2–4; 1 Chr 24, 1–2). Oberhaupt der Leviten (Num 3, 32),

tritt er die Nachfolge Aarons an (Num 20, 25–28; Dtn 10, 6), nimmt an der Musterung Israels teil (Num 26, 1.3.63), an der Verteilung der Beute (Num 31, 12–54) und an der Aufteilung des Gelobten Landes (Num 34, 17; Jos 14, 1; 19, 51; vgl. Num 32, 2.28; Jos 21, 1). Er wurde begraben in Gibea (Jos 24, 33).
Nach 1 Chr 24, 3–6 zählen die **Söhne Eleasars** sechzehn Priesterklassen im Unterschied zu nur acht bei den Söhnen Itamars.
Vater des → PINHAS 1°.
Ahnherr des → ZADOK 1°.
2° **Eleasar** (1), Sohn Abinadabs, Wächter der Bundeslade in Kirjat-Jearim (1 Sam 7, 1).
3° **Eleasar Sohn des Ahoachiters Dodo** (2), einer der drei Helden Davids (2 Sam 23, 9–10 // 1 Chr 11, 12–14).
= **Dodai der Ahoachiter** (1), verantwortlich für den militärischen Dienst des zweiten Monats (1 Chr 27, 4).
4° **Eleasar** (3), Levit des Clans Merari, Sohn Machlis, hat nur Töchter (1 Chr 23, 21–22; 24, 28).
5° **Eleasar Sohn des Pinhas** (1), Helfer des Priesters Meremot im Jerusalemer Tempel (Esr 8, 33).
6° **Eleasar** (1), Israelit der Söhne Parosch, verstößt seine ausländische Frau (Esr 10, 25).
7° **Eleasar** (1), Priester, nimmt mit Nehemia an der Mauerweihe in Jerusalem teil (Neh 12, 42).
8° **Eleasar** (1) → JESUS 1°.
9° **Eleasar** (2), Beiname **Awaran** (2), einer der vier Brüder des Makkabäers (1 Makk 2, 5), stirbt als Held in der Schlacht von Bet-Sacharja (6, 43–46).
10° **Eleasar** (1), Vater des → JASON 1°.
11° **Eleasar** (2), jüdischer Greis, Gesetzeslehrer, Martyrer unter Antiochus Epiphanes (2 Makk 6, 18–31).
12° **Eleasar** (1), 2 Makk 8, 23 → ASARJA 23°.
13° **Eleasar** (2), Ahnherr Jesu (Mt 1, 15).

ELEF (1), Jos 18, 28 → ZELA.

ELEUTHERUS (2), „Frei", NW-Grenzfluß Zölesyriens (1 Makk 11, 7; 12, 30). Im Norden von Tripoli. Heute *Nahr el-Kebir.*

ELHANAN, „Gott schafft Gnade" (vgl. Hanan).
1° **Elhanan Sohn des Jaïr** (2) **aus Betlehem** (1), tötet Goliat von Gat in einer Schlacht gegen die Philister bei Gob (2 Sam 21, 19 korr. // 1 Chr 20, 5, wo Elhanan Lachmi, den Bruder Goliats, tötet).
2° **Elhanan Sohn Dodos aus Betlehem** (2), Held Davids (2 Sam 23, 24 // 1 Chr 11, 26).

ELI, gr. *Heli,* „[Jah] ist erhaben"? (vgl. Alwa).
1° **Eli** (33), **Priester Jahwes in [dem Heiligtum von] Schilo** (1), 1 Sam 14, 3. Erlebt die Traurigkeit der unfruchtbaren Hanna, dann ihre Freude über das Kind Samuel (1 Sam 1, 9–18.25–28; 2, 11.20); er ist auch Zeuge, wie der junge Samuel von Gott berufen wird (3, 1–18) und wie seine eigenen zwei Söhne auf Abwege geraten (2, 12–17.22–25). Er stirbt mit 98 Jahren, als er von dem grausamen Tod seiner Söhne und dem Verlust der Bundeslade erfährt (4, 1.12–18).
Eli wird in 1 Sam 4, 18 als Richter betrachtet. Er ist Ahnherr des Priesters Abjatar, der unter Salomo durch Zadok ersetzt wird (1 Kön 2, 27; vgl. 1 Sam 2, 25–36).
Vater des Hofni und → PINHAS 2°.
Ahnherr des → AHITUB 1°; IKABOD.
2° **Eli** (1), Ahnherr Jesu nach Lk 3, 23.

ELIAB, „Mein Gott ist Vater" (vgl. Abi–; Joab).
1° **Eliab Sohn des Helon** (5), Anführer des Stammes Sebulon (Num 2, 7; 7, 24; 10, 16), leitet die Musterung seines Stammes (Num 1, 9), bringt die Gabe für die Altarweihe am dritten Tag (Num 7, 24–29).
2° **Eliab** (5), Sohn des Pallu, Rubeniter (Num 16, 1; 26, 8–9; Dtn 11, 6).
Vater des Abiram und → DATAN.
3° **Eliab** (6), ältester Sohn Isais und Bruder Davids (1 Chr 2, 13; 1 Sam 16, 6), nimmt mit zwei anderen Brüdern im Heer Sauls am Krieg teil (1 Sam 17, 13–30).
= ? **Elihu** (1), Anführer im Stamm Juda (1 Chr 27, 18).
Vater der → MAHALAT 2°.
4° **Eliab** (1) → ELIHU 1°.
5° **Eliab Sohn Joabs** (1), Heerführer Salomos (1 Kön 4, 6 LXX).
6° **Eliab** (1), mit David vor seiner Königszeit verbündeter Gaditer (1 Chr 12, 10; vgl. VV. 9–16).

7° **Eliab** (3), Levit, Torwächter, dem Dienst an der Lade zugeteilt (1 Chr 15, 18), Harfenspieler (15, 20; 16, 5).
8° **Eliab** (1), Simeoniter, Ahnherr der Judit (Jdt 8, 1).

ELIAKIM → ELJAKIM.

ELIAM, „Mein Gott ist Onkel" (vgl. Am–).
1° **Eliam** (1), 2 Sam 11, 3 = **Ammiël** (1), 1 Chr 3, 5 (die Bestandteile des Namens sind nur umgedreht).
Vater der → BATSEBA.
2° **Eliam Sohn des Giloniters Ahitofel** (1), Krieger Davids (2 Sam 23, 34).

ELIATA (1), „Du bist mein Gott", aus den Söhnen Hemans (1 Chr 25, 4).
= **Elijata** (1), Leiter der 20. Sängerklasse (1 Chr 25, 27).

ELIDAD (1), „Mein Gott hat geliebt" (vgl. David), **Sohn Kislons** (1), leitet für den Stamm Benjamin die Aufteilung Kanaans (Num 34, 21).

ELIËL, „Mein Gott ist El" (vgl. El).
1° **Eliël** (1), Familienhaupt im östlichen Halbstamm Manasse (1 Chr 5, 24).
2° **Eliël** (1) → ELIHU 1°.
3° **Eliël** (1), Benjaminiter der Söhne Schimi, Familienhaupt in Jerusalem (1 Chr 8, 20).
4° **Eliël** (1), Benjaminiter der Söhne Scheschak, Familienhaupt in Jerusalem (1 Chr 8, 22).
5° **Eliël der Mahawiter** (1), Krieger Davids (1 Chr 11, 46).
6° **Eliël** (1), ein anderer Krieger Davids (1 Chr 11, 47).
7° **Eliël** (1), Gaditer, mit David vor seiner Königszeit verbündet (1 Chr 12, 12; vgl. VV. 9–16).
8° **Eliël** (2), Levit der Söhne Hebron, vom Clan Kehat, nimmt an der Überführung der Bundeslade teil (1 Chr 15, 9.11).
9° **Eliël** (1), einer der zehn Leviten, die zur Zeit des Königs Hiskija dem Konanja und Schimi im Tempel helfen (2 Chr 31, 13).

ELIËNAI → ELJOENAI 6°.

ELIËSER, „Mein Gott ist Hilfe"
1° **Eliëser aus Damaskus** oder **Damaskus Eliëser** (1), Knecht Abrahams (Gen 15, 2).
2° **Eliëser** (5), Sohn Moses und Bruder des → GERSCHOM 1°.
3° **Eliëser** (1), Benjaminiter, einer der neun Söhne Bechers, Krieger und Familienhaupt (1 Chr 7, 8).
4° **Eliëser** (1), Priester, Trompetenbläser bei der Überführung der Bundeslade (1 Chr 15, 24).
5° **Eliëser Sohn Sichris** (1), Anführer der Rubeniter (1 Chr 27, 16).
6° **Eliëser Sohn des Dodawa aus Marescha** (1), Prophet, verurteilt die Allianz Joschafats von Juda mit Ahasja von Israel, bei der es um die gemeinsame Benutzung des Hafens von Ezjon-Geber geht (2 Chr 20, 37).
7° **Eliëser** (1), einer der Gesandten Esras bei Iddo (Esr 8, 16).
8° **Eliëser** (3), ein Priester der Söhne Jeschuas (Esr 10, 18), ein Levit (10, 23) und ein Israelit der Söhne Harims (10, 31): alle drei schicken ihre ausländischen Frauen zurück.
9° **Eliëser** (1), Ahnherr Jesu nach Lk 3, 29.

ELIFAL (1), „Mein Gott hat entschieden" (vgl. Pelalja), 1 Chr 11, 35 → ELIFELET 2°.

ELIFAS, „Mein Gott ist feines Gold?" oder nach dem altarab. „Gott ist Sieger".
1° **Elifas** (9), **erstgeborener Sohn Esaus** (2) und der Ada (Gen 36, 4.15; 1 Chr 1, 35), eponymer Ahnherr von fünf edomitischen Fürsten oder Clans: Zefo, Gatam, Omar, Kenas, Teman. Von ihnen wird Amalek hergeleitet (Gen 36, 10–12.15–16; 1 Chr 1, 36).
2° **Elifas aus Teman** (6), Bildad aus Schuach und Zofar der Naamatiter, die „drei Freunde" Ijobs (Ijob 2, 11; 4, 1; 15, 1; 22, 1; vgl. 32, 1). Zum Schluß wirft Gott ihnen vor, nicht richtig geredet zu haben (42, 7–10).

ELIFELEHU (2), „Möge mein Gott es unterscheiden" (vgl. Pelaja 1°), Levit, Torwächter, dem Dienst der Bundeslade zugeteilt (1 Chr 15, 18), Zitherspieler (15, 21).

ELIFELET, „Mein Gott befreit" (vgl. Pelet).

1° **Elifelet** (4), einer der in Jerusalem geborenen Söhne Davids (2 Sam 5, 16 // 1 Chr 3, 8 // 14, 7). In 1 Chr 3, 6 und 14, 5 scheinen *Elifelet* bzw. *Elpelet* hinzugefügt worden zu sein.
2° **Elifelet Sohn des Ahasbai aus Maacha** (1), Krieger Davids (2 Sam 23, 34).
= **Elifelet Sohn des Ur** (1), 1 Chr 11, 35 (hebr. *Elifal*).
3° **Elifelet** (1), Benjaminiter, dritter Sohn Escheks, Nachkomme Sauls (1 Chr 8, 39).
4° **Elifelet** (1), Israelit der Söhne Adonikams, mit Esra aus dem Exil zurückgekehrt (Esr 8, 13; vgl. 2, 13).
5° **Elifelet** (1), Israelit der Söhne Haschums, schickt seine Frau zurück (Esr 10, 33).

ELIHOREF (1) und **Ahija, Sohn Schischas,** zwei Brüder, Schreiber des Königs Salomo (1 Kön 4, 3). Statt Elihoref wird auch *Elihaf* gelesen.

ELIHU, „Er ist mein Gott".
1° **Elihu** (1), Ahnherr Samuels, Efraimiter (1 Sam 1, 1).
= **Eliab** (1), Ahnherr Samuels, Nachkomme Levis (1 Chr 6, 12).
= **Eliël** (1), 1 Chr 6, 19.
2° **Elihu** (1), manassitischer Anführer, mit David vor der Königszeit verbündet (1 Chr 12, 21).
3° **Elihu** (1), Torwächter, ein Sohn Schemajas, Sohn des Obed-Edom (1 Chr 26, 7).
4° **Elihu, Bruder Davids** (1), 1 Chr 27, 18 → ELIAB 3°.
5° **Elihu** (7) **Sohn des Busiter Barachel** (2), Ijob 32, 2.6. Vierter Gesprächspartner Ijobs, folgt den „drei Freunden". In seinen vier Reden (32, 6 bis 37, 24) gibt er Ijob und dessen Freunden Unrecht, versucht das Verhalten Gottes zu rechtfertigen, verteidigt den erzieherischen Wert des Leidens und preist die allmächtige Weisheit Gottes.
6° **Elihu** (1), var. *Elias,* Simeoniter, Ahnherr der Judit (Jdt 8, 1).

ELIJA, gr. *Elias,* „Mein Gott ist Jahwe" (vgl. Eliel; Joel).
1° **Elija** (101) **der Tischbiter** (6) oder **aus Tischbe in Gilead** (1), Prophet, „Gottesmann" (2 Kön, 1, 9–13) zur Zeit Ahabs.
Während der großen Trockenheit hält sich Elija am Bach Kerit (1 Kön 17, 2–6), dann bei der Witwe in Sarepta auf, wo er das Mehl- und Ölwunder wirkt und einen Knaben auferweckt (17, 7–24; vgl. Lk 4, 25f). Zusammentreffen mit Obadja, dem Jahwe-treuen Palastvorsteher (18, 1–5), und dem Baal-gläubigen König Ahab (18, 16–19). Die große Auseinandersetzung mit den Baalspropheten am Karmel (18, 20–40), das Ende der Dürre (18, 41–46; vgl. Jak 5, 17f).
Flucht Elijas an den Horeb (1 Kön 19, 1–8), die Begegnung mit Gott und der dreifache Auftrag (19, 9–18; vgl. Sir 48, 7–8; Röm 11, 2). Er ruft Elischa, ihm zu folgen (19, 19–21; 2 Kön 3, 11). Elija kündigt das Gericht über Ahab und sein Haus an, nachdem dieser den Nabot von Jesreel ermordet hat (1 Kön 21, 17–29; vgl. 2 Kön 9, 36; 10, 10.17), ebenso sagt er den Tod des Ahab-Nachfolgers Ahasja voraus (2 Kön 1, 3–17). „Himmelfahrt" Elijas (2 Kön 2, 1–15; 1 Makk 2, 58).
Mit Mal 3, 23f betrachtet eine ganze Tradition Elija als den Vorläufer des Messias. Nach urchristlicher Überzeugung hat Johannes der Täufer diese Rolle erfüllt (Mt 11, 14; 17, 10–13 // Mk 9, 11–13; vgl. Lk 1, 17; Joh 1, 21.25), während andere in Jesus den Propheten Elija gesehen haben (Mt 16, 14 // Mk 8, 28 // Lk 9, 19; Mk 6, 15 // Lk 9, 8; vgl. Mt 27, 47–49 // Mk 15, 35f). Elija erscheint mit Mose auf dem Berg der Verklärung (Mt 17, 3–8 // Mk 9, 4–8 // Lk 9, 30–36).
Sir 48, 1–11 ist ein Loblied auf Elija, während 2 Chr 21, 12 eine Schrift des Propheten nennt, die auf den König Joram von Juda gekommen sein soll.
2° **Elija** (1), Benjaminiter der Söhne Jerohams, Familienhaupt in Jerusalem (1 Chr 8, 27).
3° **Elija** (1), Priester aus den Söhnen Harims, schickt seine fremdländische Frau zurück (Esr 10, 21).
4° **Elija** (1), Israelit der Söhne Elams, schickt seine fremdländische Frau zurück (Esr 10, 26).

ELIKA aus Harod (1), Krieger Davids (2 Sam 23, 25).

ELIM (6), „Terebinthen", „grüne Eichen" (vgl.

Beer-Elim; Ela 1° – 5°; Elon 3° – 5°; El-Paran; Elat?), Station auf dem Exodus, wo sich „12 Quellen und 70 Palmen“ befinden (Ex 15, 27; 16, 1; Num 33, 9–10). An der Ostküste des Golfs von Suez.

ELIMELECH (6), „Mein Gott ist König“ (vgl. Melech), Efratiter aus Betlehem in Juda. Wegen einer Hungersnot wandert er mit seiner Frau und seinen beiden Söhnen nach Moab aus (Rut 1, 1–3). Nach seinem und seiner Söhne Tod wird sein Erbbesitz von einem Verwandten, dem Boas, „erlöst“, der auch zugleich die Moabiterin Rut, die Witwe eines der Söhne Elimelechs, heiratet (Rut 2, 1.3; 4, 3.9).

ELISABET, gr. Form des hebr. *Elischeba,* „Mein Gott ist Fülle“? (vgl. Scheba).
1° **Elischeba Tochter Amminadabs** (1), Schwester des Nachschon, Frau Aarons, Mutter Nadabs, Abihus, Eleasars und Itamars (Ex 6, 23).
2° **Elisabet** (9), aus dem Geschlecht Aarons, Frau des Priesters Zacharias (Lk 1, 5), mit Maria verwandt (1, 36), unfruchtbar und alt (1, 7.18), Mutter Johannes des Täufers (1, 24.36.57.60), dessen Geburt Zacharias angekündigt wird (1, 13) und der die Begegnung mit Maria voraufgeht (1, 40–42).

ELISCHA
1° **Elischa** (60), „Gott hat geholfen“ (vgl. Jesaja?), **Sohn des Schafat** (4), **aus Abel-Mehola** (1), 1 Kön 19, 16. Prophet, „Gottesmann“ (29), 2 Kön 4, 9.21 u. ö., „Prophet in Samaria“ (5, 3; vgl. 2, 25). Vom Propheten Elija berufen (1 Kön 19, 16–21), wird er sein Diener und Jünger; bei der Auffahrt seines Meisters erbt er dessen Geist (1 Kön 19, 21; 2 Kön 2, 1–18; vgl. 3, 11).
Ihm werden zahlreiche Wunder zugeschrieben: Reinigung einer Wasserquelle (2 Kön 2, 19–22), Bestrafung frecher Kinder (2, 23–25), Ölwunder (4, 1–7), Auferweckung des Sohns der Schunemiterin (4, 8–37; vgl. 8, 1–6), Entgiftung eines tödlichen Gurkengerichts (4, 38–41), eine Brotvermehrung (4, 42–44), Heilung des aussätzigen Naaman (5, 1–27; vgl. Lk 4, 27), die wiedergefundene Axt (6, 1–7), Gefangennahme einer aramäischen Abteilung (6, 8–23). Elischa wird von den Königen Judas, Israels und Edoms im Krieg gegen Moab um Rat gefragt (2 Kön 3, 11–19). Er greift bei der Belagerung Samarias durch die Aramäer ein (6, 31 – 7, 2.16–20), verkündigt Hasaël die Herrschaft über Aram (8, 7–15), und er schickt einen seiner Schüler aus, Jehu zum König zu salben (2 Kön 9, 1–3). Elischa wird krank und stirbt (13, 14–19). Bei der Berührung mit seinem Leichnam wird ein Toter lebendig (2 Kön 13, 20–21; vgl. Sir 48, 12–14).
2° **Elischa** (3), in der Völkertafel als „Söhne Jawans (Joniens)“ vorgestellt, neben Tarschisch, den Kittäern und den Rodanitern (Danaern) (Gen 10, 4 // 1 Chr 1, 7). Hersteller von Purpur (Ez 27, 7). Bezeichnet sehr wahrscheinlich → ZYPERN.

ELISCHAFAT (1), „Gott hat geurteilt“ (vgl. Schefatja), **Sohn Sichris** (1), einer der fünf Befehlshaber der Hundertschaften, die am Komplott gegen Atalja beteiligt waren (2 Chr 23, 1–15).

ELISCHAMA, „Gott hat gehört“ (vgl. Schemaja).
1° **Elischama Sohn Ammihuds** (6), Anführer des Stamms Efraim (Num 2, 18; 7, 48; 10, 22), leitet die Musterung seines Stammes (Num 1, 10), bringt die Opfergabe für die Altarweihe am siebten Tag herbei (7, 48–53). Ahnherr Josuas, des Sohnes Nuns (1 Chr 7, 26).
2° **Elischama** (1), 1 Chr 3, 6. Sohn Davids → ELISCHUA.
3° **Elischama** (3), einer der in Jerusalem geborenen Söhne Davids (2 Sam 5, 16; 1 Chr 3, 8; 14, 7).
4° **Elischama** (3), Schreiber, einer der Beamten des Königs Jojakim, die sich die Buchrolle des Jeremia vorlesen lassen (Jer 36, 12.20–21).
5° **Elischama** (2), Großvater des → JISCHMAEL 4°.
6° **Elischama** (1), Nachkomme der Tochter Scheschans vom Clan Jerachmeël (1 Chr 2, 41).
7° **Elischama** (1), einer der beiden Priester, die, von fünf Beamten und acht Leviten begleitet, auf Befehl des Königs Joschafat die Städte Judas im Gesetz unterweisen (2 Chr 17, 8).

ELISCHEBA → ELISABET 1°.

ELISCHUA (2), „Mein Gott ist großmütig" (vgl. Schua 1°), einer der in Jerusalem geborenen Söhne Davids (2 Sam 5, 15; 1 Chr 14, 5).
= **Elischama** (1), 1 Chr 3, 6.

ELIUD (2), „Mein Gott ist Majestät" (vgl. Hod), Ahnherr Jesu nach Mt 1, 14–15.

ELIZAFAN, „Mein Gott hat geschützt" (vgl. Zefanja).
1° **Elizafan** (3) oder **Elzafan** (2) **Sohn des Usiël** (2) (Ex 6, 22), Clanoberhaupt der Kehatiter (Num 3, 30), beauftragt, die Leichname des Nadab und des Abihu vom Heiligtum fortzuschaffen (Lev 10, 4). Dem Chronisten zufolge nehmen die Söhne Elizafans unter David an der Übertragung der Bundeslade teil (1 Chr 15, 8) und unter Hiskija an der Reinigung des Tempels (1 Chr 29, 13).
2° **Elizafan Sohn des Parnach** (1), leitet für den Stamm Sebulon die Aufteilung Kanaans (Num 34, 25).

ELIZUR (5), „Mein Gott ist Fels" (vgl. Zur), **Sohn des Schedëur** (5) Anführer des Stamms Ruben (Num 2, 10; 7, 30; 10, 18), leitet die Musterung seines Stammes (Num 1, 5), bringt die Opfergabe zur Altarweihe am vierten Tag (Num 7, 30–35).

ELJACHBA (2), „Gott verbirgt", **der Schaalboniter** (2), Krieger Davids (2 Sam 23, 32 // 1 Chr 11, 33).

ELJADA, „Gott weiß" (vgl. Jada)
1° **Eljada** (2) → Beeljada.
2° **Eljada** (1), Vater des Königs von Damaskus → Reson.
3° **Eljada** (1), Benjaminiter, tapferer Krieger, Anführer von 200000 Bogenschützen im Dienst des Königs Joschafat (2 Chr 17, 17).

ELJAKIM, gr. *Eliakim*, „Gott stellt aufrecht" (vgl. Jakim).
1° **Eljakim** (9) **Sohn des Hilkija** (5), Palastvorsteher des Königs Hiskija. In dieser Funktion war er dem abgesetzten Schebna gefolgt, wie Jes 22, 15–25 angekündigt hatte: Eljakim werde „ein Vater für die Einwohner Jerusalems und für das Haus Juda sein", aber sein eigenes Haus werde zusammenstürzen. Bei der Belagerung Jerusalems durch Sanherib (701) leitet er die Delegation, die mit dem Oberbefehlshaber der assyrischen Heere verhandeln soll (2 Kön 18, 18 – 19, 2 // Jes 36, 3 – 37, 3).
2° **Eljakim** (2), vor seiner Thronerhebung der Name des → Jojakim 1°.
3° **Eljakim** (1), Priester, Trompetenbläser bei der Mauerweihe in Jerusalem (Neh 12, 41).
4° **Eljakim** (3), zwei Ahnherren Jesu (Mt 1, 13; Lk 3, 30).

ELJASAF, „Gott hat hinzugefügt" (vgl. Josef).
1° **Eljasaf Sohn des Reguël** (5), Anführer im Stamm Gad (Num 2, 14; 7, 42; 10, 20), leitet die Musterung seines Stammes (Num 1, 14), bringt die Opfergabe für die Altarweihe am sechsten Tag (Num 7, 42–47).
2° **Eljasaf Sohn des Laël** (1), Oberhaupt der Leviten von Gerschon (Num 3, 24).

ELJASCHIB, „Gott läßt zurückkehren" (vgl. Jaschub).
1° **Eljaschib** (1), Priester, Leiter der elften Priesterklasse (1 Chr 24, 12).
2° **Eljaschib** (9), Hoherpriester, Sohn Jojakims, Enkel Jeschuas (Neh 12, 10), beteiligt sich am Wiederaufbau der Jerusalemer Mauer (Neh 3, 1.20–21). Zu seiner Zeit werden die Häupter der priesterlichen Familien in die Archive des Tempels eingetragen (Neh 12, 22).
Seine Söhne und Enkel → Jojada 6°; Johanan 11°.
3° **Eljaschib** (2), Priester, Aufseher der Tempelräume. Als naher Verwandter des Tobija hatte er ihm eine große Kammer reserviert, was den Zorn Nehemias hervorrief (Neh 13, 4–7).
4° **Eljaschib** (1), einer der sieben Söhne des Eljoënai, Nachkomme des Königs Jojachin (1 Chr 3, 24).
5° **Eljaschib** (3), ein Sänger (Esr 10, 24), ein Israelit der Söhne Sattu (10, 27) und ein Israelit der Söhne Bani (10, 36): alle drei schicken ihre ausländischen Frauen zurück.

ELJOËNAI, „Auf Jahwe meine Augen„ (vgl. Ps 25, 15).
1° **Eljoënai (Eljehoënai)** (1), Torwächter, Korachiter, siebter Sohn Meschelemjas (1 Chr 26, 3).
2° **Eljoënai Sohn des Serachja** (1), Familienhaupt der Söhne Pahat-Moab, mit Esra aus dem Exil zurückgekehrt (Esr 8, 4).
3° **Eljoënai** (2), erster der drei Söhne des Nearja, Nachkomme des Königs Jojachin und Vater von sieben Söhnen (1 Chr 3, 23–24).
4° **Eljoënai** (1), Simeoniter, führend in seinem Clan (1 Chr 4, 36ff).
5° **Eljoënai** (1), Benjaminiter der Söhne Bechers (1 Chr 7, 8).
6° **Eljoënai** (1), Benjaminiter der Söhne Schimis, Familienhaupt in Jerusalem (1 Chr 8, 20: korr. nach dem Gr.).
7° **Eljoënai** (1), Israelit der Söhne Sattus, schickt seine ausländische Frau zurück (Esr 10, 27).
8° **Eljoënai** (2), Priester der Söhne Paschhur, schickt seine fremdländische Frau zurück (Esr 10, 22), Trompetenbläser bei der Mauerweihe in Jerusalem (Neh 12, 41): eine oder zwei Personen.

ELKANA, „Gott hat geschaffen" oder „Gott hat in Besitz genommen" (vgl. Mikneja).
1° **Elkana** (11), Efraimiter von Ramatajim, Mann der unfruchtbaren Lieblingsfrau Hanna und der Peninna. Nach einer Wallfahrt zum Heiligtum von Schilo erhält er von Hanna ein Kind, Samuel (1 Sam 1, 1–8.19–25; 2, 11.19–21; 1 Chr 6, 13.19). Der Chronist macht aus Elkana einen Leviten vom Clan Kehat (1 Chr 6, 12 // 6, 19).
2° **Elkana** (5), mehrere Leviten vom Clan Kehat und nach 1 Chr 6 Ahnherrn Samuels und des Vorhergehenden (Ex 6, 24 // 1 Chr 6, 8; 6, 10 // 6, 21; 6, 11 // 6, 20).
3° **Elkana** (1), 1 Chr 9, 16. Ahnherr des Leviten → BERECHJA 8°. Mit den Vorhergehenden identisch?
4° **Elkana** (1), mit Berechja Levit und Torwächter bei der Lade (1 Chr 15, 23).
5° **Elkana** (1), Korachiter, mit David vor seiner Königszeit verbündet (1 Chr 12, 7).
6° **Elkana** (1), Großwesir des Königs Ahas, von Sichri im syro-efraimitischen Krieg getötet (2 Chr 28, 7).

ELKOSCH oder **Elkoschiter** (1), Heimat des Propheten Nahum (Nah 1, 1). Lokalisierung unmöglich: in Juda (Epiphanius)?, in Galiläa (Hieronymus)?, im Norden Ninives (16. Jh.)?, Kafarnaum, die Stadt Nahums?

ELLASAR (2), Stadt in Mesopotamien (Gen 14, 1.9). Früher zu Unrecht mit Larsa identifiziert. König → ARJOCH 1°.

ELMADAM (1), Ahnherr Jesu (nach Lk 3, 38).

ELMELECH → ALAMMELECH

ELNAAM (1), „Gott ist gnädig" (vgl. Noomi), Vater des Jeribai und des → JOSCHAWJA.

ELNATAN, „Gott hat gegeben" (vgl. Natan)
1° **Elnatan** (3) **Sohn des Achbor** (2), holt auf Befehl des Königs Jojakim den geflüchteten Propheten Urija aus Ägypten zurück (Jer 26, 22f). Vier Jahre später gehört er zu den Beamten desselben Königs, die, durch die Verlesung der Prophetensprüche des Jeremia betroffen, die Verbrennung des Buches ohne Erfolg verhindern wollen (Jer 36, 12.25).
2° **Elnatan** (1), derselbe wie der Vorhergehende? Vater des → NEHUSCHTA.
3° **Elnatan** (3), drei Gesandte Esras zu Iddo (Esr 8, 16). Der dritte Elnatan ist in manchen Hss weggelassen.

ELOACH (58), Singular von Elohim, fast ausschließlich in poetischen Texten gebraucht, wo es beinahe immer den einzigen wahren Gott bezeichnet: Hab 3, 3; Ijob 3, 4 – 40, 2 (42 ×); Dtn 32, 15.17; Ps 18, 32; 50, 22; 114, 7; 139, 19; Spr 30, 5; Neh 9, 17.

ELOHIM (2550), Plural von Eloach, bezeichnet einigemal Götter (Ex 18, 11; Dtn 10, 17; Ri 9, 13), gewöhnlich aber einen einzigen Gott (Elohim wird immer mit einem Verb oder Attribut im Singular gebraucht): – sei es den wahren Gott (in den meisten Fällen), Gen 1, 1.3.4. usw.; 2, 4 – 3, 23 (20 ×) usw.; – sei es einen Götzen, Ri 11, 24 (Kemosch); 2 Kön 1, 2 (Beelzebul) usw.
→ EL; JAHWE.

ELON, 1° – 2°: Widder; 3° – 5°: „Terebinthe“, „Eiche“, (vgl. Elim).
1° **Elon der Hetiter** (2), Vater der → ADA 2°; BASEMAT 1°.
2° **Elon der Sebuloniter** (2), „kleiner“ Richter (Ri 12, 11–12).
3° **Elon** (2), der zweite der drei Söhne Sebulons (Gen 46, 14); seine Nachkommen bilden die Sippe der **Eloniter** (Num 26, 26).
4° **Elon** (2), Stadt Dans (Jos 19, 43). In 1 Kön 4, 9 ist statt *Elon* wahrscheinlich *Ajalon* zu lesen.
5° **Elon** (17, Jos 19, 33 → ZAANANNIM.

ELPAAL (3), „Gott hat gehandelt“ (vgl. Peulletai), Benjaminiter, Sohn (oder Bruder) des Schaharajim (1 Chr 8, 11), dessen Söhne in Ono und Lod (8, 12) oder in Jerusalem (8, 17) wohnen.

EL-PARAN (1), „Eiche von Paran“ (vgl. Elim; Paran), Gen 14, 6. Vielleicht alte Bezeichnung für → ELAT.

ELPELET (1), (vgl. Pelet 1°–2°), 1 Chr 14, 5 → ELIFELET 1°.

ELSABAD, „Gott macht ein Geschenk“ (vgl. Sabad).
1° **Elsabad** (1), Gaditer, mit David vor seiner Königszeit verbündeter Krieger (1 Chr 12, 13; vgl. VV. 9–16).
2° **Elsabad** (1), Torwächter, aus den Söhnen Schemajas, Sohn des Obed-Edom (1 Chr 26, 7).

EL-SCHADDAI → SCHADDAI

ELTEKE (2), Ort in Dan (Jos 19, 44), den Leviten des Clans Kehat zugesprochen (21, 23). Lage ungewiß.

ELTEKON (1), Stadt im Gebirge Juda (Jos 15, 59).

ELTOLAD (2), Stadt im Negeb von Juda (Jos 15, 30), gehörte vorher den Simeonitern (Jos 19, 4).
= **Tolad** (1), 1 Chr 4, 29. Lage unbekannt.

ELUL (2), Monatsname (August/September), Neh 6, 15; 1 Makk 14, 27.

ELUSAI (1), Benjaminiter, Anhänger Davids vor seiner Königszeit (1 Chr 12, 6).

ELYMÄER (1), Jdt 1, 6 → ELAMITER.

ELYMAIS (1), unbekannte Stadt in Persien (1 Makk 6, 1).

ELYMAS (1), „der Weise“? → BARJESUS.

ELZAFAN (2), „Gott schützt“ (vgl. Zefanja) → ELIZAFAN 1°.

EMEK-KEZIZ (1), „Ebene der Trennung“? (vgl. Amok), Stadt in Benjamin (Jos 18, 21).

EMITER (3), „Fruchtbare Wesen“, Gen 14, 5; Dtn 2, 10–11; → RAFAÏTER 1°.

EMMANUEL (3) → IMMANUEL.

EMMAUS
1° **Emmaus** (4) **in der Ebene** (1), Ort einer Schlacht, die zwischen der von Gorgias und Nikanor befehligten syrischen Armee und der Truppe des Judas Makkabäus geführt wurde (1 Makk 3, 40.57; 4, 3). Bakchides legte hier wie an anderen Orten rings um Judäa Befestigungen an (9, 50). Etwa 30 km westlich von Jerusalem. Heute *Amwas*.
2° **Emmaus** (1), ein 60 Stadien (= 12 km) von Jerusalem entfernter Ort, wo der auferstandene Jesus zwei Jüngern erschienen ist (Lk 24, 13–32). Identifizierung schwierig: entweder das vorhergehende Emmaus, das aber 160 Stadien entfernt liegt (?), oder Moza, mit einer Entfernung von 60 Stadien für den Hin- und Rückweg (?).

EN –, vom hebr. ’ajin, „Quelle“, „Brunnen“, Bestandteil mehrerer Ortsnamen (vgl. auch AJIN).

ENAJIM, „Die zwei Quellen“ (vgl. En-), liegt „an der Straße nach Timna“, wo Judas seine Schwiegertochter Tamar trifft und sie für eine Dirne hält (Gen 38, 14.21).
= **Enam** (1), Ort in der Schefela (Jos 15, 34).

ENAK → Anak

ENAN (5), (vgl. En-), Vater des → Ahira.

EN-DOR (3), „Quelle von Dor" (vgl. En-; Dor), Ort einer Niederlage Midians durch Gideon (Ps 83, 11), nach Ri 7, 1 *En-Harod,* Stadt Manasses in Issachar (Jos 17, 11), Wohnort der Totenbeschwörerin, die Saul vor seinem Ende aufsucht (1 Sam 28, 7).
Nicht weit vom gegenwärtigen *Endor,* südlich des Tabor.

EN-EGLAJIM (1), „Kälberquelle" (vgl. En-; Egla), Ort am Ufer des Toten Meers, neben En-Gedi genannt (Ez 47, 10). Lage unbekannt.

EN-GANNIM, „Gartenquelle" (vgl. En-).
1° **En-Gannim** (1), Stadt Judas in der Schefela (Jos 15, 34).
2° **En-Gannim** (2), Stadt Issachars (Jos 19, 21), den Leviten des Clans Gerschon zugeteilt (Jos 21, 29).
= **Anem** (1), 1 Chr 6, 58.

EN-GEDI (6), gr. *Engaddi,* „Zickleinquelle", Stadt in der Wüste Juda (Jos 15, 62), in deren Nähe sich David verbirgt (1 Sam 24, 1–2). Am Ufer des Toten Meers (Ez 47, 10), von 2 Chr 20, 2 mit Hazezon-Tamar gleichgesetzt. Oase mit Weinstöcken, Palmen, Zypressen (Hld 1, 14).
= **Engaddi** (1), Sir 24, 14. Am Westufer des Toten Meers.

EN-HADDA (1), Stadt Issachars (Jos 19, 21). Vom See Gennesaret 10 km SW entfernt.

EN-HAZOR (1), „Quelle von Hazor" (vgl. En-; Hazor), befestigter Ort in Naftali (Jos 19, 37).

EN-KORE (1), „Quelle des Rufers" (vgl. Ri 15, 18) oder „Quelle des Rebhuhns" (vgl. Kore), Name einer Quelle bei Lehi (Ri 15, 19).

EN-MISCHPAT (1), „Gerichtsquelle" (vgl. En-; Schefatja) → Kadesch 1°.

ENOSCH (8), „Mensch", „Mann", Sohn Sets, hat „als erster den Namen Jahwes angerufen" (Gen 4, 26 J); Vater des Kenan (Gen 5, 6–11 P; 1 Chr 1, 1). Ahnherr Jesu (Lk 3, 38) unter den Erzvätern vor der Sintflut.

EN-RIMMON (1), „Granatbaum-Quelle" → Rimmon 1°.

EN-ROGEL (4), „Walkerquelle", an der Grenze zwischen Juda und Benjamin (Jos 15, 7; 18, 16), außerhalb Jerusalems (2 Sam 17, 17); von der Gihon-Quelle verschieden (1 Kön 1, 9; vgl. VV. 33–45). Wo die Täler des Kidron und des Ge-Hinnom zusammenkommen, 300 m südlich des Schiloach. Heute *Bir-Ajjub* (Ijob-Brunnen).

EN-SCHEMESCH (2), „Sonnenquelle", an der Grenze zwischen Juda und Benjamin (Jos 15, 7; 18, 17). Östlich des Ölbergs.

EN-TANNIN (1), „Drachenquelle", in Jerusalem. Liegt zwischen dem Taltor und dem Aschentor (Neh 2, 13).

EPÄNETUS (1), gr. *Epainetos,* „Lobenswert", einer der ersten Christen Asiens (Röm 16, 5).

EPAPHRAS (3), Abk. von *Epaphroditus.* Christ in Kolossä (Kol 4, 12), Gründer der Gemeinde und vielleicht auch der Nachbargemeinden von Laodizea und Hierapolis (Kol 1, 7f; 4, 12f). Mit Paulus zusammen (in Rom?) gefangen (Phlm 22).

EPAPHRODITUS (2), „Liebenswert", Christ in Philippi, Abgesandter der Gemeinde, der dem gefangenen Paulus materielle Unterstützung bringt; er wird krank und sehnt sich nach Philippi zurück (Phil 2, 25–30; 4, 18).

EPHESER (5), Apg 19, 28.34–35; 21, 29. Bewohner von → Ephesus.

EPHESUS (16), bedeutender Hafen im Osten des Ägäischen Meers, Hauptstadt der römischen Provinz Asien, „Tempelhüterin der Großen Artemis" (Apg 19, 35), religiöse Metropole Kleinasiens im Kaiserkult (vgl. Offb. 1, 11; 2, 1–7).

Als Paulus am Ende seiner zweiten Missionsreise (Sommer 52) Korinth verläßt, um nach Syrien zurückzukehren, macht er in Ephesus Station (Apg 18, 19–21). Aquila und Priszilla bleiben dort und treffen mit Apollos zusammen (18, 24–26). Im Verlauf seiner dritten Missionsreise hält sich Paulus dort „zwei Jahre und drei Monate" (19, 8.10) bzw. „drei Jahre" lang (20, 31) auf (von 54 bis 57). Er vervollständigt dort die christliche Unterweisung der Johannesjünger (19, 1–8), stärkt die Gemeinde, indem er zuerst in der Synagoge, dann in der Schule des Tyrannus predigt (19, 8–10). Auch Wunder werden von ihm erzählt (19, 11–20). Der Erfolg des Evangeliums führt zum Aufstand der Silberschmiede, die ihren Devotionalienhandel bedroht sehen (19, 23–40). Ephesus ist für Paulus ein fruchtbares Arbeitsfeld (1 Kor 16, 8f). Die Orts- und Personalangaben der Pastoralbriefe werden unterschiedlich beurteilt (1 Tim 1, 3; 2 Tim 1, 18; 4, 12.14–15).
Von Ephesus aus schreibt Paulus den *1. Korintherbrief,* den *Galaterbrief* und vielleicht auch den *Philipperbrief.* Bei seiner Rückreise nach Jerusalem läßt Paulus die Ältesten von Ephesus in Milet zusammenkommen, um ihnen sein pastorales Testament zu übergeben (20, 16–38). Der sog. Epheserbrief ist wahrscheinlich ein Rundschreiben an alle paulinischen Gemeinden, denn die Ortsangabe „in Ephesus" (Eph 1, 1) fehlt in mehreren alten Handschriften.
Heimat des → Trophimus.

EPIKUREER (1), Schüler des Philosophen Epikur. Paulus begegnet ihnen in Athen (Apg 17, 18).

EPIPHANES, „[Gott] macht offenbar" (vgl. Apollophanes).
1° **Epiphanes** (5), Beiname des → Antiochus 3°.
2° **Epiphanes** (1), Beiname des → Alexander 2°.
3° **[Epiphanes],** Beiname des → Ptolemäus 5°.

ER, „Wachsam" (vgl. Jaïr 4°).
1° **Er** (9), erstgeborener der drei Söhne Judas und der Kanaaniterin Batschua, erster Mann der Tamar, gestorben in Kanaan (Gen 38, 3.6–7; 46, 12 // Num 26, 19 // 1 Chr 2, 3).
2° **Er** (1), Sohn des Judasohnes Schela und Vater des Lecha (1 Chr 4, 21).
3° **Er** (1), Ahnherr Jesu (nach Lk 3, 28).

ERAN (1), Sohn des Schutelach, des Sohnes Efraims. Seine Nachkommen bilden die Sippe der **Eraniter** (Num 26, 36).
= ? **Elada** (1), 1 Chr 7, 20.
= ? **Elad** (1), 1 Chr 7, 21.
= ? **Ladan** (1), 1 Chr 7, 26: Ahnherr Josuas, Sohn Nuns.

ERASTUS, „Lieblich", „Verliebt".
1° **Erastus** (1), Mitarbeiter des Paulus in Ephesus. Wird mit Timotheus nach Mazedonien geschickt (Apg 19, 22).
2° **Erastus** (2), Christ, Stadtkämmerer in Korinth (Röm 16, 23; 2 Tim 4, 20). – Mit dem Vorhergehenden identisch?

ERECH (1), eine der Hauptstädte des Königreichs Nimrod (Gen 10, 10).
= **Uruk** (1), von dort läßt Asenappar (Assurbanipal) Leute nach Samarien und den übrigen westlichen Gebieten umsiedeln (Esr 4, 9). Stadt in Südmesopotamien, am linken Ufer des Eufrat. Heute *Warka.*

ERI (2), der fünfte von sieben Söhnen Gads (Gen 46, 16). Seine Nachkommen bilden die Sippe der **Eriter** (Num 26, 16).

ESAU (105), hebr. *Esav,* „Struppig", „Behaart" (vgl. Gen 25, 25; 27, 11), älterer Sohn Isaaks und der Rebekka, Zwillingsbruder Jakobs (Gen 25, 25–26; 28, 5; 35, 29; Jos 24, 4; 1 Chr 1, 34; Mal 1, 2), tüchtiger Jäger (Gen 25, 27–28). Er verkauft an Jakob sein Erstgeburtsrecht (Gen 25, 29–34; vgl. Hebr 11, 20; 12, 16–17) und verliert den daran geknüpften väterlichen Segen (Gen 27, 1–40; vgl. 28, 6; Röm 9, 13). Voll Haß verfolgt Esau den Jakob (Gen 27, 41–45; vgl. 35, 1; Weish 10, 10), doch dann versöhnen sich die beiden Brüder (Gen 32, 4–21; 33, 1–17).
Esau wird gleichgesetzt mit → Edom.
Seine Frauen → Ada 2°; Basemat 1°; Judit 1°; Mahalat 1°; Oholibama 2°.
Seine Söhne → Elifas 1°; Reguël 1°; Korach 1°; Jalam; Jëusch 1°.

ESBAI (1), Vater des Naarai (1 Chr 11, 37). → PAARAI.

ESCHAN (1), Stadt im Gebirge Juda (Jos 15, 52), 16 km SW von Hebron.

ESCHBAAL (2), „Mann Baals" (vgl. Baal), Sohn Sauls, Bruder Jonatans, Malkischuas und Abinadabs (1 Chr 8, 33 // 9, 39). Vgl. → ISCH-BAAL.

ESCHBAN (2), zweiter der vier Söhne Dischons (1 Chr 1, 41 // Gen 36, 26: hebr. *Dischan*), Sohn Seïrs.

ESCHEK (1), Benjaminiter, Vater von drei Söhnen (1 Chr 8, 39).

ESCHKOL (6), „Traube", Bruder Mamres und Aners (Gen 14, 13.24). Das **Tal von Eschkol** (4) „Traubental", liegt bei Hebron. Die von Mose entsandten Kundschafter bringen von dort eine Rebe mit einer Traube, die sie zusammen an einer Stange tragen (Num 13, 23–24 // Dtn 1, 23–25; Num 32, 9).

ESCHTAOL (7), „Ort, wo man [das Orakel] befragt" (vgl. Saul). Ort, immer zusammengenannt mit → ZORA.

ESCHTAOLITER (1), 1 Chr 2, 53. Bewohner von → ESCHTAOL.

ESCHTEMOA (6), „Ort, wo man (das Orakel) hört" (vgl. Schemaja), vom Clan Kaleb hergeleitet über Esra (1 Chr 4, 17) oder als **Maachiter** bezeichnet (V. 19). – Stadt im Gebirge Juda (Jos 15, 50; vgl. 1 Sam 30, 28), den Leviten vom Clan Kehat zugeteilt (Jos 21, 14 // 1 Chr 6, 42), 15 km südlich von Hebron.

ESCHTON (2), kalebitischer Herkunft. Von ihm werden besonders Bet-Rafa und Ir-Nahasch hergeleitet (1 Chr 4, 11–12).

ESDRELON (4), hellenistischer Name für → JESREEL.

ESDRIS (1), 2 Makk 12, 36 → ESRI.

ESEK (1), „Streit", Name eines Brunnens, um den sich die Hirten von Gerar und die Isaaks zanken (Gen 26, 20). Zusammen mit den Brunnen von *Sitna* und *Rehobot* genannt. Zwischen Gerar und Beerscheba.

ESER, „Hilfe" (vgl. Abiëser; Ahiëser; Asarel; Asarja usw.). Verwandt mit *Eder.*
1° **Eser** (1), Sohn Hurs, Erstgeborener von Efrata und Kaleb, von Juda hergeleitet (1 Chr 4, 4).
2° **Eser** (1), Sohn Efraims (1 Chr 7, 21).
3° **Eser** (1), Gaditer, mit David verbündet vor seinem Königtum (1 Chr 12, 10; vgl. VV. 9–16).
4° **Eser Sohn Jeschuas** (1), Vorsteher von Mizpa, bessert freiwillig die Mauer Jerusalems aus (Neh 3, 19).
5° **Eser** (1), Priester, Teilnehmer an der Mauerweihe in Jerusalem (Neh 12, 42).

ESLI (1), gr. *Hesli,* Ahnherr Jesu nach Lk 3, 25.

ESRA, gr. *Esdras,* „[Gott ist] Hilfe" (vgl. Eser).
1° **Esra** (1), Ahnherr der von Kaleb hergeleiteten Gruppen (1 Chr 4, 17–18).
2° **Esra** (25), **Priester** (8), **Schriftgelehrter** (10), Nachkomme Aarons über Zadok (Esr 7, 1–5), im Gesetz des Mose wohlbewandert (7, 6), ein kluger Interpret der Gebote Jahwes und der Israel betreffenden Gesetze (7, 10–11), Staatssekretär für die jüdischen Angelegenheiten (7, 12.22) am Hof des Perserkönigs Artaxerxes (I. oder II., denn die Chronologie des Esra und Nehemia schafft schwere Probleme). Als Überbringer eines königlichen Briefes zieht er mit einer Gruppe von etwa 5000 Volksgenossen von Babylon nach Jerusalem (8, 1–14). Auf dem Weg schließen sich 258 Leviten und Tempeldiener an (8, 15–20). Er stellt den Kult wieder her (8, 31–35), löst die Ehen der Juden mit ausländischen Frauen auf (9, 1 – 10, 44; vgl. Neh 9, 1–2), läßt das Gesetz feierlich verlesen und begeht das Laubhüttenfest (Neh 8, 1–18). Der Chronist macht aus Esra einen Zeitgenossen des Priesters Jojakim, Sohn des Jeschua (Neh 12, 26; vgl. 3°), und läßt Esra an der Prozession bei der Jerusalemer Mauerweihe teilnehmen (Neh 12, 36; vgl. 4°).

3° **Esra** (2), mit Serubbabel aus dem Exil zurückgekehrter Priester (Neh 12, 1), Haupt einer priesterlichen Familie zur Zeit des Hohenpriesters Jojakim (Neh 12, 13). Vgl. → ASARJA 9°.
4° **Esra** (1), Priester, Trompetenbläser bei der Mauerweihe in Jerusalem (Neh 12, 33).

ESRACHITER (3), „Eingeborener" oder „[Sohn] Serachs", 1 Kön 5, 11; Ps 89, 1 → ETAN 1°; Ps 88, 1 → HEMAN.

ESRI, „Meine Hilfe" (vgl. Eser).
1° **Esri** (1), **Sohn Kelubs** (1), Aufseher über die Landarbeiter (1 Chr 27, 26).
2° **Esri** (3), gr. *Esdrias* oder *Esdris,* 2 Makk 12, 36 → ASARJA 23°.

ESROM, gr. Umschrift von → HEZRON 2°.

ESTER (59), akk. *Ischtar,* pers. *Stareh,* „Stern", nach rabb. Tradition „Die Verborgene" (vgl. Dtn 31, 17), **Tochter Abihajils** (2) (Est 2, 15; 9, 29).
Eine junge und schöne jüdische Waise, nach Persien verschleppt, von ihrem Vetter und Vormund Mordechai erzogen und Braut des Königs geworden, dem sie ihre Herkunft nicht verraten hatte (Est 2), soll sie beim König für ihr jüdisches Volk eintreten, das der Großwesir Haman zu vernichten trachtet (3–5). Ester erreicht die Bestrafung Hamans, das Haus des Gehenkten wird ihr gegeben, die Juden werden rehabilitiert und dürfen ihre Feinde abschlachten. Zum Andenken daran erläßt Ester ein Gesetz bezüglich des Purimfestes (7–9).
Die griechischen Zusätze des Buches enthalten ein Gebet Esters, in dem die Königin ihr Geschick mit dem ihres Volkes verknüpft und die Gerechtigkeit Gottes anruft (nach 4, 17).
= **Hadassa** (1), Est 2, 7.

ETAM, hebr. 1°: *Etam;* 2°–4°: *Hetam* „Raubvogel"?
1° **Etam** (4), am Rand der gleichnamigen Wüste (Num 33, 8), Station auf dem Exodus zwischen Sukkot und Migdol (Ex 13, 20 // Num 33, 6–7). An der Ostgrenze Ägyptens. Lage ungewiß.
2° **Felsenhöhle von Etam** (2), in Juda. Simson zieht sich hier zurück (Ri 15, 8.11.13).
3° **Etam** (2), Stadt im Gebirge Juda (Jos 15, 59), von Rehabeam befestigt (2 Chr 11, 6).
4° **Etam** oder **Abi-Etam** (1), Sohn Hurs, von Juda hergeleitet (1 Chr 4, 3).
5° **Etam** (1) → ETER 2°.

ETAN, „Beständig", „Dauernd" (vgl. Jatniël).
1° **Etan** (7) **der Esrachiter** (2) wird in 1 Kön 5, 11 mit Heman, Kalkol und Darda zu den in Kanaan bekanntesten Weisen gezählt. Durch eine Verwechslung von *Esrachi* „Eingeborener" und *Serach,* einem Sohn Judas, macht 1 Chr 2, 6 aus Etan einen der fünf Söhne des Serach. Etan wird vom Chronisten auch neben Heman und Asaf gestellt, so daß er nun zu den drei großen Sängern Davids gehört. Jeder von ihnen wird mit einem der drei levitischen Geschlechter verknüpft, mit Merari, Kehat und Gerschom (1 Chr 6, 29). Etan ist also **Sohn des Kischi** (6, 29) oder **Kuschaja** (15, 17). Bei der Übertragung der Lade spielt er die Zimbel (15, 19).
Der Ps 89 wird dem „Esrachiter Etan" zugeschrieben.
In den anderen Parallelen mit Asaf und Heman ist Etan ersetzt durch → JEDUTUN.
Vater des → ASARJA 1°.
2° **Etan** (1), Levit des Clans Gerschom, Ahnherr Asafs (1 Chr 6, 27).

ETANIM (1), althebräischer Monatsname = Herbstmonat (1 Kön 8, 2).

ETBAAL (1), gr. *Ittobaal,* „Baal mit ihm" (vgl. Itiel), **König der Sidonier** (1), 1 Kön 16, 31. Der Astartepriester ist König von Tyrus und Sidon geworden, Vater der → ISEBEL 1°.

ETER
1° **Eter** (1), Stadt in der Schefela (Jos 15, 42), 25 km westlich von Hebron.
2° **Eter** (2), Stadt Simeons (Jos 19, 7 // 1 Chr 4, 32: *Tochen*), Juda eingegliedert (1 Sam 30, 30: hebr. *Atach*).
= ? **Etam** (1), 1 Chr 4, 32. In der Liste der Städte Simeons. 8 km westlich von Beerscheba.

ET-KAZIN, „Zeit der Behörde"?, auf der Grenze zu Sebulon, nicht weit von Gat-Hefer (Jos 19, 13).

ETNAN (1), „Geschenk" (vgl. Natan), Sohn des Hela und Aschhur aus kalebitischem Geschlecht in Juda (1 Chr 4, 7).

ETNI (1), Nachkomme Gerschoms, Sohn Levis, und Ahnherr des Sängers Asaf (1 Chr 6, 26).

EUBULUS (1), „Vom guten Rat" (vgl. Aristobul), römischer Christ (2 Tim 4, 21).

EUERGETES, gr. Name, „Wohltäter" (vgl. Eubulus).
1° **Euergetes** (1), Beiname des → PTOLEMÄUS 7°.
2° **[Euergetes],** Beiname des → PTOLEMÄUS 3°.

EUFRAT (25), hebr. *Perat,* altpers. *Ufratu,* genannt **der Fluß** (17), **der große Fluß** (5), der längste Fluß (2270 km) des westlichen Asiens, an dem Babylon liegt (vgl. Jer 51, 63). Mit dem Tigris hat der Eufrat Mesopotamien den Namen gegeben.
Als einer der vier Paradiesesflüsse vorgestellt (Gen 2, 14; vgl. Sir 24, 26), wird der Eufrat vor allem als NO-Grenze des Gelobten Landes genannt (Gen 15, 18; Ex 23, 31; Dtn 1, 7; 11, 24; Jos 1, 4; vgl. 1 Chr 5, 9). Er ist auch die Grenze des Salomonischen Reichs (1 Kön 5, 1 // 2 Chr 9, 26; vgl. 1 Kön 5, 4), die Grenze eines idealen Palästinas (Ps 72, 8; 80, 12; Sir 44, 21; Jes 27, 12; Sach 9, 10), ein Gebiet, das Nebukadnezzar erobert (2 Kön 24, 7) und das die Seleukiden in Besitz genommen haben (1 Makk 3, 32). Über die Eufratgrenze kommen die Heimkehrer zurück (Jes 11, 15; 27, 12), den Eufrat überschreiten nach Osten die Truppen des Antiochus IV. (1 Makk 3, 37) und nach Westen die Soldaten des Holofernes (Jdt 2, 24; vgl. 1, 6) sowie die kriegerischen Parther, die das Römische Reich bedrohen (Offb 9, 14; 16, 12).
Der Fluß bezeichnet in Jes 8, 7 und Jer 2, 18 die assyrische Macht. Manche sehen in *Eufrat/Perat* und Jer 13, 4–7 das *Wadi Fara* nördlich von Anatot.
(→ PARA).
Nebenfluß → HABOR.
Städte am Eufrat → BABEL; KARKEMISCH; PETOR; REHOBOT-NAHAR?; TIFSACH.
→ MESOPOTAMIEN.

EUMENES (1), „Wohlwollend" (vgl Eubulus), König von Pergamon (197–160). Nach der Niederlage des Antiochus d. Gr. bei Magnesia am Sipylos erhält Eumenes II., dessen Reiterei zum Sieg beigetragen hatte, von den Römern „Indien, Medien, Lydien" (1 Makk 8, 8).

EUNIKE (1), Name gr. Ursprungs, „Schöner Sieg" (vgl. Eubulus; Andronikus), christlich gewordene Jüdin in Lystra, Frau eines Griechen, Mutter des Timotheus (Apg 16, 1). Ein Lob ihres Glaubens singt 2 Tim 1, 5.
→ LOIS.

EUPATOR (5), „Von einem edlen Vater geboren" (vgl. Eubulus; Antipater), 1 Makk 6, 17; 2 Makk 2, 20; 10, 10.13; 13, 1. Beiname des → ANTIOCHUS 4°.

EUPOLEMUS (2), „Kriegstüchtig" oder „Vom Kriegsglück [begünstigt]", **Sohn des Johanan [vom Hause] Koz** (1), wird mit Jason, dem Sohn Eleasars, von Judas Makkabäus nach Rom gesandt, um mit den Römern einen Freundschaftsvertrag zu schließen (1 Makk 8, 17ff; 2 Makk 4, 11).
Sohn des → JOHANAN 19°.

EUTYCHUS (1), „Einer der Glück hat" (vgl. Eubulus; Syntyche; Tychikus; Fortunatus; Gad), junger Mann in Troas. Schläft während der Predigt des Paulus ein und fällt aus dem Fenster. Paulus erweckt ihn wieder zum Leben (Apg 20, 7–12), wobei seine Gesten an die Erweckungsgeschichten des Elija (1 Kön 17, 21) und des Elischa (2 Kön 4, 34) erinnern.

EVA (5), hebr. *Hawwah,* „Lebendige"? (vgl. Jehiël), „vom Mann genommen" und von Gott „erbaut" (Gen 2, 22; vgl. 1 Tim 2, 13), eine „Hilfe" für den Mann, „Bein von seinem Bein und Fleisch von seinem Fleisch" (Gen 2, 19–20.23; vgl.

Tob 8, 6), „Mutter aller Lebendigen" (Gen 3, 20), verführt durch die „Falschheit der Schlange" (2 Kor 11, 3; 1 Tim 2, 14; Gen 3, 1–6; vgl. Sir 25, 24), Mutter Kains und Abels (Gen 4, 1).
Eva ist mit Adam das eponyme Stammelternpaar der Menschheit (vgl. Gen 1, 26–27; 1 Kor 11, 8–12).
→ Adam 1°.

EVODIA (1), „Guter Weg" (vgl. Eubulus), Christin in Philippi, die Paulus ermahnt, mit Syntyche „im Herrn einmütig zu sein" (Phil 4, 2), zumal beide mit Paulus „für das Evangelium gekämpft" haben (V. 3).

EWI (2), einer der fünf midianitischen Könige, Vasallen des Amoriterkönigs Sihon (Jos 13, 21), von den Israeliten während des Exodus besiegt und getötet (Num 31, 8).

EWIL-MERODACH (2), absichtliche Entstellung „Verfluchter Narr" des babyl. *Avil Marduk*, „Der Mann Marduks" (vgl. Merodach), **König von Babylon** (3), Sohn und Nachfolger Nebukadnezzars (561–560). Er läßt den König von Juda Jojachin nach einer Gefangenschaft von 37 Jahren frei (2 Kön 25, 27–30 // Jer 52, 31–34).

EZBON
1° **Ezbon** (1) → Osni.
2° **Ezbon** (1), Benjaminiter, erster der fünf Söhne Belas, Familienhaupt und Krieger (1 Chr 7, 7).

EZECHIAS → Hiskija

EZECHIEL, hebr. *Jehesk'el,* „Gott gebe Stärke" oder „Härte" (vgl. Ez 3, 8–9).
1° **Ezechiel** (3) **Sohn des Busi** (1), Ez 1, 3. Priester in Jerusalem, wahrscheinlich bei der ersten Deportation unter Jojachin von Juda (598) nach Babylon weggeführt. Im Jahr 593 (1, 2) scheint dieser Priester, überwältigt von der Herrlichkeit Jahwes, die Berufung zum Propheten erfahren zu haben (2, 5; 3, 10–11). Er weiß sich „zum Wächter für das Haus Israel" bestellt (3, 17; 33, 2.7), beauftragt, den Gottlosen von seinem Weg abzubringen (3, 18) und Jerusalem seine Greuel kundzutun (16, 2). Der Fall der Stadt, von dem Ezechiel durch einen Flüchtling hört (33, 21), macht aus dem drohenden Gerichtsprediger einen Verkünder des Heils.
Obwohl Ezechiel in dem Buch, das seinen Namen trägt, nur zweimal genannt ist (1, 3; 24, 24; vgl. Sir 49, 8–9), handelt es sich doch um eine sehr „persönliche" Schrift. Von 1, 4 ab spricht der Prophet ständig in der ersten Person und gibt die Worte wieder, die Jahwe an ihn, den „Menschensohn", gerichtet hat. Der Ausdruck „Menschensohn" (92 x) betont den Abstand zwischen der Hinfälligkeit des Menschen (2, 1.3.8; 3, 1.4.10.17 u. ö.) und der „Herrlichkeit Jahwes" (1, 28; 3, 23; 8, 4; 10, 4; 43, 2). Ezechiel beruft sich mehrmals auf außergewöhnliche religiöse Erfahrungen: „die Hand Jahwes kam über mich" (1, 3 LXX; 3, 22; 8, 1; 33, 22; 37, 1; 40, 1), „da kam der Geist in mich" (2, 2; 3, 24) oder „über mich" (11, 5), „hob mich empor" (3, 12.14; 8, 3; 11, 1.24; 43, 5). Der Prophet spricht in eindringlicher Form von den Prüfungen, die Gott ihm schickt (z. B. sein Verstummen: 3, 24–27; der Tod seiner Frau: 24, 15–24), und von den symbolischen Handlungen, die er darstellen soll (z. B. die Belagerung Jerusalems: 4, 1 – 5, 17; der Aufbruch zur Deportation: 12, 1–16; die Trostlosigkeit der Verbannung: 12, 17–20; die Wiedervereinigung der beiden Königreiche: 37, 15–28). Bis in alle Einzelheiten schildert er seine erschütternden Visionen: den Thronwagen Jahwes (1, 4–28; vgl. 10); die zum Verzehr bestimmte Buchrolle (2, 8 – 3, 3); die Sünden Jerusalems und das Strafgericht (8—10); die verdorrten und wiederbelebten Totengebeine (37, 1–14); das neue Jerusalem mit seinem Tempel und seinem idealen Kult in einem erneuerten Palästina (40—48).
Diese letzten Kapitel nennt man die „Tora des Ezechiel", sie sind ein hervorragendes Zeugnis der seit dem Exil immer einflußreicheren „priesterlichen" Theologie. Ezechiel ist auch der Urheber einer neuen literarischen Gattung, der Apokalyptik (z. B. der gewaltige Kampf des Königs Gog von Magog gegen das Volk Gottes: 38—39). Die Botschaft des Propheten hat vor allem eine Verinnerlichung des religiösen Lebens bewirkt, sie hat die persönliche Verantwortung einge-

schärft (14, 12–23; 18) und den alten Opferdienst mit einem neuen Herz und einem neuen Geist erfüllt (11, 19; 18, 31; 36, 26–27). So ist Ezechiel eine wichtige Etappe auf dem Weg zur Anbetung Gottes „im Geist und in der Wahrheit“ (Joh 4, 24).
2° **Ezechiel** (1) → JEHESKEL.

EZEM (3), „Knochen“?, Stadt im Negeb von Juda (Jos 15, 29), gehörte vorher den Söhnen Simeons (Jos 19, 3 // 1 Chr 4, 29). Vielleicht 25 km im SO von Beerscheba.

EZER (5), sechster Sohn des Horiters Seïr (Gen 36, 21 // 1 Chr 1, 38) und Führer der Horiter (Gen 36, 30). Er hat drei Söhne (Gen 36, 27 // 1 Chr 1, 42).

EZJON-GEBER (7), (vgl. Geber), liegt bei Elat am Ufer des Schilfmeeres (1 Kön 9, 26), im Golf von Akaba. Station des Exodus (Num 33, 35–36; Dtn 2, 8). Schiffsbauwerft und Handelshafen Salomos (1 Kön 9, 26 // 2 Chr 8, 17), den Joschafat ohne Erfolg wiederzubeleben versucht (1 Kön 22, 49 // 2 Chr 20, 36). Der Ort wurde zeitweilig verwechselt mit → ELAT.

F

FARATON (1), hebr. *Pirᶜaton,* Stadt Efraims, von Bakchides befestigt (1 Makk 9, 50), 9 km im SW von Sichem.
→ Piraton.

FASIRON (Die Söhne des) (1), vermutlich arab. Stamm, der mit Bakchides zusammenarbeitet und vom Makkabäer Jonatan geschlagen wird (1 Makk 9, 66).

FELIX (9) „Glücklich", Freigelassener, Bruder des Pallas, eines Günstlings der Agrippina, Prokurator von Judäa (52–59 oder 60), Mann der → Drusilla. Dem in Cäsarea residierenden Felix wird der in Jerusalem verhaftete Paulus überstellt (Apg 23, 24–35). Der Apostel muß sich vor dem Gericht des Statthalters verantworten (24, 1–22). Einige Tage später läßt sich Felix mit seiner Frau Drusilla sogar „über den Glauben an Jesus Christus" berichten (24, 24–25). Er hält Paulus jedoch weiter gefangen in der Hoffnung, von ihm Geld zu bekommen und den Juden einen Gefallen zu tun. Sein Nachfolger ist Porzius Festus (24, 26–27; 25, 14).

FESTUS (13), „Festlich", „Froh" (Vgl. Haggi). **Porzius** (1) **Festus,** Statthalter von Judäa (60–62) folgt auf Felix (Apg 24, 27). Er lehnt die Forderung der jüdischen Behörden ab, Paulus nach Jerusalem zurückzuschicken, und gibt der Appellation des Paulus an den Kaiser statt (25, 1–12). Der König Agrippa II. wird von ihm über den Fall informiert, und der Gefangene darf sich vor dem König verteidigen (25, 13–27; 26, 1–32).

FISCHTOR (4), hebr. *Dagim,* im Norden Jerusalems, westlich vom Turm Hananel. Bei diesem Tor befand sich wahrscheinlich ein Fischmarkt, auf dem Händler von Tyrus ihre Waren verkauften (vgl. Neh 13, 16). Das Fischtor (Zef 1, 10) wurde unter Manasse erneuert (2 Chr 33, 14) und unter Nehemia wiederaufgebaut (Neh 3, 3; 12, 39).

FOGOR (1), Tob 1, 2. Lage unbekannt. Verschiedene Änderungen (Safed, Schefat) vorgeschlagen.

FORTUNATUS (1), „Beglückt", Christ in Korinth, der mit Stephanas und Achaikus nach Ephesus reist, vermutlich um Paulus die brieflichen Anfragen der korinthischen Gemeinde zu überbringen (1 Kor 16, 17; vgl. 7, 1).

FORUM APPII (1), ein 65 km südlich von Rom gelegener Ort. Hier wird Paulus von den aus Rom entgegenkommenden Christen begrüßt (Apg 28, 15).

G

GAAL (9), „Skarabäus", **Sohn Ebeds** (5), kanaanäischer Abenteurer, vielleicht aus Sichem. Er stellt sich an die Spitze eines Aufstands gegen Abimelech, wird aber geschlagen (Ri 9, 26–41).

GAASCH (4), Berg im SW des Gebirges Efraim, wo Josua begraben wird (Jos 24, 30 // Ri 2, 9). Aus den „Tälern des Gaasch" (2 Sam 23, 30) stammt → HIDDAI; NAHALE-GAASCH.

GABAËL, „Gott ist erhaben" (vgl. Geba), lat. *Gabelus*.
1° **Gabaël** (1), aus Naftali, Ahnherr von Tobit und Tobias (Tob 1, 1).
2° **Gabaël** (7) **Bruder des Gabrija** (1), Tob 1, 14 oder **Sohn des Gabrija** (1), 4, 20. Vetter des Tobit (9, 6), der einmal bei ihm in Medien Geld hinterlegt hat (1, 14). Die Reise des Tobias zu Gabaël, um das Geld zu holen, ist das Rahmenthema des Tobiasbuches (4, 1–3.20; 5, 1–6; 9, 1–6; 10, 2).

GABATA (1), gr. Entsprechung zum pers. Namen → BIGTAN.

GABBAI (1), Benjaminiter, wohnt nach dem Exil in Jerusalem (Neh 11, 8).

GABBATA (1), aram. „Höhe" (vgl. Jogboha), der gepflasterte Platz, wo Pilatus Gericht hielt (Joh 19, 13).

GABRIEL (4), „Mann Gottes" oder „Gott ist stark" (vgl. Geber), Engel, der Daniel seine Visionen erklärt (Dan 8, 16–26; 9, 21–23), der Zacharias die Geburt Johannes des Täufers ankündigt (Lk 1, 11–20) und Maria die Geburt Jesu (1, 26–38).

GABRIJA (2), Vater oder Bruder des → GABAËL 2°.

GAD, „Glück", (vgl. Asgad; Baal-Gad; Gaddi; Gaddiël; Gadi; Gaditer; Migdal-Gad).
1° **Gad** (1), aramäischer Gott des Glücks (Jes 65, 11).
2° **Gad** (59), Sohn Jakobs und der Lea-Magd Silpa, die Gad „Glück auf" (Gen 30, 10–11) nennt, eponymer Ahnherr eines Stammes Israels. Zwischen seinem Namen und dem seines Halbbruders Ascher („Glückskind") besteht eine auffällige Entsprechnung. Die Söhne und Sippen Gads (Gen 46, 16; Num 26, 15–18). Die Liste 1 Chr 5, 11–17 könnte aus einer Musterung unter Jerobeam II. stammen. Zahlenangaben (Num 1, 25; 26, 15).
Das Stammesgebiet wird in Jos 13, 24–28 (vgl. 1 Chr 5, 16) beschrieben. Es erstreckt sich östlich des Jordan zwischen dem Arnon im Süden und dem Jabbok im Norden, und seine Städte werden in Num 32, 34–36 genannt. In Ri 5, 17 wird der Stamm Gad durch sein Gebiet, Gilead, bezeichnet. Die Landnahme der drei transjordanischen Stämme, Gad zwischen Ruben im Süden und Manasse im Norden, wird in Num 32 und Jos 22 dargestellt (vgl. Dtn 3, 12–16; Dtn 4, 43 // Jos 20, 8; Dtn 29, 7; Jos 1, 12; 4, 12; 12, 6; 13, 8; 18, 7). Gad dehnt sich auf Kosten Rubens aus (Dtn 33, 20–21; vgl. 33, 6). Das Land ist fruchtbar, zur Schafzucht geeignet, aber am Rand der Wüste gelegen. So kann Gad am Nomadenleben festhalten, muß sich aber zugleich gegen Raubzüge verteidigen (Gen 49, 49; vgl. 1 Chr 5, 11–22; Jer 49, 1). Zur Zeit Jehus werden die drei Stämme von Hasaël von Damaskus besiegt (2 Kön 10, 32),

und ein Jahrhundert später werden sie von den Assyrern verschleppt (1 Chr 5, 26).
Gaditer sind unter den ersten Anhängern Davids (1 Chr 12, 9–15).
Gad in den Stammeslisten → S. 376f.
Heimat des → BANI 1°.
3° **Gad** (13), Prophet, königlicher Seher. Ratgeber Davids (1 Sam 22, 5), besonders bei der Volkszählung (2 Sam 24, 11–17 // 1 Chr 21, 7–17) und der Errichtung des Altars auf der Tenne des Arauna (2 Sam 24, 18–19 // 1 Chr 21, 18–19). Der Chronist erwähnt überdies eine „Geschichte Gads" (1 Chr 29, 29) und lobt seinen Eifer für den Kult (2 Chr 29, 25).

GADARENER (Land der) (3). Das Zentrum ist **Gadara,** eine Stadt der Dekapolis, 10 km SO des Sees Gennesaret. Jesus begegnet hier zwei Besessenen (Mt 8, 28). Die Parallelstellen (Mk 5, 1; Lk 8, 26) haben „Land der Gerasener".

GADDA → HAZAR-GADDA.

GADDI, „Mein Glück" (vgl. Gad).
1° **Gaddi Sohn des Susi** (1), Haupt eines Clans aus Manasse, wird von Mose zur Auskundschaftung des Landes Kanaan entsandt (Num 13, 11).
2° **Gaddi** (1), 1 Makk 2, 2. Beiname des Makkabäers → JOHANAN 18°.

GADDIEL (1), „Gott ist mein Glück" (vgl. Gad), **Sohn des Sodi** (1), Haupt eines Clans aus Sebulon, wird von Mose zur Auskundschaftung des Landes Kanaan entsandt (Num 13, 10).

GADI (2), „Aus Gad", Vater des Königs → MENAHEM.

GADITER (16), Num 34, 14; Dtn 3, 12.16; 4, 43; 29, 7; Jos 1, 12; 12, 6; 13, 8; 22, 1; 2 Sam 23, 36; 2 Kön 10, 33; 1 Chr 5, 18.26; 12, 9.38; 26, 32 aus → GAD 2°.

GAETAM → GATAM

GAHAM (1), „Flamme"?, einer der zwölf Söhne des Abrahamsbruders Nahor, geboren von seiner Nebenfrau Rëuma (Gen 22, 24).

GAHAR (2), „[geboren in einem] regenarmen [Jahr]", Familienhaupt von aus dem Exil zurückgekehrten Tempeldienern (Esr 2, 47 // Neh 7, 49).

GAIUS, gr. Form des lat. *Caius.*
1° **Gaius, Mazedonier** (1), Reisebegleiter des Paulus, beim Aufstand der Silberschmiede in Ephesus gefangen (Apg 19, 29). Vgl. den Folgenden.
2° **Gaius aus Derbe** (1), Reisebegleiter des Paulus, aus Lykaonien gebürtig (Apg 20, 4). Die Var. „aus Doberus" ist ein späterer Versuch, diesen Gaius mit dem vorhergehenden Mazedonier Gaius zu identifizieren.
3° **Gaius** (2), Christ in Korinth, von Paulus getauft (1 Kor 1, 14), Gastgeber des Apostels (Röm 16, 23).
4° **Gaius** (1), Adressat des 3. Johannesbriefs.

GALAAD → GILEAD

GALAL, „Mist" (vgl. Gilgal)
1° **Galal** (1), Levit, wohnt nach dem Exil in Jerusalem (1 Chr 9, 15).
2° **Galal** (2), Levit, Sohn Jedutuns, Ahnherr des → OBADJA 11°.

GALATER (4), 2 Makk 8, 20; Gal 3, 1; **galatisch:** Apg 16, 6; 18, 23.

GALATIEN, gr. *Galatia.* Das gleiche Wort bezeichnet auch *Gallien.*
1° **Galatien** (3) in Kleinasien: die 25 v. Chr. gebildete römische Provinz, die sich von Pamphylien bis Pontus und von der römischen Provinz Asia bis Kappadozien erstreckt (1 Petr 1, 1) – oder im Norden der Provinz Galatien gelegene Landschaft um das heutige Ankara (Ankyra), die seit 300 v. Chr. von einem ursprünglich keltischen Volksstamm, den Galatern, besiedelt war.
Paulus durchquert im Verlauf seiner zweiten Missionsreise das **galatische Land** (2), weil er in der Provinz Asien nicht wirken konnte (Apg 16, 6). Eine Krankheit verlängert seinen Aufenthalt und gibt ihm Gelegenheit, dort das Evangelium zu verkünden (vgl. Gal 4, 13–15). Auf seiner dritten Missionsreise besucht er wieder die galatischen Gemeinden (Apg 18, 23). Vermutlich gegen Ende

seines ephesinischen Aufenthalts schreibt er den Galatern (Gal 1, 2; 3, 1) einen leidenschaftlichen Brief. Gegenüber den Judaisten, die das Evangelium verfälschen, schärft der Apostel ein: das Heil kommt nicht durch die Erfüllung des Gesetzes, sondern allein aus dem Glauben an Jesus Christus. Die Gemeinden Galatiens beteiligen sich an der großen Kollekte zugunsten der armen Urgemeinde von Jerusalem (1 Kor 16, 1).
Landschaften der römischen Provinz → LYKAONIEN; PISIDIEN.
Städte → ANTIOCHIA 2°; DERBE; IKONION; LYSTRA.
2° **Galatien** (1), ob in 2 Tim 4, 10 das kleinasiatische Galatien oder **Gallien** gemeint ist, läßt sich nicht entscheiden. In 1 Makk 8, 2 handelt es sich wahrscheinlich um von den Römern besiegte Gallier und in 2 Makk 8, 20 um gallische Söldner.

GAL-ED (2), hebr. *Gal^ced,* Volksetymologie „Zeugenhügel" (vgl. Gilgal; Joed), aram. *Jegar Sahaduta,* Grenze zwischen Laban und Jakob, Aram und Israel (Gen 31, 47–48; vgl. V. 52: „Zeuge sei dieser Steinhügel").

GALGALA (1), gr. Transkription des hebr. *Gilgal,* korr. in „Galiläa" (1 Makk 9, 2).

GALILÄA (81), hebr. *Galil,* „Distrikt", (vgl. Gilgal), Landschaft im Westen des Sees Gennesaret und nördlich der Ebene Jesreel; entspricht dem Gebiet der Stämme Sebulon und Naftali, genannt das „Galiläa der Heiden" oder „heidnische Galiläa" (Jes 8, 23 // Mt 4, 15; 1 Makk 5, 15), weil sich infolge der Invasionen und Deportationen viele Fremde im Land niedergelassen hatten (2 Kön 15, 29). Galiläa wird bereits in 1 Kön 9, 11 erwähnt, wo Salomo dem Hiram 20 Städte im Land Galiläa überläßt (vgl. Jos 12, 23 LXX). Der nördliche Teil wird Obergaliläa genannt (Tob 1, 2; vgl. 1, 5; Jdt 1, 8). Der Makkabäer Simon zieht ins Feld, um die Juden Galiläas zu befreien und nach Judäa zurückzuführen (1 Makk 5, 14–23; vgl. 1 Makk 12, 47–49).
Galiläa ist vor allem der Ort des Evangeliums. In Judäa geboren, verbringt Jesus den größten Teil seines Lebens in Nazaret in Galiläa (Mt 2, 22–23; 3, 13). In dieser Region, die der Herrschaft des Herodes untersteht (Mk 6, 21; Lk 23, 6–7) und in der sich immer wieder Aufstände regen (vgl. Apg 5, 37; Lk 13, 1), beginnt Jesus seine Tätigkeit (Mt 4, 12–15; Lk 23, 5; Apg 10, 37), die ihn durch das ganze Land führt (Mt 4, 23; Joh 7, 1) und bei der ihm die Massen zuströmen (Mk 1, 28; Lk 5, 17). So nennt man ihn auch „**den Galiläer**" (Mt 26, 69; Lk 23, 6), wobei ein abschätziger Unterton mitklingt, weil die Galiläer als unwissend galten (Joh 7, 41–42.52). In Galiläa wählt Jesus seine Apostel (Mk 14, 70; Mt 26, 69–73; Lk 22, 59; Joh 1, 43; Apg 1, 11; 2, 7; 13, 31), begegnet er den Frauen, die ihm bis ans Kreuz folgen (Mt 27, 55 // Mk 15, 41 // Lk 23, 49.55). Nach Galiläa weisen schließlich die Erscheinungen des Auferstandenen (Mt 26, 32 // Mk 14, 28 // Mt 28, 7 // Mk 16, 7; vgl. Lk 24, 6; Mt 28, 10.16).
Galiläisches Meer → GENNESARET b).
Städte → BETSAIDA 1°; KANA 3°; KAFARNAUM; NAZARET; KEDESCH 2°; TIBERIAS.
Tetrarch → HERODES 2°.
Galiläer → JUDAS 4°.

GALILÄER (11), Mt 26, 69; Mk 14, 70; Lk 13, 1–2; 22, 59; 23, 6; Joh 4, 45; Apg 1, 11; 2, 7; 5, 37.

GALLIER (1), 1 Makk 8, 2 → GALATIEN 2°.

GALLIM, „Steinhaufen" (vgl. Gilgal).
1° **Gallim** (1), Stadt im Gebirge Juda (Jos 15, 59 LXX), heute *Beit Jala.*
2° **Gallim** (1), Stadt Benjamins (1 Sam 25, 44).
= **Bat-Gallim** (1), Jes 10, 30. Vielleicht *Khirbet Kakul,* 4 km nördlich von Jerusalem.
Heimat des → PALTIEL 2°.

GALLIO (3), Bruder des Philosophen Seneka. Prokonsul von Achaia (51–52 oder 52–53). Er lehnt es ab, sich in den Streit der korinthischen Juden mit Paulus zu mischen, und sieht zu, wie der Synagogenvorsteher Sosthenes verprügelt wird (Apg 18, 12–17).

GAMALIEL (2) der Ältere, Pharisäer, „ein beim ganzen Volk angesehener Gesetzeslehrer" (Apg 5, 34). Sein Auftreten im Hohen Rat wirkt beruhigend. Lehrer des Juden Paulus (Apg 22, 3).

GAMLIEL, „Gott ist meine Vergeltung" (vgl. Bet-Gamul; Gamul; Gemalli), **Sohn des Pedazur** (5), Führer im Stamm Manasse (Num 2, 20; 7, 54; 10, 23), leitet die Musterung seines Stammes (Num 1, 10), bringt die Opfergabe für die Altarweihe am achten Tag (Num 7, 54–59).

GAMMADIM (1), mit den *Söhnen Arwads* genannt, vielleicht die Bewohner einer phönizischen Stadt (Ez 27, 11).

GAMUL (1), „satt" (vgl. Gamliel), Leiter der 24. Priesterklasse (1 Chr 24, 17).

GAREB
1° **Gareb aus Jattir** (Korr. des hebr. *der Jeteriter*) (2), Krieger Davids (2 Sam 23, 38 // 1 Chr 11, 40).
2° **Gareb** (1), Anhöhe in (oder bei) Jerusalem (Jer 31, 39). Unbekannt.

GARIZIM (6) und **Ebal,** zwei das Stadtbild von Sichem beherrschende Berge, der erste im Süden (868 m), der zweite im Norden (938 m). Nach der Überschreitung des Jordans errichtet Josua auf dem Ebal einen Altar, bringt ein Opfer dar und läßt dem Volk das Gesetz verlesen, wobei das Volk teils vor dem Berg Garizim, teils vor dem Berg Ebal steht (Jos 8, 30–33; vgl. Dtn 11, 29f; 27, 4.12–13). Vom Garizim herab macht Jotam das Königtum des Abimelech lächerlich (Ri 9, 7). Von diesen Bergen führt Abimelech seine Truppe gegen das aufrührerische Sichem (Ri 9, 36). In der Makkabäerzeit setzt Antiochus Epiphanes den Andronikus als seinen Repräsentanten „auf dem Berg Garizim", d. h. wohl in Sichem, ein (2 Makk 5, 23) und entweiht den samaritanischen Tempel auf dem Garizim, indem er ihn dem Zeus, dem „Gastfreundlichen", weiht (2 Makk 6, 2).
Im Gespräch mit der Samariterin wird auch an den Kult auf dem Garizim, „diesem Berg", erinnert (Joh 4, 20–21).
→ ZALMON 2°;

GARMITER (1), 1 Chr 4, 19? → KEÏLA.

GASAM (2), Familienhaupt von heimgekehrten Tempeldienern (Esr 2, 48 // Neh 7, 51).

GASCHMU (1), andere Form von → GESCHEM.

GASES (2), „[geboren zur Zeit der] Schafschur"?, Sohn oder Enkel der Efa, der Nebenfrau des Kaleb (1 Chr 2, 46).

GAT, gr. *Geth,* „Kelterpresse" (vgl. Gat-Hefer; Gat-Rimmon; Getsemani; Gittajim; Moreschet-Gat).
1° **Gat** (30) **der Philister** (1), alte Hochburg der Anakiter (Jos 11, 22), Stadt der philistäischen Pentapolis (Jos 13, 3; 1 Sam 7, 14), deren Einwohner von der Beulenpest heimgesucht wurden, als sie die Bundeslade beherbergten (1 Sam 5, 8–9; 6, 17–18), wohin David flüchtete (1 Sam 21, 11–16; 27, 1–12; vgl. Ps 56, 1), wo die Sklaven Schimis Zuflucht suchten (1 Kön 2, 39–41). Die Bewohner, die sich schon über den Tod Sauls gefreut hatten (2 Sam 1, 20; vgl. Mich 1, 10), werden Vasallen Davids (2 Sam 6, 10–11 // 1 Chr 13, 13; 2 Sam 15, 18–22; 1 Chr 18, 1). Die Stadt wird von Rehabeam befestigt (2 Chr 11, 8), Hasaël von Damaskus erobert sie (2 Kön 12, 18). Gat der Philister fällt unter den Schlägen Sargons im Jahr 711 (Am 6, 2). Liegt 25 km östlich von Aschkelon.
König → ACHISCH.
Heimat des → GOLIAT; ITTAI 1°; OBED-EDOM.
2° **Gat** (3), mit Efraim (1 Chr 7, 21) und mit Benjamin (8, 13) verknüpfte Stadt, von Usija geschleift (2 Chr 26, 6).
= **Gittajim** (2), von den Benjaminitern aus Beerot bewohnt (2 Sam 4, 3), nach dem Exil von den Benjaminitern wieder in Besitz genommen (Neh 11, 33).

GATAM (3), hebr. *Ga*ᶜ*tam,* einer der Söhne des Elifas, die als Söhne Adas, der Frau Esaus, gelten (Gen 36, 11f // 1 Chr 1, 36); einer der Fürsten oder Clans Edoms (Gen 36, 16).

GAT-HEFER (2), „Brunnenkelter" (vgl. Gat; Hefer 1°), Grenzort Sebulons (Jos 19, 13), 5 km im NO von Nazaret.
Heimat des → JONA 1°.

GATITER (13), hebr. *Gitti,* Jos 13, 3; 2 Sam 6, 10–11; 15, 18–19.22; 18, 2; 21, 19; 1 Chr 13, 13; 20, 5; Ps 8, 1; 81, 1; 84, 1, → GAT 1°.

GAT-RIMMON (4), „Granatbaumkelter" (vgl. Gat; Rimmon 1°–4°), Stadt Dans (Jos 19, 45), den Leviten des Clans Kehat zugesprochen (Jos 21, 24: in Dan // 1 Chr 6, 54: in Efraim). In Jos 21, 25 ist *Gat-Rimmon* wahrscheinlich in *Jibleam* zu ändern.

GAZA (22), hebr. *Azzah,* „Die Starke"?, alte Hochburg der Anakiter (Jos 11, 22). Die bedeutendste Stadt der philistäischen Pentapolis (Jos 13, 3; Jer 25, 20), im äußersten SW Palästinas (Gen 10, 19; Dtn 2, 23; 2 Kön 18, 8) und des Landes „diesseits des Stromes" (1 Kön 5, 4). Gaza wird Juda zugeteilt (Jos 15, 47), aber nur in der Theorie (vgl. Ri 1, 18–19; Jos 10, 41). Es ist von räuberischen Einfällen der Midianiter bedroht (Ri 6, 4). Simson entkommt den Leuten von Gaza, indem er die Stadttore aushebt (Ri 16, 1–3); später ist er wieder in Gaza gefangen und stirbt dort, indem er sich an den Philistern rächt (Ri 16, 21). Bei der Freigabe der Bundeslade bezahlen die Bewohner von Gaza ein „goldenes Geschwür" als Sühneleistung (1 Sam 6, 17–18). Prophetenworte gegen Gaza: Am 1, 6–7; Zef 2, 4; Jer 47, 1.5; Sach 9, 5. Mit der „befestigten Stadt" in Dan 11, 15 ist vielleicht Gaza gemeint. Der Makkabäer Jonatan belagert die Stadt und gewährt ihr den erbetenen Frieden (1 Makk 11, 61–62).
Auf der Straße von Jerusalem nach Gaza tauft Philippus den äthiopischen Kämmerer (Apg 8, 26).
In 1 Makk 13, 43 ist statt *Gaza* wohl *Gazara* (Geser) zu lesen.

GAZARA (13) → GESER.

GAZATITER (2), Jos 13, 3; Ri 16, 2 von → GAZA.

GEBA (19), hebr. *Geba* oder *Gaba,* „Hügel" (vgl. Gabael; Gibeon; Gilboa; Gibea) **in Benjamin** (3).
Stadt Benjamins (Jos 18, 24), den Leviten vom Clan Kehat zugeteilt (Jos 21, 17 // 1 Chr 6, 45). Benachbart mit Gibea (Ri 20, 33f) im SW, mit Michmas (1 Sam 13, 16; 14, 5) im NO und mit Rama (Jes 10, 29) im NW. Grenzstadt unter Asa (1 Kön 15, 22 // 2 Chr 16, 6), unter Joschija (2 Kön 23, 8; vgl. Sach 14, 10). Unter den Heimkehrern finden sich auch Leute aus Geba (Esr 2, 26 // Neh 7, 30), und die Stadt wird wieder von Benjaminitern bewohnt (Neh 11, 31). Levitische Sänger aus der Gegend von Geba nehmen an der Mauerweihe in Jerusalem teil (Neh 12, 29). Die Bemerkung 1 Chr 8, 6 könnte auf die Geschichte von Ri 20 anspielen. Zahlreiche Korr. werden vorgeschlagen: vom hebr. *Geba* in *Gibea* (Ri 20, 10; 1 Sam 13, 3) oder in *Gibeon* (2 Sam 5, 25) und des hebr. *Gibea* in *Geba* (1 Sam 13, 2.15; 14, 2.16).
Heute *Jaba* 10 km nördlich von Jerusalem.

GEBAL
1° **Gebal** (1), „Hügel", phönizische Stadt, wirtschaftlich abhängig von Tyrus (Ez 27, 9). Seine Bewohner, die **Gebaliter,** beteiligen sich am Tempelbau Salomos (1 Kön 5, 32). Das **Land der Gebaliter** gehört zum Idealgebiet des Gelobten Lands (Jos 13, 5). Es ist das zukünftige *Byblos* der Griechen. An der libanesischen Küste, 30 km nördlich von Beirut. Heute *Jebeil.*
2° **Gebal** (1), Region Idumäas, nördlich von Petra (Ps 83, 8).

GE-BEN-HINNOM (10) → GE-HINNOM.

GEBER, „Der Mannhafte", „Mann" (vgl. Ezjon-Geber; Gabrija; Gabriel; Gibbar).
1° **Geber Sohn Uris** (1), Statthalter des 12. Distrikts Salomos (1 Kön 4, 19).
2° **Sohn Gebers** oder **Ben-Geber** (1), Statthalter des 6. Distrikts Salomos (1 Kön 4, 13).

GEBIM (1), „Zisternen", nicht identifizierter Ort im Norden Jerusalems, dessen Bewohner vor dem aus dem Norden kommenden Angreifer flüchten (Jes 10, 31).

GEDALJA, gr. *Godolias,* „Jahwe hat hochgepriesen" (vgl. Giddalti; Giddel; Haggedolim; Magdala; Migdal-Eder; Migdol; Jigdalja).
1° **Gedalja** (2), Sohn Jedutuns, Leiter der zweiten Sängerklasse (1 Chr 25, 3.9).
2° **Gedalja** (1), Ahnherr des Propheten → ZEFANJA 2°.

3° **Gedalja Sohn des Paschhur** (1), einer der vier Minister des Königs Zidkija, die bei der Belagerung Jerusalems durch die Chaldäer Jeremia in eine Zisterne werfen lassen, weil er durch seine Worte die letzten Verteidiger der Stadt demoralisiert habe (Jer 38, 1–6).
4° **Gedalja** (2) **Sohn Ahikams** (16) **Sohn Schafans** (7), im Jahr 587 vom babylonischen König zum Statthalter von Juda ernannt, Befürworter einer loyalen Zusammenarbeit mit der Besatzungsmacht (2 Kön 25, 22–24 // Jer 40, 7–12), Beschützer und Freund Jeremias (Jer 39, 14; 40, 5–6; 43, 6). Der Ammoniterkönig Baalis schürt ein Komplott gegen ihn, doch Gedalja weigert sich, an die Gefahr zu glauben (Jer 40, 13–16), und wird von Jischmael ermordet (2 Kön 25, 25 // Jer 41, 1–3; vgl. 41, 4–18).
5° **Gedalja** (1), Priester, verstößt seine ausländische Frau (Esr 10, 18).

GEDEON → Gideon.

GEDER → Bet-Gader.

GEDERA (1), „Einfriedung" (vgl. Bet-Gader), bewohnt von Töpfern, den Nachkommen Schelas (1 Chr 4, 23).
= **Gedera** (1), Stadt in der Schefela (Jos 15, 36).

GEDERATITER (1), 1 Chr 12, 5. Bewohner von *Gedera* oder *Gederot* → Josabad 2°.

GEDERITER (1), 1 Chr 27, 28
→ Baal-Hanan 2°.

GEDEROT (2), „Die Einfriedungen", Ort in der Schefela (Jos 15, 41), zur Zeit des Ahas von den Philistern erobert (2 Chr 28, 18).

GEDEROTAJIM (1), „Die beiden Einfriedungen", Ort in der Schefela (Jos 15, 36). Vielleicht Dittographie von *Gedera*.

GEDOR, hebr. 1°–2°: „Einfriedung"; 3°: „Pockennarbig".
1° **Gedor** (4), Ort im Gebirge Juda (Jos 15, 58), ehemals kalebitisch (1 Chr 4, 4.18). In 1 Chr 4, 39 ist wahrscheinlich mit LXX *Gerar* statt *Gedor* zu lesen. Etwa 13 km im SW von Betlehem.
→ Bet-Gader.
2° **Gedor** (1), Ort in Benjamin (1 Chr 12, 8). Heimat des → Sebadja 3°.
3° **Gedor** (2), Benjaminiter aus Gibeon (1 Chr 8, 31 // 9, 37).

GEHASI (12), „Der hervortretende Augen hat"? gr. *Giezi,* Diener des Propheten Elischa. Dieser schickt ihn zur Schunemiterin, deren Sohn gestorben ist (2 Kön 4, 12–36; vgl. 8, 4–5). Wegen seiner Unaufrichtigkeit und Habgier wird er mit dem Aussatz Naamans geschlagen (2 Kön 5, 20–27).

GE-HINNOM (3), Jos 15, 8; 18, 16; Neh 11, 30 oder **Ge-Ben-Hinnom** (10) „Tal" oder „Schlucht des Hinnom" oder „des Ben-Hinnom". Ein im Westen oder Süden Jerusalems gelegenes Tal, an der Grenze zwischen Juda und Benjamin (Jos 15, 8; 18, 16; Neh 11, 30). In Jer 2, 23 einfach „das Tal" genannt, ist es vor allem wegen der dort praktizierten religiösen Greuel berüchtigt geworden. Die Israeliten haben dort Opferstätten gebaut, um ihre Söhne und Töchter zu verbrennen (Jer 7, 31–32; 19, 2.6; 32, 35), und zwar zu Ehren des Moloch (vgl. Lev 18, 21). Die Könige Ahas (2 Chr 28, 3) und Manasse (33, 6) gingen mit dem schlechten Beispiel voran. Joschija entweiht die Opferstätte (2 Kön 23, 10). Von der Stadt war der Zugang durch das → Taltor.
= **Hölle** (12), gr. *Gehenna.* Zum öffentlichen, ständig brennenden Müllabladeplatz geworden, hat dieses Tal, „wo der Wurm nicht stirbt und das Feuer nicht erlischt" (Mk 9, 47–48; vgl. Jes 66, 24), den symbolischen Charakter eines ewigen Strafortes angenommen (Mt 5, 22–30 // Mk 9, 43–48; Mt 18, 8–9), in den Gott die Seele und den Leib zugleich stürzen kann (Mt 10, 28 // Lk 12, 5). Vgl. Mt 23, 15.33; 25, 41.46. In Jak 3, 6 veranschaulicht das Höllenfeuer die Macht des Bösen, die in den Zungensünden am Werk ist und das „Rad des Lebens" in Brand setzen kann.
→ Hades.

GELILOT (1), „Steinkreise" (vgl. Gilgal) → Gilgal 3°.

GEMALLI (1), Num 13, 12. Vater des → Ammiel 1°.

GEMARJA, „Jahwe hat zum Ziel geführt“ (vgl. Gomer 2°).
1° **Gemarja Sohn des Hilkija** (1) → Elasa 3°.
2° **Gemarja** (4) **Sohn des Schafan** (2), einer der Beamten des Königs Jojakim, die, von der Verlesung der Jeremia-Orakel betroffen, sich erfolglos beim König dafür einsetzen, daß die Buchrolle nicht verbrannt wird (Jer 36, 10.12.25).
Vater des → Micha 10°.

GE-MELACH (5), „Salztal“, Teil der Araba zwischen dem Toten Meer und dem Golf von Akaba. Die Edomiter werden hier mehrfach geschlagen: von David (2 Sam 8, 13 // 1 Chr 18, 12: Abischai // Ps 60, 2: Joab) und zwei Jahrhunderte später vom judäischen König Amazja (2 Kön 14, 7 // 2 Chr 25, 11).

GENNÄUS (1), „Edel“, „Großzügig“, Vater des → Apollonius 3°.

GENNESARET (4), „Prinzengarten“? 1 Makk 11, 67 (Gennesar); Mt 14, 34 // Mk 6, 53; Lk 5, 1 → Kinneret.

GENUBAT (2), „Heimlich“?, Sohn des edomitischen Fürsten Hadad und der Schwester der Tachpenes, am Hof des Pharao erzogen (1 Kön 11, 20).

GER → Er

GERA, „Flüchtling bei [der Gottheit]“ (vgl. Gerschom; Gur-Baal).
1° **Gera** (4), Sohn Benjamins (Gen 46, 21) oder Sohn des Benjaminsohns Bela (1 Chr 8, 3.5). Vater des → Ehud 1°.
2° **Gera** (1), Benjaminiter, einer der Söhne Ehuds, Familienhaupt der nach Manahat ausgewanderten Bewohner Gebas (1 Chr 8, 7).
3° **Gera** (4), Benjaminiter, Vater des → Schimi 6°.

GERAR (10), Grenzstadt zwischen Palästina und Ägypten (Gen 10, 19), Abraham (20, 1–18) und Isaak (26) halten sich in dem Gebiet auf. Die Stadt scheint im Besitz der Philister gewesen zu sein (26, 1.8). Nach 1 Chr 4, 39 LXX (hebr. *Gedor)* suchen die Simeoniter dort Weideland. Asa von Juda verfolgt die Kuschiter bis Gerar (2 Chr 14, 11–12). Auf halbem Weg zwischen Gaza und Beerscheba. König → Abimelech 1°.

GERASENER (Land der) (3), Mk 5, 1 // Lk 8, 26.37. Gebiet um *Gerasa,* eine Stadt der Dekapolis, 55 km im SO des Sees Gennesaret. Heute *Jerasch.*
→ Gadarener.

GERRENER (1), Bewohner von *Gerra,* einer Nachbarstadt von Pelusium, östlich des Nildeltas. Nach 2 Makk 13, 24 Südgrenze des Gebiets der maritimen Zone.

GERSCHOM, volkstümliche Etymologie „Gast im fremden Land“ (vgl. Ex 2, 22; 18, 3).
1° **Gerschom** (6) und **Eliëser,** Söhne des Mose und der Zippora, beide geboren in Midian, im fremden Land (Ex 2, 22; 4, 20; 18, 2–6; vgl. Apg 7, 29), Leviten des Clan Kehat (1 Chr 23, 15–17; 26, 24–25).
Vater des → Jonatan 1°.
2° **Gerschom** (7), in 1 Chr 6, 1.2.5.28.47.56; 15, 7 Name für → Gerschon.
3° **Gerschom** (1), Nachkomme des Priesters Pinhas, mit Esra aus dem Exil zurückgekehrt (Esr 8, 2).

GERSCHON (17), (→ Gerschom 2°), erster der drei Söhne Levis (Gen 46, 11 // Ex 6, 16; Num 3, 17; 1 Chr 5, 27; 6, 1). Eponymer Ahnherr der Gerschoniter, er stellt mit seinen Brüdern Kehat und Merari, mit denen er immer zusammen genannt wird, die drei großen Levitengeschlechter dar (Num 26, 57; 1 Chr 23, 6f). Eine Zählung ergibt 2630 Söhne Gerschons (Num 4, 38–41). Sie teilen sich in zwei Sippen, die *Libniter* und die *Schimiter* (Num 3, 21–23; vgl. 26, 58). Ihre Aufgaben an der Stiftshütte werden beschrieben in Num 3, 25–26; 4, 24–28; 7, 7; 10, 17; vgl. 1 Chr 15, 7. Ihnen werden dreizehn Städte zugeteilt in Issachar, Ascher, Naftali und Ost-Manasse (Jos 21, 6.27–33 // 1 Chr 6, 47.56–61). Asaf, einer der drei

großen Sänger, gilt als Nachkomme Gerschons (1 Chr 6, 24–28).
→ Liste S. 383
Söhne → LIBNI 1°; SCHIMI 3°.

GERSCHONITER (13), Num 3, 21.23f; 4, 24.27f; 26, 57; Jos 21, 33; 1 Chr 23, 7; 26, 21; 2 Chr 29, 8.12: Angehörige des Clans → GERSCHON.

GESCHAN (1), Kalebiter der Söhne Jahdais (1 Chr 2, 47).

GESCHEM (3), „[Geboren in der Zeit des] Regens", **der Araber** (2), Statthalter der arabischen Föderation von Kedar, deren Gebiet sich bis zum Süden Transjordaniens und Palästinas erstreckt. Mit Sanballat, dem Statthalter Samariens, und Tobija, dem Statthalter des Ammoniterlands, versucht er, sich dem Mauerbau in Jerusalem zu widersetzen (Neh 2, 19; 6, 1.2).
= **Gaschmu** (1), Neh 6, 6.

GESCHUR, GESCHURITER
1° **Geschur** (9) **in Aram** (1), 2 Sam 15, 8 und **Geschuriter** (4). Königreich östlich des Sees Gennesaret, an der Grenze zu Ost-Manasse (Dtn 3, 14; vgl. Jos 12, 5; 1 Chr 2, 23), den Stämmen des Ostjordanlands zugesprochen, aber niemals von ihnen in Besitz genommen (Jos 13, 11.13). Nach der Ermordung des Amnon flüchtet sich Abschalom an den Hof des Königs von Geschur und bleibt dort drei Jahre (2 Sam 13, 38; 14, 23.32; 15, 8).
König → TALMAI 2°
2° **Geschuriter** (2), Stamm im Negeb (Jos 13, 2), gegen den David Raubzüge unternimmt (1 Sam 27, 8).

GESEM (1) → GOSCHEN 1°

GESER (15), gr. *Gazara* „Einfriedung"?, strategisch wichtige kanaanäische Stadt an der Nordgrenze des Philisterlands (2 Sam 5, 25 // 1 Chr 14, 16; 20, 4), von Efraim beansprucht (Jos 16, 3.10; Ri 1, 29; 1 Chr 7, 28), den Leviten des Clans Kehat zugeteilt (Jos 21, 21 // 1 Chr 6, 52). Pharao nimmt die Stadt ein, zündet sie an und gibt sie als Hochzeitsgeschenk seiner Tochter, der Frau Salomos; der baut sie wieder auf (1 Kön 9, 15.17).
= **Gazara** (13), Zitadelle und Zentrum der seleukidischen Kriegsführung (2 Makk 10, 32), Schauplatz von Kämpfen zwischen Syrern und Juden (1 Makk 4, 15; 7, 45), von Judas Makkabäus belagert und zerstört (2 Makk 10, 33–38), von Bakchides wiederaufgebaut (1 Makk 9, 52), schließlich von Simon Makkabäus erobert, der dort seinen Sohn Johannes einsetzt (1 Makk 13, 43–48.53; 14, 7.34; 16, 1.19–21). Antiochus VII. fordert die Stadt von Simon vergeblich zurück (15, 28–36). Liegt 30 km westlich von Jerusalem an der Straße nach Joppe.
König → HORAM.

GESERITER (1), einer der Negebstämme, gegen die David Raubzüge unternimmt (1 Sam 27, 8). Möglich auch → GIRSITER.

GETER (2), einer der vier Söhne Arams (Gen 10, 23 // 1 Chr 1, 17). Aramäischer Stamm.

GETSEMANI (2), „Ölkelter" (vgl. Gat; Mischmanna), Landgut im Kidrontal, am Fuß des Ölbergs, wo Jesus Todesangst erleidet und gefangengenommen wird (Mt 26, 36 // Mk 14, 32; vgl. Lk 22, 40). Nach Joh 18, 1–2 war es ein „Garten", in dem „Jesus oft mit seinen Jüngern zusammengekommen war".

GËUËL (1), „Majestät Gottes"?, **Sohn des Machi** (1), ein Anführer des Stammes Gad, von Mose zur Auskundschaftung Kanaans entsandt (Num 13, 15).

GIACH (1), „Aufwallung" (vgl. Gihon), Ort bei Gibeon (2 Sam 2, 24). Lage nicht identifiziert.

GIBBAR (1), (vgl. Geber), Esr 2, 20 → GIBEON.

GIBBETON (6), „Grabhügel", „Gewölbe"?, Stadt Dans (Jos 19, 44), den Leviten des Clan Kehat zugeteilt (21, 23), dann **Stadt, die den Philistern gehört** (2), von den Israeliten unter den Königen Nadab (1 Kön 15, 27) und Ela (16, 15.17) belagert. Lage nicht identifiziert.

GIBEA „Hügel" (vgl. Geba).
1 ° **Gibea** (44) **in Benjamin** (8): Ri 19, 14; 20, 4.10 (korr.); 1 Sam 13, 2.15; 14, 16; 2 Sam 23, 29; 1 Chr 11, 21; **Gibea-Saul** (3): 1 Sam 11, 4; 15, 34; Jes 10, 29; **Gibeat-Elohim** (1): 1 Sam 10, 5.
Die Bewohner Gibeas begehen ein abscheuliches Verbrechen: Sie verweigern einem Leviten aus Efraim die Gastfreundschaft und vergewaltigen seine Nebenfrau, bis sie stirbt (Ri 19, 12–30; vgl. Hos 9, 9; 10, 9). Israel unternimmt daraufhin einen Straffeldzug gegen Gibea und das mit ihm solidarische Benjamin (Ri 20, 1–44). Eine Zeitlang wird Gibea von den Philistern besetzt (1 Sam 10, 5; 13, 3: korr.). Es ist die Vaterstadt Sauls (1 Sam 10, 26), wo er nach seiner Salbung zum König inmitten einer Prophetenschar in ekstatische Verzückung gerät (1 Sam 10, 5.10.13 LXX). Gibea ist auch seine Hauptstadt (1 Sam 11, 4; 15, 34; 22, 6; 23, 19; 26, 1; Jes 10, 29). Es steht in der Liste der Städte Benjamins (Jos 18, 28: korr. von *Gibeat*).
Heute *Tell el Ful,* 6 km nördlich Jerusalems.
Heimat von → SCHEMAA; ITTAI 2°; MAACHA 9°.
Korr. des hebr. *Gibea* in *Geba* (1 Sam 13, 2.15; 14, 2.16) und in *Gibeon* (2 Sam 21, 6).
2° **Gibea** (2), Stadt im Gebirge Juda (Jos 15, 57), ehemals kalebitisch (1 Chr 2, 49).
3° **Gibea** (1), Stadt des Pinhas, in der sein Vater, der Priester Eleasar, begraben ist. Im Gebirge Efraim (Jos 24, 33). Möglich auch die Übersetzung mit „Hügel".

GIBEATITER (1), 1 Chr 12, 3 → GIBEA 1°.

GIBEON (39), gr. *Gabaon,* „Höhe" (vgl. Geba).
Die Gibeoniter, eine Föderation von vier Städten (Gibeon, Beerot, Kefira und Kirjat-Jearim: Jos 9, 17), bilden eine hiwitische Enklave auf kanaanäischem Gebiet (Jos 9, 7; 11, 19). Sie schließen ein Bündnis mit Israel, erhalten aber nur den minderen Status von Holzfällern und Wasserträgern (Jos 9, 3–27). Eine Koalition von fünf Amoriterkönigen gegen Gibeon wird von Josua niedergeschlagen (Jos 10, 1–13.41). Saul aber verletzt den alten Bündnisvertrag, indem er Gibeoniter ermorden läßt. Um dieses Verbrechen zu sühnen, liefert David sieben Nachkommen des eidbrüchigen Königs an Gibeon aus (2 Sam 21, 1–9). Schauplatz eines Zusammenstosses zwischen den Anhängern Davids und denen Sauls (2 Sam 2, 12–16.24; 3, 30), eines Sieges Davids über die Philister (2 Sam 5, 25 // 1 Chr 14, 16; vgl. Jes 28, 21). Berühmtes Höhenheiligtum, wo Salomo Opfer darbringt (1 Kön 3, 4f // 2 Chr 1, 3.6f; 1 Kön 9, 2; 1 Chr 16, 39; 21, 29; 2 Chr 1, 13).
Gibeon wird zu den Städten Benjamins gezählt (Jos 18, 25) und den Leviten des Clans Kehat zugeteilt (21, 17). Der Chronist gibt eine Liste der Bewohner Gibeons (1 Chr 8, 29f // 9, 35f). Unter den aus dem Exil zurückgekehrten Israeliten befinden sich auch Gibeoniter (Neh 7, 25 // Esr 2, 20: *Gibbar*).
Teich von Gibeon (2 Sam 2, 13f; Jer 41, 12), 9 km NW von Jerusalem. Heute *El Djib.*
Heimat des → HANANJA 4°; MELATJA; JISCHMAJA 1°.

GIBEONITER (8), 2 Sam 21, 1–4.9; 1 Chr 12, 4; Neh 3, 7 → GIBEON.

GIDDALTI (2), „Ich habe (Gott) gepriesen" (vgl. Gedalja), aus den Söhnen Hemans (1 Chr 25, 4), Leiter der 24. Sängerklasse (25, 29).

GIDDEL, „Sehr groß" (vgl. Gedalja).
1° **Giddel** (2), Familienhaupt von Tempeldienern, die aus dem Exil zurückkehren (Esr 2, 47 // Neh 7, 49).
2° **Giddel** (2), Familienhaupt von Knechten Salomos, die aus dem Exil zurückkehren (Esr 2, 56 // Neh 7, 58).

GIDEON, gr. *Gedeon,* „Schwert", „Haudegen", „Mit verletzter Hand"? (vgl. Gidom; Gidoni).
1° **Gideon** (39) = **Jerubbaal** (14), **Sohn des Joasch** (5), einer der „großen" Richter, gebürtig aus Ofra (Ri 6, 11) im Stamm Manasse (Jos 17, 2). Er wird von Gott berufen, um Israel aus der Hand der Midianiter zu retten (Ri 6, 12–24; vgl. 1 Sam 12, 11; Hebr 11, 32). Gideon zerstört den Altar des Baal, was ihm den Beinamen „Jerubbaal" einbringt (Ri 6, 25–32). Er versichert sich der Echtheit seiner Sendung durch das Zeichen des Taus (6, 36–40), sondert seine Mitstreiter in En-Harod

aus und beginnt westlich des Jordan einen Feldzug gegen Midian, deren Führer Oreb und Seeb getötet werden (7, 1 – 8, 3; vgl. Ps 83, 12; Jes 10, 26). Dann verfolgt er den Feind über den Jordan, rächt sich an den Leuten von Sukkot, Penuel und den beiden midianitischen Königen Sebach und Zalmunna (Ri 8, 4–21). Er lehnt die Königswürde ab, stellt aber ein goldenes Ephod in Ofra auf, das Anlaß zum Götzendienst gibt (8, 22.27). Er hat siebzig Söhne (8,30), die Abimelech, der Sohn seiner Nebenfrau (8, 31), niedermetzelt (9, 2–5. 18.24.56). Er stirbt alt und vergessen (8, 29–35). Söhne Jerubbaals → ABIMELECH 2°; JOTAM 1°.
2° **Gideon** (1), Simeoniter, Ahnherr Judits (Jdt 8, 1).

GIDGAD → HOR-GIDGAD.

GIDOM (1), (vgl. Gideon), Ri 20, 45. Unbekannter Ort. Vielleicht ist *Geba* oder *Gibeon* zu lesen.

GIDONI (5), (vgl. Gideon), Benjaminiter, Vater des → ABIDAN.

GIËZI → GEHASI.

GIHON, „Der Springende"? (vgl. Giach).
1° **Gihon** (2), einer der Flüsse des irdischen Paradieses (Gen 2, 13; Sir 24, 27).
2° **Gihon** (5), ursprünglich einzige Trinkwasserquelle Jerusalems, im Kidrontal gelegen, außerhalb der Mauer im SO (vgl. 2 Chr 33, 14), am Abhang des Stadthügels. Salomo wird hier zum König gesalbt (1 Kön 1, 33.38.45). Ein erster Tunnel, von den Kanaanitern gegraben, verbindet die Stadt mit der Quelle. Joab scheint durch ihn bei der Eroberung Jerusalems hinaufgestiegen zu sein (2 Sam 5, 8). Der Tunnel wird durch einen Kanal ersetzt, der zum Teil unter freiem Himmel verläuft (vgl. Jes 7, 3; 8, 6; 22, 9–11). Später läßt Hiskija einen Kanal durch den Felsen graben. So wird das Wasser der Gihonquelle zum Teich Schiloach innerhalb der Mauern geleitet (2 Chr 32, 30; vgl. 2 Kön 20, 20; Sir 48, 17). Heute *Ein-Sitti-Mariam* oder *Umm-ed-Daraj.*

GILALAI (1), Priester oder Levit, spielt bei der Mauerweihe in Jerusalem ein Instrument (Neh 12, 36).

GILBOA (8), gr. *Gelboe,* „Hügelland" (vgl. Geba), Berg (500 m) zwischen der Ebene Jesreel und dem Jordan, westlich von Bet-Schean. Die Israeliten werden hier von den Philistern geschlagen. Saul und seine Söhne finden den Tod (1 Sam 28, 4; 31, 1.8 // 1 Chr 10, 1.8; 2 Sam 1, 6, 21; 21, 12).

GILEAD, gr. *Galaad,* „Rauhes", „Unebnes Land"; bibl. Etymologie → GAL-ED.
1° **Gilead** (123), Land in Transjordanien mit unterschiedlichem geographischen Umfang:
a) Das ursprüngliche Gilead: Gebirge (Gen 31, 21.23.25) zwischen dem Jabbok und dem Land Jaser (Num 31, 1) bei Mizpa (Ri 10, 17; 11, 11), an der Grenze zu den Ammonitern (vgl. 2 Sam 17, 24–26). Es ist das Land Jiftachs (Ri 11, 1), der sein Führer wird und den Kampf gegen die feindlichen Nachbarn aufnimmt, die Ammoniter (Ri 10, 17–18; 11, 1–12.29) und Efraimiter (12, 4–7). Von Machir unterschieden, bezeichnet es das Territorium von Gad (Ri 5, 14.17).
b) Das Land Machir-Ostmanasse zwischen dem Jabbok und dem Jarmuk (Num 32, 39f; Dtn 3, 15; Jos 13, 11; 17, 5–6; 1 Chr 27, 21). Deshalb gilt Gilead als „Sohn Machirs, Sohn Manasses" (1 Chr 7, 17; vgl. Num 26, 29; Jos 17, 1; 1 Chr 2, 21.23; 7, 14), und die Clans Gileads werden „Sippen Manasses" genannt (Num 26, 30–34).
c) Ganz Transjordanien, und zwar eine Hälfte Gileads im Süden des Jabbok, von Ruben und Gad bewohnt, und die andere Hälfte nördlich des Jabbok, von Ostmanasse in Besitz genommen (Dtn 3, 12f; Jos 12, 2–6; 13, 31; 22, 9.13.15.32; 2 Kön 10, 33).
d) Das in hellenistischer Zeit die **Galaaditis** (7) genannte Land erstreckt sich bis nördlich des Jarmuk (→ BASCHAN). Judas führt hier einen Feldzug, um gefangene Juden zu befreien, und übt an den Städten Vergeltung (1 Makk 5, 9–11.17–20.25–45.55). Auch Tryphon begibt sich dorthin (1 Makk 13, 22). Während Ez 48, 17 Gilead vom Gelobten Land ausschließt, hoffen andere Texte auf seine Rückkehr zu Israel (Ps 60, 9 // 108, 9; Jer 50, 19; Obd 19; Mich 7, 14; Sach 10, 10).

Gilead ist berühmt für seine Heilpflanzen (Gen 37, 25; Jer 8, 22; 46, 11), seine fetten Weiden (Num 32, 1; Hld 4, 1 // 6, 5; Jer 50, 19; Mich 7, 14), seine Wälder (Jer 22, 6).
Gileaditer → BARSILLAI 1°; JIFTACH 1°; JAÏR 2°.
Städte Gileads → MIZPA 2°; RAMOT-GILEAD; TISCHBE 1°; JABESCH 1°.
Städte der Galaaditis → BOSOR 1°; BOSORA; KASPIN; DATEMA; EFRON 4°; HELAM; KARNAJIM; MAKED; RAFON. → JORDAN 3°.
2° **Gilead** (2), Stadt im Ostjordanland (Hos 6, 8; 12, 12). Nicht identifiziert.
3° **Ben-Gilead** (1), Gaditer der Söhne Abihajils oder, nach einer anderen Lesart, *Gilead,* Ahnherr des Abihajil (1 Chr 5, 14ff).

GILEADITER (11), Bewohner von → GILEAD 1°.

GILGAL, gr. *Galgala,* „Steinkreis" (vgl. Bet-Gilgal; Galal; Galed; Galiläa; Gallim; Gelilot).
1° **Gilgal** (36), zwischen dem Jordan und Jericho, vermutlich im NO der Stadt (vgl. Jos 4, 19). Genaue Lage unsicher.
Erstes Lager der Israeliten bei ihrem Einzug in Kanaan nach dem Jordanübergang (Jos 4, 19–20; vgl. Mich 6, 5): Beschneidung des Volks und Feier des Pascha (Jos 5, 9–10), Theophanie (5, 13–15), Bündnis mit den Gibeonitern (9, 6), Ausgangspunkt der Landnahme Kanaans (10, 6–9.15.43; 14, 6; vgl. Ri 2, 1). Hauptheiligtum Benjamins: Samuel und Saul bringen hier Opfer dar (1 Sam 10, 8; 13, 7–9.12–15; 15, 12f. 21; vgl. 1 Sam 7, 16). Hier wird Saul zum König ausgerufen (1 Sam 11, 14–15) und dann von Samuel verworfen (vgl. 15, 26). Samuel tötet hier den Amalekiterkönig Agag (15, 33). Nach dem Tod Abschaloms kehrt David aus Gilgal zurück (2 Sam 19, 16.41). Die Propheten haben den in Gilgal betriebenen Kult verurteilt (Hos 4, 15; 9, 15; 12, 12; Am 4, 4; 5, 5).
2° **Gilgal** (3), im Gebirge Efraim zwischen Schilo und Bet-El oder vielleicht am Fuß des Garizim (vgl. Dtn 11, 30). Man begegnet dort den Propheten Elija und Elischa (2 Kön 2, 1; 4, 38).
3° **Gilgal** (1), Jos 15, 7 oder **Gelilot** (1), Jos 18, 17 an der Grenze von Juda und Benjamin, gegenüber der Steige von Adummim. Identisch (?) mit → BET-GILGAL.
4° **Gilgal** (1), Jos 12, 23; vermutlich in der Ebene Scharon. Die LXX lesen „Galiläa".

GILO (2), Stadt im Gebirge Juda (Jos 15, 51; vgl. 2 Sam 15, 12). Heute *Kh. Jala,* 10 km NW von Hebron. Heimat des → AHITOFEL.

GILONITER (2), 2 Sam 15, 12; 23, 34 aus → GILO.

GIMSO (1), Stadt in der Schefela, von den Philistern unter Ahas erobert (2 Chr 28, 18).
Heimat des → JASCHEN.

GINAT (2), Vater des → TIBNI.

GINNETON (3), mit Serubbabel aus dem Exil heimgekehrter Priester (Neh 12, 4), Mitunterzeichner der Gesetzesverpflichtung (Neh 10, 7), nach ihm heißt eine priesterliche Familie (Neh 12, 16).

GIRGASCHITER (8), eines der Völker Kanaans, vielleicht kleinasiatischen Ursprungs (Gen 10, 16; 15, 21; Dtn 7, 1; Jos 3, 10; 24, 11; 1 Chr 1, 14; Neh 9, 8; Jdt 5, 16) → KANAAN a).

GIRSITER → GESERITER.

GISCHPA (1), Vorsteher der Tempeldiener (Neh 11, 21).

GISONITER → GUNITER.

GITTAJIM (2), „Die zwei Kelter" (vgl. Gat) → GAT 2°.

GOA (1), Jer 31, 39. Platz (?) in Jerusalem, vielleicht am Zusammentreffen des Hinnom- und des Kidrontals.

GOB (2), sonst unbekannte Philisterstadt (2 Sam 21, 18 // 1 Chr 20, 4: Geser). Hier zeichnen sich zwei Krieger Davids aus, darunter Elhanan von Betlehem, der Goliat tötet (2 Sam 21, 19).

GOG
1° **Gog** (1), Rubeniter, Nachkomme Joels, Ahnherr des Beera (1 Chr 5, 4).
2° **Gog** (10), **Großfürst von Meschech und Tubal** (3) oder **Fürst von Rosch, Meschech . . ., im Land Magog** (1).
Mit diesem Namen ist vielleicht *Gyges,* der König von Lydien (= Magog), gemeint. Andere sehen in Gog eine Wiederaufnahme des Namens *Agag,* des Amalekiterkönigs und Erbfeinds Israels (vgl. Num 24, 7: hebr. *Agag;* gr. *Gog*).
In Ez 38—39 personifiziert Gog die dem Gottesvolk feindlichen Mächte. Er kommt vom Norden (Ez 38, 6.15), dem Ausgangspunkt der großen Invasionen (vgl. Jer 4, 6–7). Dieser barbarische Eroberer ist wie Babylon Werkzeug göttlichen Zorns, um Israel einer letzten Prüfung zu unterwerfen (38, 7–9.14), bevor er vernichtet und mit seinen Heerscharen im **„Tal der Pracht Gogs“** verscharrt wird (39, 11–16).
In Offb 20, 7–10 sind *Gog und Magog* Symbole der Feindseligkeit der Welt gegenüber der Kirche.

GOLAN in Baschan (4), Asylstadt für den Halbstamm Ost-Manasse (Dtn 4, 43 // Jos 20, 8), den Leviten des Clans Gerschon zugeteilt (Jos 21, 27 // 1 Chr 6, 56), 30 km östlich des Sees Gennesaret. Nach Golan heißt die *Gaulanitis,* heute der *Golan.*

GOLGOTA (3), aram. *Gulgolta,* „Schädelstätte“, gr. *Kranion* (4), lat. *Calvaria,* vermutlich Namen eines Felsen, der die Form eines Schädels hatte. Ort außerhalb der Jerusalemer Stadtmauer (vgl. Mt 27, 32; Hebr 13, 12), wo Jesus gekreuzigt wird (Mt 27, 33 // Mk 15, 22 // Lk 23, 33: ohne *Golgota* // Joh 19, 17). Die Lokaltradition sucht Golgota unter der heutigen Grabeskirche.

GOLIAT (7), **der Philister** (32) **aus Gat** (4), „Riese“, gewaltiger Krieger (1 Sam 17, 4; Sir 47, 4–5), vielleicht Nachkomme der Anakiter (vgl. Jos 11, 22). David besiegt ihn in einem Zweikampf mit ungleichen Waffen (1 Sam 17; 18, 6; 19, 5; 21, 10; 22, 10; Sir 47, 4; vgl. 1 Makk 4, 30). Nach 2 Sam 21, 19 ist es aber Elhanan, der Sohn Jaïrs, der den Gatiter Goliat tötet. Wahrscheinlich hat 1 Sam 17 ursprünglich von einem Sieg Davids über einen anonymen Gegner, “den Philister“ (29 x in diesem Kap.), berichtet, und erst später wurde hinzugefügt: „namens Goliat aus Gat“ (17, 4.23). Indem Elhanan der Tod Lachmis, eines Bruders des Goliat, zugeschrieben wird, will 1 Chr 20, 5 die Traditionen harmonisieren.

GOMER
1° **Gomer** (5), einer der sieben Söhne Jafets und Vater von drei Völkern, von denen Togarma (Gen 10, 2–3 // 1 Chr 1, 5–6) zu den Verbündeten Gogs gehört (Ez 38, 6). Vermutlich das Volk der Kimmerer im östlichen Kleinasien.
2° **Gomer** (1), „Erfüllung“? (vgl. Gemarja) oder „glühende Kohle“?, **Tochter Diblajims** (1), Frau des Propheten → HOSEA.

GOMORRA (23), hebr. *Amorah,* Stadt der Pentapolis, immer zusammen mit → SODOM.

GOREN-ATAD (2), „Dornbuschtenne“, jenseits des Jordan, mit Abel-Mizrajim identifiziert, wo Jakob begraben wurde (Gen 50, 10–11). Lage unbekannt. → MACHPELA.

GORGIAS (11), „Freund“ des Antiochus IV. Epiphanes (1 Makk 3, 38), ein erfahrener Kriegsmann (2 Makk 8, 9), von Judas bei Emmaus in die Flucht geschlagen (1 Makk 4, 1–25). Besiegt die jüdischen Heerführer Josef und Asarja bei Jamnia, der Hauptstadt der Maritimen Zone, deren Befehlshaber wahrscheinlich Gorgias war (1Makk 5, 55–62). Jedenfalls wird er Befehlshaber von Idumäa (2 Makk 10, 14; 12, 32), wo seine Truppen wiederum von Judas geschlagen werden, während er nach Marisa fliehen kann (2 Makk 12, 32–37).

GORTYNA (1), Stadt auf Kreta, an die der Brief des Konsuls Luzius mit der Bekanntgabe des Bündnisses zwischen Römern und Juden adressiert ist (1 Makk 15, 23).

GOSAN (5), akk. *Guzana,* Stadt in Obermesopotamien am Oberlauf des Habor, nicht weit von Haran, durch Sanherib erobert (2 Kön 19, 12 // Jes 37, 12). Fluß → HABOR.

GOSCHEN
1° **Land Goschen** (10), **Goschen** (2), Gen 46, 28f, gr. *Gesem,* fruchtbares Gebiet Ägyptens, das man nach der Bibel im östlichen Nildelta suchen kann. Josef, der „Herr für ganz Ägypten", siedelt hier seinen Vater Jakob und seine Brüder an (Gen 45, 9–10; 46, 28–34). Pharao gibt ihnen das Recht, wegen ihrer Herden dort zu bleiben (Gen 47, 1–6.27; 50, 8). Bei den ägyptischen Plagen wird das Land Goschen verschont (Ex 8, 18; 9, 26).
= **Land Gesem** (1), Jdt 1, 9.
Goschen ist den Ägyptologen unbekannt.
2° **Goschen** (1), gr. *Gosom,* Stadt im Gebirge Juda (Jos 15, 51). Das **Land Goschen** (2) ist die dieser Stadt benachbarte Gegend (Jos 10, 41; 11, 16). Lage unbekannt.

GOTONIEL → Otniel.

GÖTTER – aufgeteilt nach den Ländern, in denen sie kultische Verehrung genießen; doch lassen sich die Grenzen nicht immer genau festlegen.
Ammon: Milkom.
Aram, Assyrien, Babylon, Kanaan, Phönizien:
Aram: Aschima; Gad 1°; Meni.
Assyrien: [Adad]; Adrammelech; Anammelech; [Assur 1°]; Nibhas; Nisroch; [Schulman]; Tartak.
Babylon: Bel; [Ischtar]; Kewan; Marduk; Nanäa; Nebo 4°; Nergal; [Ninurta]; Sikkut [vgl. Sukkot-Benot]; Sin 1°; Tammus.
Kanaan: Aschera; Astarte; Baal 1°; Baal-Berit; Bet-El 2°; [Horon]; Melech 2°; Moloch; [Mot].
Phönizien: Anat; [Atargatis]; [Baal-Schamem]; [Hadad 1°]; Hadad-Rimmon; [Melkart].
Ägypten: Amon 4°; Apis; [Atum]; [Bastet]; Horus; [Neith]; [Ptah]; [Ra].
Elam: [Lagamar].
Griechische und hellenistische Welt: [Adonis]; [Apollo]; Artemis; [Atargatis]; [Daphne]; [Demeter]; Dionysos 1°; Dioskuren; Herakles; Hermes 1°; [Poseidon]; Zeus.
Moab: Baal-Pegor; Kemosch.
Philisterland: Baal-Zebub; Dagon.

GRIECHE (32), gr. *Hellene,* Mensch der hellenistischen Zivilisation, einer Zivilisation, die nach den Eroberungen Alexanders d. Gr. durch den Austausch zwischen griechischer und orientalischer Kultur entstanden ist (vgl. 1 Makk 1, 10; 8, 18: wo „Griechen" die Seleukiden bezeichnet).
Es gibt den Gegensatz **Griechen – Barbaren,** ein Gegensatz der kulturellen Ordnung, der die rassische Herkunft nicht berücksichtigt. Die Menschheit wird einfach in die durch griechische Sprache und Kultur zivilisierten Völker und die nichtzivilisierten Völker, die Barbaren, eingeteilt (Röm 1, 14).
Dann gibt es den Gegensatz **Juden – Griechen,** der religiöser Ordnung ist und auf die Kultur keinen Bezug nimmt. Hier besteht die Menschheit aus dem auserwählten Volk, den Juden, und den übrigen Menschen, den Griechen = Heiden (2 Makk 4, 36; 11, 2). Unter den Griechen finden sich, dank der Diaspora, viele Sympathisanten der jüdischen Religion (vgl. Joh 12, 20).
Das Evangelium wird Juden und Griechen verkündigt (Apg 11, 20; 14, 1; 17, 4; 18, 4; 19, 10; 20, 21). Paulus stellt fest: „Die Juden fordern Zeichen, die Griechen suchen Weisheit. Wir dagegen verkündigen Christus als den Gekreuzigten: für Juden ein empörendes Ärgernis, für Heiden eine Torheit, für die Berufenen aber, Juden wie Griechen, Christus, Gottes Kraft und Gottes Weisheit" (1 Kor 1, 22–24; vgl. Röm 1, 16; 2, 9f; 3, 9; 10, 12; 1 Kor 10, 32; 12, 13; Kol 3, 11).
→ Griechenland; Hellenisten.

GRIECHENLAND, gr. *Hellas.*
a) **Jawan** (12), gr. *Hellas, Hellenoi,* meint zunächst Jonien und die jonischen Griechen in Kleinasien. Die Völkertafel von Gen 10 ordnet Jawan unter die Söhne Jafets ein. Mit den Söhnen Jawans ist die Bevölkerung der Mittelmeerinseln gemeint(Gen 10, 2.4 // 1 Chr 1, 5.7). Jawan treibt Sklaven- und Bronzehandel mit Tyrus (Ez 27, 13.19; Joel 4, 6; vgl. Jes 66, 19). Jawan ist aber auch das griechische Festland Alexander d. Gr., des Königs der Mazedonier und der Griechen (Dan 8, 21; 10, 20; 11, 2; vgl. Sach 9, 13).
b) **Griechenland** (3), gr. *Hellas.*
Das *Hellas* von 1 Makk 1, 1 bezeichnet das griechische Festland, die Inseln des Ägäischen und des Jonischen Meers, sowie das Jonien, von dem ausAlexander die Eroberung des Persischen

Reichs angeht, und das hellenistische Weltreich (vgl. 1 Makk 6, 2). Die in 1 Makk 8, 9 erwähnten Bewohner Griechenlands sind wahrscheinlich mit der „Achäischen Liga" gleichzusetzen, die im Jahr 146 v. Chr. von den Römern geschlagen wurde. Schließlich bezeichnet „Griechenland" in Apg 20, 2 die römische Provinz *Achaia*.
→ ACHAIA; KITTÄER; MAZEDONIEN; SIKYON; SPARTA.

GRIECHENTUM (1), gr. *Hellenismos,* 2 Makk 4, 13. Durch die Ruchlosigkeit des gottlosen Jason kommt es zu einer Blüte des Griechentums und zur Annahme fremder Sitten. Gemeint ist die Einrichtung einer Sportschule in Jerusalem, das Tragen des griechischen Hutes, die Teilnahme an gesetzwidrigen Kampfspielen und die Hochschätzung „griechischer Auszeichnungen" (vgl. 2 Makk 4, 7–17).

GUNI
1° **Guni** (3), zweiter der vier Söhne Naftalis (Gen 46, 24 // 1 Chr 7, 13), dessen Nachkommen die Sippe der **Guniter** bilden (Num 26, 48).
2° **Guni** (1), Gaditer, Ahnherr des → AHI 1°.

GUR (1), Anstieg bei Jibleam. Ahasja, König von Juda, wird hier tödlich verwundet (2 Kön 9, 27).

GUR-BAAL (1), „Aufenthalt des Baal" (vgl. Baal; Gera), von einer arabischen Bevölkerung bewohnt (2 Chr 26, 7). Lage unbekannt.

H

HABAJA (2), „Jah verbirgt sich", Familienhaupt, dessen Söhne bei der Rückkehr aus dem Exil ihre echte israelitische Herkunft nicht nachweisen können (Esr 2, 61 // Neh 7, 63).

HABAKUK (9), „Basilikum", „Minze"? Prophet vom Ende des 7. Jh., Verfasser eines Orakels gegen die Chaldäer (Hab 1, 1 – 2, 20) und eines Gebets im Ton der Klagelieder (3, 1–19). Die spätere Tradition läßt diesen „kleinen Propheten" in der Geschichte von „Daniel in der Löwengrube" auftreten (Dan 14, 1.33–39). Hier lautet sein gr. Name *Ambakum*.

HABAZZINJA (1), Rechabiter, Ahnherr des → JAASANJA 1°.

HABOR, Fluß Gosans (3), linker Nebenfluß des Eufrat (2 Kön 17, 6 // 18, 11; 1 Chr 5, 26). Heute *Khabur*.

HACHALJA (2), „Hoffe auf Jah" (vgl. Ps 33, 20; Jes 8, 17). Vater des → NEHEMIA.

HACHILA (3), (vgl. Hachalja), Hügel zwischen En-Gedi und Sif, wo David sich vor Saul verbirgt (1 Sam 23, 19; 26, 1.3).

HACHMONI (2), 1 Chr 11, 11; 27, 32. Vater des → JASCHOBAM 1°; JEHIËL 3°.
In 2 Sam 23, 8 ist vermutlich statt *der Tachmoniter* zu lesen *der Hachmoniter*.

HADAD, hebr. mit *h*: 1°–4° (vgl. Ben-Hadad; Hadadeser; Hadad-Rimmon; Hadoram; Henadad); mit *ch*: 5° „Scharf" (vgl. Hadid).
1° **[Hadad],** phönizischer Gewittergott (→ BAAL), als solcher in der Bibel nicht erwähnt, aber als Eigenname gebraucht, allein oder in Zusammensetzungen.
2° **Hadad** (4), **Sohn des Bedad** (2), Edomiterkönig, besiegt die Midianiter in Moab (Gen 36, 35–36 // 1 Chr 1, 46–47).
3° **Hadad** (3), anderer Edomiterkönig, dessen Frau Mehetabel heißt, Tochter Matreds und Enkelin Me-Sahabs (Gen 36, 39; 1 Chr 1, 50–51).
4° **Hadad** (7), junger Edomiterfürst, flieht nach der Niederlage seines Landes vor David nach Ägypten. Er heiratet die Schwägerin des Pharao, die ihm einen Sohn, Genubat, schenkt. Nach dem Tod Davids kehrt er in sein Land zurück, wo er sich Salomo widersetzt (1 Kön 11, 14–25).
5° **Hadad** (2), einer der zwölf Söhne Ismaels bzw. ein arab. Clan (Gen 25, 15 // 1 Chr 1, 30).

HADAD-ESER (21), „Hadad ist Hilfe" (vgl. Eser; Hadad), **Sohn des Rehob** (2), **König von Zoba** (7). Trotz aramäischer Unterstützung durch Damaskus wird er von David besiegt (2 Sam 8, 3–6 // 1 Chr 18, 3–7; vgl. Ps 60, 2) und ausgeplündert (2 Sam 8, 7–12 // 1 Chr 18, 7–11). Eine andere Version dieses Feldzuges bietet 2 Sam 10, 15–19 // 1 Chr 19, 16–19.
→ RESON.

HADAD-RIMMON (1), phönizische Vegetationsgottheit, deren Tod jedes Jahr am Ende der Erntezeit begangen wurde. Die Trauerfeierlichkeiten scheinen besonders in der fruchtbaren Ebene von Jesreel bekannt gewesen zu sein (Sach 12, 11).

HADAR (1), Gen 36, 39 (korr. in *Hadad*) → HADAD 3°.

HADASCHA (1). „Neustadt" (vgl. Hodesch; Neapolis), gr. *Adasa,* Ortschaft in der Ebene Juda (Jos 15, 37).
= *Adasa* (2), wo Judas Makkabäus über Nikanor siegt und dieser im Kampf fällt (1 Makk 7, 40.45).
= ? **Dessau** (1), Ort eines Treffens zwischen Juden und Nikanor (2 Makk 14, 16). Zwischen Jerusalem und Bet-Horon.

HADASSA (1), „Myrte", hebr. Name der → ESTER.

HADES (32), vom Namen des gr. Totengottes *Haides* („Der Unsichtbare") abgeleitet, bezeichnet das Wort meist den Aufenthaltsort der Toten und entspricht so der Scheol des hebr. AT (60 x von 65). Die Vulgata übersetzt Hades mit *Infernus, Inferus,* in der Einheitsübersetzung steht „Unterwelt".
Von Lk 16, 23.28 abgesehen, wo der Reiche „qualvolle Schmerzen" leidet, ist der Hades ein „neutraler" Ort, ein Abgrund, in den Tiefen der Erde (Sir 21, 10; vgl. Num 16, 30–33; Tob 4, 19; 13, 2; Sir 51, 5), wohin die Toten hinabsteigen (Bar 3, 19), Gute (Gen 37, 35; Tob 3, 10; 2 Makk 6, 23; Ijob 17, 13) und Böse (Ijob 21, 13; Ps 9, 18; 31, 18), um ein düsteres Schattendasein zu führen (Ijob 3, 17–19; Ps 49, 15; 88, 4–13; Koh 9, 5.10). Es ist das Land, aus dem niemand wiederkehrt (Weish 2, 1; vgl. Ijob 7, 9; 16, 22).
Der Hades bezeichnet auch die unerbittliche Macht des Todes (vgl. die „Pforten des Hades" in Mt 16, 18; vgl. Ijob 38, 17), der kein Mensch entrinnen kann (2 Sam 22, 5–6 // Ps 18, 5–6; Ps 89, 49; Spr 27, 20; 30, 15–16; Hld 8, 6; Hab 2, 5), die Gott allein besiegt (1 Sam 2, 6; Ps 49, 16; Sir 48, 5; Dan 3, 88; Offb 20, 13–14) und vor der Christus errettet wurde (Apg 2, 24–31; Offb 1, 18), ebenso wie die auf Petrus gebaute Kirche (Mt 16, 18).
→ ABADDON; TARTARUS.

HADID (3), (vgl. Hadad 5°), Ort bei Lod und Ono, aus dem exilierte Juden stammen (Esr 2, 33 // Neh 7, 37), nach dem Exil von Benjaminitern bewohnt (Neh 11, 34).

HADLAI (1), 2 Chr 28, 12. Vater des → AMASA 2°.

HADORAM „Hadad ist erhaben" (vgl. Hadad; Rama).
1° **Hadoram** (2), einer der dreizehn Söhne des Joktan (Gen 10, 27 // 1 Chr 1, 2). Südarabischer Stamm.
2° **Hadoram** (2), Sohn des Toï, des Königs von Hamat, kommt im Namen seines Vaters, um David wegen seines Sieges über Hadad-Eser zu beglückwünschen (1 Chr 18, 9–11 // 2 Sam 8, 9–10: korr. von *Joram* in *Hadoram*).
3° **Hadoram** (1), 2 Chr 10, 18 → ADORAM.

HADRACH (1), akk. *Hatarikka,* Stadt in Nordsyrien (Sach 9, 1).

HAFARAJIM (1), „Die beiden Hefer" (vgl. Hefer 1°), Ort in Issachar (Jos 19, 19).

HAGAB (1), „Heuschrecke" (vgl. Hagaba), Familienhaupt von Tempeldienern, die aus dem Exil zurückkehren (Esr 2, 46).

HAGABA (2), fem. von *Hagab,* Familienhaupt von Tempeldienern, die aus dem Exil zurückkehren (Esr 2, 45 // Neh 7, 48).

HAGAR (15), gr. *Agar,* **die Ägypterin** (4), Magd der Sara, schenkt Abraham einen Sohn, den Ismael (Gen 16, 1–16). Auf Verlangen der Sara aber vertreibt Abraham die Hagar und ihren Sohn (21, 9–20), den zukünftigen Vater der zwölf Araberstämme (25, 12), die Bar 3, 23 die **Söhne der Hagar** nennt. Paulus sieht in der Sklavin Hagar das Testament vom Sinai repräsentiert und den Stand der Knechtschaft, den es hervorbringt, im Gegensatz zur Sara, dem Symbol der Freiheit der wahren Kinder Abrahams (Gal 4, 24–26). Ihre Nachkommen → HAGARITER.

HAGARITER (5), Nachkommen der → HAGAR, der Mutter Ismaels. Arab. Stamm im Ostjordanland. Zur Zeit Sauls müssen sie den Rubenitern Knechtsdienste leisten (1 Chr 5, 10: der hebr. Text erlaubt auch die umgekehrte Auslegung).

Schließlich sind die Hagariter den israelitischen Ostjordanstämmen bis zur assyrischen Deportation unterworfen (1 Chr 5, 18–22). Ps 83, 7 zählt sie unter die zahlreichen Feinde Israels.
Hagariter → Jasis.

HAGGAI (11), gr. *Aggäus,* „[Geboren an einem] Festtag" (vgl. Haggi), einer der zwölf „kleinen" Propheten, Zeitgenosse des Sacharja (Esr 5, 1; 6, 14) und des Tempelneubaus (520 v. Chr.). Der Prophet spornt den Statthalter Serubbabel und den Hohenpriester Jeschua zum Wiederaufbau des Tempels an (Hag 1, 1–15) und verkündet seine künftige Herrlichkeit (2, 1–9). Auch das Land werde reichen Erntesegen hervorbringen (2, 15–19). Weiterer Inhalt des nur zwei Kap. umfassenden Buches sind: Eine symbolisch gemeinte Anfrage an Priester über Rein und Unrein (2, 10–14) und eine messianisch klingende Verheißung an Serubbabel (2, 20–23).

HAGGEDOLIM (1), „Die Großen", Neh 11, 14 → Sabdiel 2°.

HAGGI (2), „[Geboren an einem] Festtag" (vgl. Haggai; Haggit; Haggija; Festus), der zweite von sieben Söhnen des Gad (Gen 46, 16), dessen Nachkommen die Sippe der **Haggiter** bilden (Num 26, 15).

HAGGIJA (1), „Jah ist mein Fest" (vgl. Ex 10, 9), Levit, Nachkomme des Merari, Vater des Asaja (1 Chr 6, 15).

HAGGIT (5), 2 Sam 3, 4 // 1 Chr 3, 2; 1 Kön 1, 5.11; 2, 13: eine der Frauen Davids, Mutter des → Adonija 1°.

HAHIROT (1), Num 33, 8 → Pi-Hahirot.

HAI → Ai

HAKELDAMACH (1), aram. „Blutacker" (vgl. Hilkija), gr. *chorion haimatos,* gekauft mit dem Verräterlohn des Judas und Ort seines Todes (Apg 1, 19).
= **Blutacker** (1), gr. *agros haimatos,* so genannt im Hinblick auf das Blut Jesu und mit dem „Töpferacker" identifiziert (Mt 27, 8–10; vgl. Sach 11, 12f; Jer 18, 2f; 19, 1f; 32, 6–15). Nach einer sehr alten Tradition im Hinnomtal gelegen.

HAKKATAN → Katan.

HAKKEFIRIM → Kefirim.

HAKKOZ (5), „Dornbusch" → Koz 2°.

HAKUFA (2), Familienhaupt von aus dem Exil heimgekehrten Tempeldienern (Esr 2, 51 // Neh 7, 53).

HALACH (3), Stadt in Obermesopotamien. Dorthin deportierten die assyrischen Könige die Israeliten der Ostjordanstämme (1 Chr 5, 26) und des Nordreichs (2 Kön 17, 6 // 18, 11).

HALFI (1), aram. *Halphai,* Abk. des nabat. *Halaf-ilahai,* „Gott hat ersetzt [ein totes Kind]", gr. *Halphaios* (vgl. Alphäus), Vater des → Judas 2°.

HALHUL (1), Stadt im Gebirge Juda (Jos 15, 58), 6 km nördlich von Hebron.

HALI (1), Stadt Aschers (Jos 19, 25), 10 km etwa im SO von Afek.

HALIKARNASS (1), Stadt im kleinasiatischen Karien, an die der Brief des Konsuls Luzius mit der Bekanntgabe des Bündnisses zwischen Römern und Juden gerichtet ist (1 Makk 15, 23).

HALLOHESCH (2) → Lohesch.

HAM, gr. und lat. *Cham.* Etym.?
1° **Ham** (16), zweiter der drei Noachsöhne (P: Gen 5, 32; 6, 10; 10, 1; 1 Chr 1, 4), der jüngste (J: Gen 9, 24). Mit seinen Brüdern wird er vor der Sintflut gerettet (Gen 7, 13; 9, 18). Er gilt als Vater von Kusch (Äthiopien und Nubien), Mizrajim (Ägypten), Put (Arabien? Libyen?) und Kanaan (Gen 10, 6 // 1 Chr 1, 8). Kanaan soll dem Semsohn Israel untertan werden, weil Ham im Unterschied zu seinen Brüdern „die Blöße seines Vaters nicht

bedeckt“ hat (Gen 9, 22–27). Unter Hiskija werden die Nachkommen Hams von den Simeonitern endgültig vernichtet (1 Chr 4, 40f). In den Pss 78, 51; 105, 23.27; 106, 22 bezeichnen die „Zelte Hams“ oder „das Land Hams“ Ägypten.
2° **Ham** (1), Ort im Ostjordanland. Hier werden die Susiter von Kedor-Laomer geschlagen (Gen 14, 5). Etwa 30 km östlich von Bet-Schean.

HAMAN, pers. Name „Der Große“.
1° **Haman** (63) **Sohn des Hammedata** (8), **der Agagiter** oder **aus Agag** (6). Erster Minister des persischen Hofs unter Xerxes (Est 3, 1). Angesichts der Weigerung des Juden Mordechai, sich vor ihm niederzuwerfen, beschließt er die Ausrottung des ganzen jüdischen Volks (3, 2–6), und gegen eine Gabe von 10000 Talenten erlangt er vom König ein entsprechendes Dekret, das er an alle Provinzen versendet (3, 7–13; 4, 7; 8, 5.12). Von Ester zu einem, dann zu einem zweiten Gastmahl geladen, läßt Haman, von seiner Frau Seresch und seinen Freunden gedrängt, für Mordechai einen Galgen errichten (5, 9–14). Der König erfährt, daß Mordechai ihm einst das Leben rettete, als er ein von zwei Eunuchen geschürtes Komplott aufdeckte, und befiehlt Haman, Mordechai dafür zu ehren (6, 1–13). Während des Festmahls erbittet Ester von Xerxes die Bestrafung des Judenhassers Haman. Der wird am Galgen aufgehängt, den er für Mordechai hatte errichten lassen (6, 14 – 7, 10; 8, 7.12; 9, 25). Die königliche Gunst ergießt sich jetzt über die Juden: Der Palast Hamans wird an Ester übergeben (8, 1–2), die Briefe Hamans werden widerrufen, und die Juden erhalten das Recht, sich an ihren Feinden zu rächen (8, 3–12). Unter den Opfern jüdischer Rache sind die zehn Söhne Hamans (9, 7–14.25).
2° **Haman** (2), Tob 14, 10 → Nadab 5°.

HAMAT
1° **Hamat** (24), syrische Stadt am Orontes, auf halbem Weg zwischen Aleppo und Damaskus, heute *Hama.*
In der Völkertafel wird Hamat von Kanaan hergeleitet (Gen 10, 18 // 1 Chr 1, 16). Das bedeutende Zentrum (Am 6, 2: *Hamat die Große),* nach dem ein ganzes Territorium benannt wird (2 Chr 8, 4; vgl. Ez 47, 16 → Ribla), hat unter David und Salomo den Status eines Vasallenkönigreichs oder eines Verbündeten (2 Kön 14, 28; vgl. 2 Sam 8, 9–10). Vom Assyrerkönig Sanherib wird es gleichzeitig mit Arpad zerstört (2 Kön 18, 34 // Jes 36, 19; 2 Kön 19, 13 // Jes 37, 13; vgl. Jes 10, 9). Die Bewohner werden nach Samaria deportiert, um den Platz der Israeliten einzunehmen. Dort machen sie sich einen Gott, den Aschima (2 Kön 17, 24–32). Nach der Niederlage Ägyptens bei Karkemisch, fühlen sich Hamat und Arpad von der babylonischen Gefahr bedroht (Jer 49, 23). Nach dem Fall Jerusalems wird ein Teil der Bevölkerung Judas nach Hamat deportiert (Jes 11, 11).
= **Hamathitis** (1), Land um Hamat, in das der Makkabäer Jonatan zieht, um die Truppen des Demetrius aufzuhalten (1 Makk 12, 25).
Im Land Hamat → Ribla.
König → Toï.
2° **Lebo-Hamat** (12), „Zugang nach Hamat“, „wo es nach Hamat geht“, erster Posten des Königreichs Hamat an der theoretischen Nordgrenze des Gelobten Landes (Num 13, 21; 34, 8; Jos 13, 5 // Ri 3, 3; Ez 47, 15.20; 48, 1; vgl. Sach 9, 2), an der faktischen Nordgrenze des Davidischen und Salomonischen Reichs (1 Kön 8, 65 // 2 Chr 7, 8; 2 Kön 14, 25; Am 6, 14; 1 Chr 13, 5). Heute *Lebue,* im Norden des Libanontals.

HAMATITER (2), Gen 10, 18 // 1 Chr 1, 16 → Hamat 1°.

HAMAT-ZOBA (1). Außer in 2 Chr 8, 3 unterscheidet die Bibel immer zwischen *Hamat* und *Zoba* als zwei geographisch verschiedenen Orten.

HAMITAL → Hamutal.

HAMMAT (2), „Warme Quelle“ (vgl. Hammon), befestigte Stadt Naftalis (Jos 19, 35). Zeitweilig von den Kenitern und Rechabitern besetzt (1 Chr 2, 55).
= **Hammot-Dor** (1), Stadt Naftalis, den Leviten des Clans Gerschon zugeteilt (Jos 21, 32). 3 km von Tiberias.
Zu unterscheiden (?) von → Hammon 2°.

HAMMEDATA (8), gr. *Hamadathos,* Est 1, 1[r]; 3, 1.10; 8, 5.12[k]; 9, 10.24.
Vater des → HAMAN 1°.

HAMMON, „Warme Quelle" (vgl. Hammat).
1° **Hammon** (1), Ort in Ascher (Jos 19, 28).
2° **Hammon** (1), Stadt Naftalis, den Leviten vom Clan Gerschon zugeteilt (1 Chr 6, 61).
Zu unterscheiden (?) von → HAMMOT-DOR.

HAMMUEL (1), Simeoniter, Nachkomme des Schaul, Ahnherr Schimis (1 Chr 4, 26).

HAMONA (1), „Pracht" (vgl. Baal-Hamon), unbekannte Stadt (Ez 39, 16). Wahrscheinlich ist der Name symbolisch gemeint.

HAMOR (13), „Esel", **der Hiwiter** (1), Fürst des Landes (Gen 34, 2), fordert für seinen Sohn Sichem die Jakobstochter Dina zur Frau und schlägt den Söhnen Jakobs ein allgemeines Ehebündnis vor. Die nehmen unter der Bedingung an, daß sich die Leute von Sichem der Beschneidung unterziehen. Das war jedoch nur eine List, denn Simeon und Levi töten die fieberkranken Hamor und Sichem (Gen 34, 4.6.8.13.18.20.24.26).
Die Söhne Hamors, des Vaters von Sichem (2), ein in Sichem seßhafter Clan (vgl. Ri 9, 28), von dem Jakob ein Feld kauft, wo er sein Zelt aufschlägt (Gen 35, 19) und wo Josef begraben wird (Jos 24, 32).
= **Die Söhne Emmors in Sichem** (1), Apg 7, 16: hier wird das von Jakob gekaufte Feld verwechselt mit der von Abraham erworbenen Grabhöhle → MACHPELA.

HAMRAN (1) → HEMDAN.

HAMUL (3), „Verschont", zweiter Sohn des Judasohns Perez (Gen 46, 12 // 1 Chr 2, 5). Seine Nachkommen bilden die Sippe der **Hamuliter** (Num 26, 21).

HAMUTAL (3), „Mein Schwager ist Tau" (vgl. Abital), **Tochter des Jirmeja** (3), aus Libna, Mutter der judäischen Könige Joahas (2 Kön 23, 31) und Zidkija (2 Kön 24, 18 // Jer 52, 1).

HANAEL (1), Tob 1, 21: Naftaliter, Bruder des Tobit, Vater des → ACHIKAR.

HANAMEL (4), abgeleitete Form von *Hananel* „Gott hat Gnade gewirkt" (vgl. Hanan), **Sohn des Schallum** (1), leiblicher Vetter des Jeremia. Während der Belagerung Jerusalems kauft Jeremia von ihm aufgrund seines Vorkaufsrechts einen Acker in Anatot. Dieser Kauf soll auf bessere Tage hindeuten (Jer 32, 7–9.12).

HANAN, Abk. von *Hananja* „Jah hat Gnade gewirkt" (vgl. Hananias; Hanniel; Hanun; Henadad; Johannes; Tahan; Tehinna).
1° **Hanan** (1), Benjaminiter der Söhne Scheschachs, Familienhaupt in Jerusalem (1 Chr 8, 23).
2° **Hanan** (2), Benjaminiter, einer der sechs Söhne Azels (1 Chr 8, 38 // 9, 44).
3° **Hanan Sohn des Maacha** (1), Krieger Davids (1 Chr 11, 43).
4° **Hanan Sohn des Jigdalja** (1), ein „Gottesmann". Zur Zeit des Jeremia wird seinen Söhnen ein Raum im Tempel reserviert. Der Prophet begegnet hier den Rechabitern (Jer 35, 4). Vielleicht ist *Hanan* in *Ben-Johanan* zu korrigieren.
5° **Hanan** (2), Familienhaupt von aus dem Exil zurückgekehrten Tempeldienern (Esr 2, 46 // Neh 7, 49).
6° **Hanan** (2), einer der Leviten, die bei der feierlichen Verlesung durch Esra das Gesetz erklären (Neh 8, 7). Mitunterzeichner der Gesetzesverpflichtung (Neh 10, 11).
7° **Hanan Sohn des Sakkur Sohn des Mattanja** (1), ehrlicher Mann, Aufseher über die Vorräte im Tempel zur Zeit des Nehemia (Neh 13, 13).
8° **Hanan** (2), zwei Führer des Volkes, Mitunterzeichner der Gesetzesverpflichtung (Neh 10, 23.27).
9° **Ben-Hanan** (1), ein Sohn Schimons (1 Chr 4, 20), in Juda.

HANANEL, gr. *Ananiel,* „Gott hat Gnade gewirkt" (vgl. Hanan).
1° **Hananel-Turm** (4), in Jerusalem, im Norden der Stadt zwischen dem Fischtor und dem Schaftor (Neh 3, 1; 12, 39; Jer 31, 38; Sach 14, 10).

2° **Hananel** (2), aus Naftali, Sohn der Debora (Tob 1, 8), Ahnherr Tobits und des Tobias (Tob 1, 1).

HANANI, vermutlich Abk. von *Hananja* (vgl. Hanan).
1° **Hanani** (5), Seher, wird vom König Asa von Juda ins Gefängnis geworfen, weil er den König getadelt hatte, sich nicht auf Gott, sondern auf den König von Aram zu stützen (2 Chr 16, 7ff). Vater des Propheten → JEHU 1°.
2° **Hanani** (2), aus den Söhnen Hemans, Leiter der 18. Sängerklasse (1 Chr 25, 4.25).
3° **Hanani** (1), Priester, aus den Söhnen Immers, schickt seine Frau zurück (Esr 10, 20).
4° **Hanani** (2), berichtet seinem Verwandten Nehemia, der damals in Susa war, über die kritische Situation der nach Jerusalem zurückgekehrten Juden (Neh 1, 2). Mit Hananja ist er für die Verwaltung Jerusalems verantwortlich (Neh 7, 2).
5° **Hanani** (1), Priester, Instrumentenspieler bei der Mauerweihe in Jerusalem (Neh 12, 36).

HANANIAS, gr. *Ananias,* „Jah hat Gnade gewirkt" (vgl. Hanan).
1° **Hananias** (3) und seine Frau **Saphira,** Judenchristen in Jerusalem. Bei einem Verkauf ihres Grundstücks versuchen sie, aus Liebe zum Geld die Apostel und durch sie den Heiligen Geist zu betrügen. Zur Strafe trifft beide der Tod (Apg 5, 1–10).
2° **Hananias** (6), Judenchrist in Damaskus, wird auf die „Gerade Straße" in das Haus des Judas geschickt, um Saulus die Hände aufzulegen und mit Heiligem Geist zu erfüllen (Apg 9, 10–17; vgl. 22, 12–16).
3° **Hananias** (2), Sohn des [Nebedäus], Hoherpriester zwischen etwa 47 und 59, von den Zeloten um 66 ermordet. Führt das Verhör gegen Paulus in Jerusalem und läßt den Apostel auf den Mund schlagen. Paulus entgegnet: „Dich wird Gott schlagen, du übertünchte Wand!" (Apg 23, 2–5). Er bringt dann in Cäsarea die Klage beim Statthalter Felix vor (24, 1).

HANANJA, gr. *Ananias,* „Jah hat Gnade gewirkt" (vgl. Hanan).
1° **Hananja** (1), Benjaminiter der Söhne Schechach, Familienhaupt in Jerusalem (1 Chr 8, 24).
2° **Hananja** (1) oder **Hananjahu** (1), aus den Söhnen Hemans, Leiter der 16. Sängerklasse (1 Chr 25, 4.23).
3° **Hananja** (1), Oberbefehlshaber des Königs Usija (2 Chr 26, 11).
4° **Hananja** (9) **Sohn des Asur von Gibeon** (1), Prophet. Mit einer Symbolhandlung (er zerbricht das Joch, das Jeremia trägt) verkündet er die nahe Rückkehr der Verbannten aus Babylon. Obwohl Jeremia einige Vorbehalte anmeldet, wünscht er, daß sich die Worte des Hananja erfüllen. Etwas später aber erklärt Jeremia, von Gott getrieben, daß Jahwe allen Nationen ein eisernes Joch auferlegt und dem Hananja keine prophetische Sendung erteilt habe, vielmehr werde dieser noch im selben Jahr sterben. Tatsächlich stirbt Hananja zwei Monate später (Jer 28, 1–17).
5° **Hananja** (1), Vater des → ZIDKIJA 3°.
6° **Hananja** (1), Ahnherr des → JIRIJA.
7° **Hananja** (2), zweiter Sohn Serubbabels, Nachkomme des Königs Jojachin (1 Chr 3, 19; vgl. Mt 1, 13). Seine Nachkommen (1 Chr 3, 21).
8° **Hananja** (1), Israelit aus den Söhnen Bebai, schickt seine Frau zurück (Esr 10, 28).
9° **Hananja** (1), Salbenhersteller, arbeitet freiwillig am Wiederaufbau der Jerusalemer Stadtmauer mit (Neh 3, 8).
10° **Hananja Sohn des Schelemja** (1), ein anderer Freiwilliger beim Mauerbau (Neh 3, 30).
11° **Hananja** (1), Oberst der Jerusalemer Zitadelle, ein vertrauenswürdiger und gottesfürchtiger Mann (Neh 7, 2).
12° **Hananja** (1), Führer des Volkes, Mitunterzeichner der Gesetzesverpflichtung (Neh 10, 24).
13° **Hananja** (1), Haupt der priesterlichen Familie Jirmeja, zur Zeit des Hohenpriesters Jojakim (Neh 12, 12).
14° **Hananja** (1), Priester, Trompetenbläser bei der Mauerweihe in Jerusalem (Neh 12, 41).
15° **Hananja** (2) **der Große** (1) und sein Bruder **Natan,** die beiden Söhne des großen Schimi, begleiten Tobit auf der Wallfahrt nach Jerusalem (Tob 5, 14). Hananja der Große ist der Vater Asarjas, unter dessen Namen sich der Engel Rafael vorstellt (Tob 5, 13).

16° **Hananja** (1), Simeoniter, Ahnherr der Judit (Jdt 8, 1).
17° **Hananja** (8) wird immer zusammen genannt mit **Mischael** (8) und **Asarja** (10); alle drei sind die Gefährten Daniels. Diese jungen Juden werden aus den Deportierten ausgewählt, um als Ratgeber Nebukadnezzars ausgebildet zu werden. Jeder von ihnen erhält einen neuen Namen: Hananja wird **Schadrach** (15), Mischael **Meschach** (15) und Asarja **Abed-Nego** (15) genannt. Sie erhalten eine bessere Erziehung, und der König findet sie allen Zauberern und Wahrsagern in seinem Reich überlegen (Dan 1, 3–20). Wie alle Weisen Babylons mit dem Tod bedroht, stehen sie Daniel mit ihrem Gebet bei. Er allein weiß den Traum des Königs zu deuten, und seine Gefährten werden mit den Angelegenheiten der Provinz Babylon betraut (2, 12–18.49). Als sie sich weigern, die in der Ebene von Dura aufgestellte goldene Statue anzubeten, werden sie in einen Feuerofen geworfen (3, 1–23). Inmitten der Flammen gehen sie umher und singen den Lobgesang des Asarja (3, 24–49 LXX). Gott schickt ihnen einen Rettertengel (3, 45–50 LXX; vgl. 1 Makk 2, 59), und sie singen den „Lobgesang der Schöpfung“ (3, 51–88 LXX). Angesichts dieses Wunders preist Nebukadnezzar den Gott von Schadrach, Meschach und Abed-Nego, und er verleiht ihnen eine glänzende Stellung in Babylon (3, 24–30).

HANES (1), Stadt im Nildelta, vermutlich Herakleopolis, etwa 100 km südlich von Kairo. Eine Gesandtschaft des Königs Hiskija, die von Ägypten Hilfe erbitten soll, erreicht Hanes, doch sind ihre Ergebnisse enttäuschend (Jes 30, 4).

HANNA, gr. *Anna,* „Gnade“ (vgl. Hanan).
1° **Hanna** (13), Mutter Samuels. Lieblingsfrau des Elkana. Wegen ihrer Unfruchtbarkeit muß Hanna sich die Sticheleien ihrer Rivalin Peninna gefallen lassen (1 Sam 1, 1–8). Anläßlich einer Wallfahrt nach Schilo bittet sie Jahwe, ihr einen Sohn zu schenken, den sie Jahwe weihen will (1, 9–11). Vom Priester Eli getröstet, kehrt sie mit ihrem Mann nach Rama zurück, wo sie einen Knaben zur Welt bringt, den sie Samuel nennt (1, 12–23). Nachdem das Kind entwöhnt ist, bringt sie es zum Heiligtum von Schilo, um es Jahwe zu übergeben (1, 24–28). Sie preist Gott in einem Lobgesang, der zum Vorbild des Magnifikat geworden ist (2, 1–10; vgl. Lk 1, 46–55). Jedes Jahr kommt sie nach Schilo, um den Knaben zu sehen (1 Sam 2, 19–20). Dann gebiert sie noch drei Söhne und zwei Töchter (2, 21).
2° **Hanna** (9), Frau des Tobit und Mutter des Tobias (Tob 1, 9), wird eine Zeitlang von ihrem Mann getrennt (1, 20; 2, 1). Als ihr Mann blind wird, fertigt sie Wollarbeiten an, die sie verkauft. Dabei wirft sie aber Tobit die Nutzlosigkeit seiner guten Werke vor (2, 11–14). Sie weint über die Abreise ihres Sohnes (5, 18 – 6, 1), beunruhigt sich über sein langes Ausbleiben (10, 1–4; vgl. 6, 15), schaut auf die Straße, auf der er zurückkommen muß, und empfängt ihn unter Tränen (11, 5–9). Tobias tut später alles, was ihm sein Vater im Hinblick auf seine Mutter aufgetragen hat (4, 3–4; 14, 9–12).
3° **Hanna Tochter Penuëls** (1), aus dem Stamm Ascher, Witwe, Prophetin. Im Alter von 84 Jahren kommt sie mit Simeon in den Tempel, um das Jesuskind zu begrüßen (Lk 2, 36–38).

HANNAS (4), Schwiegervater des Kajaphas, Hoherpriester von 6 bis 15 n. Chr. Auch unter der Amtsführung des Kajaphas war sein Einfluß vorherrschend, daher seine Erwähnung im Synchronismus von Lk 3, 1–2, der das Auftreten Johannes des Täufers bestimmt (15. Jahr des Tiberius = 27 n. Chr.). Nach seiner Gefangennahme wird Jesus zuerst zu Hannas geführt (Joh 18, 13.24). Hannas leitet auch die Sitzung des Hohen Rats, vor dem sich Petrus und Johannes verantworten müssen (Apg 4, 5–6).

HANNATON (1), Stadt an der Grenze Sebulons (Jos 19, 14).

HANNIËL, „Gnade Gottes“ (vgl. Hanan).
1° **Hanniël Sohn des Efod** (1), leitet für den Stamm Manasse die Aufteilung Kanaans (Num 34, 23).
2° **Hanniël** (1), aus Ascher, einer der drei Söhne des Ulla, Familienhaupt (1 Chr 7, 39).

HANUN, „Günstling“ (vgl. Hanan).
1° **Hanun** (9) **Sohn des Nahasch** (2), Ammoniterkönig, der nach dem Tod seines Vaters die Gesandtschaft verhöhnt, die ihm das Beileid Davids aussprechen soll (2 Sam 10, 1–4 // 1 Chr 19, 2–4). Diese schwere Beleidigung führt zum ersten Feldzug Davids gegen die Ammoniter (2 Sam 10, 6f // 1 Chr 19, 6f).
2° **Hanun** (1), mit Hilfe der Bewohner von Sanoach bessert er das Taltor und einen Teil der Mauer in Jerusalem aus (Neh 3, 13).
3° **Hanun Sohn des Zalaf** (1), ein anderer Freiwilliger beim Wiederaufbau der Jerusalemer Mauer (Neh 3, 30).

HAPPIZZEZ (1) → PIZZEZ.

HAPPUCH → KEREN-HAPPUCH.

HARA (1), Ort in Obermesopotamien, wohin die assyrischen Könige die israelitischen Stämme des Ostjordanlands deportieren (1 Chr 5, 26).

HARADA (2), „Schrecken“ (vgl. Harod), Station des Exodus (Num 33, 24–25).

HARAN, hebr. mit *h:* 1°–2°, gr. *Arran* (vgl. Bet-Haram); mit *ch*: 3° – 4°, gr. *Charran.*
1° **Haran** (6), Bruder Abrahams und Nahors, stirbt in Ur in Chaldäa (Gen 11, 26–28).
Vater von → LOT; MILKA 1°; JISKA.
2° **Haran** (1), einer der drei Söhne Schimis, Levit vom Clan Gerschon (1 Chr 23, 9).
3° **Haran** (2), ein Sohn der Efa, der Nebenfrau Kalebs. Vater des Gases (1 Chr 2, 46).
4° **Haran** (12), akk. *Harannu* „Straße“, Stadt der Patriarchen Abraham (Gen 11, 31f; 12, 4f; Apg 7, 2.4) und Jakob (Gen 27, 43; 28, 10; 29, 4), von den Assyrern erobert (2 Kön 19, 12 // Jes 37, 12). Handel mit Tyrus (Ez 27, 23). Heute *Haran* in der Türkei.

HARARITER oder **aus Harar** (5), unbekannte Stadt oder unbekannter Clan.
→ AHIAM; JONATAN 5°; SCHAMMA 3°.

HARBONA (2), „Kahlköpfig“? (vgl. Horeb), pers. „Eseltreiber“, einer der sieben Hofbeamten, die dem persönlichen Dienst des Königs Xerxes zugeteilt sind und dem König die Königin Waschti zuführen müssen (Est 1, 10–15). Er regt an, Haman an den Galgen zu hängen, den dieser für Mordochai vorbereitet hat (7, 8–9).
→ MEHUMAN.

HAREF (1), (vgl. Harif), Vater des Bet-Gader und Sohn Hurs, Judäer (1 Chr 2, 51).

HARHAJA (1), Vater des → USIËL 8°.

HARHAS (1) = **Hasra** (1), Ahnherr des → SCHALLUM 7°.

HAR-HERES (1), „Sonnenberg“ (vgl. Heres) → BET-SCHEMESCH 1°.

HARHUR (2), „Vom Fieber befallen“?, Familienhaupt von Tempeldienern, die aus dem Exil zurückkehren (Esr 2, 51 // Neh 7, 53).

HARIF, „Herbst“ (vgl. Haref).
1° **Harif** (1), zu Benjamin. Ort oder Clanhaupt? Mehrere Leute von Harif verbünden sich mit David (1 Chr 12, 6).
2° **Harif** (2), mit dem Vorhergehenden identisch? Seine Söhne kehren aus dem Exil zurück (Neh 7, 24 // Esr 2, 18: *Jora*). Mitunterzeichner der Gesetzesverpflichtung (Neh 10, 20).

HARIM „Mit zerspaltener (Nase)“ (vgl. Harumaf)? oder „Geweihter“?
1° **Harim** (6), Priester, Leiter der 3. Priesterklasse (1 Chr 24, 8). Seine Söhne kehren aus dem Exil zurück (Esr 2, 39 // Neh 7, 42). Manche von ihnen schicken ihre fremdländischen Frauen heim (Esr 10, 21). Mitunterzeichner der Gesetzesverpflichtung (Neh 10, 6). Unter Jojakim ist das Haupt dieser Familie Adna (Neh 12, 15).
= **Rehum** (1), Neh 12, 3.
2° **Harim** (4), Familienhaupt, dessen Söhne aus dem Exil zurückkehren (Esr 2, 32 // Neh 7, 35). Manche von ihnen verstoßen ihre ausländischen Frauen (Esr 10, 31). Mitunterzeichner der Gesetzesverpflichtung (Neh 10, 28).
Vater des → MALKIJA 8°.

HARMAGEDON (1), „Gebirge von Megiddo" (vgl. Megiddo), Ort, an dem sich die Könige der Erde zur letzten Schlacht versammeln (Offb 16, 16). Symbol des Untergangs nach der Niederlage des Joschija (vgl. 2 Kön 23, 29).

HARNEFER (1), ägypt. *Hr nfr* „Horus ist barmherzig"(vgl. Horus), aus Ascher, einer der elf Söhne des Zofach, Familienhaupt (1 Chr 7, 36).

HAROD (1), „Zittern", Lager Gideons, dem Lager Midians benachbart (Ri 7, 1–3), 3 km SO von Jesreel, am Fuß des Berges Gilboa.

HARODITER (2) oder **Haroriter** (1), vielleicht gebürtig aus Harod (2 Sam 23, 25) bzw. Harar (1 Chr 11, 27).
→ ELIKA; SCHAMMA 4°.

HAROSCHET-GOJIM (3), „Bewaldete Gegend der Heiden" (vgl. Horescha), Heimat des Sisera (Ri 4, 2) und Ort, wo er dem Richter Barak unterliegt (4, 13.16). In Galiläa, Lage ungewiß. Vielleicht auf das heutige Haifa zu.

HARSCHA (2), (vgl. Tel-Harscha), Familienhaupt von Tempeldienern, die aus dem Exil zurückkehren (Esr 2, 52 // Neh 7, 54).

HARUFITER (1), 1 Chr 12, 6 → HARIF 1°.

HARUM (1), (vgl. Horam), Vater des
→ AHARHEL.

HARUMAF (1), „Mit zerspaltener Nase" (vgl. Appajim; Harim; Silpa), Vater des → JEDAJA 5°.

HARUZ (1), Vater der Königin-Mutter
→ MESCHULLEMET.

HASADJA (1), „Jah ist treu" (vgl. Hesed), einer der fünf Söhne des Mechullam, Nachkomme des Königs Jojachin (1 Chr 3, 20).

HASAËL (23), „Gott hat gesehen" (vgl. Hasaja; Hasiël; Hesjon; Hoschaja; Kolhose; Mahasiot; Jachzeel; Jachseja), **König von Aram** (14), **König von Damaskus** (1), um 844 v. Chr. Von Elija zum König von Aram gesalbt (1 Kön 19, 15–17), kündigt ihm Elischa sein künftiges Geschick an: Er werde groß sein an Macht wie an Grausamkeit (2 Kön 8, 7–14; vgl. Am 1, 3–4). Zunächst Heerführer Ben-Hadads II., ermordet er seinen Herrn und herrscht an seiner Stelle (2 Kön 8, 15). Er schlägt die Angriffe Ahasjas und Jorams bei Ramot-Gilead zurück (2 Kön 8, 28–29 // 2 Chr 22, 5–6; vgl. 2 Kön 9, 14–15), besiegt Israel unter Jehu (2 Kön 10, 32) und Joahas, dem er Städte wegnimmt (2 Kön 13, 3–7.22–25), greift Jerusalem an und zieht wieder ab, ohne die Stadt einzunehmen, weil Joasch von Juda an Damaskus Tribut zahlt (2 Kön 12, 18–19 // 2 Chr 24, 23–24).
Vater des → BEN-HADAD 3°.

HASAJA (1), „Jah hat gesehen" (vgl. Hasaël), Ahnherr des → MAASEJA 15°.

HASCHABJA, „Jah hat Rechnung getragen" (vgl. Haschbaddana; Haschub; Haschuba; Heschbon?).
1° **Haschabja** (1), Nachkomme des Merari, Ahnherr des Sängers Etan (1 Chr 6, 30).
2° **Haschabja** (2), aus den Söhnen Jedutuns, Leiter der 12. Sängerklasse (1 Chr 25, 3.19).
3° **Haschabja** (1), Levit des Clans Hebron, zusammen mit 1700 Mann zur Aufsicht über Israel westlich des Jordan bestellt (1 Chr 26, 30).
4° **Haschabja Sohn des Kemuël** (1), Führer der Leviten (1 Chr 27, 17).
5° **Haschabja** (1), einer der sechs Führer der Leviten unter Joschija (2 Chr 35, 9).
6° **Haschabja** (6), Levit der Söhne Merari, immer zusammen mit Scherebja genannt, bringt aus dem Exil die Einrichtungsgegenstände des Tempels zurück (Esr 8, 19.24). Mitunterzeichner der Gesetzesverpflichtung (Neh 10, 12), einer der Levitenführer unter Jojakim (Neh 12, 24). Ahnherr des → SCHEMAJA 7°.
Eine oder mehrere Personen.
7° **Haschabja** (1), Levit, Aufseher des halben Distrikts von Keila, Freiwilliger beim Wiederaufbau der Jerusalemer Mauer (Neh 3, 17).
8° **Haschabja** (1), Nachkomme Asafs, Ahnherr des → USI 5°.

9° **Haschabja** (1), Haupt der priesterlichen Familie Hilkija, zur Zeit des Hohenpriesters Jojakim (Neh 12, 21).

HASCHABNA (1), Führer des Volks, Mitunterzeichner der Gesetzesverpflichtung (Neh 10, 26).

HASCHABNEJA
1° **Haschabneja** (1), Vater des → HATTUSCH 2°.
2° **Haschabneja** (1), Levit, Teilnehmer an der Bußliturgie (Neh 9, 5).

HASCHBADDANA (1), (vgl. Haschabja), vornehmer Laie, steht bei der feierlichen Verlesung des Gesetzes zur Linken Esras (Neh 8, 4).

HASCHEM → JASCHEN

HASCHMONA (2), (vgl. Haschum), Station des Exodus (Num 33, 29–30).
Identisch (?) mit → HESCHMON.

HASCHUB „Umsichtig" (vgl. Haschabja).
1° **Haschub** (2), Vater des Leviten → SCHEMAJA 7°.
2° **Haschub Sohn des Pahat-Moab** (1), Freiwilliger beim Wiederaufbau der Mauer in Jerusalem (Neh 3, 11).
3° **Haschub** (1), anderer Freiwilliger beim Mauerbau (Neh 3, 23).
4° **Haschub** (1), Führer des Volkes, Mitunterzeichner der Gesetzesverpflichtung (Neh 10, 24).

HASCHUBA (1), „Umsicht" (vgl. Haschabja), einer der fünf Söhne Meschullams, Nachkomme des Königs Jojachin (1 Chr 3, 20).

HASCHUM (5), (vgl. Haschmona; Heschmon; Huscham?; Huschim), Israelit, Familienhaupt. Seine Söhne kehren mit Serubbabel aus dem Exil heim (Esr 2, 19; Neh 7, 22). Einige von ihnen haben ausländische Frauen, die sie verstoßen (Esr 10, 33). Er steht bei der feierlichen Verlesung des Gesetzes zur Linken Esras (Neh 8, 4); Unterzeichner der Gesetzesverpflichtung (Neh 10, 19).

HASIDÄER (3), gr. *Asidaioi,* hebr. *Hasidim* („Fromm" vgl. Hesed), tapfere und dem Gesetz treu ergebene Männer aus Israel (1 Makk 2, 43), die sich unter Antiochus Epiphanes zusammengeschlossen hatten, um der Hellenisierung entgegenzutreten, Kerntruppe des Judas Makkabäus (2 Makk 14, 6), in politischen Dingen jedoch leichtgläubig und unerfahren (1 Makk 7, 13–16). Nach etwa 150 v. Chr. trennen sich die Hasidäer in die Pharisäer und die Essener.

HASIËL (1), „Vision Gottes" (vgl. Hasaël), Levit des Clans Gerschon, einer der drei Söhne Schimis, zählt zu den Familienhäuptern Ladans (1 Chr 23, 9).

HASO (1), einer der zwölf Söhne des Abrahambruders Nahor, geboren von dessen Frau Milka (Gen 22, 22).

HASRA (2), 2 Chr 34, 22; 2 Kön 22, 14 = **Harhas,** Ahnherr des → SCHALLUM 7°.

HASSENUA → SENUA.

HASUFA (2), Familienhaupt von Tempeldienern, die aus dem Exil heimkehren (Esr 2, 43 // Neh 7, 46).

HATACH (4), Eunuch im Dienst der Ester, Bote zwischen ihr und Mordechai (Est 4, 5–12). In der griech. Version ist der entsprechende Name *Hachrathaios* (4, 5.9–10.12–13).

HATAT (1), „Schrecken"?, Kenasiter, Sohn des Otniel (1 Chr 4, 13).

HATIFA (2), Familienhaupt von Tempeldienern, die aus dem Exil heimkehren (Esr 2, 54 // Neh 7, 56).

HATITA (2), Familienhaupt von aus dem Exil zurückgekehrten Torwächtern (Esr 2, 42 / Neh 7, 45).

HATTIL (2), Familienhaupt von aus dem Exil heimgekehrten Knechten Salomos (Esr 2, 57 // Neh 7, 59).

HATTUSCH
1° **Hattusch** (2), Nachkomme Davids, aus dem Exil zurückgekehrt; Sohn oder Enkel des Schechanja (Esr 8, 2–3; 1 Chr 3, 22).
2° **Hattusch Sohn des Haschabneja** (1), Freiwilliger beim Mauerbau in Jerusalem (Neh 3, 10).
3° **Hattusch** (2), Priester, mit Serubbabel zurückgekehrt (Neh 12, 2), Mitunterzeichner der Gesetzesverpflichtung (Neh 10, 5).

HAURAN (2), nicht genau zu umschreibendes Gebiet östlich des Sees Gennesaret, das wahrscheinlich den Djebel ed-Druz einschließt. An der NO-Grenze des Gelobten Lands (Ez 47, 16.18).

HAWILA (7), vom Pischon-Fluß umgebenes Land, reich an Gold und Edelsteinen (Gen 2, 11); mit Saba als „Söhne des Kusch" (Gen 10, 29 // 1 Chr 1, 9) oder mit Seba und Ofir als „Söhne Joktans" (Gen 10, 29 // 1 Chr 1, 23) vorgestellt. Der Ausdruck „von Hawila bis Schur" bezeichnet die Grenzen des Gebiets der ismaelischen Nomaden (Gen 25, 18) oder der Amalekiter (1 Sam 15, 7). In Südarabien.

HAZAR-, „umzäunter Platz", „Vorhof", „Park", „Dorf", Bestandteil mehrerer Eigennamen (vgl. die folgenden mit *Hazar-* zusammengesetzten ebenso wie Asaramel; Hazerot; Hator und Hazor-Hadatta).

HAZAR-ADDAR (1), an der Südgrenze des Gelobten Lands (Num 34, 4).
= ? **Hezron** (1) und **Addar** (1), an der Südgrenze Judas (Jos 15, 3). Lage unbekannt.

HAZAR-ENAN (4), Ort an der theoretischen NO-Grenze Israels (Num 34, 9–10; Ez 47, 17; 48, 1).
= **Hazar-Enon** (1), Ez 47, 16.

HAZAR-GADDA (1), (vgl. Hazar-; En-gedi), Ort im Negeb von Juda (Jos 15, 27).

HAZARMAWET (2), „Vorhalle des Todes", einer der dreizehn Söhne Joktans (Gen 10, 26 // 1 Chr 1, 20). Land in Südarabien. Heute *Hadramaut.*

HAZAR-SCHUAL (4), „Fuchspark" (vgl. Schual), im Negeb, Stadt der Söhne Simeons (Jos 19, 3 // 1 Chr 4, 28), von Juda vereinnahmt (Jos 15, 28), nach dem Exil von Judäern bewohnt (Neh 11, 27).

HAZAR-SUSIM (1), „Pferdepark", Stadt der Söhne Simeons im Negeb (1 Chr 4, 31).
= **Hazar-Susa** (1), Jos 19, 5.

HAZEROT (6), „Parks", Station des Exodus in der Wüste (Num 11, 35), wo Mirjam und Aaron sich gegen Mose empören (vgl. 12, 1–16; 33, 17–18; Dtn 1, 1).

HAZEZON-TAMAR (2), Stadt im Süden des Toten Meers, bewohnt von Amoritern, die Kedor-Laomer besiegt (Gen 14, 7). Von 2 Chr 20, 2 mit En-Gedi identifiziert.

HAZLELPONI (1), „Gib mir Schatten, der du dich zu mir wendest!" (vgl. Zilla; Penuel), Schwester der Söhne Hurs (1 Chr 4, 3). In Juda.

HAZOR gr. *Asor,* „Umfriedung" (vgl. Baal-Hazor; En-Hazor).
1° **Hazor** (12), alte kanaanäische Metropole, von Josua erobert und in Brand gesteckt (Jos 11, 10–13); zählt zu den befestigten Städten Naftalis (Jos 19, 36), von Salomo verstärkt (1 Kön 9, 15). Tiglat-Pileser nimmt sie unter dem israelitischen König Pekach ein und deportiert die Bevölkerung nach Assyrien (2 Kön 15, 29).
= **Hasor** (1), Tob 1, 2 (Korr. des gr. *Asser*)).
= **Asor** (1), wo der Makkabäer Jonatan den anfänglichen Sieg der Generäle des Demetrius II. zunichte macht (1 Makk 11, 67). Hazor ist in ägypt. Texten gut bekannt. Etwa 15 km nördlich des Sees Gennesaret. *Tell el Qedah.*
König → Jabin.
Heerführer → Sisera 1°.
2° **Hazor** (3), Kollektivbezeichnung für die halbseßhaften Araber im Gegensatz zu den Beduinen der Wüste. Von Nebukadnezzar besiegt (Jer 49, 28.30.33).

HAZOR-HADATTA (1), „Hazor-die-Neue" (vgl. Hazor; Hadascha), Stadt im Negeb von Juda (Jos 15, 25).

HAZZOBEBA (1), 1 Chr 4, 8 → Zobeba.

HEBER, „Genosse“ (vgl. Hebron).
1° **Heber** (4), Sohn des Beria, Sohn Aschers (Gen 46, 17 // 1 Chr 7, 30–31). Hat drei Söhne und eine Tochter (1 Chr 7, 32). Seine Nachkommen bilden die Sippe der **Heberiter** (Num 26, 45), eine Sippe Aschers.
2° **Heber** (5) **der Keniter** (4), Führer einer Gruppe halbnomadischer Keniter, die in Galiläa lagern (Ri 4, 11) und mit Jabin, dem König von Hazor, in Frieden leben (4, 17).
Mann der → Jaël.
3° **Heber** (1), Vater des Socho, unter den Söhnen Bitjas, in Juda (1 Chr 4, 18).
4° **Heber** oder **Haber** (1), Benjaminiter der Söhne Elpaals, Familienhaupt in Jerusalem (1 Chr 8, 17).

HEBRÄER, hebr. *Ibri,* „Der jenseits [des Eufrats wohnt]“ (vgl. Eber).
1° **Hebräer** (42), ethnische Gruppe, die über → Eber 1° auf Sem zurückgeführt wird (vgl. Gen 10, 21) und die den *Habiru/Apiru* der ägyptischen und mesopotamischen Texte des 2. Jahrhunderts v. Chr. entspricht.
Das Wort bezeichnet die Israeliten im Gegensatz zu den Ägyptern (Gen 39, 14.17; 40, 15; 41, 12; 43, 32; Ex 1, 15–19; 2, 6–13) oder zu den Philistern (1 Sam 4, 6–9; 13, 3.19; 14, 11.21; 29, 3). In Gesetzestexten heißen die Israeliten „Hebräer“ im Unterschied zu den Fremden (Ex 21, 2; Dtn 15, 12; Jer 34, 9.14). Abraham wird später auch so genannt (Gen 14, 13). Jahwe heißt der „Gott der Hebräer“ (Ex 3, 18; 5, 3; 7, 16; 9, 1). Nach dem Exil hat das archaisch gewordene Wort, wenn es auf Juden angewandt wird, einen feierlichen Klang (Jon 1, 9; Jdt 10, 12; 12, 11; 14, 18; 2 Makk 7, 31; 11, 13; 15, 37; 2 Kor 11, 22; Phil 3, 5).
In Apg 6, 1 sind mit „Hebräern“ in Palästina geborene Juden gemeint, die aramäisch sprechen und Christen geworden sind, im Unterschied zu den „Hellenisten“, den außerhalb Palästinas geborenen griechisch sprechenden Judenchristen.
„Hebräisch“ bezieht sich auf die hebräische Sprache in: Sir Prol. 22; Offb 9, 11; 16, 16 (vgl. die „Sprache der Väter“ in 2 Makk 7, 8.21.27; 12, 37; 15, 29); und auf die aramäische Sprache oder Schrift in: Joh 5, 2; 19, 13; 17, 20; 20, 16; Apg 21, 40; 22, 2; 26, 14.
2° **Ibri** (1), Levit aus dem Clan Merari, einer der Führer der Söhne des Jaasija (1 Chr 24, 27).

HEBRONA → Abrona

HEBRON, „Ort des Bundes“ (vgl. Heber).
1° **Hebron** (68), Patriarchenheiligtum, wo Abraham (Gen 13, 18), Isaak (35, 27), Jakob (37, 13–14) zelten, wo Sara begraben liegt (Gen 23, 2.10–19). Stadt im Gebirge Juda (Jos 15, 54), Asylort (Jos 20, 7), den Leviten des Clans Kehat zugeteilt (Jos 21, 11–13 // 1 Chr 6, 40–42).
Diese alte Metropole der Anakiter, sieben Jahre vor dem ägyptischen Zoan (Tanis) gegründet, wird von den Kalebitern eingenommen (Num 13, 22–25; Jos 10, 36–37.39; 11, 21; 14, 13–15; 15, 13.54; 21, 12f // 1 Chr 6, 41f; Ri 1, 10.20; vgl. 1 Chr 2, 42).
Hier wird David zum König ausgerufen (2 Sam 5, 1–3 // 1 Chr 11, 1–3; vgl. 1 Chr 12, 24–39), und Hebron ist seine erste Hauptstadt (2 Sam 2, 1–3.11; 3, 19f; 5, 5; 1 Kön 2, 11; 1 Chr 3, 4; 29, 27). Hier werden seine ersten sechs Söhne geboren (2 Sam 3, 2–5 // 1 Chr 3, 1–4). Abner wird hier ermordet und begraben (2 Sam 3, 19–32; 4, 1.12). Der Aufrührer Abschalom läßt sich hier zum König ausrufen (2 Sam 15, 7–10). Die Stadt wird von Rehabeam neu befestigt (2 Chr 11, 10). Judas Makkabäus entreißt sie den Idumäern (1 Makk 5, 65).
= **Kirjat-Arba** (9), mit Hebron identifiziert (Gen 23, 2; 35, 27; Jos 14, 15; 15, 13.54; 20, 7; 21, 11; Ri 1, 10), nach dem Exil von Judäern bewohnt (Neh 11, 25).
Heute *Hebron,* auf arab. *El-Khalil* („Der Freund“, Beiname Abrahams in Jes 41, 8; Jak 2, 23). 40 km südlich von Jerusalem.
König → Hoham.
→ Machpela; Mamre.
2° **Hebron** (8), als dritter der vier Söhne Kehats, des Sohnes Levis, vorgestellt (Ex 6, 18; Num 3, 19; 1 Chr 5, 28; 6, 3; 23, 12). Er hat vier Söhne (1 Chr 23, 19 // 24, 23). Die Nachkommen Hebrons bilden die Sippe der **Hebroniter** (Num 3, 27). Sie werden in Num 26, 58 zu den Sippen Levis ge-

zählt, während sonst die kanonische Dreiteilung in Gerschoniter, Kehatiter und Merariter gilt. Ursprünglich wohnten die Hebroniter in → Hebron 1°. Ihre Funktionen beschränken sich zunächst auf die Übertragung der Bundeslade (1 Chr 15, 9). Später werden ihnen noch andere Aufgaben zugeteilt (1 Chr 26, 30–32; vgl. 23, 25–32).

HEFER (vgl. Gat-Hefer; Hafarajim).
1° **Hefer** (2), kanaanäische Stadt, deren König von Josua besiegt wird (Jos 12, 17). Im 3. Distrikt Salomos (1 Kön 4, 10), im Nordteil der Küstenebene.
2° **Hefer** (5), sechster Sohn Manasses (Jos 17, 2) oder sechster Sohn Gileads, dessen Nachkommen die Sippe der **Heferiter** bilden (Num 26, 32).
Mit dem Vorhergehenden identisch? Vater des → Zelofhad.
3° **Hefer** (1), judäischer Clan der Söhne Naaras, kalebitischer Herkunft (1 Chr 4, 6).
4° **Hefer aus Mechera** (1), 1 Chr 11, 36: Krieger Davids.

HEFZI-BAH „Meine Lust ist an dir"
1° **Hefzi-Bah** (1), Mutter des Königs Manasse von Juda (2 Kön 21, 1).
2° **Hefzi-Bah** (1), Name des Neuen Jerusalem (Jes 62, 4: „Meine Wonne").

HEGAI (4), gr. *Gai,* Eunuch, Aufseher des Harems, dem die Jüdin Ester anvertraut ist (Est 2, 3.8–9.15).

HEGEMONIDES (1), Befehlshaber über das Küstengebiet unter Antiochus V. (2 Makk 13, 24). → Zone (maritime).

HELA (2), „Rostfarben", eine der Frauen des Aschhur, Mutter mehrerer Clans, die auf Juda zurückgeführt werden (1 Chr 4, 5.7).

HELAM (2), Stadt im Ostjordanland, etwa 60 km östlich des Sees Gennesaret. David schlägt hier das aramäische Heer des Hadad-Eser (2 Sam 10, 16–17).
= **Alema** (2). Judas Makkabäus steckt die Stadt in Brand, nachdem er die eingeschlossenen Juden befreit hat (1 Makk 5, 26.35).

HELBA (1), Ri 1, 31. Vielleicht eine Dublette zu *Achlab* (korr. in *Mahaleb*).

HELBON (1), Gebiet nördlich von Damaskus, berühmt wegen seines Weins (Ez 27, 18).

HELDAI (vgl. Heled).
1° **Heldai aus Netofa vom Geschlecht Otniël** (1) → Heled
2° **Heldai** (2), ein aus Babylon nach Jerusalem Heimgekehrter, der sich mit anderen besonders großzügig zeigt (Sach 6, 10.14).

HELECH (1), Ez 27, 11: Name eines Ortes oder eines Volkes, dessen Angehörige in Tyrus Söldnerdienste leisten (?).

HELED (2), „Dauer", **Sohn des Baana aus Netofa** (2), Krieger Davids (2 Sam 23, 29: *Heleb;* 1 Chr 11, 30).
= **Heldai aus Netofa vom Geschlecht Otniël** (1), verantwortlich für den militärischen Dienst des 12. Monats (1 Chr 27, 15).

HELEF (1), Ort an der Grenze Naftalis (Jos 19, 33).
Vielleicht im NO des Tabor.

HELEK (2), Abk. von *Hilkija?*, zweiter der anderen Gruppe von Manasse-Söhnen (Jos 17, 2) oder zweiter der Söhne Gileads, des Enkels Manasses, dessen Nachkommen die Sippe der **Helekiter** bilden (Num 26, 30).
= ? **Likhi** (1), Sohn des Schemida, eines Sohns Manasses (1 Chr 7, 19).

HELEZ, Abk. „[Jah] hat befreit".
1° **Helez** (3) **aus Bet-Pelet** (der Peletiter) (1) 2 Sam 23, 26 oder **der Peloniter** (2) 1 Chr 11, 27: Krieger Davids, **Efraimiter** (1), verantwortlich für den militärischen Dienst des 7. Monats (1 Chr 27, 10).
2° **Helez** (2), Nachkomme Jerachmeëls über Scheschan (1 Chr 2, 39).

HELI → Eli

HELIODOR (12), „Gabe der Sonne" (vgl. Heliopolis; Dositheus), Minister des syrischen Königs Seleukus IV. Er hat den Auftrag, den Tempelschatz zu plündern. Das Gebet der Juden rettet ihn vor dem Tod, und er bekehrt sich zum Gottesglauben (2 Makk 3, 7–40; vgl. 4, 1; 5, 18).

HELIOPOLIS, „Sonnenstadt" → ON 1°.
Identisch (?) mit → IR-HERES.

HELKAI (1), abgeleitet von *Hilkija*?, Haupt der priesterlichen Familie Merajot zur Zeit des Hohenpriesters Jojakim (Neh 12, 15).

HELKAT, „Parzelle", „Feld", (vgl. Hilkija).
1° **Helkat** (2), Stadt des Stammes Ascher (Jos 19, 25), den Leviten des Clans Gerschon zugeteilt (Jos 21, 31).
= **Hukok** (1), 1 Chr 6, 60.
2° **Helkat-Hazzurim** oder *Helkat-Ziddim,* bei Gibeon, Ort des blutigen Kampfes zwischen zwölf jungen Benjaminitern und zwölf jungen Leuten Davids (2 Sam 2, 16: „Feld der Steinmesser").

HELLENISTEN (2), außerhalb Palästinas geborene Juden, die das Griechische als Mutter- oder Umgangssprache sprechen, im Unterschied zu den „Hebräern", den in Palästina geborenen und aramäisch sprechenden Juden (Apg 6, 1). In beiden Fällen handelt es sich bereits um Judenchristen. Dagegen sind die in Apg 9, 29 genannten Hellenisten, die dem neubekehrten Paulus nach dem Leben trachten, Juden aus der Diaspora (vgl. 6, 9).

HELON (5), Sebuloniter, Vater des → ELIAB 1°.

HEMAN (1), Gen 36, 22: zweiter Sohn des Lotan, des ersten Sohnes Seïrs.
= **Homan** (1), 1 Chr 1, 39.

HEMAN (17), „Treu"? (vgl. Amon), wird in 1 Kön 5, 11 mit Etan, dem Esrachiter, Kalkol und Darda zu den bekanntesten Weisen Kanaans gezählt. Mit ihnen wird er auch zu den fünf Söhnen des Judasohnes Serach gerechnet (1 Chr 2, 6). Es könnte sich hier um eine Verwechslung zwischen dem „Esrachiter" (= Eingeborener) und Serach handeln (vgl. Ps 88, 1).
In den Chronikbüchern wird Heman immer mit Asaf und Etan (oder Jedutun) zusammen genannt. Er wird so zu einem der großen Sänger und Liederdichter Davids, eponymer Ahnherr der späteren Sänger und Instrumentenspieler (vgl. 2 Chr 35, 15). Aus dem Clan des Levisohnes Kehat hervorgegangen, ist Heman **Sohn des Joël** (2), Enkel Samuels (1 Chr 6, 18; 15, 17). Zu seiner Rechten steht Asaf, ihm zur Linken Etan (1 Chr 6, 24.29). Er nimmt an der feierlichen Überführung der Bundeslade teil (1 Chr 15, 17.19; vgl. 2 Chr 5, 12), an den Opfern, die im Höhenheiligtum von Gibeon dargebracht werden (1 Chr 16, 41–42).
Die Söhne Hemans, des „Sehers des Königs" (1 Chr 25, 1.4–6), übernehmen die Leitung der 24 Sängerklassen (25, 13.16.18.20.22–31). Die neun letzten Namen der Söhne Hemans ergeben zusammen gelesen einen kurzen Psalm: „Erweis mir Gnade, Jahwe, erweis mir Gnade, du bist mein Gott! Ich bin groß geworden, ich habe mich erhoben! Du bist meine Hilfe, die ich gesucht habe!"
Unter seinen Söhnen → SCHIMI 11°.

HEMDAN (1), Gen 36, 26. Erster der vier Söhne Dischons, des fünften Sohnes Seïrs.
= **Hamran** (1), 1 Chr 1, 41.

HENA (3), mit Hamat, Arpad, Sefarwajim und Awa zusammen genannte Stadt, die von den Assyrern erobert wurde (2 Kön 18, 34; 19, 13 // Jes 37, 13). Vermutlich in Obermesopotamien.

HENADAD (4), „Hadad wirkt Gnade" (vgl. Hadad 1°–4°; Hanan), Levit, dessen Söhne am Wiederaufbau des Tempels beteiligt sind (Esr 3, 9). Vater des → BINNUI 3°.

HENOCH, hebr. *Hanok* „Einweihung".
1° **Henoch** (13), Sohn des Kain und Vater des Irad (Gen 4, 17–18 J); Sohn des Jered und Vater des Metuschelach (Gen 5, 18–23; 1 Chr 1, 3 P). Erzvater vor der Sintflut, seine Lebensjahre betragen 365 Jahre. „Er war seinen Weg mit Gott gegangen, dann war er nicht mehr da, denn Gott hatte

ihn aufgenommen" (Gen 5, 22–24; Sir 44, 16; 49, 14; Hebr 11, 5). Ahnherr Jesu nach Lk 3, 37. Ihm wird eine Weissagung zugeschrieben (Jud 14), die in Wirklichkeit aus dem apokryphen Henochbuch (1, 9) stammt.
2° **Henoch** (2), einer der fünf Söhne Midians, Enkel Abrahams und seiner Nebenfrau Ketura (Gen 25, 4 // 1 Chr 1, 33). Vgl. die Stadt *el Hanaqiyeh* in Westarabien.
3°**Henoch** (4), erster der vier Söhne Rubens (Gen 46, 9; Ex 6, 14; 1 Chr 5, 3). Seine Nachkommen bilden die Sippe der **Henochiter** (Num 26, 5).
4° **Henoch** (1), nach Gen 4, 17 die erste Stadt, von Kain gegründet.

HERAKLES (2), gr. Name des lat. Gottes *Hercules;* als griechischer Heros in Tyrus verehrt, wo er mit dem Gott Melkart gleichgesetzt wird. Anläßlich der jedes vierte Jahr stattfindenden Festspiele in Tyrus sendet der Hohepriester Jason dreihundert Silberdrachmen als Opfergabe für Herakles (2 Makk 4, 19–20).

HEREDITER → Arditer.

HERES (1), „Sonne"? eine „Steige" oder ein „Paß", den Gideon nach seinem Sieg über die Midianiterkönige benutzt (Ri 8, 13). Im Ostjordanland, in der Gegend von Sukkot.

HERESCH (1), Levit, nach dem Exil in Jerusalem (1 Chr 9, 15).

HERMAS (1), in der Grußliste Röm 16, 14 genannter Christ.

HERMES, gr. Name des lat. Gottes Merkurius, des Götterboten.
1° **Hermes** (1), Gott, mit dem Paulus in Lystra verwechselt wird, weil er der „Wortführer" war (Apg 14, 12).
2° **Hermes** (1), in der Grußliste Röm 16, 14 genannter Christ.

HERMOGENES (1), einer der kleinasiatischen Christen, die sich von Paulus „abgewandt haben" (2 Tim 1, 15).

HERMON (16), „geweihter, verbotener Ort" (vgl. Baal-Hermon; Horma), höchster Gipfel des Antilibanon (2814 m).
Nordgrenze des Königreichs Og in Baschan (Jos 12, 5; 13, 11), von den Israeliten erobert (Dtn 3, 8; 4, 48; Jos 12, 1; vgl. Am 4.3) und von den Söhnen Manasses in Besitz genommen (1 Chr 5, 23).
Das Wort findet sich besonders in poetischen Texten (Ps 42, 7; 89, 13; 133, 3; Sir 24, 13).
= **Senir** (4), amoritischer Name des Hermon (Dtn 3, 9; 1 Chr 5, 23; Hld 4, 8; Ez 27, 5).
= **Sion** (1), Dtn 4.48.
= **Sirjon** (2), sidonischer Name für den Hermon (Dtn 3, 9; Ps 29, 6).
→Baal-Hermon.
Zu Füßen des Hermon → Baal-Gad; Mizpa 3°.

HERODES, vom gr. *Heros,* „Edel", „Halbgott". → Liste S. 410.
1° **Herodes [der Große]** (11), Sohn des Idumäers Antipater und einer arabischen Prinzessin, **König von Judäa** (1) = Lk 1, 5 und von Samarien (37–4 v. Chr.). Grausamer Potentat. Großer Bauherr, gründet unter anderem die Stadt → Cäsarea 1° (vgl. Apg 23, 35).
In seine Regierungszeit verlegt Lk 1, 5 die Geburt Johannes des Täufers und Mt 2, 1–22 die Geburt Jesu in Betlehem, den Besuch der Sterndeuter, den Kindermord zu Betlehem und die Flucht der Heiligen Familie nach Ägypten.
Vater des → Archelaus; Herodes 2°; 5°–6°; Philippus 6°.
Großvater des → Herodes 3°–4°; der Herodias.
2° **Herodes [Antipas]** (27), Sohn Herodes des Großen und der Samariterin Malthake, **Tetrarch von Galiläa** (1), Lk 3, 1 und von Peräa (4 v. Chr.–39 n. Chr.), wird König genannt (Mk 6, 14). Er verstößt seine Frau, die Tochter des Nabatäerkönigs Aretas IV., um Herodias, die Frau seines Halbbruders Philippus, zu heiraten. Johannes der Täufer verurteilt diese Verletzung des jüdischen Eherechts. Herodes läßt ihn einkerkern und dann enthaupten (Mk 6, 17–28 // Mt 14, 3–11; Lk 3, 19–20). Herodes hört, was man von Jesus spricht (Mk 6, 14–16 // Mt 14, 1–2 // Lk 9, 7–9), und sucht angeblich Jesus zu töten (Lk 13, 31). Als Galiläer gehört Jesus zum Gerichtsbereich des Herodes,

und deshalb schickt ihn Pilatus zum Tetrarchen (Lk 23, 7–11.15; vgl. Apg 4, 27).
Herodes ist verschlagen: Jesus nennt ihn „dieser Fuchs" (Lk 13, 32; vgl. Mk 8, 15). Er ist zunächst mit Pilatus verfeindet und wird dann sein Freund (Lk 23, 12).
→HERODIAS; HERODIANER.
Jugendfreund → MANAËN.
Beamter (Vermögensverwalter) → CHUZAS.
3° **Herodes [Agrippa I.]** (5), Enkel Herodes des Großen, König von Judäa und Samarien (41–44 n. Chr.), wütet gegen die Führer der jungen Kirche. Er läßt Jakobus enthaupten und Petrus ins Gefängnis werfen (Apg 12, 1–11.19a). Er stirbt einen qualvollen Tod in Cäsarea (12, 19b–23).
Vater der → BERENIKE 2°; DRUSILLA; HERODES 4°.
4° **[Herodes] Agrippa II.** (11), Sohn des Vorhergehenden, König von Chalkis (48–53), dann der Tetrarchien des Philippus und des Lysanias (53–95). In Begleitung seiner Schwester Berenike, mit der er in einem blutschänderischen Verhältnis gelebt haben soll, besucht er den Statthalter Festus in Cäsarea. Bei dieser Gelegenheit wird ihm der gefangene Paulus vorgeführt, der in seiner Anwesenheit eine Verteidigungsrede halten darf. Agrippa wird als ein an die Propheten glaubender und die Freilassung des Paulus befürwortender Mensch dargestellt (Apg 25, 13 – 26, 32).
5° **[Herodes] Philippus** (2), Sohn Herodes des Großen und der Mariamne II., erster Mann der Herodias (Mt 14, 3 // Mk 6, 17). In Wirklichkeit hieß dieser Herodessohn aber „Herodes ohne Land" oder „Herodes von Rom". Die Evangelien scheinen ihn mit seinem Stiefbruder, dem Tetrarchen Philippus (vgl. den Folgenden), verwechselt zu haben.
→ HERODES 2°. Vater der → SALOME 2°.
6° **[Herodes] Philippus** (3), Sohn Herodes des Großen und der Kleopatra, **Tetrarch von Ituräa und Trachonitis** (1), regierte von 4 v. Chr. bis 34 n. Chr. (Lk 3, 1).
Er baute die Stadt → CÄSAREA 2° wieder auf.

HERODIANER (3), jüdische Parteigänger der Dynastie des Herodes, besonders Anhänger des Herodes Antipas, und Jesus feindlich gesinnt (Mt 22, 16 // Mk 12, 13; Mk 3, 6; vgl. 8, 15).

HERODIAS (6), Enkelin Herodes des Großen, verläßt ihren ersten Mann (der zugleich ihr Onkel ist), um einen anderen Onkel, den Herodes Antipas, zu heiraten. Sie stachelt ihren zweiten Mann auf, Johannes den Täufer enthaupten zu lassen, weil dieser die Ehe für ungesetzlich erklärt hatte (Mt 14,3 // Mk 6, 17.19 // Lk 3, 19).
Mutter der → SALOME 2°.

HERODION (1), ein in der Grußliste Röm 16, 11 genannter Judenchrist.

HESCHBON (39), „Berechnung", „Plan" (vgl. Jer 48, 2), **Stadt des Sihon** (2) im Ostjordanland. Von den Israeliten eingenommen (Num 21, 25–30; Ri 11, 26; Jdt 5, 15), dem Stamm Ruben zugesprochen (Num 32, 37; Jos 13, 17), an der Grenze von Gad (Jos 13, 26) den Leviten vom Clan Merari zuerkannt (Jos 21, 39 // 1 Chr 6, 66), schließlich moabitisch (Jes 15, 4; Jer 48, 34) oder von den Ammonitern erobert (Jer 48, 2; 49, 3). Heschbon ist mit seinen Nachbarstädten Elale und Sibma eine Gegend, die reich an Weideland (Num 32, 1–4; Jos 21, 39), Weinbergen (Jes 16, 8–9; Jer 48, 32) und Wasserquellen (Hld 7, 5) ist.
Heute *Hesban,* 35 km östlich von Jericho.
Residenz des Königs → SIHON.

HESCHBONITER (1), Jdt 5, 15. Bewohner von → HESCHBON.

HESCHMON (1), (vgl. Haschum), Ort im Negeb von Juda (Jos 15, 27).
Identisch (?) mit → HASCHMONA.

HESED (Sohn des) oder **Ben-Hesed** (1), „Treue", „Solidarität" (vgl. Hasidäer; Betesda; Hasadja; Juschab-Hesed), Statthalter des 3. Distrikts Salomos (1 Kön 4, 10).

HESEKIEL → EZECHIEL.

HESIR, „Wildschwein", „Schwein".
1° **Hesir** (1), Leiter der 17. Priesterklasse (1 Chr 24, 15).
2° **Hesir** (1), Führer des Volks, Mitunterzeichner der Gesetzesverpflichtung (Neh 10, 21).

HESJON (1), „Vision“ (vgl. Hasael), Ahnherr des → BEN-HADAD 1°.

HESLI (1), Ahnherr Jesu nach Lk 3, 25.

HET (14) → HETITER.

HETITER (48) bezeichnet in der Bibel nicht das um 1200 v. Chr. verschwundene anatolische Großreich, sondern eine der nichtisraelitischen Völkerschaften Syro-Palästinas. Die Hetiter gehören zu den „sieben Völkern“ des Landes → KANAAN a).
Unter seinen fremdländischen Frauen hat Salomo auch Hetiterinnen (1 Kön 11, 1). Das **Land der Hetiter** meint Nordsyrien (1 Kön 10, 29 // 2 Chr 1, 17; 2 Kön 7, 6) oder Syro-Palästina (Jos 1, 4; Ri 1, 26; vgl. 3, 3: Korr. von *Hiwiter*).
= **Söhne des Het** oder **Töchter des Het** (21), deren eponymer Ahnherr **Het** (2) als Sohn Kanaans gilt (Gen 10, 15 // 1 Chr 1, 13 J). Hier könnte eine Anspielung auf das alte Hetiterreich vorliegen. Von den Söhnen Hets kauft Abraham die Höhle Machpela, um Sara dort zu beerdigen (Gen 23, 3–20; 25, 10; 49, 32). Esau wählt sich in Beerscheba Frauen aus den Töchtern Hets (Gen 27, 46).
Hetiter → AHIMELECH 3°; BEERI 1°; ELON 1°; EFRON 1°; URIJA 1°.
Im Land der Hetiter → KADESCH 2°.

HETLON (2), an der idealen Nordgrenze des Heiligen Lands (Ez 47, 15; 48, 1).

HEZRO (1), 1 Chr 11, 37 **aus Karmel** (1), Krieger Davids.
= **Hezrai** (1), 2 Sam 23, 35 **aus Karmel** (1).

HEZRON
1° **Hezron** (4), dritter der vier Söhne Rubens (Gen 46, 9; Ex 6, 14; 1 Chr 5, 3), dessen Nachkommen die Sippe der **Hezroniter** (Num 26, 6) bilden.
2° **Hezron** (12), Sohn des Perez Sohn Judas und Bruder des Hamul (Gen 46, 12 // 1 Chr 2, 5; vgl. 4, 1), dessen Nachkommen ebenfalls die Sippe der **Hezroniter** (Num 26, 21) bilden. Vater des Ram und Ahnherr Davids (Rut 4, 18f; 1 Chr 2, 5). Nach 1 Chr 2, 9.18.24f ist er auch Vater des Kaleb und des Jerachmeël. Er soll die Tochter Machirs, des Vaters Gileads, zur Frau genommen haben (1 Chr 2, 21).
= **Esrom** (3), Ahnherr Davids und Jesu (Mt 1, 3; Lk 3, 33).
3° **Hezron** (1), Stadt Judas (Jos 15, 3) → HAZAR-ADDAR.
4° **Hezron** (1), Stadt Judas (Jos 15, 25) → KERIJOT-HEZRON.

HIOB → IJOB.

HITTITER → HETITER.

HIDDAI (1), 2 Sam 23, 30 = **Hurai** (1), 1 Chr 11, 32 **aus den Tälern von Gaasch** (2), Krieger Davids.
→ NAHALE-GAASCH.

HIDDEKEL → TIGRIS.

HIËL (1), Abk. von *Ahiël*, gr. *Achiël* „Mein Bruder ist Gott“ (vgl. Ahi) **aus Bet-El** (1), baut zur Zeit Ahabs Jericho wieder auf, wobei seine beiden Söhne (als Bauopfer?) sterben (1 Kön 16, 34; vgl. Jos 6, 26).

HIERAPOLIS (1), „Heilige Stadt“ (vgl. Amphipolis; Hieronymus), Stadt Phrygiens in Kleinasien, berühmt wegen seiner heißen Quellen, bei Laodizea (Kol 4, 13).
→ KOLOSSÄ.

HIERONYMUS (1), „Heiliger Name“ (vgl. Hierapolis), einer der fünf syrischen Feldherrn, die den Juden keine Ruhe lassen (2 Makk 12, 2).

HILES → HOLON.

HILKIJA, gr. *Chelkias,* lat. *Helcias,* „Mein Anteil ist Jah“ (vgl. Hakeldamach; Helkat).
1° **Hilkija** (6), Vater des → ELJAKIM 1°.
2° **Hilkija** (22), Hoherpriester, Nachkomme Zadoks, Sohn des Schallum oder Meschallum (1 Chr 5, 38–39; 9, 11; Neh 11, 11), Ahnherr des Esra (Esr 7, 1). Bei Arbeiten im Tempel entdeckt er das Gesetzbuch (wahrscheinlich den gesetzgeberi-

schen Teil des gegenwärtigen Deuteronomiums) und leitet dann im Auftrag des Königs Joschija eine Delegation zur Prophetin Hulda (2 Kön 22, 3–20 // 2 Chr 34, 8–9.19–28). Er hat entscheidenden Anteil an der religiösen Reform des Joschija (2 Kön 23, 4.24; 2 Chr 35, 8).
Vater des →JOJAKIM 2°.
3° **Hilkija** (1), Nachkomme Meraris, Ahnherr des Sängers Etan (1 Chr 6, 30).
4° **Hilkija** (1), Torwächter, zweiter der Söhne Hosas, Nachkomme Meraris (1 Chr 26, 11).
5° **HILKIJA** (1), Jer 1,1 Vater des Propheten → JEREMIA.
6° **Hilkija** (1), Vater des → GEMARJA 1°.
7° **Hilkija** (1), Ahnherr des Baruch, des Schreibers des Jeremia (Bar 1, 1).
8° **Hilkija** (1), vornehmer Laie, steht bei der feierlichen Verlesung des Gesetzes zur Rechten Esras (Neh 8, 4).
9° **Hilkija** (2), Priester, mit Serubbabel aus dem Exil zurückgekehrt (Neh 12, 7). Zur Zeit des Hohenpriesters Jojakim heißt das Haupt seiner Familie Haschabja (Neh 12, 21).
10° **Hilkija** (3) = **Helkias,** Dan 13, 2.29.63 Vater der → SUSANNA.
11° **Hilkija** (2), zwei Simeoniter (*Helkias* und *Elkia*), Ahnherren der Judit (Jdt 8, 1).

HILLEL (2), „Er hat gelobt" (vgl. Mahalalel; Jehallelel), Vater des Richters → ABDON 1°.

HIRA (2), **aus Adullam** (3), Freund Judas und sein Vermittler bei der Tamar (Gen 38, 1.12.20).

HIRAM, Abk. von *Ahiram,* „Mein Bruder ist erhaben" (vgl. Rama).
1° **Hiram** (19) oder **Huram** (7), 2 Chr 2, 2.10–11; 8, 2.18; 9, 10.21; **König von Tyrus** (6), Zeitgenosse und Freund Davids und Salomos. Er liefert David das Baumaterial und Spezialarbeiter für die Errichtung des königlichen Palastes (2 Sam 5, 11 // 1 Chr 14, 1) und Salomo das gleiche für den Tempelbau (1 Kön 5, 15–26 // 2 Chr 2, 2–11; 1 Kön 5, 32). Er hilft Salomo auch beim Aufbau einer Flotte (1 Kön 9, 26–28 // 2 Chr 8, 17–18) und knüpft mit ihm enge Handelsbeziehungen (1 Kön 10, 11.22 // 2 Chr 9, 10.21). Nach 1 Kön 9, 10–14 soll Salomo Hiram zwanzig galiläische Städte gegeben haben, die diesem aber nicht gefielen (vgl. aber 2 Chr 8, 1–2).
2° **Hiram** (4) oder **Huram** (2), 2 Chr 4, 11 oder **Huram-Abi** (2), 2 Chr 2, 12; 4, 16 **aus Tyrus** (1), Bronzeschmied, Sohn eines tyrischen Vaters und einer Mutter aus Naftali (1 Kön 7, 13) oder Dan (2 Chr 2, 12). Er führt beim Salomonischen Tempelbau alle Bronzearbeiten aus (1 Chr, 7, 13–47 // 2 Chr 2, 12–13; 4, 11–16).

HISKI (1), „Meine Kraft ist [Jahwe oder El]" (vgl. Hiskija; Ezechiel), Benjaminiter der Söhne Elpaals, Familienhaupt in Jerusalem (1 Chr 8, 17).

HISKIJA, gr. *Ezechias,* „Meine Kraft ist Jah" (vgl. 2 Kön 18, 6–7).
1° **Hiskija** (131) **Sohn des Ahas** (1) und der Abija, 13. König von Juda (716–687). Seit 728 Mitregent seines Vaters (vgl. 2 Kön 18, 9–10), folgt er ihm erst 716, also fünf Jahre nach dem Fall des Nordreichs, auf dem Thron (2 Kön 18, 1 // 2 Chr 29, 1). Zeitgenosse der Propheten Hosea (Hos 1, 1), Jesaja (Jes 1, 1) und Micha (Mich 1, 1; Jer 26, 18–19). Das Urteil über ihn fällt sehr günstig aus (2 Kön 18, 3–7; vgl. 2 Chr 31, 20–21), und Jesus Sirach preist ihn ohne Vorbehalt wie David und Joschija (Sir 48, 22; 49, 4). Aus der Regierungszeit Hiskijas hat die Bibel folgende Ereignisse festgehalten:
– die Arbeiten an der Wasserleitung (2 Kön 20, 20 // 2 Chr 32, 20; vgl. Sir 48, 17) und der Stadtbefestigung (2 Chr 32, 5) in Jerusalem;
– die literarische Aktivität am Hof des Hiskija, wo man Weisheitssprüche sammelt (Spr 25, 1);
– seine religiöse Reform: Reinigung des Tempels, Wiederherstellung des Klerus und des Kults, Feier eines festlichen Pascha, Neuordnung der Erstlingsgaben und Zehnten (2 Chr 29, 3 – 31, 21);
– seine Krankheit, sein Gebet, seine Heilung (2 Kön 20, 1–11 // Jes 38, 1–6.21–22.7–8; vgl. 2 Chr 32, 24); der ihm zugeschriebene Danksagungspsalm (Jes 38, 9–20);
– seine Beziehungen zu Merodach-Baladan, dem König von Babylon, der ihm um 703 eine Gesandtschaft schickt, einmal um ihn wegen seiner Heilung zu beglückwünschen und dann um ihn als

Bundesgenossen gegen Assyrien zu gewinnen (2 Kön 20, 12–19 // Jes 39, 1–8; vgl. 2 Chr 32, 23.25.31). Die selbstsüchtige Antwort Hiskijas an Jesaja (2 Kön 20, 19), der ihm die spätere babylonische Invasion ankündigt, ist vom Chronisten getilgt worden, um den Glanz, den Reichtum und die Frömmigkeit des Königs von Juda nicht zu beeinträchtigen (2 Chr 32, 26–29);
– seine Streitigkeiten mit dem assyrischen König Sanherib, gegen den er um 705 revoltiert (2 Kön 18, 7). Man weiß nicht, ob Sanherib einen (701) oder zwei Feldzüge (701 und 690) in Palästina geführt hat. Nach 2 Kön 18, 13–16 // Jes 36, 1 hat sich Hiskija von der assyrischen Bedrohung durch Tributleistung befreit. Der Chronist, der die Gestalt des Hiskija verklärt, berichtet zusätzlich von militärischen Vorbereitungen (2 Chr 32, 2–8). Ein anderer Bericht (2 Kön 18, 17–19.37 // Jes 36, 21 bis 37, 38; vgl. 2 Chr 32, 9–26) enthält genauere Einzelheiten: Unterhandlungen zwischen Sanherib und Hiskija, Eingreifen des Jesaja, unverhoffte Befreiung Jerusalems (vgl. 2 Makk 15, 22).
Hiskija zählt zu den Ahnherren Jesu (Mt 1, 9–10).
Sein Sohn und Nachfolger → MANASSE 2°.
2° **Hiskija** (1), Ahnherr des → ZEFANJA 2°.
3° **Hiskija** (1), zweiter der drei Söhne des Nearja, Nachkomme des Königs Jojakim (1 Chr 3, 23).
4° **Hiskija** (3) → ATER 1°.

HIWITER (25), vorisraelitische Bevölkerung im Westjordanland → KANAAN a). Ihre Anwesenheit wird vermerkt in Gibeon (Jos 9, 7; 11, 19) und in Sichem (Gen 34, 2). Mögliche Korr: Ri 3, 3 *Hiwiter* in *Hetiter;* Gen 36, 2 in *Horiter.*
Hiwiter → HAMOR.

HOBA, im Norden von Damaskus (1), Ort, an dem Abraham die vier Könige besiegt (Gen 14, 15).

HOBAB (2) **der Keniter** (1) Ri 1, 16, **Schwiegervater des Mose** (3), Ri 4, 11. In Num 10, 29 ff gilt Hobab als Sohn des Midianiters Reguël.
→ JITRO.

HOBAJA (2), „Jah verbirgt sich", Familienhaupt, dessen Söhne bei ihrer Rückkehr aus dem Exil ihre echte israelitische Herkunft nicht nachweisen können (Esr 2, 61 // Neh 7, 63).

HOD (1), „Majestät" (vgl. Abihud; Ahihud; Ammihud; Eliud; Hodija; Ischhod), aus Ascher, einer der elf Söhne Zofachs, Familienhaupt (1 Chr 7, 37).

HODAWJA, „Feiert Jahwe" (vgl. Ps 118, 1).
1° **Hodawja** (1), Familienhaupt von Leviten, die mit Serubbabel aus dem Exil zurückkehren (Esr 2, 40).
= **Hodwa** (1), Neh 7, 43. In Esr 3, 9 ist vermutlich anstelle von *Jehuda* und in Neh 10, 11 anstelle von *Hodija Hodawja* zu lesen.
2° **Hodawja** (1), vom Halbstamm Ost-Manasse, Krieger, Familienhaupt (1 Chr 5, 24).
3° **Hodawja** (1), Benjaminiter, Ahnherr des → SALLU 1°.
4° **Hodawja** (1), einer der sieben Söhne Eljoënais, Nachkomme des Königs Jojachin (1 Chr 3, 24).

HODDU → INDIEN

HODESCH (1), [Geboren am] Neumondstag (vgl. Hadascha), eine der Frauen des Benjaminiters Schaharajim (oder Gera?), Mutter von sieben Familienhäuptern (1 Chr 8, 9). Statt „seine Frau Hodesch" könnte auch gelesen werden „seine neue Frau".

HODIJA, „Jah ist Majestät" (vgl. Hod).
1° **Hodija** (1), seine Frau ist eine Schwester Nahams, zu Kaleb gerechnet (1 Chr 4, 19).
2° **Hodija** (3), gehört zu den Leviten, die dem Volk bei der feierlichen Verlesung das Gesetz erklären (Neh 8, 7), die an der Bußliturgie teilnehmen und das Volk zum Lobpreis Gottes auffordern (Neh 9, 5) und die die Gesetzesverpflichtung unterzeichnen (Neh 10, 14). In Neh 10, 11 ist *Hodija* in → HODAWJA 1° zu ändern.
3° **Hodija** (1), Führer des Volks, Mitunterzeichner der Gesetzesverpflichtung (Neh 10, 19).

HOFNI (5), ägypt. *Hfn(r)* „Kaulquappe" gr. *Ophni,* Bruder des → PINHAS 2°.

HOFRA (1), vom ägypt. *Uahibri* oder *Haibria,* gr. *Apries,* **Pharao** (5), **König von Ägypten** (2) von 589 bis 569. Er kommt nach Palästina, um Nebukadnezzar entgegenzutreten, der Jerusalem belagert, muß sich aber in sein Land zurückziehen (Jer 37, 5–7.11) Jeremia gibt ihm den Beinamen „Getöse, das die Zeit verpaßte" (Jer 46, 17). Das nahe Ende Hofras ist Jer 44, 30 angekündigt. Vielleicht ist ihm die militärische Aktion gegen Gaza zuzuschreiben (Jer 47, 1).

HOGLA (4), „Rebhuhn" (vgl. Bet-Hogla) Num 26, 33; 27, 1; 36, 11; Jos 17, 3: in Manasse, eine der fünf Töchter des → ZELOFHAD.

HOHAM (1), **König von Hebron** (4), Amoriter, verbündet mit → ADONI-ZEDEK.

HÖLLE → GE-HINNOM.

HOLOFERNES (44), pers. Name Oberbefehlshaber der Heere des Assyrerkönigs Nebukadnezzar (Jdt 2, 4; 4, 1). Nach einem Blitzfeldzug bedroht er Judäa (Jdt 4–7). Während der Belagerung von Betulia, gelingt es Judit kraft ihres Glaubens, ihrer List und Kühnheit, ihm den Kopf abzuschlagen (10–13; 16, 5–9; vgl. auch 15, 11; 16, 19).

HOLON

1° **Holon** (2), Stadt im Gebirge Juda (Jos 15, 51), den Leviten des Clans Kehat zugeteilt (Jos 21, 15).
= **Hilez** (1), 1 Chr 6, 43. Etwa 16 km NNW von Hebron.
2° **Holon** (1), Stadt in Moab (Jer 48, 21). Unbekannt.

HOR

1° **Hor, der Berg** (10), an der Grenze zu Edom, Station auf dem Exodus, wo Aaron stirbt (Num 20, 22–28; 21, 4; 33, 37–41; Dtn 32, 50).
Identisch (?) mit → MOSEROT.
2° **Hor, der Berg** (2), Ort an der Nordgrenze des Gelobten Lands (Num 34, 7f). Unbekannt.

HORAM (1), (vgl. Harum), **König von Geser** (2), kommt Lachisch zu Hilfe und wird von Josua besiegt (Jos 10, 33; 12, 12).

HOREB (18), „Trocken", „Öde"? (vgl. Harbona) → SINAI.

HOREM (1), Ort in Naftali (Jos 19, 38).

HORESCHA (4), „Wald", in der Wüste Sif. David flüchtet sich hierher vor der Wut Sauls und trifft sich mit Jonatan (1 Sam 23, 15–16.18–19). Mindest 10 km südlich von Hebron.

HOR-GIDGAD (2), Num 33, 32.33 Etappe des Exodus.
= **Haggudgoda** (2), Dtn 10, 7.

HORI

1° **Hori** (2), ältester Sohn Lotans, Sohn Seïrs (Gen 36, 22 // 1 Chr 1, 39).
2° **Hori** (1), Simeoniter, Vater des → SCHAFAT 1°.

HORITER (8), akk. *Hurru,* alte Bevölkerung des Gebirges Seïr (Gen 14, 6), von den Edomitern aus ihrem Gebiet vertrieben (Dtn 2, 12.22). Es handelt sich wohl um Nachkommen der Hurriter, deren Anwesenheit in Palästina während des 15. und 14. Jh. v. Chr. bezeugt ist. Zu dieser Zeit bezeichnen ägypt. Dokumente Palästina mit den Namen *Huru.*
Eine Liste der Söhne des Horiters Seïr und der horitischen Stammesfürsten (Gen 36, 20–30 // 1 Chr 1, 38–42). In Gen 36, 2 ist statt *Hiwiter* wahrscheinlich *Horiter* zu lesen.

HORMA (9), durch Num 21, 3 und Ri 1, 17 vom hebr. *herem,* „Bann" abgeleitet. Alte kanaanäische Stadt: Niederlage der Israeliten durch die Amalekiter und Kanaaniter (Num 14, 45 // Dtn 1, 44), dann Sieg der Israeliten über die Kanaaniter (Num 21, 3; vgl. Jos 12, 14). Stadt im Negeb von Juda (Jos 15, 30; 1 Sam 30, 30), früher Stadt Simeons (Jos 19, 4 // 1 Chr 4, 30).
= **Zefat** (1), alter Name der Stadt (Ri 1, 17).

[HORON], (vgl. Bet-Horon; Horonajim?), ein in Ugarit bekannter Gott, der Schlangenbisse herbeiführen, aber auch heilen kann. Später mit *Asklepios* identifiziert.

HORONAJIM (4), „Zwei Löcher"?, Stadt in Moab (Jes 15, 5; Jer 48, 3.5.34). Der Name steht auf der Mescha-Stele. Nicht sicher zu identifizieren.

HORONITER (3), Neh 2, 10.19; 13, 28. Gebürtig aus Bet-Horon oder aus Horonajim.
→ SANBALLAT.

HORUS, ägypt. *Hor* (vgl. Harnefer; Hur; Schihor), ägypt. Gott als Falke oder als Mensch mit einem Falkenkopf dargestellt → NIL (Jer 2, 18; Jes 23, 3).

HOSA
1° **Hosa** (4), vom Clan Merari, Torwächter (1 Chr 16, 38), hat vier Söhne (26, 10f. 16).
2° **Hosa** (1), Stadt Aschers (Jos 19, 29). Wenige km südlich von Tyrus.

HOSCHAJA, „Jah hat gerettet" (vgl. Jesaja).
1° **Hoschaja** (2), Vater des → ASARJA 15°.
2° **Hoschaja** (1), einer der Fürsten Judas, die an der Mauerweihe in Jerusalem teilnehmen (Neh 12, 32).

HOSCHAMA (1), „Jahwe hört" (vgl. Schemaja), einer der in Babylon gefangenen Söhne des Königs Jojachin (1 Chr 3, 17).

HOSCHEA, gr. *Osee,* „[Jah] rettet" (vgl. Jesaja).
1° **Hoschea Sohn des Nun** (3) → JOSUA 1°.
2° **Hoschea** (8) **Sohn des Ela** (4), 19. und letzter König Israels (732–724). Er besteigt den Thron, nachdem er seinen Vorgänger ermordet hat (2 Kön 15, 30). Zeitgenosse des Ahas (2 Kön 17, 1) und des Hiskija (2 Kön 18, 1) von Juda. Er zahlt Tribut an den König von Assyrien, als er aber mit den Zahlungen aufhört und bei Ägypten Hilfe sucht, wird er vom Assyrerkönig gefangengenommen (2 Kön 17, 1–6 // 18, 9–11).
3° **Hoschea Sohn des Asasja** (1), Führer des Stamms Efraim (1 Chr 27, 20).
4° **Hoschea** (1), Führer des Volks, Mitunterzeichner der Gesetzesverpflichtung (Neh 10, 24).

HOSEA, (3) gr. *Osee,* **Sohn des Beeri** (1), der „erste" der zwölf „Kleinen Propheten", Zeitgenosse des Amos. Er wirkt im Nordreich unter Jerobeam II. (Hos 1, 1) und vermutlich unter den folgenden Königen, einer Zeit ständiger Palastrevolutionen und der assyrischen Eroberungen, die zum Untergang des Reiches führen. Für den Propheten ist es wohl zugleich auch die Zeit einer dramatischen Ehekrise. Er heiratet **Gomer, die Tochter Diblajims,** die er leidenschaftlich liebt, aber diese Frau ist ihm untreu und gibt sich der (sakralen?) Prostitution hin. Er hat von ihr drei Kinder – zwei Knaben und ein Mädchen –, denen er symbolische Namen gibt: **Jesreel** (zur Erinnerung an das Massaker der Dynastie Omris), **Lo-Ammi** („Nicht-mein-Volk") und **Lo-Ruhama** („Kein Erbarmen"); vgl. Hos 1, 2–9; 2, 24f; 3, 1–3. Aus seiner schmerzlichen Erfahrung lernt Hosea, daß Jahwe auch seinem ungetreuen und götzendienerischen Volk weiter die Treue hält.

HOTAM, „Siegel"
1° **Hotam** (2), aus Ascher, einer der drei Söhne Hebers, Sohn des Beria (1 Chr 7, 32.35).
2° **Hotam der Aroër** (1), Vater des Jëuël und des → SCHAMA.

HOTIR (2), „Überfluß" (vgl. Jeter), einer der Söhne Hemans, Leiter der 21. Sängerklasse (1 Chr 25, 4.28).

HUBBA (1), aus Ascher, einer der Söhne Schemers, Familienhaupt (1 Chr 7, 34).

HUFAM (1), **HUFAMITER** (1) → HUPPIM 1°.

HUKKOK
1° **Hukkok** (1), Stadt an der Grenze zwischen Sebulon und Naftali (Jos 19, 34).
2° **Hukkok** (1) → HELKAT 1°.

HUL (2), einer der vier Söhne Arams (Gen 10, 23 // 1 Chr 1, 17).

HULDA, Frau des Schallum (2), Prophetin, die Joschija nach der Auffindung des Gesetzbuches

um Rat fragen läßt (2 Kön 22, 14–20 // 2 Chr 34, 22–28).
Andere Prophetinnen → MIRJAM 1°.

HUMTA (1), Ort im Gebirge Juda (Jos 15, 54).

HUPPA (1), „Baldachin", Leiter der 13. Priesterklasse (1 Chr 24, 13).

HUPPIM
1° **Huppim** (1), Sohn Benjamins (Gen 46, 21).
= **Hufam** (1), dessen Nachkommen die Sippe der **Hufamiter** bilden (Num 26, 39).
= ? **Huram** (1), 1 Chr 8, 5. Sohn Belas, Sohn Benjamins.
2° **Huppim** (2), zusammen mit Schuppim von Benjamin hergeleitet (1 Chr 7, 12: oder von Dan? vgl. Num 26, 42 f) und von Manasse (1 Chr 7, 15).

HUR ägypt. *Hor* „[Gott] Horus", akk. *Huru* „Kind" (vgl. Huri).
1° **Hur** (3), Begleiter von Mose und Aaron (Ex 17, 10.12; 24, 14).
2° **Hur** (9), Sohn Kalebs über Efrata, als dessen Erstgeborener er gilt (1 Chr 2, 19; 4, 4). Seine Nachkommen (1 Chr 2, 50 f; 4, 3 f). Er zählt zu den Söhnen Judas (1 Chr 4, 1).
Ahnherr des → BEZALEL 1°.
3° **Hur** (2), einer der fünf midianitischen Vasallenkönige des Amoriterkönigs Sihon (Jos 13, 21), die von den Israeliten bei der Landnahme besiegt und getötet wurden (Num 31, 8).
4° **Sohn des Hur** oder **Ben-Hur** (1), Statthalter des 1. Distrikts Salomos (1 Kön 4, 8).
5° **Hur** (1), Vater des → REFAJA 5°.

HURAI (1) → HIDDAI.

HURAM
1° **Huram** (1) → HUPPIM 1°.
2° **Huram** (7) → HIRAM 1°.
3° **Huram** (2) → HIRAM 2°.

HURI (1), Gaditer aus den Söhnen Abihajils (1 Chr 5, 14 ff) oder nach einer anderen Lesart: Huri, Vater des Abihajil.

HUSCHA (1), 1 Chr 4, 4. Stadt in Juda, westlich von Betlehem. Heimat des → SIBBECHAI.

HUSCHAI
1° **Huschai** (13) **der Arkiter** (5), Vertrauter und Freund Davids (2 Sam 15, 32.37; 1 Chr 27, 33), dessen Treue und List beim Aufstand des Abschalom die Ratschläge Ahitofels scheitern lassen (2 Sam 16, 16–18; 17, 5–15).
2° **Huschai** (1), Vater des → BAANA 4°.
Mit dem Vorhergehenden identisch (?).

HUSCHAM (4), (vgl. Haschum?), **vom Land der Temaniter** (2), König von Edom (Gen 36, 34–35 // 1 Chr 1, 45–46).

HUSCHATITER (5), aus → HUSCHA (→ SIBBECHAI).

HUSCHIM (vgl. Haschum)
1° **Huschim** (2) → SCHUHAM.
2° **Huschim** (2), verstoßene Frau des Benjaminiters Schaharajim (oder Gera?) (1 Chr 8, 8). Mutter des Abitub und Elpaal (8, 11).

HYÄNENTAL → ZEBOIM 1°.

HYDASPES (1), Fluß (Jdt 1, 6). Vermutlich ist eher an den Fluß, an dem Susa liegt, gedacht (also den → ULAI) als an einen Nebenfluß des Indus.

HYMENÄUS (2), „[Gott der] Ehe", der Häresie beschuldigter Christ, aus der Gemeinde ausgeschlossen (1 Tim 1, 20; 2 Tim 2, 17 f).

HYRKANUS „[Sieger] über die Hyrkanier" oder „Gebürtig aus Hyrkanien".
1° **Hyrkanus Sohn des Tobija** (1), Statthalter des Ammoniterlands (vgl. 1 Makk 5, 13). Nach 2 Makk 3, 11 hatte er eine bestimmte Geldsumme im Tempelschatz von Jerusalem hinterlegt.
2° **[Hyrkanus I.]** → JOHANAN 20°; Liste S. 410

I

IBZAN (2), (vgl. Ebez) **aus Betlehem** (1), in Sebulon?, einer der „kleinen Richter" Israels (Ri 12, 8–10).

IDDO, hebr. 1°: *Iddo;* 2°–6°: *ᶜIddoᵓ* (= ? Oded).
1° **Iddo** (2), **Ortsvorsteher in Kasifja** (1) in Babylon. An ihn wendet sich Esra vor seiner Reise nach Jerusalem, um Diener für den Tempel zu erhalten (Esr 8, 17).
2° **Iddo** (1), Vater des Präfekten → AHINADAB.
3° **Iddo** (2), Seher oder Prophet, dem eine Geschichte des Königs Rehabeam (2 Chr 12, 15) und ein Midrasch über den König Abija (13, 22) zugeschrieben werden.
= ? **Jedo** (1), hat eine Geschichte über Jerobeam, den Sohn Nebats, geschrieben (2 Chr 9, 29).
4° **Iddo** (4), Vater des Propheten → SACHARJA.
5° **Iddo** (1), 1 Chr 6, 6 → EDEN 2°.
6° **Iddo** (2), Haupt einer priesterlichen Familie, mit Serubbabel aus dem Exil zurückgekehrt (Neh 12, 4). Zur Zeit des Hohenpriesters Jojakim ist Secharja Haupt dieser Familie (12, 16).

IDUMÄA (7) → EDOM.

IDUMÄER (2), 2 Makk 10, 15–16. Bewohner von → IDUMÄA.

IËSER (1), Abk. von *Abiëser* (Num 26, 30) → ABIËSER 1°.

IËSERITER (1), manassitische Sippe (Num 26, 30).

IJE-ABARIM (2), „Ruinen von Abarim", Station des Exodus in der an Moab angrenzenden Wüste (Num 21, 11 f) oder in Moab (33, 44).
= **Ijim** (1), Num 33, 45).

IJOB (59), gr. *Job,* „Den man als Feind behandelt" oder „Der sich gegen Gott wendet" oder „Wo ist der Vater?" Mit Noach und Daniel als Held der israelitischen Volkstradition bekannt (Ez 14, 14.20). Hauptgestalt des Buches, das seinen Namen trägt.
Der in Prosa gehaltene Prolog stellt Ijob, aus dem Land Uz in Edom, als den zugleich reichsten und frömmsten Mann des Orients vor. Auf grausame Weise verliert er seine Güter, seine Kinder und seine Gesundheit. Gleichwohl weigert er sich, Gott zu fluchen, wie es ihm seine Frau nahelegt. Drei seiner Freunde, Elifas aus Teman, Bildad aus Schuach und Zofar aus Naamat kommen herzu, um ihn zu beklagen und zu trösten (1—2). Es folgt eine lange Reihe von Reden und Dialogen in Versen: Ijob mit seinen drei Freunden (3—31); mit einem vierten Freund, Elihu (32–37); und mit Jahwe (38, 1 – 42, 6). Zentralthema ist die Situation des leidenden Menschen vor Gott. Im Epilog, der wieder in Prosa geschrieben ist, werden die drei Freunde getadelt, weil sie nicht wie Ijob richtig geredet hätten. Ijob tritt für sie ein und wird mit Gesundheit, Reichtum, Familie und langem Leben belohnt (42, 7–17).
Im NT wird Ijob nur einmal als Beispiel der Geduld erwähnt (Jak 5, 11).

IJON (3), Stadt, die zugleich mit Abel-Bet-Maacha vom Aramäerkönig Ben-Hadad erobert wurde (1 Kön 15, 20 // 2 Chr 16, 4) und später vom Assyrerkönig Tiglat-Pileser (2 Kön 15, 29). Im äußersten Norden Palästinas, etwa 10 km nördlich von Abel-Bet-Maacha.

IKABOD (2), „Wo ist die Herrlichkeit?" oder auch Abk. von *Abikabod,* „Mein Vater ist Herrlichkeit", oder von *Achikabod,* „Mein Bruder ist Herrlichkeit. Volksetymologie: „Fort ist die Herrlichkeit" (1 Sam 4, 21), **Sohn des Pinhas, Sohn Elis** (1), geboren an dem Tag, als die Bundeslade von den Philistern erobert wurde, als sein Vater, sein Onkel Hofni, seine Mutter und sein Großvater Eli starben (1 Sam 4, 21). Bruder des Ahitub (1 Sam 14, 3).

IKKESCH (3), „Krumm" oder „Verdorben", Vater des → IRA 2°.

IKONION (6), Stadt Lykaoniens in Kleinasien. Barnabas und Paulus verkündigen hier auf ihrer ersten Missionsreise das Evangelium. Paulus kehrt später hierher zurück. Juden und Heiden widersetzen sich seinem Wirken (Apg 13, 51; 14, 1–7.19.21; 16, 2; vgl. 2 Tim 3, 11). Heute *Konya* in der Türkei.

ILAI der Ahoachiter (1), 1 Chr 11, 29
→ ZALMON 1°.

ILLYRIEN (1), Gebiet im NW Mazedoniens. Seit 27 v. Chr. römische Provinz. Paulus verkündigt hier das Evangelium (Röm 15, 19).
= **Dalmatien** (1), wird in 2 Tim 4, 10 als Missionsgebiet des Titus genannt. Heute in Jugoslawien.

IMMANUEL (3), gr. *Emanuel,* „Mit uns ist Gott" (vgl. Ex 17, 7; Ps 46), symbolischer Name eines davidischen Nachkommen, der dem Ahas verheißen wird (Jes 7, 14; 8, 8–10). Nach Mt 1, 23 ist nicht nur Hiskija, sondern über ihn hinaus der Messias Jesus, der Sohn Josefs und Marias, gemeint.
In Offb 21, 3 gibt die Ankündigung „Gott wird bei ihnen sein" genau den Namen Immanuel wieder.

IMMER, „Schaf".
1° **Immer** (7), Leiter der 16. Priesterklasse (1 Chr 24, 14). Die **„Söhne Immers"** kehren mit Serubbabel aus dem Exil zurück (Esr 2, 37 // Neh 7, 40). Manche von ihnen verstoßen ihre fremdländischen Frauen (Esr 10, 20).
Vater des → PASCHHUR 1°.
Ahnherr des → AMASAI 4°.
2° **Immer** (1), Vater des → ZADOK 4°.
3° **Immer** (2), Ort in Babylon, an dem sich deportierte Juden aufhalten (Esr 2, 59 // Neh 7, 61).

IMRI, Abk. von *Amarja,* „Jah spricht".
1° **Imri** (1), Judäer, Ahnherr des → UTAI 1°.
2° **Imri** (1), Vater des → SAKKUR 5°.

INDER (1), 1 Makk 6, 37. Der Elefantenführer wird hier im gr. *Indos* genannt, wahrscheinlich wegen der Herkunft der Elefanten.

INDIEN (3). Das Wort begegnet in der Wendung „von Indien bis Kusch" (Est 1, 1; 3, 13[a]; 8, 9.12[b]), um die Ost- und Westgrenze des Perserreichs unter Xerxes anzugeben. Nach 1 Makk 8, 8 soll Antiochus d. Gr. nach seiner Niederlage bei Magnesia am Sipylos (189) an die Römer auch „das indische Land" abgetreten haben. Wahrscheinlich handelt es sich um eine Verwechslung mit „jonisch".
= **Hoddu** (2), Est 1, 1; 8, 9.

IR, 1°–3°: „Esel" (vgl. Ira; Iram); 4°: „Stadt".
1° **Ir** (1), Korr. von *Iru,* ein Sohn Kalebs (1 Chr 4, 15).
2° **Ir** (1), 1 Chr 7, 12. Benjaminiter oder Daniter (wenn V. 12a zu einer Genealogie von Dan gehört hat).
3° **Ir** (1), Benjaminiter, Familienhaupt, einer der fünf Söhne Belas (1 Chr 7, 7: *Iri*).
4° **Ir** → IR-HERES; IR-MELACH; IR-NAHASCH; IR-SCHEMESCH; REHOBOT-IR.

IRA (vgl. Ir).
1° **Ira der Jaïriter** (1), Priester Davids (2 Sam 20, 26). Vielleicht eine Dublette von 3°.
2° **Ira Sohn des Ikkesch aus Tekoa** (3), Krieger Davids (2 Sam 23, 26 // 1 Chr 11, 28), verantwortlich für den militärischen Dienst des sechsten Monats (1 Chr 27, 9).
3° **Ira aus Jattir** (2), Krieger Davids (2 Sam 23, 38 // 1 Chr 11, 40).

IRAD (2), Sohn Henochs und Vater des Mehujaël (Gen 4, 18 J).

= **Jered** (7), Sohn des Mahalalel und Vater Henochs (Gen 5, 15–16. 18–19 P; vgl. 1 Chr 1, 2). Ahnherr Jesu vor der Sintflut (Lk 3, 37).

IRAM (2), einer der Fürsten oder Clans in Edom (Gen 36, 43 // 1 Chr 1, 54).

IR-HERES (1), „Sonnenstadt" oder „Stadt der Zerstörung", je nachdem man *Heres* mit *chet* oder *he* liest. Eine der fünf Städte Ägyptens, die bei der Wiedervereinigung von Ägypten mit Assur und Israel „die Sprache Kanaans" sprechen werden (Jes 19, 18). Vielleicht → HELIOPOLIS.

IR-MELACH (1), „Salzstadt", Ort in der Wüste Juda (Jos 15, 62).

IR-NAHASCH (1), „Stadt an Kupfer reich" oder „Stadt des Nahasch", Stadt Judas, ursprünglich kalebitisch (1 Chr 4, 12).

IR-SCHEMESCH (1), „Sonnenstadt" (vgl. Simson) → BET-SCHEMESCH 1°.

IRU (1) → IR 1°.

ISAAK (140), hebr. *Jizhak,* „Daß [Gott] lache" oder „lächle", **Sohn Abrahams** (1).
Von einem 100jährigen Vater und einer 90jährigen Mutter geboren (Gen 17, 17), am achten Tag beschnitten (21, 4; Apg 7, 8), wächst Isaak mit seinem Halbbruder Ismael auf, bis Hagar und ihr Sohn von Abraham fortgeschickt werden (Gen 21, 8–14). Von seinem Vater zum Opfer dargebracht, rettet ihn Gott vor dem Tod (Gen 22; Hebr 11, 17–18; Jak 2, 21). Mit 40 Jahren heiratet er Rebekka (Gen 25, 20), die ihm in Mesopotamien ausgesucht wurde (Gen 24, 4.14.62–67). Mit 60 Jahren zeugt er Esau und Jakob (Gen 25, 26; vgl. Jos 24, 4; Röm 9, 10–11). Wegen einer Hungersnot zieht er nach Gerar und in die Gegend von Beerscheba, wo er reich wird und Brunnen gräbt (Gen 26). Alt geworden, segnet er Jakob und Esau (Gen 27; Hebr 11, 20). Er stirbt mit 180 Jahren (Gen 35, 27–29) und wird in Machpela begraben (49, 31).
Isaak, „das Kind des Lachens" (Gen 17, 17; 18, 12; 21, 6; vgl. 21, 9), ist vor allem „das Kind der Verheißung" (Röm 9, 7–9; Gal 4, 28), und zwar aus zwei Gründen: Er wird Abraham und Sara auf feierliche Weise verheißen (Gen 15, 4; 17, 15–22; 18, 9–15; 21, 1), und er ist das Unterpfand der göttlichen Verheißungen und des Bundes (Gen 17, 19; 21, 12; 22, 17). Indem Isaak „das Kind des Opfers wird", stellt er den Glauben Abrahams an die Treue Gottes auf eine harte Probe (Hebr 11, 17–18). Die Gestalt Isaaks, des Sohnes Abrahams und Vaters Jakobs (Gen 48, 15; Jos 24, 3–4; 1 Chr 1, 34; Mt 1, 2; Lk 3, 34), hat in der Patriarchengeschichte wenig Konturen. Gleichwohl spricht die Genesis vom „Gott Isaaks" (46, 1), der auch der „Verwandte" oder „Schrecken Isaaks" (31, 42.53) genannt wird, und Paulus bezeichnet Isaak als „unseren Vater" (Röm 9, 10).
Isaak, das Haus Isaak meint in Am 7, 9.16 das Nordreich (Israel).
Abraham, Isaak und Jakob → ABRAHAM c).

ISAI (48), gr. *Jesse,* „Mann Jahwes"? (vgl. Abischai) **der Betlehemiter** (3), 1 Sam 16, 1.18; 17, 58; **Efratiter aus Betlehem in Juda** (1), 1 Sam 17, 12.
Isai, Nachkomme Judas über Perez, ist Sohn Obeds und Enkel des Boas (Rut 4, 17.22; 1 Chr 2, 12; Mt 1, 5). Unter seinen acht Söhnen – aber 1 Chr 2, 13–15 nennt nur sieben – wählt Samuel den jüngsten, David, aus und salbt ihn zum König (1 Sam 16, 3–19; 17, 12–20). Später bringt David aus Furcht vor Saul seinen Vater und seine Mutter nach Moab in Sicherheit (1 Sam 22, 3–4), in das Heimatland seiner Ahnfrau Rut (Rut 1, 22; 4, 10).
Isai ist vor allem „der Stamm", „die Wurzel" (Jes 11, 1.10) der königlichen Familie Juda und der Ahnherr des Messias Jesus (Mt 1, 5–16 // Lk 3, 23–32), in dem Paulus den „Sproß aus der Wurzel Isais" erkennt (Röm 15, 12).
Seine Söhne → DAVID; ELIAB 3°.
Seine Töchter → ABIGAL; ZERUJA.
Seine Urenkelin → MAHALAT 2°.

ISAIAS → JESAJA

ISCH-BAAL (11), „Mann Baals" (Kor. des hebr. Isch-Boschet), **Sohn Sauls** (8). Nach dem Tod Sauls setzt Abner in Mahanajim Ischbaal zum König über

Israel ein; der damalige Vierzigjährige herrscht zwei Jahre (2 Sam 2, 8–10). Bei Gibeon stehen sich die Truppen Davids und Ischbaals gegenüber, und es kommt zu einem blutigen Kampfspiel der jungen Krieger (2, 12–15). Ischbaal argwöhnt, daß sein Feldherr Abner selbst nach dem Königtum strebt (3, 7–11). Er muß David seine (schon verheiratete) Schwester Michal zur Frau geben (3, 14–15). Die Ermordung Abners macht ihn mutlos (4, 1), und bald wird er selber von seinen Bandenführern Rechab und Baana umgebracht. David aber läßt die Mörder hinrichten und Ischbaal neben Abner in Hebron bestatten (4, 2–12).
= **Eschbaal** (2), Bruder Jonatans, Malischuas und Abinadabs (1 Chr 8, 33 // 9, 39).
= **Ischwi** (1), 1 Sam 14, 49.

ISCHBI aus Nob (1), „Meine Wohnung ist in Nob", ein Rafaïter, dessen Bronze-Speer dreihundert Schekel wog, wollte David erschlagen; von Abischai, dem Sohn der Zeruja, getötet (2 Sam 21, 16). Manchmal korr. in *'isch benajim,* „ein Kämpfer".

ISCHBI-BENOB → ISCHBI.

ISCH-BOSCHET, „Mann der Schande" (vgl. Mefiboschet; Jerubbeschet), Verballhornung von → ISCH-BAAL.

ISCHHOD (1), „Mann der Majestät" (vgl. Hod), Manassiter, Sohn des Molechet (1 Chr 7, 18).

[ISCHTAR], (vgl. Ester?), assyro-babylonische Göttin der Liebe und des Krieges, Tochter der Mondgöttin Sin und Schwester des Sonnengottes Schamasch, in assyrischen Schriften oft „die Schönheit" genannt, mit dem Planeten Venus gleichgesetzt, in Kanaan unter dem Namen Astarte verehrt. In Nah 2, 8 wird wahrscheinlich auf die Statue der Ischtar, der Göttin von Ninive, angespielt. Der von Jeremia bekämpfte Kult der „Himmelskönigin" (Jer 7, 18; 44, 17–19.25) galt der Ischtar, der zu Ehren Kuchen in Gestalt der nackten Göttin gebacken wurden.

ISEBEL, gr. *Jezabel* (vgl. Sebul).
1° **Isebel** (22) **Tochter Etbaals Königs von Sidon** (1), Frau des israelitischen Königs Ahab (1 Kön 16, 31). Sie übt auf ihren Mann (1 Kön 21, 25) und auf ihren Sohn, den König Joram (2 Kön 9, 22), einen unheilvollen Einfluß aus. Sie verfolgt die Propheten Jahwes (1 Kön 18, 4.13; 19, 1–2), während sie den Baalskult fördert (1 Kön 18, 19). Um ihrem Mann den begehrten Weinberg zu verschaffen, scheut sie sich nicht, das Recht zu beugen und den Eigentümer des Weinbergs, Nabot aus Jesreel, umbringen zu lassen (1 Kön 21, 4–16). Elija sagt den schmachvollen Tod der Isebel voraus (1 Kön 21, 23; vgl. 2 Kön 9, 7.10). Während Jehu in Jesreel einen triumphalen Einzug hält, wird sie aus dem Fenster gestürzt und kommt elend zu Tode (2 Kön 9, 30–37).
Mutter der → ATALJA 1°.
2° **Isebel** (1), wahrscheinlich symbolische Bezeichnung (mit Bezug auf die ruchlose Königin) einer Pseudoprophetin der nikolaitischen Sekte (Offb 2, 20).

ISKARIOT (9), gr. *Iskariotes* (Mt 10, 4; 26, 14; Mk 14, 43; Lk 22, 3; Joh 6, 71; 12, 4; 13, 2.26; 14, 22) oder **Iskarioth** (3), gr. *Iskarioth* (Mk 3, 19; 14, 10; Lk 6, 16), ein schwer zu erklärender Name: nach hebr. *Isch Kerijot,* „Mann aus Kerijot" (vgl. Jos 15, 25); nach aram. *Ischkarja,* „Lügner, Heuchler" oder *Iaskar iothe,* „Der ihn überliefert hat" (Mk 3, 19; Mt 10, 4 u. ö.); nach gr. *Sikarios,* „Dolchmann", gleichbedeutend mit „Zelot" (auffälligerweise steht Judas Iskariot in den Zwölfer-Listen Mt 10, 4 und Mk 3, 19 unmittelbar hinter Simon Kananäus = Zelot).
Beiname des Apostels, der Jesus verrät → JUDAS 5°.
Beiname seines Vaters → SIMON 12°.

ISMAEL (20), hebr. *Jischmael,* „Gott hört" (vgl. Gen 16, 11), **Sohn Abrahams** (2) und der Ägypterin Hagar, der Magd Saras (Gen 16, 3–16; vgl. 1 Chr 1, 28), wird seiner Mutter als „Wildesel" angekündigt (16, 12). Mit 13 Jahren beschnitten (17, 23–26), wird Ismael von Sara, die den Sohn der Magd nicht mit ihrem Sohn Isaak erben lassen will, verstoßen (21, 8–21; vgl. Gal 4, 22–30). Er bestattet seinen Vater Abraham in Machpela (Gen 25, 9) und stirbt mit 137 Jahren (25, 17).

Obwohl er nicht der Sohn der Verheißung ist, wird er von Gott gesegnet, und die zwölf von ihm abstammenden Fürsten, die eponymen Ahnherren der zwölf arabischen Stämme, sollen zu einem großen und unabhängigen Volk werden (Gen 17, 20; 21, 18; 25, 12–16 // 1 Chr 1, 29–31).
Josef wird an ismaelitische Kaufleute verkauft, die ihn nach Ägypten bringen (Gen 37, 25–28; 39, 1). Gideon besiegt die Ismaeliter (vgl. Ri 8, 24). Holofernes führt einen Feldzug gegen die „Söhne Ismaels" (Jdt 2, 23). In Ps 83, 7 gehören die Ismaeliter zu den traditionellen Feinden Israels. Töchter Ismaels und Ismaeliter → Basemat 1°; Mahalat 1°; Obil; Jeter 2°.

ISMAELITER (7), Gen 37, 25–27; 39, 1; Ri 8, 24; Ps 83, 7. Nachkommen des → Ismael.

ISRAEL (2760), „Möge Gott kämpfen, sich stark erweisen" (vgl. Gen 32, 29; Hos 12, 5) oder „Möge Gott herrschen, Herr sein" (vgl. Sara; Seraja). Das Wort begegnet:
Im hebr. AT (2500): Pentateuch (584); Jos/Kön (1334); 1. 2 Chr-Esr-Neh (357); Pss (62); Jes (92); Jer (124); Ez (184); Dan (4); Kleine Propheten (104); Spr (1); Koh (1); Hld (1). Fehlt in Est, Tob Jon, Hab und Hag.
In den deuterokanonischen Schriften (190): Tob (17); Jdt (53); Est (7); 1 Makk (65); 2 Makk (5); Sir (18); Bar (19); Dan^{gr} (7). Fehlt in Weish.
Im NT (70): Mt (12); Mk (2); Lk (12); Joh (4); Apg (15); Röm (12); 1 Kor (1); 2 Kor (2); Gal (1); Eph (1); Phil (2); Hebr (3); Offb (3). Fehlt in den anderen Schriften.

a) Israel = der Patriarch Jakob (± 50)

Der Name „Israel" wird Jakob bei seinem Kampf mit Gott verliehen (Gen 33, 29) und bei der Theophanie in Bet-El (35, 10; vgl. 1 Kön 18, 31; 2 Kön 17, 34). Man findet ihn 35× in Gen 33, 20; 35, 21f; 37, 3.13; 42—50 und 15× in der übrigen Bibel (1 Chr 29, 10: Israel, unser Vater // Joh 4, 12; vgl. Jes 63, 16; Jdt 8, 1; Dan 3, 35; Hos 12, 13).
→ Jakob 1° a).

b) Die Stämme Israels

Den mit Abraham (Gen 17, 19) und Isaak (Gen 26, 3–5) geschlossenen Bund läßt Gott „auf dem Haupt Israels" und seiner Söhne ruhen, den eponymen Stammvätern der zwölf Stämme Israels (Sir 44, 22–23). Diese Stämme bilden die Grundlage des Gottesvolkes. Die Texte erwähnen:
die Stämme Israels (50): Gen 49, 16.28; Num 31, 4 ... Sach 9, 1; *die Söhne Israels* (9): Num 30, 2; 32, 28; 36, 8–9; Jos 4, 5–8; 14, 1; 19, 51; 21, 1; *die zwölf Stämme Israels* (4): Ex 24, 4; Ez 47, 13; Mt 19, 28; Lk 22, 30; *alle Stämme der Söhne Israels* (2): Offb 7, 4; 21, 12. In Gen 49, 28 werden die zwölf Stämme als Nachkommen der zwölf Söhne Jakobs/Israels dargestellt, deren Geburt mit Einzelheiten erzählt wird (Gen 29, 32 – 30, 25; 35, 17–18). Die erste Liste (Gen 35, 23–26) nennt folgende Namen: Ruben, Simeon, Levi, Juda, Dan, Naftali, Gad, Ascher, Issachar, Sebulon, Josef, Benjamin. In den 30 Listen, die die Bibel enthält, sind drei Dinge bemerkenswert:
Oft fehlt Levi, denn er ist ein besonderer Stamm, dessen Erbteil allein Jahwe ist (Dtn 10, 9).
Josef wird manchmal durch seine beiden Söhne *Efraim* und *Manasse* dargestellt oder neben einem von beiden. Manasse selbst wird oft geteilt in *Ost-Manasse* und *West-Manasse*. Die Reihenfolge ist variabel, aber es gibt gewisse Konstanten.
→ Liste S. 376f.

c) Das Land Israel

Land oder *„Erez Israel"*, die moderne Bezeichnung, findet sich nur 11× in der Bibel (1 Sam 13, 19; 1 Chr 22, 2; 2 Chr 2, 16; 30, 25; 34, 7; Ez 27, 17; 40, 2; 47, 18), neben den griechischen Stellen Tob 1, 4; 14, 4–5; Mt 2, 20–21. Andere Ausdrücke: *der Boden* (hebr. *adamah*) *Israels* (17) in Ez 7, 2 bis 38, 19; *das Gebiet* (hebr. *gebul*) *Israels* (Ri 19, 29; 1 Sam 7, 13; 11, 3.7; 27, 1; 2 Sam 21, 5; 1 Kön 1, 3; 1 Chr 21, 12; Ez 11, 10–11; Mal 1, 5; vgl. Jdt 14, 4; 15, 4; 1 Makk 2, 46; 9, 23); die *Berge Israels* (18) in Ez 6, 2 – 39, 4; *die (zwölf) Stämme Israels* (Ri 18, 1; 2 Sam 20, 14; 24, 2; 1 Kön 8, 16; 11, 32; 14, 21; 2 Kön 21, 7; 2 Chron 6, 5; 12, 13; 33, 7; Tob 1, 4; Ez 47, 22) oder einfach *Israel* (Gen 49, 7; Lev 20, 2; Jos 13, 13; Ri 5, 2; 1 Sam 9, 9; 18, 6; 2 Sam 20, 19; 24, 15; 1 Makk 9, 27) bzw. *ganz Israel* (Dtn 18, 6; 1 Sam 3, 20; 2 Sam 14, 25; 17, 11; 1 Kön 5, 27). Zu

beachten ist, daß in der Zeit der Reichstrennung (931–721) die Ausdrücke „Land Israel" (2 Kön 5, 2.4; 6, 23), „Gebiet Israel" (2 Kön 10, 32; 14, 25) oder „Israel" (2 Kön 5, 12) das Nordreich bezeichnen können.
Die idealen Grenzen des Landes Israel, des Königreichs Davids und Salomos, werden in Num 34, 1–15 und Ez 47, 13–21 genau beschrieben. Dem gleichen Zweck dienen die stereotypen Formeln: *von Dan bis Beerscheba* → DAN 2°; *vom Zugang zu Hamat bis zur Araba* oder *zum Bach Ägypten* → HAMAT 2°; *vom Bach Ägypten bis zum Eufrat* → EUFRAT; *von Meer zu Meer* → TOTES MEER.
Der Ausdruck „Land Israel" hat den alten Namen → KANAAN b) oder Philisterland (Gen 21, 32.34; Sef 2, 5) verdrängt.

d) Israel = Nordreich

In zahlreichen Texten bezeichnet *Israel* nicht mehr die Gesamtheit des Zwölfstämmevolks oder das in diese Stämme aufgeteilte Land, sondern eine mehr politische Realität: die staatlich geeinten „zehn Stämme" des Nordens (1 Kön 11, 31.35), oft mit dem bedeutendsten Stamm Efraim gleichgesetzt (Hos 11, 8), im Gegensatz zum Stamm Juda (1 Kön 11, 36; 12, 20; 2 Kön 17, 18; Jes 11, 13), der Simeon aufgesogen hatte. Schon in Ri 1 und 5 scheinen Juda und Simeon eine von den anderen Stämmen unabhängige Existenz zu führen. Später wird David zunächst nur als König von Juda gesalbt (2 Sam 2, 4), während Abner den Ischboschet zum „König über ganz Israel" einsetzt (2 Sam 2, 9). Dies zeigt übrigens, daß der Ausdruck *„ganz Israel"* (158) keineswegs immer den gleichen Sinn hat. Die Schlacht bei Gibeon zeigt Israel und Juda in Feindschaft (2 Sam 2, 12–28). Nach sieben Jahren wird David zum König „von ganz Israel und Juda" gesalbt (2 Sam 5, 5). Nach dem Tod Salomos (931) entsteht eine doppelte Herrschaft, aus Efraim geht ein „abtrünniges Reich" hervor (Sir 47, 21), dessen Feldgeschrei lautet: „In deine Zelte, Israel!" (1 Kön 12, 16; 2 Sam 20, 1). Von da an leben die beiden Reiche zwei Jahrhunderte lang, d. h. bis zum Fall Samarias (721), als oft feindliche Brüder nebeneinander, und die Geschichte der „beiden Reiche Israels" (Jes 8, 14) ist geknüpft an die Geschichte ihrer jeweiligen Könige.
Andere Bezeichnungen → EFRAIM 1°; SAMARIEN.
Könige → AHAB 1°; AHASJA 1°; BASCHA; ELA 3°; HOSCHEA 2°; JEHU 2°; JEROBEAM 1°; 2°; JOAHAS 1°; JOASCH 6°; JORAM 4°; MENAHEM; NADAB 4°; OMRI 4°; PEKACH; SCHALLUM 4°; SECHARJA 9°; SIMRI 4°.
Hauptstädte → SAMARIA a); TIRZA 2°; SICHEM und PENUËL (1 Kön 12, 25).

e) Israel = Juda

Der Ausdruck „die beiden Reiche Israels" (Jes 8, 14) zeigt, daß sich die Propheten mit der Teilung nur schwer abfinden können (vgl. Jes 5, 7). Nach dem Fall Samarias erhält das Wort *Israel* seinen religiösen Sinn wieder. Es wird auf den Rest von Israel, d. h. auf das Königreich Juda, angewandt (Ez 9, 8; 11, 13), das zum Zentrum der Neuordnung ganz Israels wird.
Für den Chronisten ist Juda das wahre Israel: Der König von Juda Joschafat wird König von Israel genannt (2 Chr 21, 2), ebenso Ahas (28, 19). Nach dem Fall Jerusalems (587) und dem Exil bekommt das Wort „jüdisch" oder „judäisch" einen rassischen und nationalen Sinn – es wird vor allem von den Fremden gebraucht (Esr 4, 12; Neh 3, 33–34; 2 Makk 9, 4) –, während das Wort „Israel" seinen Bezug zu den zwölf Stämmen und zum Bundesvolk behält. Die jüdische Nation (vgl. 2 Makk 10, 8; 11, 48–52; 18, 35; Apg 10, 32) bleibt das Volk Israel (Esr 2, 2; 6, 17; 10, 5; Mt 10, 6; 27, 9; Lk 1, 16; Apg 13, 17), und das von Fremden besetzte Palästina bleibt das Land Israel (Mt 2, 20–21; 8, 10; 10, 23; Joh 3, 10).

f) Israel, Volk Gottes

Neben dem Ausdruck „die Stämme Israels" gibt es zur Bezeichnung des Bundesvolkes noch folgende Begriffe:
das Volk Israel (17): Jos 8, 33; 2 Sam 18, 7; Esr 2, 2; 7, 13; 9, 1; Jdt 4, 8; 7, 10; 1 Makk 5, 60; Apg 4, 10.27 (die Völker); 13, 17.24. „Volk Israel" kann manchmal auch die Nordstämme im Gegensatz zu Juda bezeichnen (2 Sam 19, 41; 1 Kön 16, 21).
Israel, (mein, sein, dein) Volk (90): Ex 7, 4; 18, 1; Dtn 21, 8; 26, 15; 1 Kön 6, 13; 8, 16–66 u. ö. Mt 2, 6; Lk 2, 32.

die Gemeinde Israels (11): Ex 12, 3.6.19.47; Lev 4, 13; Num 16, 9; 32, 4; Jos 22, 18.20; 1 Kön 8, 5 // 2 Chr 5, 6; oder *der Söhne Israels* (31): Ex 16, 1–10; 17, 1; 35, 1–20 u. ö.
die Versammlung Israels (15): Lev 16, 17; Dtn 31, 30; Jos 8, 35; 1 Kön 8, 14; 1 Makk 4, 59; Sir 50, 13) oder *der Söhne Israels*: Sir 50, 20.
das Haus Israel (138): Ex 16, 31; Jos 21, 45; Ps 98, 3; 115, 9.12; 118, 2; 135, 19; Jes 5, 7; Jer 2, 4; Ez (82); Mt 10, 6; 15, 24; Apg 2, 36; 7, 42; Hebr 8, 8.10.
die Söhne Israels oder *die Israeliten* (± 680): Gen 32, 33; Ex 1, 7; Offb 2, 14.
die *Leute* oder *Menschen Israels* (56): Num 25, 8.14; Dtn 27, 14; 29, 9; Jos 9, 6–7; 10, 24; Ri bis 2 Sam (43); 1 Kön 8, 2; 1 Chr 10, 1.7; 16, 3; 2 Chr 5, 3.
Israel (± 650): Gen 48, 20; Ex 4, 22; 5, 2; 9, 4 u. ö. Dtn 4, 1; 5, 1; 6, 3–4; 9, 1; 20, 3; Bar 3, 24; 4, 4; u. ö. Röm 11, 7.25–26.
die Jungfrau Israel (4): Jer 18, 13; 31, 4.21; Am 5, 2.

g) Der Gott Israels (200)

Gott ist mit Israel auf eine ganz eigentümliche Weise verknüpft, wie es die klassische Bundesformel besagt: „Ich bin euer Gott, und ihr seid mein Volk" (Lev 26, 12; vgl. Gen 17, 8; Jer 31, 33; Offb 21, 3). Dies kommt auch in folgenden Begriffen zum Ausdruck:
Jahwe, Gott Israels (120): Ex 5, 1; 32, 27; Jos 7, 13.
Herr Gott Israels (5): Jdt 12, 8; 13, 7; Est 4, 17[k]; Bar 2, 11; Lk 1, 68.
Herr Jahwe Gott Israels: Ex 34, 23.
Allmächtiger Herr, Gott Israels: Bar 3, 1.4.
Gott Israels (50): Gen 33, 20 (El, Gott Israels); Ex 24, 10; Num 16, 9; Jos 22, 16; 1 Sam 1, 17 . . . Ps 68, 9; Ez 43, 2; Mt 15, 31; Apg 13, 17.
Gott der Schlachtreihen Israels: 1 Sam 17, 45.
Gott aller Stämme Israels: Jer 31, 1.
Gott des Erbbesitzes Israel: Jdt 9, 12.
Gott in Israel: 1 Sam 17, 46; 1 Kön 18, 36; 2 Kön 1, 3.6.16; 5, 15; *über Israel:* 2 Sam 7, 26; *für Israel:* 1 Chr 17, 24.
Heiliger Israels (35): 2 Kön 19, 22; Ps 71, 22; 78, 41; 89, 19; Jes (27); Jer 50, 29; 51, 5; Ez 37, 28; 39, 7.
Fels Israels: Gen 49, 24; 2 Sam 23, 3; Jes 30, 29.
Herrlichkeit Israels: 1 Sam 15, 29.
Starker Israels: Jes 1, 24.
König Israels: Jes 44, 6; Zef 3, 15; vgl. 1 Sam 8, 7; 1 Chr 28, 5; Jes 43, 15.

h) Das Neue Israel

Die Propheten kündigen die Wiedervereinigung der beiden Königreiche und die Sammlung der verstreuten Israeliten an, damit das wahre Reich Davids erstehe (Ez 36, 24; 37, 15–25; Jer 3, 18; Jes 27, 12), in der Ganzheit der zwölf Stämme (Ez 48, 1–7), unter der Autorität und dem Schutz des „Gottes aller Stämme Israels" (Jer 31, 1). Doch es wird sich um ein neues Volk handeln, um den Rest Israels (Jes 4, 3; 10, 20–22; vgl. Röm 9, 27; Jes 11, 11; Jer 31, 7; Mich 2, 12), um ein gereinigtes, von einem neuen Geist belebtes Volk (Ez 11, 19; 18, 31), von einem neuen Bund geleitet (Jer 31, 31–34). Dieses neue Israel ist nicht mehr „das Israel dem Fleische nach" (1 Kor 10, 18), d. h. das historische, „irdische" Israel, denn nicht alle, die aus Israel stammen, sind Israel (Röm 9, 6). Es ist das „Israel Gottes" (Gal 6, 16).
Mag Israel auch sein Vorrecht bewahren, das „erstberufene" Volk, der erstgeborene Sohn zu sein (Ex 4, 22; Sir 36, 11; vgl. Röm 9, 4 f), so dürfen doch die Heiden eines Tages in das neue Israel eintreten (vgl. Ps 47, 9–10). Christus hat seine Kirche nach dem Vorbild des alten Israel gegründet, indem er seinen zwölf Aposteln die Macht gab, „die zwölf Stämme Israels zu richten" (Mt 19, 18). Die Israeliten, aus denen der Christus dem Fleisch nach entstammt (Röm 9, 5), sind aufgefordert, dem Beispiel Natanaels, eines echten Israeliten (Joh 1, 47), zu folgen und in Christus die Herrlichkeit Israels zu erkennen (Lk 2, 32), den König Israels (Mt 27, 42; Joh 1, 49), den Retter Israels (Apg 13, 23): mit einem Wort, die Hoffnung Israels (Apg 28, 20).

ISRAELIT (14), wird im Urtext auf einzelne Menschen (Lev 24, 10–11; 2 Sam 17, 25; Joh 1, 47; Röm 11, 1) und auf das Volk Israel (Apg 2, 22; 3, 12; 5, 35; 13, 16 u. ö.) angewandt. In den Übersetzungen werden damit auch hebr. Ausdrücke wie *„Söhne Israels"* (± 680), *„Leute"* oder *„Menschen aus Israel"* wiedergegeben.

ISSACHAR, gr. Umschrift des hebr. *Jissaskar*, falsche Schreibweise von *Jissakar*, aus der hebr. Wurzel *sakar*, „Lohn zahlen" (vgl. Gen 30, 18).
1° **Issachar** (43), fünfter Sohn Jakobs und der Lea (Gen 30, 17 f), eponymer Stammvater eines der zwölf Stämme Israels. Von Issachar werden vier Clans hergeleitet: Tola (1 Chr 7, 2–5), Puwa, Jaschub und Schimron (Num 26, 23–25; Gen 46, 13 // 1 Chr 7, 1). Verschiedene Musterungen des Stammes: Num 1, 28 f; 2, 5 f; 26, 23–25; 1 Chr 12, 33; vgl. Offb 7, 7. Das Territorium Issachars (Jos 19, 17–23; vgl. 17, 10 f) wird im Süden begrenzt durch Manasse, im NW durch Sebulon, im NO durch Naftali und im Osten durch den Jordan. Issachar besiedelt so die fruchtbare Ebene Jesreel, gerät aber unter das kanaanäische Joch (Gen 49, 14 f; vgl. Ri 5, 15). Später treibt der Stamm wie Sebulon Handel und besucht das Heiligtum des Berges Tabor (Dtn 33, 18–19). Unter Salomo bildet Issachar den 10. Distrikt des vereinten Königreichs (1 Kön 4, 17). Städte Issachars sind den Leviten des Clans Gerschon zugeteilt (Jos 21, 6. 28f // 1 Chr 6, 47.57 f). Der Chronist erwähnt die Teilnahme von Leuten aus Issachar beim Pascha des Hiskija (2 Chr 30, 18).
Issachar in den Stammeslisten → S. 376f.
Issachariter → BASCHA; JIGAL 1°; NETANEL 1°; OMRI 3°; PALTIEL 1°; TOLA 1°; 2°; USI 2°.
2° **Issachar** (1), Levit, Torwächter, siebter Sohn des Obed-Edom (1 Chr 26, 5).

ITALIEN (4), seit Cäsar mit dem gegenwärtigen Italien identisch. Es gibt hier jüdische (vgl. Apg 18, 2) und christliche (Hebr 13, 24) Gemeinden. Weil Paulus vor dem kaiserlichen Gericht erscheinen soll, besteigt er in Cäsarea ein Schiff nach Italien; ebenso in Myra in Lyzien (Apg 27, 1.6).
Städte und Orte → FORUM APPII; PUTEOLI; RHEGION; ROM; TRES TABERNAE.

ITALISCH (1), Apg 10, 1, Name einer römischen Kohorte, die hauptsächlich aus italienischen Soldaten besteht. Einer ihrer Hauptleute ist → KORNELIUS.

ITAMAR (21), Abk. von *Abitamar,* **Sohn Aarons** (10). Aus der Priestertradition bekannt. Als letzter der vier Aaronssöhne (Ex 6, 23; 28, 1; Num 3, 2; 26, 60; 1 Chr 5, 29; 24, 1) übt er das Priestertum nach dem Tod seiner älteren Brüder Nadab und Abihu neben seinem Bruder Eleasar aus (Num 3, 4; Lev 10, 6.12.16; 1 Chr 24, 2). Ihm sind die Leviten der Clans Gerschon und Merari unterstellt (Ex 38, 21; Num 4, 28.33; 7, 8).
Die *Söhne Itamars* zählen acht Priesterklassen gegenüber sechzehn der Söhne Eleasars (1 Chr 24, 3–6). Man findet sie auch unter den aus dem Exil zurückkehrenden Priestern (Esr 8, 2). Von Itamar wird hergeleitet → AHIMELECH 2°.

ITIËL „Gott ist mit mir"? (vgl. Etbaal; Ittai? Immanuel).
1° **Itiël** (1), Neh 11, 7. Benjaminiter, Ahnherr des → SALLU 1°.
2° **Itiël** (2), Sohn oder Schützling des Agur? (Spr 30, 1). Man übersetzt manchmal statt der Widmung „für Itiël": „Ich mühte mich ab um Gott" (*la'iti' el*).

ITTAI, Abk. von *Itiël?*
1° **Ittai** (7) **der Gatiter** (3), Führer einer Schar von Ausländern, die David ihre Dienste angeboten hatten, vielleicht jener 600 Mann, die aus Gat gekommen waren (2 Sam 15, 18–22). Einer der drei Heerführer (mit Joab und Abischai), die David auf seiner Flucht vor Abschalom begleiteten (2 Sam 18, 2.5.12).
2° **Ittai** (1), 2 Sam 23, 29, oder **Itai** (1), 1 Chr 11, 31, **Sohn des Ribai aus Gibea in Benjamin** (2), Krieger Davids.

ITURÄA (1), Land östlich des Oberlaufs des Jordan. Hauptstadt Chalkis. Gehört zur Tetrarchie des Philippus (Lk 3, 1).
→ JETUR.

IWA (3) → AWA.

J

JAAKAN (1) → Akan.

JAAKOBA (1), (vgl. Jakob), Simeoniter, führend in seinem Clan (1 Chr 4, 36ff).

JAALA (2), „Gazelle“ (vgl. Alwa), Familienhaupt von Knechten Salomos, die aus dem Exil heimkehren (Esr 2, 56 // Neh 7, 58).

JAAR (1), „Wald“ (vgl. Kirjat-Jearim; Jearim), Ps 132, 6.
Aufenthaltsort der Bundeslade → Kirjat-Jearim.

JAARESCHJA (1), Benjaminiter der Söhne Jeroham, Familienhaupt in Jerusalem (1 Chr 8, 27).

JAAR-HERET (1), „Wald von Heret“, vermutlich in der Nähe von Adullam und Keïla. David flieht hierher vor Saul (1 Sam 22, 5).

JAASAI (1), (vgl. Asaël), Israeliter der Söhne Banis, schickt seine ausländische Frau zurück (Esr 10, 37).

JAASANJA, „Jahwe versteht“ (vgl. Asanja).
1° **Jaasanja Sohn des Jirmeja Sohn des Habazzinja** (1), Vorsteher der Rechabiter, den der Prophet Jeremia zum Tempel kommen läßt (Jer 35, 3).
2° **Jaasanja** (2) **Sohn des Maachatiters** (2), einer der Führer der judäischen Armee, die nach dem Fall Jerusalems zu Gedalja kommen (2 Kön 25, 23 // Jer 40, 8).
= ? **Asarja Sohn des Hoschaja** (2). Nach der Ermordung Gedaljas gehört er mit Johanan, dem Sohn Kareachs, zu jenen Offizieren, die nicht auf Jeremia hören und nach Ägypten fliehen (Jer 42, 1; 43, 2).
3° **Jaasanja Sohn des Schafan** (1), einer der Ältesten Israels, die sich zur Zeit des Ezechiel im Tempel dem Götzendienst hingeben (Ez 8, 11).
4° **Jaasanja Sohn des Asur** (1), einer der Führer des Volks, denen Ezechiel vorwirft, dem Volk nach der ersten Belagerung der Stadt schlechte Ratschläge gegeben zu haben (Ez 11, 1 ff).

JAASIËL
1° **Jaasiël** (1), 1 Chr 15, 18 vielleicht zu lesen → Usiël 2°.
2° **Jaasiël aus Zoba** (1), Krieger Davids (1 Chr 11, 47).
3° **Jaasiël Sohn Abners** (1), verantwortlich für den Stamm Benjamin (1 Chr 27, 21).

JAASIJA (2), Levit des Clans Merari, Vater von drei Söhnen (1 Chr 24, 26–27).

JABAL (1), „führen“, „leiten“ (vgl. Obil), Sohn Lamechs und der Ada, Ahnherr der Viehzüchter (Gen 4, 20).

JABBOK (7), linker Nebenfluß des Jordan. An einer Furt des Jabbok kämpft Jakob mit dem Engel (Gen 32, 23). Der Fluß markiert die Nordgrenze der Ammoniter (Dtn 3, 16; Jos 12, 2; Ri 11, 13.22; vgl. Num 21, 24; Dt 2, 37). Heute *Nahr ez-Zerqa*, „blauer Fluß“, entspringt bei Amman.

JABESCH, „Trocken“.
1° **Jabesch** (8) bzw. **Jabesch-Gilead** (12), Stadt im Ostjordanland. Sie nimmt nicht am Krieg gegen

Benjamin teil, aber ihre jungen Mädchen werden den Benjaminitern zur Erhaltung des Stammes gegeben (Ri 21, 8–14). Der Benjaminiter Saul kommt Jabesch zu Hilfe und schlägt die Ammoniter, die die Stadt belagern (1 Sam 11, 1–5.9). Als die Krieger von Jabesch hören, daß die Leichname Sauls und seiner Söhne an der Stadtmauer von Bet-Schean aufgehängt sind, überschreiten sie den Jordan, nehmen die Leichname ab, äschern sie ein und bestatten die Asche unter der Tamariske von Jabesch (1 Sam 31, 11–13 // 1 Chr 10, 11–12; vgl. 2 Sam 21, 12). David drückt den Bewohnern von Jabesch seine Genugtuung über diese Tat aus und fordert sie auf, sich seinem Reich anzuschließen (2 Sam 2, 4–7). Liegt etwa 50 km SO von Bet-Schean.
2° **Jabesch** (3), Vater des → SCHALLUM 4°.

JABEZ
1° **Jabez** (1). in Juda, Wohnort der Clans von Sofer (1 Chr 2, 55).
2° **Jabez** (3), abgeleitet vom hebr. *'ozeb*, „Schmerz" (1 Chr 4, 9). Im judäischen Clan Aschhur nimmt Jabez eine Vorrangstellung ein, und er richtet ein Gebet an den Gott Israels (1 Chr 4, 9–10).

JABIN (8), **König von Hazor** (4), **König von Kanaan** (4), Führer der Koalition der nordkanaanäischen Könige, von Josua besiegt (Jos 11, 2.10; 12, 19). Sein Heerführer ist Sisera (Ri 4, 2. 7.17.23–24; vgl. Ps 83, 10).

JABNE (2), Stadt auf halbem Weg zwischen Joppe und Aschdod. An der NW-Grenze Judas (Jos 15, 11: Jabneel). König Usija erobert sie von den Philistern (2 Chr 26, 6). → JAMNIA.

JABNEEL (1), „Gott läßt bauen" (vgl. Benaja), Stadt Naftalis (Jos 19, 33). Im SW des Sees Gennesaret.

JACHDIËL (1), „Gott erfreut" (vgl. Jechdeja), Manassiter, führend in seinem Clan (1 Chr 5, 24).

JACHDO (1), Gaditer aus den Söhnen Abihajils oder Ahnherr des Abihajil (1 Chr 5, 14).

JACHIN „(Gott) macht fest" (vgl. Jojachin).
1° **Jachin** (3), einer der Söhne des Jakobssohnes Simeon (Gen 46, 10 // Ex 6, 15), dessen Nachkommen die Sippe der **Jachiniter** (Num 26, 12) bilden. = **Jarib** (1), einer der fünf Söhne Simeons (1 Chr 4, 24).
2° **Jachin** (3), in Jerusalem wohnender Priester (1 Chr 9, 10 // Neh 11, 10 MT), Leiter der 21. Priesterklasse (1 Chr 24, 17).
3° **Jachin** (2) und **Boas**, Namen der beiden Bronzesäulen in der Vorhalle des Jerusalemer Tempels, die erste zur Rechten, die zweite zur Linken (1 Kön 7, 15–22 // 2 Chr 3, 15–17).

JACHLEEL (2), „Warte auf Gott!", letzter der drei Söhne Sebulons (Gen 46, 14), dessen Nachkommen die Sippe der **Jachleeliter** (Num 26, 26) bilden.

JACHMAI (1), aus Issachar, einer der Häupter der Familie Tola (1 Chr 7, 2).

JACHSEJA (1), „Jah sieht" (vgl. Hasaël), **Sohn des Tikwa** (1), einer jener Männer, die sich der Scheidung von ihren ausländischen Frauen widersetzten (Esr 10, 15).

JACHSERA (1), 1 Chr 9, 12 = ? **Achsai** (1), Neh 11, 13. Ahnherr des Priesters → AMASAI 4°.

JACHZEEL (2), „Jah teilt", erster der vier Söhne Naftalis (Gen 46, 24 // 1 Chr 7, 13), dessen Nachkommen die Sippe der **Jachzeeliter** (Num 26, 48) bilden.

JADA (2), „Er weiß" (vgl. Abida; Beeljada; Eljada; Schemida; Jaddua; Jedaja 1° – 4°; Jediaël; Jojada), Enkel des Jerachmeel über Onam (1 Chr 2, 28). Seine Nachkommenschaft (2, 32–33).

JADDAI (1), Israelit der Söhne Nebos, schickt seine ausländische Frau zurück (Esr 10, 43).

JADDUA (vgl. Jada)
1° **Jaddua** (1), Führer des Volks, Mitunterzeichner der Gesetzesverpflichtung (Neh 10, 22).
2° **Jaddua** (2), Sohn Johanans, Hoherpriester um 400 v. Chr. (Neh 12, 11.22).

JADON aus Meronot (1), Freiwilliger beim Wiederaufbau der Jerusalemer Mauer (Neh 3, 7).

JAËL (6), „Antilope“ (vgl. Alwa), **Frau des Heber** (3) **des Keniters** (2), nimmt den von Barak besiegten Sisera in ihrem Zelt auf und tötet ihn im Schlaf, indem sie einen Zeltpflock durch seinen Schädel treibt (Ri 4, 17–22; vgl. 5, 6.24).

JAFET, hebr. *Jefet*, „Er gebe weiten Raum“ (vgl. Gen 9, 27).
1° **Jafet** (12), einer der drei Söhne Noachs (Gen 5, 32; 6, 10; 1 Chr 1, 4), mit ihrem Vater von der Sintflut gerettet (Gen 7, 13; 9, 18; 10, 1). Jafet ist einer der Stammväter der postdiluvianischen Menschheit, seine Nachkommenschaft erstreckt sich über Kleinasien, die Mittelmeerinseln (Gen 10, 2–5; vgl. 1 Chr 1, 5–6) und die palästinensische Küste (vgl. Gen 9, 27).
2° **Jafet** (1), Jdt 2, 25. Mit dem Vorhergehenden identisch?

JAFIA (vgl. Mefaat)
1° **Jafia** (1), **König von Lachisch** (4), Amoriter, verbündet mit → ADONI-ZEDEK.
2° **Jafia** (3), einer der in Jerusalem geborenen Söhne Davids (2 Sam 5, 15 // 1 Chr 3, 7 // 14, 6).
3° **Jafia** (1), Ort an der Grenze Sebulons (Jos 19, 12). Liegt etwa 10 km westlich vom Berg Tabor.

JAFLET (3), (vgl. Pelet 1° – 2°), zu Ascher, aus dem Clan Beria, Sohn Hebers und Vater von drei Söhnen (1 Chr 7, 32–33). Die **Jafletiter** leben zwischen Bet-El und Bet-Horon (Jos 16, 3).

JAFO → JOPPE.

JAGUR (1), Ort im Negeb von Juda (Jos 15, 21). Heute *Tell Ghurr,* 20 km östlich von Beerscheba.

JAHASIËL, „Gott sieht“ (vgl. Hasaël).
1° **Jahasiël** (1), Benjaminiter, Anhänger Davids vor seinem Königtum (1Chr 12, 5).
2° **Jahasiël** (1), Priester, Trompetenbläser vor der Lade (1 Chr 16, 6).
3° **Jahasiël** (2), Levit aus dem Clan Kehat, dritter der vier Söhne Hebrons (1 Chr 23, 19 // 24, 23).
4° **Jahasiël Sohn des Secharja Sohn des Benaja Sohn des Jëiël Sohn des Mattanja** (1), Levit der Söhne Asafs. Der zur Zeit des Königs Joschafat lebende Sänger ist vom prophetischen Geist erfüllt (2 Chr 20, 14–17).
5°**Jahasiël** (1), Vater des → SCHECHANJA 4°.

JAHAT
1° **Jahat** (2), Nachkomme Judas über Schobal, Vater der Zoratiter-Clans (1 Chr 4, 2).
2° **Jahat** (4), Levit aus dem Clan Gerschon, Sohn Libnis nach 1 Chr 6, 5. Sohn Gerschons, Vater Schimis und Ahnherr des Sängers Asaf nach 1 Chr 6, 27–28; ältester Sohn Schimis nach 1 Chr 23, 10–11.
3° **Jahat** (1), Levit des Clan Kehat, aus der Familie Jizhar, von den Söhnen Schelomot (1 Chr 24, 22).
4° **Jahat** (1), Levit des Clan Merari, einer der Aufseher über die Restaurationsarbeiten im Tempel unter Joschija (2 Chr 34, 12).

JAHAZ (2), Stadt Moabs (Jes 15, 4 // Jer 48, 34). = **Jahza** (7), wo der Amoriterkönig Sihon von Israel geschlagen wird (Num 21, 23 // Dtn 2, 32; Ri 11, 20). Stadt Rubens (Jos 13, 18), den Leviten des Clans Merari zugeteilt (Jos 21, 36 // 1 Chr 6, 63), wieder moabitisch geworden (Jer 48, 21).

JAHDAI (1), von Kaleb hergeleitet, Vater von sechs Söhnen (1 Chr 2, 47).

JAHWE (± 6800), gr. *Kyrios*, „Herr“, Eigenname des Gottes Israels, abgekürzt in *Jah.*

a) Statistik

Jahwe ist das häufigste Wort in der Bibel. Die Varianten der Handschriften machen eine genaue Zählung schwierig.
Pentateuch: 1818 (Gen 166; Ex 400; Lev 310; Num 400; Dtn 542); Jos 223; Ri 175; Rut 18; 1–2 Sam 469; 1–2 Kön 531; 1–2 Chr 550; Esr-Neh 54; Ijob 32; Ps 690; Spr 84; Jes 438; Jer 708; Klgl 35; Ez 422; Dan 8 (Kap.9); Kleine Propheten: 483 (Hos 46; Joel 31; Am 79; Obd 7; Jon 24; Mich 38; Nah 13; Hab 12; Zef 32; Hag 35; Sach 130; Mal 46). Das Wort fehlt in Est und Koh. Eine beträchtliche Anzahl des Vorkommens ist an die Verben *sagen / sprechen* geknüpft. Übrigens wird Jahwe

etwa 370 x im Vokativ angeredet: Ps 205; 1–2 Chr 25; Jes 19; Jer 26.

Jah (55) begegnet vor allem in der Akklamation „Halleluja", hebr. *hallelu-Jah* = „Lobt Jah!" (28): am Anfang der Ps 106; 111–113; 135; 146–150; am Ende der Ps 104–106; 113; 115–117; 135; 146–150; ferner in Tob 13, 17; Offb 19, 1.3.4.6; – die anderen (27) Stellen sind: Ex 15, 2 // Ps 118, 14 // Jes 12, 2; Ex 17, 16; Ps 68, 5.19; 77, 12; 89, 9; 94, 7.12; 102, 19; 115, 17; 118, 5.17–19; 122, 4; 130, 3; 135, 3–4; 150, 6; Hld 8, 6; Jes 26, 4.

Der Name *Jahwe* ist unter den Formen *Jahu, Jo, Jeho* als Präfix oder Suffix Bestandteil vieler Eigennamen: *Abija, Azaljahu, Jehojada, Josabad* ... vgl. auch *Jehu.*

b) Ursprung des Worts

Beim *Jahwisten* erscheint der Jahwename vom Schöpfungsbericht an (Gen 2, 4). Enosch ist der erste, der den Namen Jahwes anruft (4, 26). Noach segnet „Jahwe, den Gott Sems" (9, 26). Jahwe ist der Name, der Gott in der ganzen Patriarchengeschichte gegeben wird (12, 1 – 39, 23). Abram baut Jahwe einen Altar und ruft seinen Namen an (12, 8; 13, 4.18; 21, 33). Jahwe sagt Abraham: „Ich bin Jahwe, der dich aus Ur in Chaldäa herausgeführt hat" (15, 7), und zu Jakob: „Ich bin Jahwe, der Gott deines Vaters Abraham und der Gott Isaaks" (28, 13). Die *priesterliche* Tradition bezeugt aber, daß der Jahwename den Erzvätern unbekannt war. Sie kannten Gott nur unter dem Namen des El Schaddai (Ex 6, 3). Und der *elohistische* Bericht (Ex 3) macht den Namen Jahwes sogar zum Gegenstand einer besonderen Offenbarung, die Mose und den Israeliten zuteil wird. Aus diesen Unterschieden ergeben sich zwei Tatsachen: Der Jahwename hat einen vorisraelitischen Ursprung und war einigen alten Stämmen seit ihrer Nomadenzeit bekannt, und zweitens hat Mose den in der Sinai-Offenbarung empfangenen Namen mit einer bisher unbekannten religiösen Bedeutung gefüllt.

c) Bedeutung

Der Name wird in Ex 3, 12–15 erklärt. Mose fragt den „Gott der Väter" nach seinem Namen, und Gott sagt zu Mose: „Ich bin der *Ich-bin-da.* So sollst du zu den Israeliten sagen: Der *Ich-bin-da* hat mich zu euch gesandt ... So sag zu den Israeliten: *Jahwe,* der Gott eurer Väter, der Gott Abrahams, der Gott Isaaks und der Gott Jakobs, hat mich zu euch gesandt. Das ist mein Name für immer." Wenn Gott von sich selbst spricht, sagt er: „Ich bin" *(Ehjeh).* Wenn Menschen von Gott reden, sagen sie in der Nachfolge des Mose: „Er ist" *(Jahwe).* Der Gottesname wird in diesem Text auf eine alte Form des Verbs *hajah,* „sein" zurückgeführt.

Wenn Gott sagt „Ich bin, der ich bin" oder „Ich bin, was ich sein werde", so betont er folgendes zugleich:

– daß er, absolut gesprochen, *ist,* immer und für immer, ein Gott der Ewigkeit (Gen 21, 33; Jes 40, 28; 43, 12; Sir 36, 17; vgl. Klgl 5, 19), ein ewiger Fels (Jes 26, 4), König der Ewigkeit (Jer 10, 10; 1 Tim 1, 17). Vgl. „Der ist und der war und der kommt" (Offb 1, 4.8; 11, 17; 16, 5), daher die alte Übersetzung des Jahwenamens mit „der Ewige";

– daß er *geheimnisvoll* und unzugänglich ist (vgl. Gen 32, 30; Ri 13, 18; 1 Tim 6, 16);

– daß er *da ist* (vgl. Ez 48, 35), *gegenwärtig und handelnd mit* seinem Volk (Ex 8, 18; 17, 7; 29, 46; Num 11, 20; 14, 9.14.42–43; 16, 3; Dtn 2, 7; 7, 21; 20, 1; 13, 6.8; Jos 22, 31; Ri 1, 22; 6, 13; 1 Kön 8, 57; 1 Chr 22, 18; 2 Chr 13, 13; 15, 2; 20, 17; 32, 8; Ps 46, 8.12; Am 5, 14; Mich 3, 11; Zef 3, 17; Hag 1, 13; 2, 4; Sach 10, 5; vgl. Jes 7, 14; 8, 8.10), *mit* Mose und danach *mit* allen Führern des Volkes (Ex 3, 12; 4, 2.15; Jos 1, 5.17; 3, 7; 6, 27; Ri 6, 12; 1 Sam 3, 19; 16, 18; 17, 37; 1 Kön 1, 37; 2 Kön 18, 7; 2 Chr 15, 9; 17, 3).

d) Jahwe und Adonai

Man nimmt allgemein an, daß der Name Jahwe so ausgesprochen wurde, wie man ihn heute schreibt (vielleicht mit einem gutturalen *he*: Jachwe). Seit dem Exil vermieden es die Juden aber aus einer übertriebenen Ehrfurcht immer mehr, den Eigennamen Gottes auszusprechen (vgl. Am 6, 10; 1 Makk 2, 21). Man ersetzte ihn meist durch einen anderen Titel: *Adon* (± 450), „der Herr" (Ps 114, 7; Mal 3, 1), der Herr der ganzen Erde (Jos 3, 11.13; Ps 97, 5; Mich 4, 13; Sach 4, 14; 6, 5), der Herr der Herren (Dtn 10, 17; Ps 136, 3). *Adon* mit

dem Possesivpronomen ergibt *Adoni* „Mein Herr" und im intensivierenden Plural *Adonai*. Für sich allein wird *Adonai* „Herr" etwa 130 x gebraucht: (Gen 18, 3.27.32; Ex 4, 10.13 u. ö. Ijob 28, 28; Ps (47); Jes (23); Dan (9) u. ö. In der Zusammensetzung mit Jahwe heißt es entweder: *Jahwe Adonai* (5) Ps 68, 21; 109, 21; 140, 8; 141, 8; Hab 3, 19; vgl. Neh 10, 30; Ps 8, 2.10; Jes 51, 22; oder: *Adonai Jahwe* (282) Gen 15, 2.8; Jes (18); Ez (215) u. ö.
Um das Aussprechen des Jahwenamens zu vermeiden, haben die Massoreten zwischen die vier Konsonanten („Tetragramm") des heiligen Namens JHWE die Vokale a-o-a (bzw. e-o-a) des Wortes Adonai eingefügt. Daraus ist die künstliche Namensform „Jehova" entstanden.
Mit dem gr. *Kyrios* wird in der LXX ± 6350 x Jahwe und ± 500 x *Adonai* übersetzt. Das „Herr" der deutschen Übersetzungen entspricht teils *Jahwe*, teils *Adonai*.

e) Jahwe-Zebaot „Herr der himmlischen Heere" → ZEBAOT

Ursprüngliche Formel: *Jahwe Gott Zebaot* (19) 1 Sam 5, 10; 1 Kön 19, 10.14; Ps 59, 6; 80, 5.20; 84, 9; 89, 9; Jer 5, 14; 38, 17; 44, 7; Hos 12, 6; Am 3, 13; 4, 13; 5, 15–16.27; 6, 8.14; vgl. Gott Zebaot (Ps 80, 8.15). Noch feierlicher ist die Formel „Jahwe Gott Zebaot der Herr" (Am 5, 16).
Gewöhnliche Formel: *Jahwe-Zebaot* (263): 1 Sam 1, 3.11; 4, 4; 15, 2; 17, 45; 2 Sam 6, 2.18; 7, 8.26–27; 1 Kön 18, 15; 2 Kön 3, 14; 19, 31; 1 Chr 11, 9; 17, 7.24; Ps 24, 10; 46, 8.12; Jes 1—55 (60); Jer (77); Mich 4, 4; Nah 2, 14; 3, 5; Hab 2, 13; Zef 2, 9–10; Hag (11); Sach (55); Mal (24); vgl. Röm 9, 29; Jak 5, 4 „Herr der himmlischen Heere".
Andere Formel: *der Herr Jahwe-Zebaot* (20): Jes 1, 24; 3, 1.15 . . . 28, 22; Jer 2, 19; 46, 10; 49, 5; 50, 25.31; Am 9, 5.

f) *Jahwe-Gott* (40), hebr. *Jahwe Elohim* (34): Gen (20) 2, 4 – 3, 23; Ex 9, 30; 2 Sam 7, 25; 2 Kön 19, 19; 1 Chr 17, 16; 28, 20; 29, 1; 2 Chr 1, 9; 6, 41–42; 26, 18; Ps 72, 18; 84, 12; Jer 10, 10; Jon 4, 6; oder *Jahwe ha-Elohim* (6): 1 Sam 6, 20; 1 Chr 22, 1.19; 2 Chr 32, 16; Neh 8, 6; 9, 7; oder *Jah Elohim* (Ps 68, 19).

g) Der Name Jahwes

Jahwe ist der Name, mit dem Gott sich selbst bezeichnet (Ex 3, 13–14; 6, 3; Jes 42, 8; 51, 15; Jer 12, 16; 16, 21), um zu offenbaren, daß er Liebe, Vergebung und Gerechtigkeit ist (Ex 33, 19; 34, 5–7). An diesen Namen erinnern auf feierliche Weise zahlreiche Texte (Ex 15, 3; Dtn 28, 58; Ps 83, 19; 135, 13; Jes 26, 13; 47, 4; 48, 2; 54, 5; Jer 16, 21; 31, 35; 32, 18; 33, 2; 46, 18; 48, 15; 51, 19.57; Hos 12, 6; Am 4, 13; 5, 8.27; 9, 6). Der Jahwename – vgl. im übrigen die Possesivformen *mein Name, dein Name, sein Name* – ist der ewige Name (Ex 3, 15; Ps 135, 13), der heilige (Lev 20, 3; Ps 103, 1; 111, 9 // Lk 1, 49; Jes 29, 23; vgl. Mt 6, 9; Ez 20, 39), glorreiche, große, schreckliche Name (Dtn 28, 58; 1 Sam 12, 22; 1 Chr 16, 29; Ps 148, 13; Jes 24, 15; Jer 10, 6; 44, 26; Mal 1, 11), den man fürchten (Ps 102, 16), suchen (Ps 83, 17; vgl. Jes 26, 8; Jer 3, 17), erkennen (Jes 52, 6), lieben (56, 6), loben und preisen (Ijob 1, 21; Ps 113, 1–3; 135, 1; 148, 5.13) muß, auf den man vertrauen und in dem man Hilfe suchen muß (Jes 50, 10; Ps 124, 8); denn er ist ein fester Turm (Spr 18, 10), den man anrufen muß (Gen 4, 26; 12, 8; 13, 4; Dtn 32, 3; 1 Kön 18, 24; 2 Kön 5, 11; Ps 20, 8). Es geschieht „im Namen Jahwes" oder „durch den Namen Jahwes", daß die Menschen segnen (Num 6, 27; 2 Sam 6, 18 // 1 Chr 16, 2; Ps 118, 26; 129, 8), fluchen (2 Kön 2, 24), Könige einsetzen (1 Chr 29, 22; 2 Chr 9, 8), schwören (Jes 48, 1; Jer 12, 16), kämpfen (1 Sam 17, 45), weissagen (Jer 26, 9.16.20; 29, 9) usw. Den Namen Jahwe tragen die Lade (2 Sam 6, 2 // 1 Chr 13, 6), der Tempel (1 Kön 3, 2; 5, 17.19; 8, 16–20), der Altar (1 Kön 18, 32), das Volk (Jer 14, 9).
Der Name Jahwes ist schließlich Jahwe selbst (Jes 30, 27). Vgl. Dtn 12, 5; 1 Kön 8, 29 und vor allem den absoluten Gebrauch von *der Name,* hebr. *Ha-Schem* (Lev 24, 11.16).
Der johanneische Jesus bezieht das „Ich bin" von Ex 3, 14 auf sich selbst (Joh 8, 24.28.58; 13, 14; vgl. Ps 102, 28 // Hebr 13, 8), und das NT gibt Jesus den Gottestitel der „Herr" → JESUS b).

h) Ich Jahwe oder *Ich bin Jahwe*

Es gibt drei Typen von Formeln, die auf eine

emphatische und feierliche Weise an den Namen erinnern, der Mose geoffenbart wurde:
Ich bin Jahwe! oder *Ich, Jahwe!:* Ex 6, 2.6.8.29; 12, 12; 20, 5; Lev 18, 2–6.21.30; 19 (16 x); 20, 7.26; 21, 12; 22, 2–3.8–9.30–31.33; 23, 42–43; 24, 22; 25, 17.55; 26, 1–2.44–45; Num 3, 13; 10, 10; 14, 35; 35, 34; Dtn 5, 9; Ri 6, 10; Jes 27, 3; 41, 4.13; 42, 6.8; 43, 3.11.15; 45, 5–6.18–19; 48, 17; 60, 22; 61, 8; Jer 17, 10; 32, 27; Ez 5, 15.17. Vgl. das kurze Glaubensbekenntnis des Priesters Eli: „Er ist Jahwe! Er tue, was ihm gefällt" (1 Sam 3, 18).
Ich bin (oder *Ich) Jahwe, der . . .:* Gen 15, 7; Ex 4, 17; 15, 26; 20, 2; Lev 11, 44–45; 20, 8.24; 21, 8.16.23; 22, 16.32; 25, 38; 26, 13; Num 15, 41; Dtn 5, 6; Ps 81, 11; Jes 44, 24; 45, 7–8; 51, 15; Jer 9, 23; Ez 12, 25; 14, 4.7.9.
Ihr werdet erkennen (oder *du wirst erkennen . . . . damit man erkenne . . .), daß ich Jahwe bin* (oder *daß Ich, Jahwe, es bin), der . . .:* Ex 6, 7; 7, 5.17; 8, 18; 10, 2; 14, 4.18; 16, 6.12; 29, 46; 31, 13; Dtn 29, 5; 1 Kön 20, 13.28; 2 Chr 33, 13; Jes 45, 3; 49, 23.26; 60, 16; Ez (60); vgl. Sir 36, 17.

i) Jahwe, der einzige Gott

Das wesentliche Bekenntnis des jüdischen Glaubens ist im *Schema* formuliert und lautet: „Höre, Israel, Jahwe unser Gott, Jahwe ist einzig" oder „Jahwe, unser Gott, ist ein einziger Jahwe" (Dtn 6, 4 // Mk 12, 29; vgl. Sach 14, 9; Ps 83, 19). Jahwe, „der vom Sinai" (Ri 5, 5; vgl. Ex 3, 1–16; 19, 18; Dtn 33, 16), ist der Gott der Götter (Dtn 10, 17; Jos 22, 22; Ps 50, 1; vgl. Dan 2, 47; 3, 90; 11, 36), größer als alle Götter (Ex 18, 11; Ps 95, 3; 96, 4; 97, 9; 135, 5), dem kein anderer vergleichbar ist (Ex 8, 6; 15, 11; Dtn 4, 34; 1 Sam 2, 2–3; 1 Kön 8, 23; 2 Chr 6, 14; 32, 19; Ps 89, 7–9; 113, 5; Jes 44, 7; 46, 5; Jer 10, 6), der lebendige Gott (1 Sam 19, 6; 20, 21; 26, 10; 29, 6; Ps 84, 3; Jer 10, 10; 16, 14–15; 23, 36), der allein wahre Gott (Dtn 4, 35.39; 7, 9; Jos 2, 11; 22, 34; 2 Sam 7, 22.28; 2 Sam 22, 32 // Ps 18, 32; 1 Kön 8, 60; 2 Kön 19, 15.19 // Jes 37, 16.20; 1 Chr 16, 26.31; 17, 20.26; 2 Chr 13, 9–10; 20, 6 f; 33, 13; Ps 100, 3; 118, 27; Jes 37, 20; 43, 10–12; 44, 6–8; 45, 5–7.14.18; Jer 10, 10.16), der eifersüchtige Gott (Ex 20, 5; 34, 14; Dtn 4, 24; 5, 9; 6, 15), der es nicht erträgt, daß man anderen Göttern dient (Ex 20, 4; Lev 19, 4; Dtn 7, 4.25; 32, 12; Jos 24, 14–24; Ri 6, 10; 10, 16; 1 Sam 7, 3–4; 1 Kön 11, 4).

j) Jahwe Gott Israels

Jahwe, der Gott des Himmels und der Gott der Erde (Gen 24, 3.7; vgl. Dtn 10, 14), der Gott der ganzen Erde (Jes 54, 5) und der Gott alles Fleisches (Jer 32, 27), Jahwe ist zuerst der Gott seines Volkes.
Er ist der Gott der Stammväter des Volkes (→ ABRAHAM c), der *Gott der Väter*: Gen 32, 10; Ex 3, 15–16; 4, 5; Dtn 1, 11.21; 4, 1; 6, 3; 12, 1; 26, 7; 27, 3; 29, 24; Jos 18, 3; Ri 2, 12; 1 Chr 29, 20; 2 Chr (20 x); Esr 7, 27; 8, 28; 10, 11; vgl. Weish 9, 1; Apg 5, 30.
Er ist der *Gott der Hebräer* (Ex 3, 18; 5, 3; 7, 16; 9, 1.13; 10, 3; vgl. Jon 1, 9), der sie aus dem Land Ägypten herausgeführt hat (Ex 13, 9.14.16; 18, 1; 29, 46; Jos 24, 17 u. ö.), um ihr Gott zu sein (Lev 11, 45; 22, 33; 25, 38; Num 15, 41), um sie zu seinem Volk zu machen (Ex 6, 6–7), zu einem freien Volk (Lev 26, 12–13).
Er ist der *Gott Israels,* der *Heilige Israels.* Zu diesen Formeln (→ ISRAEL g) kommen hinzu die Ausdrücke: *Jahwe dein Gott* (Dtn 237 x; Ps 81, 11; Jes 7, 11 u. ö.), *Jahwe euer Gott* (Dtn 46 x; Ps 76, 12; Jer 13, 16 u. ö.), *Jahwe unser Gott* (Dtn 24 x; Ps 20, 8; 94, 23; Jes 26, 13 u. ö.), *Jahwe ihr Gott* (Jer 3, 21; 22, 9; 30, 9; 43, 1; 50, 4 u. ö.). Deshalb heißt Israel das *Volk Jahwes* (Num 11, 29; 17, 6; Dtn 27, 9; Ri 5, 11; 1 Sam 2, 24; 2 Kön 9, 6; 11, 17; Ez 36, 20 u. ö.), die *Gemeinde Jahwes* (Num 16, 3; 27, 17; 31, 16), die *Versammlung Jahwes* (Num 20, 4; Dtn 23, 2–4.9).

k) Andere Titel des Gottes Israels

Baal, „Herrscher", „Eigentümer", „Herr", daher „Ehegatte" (Jes 54, 5; vgl. Hos 2, 18). Siehe die mit *Baal* zusammengesetzten Namen.
Melech „König" (Jes 6, 5; Jer 46, 18; 48, 15; 51, 57; Ps 98, 6; 145, 1; Sach 14, 16–17), König der Ewigkeit (Jer 10, 10), König der Herrlichkeit (Ps 24, 7–10), König Jakobs (Jes 41, 21), König Israels (Jes 44, 6; Zef 3, 15), der Nationen (Jer 10, 7 // Offb 15, 4), der ganzen Erde (Ps 47, 8); der große König (Ps 47, 3; 48, 3; Mal 1, 14; Mt 5, 35). Vgl. die mit *Melech* zusammengesetzten Namen.
Vgl. auch die mit *Ab* „Vater", *Ah* „Bruder"

(→ Ahi), *Am* „Onkel“, „Verwandter“ zusammengesetzten Namen.

l) Einige umschreibende Bezeichnungen Gottes oder Jahwes

Der *Engel Jahwes* (50) spricht und handelt meist wie Gott selbst (vgl. Gen 16, 10.13; 22, 15 f und 12,1 f; Ex 14,19 und 20,2), auch wenn er in manchen Fällen von Jahwe unterschieden wird (Num 22, 22 f; Gen 16, 21). Jahwe handelt durch ihn, sein Name ist in ihm (Ex 23, 21).
Der im Dornbusch wohnt (Dtn 33, 16).
Ein anderer Ort (Est 4, 44).
Der im Himmel wohnt hat (2 Makk 3, 39).
Der Himmel (1 Makk 3, 18–19.50.60; 9, 46; 12, 15; 2 Makk 9, 4; Mt 21, 25 parr; Lk 15, 18.21); *die Himmel* (Dan 4, 23).
→ El; Eljon; Schaddai; Zebaot.

JAHZA (7) → Jahaz.

JAÏR (vgl. Ur 2°; bzw. 4°: Er).
1° **Jaïr Sohn des Manasse** (3): Num 32, 41; Dtn 3, 14; 1 Kön 4, 13, nimmt die **Zeltdörfer Jaïrs** (6) in Besitz, bestehend aus 60 (Jos 13, 30; 1 Kön 4, 13), 30 (Ri 10, 4) oder 23 (1 Chr 2, 22) Ortschaften. Die Zeltdörfer Jairs werden mit der ganzen Landschaft Argob (Dtn 3, 14) gleichgesetzt und in Gilead (Ri 10, 4; 1 Kön 4, 13: 6. Distrikt Salomos) oder Baschan (Jos 13, 30) lokalisiert. Nach 1 Chr 2, 22 f ist Jaïr der Sohn Segubs, der Enkel Hezrons von Juda und der Tochter des Machir; die Zeltdörfer Jairs seien von Aram und Geschur erobert worden. Von Jaïr oder Jaïriter → Ira 1°.
2° **Jaïr** (2) **der Gileaditer** (1), „kleiner“ Richter. Er hatte dreißig Söhne, die auf dreißig Eseln ritten und dreißig Städte besaßen (Ri 10, 3–5).
3° **Jaïr** (2), Benjaminiter, Vater des → Mordechai.
4° **Jaïr** (2), Vater des → Elhanan 1°.

JAÏRITER (1), 2 Sam 20, 26 aus → Jaïr 1°.

JAÏRUS (2), **Synagogenvorsteher** (5) in Kafarnaum, Vater einer zwölfjährigen Tochter, die Jesus vom Tod erweckt (Mk 5, 22–24.35–43 // Lk 8, 41–42.49–56; vgl. Mt 9, 18–19.23–26).

JAKAN (1), (vgl. Akan), Gaditer, Familienhaupt (1 Chr 5, 13).

JAKE (1), „Vorhersehend“ (Spr 30, 1), Vater des → Agur.

JAKIM, „Er richtet auf“ (vgl. Adonikam; Ahikam; Alkimus; Asrikam; Eljakim; Jojakim; Kemuël; Jekamam; Jekamja; Jokim?).
1° **Jakim** (1), Benjaminiter der Söhne Schimi, Familienhaupt in Jerusalem (1 Chr 8, 19).
2° **Jakim** (1), Priester, Vorsteher der 12. Priesterklasse (1 Chr 24, 12).

JAKOB, hebr. *Ja^cakob,* Abk. des südarabischen *Ja^cakob^oel,* „Möge Gott beschützen“; in Verbindung gebracht mit dem hebr. *akeb,* „Ferse“ (Gen 25, 26) und mit dem hebr. *akab,* „verdrängen“, „betrügen“ (Gen 27, 36; Hos 12, 4; Jer 9, 3).
1° **Jakob** (394), Sohn Isaaks und der Rebekka.

a) Der Patriarch

Zwillingsbruder Esaus, aber als zweiter geboren (Gen 25, 21–26; vgl. Jos 24, 4; 1 Chr 1, 34), verdrängt Jakob seinen Bruder, indem er ihm das Erstgeburtsrecht gegen ein Linsengericht abkauft (Gen 25, 29–34). Dann erschleicht er sich mit Hilfe seiner Mutter vom greisen und blinden Isaak den Segen, der dem Älteren vorbehalten war (Gen 27, 1–40; Hebr 11, 20). Um dem Zorn Esaus zu entfliehen und sich eine Frau aus dem Geschlecht seiner Väter zu suchen, geht Jakob nach Mesopotamien (Gen 27, 41 – 28, 5; vgl. Hos 12, 13; Jdt 8, 26). Unterwegs in Bet-El träumt er von der „Jakobsleiter“ (Gen 28, 10–20). In Paddan angekommen, heiratet er Lea und Rahel, die Töchter Labans. Von seinem Schwiegervater betrogen, betrügt er ihn seinerseits und bereichert sich auf dessen Kosten (Gen 29—30). In Mesopotamien werden die ersten elf Söhne Jakobs und seine Tochter Dina geboren (29, 31 – 30, 24). Jakob flieht aus dem Haus Labans (31—32). Auf dem Rückweg nach Kanaan „kämpft“ Jakob mit Gott, sein Name wird in „Israel“ geändert (32, 23–33; vgl. 35, 10; 1 Kön 18, 31; 2 Kön 17, 34; „Israel“ meint 50 x den Patriarchen Jakob) und trifft mit Esau zusammen (Gen 33). In Sichem hört Jakob von der Schändung Dinas und der von Simeon und Levi geübten Vergeltung (Gen 34). Jakob zieht nach Bet-El, wo Gott ihm erscheint (35, 1–15). In Kanaan wird der zwölfte Sohn Jakobs, Benjamin, geboren (35, 16–20). Die Geschichte Jakobs und seines Sohnes Josef umfaßt die Kap. 37; 42—48. Jakob läßt sich in Ägypten nieder (Gen 47; vgl. Dtn 26, 5; Jos 24, 4; 1 Sam 12, 8; Apg 7, 12–15), er adoptiert die beiden Söhne Josefs (Gen 48, 1–20; Hebr 11, 21) und gibt Josef das Gebiet von Sichem (Gen 48, 21–22; vgl. 33, 18–20; Jos 24, 32; vgl. Joh 4, 5–6; der „Jakobsbrunnen"). Vor seinem Tod segnet er seine Söhne (Gen 49, 1–23; Hebr 11, 20), die die zwölf Stämme Israels bilden (Gen 49, 28; vgl. 1 Kön 18, 31). Nach 17jährigem Aufenthalt in Ägypten stirbt er mit 147 Jahren (Gen 47, 8.28; 49, 33), wird einbalsamiert und später nach Kanaan überführt (50, 1–14). Die Bibel schildert ihn als einen „untadeligen Mann, der bei seinen Zelten blieb" (Gen 25, 27), als Lieblingssohn der Rebekka (25, 28; 27, 46), als von Gott erwählten (Ps 105, 6), der ihn seinem älteren Bruder vorzog (Mal 1, 2; Röm 9, 13). Mit Wohlwollen wird er Weish 10, 10 beurteilt, wo er das Prädikat „gerecht" erhält, dagegen wird er Jes 43, 27 und Hos 12, 3–5.13 streng getadelt. In der Darstellung der Genesis dienen seine List, sein Zufluchtnehmen zu Lug und Trug (bei seinem Bruder: Gen 25, 29f; 32, 4f; 33, 1f; seinem Vater: 27, 18–24; und seinem Schwiegervater: 30, 32 f) der Erfüllung des göttlichen Heilsplans und Bundes (vgl. Sir 44, 23), so daß auch Jakob „unser Vater" genannt werden kann (Joh 4, 12; vgl. 1 Chr 29, 10; Jes 58, 14). Sein Name wird mit mehreren Heiligtümern und Ortschaften in Beziehung gebracht: Beerscheba (Gen 28, 10; 46, 1 f), Bet-El (28, 11–22; 31, 13; 35, 1–15; 48, 3–4), Gilead (31, 43–54), Mahanajim (32, 1–3), Penuel (32, 31), Sukkot (33, 17), Sichem (33, 18–20).

b) Das Haus Jakob

Jakob ist mehr als 180 x eine Gesamtbezeichnung für das Volk Israel:
- Jakob allein (1 Sam 12, 8; 1 Makk 3, 45; Ps 44, 5; 79, 7; 85, 2; 99, 4; Sir 46, 14; 47, 22; 49, 10; Jes 17, 4; 27, 9; 59, 20; Jer 10, 25; 30, 7; 46, 27; Obd 10);
- in den Ausdrücken: *Haus Jakob* (24 x) Ex 19, 3; 1 Makk 1, 28; Ps 114, 1; Jes 2, 5–6; 58, 1; Jer 5, 20; Obd 17–18; die *Söhne Jakobs* (2 Kön 17, 34; 1 Chr 16, 13; Ps 77, 16; 105, 6; vgl. Gen 49, 1); die *Stämme Jakobs* (Sir 36, 10; 48, 10; Jes 49, 6; vgl. 1 Kön 18, 31); das *Geschlecht Jakobs* (Ps 22, 24; Jes 45, 19; Ez 20, 5; vgl. Jes 65, 9); die *Nachkommenschaft Jakobs* (1 Makk 5, 2), der *Rest Jakobs* (Jes 10, 21; Mich 5, 6–7), die *Quelle Jakobs* (Dtn 33, 28; vgl. Jes 65, 9), der *Weinberg Jakobs* (Nah 2, 3 korr.), die *Gemeinde* oder die *Versammlungen Jakobs* (Dtn 33, 4; Sir 24, 23).
- in Parallele mit *Israel* (90 x): Gen 49, 7; Num 23, 7.10.21.23; 24, 5.17–19; Dtn 33, 10; Ps 78, 5.21.71; Sir 45, 5 u. ö.; oder mit *Jeschurun* (= Israel): Dtn 32, 15; 33, 4–5; Jes 44, 2. Unter dem Namen Jakob wird das Volk bezeichnet als Knecht (Jes 44, 1–2; 45, 4; 48, 20; Jer 46, 27–28), als Erwählter Gottes (Ps 105, 6; 135, 4; Jes 41, 8), als Wurm (Jes 41, 14; vgl. Am 7, 2–5), als Weinstock (Nah 2, 3).

Das Heilige Land kann heißen das Erbe Jakobs (Sir 23, 12; 24, 8; 44, 22; vgl. Gen 28, 13; 35, 12; Jes 58, 14; Ez 28, 25; 37, 25), der Stolz Jakobs (Ps 47, 5; Am 8, 7), die Wohnung, die Zelte Jakobs (Ps 87, 2; Jer 30, 18; Klgl 2, 2; Mal 2, 12; vgl. Num 24, 5).

c) Der Gott Jakobs (17): 2 Sam 23, 1.3; Ps 20, 2; 24, 6; 46, 4.8.12; 59, 14; 75, 10; 76, 7; 81, 2.5; 84, 9; 94, 7; 114, 7; 146, 5; Jes 2, 3 // Mich 4, 2; vgl. Gen 50, 17. Es ist der Gott, der Jakob in Bet-El erschien (Gen 28, 11–22; 31.13; 48, 3–4).

Man findet sonst noch: *der Gott des Hauses Jakob* (Jes 29, 22), *Gott, der Herrscher in Jakob* (Ps 59, 14), *der Heilige Jakobs* (Jes 29, 23). *der König Jakobs* (Jes 42, 21; vgl. Lk 1, 35), der *Starke* oder der *Unbezwingliche* oder der *Stier Jakobs* (Gen 49, 24; Ps 132, 2.5; Jes 49, 26; 60, 16), der *Anteil Jakobs* (Jer 10, 16; 51, 19), der *Stolz Jakobs* (Am 8, 7; vgl. 6, 8 MT).

Gott Abrahams, Isaaks und Jakobs
→ ABRAHAM c).
Tochter Jakobs → DINA.
→ ISRAEL.

2° **Jakob** (2), nach Mt 1, 15–16 Vater Josefs, des Mannes Marias, der Mutter Jesu.

JAKOBUS

1° **Jakobus** (21), **Sohn des Zebedäus** (10), einer

der Zwölf, immer mit seinem Bruder Johannes genannt. Beide bitten Jesus um die ersten Plätze (was Ehre und Macht betrifft) in seinem neuen Reich (Mk 10, 35–41; vgl. Mt 20, 20–24) und wollen Feuer auf ein samaritisches Dorf herabrufen, das sie nicht aufnehmen will (Lk 9, 54). Jesus gibt ihnen den Beinamen *Boanerges,* „Donnersöhne“ (Mk 3, 17). Manchmal werden die beiden Brüder nur durch ihren Vaternamen bezeichnet: *die Söhne des Zebedäus* (Mt 20, 20; 26, 37; 27, 56; Joh 21, 2; vgl. Mt 10, 2; Mk 1, 19; 3, 17; 10, 35; Lk 5, 10).
Mit seinem Bruder Johannes gehört Jakobus immer zu den bevorzugten Jüngern:
– zu *den Vier* (Petrus, Andreas, Jakobus und Johannes). Es sind die Erstberufenen, Fischer vom See Gennesaret (Mk 1, 19 // Mt 4, 21), Gefährten des Simon (Lk 5, 10); sie bilden die erste Gruppe in der Liste der Zwölf (Mt 10, 2; Mk 3, 16–18; Lk 6, 14; Apg 1, 13), sie halten sich mit Jesus im Haus des Petrus in Kafarnaum auf (Mk 1, 29) und gelten als unmittelbare Adressaten der Parusierede (Mk 13, 3).
– zu *den Drei* (Petrus, Jakobus und Johannes): Sie sind Zeugen der Auferweckung der Tochter des Jairus (Mk 5, 37.40 // Lk 8, 51), der Verklärung Jesu (Mk 9, 2 // Mt 17, 1 // Lk 9, 28) und seiner Todesangst in Getsemani (Mk 14, 33 // Mt 26, 37). Sie stehen am Ufer des Sees bei einer Erscheinung des Auferstandenen (Joh 21, 2).
Herodes Agrippa I. läßt Jakobus enthaupten (Pascha 44), während Petrus ins Gefängnis geworfen wird (Apg 12, 2).
→ ZWÖLF; Liste S. 383.
2° **Jakobus Sohn des Alphäus** (4), führt in der Liste der Zwölf die dritte Gruppe an (Mt 10, 3; Mk 3, 18; Lk 6, 15; Apg 1, 13). Nicht zu verwechseln mit dem Folgenden.
3° **Jakobus** (14) der **Bruder des Herrn** (1), Gal 1, 19; war mit Joses (= Josef), Judas und Simon ein „Bruder“ Jesu (Mt 13, 55 // Mk 6, 3). Er gehörte nicht zu den Zwölf, stand Jesus wohl eher ablehnend gegenüber (vgl. Mk 3, 21; Joh 7, 5), hat aber den Auferstandenen gesehen (1 Kor 15, 7). In der Jerusalemer Urgemeinde spielte er eine wichtige und später führende Rolle (Apg 12, 17; 15, 13–21; 21, 18; Gal 1, 19; 2, 9.12). Sein Verhältnis zu Paulus war durch seine streng judaistisch denkenden Anhänger belastet (vgl. Gal 2, 12), während er selbst wahrscheinlich ausgleichend gewirkt hat. Die Tradition hat ihm die Verfasserschaft an einem kanonischen Brief zugeschrieben (Jak 1, 1).
Bruder des → JUDAS 6°.
4° **Jakobus der Kleine** (1), Mk 15, 40. Sohn einer Maria und Bruder eines Joses (= Josef). Eine Identifizierung mit anderen Trägern dieses häufigen Namens ist schwierig.
5° **Jakobus** (2), Vater (eher als Bruder) des Judas, eines Mitglieds des Zwölferkreises (Lk 6, 16; Apg 1, 13) → JUDAS 7°.

JALAM (4), „Junger Mann“, Fürst (oder Clan) in Edom, zweiter der drei Söhne Esaus und der Oholibama (Gen 36, 5.14.18; vgl. 1 Chr 1, 35).

JALON (1), ein Sohn Esras, von Kaleb hergeleitet (1 Chr 4, 17).

JAMBRI (**Söhne des**) (2), korr. in **Amrai**, vermutlich arabischer Stamm, von den Nabatäern unterschieden; ein Clan hatte sich in Medeba festgesetzt. Die Söhne Jambris bemächtigen sich des Johannes, des Bruders des Makkabäers Judas, und richten ihn hin. Seine Brüder Jonatan und Simon rächen ihn, indem sie einen Hochzeitszug der Söhne Jambris überfallen (1 Makk 9, 36–40).

JAMIN, „Rechte [Hand] = Gute Seite“, daher „Glück“ = „Süden“ (vgl. Benjamin; Minjamin; Mijamin?; Teman).
1° **Jamin** (4), zweiter der sechs (Gen 46, 10; Ex 6, 15) oder fünf (1 Chr 4, 24) Söhne des Jakobssohns Simeon; seine Nachkommen bilden die Sippe der **Jaminiter** (Num 26, 12).
2° **Jamin** (1), zweiter der drei Söhne des Ram, aus dem Clan Jerachmeël (1 Chr 2, 27).
3° **Jamin** (1), ein Levit, der dem Volk bei der feierlichen Verlesung das Gesetz erklärt (Neh 8, 7).
4° **Jamin** (1), Stadt an der Grenze Manasses und Efraims (Jos 17,7).

JAMLECH (1), (vgl. Jamliku; Melech), Simeoniter, führend in seinem Clan (1 Chr 4, 34ff).

JAMLIKU (1), „[Gott] herrscht" (vgl. Jamlech; Melech), **der Araber** (1). Dieser Fürst, vielleicht ein Sohn Sabdiëls (vgl. 1 Makk 11, 17), residierte vermutlich in Chalkis, südlich von Aleppo. Ihm oblag die Erziehung des Sohnes des Alexander Balas, des späteren Königs Antiochus VI. (1 Makk 11, 39). Korr. des gr. *Imalkue*.

JAMNIA (6), gr. Name von *Jabne* (oder *Jabneel*), Hauptort der Maritimen → ZONE (vgl. 1 Makk 15, 38.40). Judas Makkabäus verfolgt das bei Emmaus geschlagene Heer des Gorgias bis in die Ebene von Jamnia (1 Makk 4, 15); er steckt den Hafen von Jamnia samt der Flotte in Brand (2 Makk 12, 8–9). Bald aber übt Gorgias Vergeltung, indem er die Führer des jüdischen Heeres, Josef und Asarja, die gegen Jamnia einen Feldzug unternehmen, vernichtend schlägt (1 Makk 5, 58–61). Später zieht hier Apollonius, der Statthalter von Zölesyrien, ein großes Heer zusammen (1 Makk 10, 69), wird aber bei Aschdod von Jonatan geschlagen. Der zum Befehlshaber über die Küste ernannte Kendebäus kommt nach Jamnia (1 Makk 15, 40) und macht Überfälle auf judäisches Gebiet. Jamnia wird noch in Jdt 2, 28 erwähnt.
→ JABNE.

JAMNITER (1), 2 Makk 12, 9, Bewohner von → JAMNIA.

JANAI (1), Gaditer, wohnt in Baschan (1 Chr 5, 12).

JANNAI (1), Ahnherr Jesu nach Lk 3, 24.

JANNES (1) und **Jambres** (2 Tim 3, 8). Nach jüdischer Tradition die Namen der ägyptischen Zauberer, die sich Mose widersetzten (vgl. Ex 7, 11.22; 8, 3 u. ö.).

JANOACH (vgl. Nahat)
1° **Janoach** (2), Ort an der NO-Grenze Efraims (Jos 16, 6–7). Etwa 10 km SO von Sichem.
2° **Janoach** (1), Ort in Galiläa, vom Assyrerkönig Tiglat-Pileser zur Zeit Pekachs, des Königs von Israel, eingenommen (2 Kön 15, 29).

JANUM (1), „Er schläft"?, Ort im Gebirge Juda (Jos 15, 53).

JARA (2) → JOADDA.

JARED → JERED

JARHA (2), ägyptischer Sklave des Scheschan, eines Mitglieds des Clans Jerachmeel. Da Scheschan keine Söhne hat (vgl. aber 1 Chr 2, 31), gibt er seine Tochter dem Jarha, was ihm Nachkommenschaft über mehrere Generationen gewährt (1 Chr 2, 34–41).

JARIB, „Er stellt Gerechtigkeit her" (vgl. Meriba; Jojarib).
1° **Jarib** (1) → JACHIN 1°.
2° **Jarib** (1), einer der Botschafter Esras bei Iddo (Esr 8, 16).
3° **Jarib** (1), Priester, schickt seine ausländische Frau zurück (Esr 10, 18).

JARKON (1) → ME-JARKON.

JARMUT
1° **Jarmut** (6), alte kanaanäische Stadt in der Schefela (Jos 15, 35), nach dem Exil von den Judäern wieder bewohnt (Neh 11, 29). Liegt 18 km westlich von Betlehem.
König → PIRAM.
2° **Jarmut** (1) → RAMA 7°.

JAROACH (1), (vgl. Jerach), Gaditer, Ahnherr des Abihajil oder nach einer anderen Lesart „Sohn des Jaroach, aus den Söhnen des Abihajil" (1 Chr 5, 14).

JASCHEN (1), „Schlafend", Krieger Davids (2 Sam 23, 32).
= **Jaschem der Guniter** (1), 1 Chr 11, 34.

JASCHOBAM
1° **Jaschobam** (2) **Sohn des Hachmoni** (1) oder **Sohn des Sabdiël** (1), 1 Chr 11, 11 (Hachmoni); aus dem judäischen Clan Perez, verantwortlich für den militärischen Dienst des 1. Monats (1 Chr 27, 2).
2° **Jaschobam** (1), Korachiter, Anhänger Davids vor seiner Königszeit (1 Chr 12, 7).

JASCHUB, „[Jah] wird zurückkehren" (vgl. Eljaschib; Meschobab; Schear-Jaschub; Schobab).
1° **Jaschub** (3), dritter der vier Söhne Issachars (Gen 46, 13 // 1 Chr 7, 1), dessen Nachkommen die Sippe der Jaschubiter bilden (Num 26, 24).
2° **Jaschub** (1), Israelit der Söhne Bigwai, schickt seine ausländische Frau zurück (Esr 10, 29).

JASER (14), (vgl. Eser), Stadt im Ostjordanland an der ammonitischen Grenze (Num 21, 24 LXX), ausgekundschaftet und eingenommen von Israel (Num 21, 32). Das für die Viehzucht sehr geeignete **Land Jaser** wird von Gad und Ruben beansprucht (Num 32, 1–3). Gad besetzt Jaser (Num 32, 35; Jos 13, 25), das zugleich eine levitische Stadt des Clans Merari ist (Jos 21, 39 // 1 Chr 6, 66). Jaser unterliegt der Volkszählung durch David (2 Sam 24, 5; vgl. 1 Chr 26, 31). In der Folgezeit gehört die Stadt den Moabitern (Jes 16, 8–9 // Jer 48, 32), bis sie von Judas Makkabäus erobert wird (1 Makk 5, 8). Liegt 20 km westlich von Amman.
= **Jaser-Gilead** (1), 1 Chr 26, 31.

JASIS (1), (vgl. Jesiël; Jisija), **der Hagariter** (1), verantwortlich für das Kleinvieh des Königs (1 Chr 27, 31).

JASOL (1), vermutlich ein Ort oder Tal im SO Jerusalems, in der Nähe des Ölbergs (vgl. das *Wadi Yasoul,* ein Zufluß des Kidron), Sach 14, 5 (Korr. nach LXX; hebr. *azal*).

JASON, gr. Form von *Jesus* oder *Josua.*
1° **Jason Sohn Eleasars** (1), von Judas Makkabäus zusammen mit Eupolemus nach Rom gesandt, um mit den Römern einen Freundschaftsvertrag zu schließen (1 Makk 8, 17ff).
2° **Jason** (2), Vater des Gesandten → Antipater 1°.
3° **Jason** (10), Bruder des Hohenpriesters Onias III. (2 Makk 4, 7), den er verdrängt. Hoherpriester geworden (175–172), beteiligt sich dieser gottlose und verworfene Mensch (4, 13.19) aktiv an der Hellenisierung des Judentums, wird aber seinerseits von Menelaus verdrängt (2 Makk 1, 7; 4, 7–26). Er scheitert bei dem Versuch, die Macht wiederzuerlangen, geht ins Exil und stirbt in Sparta (5, 5–10).
4° **Jason der Zyrener** (1), Autor eines Geschichtswerkes, das dem 2 Makk als Vorlage gedient hat (2 Makk 2, 23).
5° **Jason** (4), Jude in Thessalonich, der Paulus und Silas in sein Haus aufnimmt. Aus diesem Grund zerren sie Jason vor die Stadtpräfekten. Er wird gegen eine Bürgschaft freigelassen (Apg 17, 5–9). Derselbe wie der Folgende?
6° **Jason** (1), Judenchrist in Korinth (Röm 16, 21). Identisch mit dem Vorhergehenden?

JATNIËL (1), „Gott ist beständig" (vgl. Etan; Jitnan), Torwächter, Korachiter, vierter Sohn des Meschelemja (1 Chr 26, 2).

JATTIR (4), (vgl. Jeter), Stadt im Gebirge Juda (Jos 15, 48; vgl. 1 Sam 30, 27), den Leviten des Clans Kehat zugesprochen (Jos 21, 14 // 1 Chr 6, 42).
Heimat des → Gareb 1°; Ira 3°.

JATTIRITER (4) → Jeteriter.

JAWAN (12) → Griechenland a).

JEARIM (1), hebr. *Je*c*arim,* „Wälder" (vgl. Jaar), ein Berg in der Nähe von Kirjat-Jearim und Kesalon (Jos 15, 10).

JEBERECHJA (1), Jes 8, 2 → Berechja 5°.

JEBUS (4), biblische Bezeichnung des alten Jerusalem (Ri 19, 10–11; 1 Chr 11, 4–5), abgeleitet vom Namen der Bewohner, der Jebusiter (vgl. Jos 15, 8.63; 18, 16.28; 2 Sam 5, 6.8; Sach 9, 7). In Wirklichkeit ist Jerusalem niemals Jebus genannt worden.

JEBUSITER (41), vorisraelitische Bevölkerung von → KANAAN a); in der Bibel als Bewohner Jerusalems bekannt → JEBUS.
Jebusiter → ARAUNA.

JECHDEJA, „Jah möge erfreuen" (vgl. Jachdiël).
1° **Jechdeja** (1), Levit des Clans Kehat, aus den Söhnen Schubaël (1 Chr 24, 20).
2° **Jechdeja der Meronotiter** (1), verantwortlich für die Eselinnen des Königs (1 Chr 27, 30).

JECHOLJA (2), „Jah kann", Mutter des Königs von Juda Usija, aus Jerusalem (2 Kön 15, 2 // 2 Chr 26, 3).

JECHONJA, JECHONIAS → JOJACHIN.

JEDAJA „Gott weiß" (vgl. Jada).
1° **Jedaja** (7) **Sohn des Jojakim Sohn des Seraja Sohn des Hilkija Sohn des Meschullam Sohn des Zadok Sohn des Merajot Sohn des Ahitub** (1), Korr. des hebr. *Sohn des Jojarib, Jachin, Seraja Sohn des Hilkija . . . Sohn des Ahitub* (Neh 11, 10), Vorsteher der 12. Priesterklasse (1 Chr 24, 7). Jedaja, der aus der Familie des Hohenpriesters Jeschua stammt, kehrt mit Serubbabel aus dem Exil zurück (Esr 2, 36 // Neh 7, 39; vgl. Neh 12, 6) und wohnt in Jerusalem (1 Chr 9, 10 // Neh 11, 10). Zur Zeit des Hohenpriesters Jojakim ist ihr Familienhaupt Usi (Neh 12, 19).
2° **Jedaja** (2), mit Serubbabel aus dem Exil zurückgekehrter Priester (Neh 12, 7). Zur Zeit des Hohenpriesters Jojakim ist das Haupt der Familie Jedaja Netanel (Neh 12, 21).
3° **Jedaja** (2), einer der aus Babylon nach Jerusalem Heimgekehrten, die sich besonders großzügig gezeigt haben (Sach 6, 10.14).
4° **Jedaja** (1), Israelit der Söhne Bigwais, schickt seine ausländische Frau zurück (Esr 10, 29).
5° **Jedaja Sohn des Harumaf** (1), Freiwilliger beim Wiederaufbau (Neh 3, 10).
6° **Jedaja** (1), Simeoniter, Clanhaupt (1 Chr 4, 37) oder ein Ahnherr des Sisa.

JEDIAËL „Gott weiß" (vgl. Jada)
1° **Jediaël** (3), der letzte der drei Söhne Benjamins (1 Chr 7, 6), dessen Nachkommen den Clan der **Söhne Jediaëls** bilden (1 Chr 7, 10–11).
2° **Jediaël Sohn des Schimri** (1), Bruder des Tiziters Joha, Krieger Davids (1 Chr 11, 45).
3° **Jediaël** (1), Manassiterfürst, Anhänger Davids vor der Königszeit (1 Chr 12, 21).
4° **Jediaël** (1), Torwächter, Korachiter, zweiter Sohn des Meschelemja (1 Chr 26, 2).

JEDIDA (1), „Geliebte" (vgl. David), **Tochter des Adaja** (1) aus Bozkat, Mutter des Königs Joschija (2 Kön 22, 1).

JEDIDJA (1), „Von Jah geliebt" (vgl. Dtn 33, 12) → SALOMO 1°.

JEDO (1), (vgl. Ada) → IDDO 3°.

JEDUTUN (17) oder → ETAN 1° ist mit Asaf und Heman einer der drei großen Sänger Davids, der eponymen Ahnherren der Sänger und Instrumentenspieler. Jedutun nimmt unter David am Opfer im Höhenheiligtum von Gibeon teil (1 Chr 16, 41–42), unter Salomo an der Übertragung der Bundeslade in den Tempel (2 Chr 5, 12). Er wird vorgestellt als gottbegeisterter Harfenspieler (1 Chr 25, 3) oder als „Seher des Königs" (2 Chr 35, 15).
Die **Söhne Jedutuns** sind für sechs Sängerklassen verantwortlich, für die 2., 4., 8., 10., 12. und 14. (1 Chr 25, 1.3.6.9.11.15.17.19.21). Sie sind an den religiösen Reformen des Hiskija (2 Chr 29, 14) und des Joschija (2 Chr 35, 15) beteiligt. Nach 1 Chr 16, 42 sind Söhne Jedutuns Torwächter → OBED-EDOM.
Jedutun werden drei Psalmen zugeschrieben (hebr. *Jeditum)*: Ps 39; 62; 77.
Unter seinen Söhnen → OBADJA 11°.

JEFUNNE (vgl. Penuel).
1° **Jefunne** (16), Vater des → KALEB.
2° **Jefunne** (1), aus Ascher, einer der Söhne Jitrans (1 Chr 7, 38).

JEGAR-SAHADUTA (1), aram. „Steinhaufen-Zeuge" (Gen 31, 47).
→ GILEAD.

JEHALLELEL, „Er wird Gott loben" (vgl. Hillel)
1° **Jehallelel** (1), Vater mehrerer Söhne, von Kaleb hergeleitet (1 Chr 4, 16).
2° **Jehallelel** (1), Vater des → Asarja 17°.

JEHESKEL (1), Priester, Vorsteher der 20. Priesterklasse (1 Chr 24, 16).

JEHIËL, „Gott soll leben!" (vgl. Eva; Mehujaël; Jehija).
1° **Jehiël** (3), Levit, Torwächter, dem Dienst der Bundeslade zugeteilt (1 Chr 15, 18), Harfenspieler (15, 20; 16, 5).
2° **Jehiël** (2), Levit des Clan Gerschon, erster der drei Söhne Ladans (1 Chr 23, 8), für den Tempelschatz verantwortlich (1 Chr 29, 8) wie seine Nachkommen, die **Jehiëliter** (1 Chr 26, 21–22).
3° **Jehiël Sohn des Hachmoni** (1), Erzieher der Söhne des Königs David (1 Chr 27, 32).
4° **Jehiël** (1), einer der sechs Söhne des Königs Joschafat von Juda, die von ihrem ältesten Bruder Joram umgebracht werden, nachdem dieser König geworden ist (2 Chr 21, 2–4.13).
5° **Jehiël** (1), Levit der Söhne Hemans, nimmt an der Reinigung des Tempels bei der Reform des Königs Hiskija teil (2 Chr 29, 14).
6° **Jehiël** (1), einer der zehn Leviten, die zur Zeit Hiskijas dem Konanja und Schimi bei der Anlage von Vorräten im Tempel helfen (2 Chr 31, 13).
7° **Jehiël** (1), Priester, einer der Tempelvorsteher unter Joschija (2 Chr 35, 8).
8° **Jehiël** (1), Vater des → Obadja 9°.
9° **Jehiël** (1), Priester, aus den Söhnen Harim, schickt seine ausländische Frau zurück (Esr 10, 21).
10° **Jehiël** (2), Israelit der Söhne Elam, schickt seine ausländische Frau zurück (Esr 10, 2.26). Vater des → Schechanja 5°.

JEHIËLITER (2), Nachkommen von → Jehiël 2°.

JEHIJA (1), „Jah soll leben!" (vgl. Jehiël), mit Obed-Edom Levit, Torwächter bei der Lade (1 Chr 15, 24).

JEHISKIJA (1), „Jah möge stärken", **Sohn des Schallum** (1), einer der vier Hauptleute des Nordreichs (2 Chr 28, 12), die dem Appell des Propheten Oded folgen und ihre gefangenen judäischen Brüder freilassen (VV. 5–15).

JEHOSCHAPHAT → Joschafat.

JEHU, von *Johu*, „Er ist es, Jah".
1° **Jehu (5) Sohn des Hanani** (4), Prophet. Er kündigt die Auslöschung des Hauses Bascha, des Königs von Israel, an (1 Kön 16, 1.7.12). Nach 2 Chr 19, 2 soll er die militärische Unterstützung, die Joschafat von Juda dem Ahab von Israel gewährte, verurteilt haben. Auch habe er eine Geschichte des Königs Joschafat geschrieben (2 Chr 20, 34).
2° **Jehu** (49) **Sohn des Joschafat** (2) **Sohn des Nimschi** (5), zehnter König von Israel (841–814), Begründer der vierten Dynastie. Während der König Joram seine Wunden in Jesreel pflegt, empfängt Jehu in Ramot-Gilead, das er gegen die Aramäer verteidigt, die Salbung zum König von einem Jünger des Elischa (2 Kön 9, 1–10), der so die dem Propheten Elija anvertraute Mission erfüllt (1 Kön 19, 16f). Dann wird er zum König ausgerufen (2 Kön 9, 11–13). Er geht nach Jesreel und ermordet Joram von Israel, den gerade zu Besuch weilenden König von Juda Ahasja und die Königin-Mutter Isebel (9, 14–37). In Samaria beseitigt er auch die königlichen Familien von Israel und Juda (10, 1–17; vgl. 2 Chr 22, 7–9). Mit Hilfe des Rechabiters Jonadab läßt er dann die Anhänger Baals hinschlachten und ihren Tempel zerstören (10, 18–28). Im Unterschied zu 2 Kön 10, 30 // 15, 12 verurteilt Hosea dieses ganze Blutvergießen (Hos 1, 4). Die lange Herrschaft Jehus wird allerdings auch in den Königsbüchern nicht immer positiv gesehen (2 Kön 10, 29.31.34–36).
Sein Sohn und Nachfolger → Joahas 1°.
Sein Enkel → Joasch 6°.
3° **Jehu von Anatot** (1), Benjaminiter, Anhänger Davids vor der Königszeit (1 Chr 12, 3).
4° **Jehu** (2), Nachkomme der Tochter Scheschans, vom Clan Jerachmeël (1 Chr 2, 38).
5° **Jehu Sohn des Joschibja Sohn des Seraja Sohn**

des Asiël (1), Simeoniter, führend in seinem Clan (1 Chr 4, 35ff).

JEHUD (1), (vgl. Juda) → Azor 2°.

JEHUDI, „Judäer", „Jude" (vgl. Juda)
1° **Jehudi** (75), hebr. Form von *Judäer, Jude* → Juda 1° e).
2° **Jehudi** (4) **Sohn des Netanja** (1) und (hebr. *Sohn des*) **Schelemja Sohn des Kuschi** (1), zwei (oder ein) Botschafter der Beamten des Königs Jojakim zu Baruch. Jehudi liest die Schriftrolle des Jeremia dem König vor, der zerschneidet sie mit seinem Messer und wirft sie ins Feuer (Jer 36, 14.21.23).

JEHUDIT, fem. von *Jehudi* → Judit.

JËIËL
1° **Jëiël** (1), Rubeniter, aus den Söhnen Joels (1 Chr 5, 7).
2° **Jëiël** (1), Benjaminiter, Vater Gibeons. Seine Frau heißt Maacha. Er ist Ahnherr des Königs Saul (1 Chr 9, 35ff).
3° **Jëiël** (4), Levit, Torwächter, mit Obed-Edom dem Dienst der Bundeslade zugeteilt (1 Chr 15, 18), Zitherspieler (15, 21; 16, 5: am Anfang dieses Verses erwähnt der hebr. Text einen ersten *Jëiël*, der in *Usiël* oder *Asiël* korr. wird).
4° **Jëiël** (1), Nachkomme Asafs, Ahnherr des → Jahasiël 4°.
5° **Jëiël** (1), Beamter (mit der Musterung beauftragt?) im Heer des Königs Usija (2 Chr 26, 11).
6° **Jëiël** (1), Levit aus den Söhnen Elizafan (Clan Kehat), beteiligt sich an der Reinigung des Tempels bei der Reform des Hiskija (2 Chr 29, 13).
7° **Jëiël** (1), einer der sechs Führer der Leviten unter Joschija (2 Chr 35, 9).
8° **Jëiël** (1), Israelit der Söhne Adonikam, mit Esra aus dem Exil zurückgekehrt (Esr 8, 13).
9° **Jëiël** (1), Israelit der Söhne Nebo, schickt seine ausländische Frau zurück (Esr 10, 43).

JEKABZEEL (1), „Gott möge zusammenführen" → Kabzeel.

JEKAMAM (2), „Der Onkel möge sich niederlassen" (vgl. Jakim), Levit des Clan Kehat, letzter der vier Söhne Hebrons (1 Chr 23, 19 // 24, 23).

JEKAMJA „Jah möge sich niederlassen" (vgl. Jakim).
1° **Jekamja** (2), Nachkomme der Tochter Scheschans, vom Clan Jerachmeel (1 Chr 2, 41).
2° **Jekamja** (1), einer der Söhne des Königs Jojachin, die in Babylon gefangen sind (1 Chr 3, 18).

JEKEB-SEEB (1), Ri 7, 25. „Kelter des Seeb", ein mit der Geschichte von → Oreb und Seeb verbundener Ort. Lage unbekannt.

JEKUTIËL (1), Vater des Sanoach, unter den Söhnen des Bitja in Juda (1 Chr 4, 18).

JEMIMA (1), „Täubchen", die erste der drei Töchter Ijobs nach seiner Wiederherstellung (Ijob 42, 14).

JEMUËL (2), einer der Söhne des Jakobssohnes Simeon (Gen 46, 10 // Ex 6, 15), dessen Nachkommen die Sippe der **Jemuëliter** bilden (Num 26, 12).
= **Nemuël** (2), 1 Chr 4, 24; Num 26, 12.

JEOR → Nil.

JEPHTHA (31) → Jiftach.

JERACH (2), „Monat" (vgl. Jaroach), der vierte von dreizehn Söhnen des Joktan, Stamm oder Gebiet in Südarabien (Gen 10, 26 // 1 Chr 1, 20).

JERACHMEËL, „Gott habe Barmherzigkeit" (vgl. Jeroham).
1° **Jerachmeël** (6), Bruder des Kaleb (1 Chr 2, 42), sein älterer (vgl. 2, 9). Die Liste seiner Nachkommen (1 Chr 2, 25–33). Das Wohngebiet Jerachmeëls ist im Süden Palästinas zu suchen: 1 Sam 27, 10 spricht vom **Negeb Jerachmeëls** neben dem Negeb Judas und dem Negeb der Keniter, und 1 Sam 30, 29 nennt die Städte Jerachmeëls neben den Städten der Keniter. Von Juda hergeleitet, wird Jerachmeël in 1 Chr 2, 25 zum „ältesten Sohn Hezrons", des Enkels Judas.

2° **Jerachmeël** (1), Levit, Sohn des Kisch, vom Clan Merari (1 Chr 24, 29).
3° **Jerachmeël** (1), „Sohn des Königs", d. h. Prinz von Geblüt oder vielleicht Polizeioffizier, **Seraja Sohn des Asriël** und **Schelemja Sohn des Abdeel**: diese drei werden vom König Jojakim beauftragt, Jeremia und seinen Schreiber Baruch zu verhaften (Jer 36, 26).

JERACHMEËLITER (2), 1 Sam 27, 10; 30, 29 vom Clan des → Jerachmeël 1°.

JERED, Akk. *(w)ardu*, „Knecht".
1° **Jered** (6), → Irad.
2° **Jered** (1), Vater des Gedor, unter den Söhnen Bitjas, in Juda (1 Chr 4, 18).

JEREMAI (1), von *Jirmeja*, „Jeremia"?, Israelit der Söhne Haschum, schickt seine ausländische Frau zurück (Esr 10, 33).

JEREMIA (145), hebr. *Jirmeja*, „Jah erhebt" (vgl. Rama) oder „Jah öffnet (das Herz)"?, **Sohn des Hilkija** (1), einer der großen Propheten Israels, gebürtig aus Anatot, 6 km NO von Jerusalem, aus priesterlicher Familie (Jer 1, 1), vielleicht Nachkomme des Priesters Abjatar.
Das prophetische Wirken Jeremias spielt sich ab zwischen dem 13. Jahr des Joschija (626) – manche setzen seine Berufung (Jer 1, 4–19) erst 609–608 an – und der Periode, die auf den Fall Jerusalems (587) folgt. Dies geht aus Jer 1, 1 f; 25, 3 hervor. Während dieser 40 Jahre, den letzten des Königreichs Juda, erlebt Jeremia als unmittelbar Beteiligter die dunkelste Geschichte seines Volkes: den tragischen Tod des Königs Joschija bei Megiddo (609; vgl. 2 Chr 35, 25) und als Folge davon das totale Scheitern der von Joschija durchgeführten religiösen Reform; die fortschreitende Ausdehnung des Babylonischen Großreichs in Palästina seit 605 (vgl. Jer 46, 2) und die Auflehnung des Königreichs Juda, die zu seinem Untergang (587) führte.
Aus biographischen Berichten lassen sich einige Daten der prophetischen Tätigkeit genauer festlegen: um 608 die Tempelrede (Jer 26; vgl. 7, 1 bis 8, 3); 605–604 zwei erste Ausgaben seiner Reden (Jer 36; vgl. 45, 1); 597 oder 594 Aufruf, sich dem König von Babylon zu unterwerfen, um die Katastrophe zu vermeiden, und Streit mit dem Propheten Hananja (Jer 27—28); kurz danach der Brief an die Deportierten in Babylon, ein entscheidender Brief für die Zukunft der jüdischen Diaspora (Jer 29); 588–587 Streitigkeiten mit dem König Zidkija und seinen Beamten während der zweiten Belagerung Jerusalems (Jer 32—34; 37—39); 587 Zerstörung Jerusalems: Jeremia wird vom Sieger mit Respekt behandelt und entscheidet sich, unter den Nichtdeportierten zu bleiben. Nach der Ermordung Gedaljas wird er von Judäern, die Vergeltungsmaßnahmen der Besatzungsmacht fürchten, nach Ägypten verschleppt (Jer 40—44).
Jeremia ist berufen, besonders die Verantwortlichen, die Priester, Propheten und Könige, vor dem Unheil zu warnen (vgl. Jer 1, 10; 20, 8; Sir 49, 8), das dem Land droht (16, 10–13), wenn es sich nicht bekehrt (vgl. Jer 3—5). Um sein Wort zu unterstreichen, um die Unwiderruflichkeit des Gerichts zu demonstrieren, vollbringt Jeremia zahlreiche Symbolhandlungen: Kauf eines Gürtels, den er vergräbt und wieder hervorholt (13, 1–11); Kauf eines Krugs, den er zerschlägt (19, 1–15); Besuch beim Töpfer (18, 1–12); Tragen eines Jochs auf dem Nacken (27—28); Kauf eines Ackers in Anatot (32); Einsenken eines Steinfundaments für den Thron Nebukadnezzars (43, 8–13). Auch mit seiner Lebensführung will er ein Zeichen setzen: er hat weder Frau noch Kinder, er nimmt weder an Festen noch an Trauerfeiern teil (16, 1–9). Aber niemand hört auf ihn (Jer 25, 3; 37, 2; 2 Chr 36, 12). Außer bei einigen Freunden wie dem Sohn und Enkel Schafans Ahikam (Jer 26, 24) und Gedalja (39, 14 MT; 40, 5–6; 43, 6), dem Kuschiter Ebed-Melech (38, 7–13) und seinem treuen Schreiber → Baruch 1° findet er kaum Sympathien. Dagegen sind die Verfolgungen zahlreich: Morddrohungen von seiten seiner Landsleute in Anatot, vielleicht wegen seiner Beteiligung an der religiösen Reform des Joschija (11, 18–22); Einkerkerung durch den Oberst der Tempelpolizei Paschhur (20, 1–3); neue Morddrohungen nach der Tempelrede von seiten der Priester und anderer Propheten (Jer 26); lebhafte Opposition des Propheten Hananja (Jer 28); Ver-

bot, den Tempel zu betreten (vgl. 36, 5); Vernichtung der ersten Ausgabe seiner Reden durch den König Jojakim (Jer 36). Angeklagt, er wolle zum Feind übergehen, wird er verhaftet, geschlagen, mit dem Tod bedroht (37, 11–16), in eine tiefe Zisterne geworfen (38, 1–13), schließlich im Hof der königlichen Palastwache eingeschlossen (37, 21; 38, 13.28; vgl. 32, 2).
Bei allem war Jeremia ein äußerst empfindsamer und verwundbarer Mensch. In seinen „Konfessionen" hat er sein Inneres vor Gott bloßgelegt (11, 18 – 12, 6; 15, 10–21; 17, 14–18; 18, 18–23; 20, 7–18). Hier beklagt sich ein gequälter Mensch über seine Einsamkeit, über den Haß, der ihn umgibt, über die Erfolge der Gottlosen, die ihn an einer Mission zweifeln lassen, der er sich nicht entziehen kann. Er verflucht den Tag seiner Geburt und preist doch zugleich das Glück, mit Gottes Wort beauftragt zu sein. Diese Religion des Herzens, die er so intensiv erfahren hat, hat ihn wohl auch vorbereitet, die Verheißungen des Neuen Bundes zu definieren (31, 31–34; vgl. Hebr 8, 10–12).
In den Wirren der Makkabäerzeit gilt Jeremia als Freund seines Volkes und mächtiger Fürsprecher (2 Makk 15, 13–16; vgl. 2, 1–8).
Zur Zeit Jesu erwarteten manche Juden die Wiederkehr des Jeremia (Mt 16, 14).
Mt 2, 17 zitiert Jer 31, 15 (Rahel weint über ihre im Exil lebenden Kinder), und Mt 27, 9 schreibt Jeremia ein Wort zu, das in Wirklichkeit Sach 11, 12–13 steht.

JEREMOT
1° **Jeremot** (1), Benjaminiter, einer der neun Söhne Bechers, Krieger und Familienhaupt (1 Chr 7, 8f).
2° **Jeremot** (1), Benjaminiter der Söhne Berias, Familienhaupt in Jerusalem (1 Chr 8, 14).
3° **Jeremot** (1), der jüngste der drei Söhne Muschis, vom levitischen Clan Merari (1 Chr 23, 23).
= **Jerimot** (1), 1 Chr 24, 30.
4° **Jeremot** (3), drei Israeliten, die ihre ausländischen Frauen zurückschicken: der erste aus den Söhnen Elams (Esr 10, 26); der zweite aus den Söhnen Sattus (10, 27); der dritte aus den Söhnen Bigwais (10, 29).

JERIBAI (1), Bruder des → JOSCHAWJA.

JERICHO (69)
a) *Die Stadt*: die tiefstgelegene der Welt (± 300 m unter dem Meeresspiegel), in der Senke des Jordantals, nördlich des Toten Meers, 35 km NO von Jerusalem; die vielleicht älteste der Welt, die im Lauf ihrer zehntausendjährigen Geschichte immer wieder an der gleichen Stelle oder an benachbarten Stellen aufgebaut und besiedelt wurde.
= **Palmenstadt** (3), Dtn 34, 3; 2 Chr 28, 15; vom Moabiterkönig Eglon besetzt, den der Richter Ehud tötet (Ri 3, 13).
An der Mauer Jerichos ist das Haus der Dirne Rahab gebaut, die den Kundschaftern Josuas Aufnahme gewährt (Jos 2, 1–3; vgl. 6, 22–25). Die von Josua eroberte kanaanäische Stadt wird dem Bann überantwortet (Jos 5, 13; 6, 1 – 7, 2; vgl. 8, 2; 9, 3; 10, 1.28.30; 12, 9; 24, 11; 2 Makk 12, 15; Hebr 11, 30).
Jericho ist eine Stadt Benjamins (Jos 18, 21) und liegt nahe an der Grenze zu Efraim (Jos 16, 1.7; 18, 12). Die in Rabba gedemütigten Gesandten Davids bleiben auf ihrer Rückreise in Jericho, bis die Bärte wieder gewachsen sind (2 Sam 10, 5 // 1 Chr 19, 5). Zur Zeit Ahabs baut Hiël von Bet-El die Stadt wieder auf (1 Kön 16, 34; vgl. Jos 6, 26). Sie beherbergt eine Prophetenschule unter Elija und Elischa (2 Kön 2, 4–5.15.18.19–22). Nach dem Exil nehmen die Juden die Stadt wieder in Besitz (Esr 2, 34 // Neh 7, 36), und die Leute von Jericho beteiligen sich am Wiederaufbau der Jerusalemer Stadtmauer (Neh 3, 2). In der Makkabäerzeit wird die Stadt von Bakchides zur Festung ausgebaut (1 Makk 9, 50), vom Makkabäer Simon und von zweien seiner Söhne inspiziert (1 Makk 16, 14); alle drei finden in der Nähe, in der Festung Dok den Tod. Jdt 4, 4 zählt Jericho zu Samarien. Sir 24, 14 rühmt die Rosen (Lorbeerblüten?) von Jericho.
Beim Verlassen der Stadt heilt Jesus einen Blinden, den Bartimäus (Mk 10, 46; vgl. Lk 18, 35; Mt 20, 29: zwei Blinde). In Jericho nimmt Zachäus Jesus in sein Haus auf (Lk 19, 1–9). Auf dem Weg von Jerusalem nach Jericho, der durch die Wüste Juda führt, spielt die Gleichnisgeschichte vom Barmherzigen Samariter (Lk 10, 30).

b) *Die Ebene Jericho.* Die Chaldäer nehmen hier den König Zidkija gefangen (2 Kön 25, 5 // Jer 39, 5; 52, 8). Hier befindet sich die Stadt Gilgal (Jos 5, 10; vgl. 4, 19). Ptolemäus wird „Befehlshaber der Ebene von Jericho" (1 Makk 16, 11).

c) *In der Höhe von Jericho* liegt der Jordanübergang Israels am Ende des Exodus (Jos 3, 16; vgl. 4, 13). Auf der gleichen Höhe liegen jenseits des Jordan die Steppen → Moab, der Berg Nebo (Dtn 32, 49; 34, 1) und das Gebiet der transjordanischen Stämme Israels (Num 34, 15; Jos 20, 8; 1 Chr 6, 63).
„Jordan Jerichos" → Jordan 1°.

JERIËL (1), (vgl. Jeruel), Issachariter, ein Haupt der Familie Tola (1 Chr 7, 2).

JERIJA (3), „Gründung Jahs", Levit des Clans Kehat, erster der vier Söhne Hebrons (1 Chr 23, 19 // 24, 23) und ihr, der Hebroniter, Haupt (26, 31).

JERIMOT
1° **Jerimot** (1), Benjaminiter, einer der fünf Söhne Belas, Krieger und Familienhaupt (1 Chr 7, 7).
2° **Jerimot** (1), aus den Söhnen Hemans (1 Chr 25, 4).
= **Jeremot** (1), Vorsteher der 15. Sängerklasse (1 Chr 25, 22).
3° **Jerimot** (1), Benjaminiter, Anhänger Davids vor der Königszeit (1 Chr 12, 6).
4° **Jerimot** (1), Sohn Davids (2 Chr 11, 18), Vater der → Mahalat 2°.
5° **Jerimot Sohn des Asriël** (1), Führer im Stamm Naftali (1 Chr 27, 19).
6° **Jerimot** (1), einer der zehn Leviten, die zur Zeit des Königs Hiskija dem Konanja und Schimi bei Arbeiten im Tempel helfen (2 Chr 31, 13).

JERIOT (1), Sohn Kalebs und seiner Frau Asuba (1 Chr 2, 18).

JEROBEAM, gr. *Jeroboam*, „Das Volk möge zunehmen" (vgl. Rabba).
1° **Jerobeam** (91) **Sohn des Nebat** (26) und der **Zerua** (1), Efraimiter aus Zereda (1 Kön 11, 26), erster König von Israel (931–910), Begründer der ersten Dynastie (1 Kön 14, 20). Von Salomo zum Aufseher über die efraimitischen und manassitischen Fronarbeiter bestellt, die zum Bau des Millo in Jerusalem gedungen waren (1 Kön 11, 11.26; 2 Chr 13, 6), führt er mit Unterstützung prophetischer Kreise (vgl. 2 Chr 9, 29) einen Aufstand gegen die Selbstherrlichkeit des Königs Salomo an. Er muß nach Ägypten fliehen, wo er bis nach dem Tod Salomos bleibt (1 Kön 11, 26–40).
Auf der Versammlung in Sichem verwerfen die von Jerobeam geführten Nordstämme die Autorität des neuen Königs Rehabeam (1 Kön 12, 1–15 // 2 Chr 10, 1–15). Jerobeam wird König der Nordstämme (1 Kön 12, 20–25) – das politische Schisma. In Bet-El und Dan errichtet er zwei Heiligtümer in Rivalität zum Jerusalemer Tempel (1 Kön 12, 26–33; vgl. 2 Chr 11, 14f; Tob 1, 5) – das religiöse Schisma. Er ist Zeitgenosse nicht nur des Rehabeams, sondern auch des Abija (1 Kön 15, 1) und des Asa (15, 9). Kriege führt er mit Rehabeam (1 Kön 14, 30 // 15, 6; 2 Chr 12, 15; vgl. 2 Chr 11, 4) und mit Abija (1 Kön 15, 7 // 2 Chr 13, 2–20), der in einer Niederlage endet. Hauptstädte: Sichem, dann Penuel (1 Kön 12, 25) und schließlich Tirza (14, 17).
Die prophetischen Kreise haben an ihm harte Kritik geübt (vgl. 1 Kön 13, 1–9; 14, 1–16; 2 Kön 23, 15). Die „Sünde Jerobeams" ist geradezu sprichwörtlich geworden: Errichtung von Höhenheiligtümern, Heranbildung eines beliebigen Klerus (1 Kön 13, 33), Herstellung von Götzenbildern, mit einem Wort, die Zurückweisung Jahwes (1 Kön 14, 9). Diese Sünde hatte zur Folge die „Sünde Israels" (1 Kön 15, 30; 2 Kön 13, 6; 17, 21f; Sir 47, 24) und ihre Bestrafung (1 Kön 14, 15f), die Sünde der Dynastie Jerobeams (1 Kön 13, 34) und ihr Untergang (1 Kön 14, 10–14; 15, 29; vgl. 16, 3.7; 21, 22; 2 Kön 9, 9) und schließlich die Sünde aller Könige Israels: Nadab (1 Kön 15, 26), Bascha (15, 34), Simri (16, 19), Omri (16, 26), Ahab (16, 31), Ahasja (22, 53), Joram (2 Kön 3, 3), Jehu (10, 29.31), Joahas (13, 2), Joasch (13, 11), Jerobeam II. (14, 24), Secharja (15, 9), Menahem (15, 18), Pekachja (15, 24) und Pekach (15, 28).
Vater des → Abija 3°; Nadab 4° (sein Nachfolger).

2° **Jerobeam** (14) **Sohn des Joasch** (4) und sein Nachfolger, 13. König von Israel (783–743), vierter der Dynastie Jehu (2 Kön 13, 13 // 14, 16). Er ist Zeitgenosse der Könige von Juda Amazja (2 Kön 14, 23) und vor allem Usija (15, 1) sowie der Propheten Jona (2 Kön 14, 25), Amos (Am 1, 1) und Hosea (Hos 1, 1). Die Schwäche Arams und Assyriens ausnutzend, stellt er das Territorium Israels in seinen alten Grenzen wieder her, vom „Zugang zu Hamat bis zum Meer der Araba", d. h. zum Toten Meer (2 Kön 14, 25–29; vgl. 13, 5; Am 6, 13–14; 1 Chr 5, 17). Die wirtschaftliche Blüte seiner langen Regierungszeit führte zu sozialen Ungerechtigkeiten, die von Amos und Hosea scharf angeprangert wurden. Amazja, der Priester von Bet-El, hat Amos der Verschwörung gegen den König angeklagt (Am 7, 9–11).
Sein Sohn und Nachfolger → SECHARJA 9°.

JEROHAM, „Möge er von Mitleid ergriffen werden" (vgl. Lo-Ruhama; Rehum; Jerachmeel).
1° **Jeroham** (3), Efraimiter, Großvater Samuels (1 Sam 1, 1; 1 Chr 6, 12.19).
2° **Jeroham** (1), Benjaminiter, Vater von sechs Söhnen, Familienhäuptern in Jerusalem (1 Chr 8, 26).
3° **Jeroham** (1), identisch mit dem Vorhergehenden? Vater des → JIBNEJA.
4° **Jeroham von Gedor** (1), Benjaminiter, Vater des Sebadja und des → JOËLA.
5° **Jeroham** (2), Vater des Priesters → ADAJA 6°.
6° **Jeroham** (1), Daniter, Vater des → ASAREL 4°.
7° **Jeroham** (1), Vater des → ASARJA 13°.

JERUBBAAL (13), „Möge Baal sich groß zeigen!" (vgl. Baal; Rabba; Jerubbeschet) oder „Möge Baal (für den Träger des Namens) Partei ergreifen!"; Volksetymologie: „Baal möge gegen ihn streiten" (Ri 6, 32). Vgl. Ri 7, 1; 8, 29.35; 9, 1.2.5.16.19.24.28.57; 1 Sam 12, 11. Identifiziert mit → GIDEON 1°.
= **Jerubbeschet** (1), verächtlichmachende Form von Jerubbaal (vgl. Ischboschet), 2 Sam 11, 21 → ABIMELECH 2°.

JERUËL (1), „Gründung Gottes" (vgl. Jerusalem; Jeriel; Jerija), Wüste, in der unter Joschafat Moab, Ammon und Edom, die sich gegen Juda verbündet hatten, geschlagen wurden (2 Chr 20, 16). Im SO von Tekoa.

JERUSALEM (950), hebr. *Jeruschalaim* (670), „Gründung des (Gottes) Schalem" (vgl. Salem; Jeruël), akk. *Uruschalimu*, gr. *Hierousalem* (180) oder *Hierosolyma* (100); arab. *El Quds* „Die Heilige" (vgl. Jes 52, 1).
AT: 670 (fehlt im Pentateuch); deuterokanonische Schriften: 136; NT: 140 (Evv: 67; Apg 59).

a) Die Stadt Davids (49)

Die Davidsstadt ist nicht synonym mit Jerusalem. Der von David selbst stammende Ausdruck bezeichnet die alte *Festung des Zion* (2 Sam 5, 6–9 // 1 Chr 11, 4–8; 1 Kön 8, 1 // 2 Chr 5, 2), eine Art Akropolis, die im SO Jerusalems lag. Zu ihr führten in den Fels gehauene Stufen (Neh 3, 15; 12, 37). David entriß sie den → JEBUSITERN, setzte sich dort fest, umgab sie mit einer mehrmals zerstörten und wideraufgebauten Mauer (1 Kön 11, 27; 2 Chr 32, 5; 33, 14; Jes 22, 9), errichtete Gebäude (1 Chr 15, 1) und ließ die Bundeslade hierher bringen (2 Sam 6, 10–16 // 1 Chr 13, 13–14; 15, 25–29; 2 Chr 8, 11). Hiskija führte die Wasser des Gihon in die Stadt (2 Chr 32, 30; vgl. 2 Kön 20, 20; Sir 48, 17).
Die Davidsstadt diente als *königliche Nekropole*: hier sind begraben David (1 Kön 2, 10), Salomo (1 Kön 11, 43), zehn Könige von Juda (1 Kön 14, 31; 15, 8.24; 22, 51; 2 Kön 8, 24; 9, 28; 12, 22; 14, 20; 15, 7.38; 16, 20; vgl. 2 Chr 32, 33; Neh 3, 16) und der Priester Jojada (2 Chr 24, 16).
In der Makkabäerzeit wird der Name „Davidsstadt" (1 Makk 2, 31; 7, 32; 14, 36) auf den großen Osthügel ausgedehnt. Zur *Zitadelle* (28) geworden, gr. *Akra* (1 Makk 1, 33; 9, 52; 12, 36) oder die Zitadelle von Jerusalem (1 Makk 6, 26; 9, 53; 10, 32; 15, 28), beherbergt dieses Stadtgebiet die syromazedonische Garnison (1 Makk 3, 43; 11, 41) und die hellenisierten Juden (1 Makk 4, 2). Vom Makkabäer Judas belagert (1 Makk 6, 18–32; vgl. 2 Makk 15, 31.35), wird die Zitadelle von seinem Bruder Simon erobert und gereinigt (1 Makk 13, 49–52; 14, 7). Fortan wohnen hier gesetzestreue Juden (14, 36–37).

b) Zion (176)

AT: 154 (2 Sam – 2 Chr: 6; Ps: 38; Hld: 1; Jes: 47; Jer: 15; Klgl: 15; Kleine Propheten: 30) – Deuterokanonische Schriften: 15 (1 Makk: 8; Sir: 4; Bar: 3) – Nt: 7 (Mt 21, 5; Joh 12, 15; Röm 9, 33; 11, 26; Hebr 12, 22; 1 Petr 2, 6; Offb 14, 1).
Der Name *Zion* bezeichnet zunächst den Berg, das Gebirge Zion (30): 2 Kön 19, 31 // Jes 37, 32; 1 Makk 4, 37; 6, 62; Ps 2, 6; 48, 3.12; 125, 1; Jes 4, 5; 29, 8; vgl. die Höhe von Zion (Jer 31, 12), der Hügel von Jerusalem (Jes 10, 32; vgl. 31, 4), auf dem die Festung Zion errichtet war. Die Texte sprechen auch vom Gebirge Jahwes (Jes 2,3 // Mich 4, 2; vgl. Ps 2, 6), vom heiligen Gebirge (Jes 27, 13; Joel 4, 17), vom heiligen Berg (Ps 48, 3), vom Gebirge des Heiligtums (1 Makk 16, 20) oder des Tempels (Jer 26, 18 // Mich 3, 12; vgl. Jes 2, 2). Der Gebrauch des Plurals „die Höhen des Zion" (Ps 133, 3) oder „auf heiligen Bergen" (Ps 87, 1) versetzt den Zionsberg nicht nur in die Reihe der zu ihm gehörenden Hügel, sondern deutet wohl auch auf einen erweiterten Wortgebrauch. Tatsächlich versteht man in der Folgezeit unter dem Zionsberg die ganze Stadt, die nun *Tochter Zion* (24) heißt (Ps 9, 15; Jes 1, 8; 10, 32; 16, 1; 62, 11; Jer 4, 31; 6, 2.23; Klgl 2, 1–18) oder *Jungfrau Tochter Zion* (2 Kön 19, 21 // Jes 37, 22; Klgl 2, 13). Jerusalem wird die Bewohnerin Zions genannt (Jes 12, 6; Jer 51, 35; vgl. Jes 10, 24 mit 30, 19). So begegnet Zion in genauer Parallele zu Jerusalem (Ps 51,20; 102,22; 147,12; Sir 24, 10–11; Jes 4, 3; 33, 20; 40, 9; 52, 1; 62, 1; 64, 9), es wird auch *Tochter Jerusalem* genannt (Klgl 2, 13.15; Zef 3, 14; Mich 4, 8; Sach 9, 9) oder als Äquivalent und Ersatz für Jerusalem (Ps 65, 2; 69, 36; 87, 2.5; 102, 14; 126, 1; Sir 48, 18; Jes 33, 5; 49, 14). Die Bewohner Jerusalems gelten als Söhne Zions (Ps 149, 2; Klgl 4, 2; Joel 2, 23). Und die Frauen der Stadt heißen Töchter Jerusalems (Hld 1, 5; 2, 7; 3, 5.10 MT; 5, 8.16; 8, 4; Lk 23, 28; vgl. Klgl 3, 51) oder Töchter Zions (Hld 3, 11; Jes 3, 16–17; 4, 4).

c) Die Stadt Gottes

Der Berg Zion und Jerusalem sind von Jahwe *auserwählt* (18) zum Sitz und zur Stadt (1 Kön 8, 44.48; 11, 13.32; 2 Kön 23, 27; 2 Chr 5, 6; 6, 34.38; Tob 1, 4; Ps 78, 68; 132, 13; Sir 49, 6; Sach 1, 17; 2, 16; 3, 2), um hier seinen Namen wohnen zu lassen (1 Kön 8, 16; 11, 36; 14, 21; 2 Kön 21, 4; vgl. 2 Kön 20, 6 // Jes 38, 6; Jer 25, 29; Dan 9, 18); es ist die Stadt, die Jahwe Israel gegeben hat (Jer 23, 39). Jerusalem ist *heilig* (20): „Jerusalem, heilige Stadt" (Neh 11, 1; Tob 13, 9–10; Sir 36, 12; Jes 52, 1; Dan 3, 28; Offb 21, 2.10); „die heilige Stadt" (Neh 11, 18; 1 Makk 2, 7; 2 Makk 1, 12; 3, 1; 9, 14; 15, 14; Sir 49, 6; Jes 48, 2; Dan 9, 24). Es ist ein heiliger Ort (Joel 4, 17; Obd 17; vgl. 1 Makk 10, 31; Ps 46, 5 MT; Jer 31, 40; Sach 14, 21). Jerusalem ist die *Stadt Jahwes*, das „Zion des Heiligen Israels" (Ps 48, 9; 101, 8; Jes 60, 14; Jer 31, 38), die „Stadt Gottes" (Ps 87,3; vgl. Jes 45, 13; Dan 9, 16.19.24), „Stadt unseres Gottes" (Ps 48, 2.9), „meines Gottes" (Offb 3, 12), die „Stadt des großen Königs" (Ps 48, 3 // Mt 5, 35; vgl. Jes 24, 23, der „Thron Jahwes" (Jer 3, 17). Es ist die *Residenz Jahwes*, der auf Zion wohnt (Ps 9, 12; 74, 2; 76, 3; 132, 13–14; Joel 4, 17.21; Jes 8, 18; 18, 7; vgl. Jer 31, 6), der inmitten Jerusalems bleibt (Ps 135, 21; Weish 9, 8; Sir 36, 12; Zef 3, 16–17; Sach 8, 3; vgl. Ez 48, 35), im Tempel oder Heiligtum von Jerusalem (2 Chr 36, 23; Esr 1, 2.4–5; 2, 68; 3, 8; 4, 24; 5, 14–17; 6, 3.5; 7, 16.17.27; Dan 5, 3; vgl. 2 Kön 21, 4; 2 Chr 3, 1; 36, 14; Ps 116, 19), so daß Gott der „Gott Jerusalems" heißen kann (2 Chr 32, 19; vgl. Esr 7, 19), der Gott Zions (Ps 146, 10), der Gott, der in Jerusalem wohnt (Esr 1, 3), der Gott Israels, der in Jerusalem seine Wohnstätte hat (Esr 7, 15).

d) Die Hauptstadt Israels

Aufgrund ihrer Lage zwischen den Nord- und den Südstämmen ist die von David eingenommene kanaanäische Stadt Jerusalem (Jos 10, 1f; Ri 1, 7; vgl. Gen 14, 18) das politische Zentrum des Zwölfstämmebundes geworden (vgl. den Ausdruck „Tor meines Volkes" Obd 13; Mich 1, 9). Sie ist die Hauptstadt des Königreichs Davids (2 Sam 5, 5 // 1 Chr 3, 4) und Salomos (1 Kön 11, 42 // 2 Chr 9, 30; vgl. Koh 1, 1.12.16; 2, 7.9). Als David die Bundeslade nach Jerusalem überführen ließ, machte er die Stadt zugleich zum Nationalheiligtum anstelle von Schilo (Ps 78, 60.68; vgl.

1 Sam 1, 3f). Dorthin mußte der Israelit an bestimmten Tagen hinaufziehen (vgl. Ex 23, 17; 34, 23–24; Dtn 16, 16; 31, 11), um das Antlitz Jahwes zu suchen und zu schauen (Ps 42, 3; vgl. Dtn 12, 5; Am 5, 4). Jerusalem, wo Jahwe thront und spricht, ist der neue Sinai: „Vom Sinai zieht der Herr zu seinem Heiligtum" (Ps 68, 17–18), und seitdem kommt das Gesetz vom Zion und das Wort des Herrn von Jerusalem (Jes 2, 3 // Mich 4, 2).

Was Jerusalem den Söhnen Israels bedeutet, verkünden am eindringlichsten die 15 Wallfahrts- oder Zionslieder, z. B.: „Ich freute mich, als man mir sagte: ‚Zum Haus des Herrn wollen wir pilgern.' Schon stehen wir in deinen Toren, Jerusalem: Jerusalem, du starke Stadt, dicht gebaut und fest gefügt. Dorthin ziehen die Stämme hinauf..., den Namen des Herrn zu preisen. Denn dort stehen Throne bereit für das Gericht, die Throne des Hauses David" (Ps 122, 1–5). Die Freude an der „Stadt unserer Feste" (Jes 33, 20) und ihrem Heiligtum kommt auch in vielen anderen Texten zum Ausdruck (Ps 27, 4–5; 84, 2–3; Jes 35, 10; 51, 11; Jer 31, 12; 1 Makk 5, 54). Es ist die „vielgeliebte Stadt" (Sir 24, 11; vgl. Ps 78, 68; 87, 2), die „Krone der Schönheit" (Ps 50, 2; Hld 6, 4; Jer 6, 2), die Freude der ganzen Welt (Klgl 2, 15), deren Türme und Wälle man bewundernd betrachten muß (Ps 48, 13–14) und die auch an den Strömen von Babel unvergessen bleibt (Ps 137, 1.5–6; Jer 51, 50).

e) Jerusalem – Juda

Von David, dem Judäer, erobert (2 Sam 5, 6–9; trotz Jos 15, 8.63; Ri 1, 18), ist Jerusalem die Stadt Judas schlechthin, wie der Ausdruck „die Tochter (oder Jungfrau) Judas" (3×: Klgl 1, 15; 2, 2.5; vgl. Esr 1, 2.3) bezeugt. Als Israel sich im Jahr 931 vom Haus David trennt (1 Kön 12, 19) und der Stamm Juda allein mit der davidischen Dynastie verbunden bleibt (1 Kön 12, 20; 2 Kön 17, 18), wird Jerusalem die Residenz der Könige von Juda (1 Kön 12, 18). So lautet die stereotype (38×) Formel: „N. N. wurde König über Juda ... und regierte ... in Jerusalem" (1 Kön 14, 21; 15, 1–2.9–10; 22, 41–42 u. ö. → JUDA 1° d).

Das Südreich und seine Hauptstadt werden oft zusammen genannt: Juda und Jerusalem (2 Kön 21, 12; 23, 1.5.24; 24, 20; 1 Chr 5, 41; Jes 1, 1; 2, 1; Jer 4, 5 u. ö.); die Leute von Juda (oder Judäa) und die Bewohner Jerusalems (2 Kön 23, 2; 2 Makk 1, 1. 10; Jes 22, 21; Jer 25, 2; 35, 13; 36, 31; Lk 6, 17); Jerusalem (oder Zion) und die Städte (oder Töchter) Judas (Neh 11, 3; Ps 48, 12; 69, 36; Jes 40, 9; Jer 7, 17.34; 9, 10; 25, 18; 36, 9). Nennen muß man auch den Ausdruck „*die Tochter meines Volkes*" (15), eine Personifizierung der Bevölkerung Judas oder Jerusalems (Jes 22, 4; Jer 4, 11; 6, 26; 8, 11.19–23; 9, 6; 14, 17; Klgl 2, 11; 3, 48; 4, 3.6.10). Nach dem Fall Samarias, der Rivalin im Nordreich, wird Jerusalem mehr als zuvor die Stadt, auf die sich die Blicke der treuen Israeliten richten (Jer 50, 5). In nachexilischer Zeit hat Jerusalem seine politische Bedeutung weithin eingebüßt. Es spielt nur mehr eine religiöse Rolle, wobei die Priesterschaft ihre Machtposition ausbauen kann.

f) Jerusalem und die Anfänge des Christentums

Als Jesus geboren wird, ist Jerusalem die Hauptstadt Judäas, das der römischen Provinz Syrien zugeordnet ist. Als Sitz der jüdischen Autoritäten – des Hohen Rats und des Hohenpriesters –, bei denen sich das Religiöse und das Politische vermischen, klammert sich an diesen Ort die Hoffnung einer geistlichen Elite auf „die Rettung Israels" (Lk 2, 25) und die „Erlösung Jerusalems" (2, 38). Die lukanische Vorgeschichte läßt das Kind Jesus nach Jerusalem gebracht und im Tempel vorgestellt werden (2, 22f), und der Zwölfjährige zieht zum erstenmal als Pilger in die Heilige Stadt, um sich im Tempel als der zu offenbaren, der in dem sein muß, was seinem Vater gehört (2, 41–50). Wie oft Jesus während seines öffentlichen Wirkens Jerusalem besucht hat, ist umstritten (vgl. Mt 20, 17–18; Mk 10, 32–33; 15, 41; Lk 18, 31; 19, 28; Joh 5, 1; 7, 8–10; Apg 13, 31). Auf jeden Fall ist Jerusalem der Ort seines Leidens und Sterbens (Mk 11, 1ff parr). Nach Lk 24, 33.36–53 (vgl. Joh 20, 19–23) erscheint der Auferstandene auch in Jerusalem und fordert die Jünger auf, in der Stadt zu bleiben, bis sie an Pfingsten den Heiligen Geist empfangen (Apg 1, 4–5.12). So entsteht in Jerusalem die erste christliche Gemeinde, von der aus das Evangelium seinen Weg in die ganze Welt nimmt (Apg 1, 8; 5, 28; 6, 7). Eine heftige Verfolgung vertreibt zumindest die hellenistischen Judenchristen aus der Stadt (Apg 8, 1). Auch Paulus, der vielleicht in Jerusalem studiert hat (Apg 22, 3; 26, 4), verfolgt von dort aus die Christen (Apg 9, 2.13.21; 26, 10). Nach seiner Bekehrung ist er nicht sofort nach Jerusalem gegangen (Gal 1, 17, vgl. dagegen Apg 9, 26–30), sondern erst nach drei Jahren (Gal 1, 18) und später nach vierzehn Jahren zum sog. Apostelkonzil (Gal 2; vgl. Apg 15). Als er dann am Ende seiner dritten Missionsreise zum Pfingstfest nach Jerusalem zog (Apg 19, 21; 20, 16.22; 21, 4–17), wurde er im Tempel verhaftet (21, 27–36). Jerusalem, die Urgemeinde und Mutterkirche, hat seine Vorrangstellung zunächst an Antiochia (Apg 11, 22) und dann an die heidenchristlichen Gemeinden von Korinth, Ephesus und Rom abgeben müssen.

g) Die Sünde Jerusalems und das Gericht

„Die treue Stadt ist zur Dirne geworden" (Jes 1, 21), ihre Könige haben sich dem Götzendienst hingegeben (2 Kön 16, 3–4; 21, 3–9). „So zahlreich wie die Straßen Jerusalems sind die schändlichen Altäre, die ihr erreichtet habt, um dem Baal zu opfern" (Jer 11, 13; vgl. Ez 16; 23). Jerusalem hat den Bund mit Jahwe gebrochen (Jer 22, 8–9). Sie ist eine aufrührerische und verkehrte Stadt (Ez 9, 9; Esr 4, 12.15), eine Stadt voller Lüge und Gewalt (Jer 6, 6), eine blutbefleckte, mit Schuld beladene Stadt (Ez 22, 2–9; 7, 23; 11, 6; Jes 4, 4), unrein (Jer 13, 27) und gewalttätig (Zef 3, 1), mit Sodom oder Ägypten zu vergleichen (Offb 11, 8). Wie Saul zum König erwählt und dann verworfen wurde, so ist Jerusalem, die „erwählte Stadt", die Jahwe zurückgestoßen hat (Jer 15, 6), von ihm verworfen worden (2 Kön 25, 27; Jer 23, 39), eine „Verstoßene", nach der niemand fragt (Jer 30, 17). Jahwe richtet sein Angesicht auf diese Stadt zu ihrem Unheil (Jer 21, 10; 39, 16), läßt seine Racheengel gegen sie los (Ez 9, 1 ff; 14, 21), verläßt den Tempel (Ez 10, 18–19), der das gleiche Schicksal erleiden soll wie der von Schilo (Jer 7, 14). Die Einnahme der Stadt durch die Babylonier (587) vollzieht die verhängte Strafe, sie ist das große Gericht Gottes, „der Tag von Jerusalem" (Ps 137, 7). Am Beginn der messianischen Zeit verwerfen die Führer und Priester Jerusalems den Gesandten Gottes. Er wird „außerhalb des Tores" gekreuzigt (Hebr 13, 12; Mt 27, 32 parr; vgl. Apg 7, 58). Die Drohreden der Propheten gegen Jerusalem, die in den Evangelien einen starken Widerhall finden (Mt 23, 37–39 // Lk 13, 34–35; 19, 41–44; 21, 20–24; 23, 28–31; vgl. Ez 15, 6), werden durch die Katastrophe des Jahres 70 n. Chr. noch einmal auf schreckliche Weise erfüllt.

h) Das neue Jerusalem, die zukünftige Stadt

Gott ist getreu: die schuldige Stadt ist bestraft, den Chaldäern ausgeliefert worden (Jer 32, 24), aber sie wird erlöst und getröstet werden (Jes 40, 1–2; 52, 9; vgl. Ez 14, 22). Jahwe will Jerusalem wieder erwählen (Sach 1, 14–17; 2, 16), und für ihn soll die Stadt wiederaufgebaut werden (Jer 31, 38). Gesäubert von Schmutz und Unrat, wird sie wieder die Stadt der Gerechtigkeit, die treue Stadt werden (Jes 1, 25–27). Dieses neue Jerusalem wird „mitten unter den Völkern" errichtet sein (Ez 5, 5; vgl. Jer 33, 9), die Völker werden zu ihm hinströmen, um den Namen Jahwes in Jerusalem anzubeten (Jer 3, 17; Jes 2, 2–3 // Mich 4, 1–2; Jes 66, 18–20), es ist der Nabel der Erde (Ez 38, 12), das Tor der Völker (Ez 26, 2), die Mutter der Völker (vgl. Ps 87, 5). Solche Beschreibungen haben die Geographie schon hinter sich gelassen und bewegen sich auf theologischem Gebiet. Stadt und Bewohner werden nach und nach verklärt (Jes 60; 62), Jerusalem wird eine ideale und gleichsam irreale Stadt (Tob 13, 8–17; vgl. Offb 21). Das „gegenwärtige Jerusalem" macht dem „himmlischen Jerusalem" Platz (Gal 4, 25–26), dem neuen Jerusalem, das von oben herabkommt (Offb 3, 12; 21, 2.10; Hebr 12, 22), der Stadt, die Gott vorbereitet (Hebr 11, 16), selbst geplant und gebaut hat (11, 10). Es ist die „künftige Stadt", die der Christ „sucht" (Hebr 13, 14), weil die wahren Beter den Vater weder in Jerusalem noch sonstwo anbeten werden (Joh 4, 20–24). Von nun an ist der Leib des auferstandenen Christus der neue Tempel des neuen Bundes, weil „in ihm allein wirklich die ganze Fülle Gottes wohnt" (Kol 2, 9), weil nur noch „durch sein Fleisch" der Weg zum Vater führt (Hebr 10, 20; vgl. Phil 3, 20–21).

Andere Namen für Jerusalem → Ariël 3°; Hefzi-Bah 2°; Jebus; Migdal-Eder 2°; Oholiba; Salem 2°.
Könige → Adoni-Zedek und Könige von → Juda 1° d).
Hügel → Golgota; Morija; Ölberg.
Teiche und Quellen → Betesda; Gihon 2°; Schiloach 1°; Walkerquelle.
Stadttore → Aschentor; Benjamin 2°; Efraim 2°; Josua 2°; Schaftor; Taltor.
Tempeltore → Schöne Pforte.
Stadtteile → Kafnata; Neustadt.
Burg, Festung → Antonia; Mea; Hananel 1°; Ofenturm; Schiloach 2°.
Täler → Kidron; Ge-Hinnom.
Verschiedenes → Asaramel; Getsemani; Hakeldamach; Millo; Ofel 1°.

JERUSCHA Tochter des Zadok (2), Mutter des Königs Jotam von Juda (2 Kön 15, 33 // 2 Chr 27, 1).

JESAJA, (46) hebr. *Jesch*^{c}*jah*, gr. *Isaias*, „Gott ist Heil" (vgl. Elischa?; Hoschaja; Mescha 3°–4°; Hoschea; Jischi; Josua), **Sohn des Amoz** (13), Prophet in Juda.

Der Prophet Jesaja

Berufen im Todesjahr des Königs Usija (740 v. Chr.; vgl. Jes 6), wirkte er unter den Regierungen des Jotam, Ahas und Hiskija in Juda (Jes 1, 1). Nach jüdischer Überlieferung soll er vom König Manasse gefoltert und hingerichtet worden sein.
Jesaja wendet sich hauptsächlich gegen den Sittenverfall, der durch die wirtschaftliche Blüte in Juda begünstigt wurde (Jes 1—5). Während der syro-efraimitischen Koalition (um 734) versucht er vergeblich, den König Ahas von einem Bündnis mit Assyrien zurückzuhalten (Jes 7—11). Als dann Hiskija gegen Assyrien aufbegehrt (705), greift er wieder in die Politik ein. Sanherib dringt in Palästina ein, und Jesaja unterstützt Hiskija in seinem Widerstand mit der Versicherung, daß Jerusalem gerettet werde (2 Kön 19, 1–7 // Jes 37, 1–7; vgl. Sir 48, 20–22). Nach 2 Chr 32, 20 hat der Prophet zusammen mit dem König im Tempel um die Rettung gebetet (vgl. 2 Kön 19, 15 // Jes 37, 15). Das berühmte Spottgedicht Jesajas über Sanherib verheißt zugleich der Stadt den Schutz Jahwes (Jes 37, 21–35 // 2 Kön 19, 20–34). Der schwer erkrankte Hiskija wendet sich an Jesaja und wird geheilt (2 Kön 20, 1–11 // Jes 38, 1–8.21–22). Nach der Gesandtschaft des babylonischen Königs Merodach-Baladan muß sich Hiskija vom Propheten Vorwürfe und düstere Vorhersagen anhören (2 Kön 20, 12–19 // Jes 39, 1–8). Jesaja verbindet sein Wirken zunächst mit seiner eigenen Familie: Seine Frau ist ebenfalls Prophetin (Jes 8, 1), seine beiden Söhne tragen symbolische Namen, Schear-Jaschub und Maher-Schalal-Hasch-Bas, sie sollen wie ihr Vater (Jes 20, 2–3) für Israel Zeichen und Vorbedeutung sein (Jes 7, 3; 8, 1–4.18; vgl. 10, 21–22). Wahrscheinlich waren sie auch Schüler ihres Vaters und haben sein Werk fortgesetzt.

Das Buch Jesaja

Der Name „Jesaja" bezeichnet nur zur Hälfte die Person des Propheten selbst, in den anderen Fällen bezieht sich der Wortgebrauch auf das „Buch Jesaja": 2× in 2 Chr (26, 22; 32, 32) und 21× im NT (Mt 3, 3 // Mk 1, 2 // Lk 3, 4 // Joh 1, 23; Mt 4, 14; 8, 17; 12, 17; 13, 14; 15, 7 // Mk 7, 6; Lk 4, 17.20; Joh 12, 38–41; Apg 8, 28.30; 28, 25; Röm 9, 27.29; 10, 16.20; 15, 12). Außerdem enthält das NT etwa vierzig Jesaja-Zitate ohne ausdrückliche Nennung des Propheten.
Die 66 Kapitel des Jesajabuches stammen nur knapp zur Hälfte von Jesaja selbst. Es handelt sich um eine Art prophetischer Bibliothek, um eine Sammlung der Prophetie Israels aus verschiedenen Jahrhunderten. Man unterscheidet gewöhnlich vom ersten, eigentlichen Jesaja (Jes 1—39) einen Deuterojesaja (Kap. 40—55) und Tritojesaja (56—66), von Einzelanalysen abgesehen. Gleichwohl haftet der Name dieses größten aller Propheten am ganzen Buch, das in allen seinen Teilen die Heiligkeit eines Gottes bezeugt, der hoch über allem thront und doch zugleich der Welt und ihrer Geschichte zuinnerst gegenwärtig ist.

JESANJA (1) → Asarja 15°; Jaasanja 2°.

JESCHAJA (vgl. Jesaja).
1° **Jeschaja** (1), Sohn oder Enkel Hananjas, Nachkomme des Königs Jojachin (1 Chr 3, 21).
2° **Jeschaja** (2), aus den Söhnen Jedutuns, Vorsteher der 8. Sängerklasse (1 Chr 25, 3.15).
3° **Jeschaja** (1), Levit des Clans Kehat, Nachkomme Moses über Elieser, Aufseher über die Schätze aus den Weihegeschenken (1 Chr 26, 25).
4° **Jeschaja Sohn des Atalja** (1), Familienhaupt der Söhne Elams, mit Esra aus dem Exil zurückgekehrt (Esr 8, 7).
5° **Jeschaja** (1), Levit der Söhne Merari, nimmt am Rücktransport der Tempelgegenstände von Babylon nach Jerusalem teil (Esr 8, 19).
6° **Jeschaja** (1), Benjaminiter, Ahnherr des → Sallu 1°.

JESCHANA „Alt[stadt]".
1° **Jeschana** (2), Stadt, die Abija von Juda dem Jerobeam wegnahm (2 Chr 13, 19). In 1 Sam 7, 12 LXX steht *Jeschana* anstelle des hebr. *ha-Schen* („Zahn").
2° **Jeschana** (2), wahrscheinlich Tor der Altstadt in Jerusalem, unter Nehemia restauriert (Neh 3, 6). Die Prozession zur Mauerweihe führt hier vorbei (Neh 12, 39).

JESCHEBAB (1), LXX: *Ischbaal*, Leiter der 14. Priesterklasse (1 Chr 24, 13).

JESCHER (1), Sohn des Kaleb und der Asuba (1 Chr 2, 18).

JESCHISCHAI (1), Gaditer, Ahnherr des Abihajil oder aus den Söhnen Abihajils (1 Chr 5, 14).

JESCHOHAJA (1), Simeoniter, führend in seinem Clan (1 Chr 4, 36).

JESCHUA, gr. *Jesous* oder *Jason*, „Jah ist großzügig" (vgl. Schua) oder „Jah rettet" (vgl. Jesaja), lat. *Josua*.
1° **Jeschua** (1), Stadt im Negeb, von den Judäern in Besitz genommen (Neh 11, 26).
2° **Jeschua** (1), Vorsteher der 9. Priesterklasse (1 Chr 24, 11).
3° **Jeschua** (1), einer der sechs Leviten, die unter der Aufsicht des Jimnasohnes Kore für die Verteilung der Lebensmittel zur Zeit des Königs Hiskija zuständig sind (2 Chr 31, 15).
4° **Jeschua** (26), Sohn des **Jozadak** (4) oder *Jehozadak* (6) oder *Josedek* (1), Nachkomme des → Zadok 1°.
Erster Hoherpriester nach dem Exil (Esr 2, 36 // Neh 7, 39; 12, 7), zusammen mit dem Nachkommen Davids → Serubbabel von den Propheten Haggai und Sacharja als messianische Gestalt gefeiert. Unter seinen Nachkommen sind einige Priester, die ihre ausländischen Frauen verstoßen (Esr 10, 18).
Vater des → Jojakim 3°.
5° **Jeschua** (10) **Sohn des Asanja** (1) und **Kadmiël**, zwei zusammen genannte Leviten, Zeitgenossen des Hohenpriesters Jeschua (Neh 12, 8.24), aus dem Exil mit Serubbabel zurückgekehrt (Esr 2, 40 // Neh 7, 43), leiten mit anderen Leviten die Arbeiten am Wiederaufbau des Tempels (Esr 3, 9); verantwortlich für den Bußgottesdienst (Neh 9, 4–5) und Mitunterzeichner der Gesetzesverpflichtung (Neh 10, 10). Jeschua gehört nach Neh 8, 7 auch zu den Leviten, die dem Volk bei der feierlichen Verlesung durch Esra das Gesetz erklären.
Vater (?) des → Josabad 6°.
6° **Jeschua** (2), Israelit, Familienhaupt, aus dem Geschlecht Pahat-Moab; die Söhne kehren mit Serubbabel zurück (Esr 2, 2.6 // Neh 7, 11).
7° **Jeschua** (1), Vater des → Eser 4°.

JESCHURUN (4), vielleicht eine Verkleinerungsform von hebr. *jaschar* „rechtschaffen", Beiname Jakobs oder Israels (Dtn 32, 15; 33, 5.26; Jes 44, 2).

JESIËL (1), (vgl. Jasis) und **Pelet, Sohn des Asmawet** (1), zwei benjaminitische Brüder, Anhänger Davids vor seiner Königszeit (1 Chr 12, 3: *Jesuël*).

JESIMIËL (1), „Gott setzt ein", Simeoniter, Clanhaupt (1 Chr 4, 36).

JESREEL, hebr. *Jisreel*, „Gott sät", gr. *Jesrael*, hellen. Form *Esdrelon* (vgl. Serubbabel).

1° **Jesreel** (8), Stadt im Gebirge Juda (Jos 15, 56), kalebitischer Ursprung (vgl. 1 Chr 4, 3).
Heimat des → Ahinoam 2°.
2° **Jesreel** (39) in Issachar.
a) Stadt. Im Süden des Stammes Issachar (Jos 19, 18), im 5. Distrikt Salomos (1 Kön 4, 12). Ahab baut hier einen Palast (21, 1), der seine Zweitresidenz wird (18, 45–46), auch für seine Nachfolger. Der verwundete König Joram sucht hier nach der Schlacht bei Ramot-Gilead Heilung und empfängt den Besuch Ahasjas von Juda (2 Kön 8, 29 // 2 Chr 22, 6; 2 Kön 9, 13). Beide werden aber in der Ebene von Jesreel von Jehu getötet bzw. tödlich verwundet (2 Kön 9, 22–25.27), und Jehu hält seinen Einzug in Jesreel.
Auf seinen Befehl hin wird Isebel aus dem Fenster des Palastes gestürzt (9, 30–37; vgl. 1 Kön 21, 23 // 2 Kön 9, 10), aus Samaria werden ihm die Köpfe der „siebzig Söhne Ahabs" gebracht, und der Rest des Hauses Ahab ist vernichtet (2 Kön 10, 1–11; vgl. Hos 1, 4–5; 2, 2.24–25).
= **Esdrelon** (3), Jdt 3, 9; 4, 6; 7, 3. Liegt 15 km östlich von Megiddo.
Heimat des → Nabot.

b) Ebene oder Tal (hebr. *Emeq) Jesreel.*
Tal, das sich in Form eines Dreiecks zwischen Bet-Schean und dem Karmel erstreckt, bewässert durch den → Kischon und seine Nebenflüsse. Durchzugsweg zwischen Assyrien und Ägypten, verteidigt durch die Festung → Megiddo im Westen und die befestigten Städte → Taanach, Jibleam und Bet-Schean. Klassisches Schlachtfeld des Heiligen Landes, geeignet für Streitwagen (Jos 17, 16). Zur Zeit Gideons versammeln sich hier ganz Midian, Amalek und die Söhne des Ostens (Ri 6, 33; 7, 12). Israeliten und Philister treffen hier aufeinander, wobei der König Saul den Tod findet (1 Sam 29, 1.11; vgl. 2 Sam 4, 4). Das Reich Isch-Boschets, des Sohnes Sauls, erstreckt sich über Jesreel (2 Sam 2, 9).
Hosea – dessen ältester Sohn den prophetischen Namen Jesreel (vgl. 3°) erhält – kündigt der Dynastie Jehu das Strafgericht für die in Jesreel begangenen Verbrechen an (Hos 1, 4–5). Doch die Fruchtbarkeit der Ebene Jesreel, die schon im Namen „Gott sät" zum Ausdruck kommt, dient dem Propheten als Symbol, um die Geburt eines neuen Volkes anzusagen, das zahlreich sein wird wie der Sand am Meer (Hos 2, 1). Wenn dann die Söhne Judas und die Söhne Israels „die Macht im Land wiedergewinnen", wird dies der „Tag von Jesreel" sein (2, 2).
= **Ebene Esdrelon** (1), Jdt 1, 8.
3° **Jesreel** (1), ältester Sohn des Propheten Hosea (Hos 1, 4). Vgl. oben 2° b).

JESREELITER
1° **Jesreeliter** (5), gebürtig aus Jesreel 1° (1 Sam 27, 3; 30, 5; 2 Sam 2, 2; 3, 2; 1 Chr 3, 1) → Ahinoam 2°.
2° **Jesreeliter** (8), Bewohner von Jesreel 2° (1 Kön 21, 1.4.6–7.15–16; 2 Kön 9, 21) → Nabot.

JESSE (48) → Isai.

JESUS, hebr. *Jeschua*, lat. Transkription *Josua* (vgl. Jeschua).
1° **Jesus** (4) Sohn Sirachs (3), Sir .Prol. 7; 51 (Anhang).
= **Eleasar,** Bürger von Jerusalem (1), Sir 50, 27 LXX. Verfasser des Buches Jesus Sirach.
2° **Jesus** (923) **von Nazaret** (3), Mt 21, 11; Joh 1, 45 f; Apg 10, 37; **der Nazarener** (6), Mk 1, 24 // Lk 4, 34; Mk 10, 47; 14, 67; 16, 6; Lk 24, 19; **der Nazoräer** (12), Mt 2, 23; 26, 71; Lk 18, 37; Joh 18, 5.7; 19, 19; Apg 2, 22; 3, 6; 4, 10; 6, 14; 22, 8; 26, 9; **der Galiläer** (Mt 26, 69; vgl. Lk 23, 6).

a) „Leben Jesu"

Geboren um das Jahr 6 v. Chr. in Betlehem in Judäa (Mt 2, 1; Lk 2, 11) von der Jungfrau Maria (Mk 6, 3; Mt 1, 18–25; 13, 55; Lk 1, 26–38; 2, 1–20; Joh 2, 1; 6, 42; Apg 1, 14; Gal 4, 4) und Sohn des Zimmermanns Josef (Mt 13, 55; Lk 3, 23; Joh 1, 45; 6, 42), Nachkomme Davids (Mt 1, 1.6.17; Lk 1, 27.32; 3, 31), vom Stamm Juda (Hebr 7, 14), am achten Tag beschnitten, erhält er den Namen Jesus (Lk 2, 21; vgl. Mt 1, 21.25; Lk 1, 31).
Jesus (923) begegnet 572 × in den Evangelien, davon 270 × als Subjekt der Verben „sprechen", „sagen" oder „antworten": Mt (155); Mk (80); Lk (87); Joh (250). Nur selten erscheint dagegen „Jesus" als Anrede: im Mund von Besessenen

(Mk 1, 24 // Lk 4, 34; Mk 5, 7 // Lk 8, 28); im Mund von Bittstellern, dem blinden Bartimäus (Mk 10, 47 // Lk 18, 38), den zehn Aussätzigen (Lk 17, 13) und dem reumütigen Schächer (Lk 23, 42). Häufiger ist die Anrede als „Lehrer", gr. *didaskalos* (46); „Rabbi" (12) oder Rabbuni" (Mk 10, 51; Joh 20, 16) und „Herr" (76). Genaueres unter b).

So problematisch es ist, unter dem Stichwort „Jesus" ein „Leben Jesu" skizzieren zu wollen, das nicht willkürlich den einen oder anderen Text herausgreift und kritiklos historische Informationen mit theologischen Deutungen vermischt, so besteht doch an der Einzigartigkeit der Person Jesu und ihrer Sendung kein Zweifel (vgl. Mk 9, 8 parr: „niemand mehr ... außer Jesus"). Wie schon der Name Jesus („Gott rettet, erlöst") besagt, wird er „sein Volk von seinen Sünden erlösen" (Mt 1, 21). Er ist gekommen, um zu „retten", das „Heil" zu bringen (14×): Lk 1, 69–71; 2, 30; 19, 10; Joh 3, 17; 10, 9; 12, 47; Apg 4, 12; 15, 11; 1 Tim 1, 15; 2 Tim 2, 10; Hebr 2, 10; 5, 9; 7, 25; 9, 28. Vgl. zum Titel „Retter" unter b).

Der Name „Jesus" hat im NT u. a. die Funktion, auf die konkrete, unverwechselbare historische Existenz dessen hinzuweisen, der als Auferstandener inmitten seiner Gemeinde lebt und allen Menschen im Gericht begegnen wird: „dieser Jesus" (Apg 1, 11; 2, 32.36; 5, 30; 6, 14); „Jesus, der König der Juden" (Mt 27, 37; Joh 19, 19; vgl. Apg 17, 7); „Ich bin Jesus" (Apg 9, 5; 22, 8; 26, 15); „ein gewisser Jesus" (Apg 25, 19); „ein anderer Jesus" (2 Kor 11, 4); „Jesus, der Gekreuzigte" (Mt 28, 5; vgl. Mk 16, 6); „dein heiliger Knecht Jesus" (Apg 4, 27.30); „Das Evangelium von Jesus" (Apg 8, 35; vgl. Mk 1, 1); „das Todesleiden Jesu ... das Leben Jesu" (2 Kor 4, 10–11); „die Zeichen Jesu" (Gal 6, 17); „Jesus, der Sohn Gottes" (Hebr 4, 14); „Jesus, der Urheber und Vollender des Glaubens" (Hebr 12, 2); „bekennen, Jesus Christus sei im Fleisch gekommen" (1 Joh 4, 2); „Ich, Jesus" (Offb 22, 16).

b) Wichtigste Titel und Würdenamen Jesu

Christus (540), Übersetzung des hebr. *Meschiach* „Gesalbter", 2 × umschrieben durch das gr. *Messias* (Joh 1, 41; 4, 25).

Jesus wird als der von Gott Gesalbte vorgestellt (Lk 4, 18; Apg 4, 27; 10, 38; Hebr 1, 9), als der, den Gott zum „Herrn und Messias" gemacht hat (Apg 2, 36). Deshalb heißt Jesus „der Christus" (145): Mt 1, 16; Apg 26, 23; Röm 7, 4 ... Offb 20, 4.6; oder „Christus" (158): Mk 9, 41; Röm 5, 6; 6, 4 ... 1 Petr 5, 14. In den meisten Fällen ist „Christus" ein anderer Eigenname für Jesus geworden, so daß „Jesus" und „Christus" jetzt austauschbar sind (vgl. Apg 8, 5: „Philippus ... verkündigte Christus"; 9, 20: „[Paulus] verkündigte Jesus"; Hebr 9, 14: „das Blut Christi"; 10, 19: „das Blut Jesu").

Etwa 40 × wird der Christustitel mit besonderer Feierlichkeit gebraucht: „Jesus, den man den Messias nennt" (Mt 27, 17.22; vgl. 1, 16); „der Messias, der Herr" (Lk 2, 26); „der Messias Gottes" (Lk 9, 20; 23, 35; vgl. Apg 3, 18; 4, 26; Offb 11, 15; 12, 10); „Messias und König" (Lk 23, 2; vgl. Mk 15, 32); „der Messias, der Sohn Gottes" (Mt 26, 63; Joh 11, 27; vgl. Mk 1, 1 var.). Der Messias ist jener, „der kommen soll" (Mt 11, 3) und den die Juden erwarten (Mt 2, 4; Joh 1, 41; 4, 25.29; 7, 26–27.31.41–42). Wie schon das Auftreten Johannes des Täufers (Lk 3, 15; Joh 1, 20.25–26; 3, 28), so führt noch mehr das Auftreten Jesu zu der Frage: „Bist du der Messias, der Sohn des Hochgelobten?" (Mk 14, 61 parr; vgl. Joh 4, 29; 10, 24). So läßt sich das Evangelium in der Formel zusammenfassen: „Jesus, der Christus" (Apg 5, 42; Röm 15, 19; 2 Kor 2, 12; vgl. Apg 9, 22; 17, 3; 18, 5.28). Und der wahre Glaube besteht darin, ihn als solchen zu erkennen (Mt 16, 16; Joh 1, 45; 9, 22; 11, 27; 20, 31; 1 Joh 2, 22; 5, 1) und ihm zu folgen. Denn der Christus, der Sohn → David b), erlangt die Herrlichkeit seines Reiches nur durch das Kreuz (Lk 24, 26.46; Joh 12, 34; Apg 3, 18; 17, 3; 26, 23; 1 Kor 2, 2).

Jesus und *Christus* bilden 236 × einen Doppelnamen. Die häufigste Form *Jesus Christus* (140) begegnet nur 6 × in den Evv (Mt 1, 1.18; 16, 21; Mk 1, 1; Joh 1, 17; 17, 3), aber 134 × von Apg 2, 38 bis Offb 1, 5. Man findet 90 × *Christus Jesus* (Apg 24, 24; Röm 1, 1 bis Phlm 23, und 6 × *der Christus Jesus* (Apg 5, 42; Gal 5, 24; 6, 12; Eph 3, 1.11; Kol 2, 6).

Herr, gr. *Kyrios* (in der LXX Übersetzung des hebr. *Jahwe*), wird 450 × auf Jesus bezogen (145

× im NT auf Gott). Zu dieser Zahl muß man 50 Texte hinzufügen, bei denen es zweifelhaft ist, ob Gott oder Jesus gemeint ist (Apg 8, 22; 1 Kor 3, 5 usw.), und 55 andere Stellen, an denen sich das Wort sowohl auf Gott als auch auf Jesus oder einen menschlichen Herrn beziehen kann (Mt 10, 24–25; 24, 45 usw.). Es finden sich: *Der Herr* (200): 33 × in den Evv (Mt 3, 3; 21, 3; Mk 16, 20; Lk 7, 13; 10, 1.39; 17, 5; Joh 11, 2; 20, 2.18.20.25; 21, 7.12); 23 × in Apg (2, 20.47; 5, 14; 9, 1 u. ö.); 18 × in Röm; 48 × in 1 und 2 Kor; 34 × in Eph-Phil-Kol; 22 × in 1–2 Thess. *Herr!* (87) wird Jesus angeredet, davon 76 × in den Evv (Mt 7, 21–22; 8, 2 . . . Joh 21, 21), 10 × in Apg (1, 6; 7, 60 u. ö.) und Hebr 1, 10. *Mein Herr* (Mt 22, 44; Lk 1, 43; Joh 20, 13.28; Apg 2, 34; Phil 3, 8). *Unser Herr* (1 Tim 1, 14; 2 Tim 1, 8; Hebr 7, 14; 2 Petr 1, 2; 3, 15). *Ihr Herr* (Offb 11, 8). *(Der) Herr Jesus* (31), Lk 24, 3; Apg (13); Offb 22, 20.21. *Unser Herr Jesus* (9): Apg 20, 21; 1 Kor 5, 4; 2 Kor 1, 14; 1 Thess 2, 19; 3, 11.13; 2 Thess 1, 8.12; Hebr 13, 20. *Jesus unser Herr* (Röm 4, 24; 1 Kor 9, 1). *Christus der Herr* (Kol 3, 13.24; 1 Petr 3, 15). *Unser Herr Christus* (Röm 16, 18). *Der Herr Jesus Christus* (22): Apg 11, 17; Röm 1, 7; 13, 14; Eph 1, 2; 6, 23; Jak 1, 1. *Unser Herr Jesus Christus* (40): Apg 15, 26; Röm 5, 1.11 . . . Jud 4, 17.21. *Jesus Christus unser Herr* (6): Röm 1, 4; 5, 21; 7, 25; 1 Kor 1, 2.9; Jud 25. *Christus Jesus unser Herr* (7): Röm 6, 23; 8, 39; 1 Kor 15, 31; 2 Kor 4, 5; 1 Tim 1, 2.12; 2 Tim 1, 2. *Der Christus Jesus unser Herr* (Eph 3, 11). *Christus Jesus, Herr* (2 Kor 4, 5); *Christus Jesus der Herr* (Kol 2, 6); *Christus Jesus mein Herr* (Phil 3, 8).

In etwa 20 Texten wird die „Macht des Herrn" (2 Petr 2, 10), seine Herrschaft, feierlich bekräftigt: in der Auslegung von Ps 110, 1 (Mt 22, 42–45 parr); „er ist der Messias, der Herr" (Lk 2, 11); „Ihr sagt zu mir Meister und Herr" (Joh 13, 13); „Gott hat ihn zum Herrn und Messias gemacht" (Apg 2, 36); „Jesus Christus, dieser ist der Herr aller" (Apg 10, 36); „Jesus ist der Herr" (Röm 10, 9; 1 Kor 12, 3; Phil 2, 11); „Herr über Tote und Lebende" (Röm 14, 9); „alle haben denselben Herrn" (Röm 10, 12); „Und einer ist der Herr" (1 Kor 8, 6; Eph 4, 5); „der Herr der Herrlichkeit" (1 Kor 2, 8; vgl. Jak 2, 1); „der Herr des Friedens" (2 Thess 3, 16); „unser Herr und Retter Jesus Christus" (2 Petr 1, 11; 3, 18; vgl. 2, 20); „Jesus Christus, unserer einziger Herrscher und Herr" (Jud 4; vgl. Joh 13, 13); „der Herr der Herren" (Offb 17, 14; 19, 16).

Retter (16) gr. *soter* (Erlöser, Heiland), ist ein aus dem hellenistischen Herrscherkult bekannter Würdename, der in heidenchristlichen Gemeinden ein Äquivalent für den zum Eigennamen gewordenen Christustitel darstellt (Lk 2, 11; Joh 4, 42; Apg 5, 31; 13, 23; Eph 5, 23; Phil 3, 20; 2 Tim 1, 10; Tit 1, 4; 2, 13; 3, 6; 2 Petr 1, 1.11; 2, 20; 3, 2.18; 1 Joh 4, 14).

In Christus; im Herrn. Das Wort „Christ" begegnet nur 3 × im NT (Apg 11, 26; 26, 28; 1 Petr 4, 16). Dafür wird aber die Beziehung des Gläubigen zu Christus und das spezifisch christliche Verhalten durch verschiedene Formeln ausgedrückt: „zu Christus gehören" oder „zum Herrn gehören" (Mk 9, 41; Röm 14, 8; 1 Kor 1, 12; 3, 23; 2 Kor 10, 7; Gal 3, 29; 5, 34); „den Geist Christi haben" (Röm 8, 9); „Anteil an Christus haben" (Hebr 3, 14); „in Jesus Christus als dem Herrn leben" (vgl. Kol 2, 6); „ein Leben führen, das des Herrn würdig ist" (Kol 1, 10; vgl. Eph 4, 1).

Die häufigsten Ausdrücke aber sind: *In Christus* (30): Röm 12, 5; 16, 7.9.10; 1 Kor 3, 1; 4, 10.15; 15, 18.19; 2 Kor 2, 17; 3, 14; 5, 17.19; 12, 2.19; Gal 1, 22; 2, 17; Eph 1, 3; 4, 32; Phil 1, 13; 2, 1; Kol 1, 2.28; 2, 5; 1 Thess 4, 16; Phlm 8.20; 1 Petr 3, 16; 5, 10.14. *In dem Christus* (5): 1 Kor 15, 22; 2 Kor 2, 14; Eph 1, 10.12.20. *In Jesus Christus:* Gal 3, 14. *In Christus Jesus* (48): Röm 3, 24; 6, 11.23; 8, 1.2.39; 15, 17; 16, 3; 1 Kor 1, 2.4.30; 4, 15.17; 15, 31; 16, 24; Gal 2, 4; 3, 26.28; 5, 6; Eph 1, 1; 2, 6.7.10.13; 3, 6.11.21; Phil 1, 1.26; 2, 5; 3, 3.14; 4, 7.19.21; Kol 1, 4; 1 Thess 2, 14; 5, 18; 1 Tim 1, 14; 3, 13; 2 Tim 1, 1.9.13; 2, 1.10; 3, 12.15; Phlm 23.

Im Herrn (42): Apg 11, 23; Röm 16, 2.8.11–13.22; 1 Kor 4, 17; 7, 22.39; 9, 1–2; 11, 11; 15, 58; 16, 19; 2 Kor 2, 12; Gal 5, 10; Eph 2, 21; 4, 1.17; 5, 8; 6, 1.10.21; Phl 1, 14; 2, 24.29; 3, 1; 4, 1–2.4.10; Kol 3, 18.20; 4, 7.17; 1 Thess 3, 8; 5, 12; 2 Thess 3, 4; Phlm 16.20; Offb 14, 13.

Im Herrn Jesus (4): Röm 14, 14; Eph 1, 15; Phil 2, 19; 1 Thess 4, 1.

Im Herrn Jesus Christus (3): 1 Thess 1, 1; 2 Thess 1, 1; 3, 12.

In ihm (1 Kor 1, 20; Eph 1, 11.13; Phil 3, 9; Kol 1, 16–17 u. ö.).
In den meisten Fällen sind diese Formeln gleichbedeutend mit „Christ“, „christlich“ (vgl. 2 Tim 3, 12), als Christ leben.
Menschensohn (88), von Jesus gebraucht 84 × in den Evv (Mt 31; Mk 14; Lk 26; Joh 14) und Apg 7, 56; Hebr 2, 6; Offb 1, 13; 14, 14.
Im Plural (Menschensöhne oder Adamskinder) hat der im AT sehr häufige, im NT außerordentlich seltene (Mk 3, 28; Eph 3, 5) Ausdruck einfach den Sinn von „Menschen“, „menschliche Wesen“, wobei gelegentlich das Moment der Gebrechlichkeit oder Geschöpflichkeit mitschwingt. Im Singular hat das Wort meist den gleichen Sinn. Es wird 93 × an Ezechiel und 1 × an Daniel (Dan 8, 17) im Zusammenhang mit prophetischen Visionen gerichtet, um den Abstand zwischen Gott und dem menschlichen Seher zu betonen (vgl. Num 23, 19; 1 Sam 15, 29; Ijob 9, 32 u. ö.). In Dan 7, 13 (vgl. 10, 16.18?) ist jedoch mit der geheimnisvollen Gestalt des auf den „Wolken des Himmels“ kommenden „Menschensohns“ offensichtlich ein endzeitlicher Heilsbringer gemeint, sei es um die „Heiligen des Höchsten“ (7, 18.22.27), das jüdische Volk, als menschlich zu charakterisieren (im Unterschied zu den bestialischen Großreichen), oder um auf einen mit himmlischer Macht kommenden Messias hinzuweisen. Jedenfalls „besitzt der Ausdruck eine besondere, weiter reichende Bedeutung: ein Mensch, der menschliches Wesen geheimnisvoll überragt“ (Jer. Bibel, 1264).
In den Evv ist „Menschensohn“ eine häufige Selbstbezeichnung Jesu, die verschiedene Bedeutung haben kann. An manchen Stellen ersetzt sie einfach das „Ich“ (z. B. Mk 8, 27: „Für wen halten mich die Menschen?“ und Mt 16, 13: „Für wen halten die Leute den Menschensohn?“). Dann betont sie die menschliche Ungeborgenheit des irdischen Jesus (Mt 8, 20 par), bis hin zu ihrer Verwendung in den Leidensvorhersagen (Mk 8, 31 // Lk 9, 22; Mk 9, 31 parr; 10, 33 parr; vgl. 9, 9; Joh 3, 14; Mt 12, 40). Andere Stellen wiederum knüpfen an Dan 7 an und sprechen von der Herrlichkeit des zum Gericht kommenden Menschensohns (Mk 8, 38 parr; 13, 26 parr; 14, 62 parr; Mt 19, 28; 25, 31; vgl. Joh 1, 51). Schließlich gibt es einige Texte, die schon dem irdischen Jesus als „Menschensohn“ göttliche Vollmachten zusprechen: die Sündenvergebung (Mk 2, 10 parr; Lk 19, 10; vgl. Joh 5, 27), die Verfügung über den Sabbat (Mk 2, 28 parr). Welche dieser Stellen im Munde Jesu ursprünglich sind, wird wohl immer umstritten bleiben.
Sohn Gottes (122). Die Beziehung zwischen Gott und Jesus wird auf verschiedene Weise ausgedrückt: durch den vollständigen Titel „Sohn Gottes“ (46), mit den Varianten „Sohn des lebendigen Gottes“ (Mt 16, 16), „Sohn des höchsten Gottes“ (Mk 5, 7 // Lk 8, 28), „Sohn des Höchsten“ (Lk 1, 32), „Sohn des Hochgelobten“ (Mk 14, 61); durch sein Äquivalent mit den Possessivpronomen „mein“, „sein“ Sohn (38); durch den absoluten Gebrauch von „der Sohn“ (36): Joh 3, 35; 5, 19–20; 6, 40; 8, 36; 14, 13 u.ö., dem das absolute „der Vater“ (207) entspricht, vor allem in Joh (120): Joh 1, 18; 3, 35; 4, 21–23; 5, 17–45 usw.
In den meisten Fällen hat der Ausdruck „Sohn Gottes“, vor allem wenn er mit dem Christustitel verbunden ist, einen messianischen Sinn und spiegelt die Vollmacht des von Gott gesandten Retters wider (Mt 16, 16; Mt 26, 63 // Mk 14, 61; Röm 1, 4; 2 Kor 1, 19; Gal 2, 20; Eph 4, 13; Hebr 4, 14; 6, 6; 1 Joh 3, 8; 5, 5). Andere Texte gehen von der volkstümlichen Vorstellung eines mit übernatürlichen Kräften begabten Wesens aus und zeichnen demgegenüber das Bild des auch im Leiden gehorsamen Gottessohns (Mt 4, 3.6 par; 27, 40; Mk 15, 39 // Mt 27, 54; Hebr 5, 9).
Der Name (105), davon 2 × absolut gebraucht (Apg 5, 41; 3 Joh 7). Von den Juden wurde das Wort „Name“ für Gott selbst reserviert, um das Aussprechen von „Jahwe“ zu vermeiden. Wenn das NT diese Bezeichnung nun auf Jesus anwendet, so stellt es ihn neben Jahwe. „Jesus“ ist der Name, „der größer ist als alle Namen“ (Phil 2, 9; vgl. Eph 1, 20–21; Hebr 1, 4), ein „neuer“ (Offb 3, 12) Name, „den er allein kennt“ (Offb 19, 12–13.16). Dieser Name ist mit der Autorität und Kraft des auferweckten Jesus erfüllt (Apg 4, 7–12). Es ist der „hohe Name“, der „ausgerufen“ wird (Jak 2, 7) über jene, die „im Namen Jesu“ oder „auf den Namen Jesu“ getauft werden (Mt 28, 19; Apg 2, 38; 8, 16; 10, 48; 19, 5; 22, 16).

c) Andere Titel und Bezeichnungen Jesu
Abbild seines Wesens, Hebr 1, 3.
Abglanz seiner Herrlichkeit, Hebr 1, 3.
Adam (zweiter oder letzter), 1 Kor 15, 45–49; vgl. Röm 5, 14.
Alpha und Omega, der Erste und der Letzte, der Anfang und das Ende, Offb 22, 13; vgl. 3, 14; Kol 1, 18.
Amen, Offb 3, 14; vgl. 2 Kor 1, 19.
Apostel und Hoherpriester, dem unser Bekenntnis gilt, Hebr 3, 1.
Die Auferstehung und das Leben, Joh 11, 25.
Beistand, Paraklet, Joh 14, 16; 1 Joh 2, 1.
Bräutigam, Mk 2, 19 parr; Joh 3, 29; Offb 21, 2.
Brot des Lebens, Joh 6, 35.41.48.51.
(Bruder) unter (Menschen)brüdern, Röm 8, 29; vgl. Mk 3, 33 parr; Hebr 2, 11–12.17.
Bürge eines besseren Bundes, Hebr 7, 22.
Ebenbild Gottes, 2 Kor 4, 4; Kol 1, 15.
Eckstein, Mk 12, 10 parr; Apg 4, 11; 1 Petr 2, 4–7.
Ende des Gesetzes, Röm 10, 4.
Erstgeborener, Hebr 1, 6, von vielen Brüdern, Röm 8, 29, der ganzen Schöpfung Kol 1, 15, der Toten Kol 1, 18; Offb 1, 5.
Fels, 1 Kor 10, 4,
Friede, Eph 2, 14; 2 Thess 3, 16.
Geliebter Sohn, Mk 1, 11 par; 9, 7 parr; Kol 1, 13; Eph 1, 6.
Gerechter, Apg 3, 14; 7, 52; 22, 14; 1 Joh 2, 1; 3, 7; vgl. Mt 27, 19; Lk 23, 47 u. ö.
Gerechtigkeit, 1 Kor 1, 30.
Gott, Joh 1, 1; 5, 18; 20, 28; Röm 9, 5??; vgl. Kol 2, 9; Tit 2, 13; 2 Petr 1, 1–5; 1 Joh 5, 10.
Gottesknecht → Knecht
Haupt des Leibes . . . der Kirche, Kol 1, 18 // Eph 1, 22; Kol 2, 19; aller Mächte und Gewalten, Kol 2, 10; vgl. Eph 1, 10.
Heiliger, Lk 1, 35; Apg 3, 14; 4, 27.30; 1 Joh 2, 20; Offb 3, 7; Heiliger Gottes, Mk 1, 24; Lk 4, 34; Joh 6, 69.
Hirt, Mt 2, 6; 26, 31; Joh 10, 11 f; Hebr 13, 20; 1 Petr 2, 25; 5, 4; Offb 2, 27; 7, 17; 12, 5; 19, 15.
Hoffnung auf Herrlichkeit, Kol 1, 27; vgl. 1 Tim 1, 1.
Hoherpriester, Priester, Hebr 2, 17–10, 21.
„Ich bin", Joh 8, 24.28.58; 13, 19; 18, 5.6.8; vgl. Ex 3, 14.
Immanuel, Mt 1, 23.
Knecht, Mt 12, 18; Apg 3, 13.26; 4, 27.20.
Kommender, Röm 5, 14; vgl. Mt 11, 3; Lk 7, 19; Joh 6, 14; 11, 27.
König Mt 25, 34.40; Lk 19, 38; 23, 2; Joh 18, 37; Apg 17, 7; Offb 17, 14; 19, 16; K. Israels, 3 ×: Mt 27, 42; Joh 1, 49; 12, 13; K. der Juden 18 ×: Mt 2, 2; 27, 11.29.37; Mk 15, 2.9.12.18.26; Lk 23, 3.37 f; Joh 18, 33.39; 19, 3.19.21.
Lamm Gottes Joh 1, 29.36; vgl. Apg 8, 32; 1 Petr 1, 19; Offb (27).
Lehrer (46), Mt 8, 19; 9, 11; Mk 10, 17 parr; 12, 14 parr. Joh 3, 2; 11, 28; 13, 13–14; 20, 16 → Rabbi.
Licht der Welt, Joh 1, 9; 8, 12.
Löwe von Juda, Offb 5, 5.
Mensch, Joh 10, 33; 18, 28; 19, 5; 1 Kor 15, 21.47; 1 Tim 2, 5; vgl. Joh 1, 14; Röm 9, 5; Eph 2, 14; Kol 1, 22; Hebr 5, 7; 10, 20; 1 Petr 4, 1; 1 Joh 4, 2.
Mittler, 1 Tim 2, 5; Hebr 8, 6; 9, 15; 12, 24.
Morgenstern, Offb 2, 28; 22, 16; vgl. 2 Petr 1, 19.
Paschalamm, 1 Kor 5, 7.
Prophet, Mt 21, 11; Lk 7, 16; 13, 33; 24, 19; Joh 4, 19; 9, 17; vgl. Apg 3, 22 f; 7, 37.
Rabbi (12), „Meister", gr. *didaskolos,* Mt 26, 25.49; Mk 9, 5; 11, 21; 14, 45; Joh 1, 38.49; 3, 2; 4, 31; 6, 25; 9, 2; 11, 8 und Rabbuni, Mk 10, 51; Joh 20, 16.
Richter, Apg 10, 42; 2 Tim 4, 1.8; Jak 5, 9; vgl. 2 Kor 5, 10.
Sohn Abrahams, Mt 1, 1.
Sohn Davids → David b).
Sproß Isais, Röm 15, 12, Davids, Offb 5, 5; 22, 16.
Stein des Anstoßes, Röm 9, 32 f; 1 Petr 2, 8.
Tempel, vgl. Mt 26, 61 parr; Joh 2, 19–21; Offb 21, 22.
Der Treue und Wahrhaftige, Offb 19, 11; vgl. 2 Thess 3, 3; Hebr 2, 17; 3, 2; Offb 1, 5; 3, 14.
Tür, Joh 10, 7.9.
Urheber des Lebens, Apg 3, 15, des Glaubens, Hebr 12, 2, des Heils, Hebr 2, 10.
Wahrheit, Weg, Leben, Joh 14, 4–6.
Weinstock, Joh 15, 1.5.
Weisheit Gottes, 1 Kor 1, 24.30; 2, 7–8.
Wort (Logos) Gottes (6), Joh 1, 1, 14; 1 Joh 1, 1; Offb 19, 13.
Zeichen, dem widersprochen wird, Lk 2, 34.
Zeuge, Offb 1, 5; 3, 14; vgl. 1 Tim 6, 13.

3° **Jesus,** mit Beinamen **Justus** (1), Judenchrist, Mitarbeiter des Paulus (Kol 4, 11).
4° **Jesus** (1), Mt 27, 16 → Barabbas.

JETER, „Rest“ (vgl. Abjatar; Hotir, Jitro; Jattir; Jitra; Jitran).
1° **Jeter** (1), ältester Sohn Gideons. Sein Vater befiehlt ihm, die Midianiterkönige Sebach und Zalmunna zu töten, aber der Junge traut sich nicht, denn „er war noch so jung“ (Ri 8, 20).
2° **Jeter** (3) **der Ismaeliter** (1), 1 Kön 2, 5.32; 1 Chr 2, 17.
= **Jitra der Ismaeliter** (1), 2 Sam 17, 25 (Korr, des hebr. *der Israelit*), Vater des → Amasa 1°.
3° **Jeter** (2), Nachkomme des Jerachmeel über Onam und Jada, stirbt ohne Kinder (1 Chr 2, 32).
4° **Jeter** (1), einer der Söhne Esras, von Kaleb hergeleitet (1 Chr 4, 17).
5° **Jeter** (1), 1 Chr 7, 38 → Jitran 2°.

JETERITER (4) aus → Jattir (2 Sam 23, 38; 1 Chr 11, 40).

JETET (2), ein edomitischer Fürst oder Clan (Gen 36, 40 // 1 Chr 1, 51).

JETHRO → Jitro.

JETUR (3), einer der zwölf Söhne Ismaels (Gen 25, 15 // 1 Chr 1, 31), arabischer Stamm im Ostjordanland, mit den Hagaritern verbündet gegen die transjordanischen Stämme Israels (1 Chr 5, 19).
= **Ituräa** (1), Land östlich des Oberlaufs des Jordan, Hauptstadt Chalkis, gehört zur Tetrarchie des Philippus (Lk 3, 1).

JËUËL
1° **Jëuël** (1), Judäer aus der Sippe Serach, wohnt in Jerusalem nach dem Exil (1 Chr 9, 6).
2° **Jëuël** (1), Bruder des → Schama.
3° **Jëuël** → Jëiël 2°; 5°.

JËUSCH (vgl. Joasch 7°–8°).
1° **Jëusch** (4), Fürst oder Sippe in Edom, erster der drei Söhne Esaus und der Oholibama (Gen 36, 5.14.18; vgl. 1 Chr 1, 35).
2° **Jëusch** (1), Benjaminiter der Söhne Jediaëls, Familienhaupt und tapferer Krieger (1 Chr 7, 10).
3° **Jëusch** (1), erster der drei Söhne der Mahalat und des Königs Rehabeam (2 Chr 11, 19).
5° **Jëusch** (2), Levit der Sippe Gerschon, dritter von den vier Söhnen des Schimi (1 Chr 23, 10–11).

JËUZ (1), Benjaminiter, Familienhaupt, in Moab (1 Chr 8, 10).

JEZABEL → Isebel 2°.

JEZER (3), „Werk“, dritter der vier Söhne Naftalis (Gen 46, 24; 1 Chr 7, 13); seine Nachkommen bilden die Sippe der Jezeriter (Num 26, 49).

JIBHAR (3), „Wahl“ (vgl. Mibhar), einer der in Jerusalem geborenen Söhne Davids (2 Sam 5, 15 // 1 Chr 3, 6 // 14, 5).

JIBLEAM (5), alte kananäische Stadt, die lange Zeit unabhängig blieb (Ri 1, 27), zwischen Manasse und Issachar (Jos 17, 11). Bei Jibleam wird der König Ahasja von Juda tödlich verwundet (2 Kön 9, 27). Auch der israelitische König Secharja soll in Jibleam ermordet worden sein (2 Kön 15, 10 gr. luk.). Die Stadt wird den Leviten der Sippe Kehat zugeteilt (Jos 21, 25: Korr. des hebr. *Gat-Rimmon*).
= **Bileam** (1), 1 Chr 6, 55.

JIBNEJA (1), „Jah baut auf“ (vgl. Beneja), **Sohn des Jeroham** (1), benjaminitisches Familienhaupt in Jerusalem (1 Chr 9, 8).

JIBNIJA (1), „Jah baut auf“ (vgl. Benaja), Benjaminiter, Ahnherr des → Meschullam 6°.

JIBSAM (1), Issachariter, einer der Häupter der Großfamilie Tola (1 Chr 7, 2).

JIDALA (1), „Schakal“, Ort in Sebulon (Jos 19, 15).

JIDBASCH (1), „Honig“, unter den Söhnen Hurs, zu Juda gerechnet (1 Chr 4, 3).

JIDDO (1), (vgl. David?), **Sohn des Secharja** (1),

Führer des Halbstammes Manasse in Gilead (1 Chr 27, 21).

JIDLAF (1), (vgl. Dalfon), einer der zwölf Söhne des Abrahamsbruders Nahor, geboren von seiner Frau Milka (Gen 22, 22).

JIFDEJA (1), (vgl. Pedaja), Benjaminiter, einer der elf Söhne Scheschaks, Familienhaupt in Jerusalem (1 Chr 8, 25).

JIFTACH, gr. u. lat. *Jephtha,* „[Gott] öffnet, befreit" (vgl. Petachja).
1° **Jiftach** (30) **der Gileaditer** (3), Ri 11, 1.40; 12, 7. Einer der „großen" Richter und Retter Israels (1 Sam 12, 11; Hebr 11, 32).
Sohn einer Prostituierten, von seinen Brüdern abgelehnt, wird er Bandenführer im Lande Tob (Ri 11, 1–3). Angesichts der ammonitischen Gefahr bitten ihn die Ältesten Gileads, ihr Führer zu sein, was er unter Bedingungen annimmt (11, 4–11). Er führt zunächst erfolglose Verhandlungen mit den Ammonitern (11, 12–28: hier mit den Moabitern verwechselt). Um die Ammoniter im Kampf zu besiegen, legt er ein leichtfertiges Gelübde ab und muß seine Tochter als Opfer darbringen (11, 29–40). Sein Sieg beunruhigt Efraim, das die Vorherrschaft über die anderen Stämme nicht abtreten will. Es kommt zum Krieg zwischen Gilead und Efraim (12, 1–6). Jiftach stirbt, nachdem er sechs Jahre „Israel gerichtet" hat (12, 7).
2° **Jiftach** (1), Stadt in der Schefela (Jos 15, 43).

JIFTACH-EL (Tal des) (2), „Gott öffnet, befreit" (vgl. Jiftach), zwischen dem Gebiet Sebulons und dem Aschers (Jos 19, 14.27).

JIGAL, „Er kauft los".
1° **Jigal Sohn Josefs** (1), Sippenhaupt in Issachar, von Mose als Vertreter seines Stammes entsandt, um Kanaan auszukundschaften (Num 13, 7).
2° **Jigal Sohn Natans aus Zoba** (1), (2 Sam 23, 36).
= **Joël, Bruder Natans** (1), Krieger Davids (1 Chr 11, 38).
3° **Jigal** (1), einer der sechs Söhne Schechanjas, Nachkomme des Königs Jojachin (1 Chr 3, 22).

JIGDALJA (1), „Jah ist groß" (vgl. Gedalja), Vater des → HANAN 4°.

JIMLA (4), (vgl. Millo), Vater des Propheten → MICHA 7°.

JIMNA, hebr. 1°–2°: *Jimnah* (vgl. Meni); 3°: *Jimna*[c].
1° **Jimna** (3), erster Sohn Aschers (Gen 46, 17; 1 Chr 7, 30), dessen Nachkommen die Sippe der **Jimnaiter** bilden (Num 26, 44).
2° **Jimna** (1), Vater des → KORE 2°.
3° **Jimna** (1), aus Ascher, einer der Söhne Helems (1 Chr 7, 35).

JIMRA (1), aus Ascher, einer der elf Söhne Zofachs (1 Chr 7, 36).

JIRIJA (2), „Jahwe sieht" (vgl. Reaja), **Sohn Schelemjas Sohn Hananjas** (1), Offizier der Wache am Benjamintor in Jerusalem. Er verhaftet Jeremia unter der Anschuldigung, zum Feind, zu den Chaldäern, überlaufen zu wollen, und liefert ihn den Behörden aus (Jer 37, 13–14).

JIRMEJA, gr. *Jeremias* (vgl. Jeremia; Rama).
1° **Jirmeja** (1), Vater des Rechabiters → JAASANJA 1°.
2° **Jirmeja** (3), Vater der Königin-Mutter → HAMITAL.
3° **Jirmeja** (1), Manassiter, Sippenhaupt (1 Chr 5, 24).
4° **Jirmeja** (2), ein Benjaminiter (1 Chr 12, 5) und ein Gaditer (1 Chr 12, 11), beide Anhänger Davids vor seiner Königszeit.
5° **Jirmeja** (1), ein anderer Gaditer, der mit David vor seiner Königszeit verbündet war (1 Chr 12, 14).
6° **Jirmeja** (3), Haupt einer priesterlichen Familie, die mit Serubbabel aus dem Exil zurückkehrt (Neh 12, 1); Mitunterzeichner der Gesetzesverpflichtung (Neh 10, 3). Zur Zeit des Hohenpriesters Jojakim ist das Haupt der Familie Jirmeja ein Hananja (Neh 12, 12).
7° **Jirmeja** (1), Priester und Trompetenbläser, Teilnehmer an der Mauerweihe in Jerusalem (Neh 12, 34).

JIRON (1), befestigte Stadt Neftalis (Jos 19, 38). Heute *Jarun* im Libanon.

JIRPEEL (1), (vgl. Rafael), Ort in Benjamin (Jos 18, 27).

JISCHBAAL → Joscheb-Baschebet.

JISCHBACH (1), ein Sohn der Pharaotochter Bitja, Vater des Eschtemoa. Zu Kaleb gerechnet (1 Chr 4, 17 f).

JISCHBAK (2), (vgl. Schobek), einer der sechs Söhne Abrahams und seiner Nebenfrau Ketura, Volk oder Land in Arabien (Gen 25, 2 // 1 Chr 1, 32).

JISCHI, „Mein Heil" (vgl. Jesaja).
1° **Jischi** (2), Nachkomme Jerachmeels über Onam und Sammai, Vater des Scheschan (1 Chr 2, 31).
2° **Jischi** (1), Vater Sohets und Ben-Sohets, zu Kaleb gehörig (1 Chr 4, 20). Identisch mit dem Vorhergehenden?
3° **Jischi (die Söhne des)** (1), Simeoniterfürsten im Gebirge Seïr (1 Chr 4, 42–43).
4° **Jischi** (1), Manassiter, Sippenhaupt (1 Chr 5, 24).

JISCHIJA
1° **Jischija** (1), aus Issachar, einer der fünf militärischen Befehlshaber der Söhne Usis (1 Chr 7, 3–5).
2° **Jischija** (2), Levit des Clans Kehat, zweiter Sohn Usiëls (1 Chr 23, 20). Die **Söhne Jischijas** haben als Haupt Secharja (1 Chr 24, 25).
3° **Jischija** (1), Levit des Clans Kehat, Nachkomme Amrams, Haupt der Söhne Rehabjas (1 Chr 24, 21).
4° **Jischija** (1), Israelit der Söhne Harims, schickt seine ausländische Frau zurück (Esr 10, 31).
5° **Jischija** (1), Korachiter, Anhänger Davids vor seiner Königszeit (1 Chr 12, 7).

JISCHMA (1), Abk. von *Jischmael,* „Gott hört" (vgl. Schemaja), unter den Söhnen Hurs, von Juda hergeleitet (1 Chr 4, 3).

JISCHMAËL (vgl. Ismael).
1° **Jischmaël** (2), Benjaminiter, einer der sechs Söhne Azels, Nachkomme Sauls (1 Chr 8, 38 // 9, 44).
2° **Jischmaël** (1), Vater des → Sebadja 7°.
3° **Jischmaël Sohn Johanans** (1), einer der fünf Führer der Hundertschaften, die in das Komplott gegen Atalja verwickelt sind (1 Chr 23, 1–15).
4° **Jischmaël** (23) **Sohn des Netanja** (14) oder **Netanjahu** (2) **Sohn Elischamas** (2), judäischer Offizier aus davidischem Geschlecht, der nach dem Fall Jerusalems der babylonischen Besetzung Widerstand leistet. Vom Ammoniterkönig Baalis angestiftet, ermordet er in Mizpa den von Nebukadnezzar eingesetzten Statthalter Gedalja (Jer 40, 7–9 // 2 Kön 25, 23–25; Jer 40, 14–16; 41, 1–3). In Mizpa tötet er auch siebzig Menschen aus Schilo und Samarien und wirft ihre Leichname in die große Zisterne. Die in Mizpa gebliebene Bevölkerung läßt er gefangennehmen. Sie werden von judäischen Offizieren befreit, während Jischmael zu den Ammonitern flieht (Jer 41, 6–18).
5° **Jischmaël** (1), Priester, aus den Söhnen Paschhur, verstößt seine ausländische Frau (Esr 10, 22).

JISCHMAJA, „Jah hört" (vgl. Schemaja).
1° **Jischmaja aus Gibeon** (1), Anführer der Dreißig, Anhänger Davids vor seiner Königszeit (1 Chr 12, 4).
2° **Jischmaja Sohn des Obadja** (1), Führer im Stamm Sebulon (1 Chr 27, 19).

JISCHMERAI (1), Abk. von *Schemarja*?, Benjaminiter der Söhne Elpaals, Familienhaupt in Jerusalem (1 Chr 8, 18).

JISCHPA (1), Benjaminiter der Söhne Berias, Familienhaupt in Jerusalem (1 Chr 8, 16).

JISCHPAN (1), Benjaminiter der Söhne Scheschaks, Familienhaupt in Jerusalem (1 Chr 8, 22).

JISCHWA (2), (vgl. Schawe), zweiter der Söhne Aschers nach Gen 46, 17 // 1 Chr 7, 30.

JISCHWI (vgl. Schawe).
1° **Jischwi** (3), dritter der Söhne Aschers nach Gen

46, 17 // 1 Chr 7, 30. Seine Nachkommen bilden die Sippe der **Jischwiter** (Num 26, 44).
2° **Jischwi** (1), 1 Sam 14, 49 (gr. *Ischjo*), Sohn Sauls.

JISIJA (1), (vgl. Jasis), Israelit aus den Söhnen Parosch, schickt seine ausländische Frau zurück (Esr 10, 25).

JISKA (1), Tochter Harans, des Bruders Abrahams, Schwester Lots und der Milka (Gen 11, 29 J).

JISLIA (1), Benjaminiter der Söhne Elpaals, Familienhaupt in Jerusalem (1 Chr 8, 18).

JISMACHJA (1), „Jah erhält" (vgl. Semachja), einer der zehn Leviten, die zur Zeit des Königs Hiskija dem Konanja und Schimi bei Arbeiten im Tempel helfen (2 Chr 31, 13).

JISRACHITER → SERACHITER.

JISRACHJA, „Jah wird sich erheben" oder „strahlen" (vgl. Orient 2°).
1° **Jisrachja** (1), aus Issachar, einer der fünf militärischen Befehlshaber aus den Söhnen Usis (1 Chr 7, 3–5). Identisch mit → SERACHJA 3°.
2° **Jisrachja** (1), Leiter der Sänger bei der Mauerweihe in Jerusalem (Neh 12, 42).

JITLA (1), gr. *Silata,* Ortschaft des Stammes Dan, bei Ajalon (Jos 19, 42).

JITMA der Moabiter (1), Krieger Davids (1 Chr 11, 46).

JITNAN (1), Stadt im Negeb von Juda (Jos 15, 23: neben Hazor; korr. Hazor-Jitlan).

JITRA (1) → JETER 2°.

JITRAN (vgl. Jeter).
1° **Jitran** (2), dritter der vier Söhne Dischons (1 Chr 1, 41 // Gen 36, 26: hebr. *Söhne Dischans*), Sohn Seïrs.
2° **Jitran** (2), Ascheriter aus den Söhnen Zofachs, Vater des Jefunne, Pispa, Ara (1 Chr 7, 37.38: Korr. des hebr. *Jeter*).

JITREAM (2), sechster Sohn Davids, geboren von der Egla in Hebron (2 Sam 3, 5 // 1 Chr 3, 3).

JITRO (10), (vgl. Jeter), **Schwiegervater des Mose** (7), **Priester von Midian** (2), nach der elohistischen Tradition. Dem aus Ägypten geflüchteten Mose gibt Jitro seine Tochter Zippora zur Frau (Ex 2, 16.18.21). (In V. 18 muß *Reguel* sekundär sein.) Mose hütet das Kleinvieh Jitros (3, 1), verläßt Midian, um nach Ägypten zurückzukehren (4, 18). Während des Exodus begegnet der von Zippora begleitete Jitro dem Mose, preist Jahwe, der Israel befreit hat, bringt Opfer dar, gibt Mose nützliche Ratschläge für die Einsetzung von Richtern und kehrt wieder in sein Land zurück (18, 1–27).
Nach J heißt der Schwiegervater des Mose → HOBAB.

JIZHAR (9), „Blitz", „Klarheit", zweiter der vier Söhne des Levisohnes Kehat (Ex 6, 18; Num 3, 19; 1 Chr 5, 28; 6, 3; 23, 12). Seine Söhne (Ex 6, 21; 1 Chr 23, 18; 24, 22) bilden die Sippe der **Jizhariter** (Num 3, 27). Wie die anderen Söhne Kehats sind sie zunächst mit dem Dienst an der Bundeslade betraut, dann werden sie Kultdiener der Priester im Tempel (vgl. 1 Chr 12, 25–32). Außerdem bekleiden die Jizhariter weltliche Ämter wie Schreiber und Richter (1 Chr 26, 23.29).
Vater des → KORACH 4°.

JIZRI (1) → ZERI.

JOAB, „Jah ist Vater" (vgl. Abija).
1° **Joab** (142) **Sohn der Zeruja** (12), Bruder des Abischai und des Asaël, Neffe Davids.
Oberbefehlshaber der Truppen Davids (2 Sam 8, 16 // 20, 23; 1 Chr 8, 15; 27, 34), zeichnet er sich in zahlreichen Schlachten aus: gegen Israel, dessen König damals Eschbaal ist (2 Sam 2, 12–32); bei der Eroberung Jerusalems (1 Chr 11, 6–8); gegen Edom (1 Kön 11, 15 f; Ps 60, 2) und in den beiden Feldzügen gegen die Ammoniter (2 Sam 10, 6–14 // 1 Chr 19, 6–15 und 2 Sam 11, 1–25; 12, 26–29 // 1 Chr 20, 1).

Als Abschalom seinen Halbbruder Amnon getötet hatte und nach Geschur geflohen war, verwandte sich Joab beim König für seine Rückkehr (2 Sam 14). Beim Aufstand Abschaloms befehligte er die dem David treu gebliebenen Truppen, bemächtigte sich Abschaloms und tötete ihn eigenhändig (18, 1–29). Dann machte er dem König Vorwürfe, weil er seinen Schmerz in übertriebener Weise Ausdruck gegeben habe (19, 1–8). Joab fällt in Ungnade, und David ernennt seinen Vetter Amasa zum Oberbefehlshaber (19, 14; vgl. 17, 25). Der Aufstand des Bichrisohnes Scheba gibt ihm Gelegenheit, Amasa zu ermorden – auf die gleiche heimtückische Weise, wie er Abner, den Mörder seines Bruders Asaël, getötet hatte (2 Sam 3, 32–39) –, sich wieder an die Spitze des Heeres zu setzen und über Scheba zu siegen (20, 4–22). Der von David angeordneten Volkszählung scheint Joab ablehnend gegenübergestanden zu sein (2 Sam 24, 2–9 // 1 Chr 21, 2–6; vgl. 27, 23–24). In der Thronfolgefrage stellte er sich auf die Seite Adonijas (1 Kön 1, 7.19.41). Als Salomo König geworden war, ließ er Joab bei dem Altar, zu dem er sich geflüchtet hatte, niedermachen (1 Kön 2, 5.22.27–35; vgl. 11, 21).
Unter den späteren Tempelschätzen werden auch Weihegaben des Joab erwähnt (1 Chr 26, 28).
Sein Sohn → Eliab 5°.
Sein Schildträger → Nachrai.
2° **Joab** (1), Kenasiter, Vater des Ge-Haraschim, des „Tals der Handwerker" (1 Chr 4, 14).
3° **Joab** (3), ein Familienhaupt (oder zwei), aus dem Exil zurückgekehrt (Esr 2, 6 // Neh 7, 11; Esr 8, 9).

JOACH, „Jah ist Bruder" (vgl. Ahi).
1° **Joach (6) Sohn des Asaf** (4), Sprecher des Königs Hiskija. Bei der Belagerung Jerusalems durch die assyrischen Truppen (701) gehört er neben dem Palastvorsteher Eljakim und dem Schreiber Schebna zu der Delegation, die mit dem Großmundschenk des Assyrerkönigs Sanherib verhandelt (2 Kön 18, 18.26.37 // Jes 36, 3.11.22).
2° **Joach Sohn des Joahas** (1), Sprecher des Königs Joschija. Er begleitet den Schreiber Schafan und den Stadtoberst Maaseja zum Hohenpriester Hilkija, um die Bezahlung der Arbeiter zu regeln, die den Tempel wiederherstellen (2 Chr 34, 8 f).
3° **Joach (3) Sohn des Simma** (1), Levit aus dem Clan Gerschon (1 Chr 6, 5–6), nimmt an der Reinigung des Tempels bei der Reform des Hiskija teil (2 Chr 29, 12).
Vater des → Eden 2°.
4° **Joach** (1), Torwächter, dritter der acht Söhne Obed-Edoms (1 Chr 26, 4).

JOADDA (2), hebr. *Jehoʾadda,* Benjaminiter, Nachkomme des Königs Saul, Vater von drei Söhnen und Ahnherr der Söhne Azels (1 Chr 8, 36).
= **Jara** (2), 1 Chr 9, 42.

JOADDAN (2), hebr. *Jehoʾaddan,* aus Jerusalem, Mutter des judäischen Königs Amazja (2 Kön 14, 2 // 2 Chr 25, 1).

JOAHAS, hebr. *Jehoʾahaz, Jo'ahaz,* „Jah ergreift (um zu führen)" (vgl. Ahas).
1° **Joahas (15) Sohn des Jehu** (2), elfter König Israels (814–798) aus der vierten Dynastie. Seine Regierung fällt in eine schwere Zeit: Israel wird von den Königen Arams bedrängt, von Hasaël und später von Ben-Hadad III. Das Heer des Joahas besteht schließlich nur noch aus 50 Reitern, 10 Streitwagen und 10000 Leuten zu Fuß. Er wird in Samaria begraben (2 Kön 10, 35; 13, 1–9.22.25).
Sein Sohn und Nachfolger → Joasch 6°.
2° **Joahas** (6) **Sohn des Joschija** (2) und der Hamital, siebzehnter König von Juda (609). Er wird nach dem tragischen Tod seines Vaters bei Megiddo zum König ausgerufen. Der Pharao Necho setzt ihn drei Monate später ab und verbannt ihn nach Ägypten, wo er stirbt (2 Kön 23, 30–34 // 2 Chr 36, 1–4; vgl. Jer 22, 10–12; Ez 19, 3 f).
= **Schallum** (2) **Sohn des Joschija** (1), Jer 22, 10–11; 1 Chr 3, 15.
Sein Bruder und Nachfolger → Jojakim 1°.
3° **Joahas** (2) → Ahasja 2°.
4° **Joahas** (1), Vater des → Joach 2°.

JOASCH, hebr. 1°–6°: *Joʾasch, Jehoʾasch* „Jah hat gegeben"; 7°–8°: *Joᶜasch* „Jah hilft" (vgl. Jëusch).
1° **Joasch** (9) **von Abiëser** (1), Vater Gideons,

wohnt in Ofra (Ri 6, 11; 8, 32). Den Leuten der Stadt, die von ihm den Kopf seines Sohnes fordern, weil dieser den Baalsaltar zerstört hatte, antwortet er: „Wenn Baal Gott ist, soll er für sich selbst streiten!“ (6, 30–31). → GIDEON 1°.
2° **Joasch** (1), einer der Söhne des Judasohnes Schela (1 Chr 4, 22).
3° **Joasch Sohn des Schemaa aus Gibea** (1), Benjaminiter, Anhänger Davids vor dessen Königszeit (1 Chr 12, 3).
4° **Joasch** (2), „Prinz“, erhält vom israelitischen König Ahab den Befehl, den Propheten Micha, den Sohn des Jimla, ins Gefängnis zu werfen (1 Kön 22, 26f // 2 Chr 18, 25f).
5° **Joasch** (26) **Sohn des Ahasja** (3), 2 Kön 11, 2; 13, 1; 2 Chr 22, 11; vgl. 1 Chr 3, 11 und der Zibja (2 Kön 12, 2), achter König von Juda (835–796). Zeitgenosse der israelitischen Könige Jehu (2 Kön 12, 1), Joahas (13, 1) und Joasch (13, 10). Dem von der Atalja angestifteten Massaker der königlichen Familie entgeht er als einziger, wird von seiner Tante Joscheba im Tempel versteckt und großgezogen (2 Kön 11, 1–3 // 2 Chr 22, 10–12). Im Zuge einer vom Priester Jojada geschürten Verschwörung wird Atalja getötet und Joasch zum König proklamiert: er ist sieben Jahre alt (2 Kön 11, 4–20 // 2 Chr 23). Er ließ den Tempel wiederherstellen (2 Kön 12, 5–17 // 2 Chr 24, 4–6).
Von einem Teil der Überlieferung wird Joasch sehr positiv beurteilt (2 Kön 12, 3). Anders lautet dagegen der Bericht von 2 Chr 24, 17–22: Nach dem Tod Jojadas schüttelt Joasch die klerikale Vormundschaft ab. Den Propheten Secharja, den Sohn des Jojada, der ihm vorwirft, „Jahwe verlassen zu lassen“, läßt er steinigen. Der König Hasaël von Aram bedroht Jerusalem, Joasch kauft sich durch sehr hohe Tributleistungen los (2 Kön 12, 18 f // 2 Chr 24, 23 f). Er stirbt als Opfer einer Verschwörung durch die Hand zweier seiner Offiziere (2 Kön 12, 21f // 2 Chr 24, 25f).
Sein Sohn und Nachfolger → AMAZJA 1°.
6° **Joasch** (25) **Sohn des Joahas** (7) **Sohn des Jehu** (2), (2 Kön 14, 8 // 2 Chr 25, 17), zwölfter König von Israel (798–783), aus der vierten Dynastie. Zeitgenosse der Könige von Juda Joasch (2 Kön 13, 10) und Amazja (14, 1; vgl. 14, 17 // 2 Chr 25, 25). Zwei Kriege, zwei Siege. Zuerst gegen die Aramäer: Joasch nimmt Ben-Hadad III. die israelitischen Städte ab, die seit Hasaël besetzt waren (2 Kön 13, 14–19.22–25). Später gegen Amazja, den König von Juda: Joasch nimmt ihn in Bet-Schemesch gefangen, zerstört einen Teil der Jerusalemer Stadtmauer, plündert die Schätze des Tempels und des königlichen Palastes (2 Kön 13, 12; 14, 8–15 // 2 Chr 25, 17–24). Er wird in Samaria begraben (2 Kön 13, 12; 14, 16).
Sein Sohn und Nachfolger → JEROBEAM 2°.
7° **Joasch** (1), Benjaminiter, einer der neun Söhne Bechers, Krieger und Sippenhaupt (1 Chr 7, 8).
8° **Joasch** (1), verantwortlich für die Ölvorräte unter David (1 Chr 27, 28).

JOATHAM (2) → JOTAM 2°.

JOB (59) → IJOB.

JOBAB
1° **Jobab** (2), letzter der dreizehn Söhne Joktans, Stamm oder Gebiet in SO-Arabien (Gen 10, 29 // 1 Chr 1, 23).
2° **Jobab** (4) **Sohn des Serach aus Bozra** (2), König von Edom, dessen Regierungszeit zwischen die des Bela und die des Huscham fällt (Gen 36, 33–34 // 1 Chr 1, 44–45).
3° **Jobab, König von Merom** (1), ein nordkanaanäischer König, der zur Koalition des Königs von Hazor Jabin gegen Israel gehört (Jos 11, 1).
4° **Jobab** (1), Benjaminiter, Familienhaupt in Moab (1 Chr 8, 9).
5° **Jobab** (1), Benjaminiter aus den Söhnen Elpaals, Familienhaupt in Jerusalem (1 Chr 8, 18).

JOBED (3) → OBED.

JOCHEBED (2), „Jah ist Herrlichkeit“? (vgl. Ikabod), **Tochter Levis** (2), in Ägypten geboren, Frau ihres Neffen Amram, Mutter des Aaron, Mose und der Mirjam (Ex 6, 20; Num 26, 59; vgl. Ex 2, 1–19).

JODA (1), Ahnherr Jesu nach Lk 3, 26.

JOËD (1), „Jah ist Zeuge“ (vgl. Oded; Elad;

Galed), Neh 11, 7. Benjaminiter, Ahnherr des → Sallu 1°.

JOËL, hebr. *Jo'el* „Jah ist Gott" (vgl. Elija).
1° **Joël** (1), Efraimiter, ältester Sohn Samuels, käuflicher Richter in Beerscheba, wie sein Bruder Abija (1 Sam 8, 2–5). Vgl. 6°.
2° **Joël** (1), Simeoniter, Sippenhaupt (1 Chr 4, 35 ff).
3° **Joël** (2), von Ruben hergeleitet, Vater mehrerer Sippen (1 Chr 5, 4–8).
4° **Joël** (1), Gaditer, bewohnt Baschan (1 Chr 5, 12).
5° **Joël** (2) **Sohn des Asarja** (2), Levit des Clans Kehat, zusammen genannt mit → Mahat 1°.
6° **Joël** (2), Levit des Clans Kehat, Sohn Samuels nach dem Chronisten und Vater des Sängers → Heman. Vgl. 1°.
7° **Joël** (1), aus Issachar, einer der fünf militärischen Befehlshaber der Söhne Usis (1 Chr 7, 3–5).
8° **Joël, Bruder des Natan** (1) → Jigal 2°.
9° **Joël** (4), Levit des Clans Gerschon, nimmt unter David an der Übertragung der Bundeslade teil (1 Chr 15, 7.11); einer der drei Häupter der Familie Ladan (23, 8), verantwortlich für die Tempelschätze (26, 22).
10° **Joël Sohn des Pedaja** (1), Führer des westlichen Halbstamms Manasse (1 Chr 27, 20).
11° **Joël** (2), zwei Israeliten, die ihre ausländischen Frauen zurückschicken: der erste aus den Söhnen Banis (Esr 10, 34: Korr. des hebr. *U'el*), der zweite aus den Söhnen Nebo (10, 43).
12° **Joël Sohn des Sichri** (1), Benjaminiter, Aufseher in Jerusalem (Neh 11, 9).
13° **Joël** (2) **Sohn des Petuël** (1), einer der zwölf „Kleinen Propheten" (Joël 1, 1). Von seiner Person weiß man nichts. Vielleicht ein Prophet am Ende der prophetischen Bewegung? Oder ein Kultprophet, der im Tempel liturgische Funktionen ausübte? Jedenfalls ist er durch seine Botschaft vor allem ein Prophet der Geistausgießung (vgl. Apg 2, 16) und der Buße.

JOËLA (1) und **Sebadja, Sohn des Jeroham aus Gedor** (1), zwei benjaminitische Brüder, Anhänger Davids vor seiner Königszeit (1 Chr 12, 8).

JOËSER (1), „Jah ist Hilfe" (vgl. Eser), Korachiter, Anhänger Davids vor seiner Königszeit (1 Chr 12, 7).

JOGBOHA (2), „Höhe" (vgl. Gabata), von den Gaditern erbaute Stadt (Num 32, 35). Nicht weit davon siegt Gideon über die Midianiter Sebach und Zalmunna (Ri 8, 11)). Heute *Adjbeihat* 13 km NW von Amman.

JOGLI (1), Daniter, Vater des → Bukki 1°.

JOHA
1° **Joha** (1), Benjaminiter der Söhne Berias, Familienhaupt in Jerusalem (1 Chr 8, 16).
2° **Joha der Tiziter** (1), Bruder des Schimrisohnes Jediaël, Krieger Davids (1 Chr 11, 45).

JOHANAN, gr. *Joannes,* „Jah hat Gnade erwiesen" (vgl. Hanan; Johanna; Onias).
1° **Johanan** (2), Priester aus der Linie Zadok (1 Chr 5, 35–36).
2° **Johanan** (1), Benjaminiter, Anhänger Davids vor seiner Königszeit (1 Chr 12, 5).
3° **Johanan** (1), Gaditer, Anhänger Davids vor seiner Königszeit (1 Chr 12, 13).
4° **Johanan** (1), Torwächter, Korachiter, sechster Sohn des Meschelemja (1 Chr 26, 3).
5° **Johanan** (1), Judäer, Hauptmann unter Joschafat (2 Chr 17, 15).
6° **Johanan** (1), Vater des → Jischmaël 3°.
7° **Johanan** (1), Vater des → Asarja 14°.
8° **Johanan** (1), ältester Sohn des Joschija (1 Chr 3, 15).
9° **Johanan** (15) **Sohn des Kareach** (14), Anführer der judäischen Offiziere, die sich nach dem Fall Jerusalems mit Gedalja, dem von den Chaldäern eingesetzten Statthalter, verbünden (Jer 40, 7–8 // 2 Kön 25, 23 f). Er warnt Gedalja vor dem Attentat, das gegen ihn vorbereitet wird, und bietet sich an, den Mörder zu beseitigen, aber Gedalja glaubt ihm nicht (Jer 40, 13–16). Als dann Gedalja ermordet wird und auch andere Verbrechen des Jischmael bekannt werden, verfolgt ihn Johanan, kann ihn aber nicht fassen (41, 11–18). Dann geht er mit den anderen Offizieren nach Ägypten, und auch viel Volk sucht dort Zuflucht

vor den befürchteten Repressalien der Chaldäer. Schließlich läßt Johanan selbst den Propheten Jeremia, der sich immer geweigert hatte, das Land zu verlassen, nach Ägypten bringen (Jer 42, 1.8; 43, 1–7).
Bruder des → JONATAN 10°.
10° **Johanan Sohn des Katan** (1), Familienhaupt der Söhne Agads, mit Esra aus dem Exil zurückgekehrt (Esr 8, 12).
11° **Johanan** (1) Sohn des Eljaschib (1), besitzt im Jerusalemer Tempel einen Raum, in dem Esra eine Nacht zum Fasten verbringt (Esr 10, 6).
= ? **Johanan** (4) **Enkel** (hebr. *Sohn*) **des Eljaschib** (1), Hoherpriester (Neh 12, 11.22.23). In V. 11 ist statt des hebr. *Jonatan* wohl *Johanan* zu lesen.
12° **Johanan** (1), Israelit aus den Söhnen Bebais, schickt seine ausländische Frau zurück (Esr 10, 28).
13° **Johanan** (1), Sohn des Ammoniters Tobija, heiratet die Tochter Meschullams, des Sohnes des Berechja (Neh 6, 18).
14° **Johanan** (1), Haupt der priesterlichen Familie Amarja zur Zeit des Hohenpriesters Jojakim (Neh 12, 13).
15° **Johanan** (1), Priester, nimmt neben Nehemia an der Mauerweihe in Jerusalem teil (Neh 12, 42).
16° **Johanan** (1), fünfter von sieben Söhnen des Eljoënais, eines Nachkommens Serubbabels und des Königs Jojachin (1 Chr 3, 24).
= ? **Johanan** (1), ebenfalls Nachkomme Serubbabels, Ahnherr Jesu (Lk 3, 27).
17° **Johanan** (1), 1 Makk 2, 1. Vater des → MATTATIAS 1°.
18° **Johanan** (4), mit dem Beinamen **Gaddi** (1), ältester von den fünf Söhnen des Mattatias (1 Makk 2, 2), Chef des Nachschubs des Makkabäerheeres, wird von dem Araberstamm der Söhne Amrais ermordet und von seinen Brüdern Jonatan und Simon gerächt (1 Makk 9, 35–42). Identisch (?) mit Johanan, einem der beiden jüdischen Gesandten, die zu Lysias geschickt werden (2 Makk 11, 17).
19° **Johanan** (2), aus der priesterlichen Familie von Akkos (1 Makk 8, 17). Dank seiner Bemühungen erlangen die Juden von der seleukidischen Verwaltung gewisse Freiheiten (2 Makk 4, 11). Vater des → EUPOLEMUS.
20° **Johanan = Johannes [Hyrkanus I.]** (8), Sohn des Simon Makkabäus und Bruder des Judas und des Mattatias (1 Makk 16, 2.14). Sein Vater setzt ihn zum Befehlshaber der Truppen in Geser ein (1 Makk 13, 53). Sieg über Kendebäus (1 Makk 16, 1–10). Sein Vater und seine beiden Brüder werden von Ptolemäus, dem Sohn des Abub, ermordet, und er, Johanan, entgeht mit knapper Not einem Attentat, das derselbe Ptolemäus gegen ihn angezettelt hat (16, 13–22). Johanan folgt seinem Vater auf dem Thron (134–104), übt das Amt des Hohenpriesters aus, baut die Mauern Jerusalems wieder auf (16, 23–24).

JOHANNA (2), **Frau des Chuzas, eines Beamten des Herodes** (1), gehört zu einer Gruppe von Frauen, die Jesus und seine Jünger begleiten und sie aus ihrem Vermögen unterstützen (Lk 8, 3). Lukas nennt sie auch unter den Frauen, die am Ostermorgen zum Grab gehen (24, 10).

JOHANNES, „Jah hat Gnade erwiesen".
1° **Johannes** (91) **Sohn des Zacharias** (1), Lk 3, 2, und der Elisabet, genannt **der Täufer** (15).
Sein Wirken wird in der judäischen Wüste lokalisiert (Mt 3, 1), am Jordan (Mt 3, 13; Mk 1, 4; Lk 3, 3), in Betanien (Joh 1, 28; vgl. 10, 40) oder in Änon (Joh 3, 23). Es beginnt „im 15. Jahr der Regierung des Kaisers Tiberius", also wahrscheinlich 27 n. Chr. (Lk 3, 1), und findet mit der Gefangennahme (um 29?) sein Ende (Mt 4, 12 // Mk 1, 14; vgl. Mt 11, 2; Joh 3, 24). Johannes wird auf Befehl des Herodes Antipas enthauptet (Mt 14, 3–12 // Mk 6, 17–29; Lk 3, 19 f; 9, 9), weil er die ungesetzliche Ehe des Herodes mit seiner Nichte und Schwägerin Herodias getadelt hatte.
Die Tätigkeit des Johannes ist gekennzeichnet durch einen Ruf zur Bekehrung, d. h. zu der unbedingten Hinkehr zum Gott des Bundes, und durch eine Taufe, das Zeichen dieser Umkehr; die Taufe wird den Juden als letzte, einmalige Gelegenheit zur Buße angeboten (Mt 3, 1–10 // Mk 1, 2–6 // Lk 3, 1–14; Joh 4, 1; vgl. Apg 19, 3–4). Die Evangelien stellen *eine sehr enge Verbindung zwischen Johannes dem Täufer und Jesus* her, wobei sie aber die radikalen Unterschiede betonen. Schon in der Kindheitsgeschichte stehen sich Jo-

hannes und Jesus im Verhältnis der Parallelität und der Unterordnung gegenüber (Lk 1, 13 bis 25.57–66.76.80). Johannes geht dem Messias voran und kündigt ihn an. Seine Taufe ist eine Wassertaufe, die des Messias wird eine Feuer- und Geisttaufe sein (Mt 3, 11 f // Mk 1, 7 f // Lk 3, 15–18 // Joh 1, 26 f). Johannes tauft Jesus (Mt 3, 13–17 // Mk 1, 9–11 // Lk 3, 21–22), Mt fügt ein Taufgespräch ein, das die Rollen vertauschen möchte. Johannes und seine Jünger fasten, Jesus und seine Jünger fasten nicht (Mt 11, 18 f; vgl. Mt 3, 4; 9, 14). Jesus wird manchmal als auferstandener Johannes betrachtet (Mt 14, 2 // Mk 6, 14 // Lk 9, 7; vgl. Mt 16, 14 // Mk 8, 28 // Lk 9, 19).
Das vierte Evangelium sieht in Johannes vor allem den Zeugen (Joh 1, 6–8; 5, 33–36; 10, 41). Er hat vor den jüdischen Autoritäten (1, 19) und vor Israel (1, 31) bezeugt, daß er nicht der Messias, sondern sein Vorläufer sei (1, 20; 3, 28), daß er den Geist vom Himmel herabsteigen und auf Jesus hat bleiben sehen (1, 33), daß Jesus das Lamm Gottes (1, 29.36), der Sohn Gottes ist (1, 34). Nach diesem Zeugnis verschwindet Johannes nach und nach im vierten Evangelium (3, 25–36): die Jünger (1, 35–40), dann die Menge (3, 26) vgl. 10, 40 f) verlassen ihn, um sich Jesus anzuschließen. „Er muß wachsen, ich aber muß kleiner werden" (3, 30; vgl. 4, 1).
Von Johannes sagt Jesus, er sei mehr als ein Prophet, der größte unter den Menschen, des Alten Bundes, der neue Elija (Mt 11, 7–14 // Lk 7, 24–30; 16, 16; Mt 17, 11–13 // Mk 9, 11–13). Die Täuferfrage „Bist du der, der kommen soll?" (Mt 11, 2–4 // Lk 7, 18–23) gibt Anlaß, dem im Gefängnis Zweifelnden die Gewißheit messianischen Heils zu vermitteln.
Um den Täufer hat sich eine Gemeinde von Anhängern gebildet. Die **Jünger des Johannes** üben das Fasten (Mt 9, 14 // Mk 2, 18; Lk 5, 33); Johannes hat sie beten gelehrt (Lk 11, 1). Sie fragen sich, ob ihr Meister nicht der Messias sei (Lk 3, 15; Joh 1, 19 f; 3, 25–28; Apg 13, 25). Die ersten Jünger Jesu kommen aus dem Kreis der Johannesjünger (Joh 1, 35–40). Andere bildeten noch lange nach dem Tod des Johannes und seiner Bestattung (Mt 14, 12) eine unabhängige Gemeinde (Apg 18, 25; 19, 1–4).

2° **Johannes** (34), **Bruder des Jakobus** (2), **Sohn des Zebedäus** (2), einer der Zwölf.
Oft zusammen genannt mit seinem Bruder
→ Jakobus 1°.
Lukas läßt ihn wiederholt zusammen mit Petrus auftreten. Gemeinsam bereiten beide das letzte Abendmahl vor (Lk 22, 8). Nach Pfingsten heilen sie einen Lahmen am Tempeltor (Apg 3, 1. 3.4.11). Vor dem Hohen Rat, der ihnen verbietet, über Jesus zu reden, erklären sie, nicht verschweigen zu können, was sie gesehen und gehört hätten (Apg 4, 1.13.19 ff). Petrus und Johannes ziehen dann nach Samarien, um die Missionstätigkeit des hellenistischen Judenchristen Philippus abzusegnen (Apg 8, 14–25).
In den Evangelien wird Johannes nur ein einziges Mal allein erwähnt bei der Einleitung eines Jesusworts (Mk 9, 38 // Lk 9, 49). Paulus zählt ihn neben dem Herrenbruder Jakobus und Petrus zu den „Säulen" der Jerusalemer Urgemeinde (Gal 2, 9). Sein späteres Schicksal liegt im Dunkel oder Dämmer der Legende.
Die frühere Identifizierung mit dem **Jünger, den Jesus liebte** (5), jener geheimnisvollen Gestalt des vierten Evangeliums (Joh 13, 23; 19, 26; 21, 7.20), oder dem **anderen Jünger** (6) (Joh 18, 15–16; 20, 2–10) wird kaum mehr aufrechterhalten.
→ Zwölf; Liste S. 383
3° **Johannes** (4), frühchristlicher Prophet und Verfasser der Offenbarung. Wegen seines Glaubens und seiner Predigt auf die Insel Patmos verbannt (Offb 1, 1.4.9; 22, 8).
4° **Johannes** (4), Joh 1, 42; 21, 15–17. Vater des Simon Petrus.
= **Barjona** (1), Mt 16, 17. → Petrus.
5° **Johannes** (1), var. *Jonatan,* Mitglied einer hohenpriesterlichen Familie, anwesend beim Verhör des Petrus und des Johannes vor dem Hohen Rat (Apg 4, 6).
6° **Johannes** (5), Apg 12, 12.25; 13, 5.13; 15, 37
→ Markus.

JOJACHIN (11), hebr. *Jehojachin,* „Jah hat eingesetzt", „befestigt" (vgl. Kenanja; Konanja; Mechona; Nachon; Jachin), neunzehnter König von Juda (598–597), Sohn des Jojakim und der Nehuschta, regiert drei Monate (2 Kön 24, 6.8 // 2

Chr 36, 8 f). Nebukadnezzar belagert Jerusalem, Jojachin ergibt sich. Er wird mit der Königin-Mutter und den anderen Personen des Hofes nach Babylon deportiert (2 Kön 24, 12.15; vgl. Ez 1, 2). Siebenunddreißig Jahre später wird er vom Sohn und Nachfolger Nebukadnezzars begnadigt (2 Kön 25, 27–30 // Jer 52, 31–34).
= **Konias** (3), hebr. *Konja,* **Sohn des Jojakim** (2). Jeremia sagt seine Gefangenschaft voraus (Jer 22, 24.28). Ihm folgt Zidkija (Jer 37, 1).
= **Jechonja** (7), **Sohn des Jojakim** (3), der Verbannte (Jer 24, 1; 27, 20; 28, 4; 29, 2; Est 2, 6). Seine Nachkommenschaft ist verzeichnet 1 Chr 3, 16–24; vgl. Jer 22, 30.
=**Jechonias** (5), **Sohn des Jojakim** (1), Est 1, 1; Bar 1, 3.9. Ahnherr Jesu (Mt 1, 11–12).

JOJADA „Jahwe weiß" (vgl. Jada).
1° **Jojada** (21), Vater des → BENAJA 1°.
Der Chronist macht aus Jojada den Fürsten der Aaroniden (1 Chr 12, 28) und verleiht ihm den Titel eines „Oberhaupts" (1 Chr 27, 5).
2° **Jojada Sohn des Benaja** (1), nach 1 Chr 27, 34 mit Ebjatar Nachfolger Ahitofels als Ratgeber Davids. Identisch (?) mit dem Vorhergehenden.
3° **Jojada** (29), Oberpriester in Jerusalem unter Atalja und Joasch. Seine Heirat mit Joscheba (2 Chr 22, 11) verbindet ihn mit der königlichen Familie. Er ist der Schwiegervater des Joram, der Schwager des Ahasja und der Onkel des Joasch. Er leitet die Verschwörung, die zum Sturz der Atalja und zur Thronbesteigung des jungen Königs Joasch führt (2 Kön 11, 4–16 // 2 Chr 23, 1–15). Leidenschaftlicher Jahwist, vertreibt er im Zuge einer religiösen Reform den Baalskult aus Jerusalem (2 Kön 11, 17–19 // 2 Chr 23, 16–20). Über Joasch, den er im Gesetz unterwiesen hat, übt er eine weitgehende Vormundschaft aus (2 Kön 12, 3.7–10 // 2 Chr 24, 2–14), von der sich der König nach dem Tod Jojadas frei macht (2 Chr 24, 17.22). Jojada stirbt 130 Jahre alt und wird bei den Königen begraben (2 Chr 24, 15).
Vater des → SECHARJA 6°.
4° **Jojada** (1), Priester, Zeitgenosse des Jeremia, Oberaufseher im Tempel, durch Zefanja ersetzt (Jer 29, 26).
5° **Jojada Sohn des Paseach** (1), beteiligt sich am Wiederaufbau des Tors in der Neustadt (Neh 3, 6).
6° **Jojada** (4) **Sohn des Eljaschib** (1), Neh 12, 10–11. Hoherpriester. Zu seiner Zeit werden die Namen der priesterlichen Familienhäupter in den Tempelarchiven aufgeschrieben (Neh 12, 22). Einer seiner Söhne heiratet eine Fremde, die Tochter des Horoniters Sanballat. Nehemia vertreibt ihn aus Jerusalem (Neh 13, 28).

JOJAKIM, gr. *Joachim,* hebr. *Jehojakim, Jojakim,* „Jah stellt aufrecht" (vgl. Jakim).
1° **Jojakim** (38) zweiter **Sohn des Joschija** (11), 1 Chr 3, 15, und der Sebuda (2 Kön 23, 36 // 2 Chr 36, 5), achtzehnter König von Juda (609–598).
= **Eljakim** (2), Name des jungen Prinzen vor seiner Inthronisation. Der Name „Jojakim" wurde ihm vom Pharao Necho gegeben, als er ihn anstelle seines Bruder Joahas zum König einsetzte (2 Kön 23, 34// 2 Chr 36, 4). Von seiner Thronbesteigung an muß Jojakim eine Steuer erheben, um den von den Ägyptern auferlegten schweren Tribut leisten zu können (2 Kön 23, 33.35). In 605–604 wird er Vasall Nebukadnezzars, aber drei Monate später wagt er einen Aufstand. Daraufhin brandschatzen chaldäische, aramäische, moabitische und ammonitische Banden das Land (2 Kön 24, 1–4; vgl. Dan 1, 1). Jojakim stirbt 598 (2 Kön 24, 5–6). Die Regierung Jojakims ist ständig vom Wirken des Propheten Jeremia begleitet gewesen (Jer 1, 3). Mehrere Sprüche sind in diese Epoche datiert (Jer 26, 1; 35, 1), besonders in das 4. Jahr (Jer 25, 1; 36, 1; 45, 1; 46, 2). Im 5. Jahr seiner Herrschaft verbrennt Jojakim die Schriftrolle mit den Reden des Jeremia (Jer 36, 9.16–32). Der Prophet hat harte Worte für den König (Jer 22, 13–19; vgl. 2 Kön 23, 37; 24, 19; 2 Chr 36, 8). Ein anderer Prophet, Urija Sohn des Schemaja, bezahlt eine Unheilsbotschaft, die dem König mißfallen hatte, mit seinem Leben (Jer 26, 21–23).
Sein Sohn und Nachfolger → JOJACHIN.
2° **Jojakim Sohn des Hilkija Sohn des Schallum** (1), Bar 1, 7. Priester, bleibt im halbzerstörten Tempel von Jerusalem zurück. Seine Genealogie ist die der Hohenpriester aus der Zadok-Linie.
3° **Jojakim (4) Sohn des Jeschua Sohn des Jozadak** (1), Hoherpriester nach dem Exil (Neh 12,

10.12.26). Vater des → Jedaja 1°.
4° **Jojakim** (4), Name des jüdischen Hohenpriesters in Jdt 4, 6.8.14; 15, 8.
5° **Jojakim** (6), reicher Jude in Babylon. Sein Haus wird von zahlreichen Glaubensgenossen besucht. Seine Frau Susanna bleibt ihm treu, obwohl man ihr mit dem Tode droht (Dan 13, 1.4.6.28 f 63).

JOJARIB, Jehojarib, „Jah stellt Gerechtigkeit her", gr. *Joarib* (vgl. Jarib).
1° **Jojarib** (3), aus dem Exil mit Serubbabel zurückgekehrter Priester (Neh 12, 6). Zur Zeit des Hohenpriesters Jojakim heißt das Haupt der priesterlichen Familie Jojarib Mattenai (Neh 12, 19). In Neh 11, 10 ist vielleicht anstelle des hebr. *Jojarib* Jojakim zu lesen → Jedaja 1°.
= **Jehojarib** (2), Vorsteher der ersten Priesterklasse (1 Chr 24, 7), wohnt in Jerusalem (1 Chr 9, 10).
= **Joarib** (2), 1 Makk 2, 1; 14, 29 aus der Nachkommenschaft, zu der die Makkabäer gehören → Mattatias 1°; Simeon 5°.
2° **Jojarib** (1), Judäer, Ahnherr des → Maaseja 15°.
3° **Jojarib** (1), Gesandter des Esra bei Iddo (Esr 8, 16).
Textkritisch unsicher.

JOKDEAM (1) → Jorkoam.

JOKIM (1), Abk. von *Jojakim* ?, Nachkomme Judas über Schela (1 Chr 4, 22).

JOKNEAM (3) **am Karmel** (1), alte kanaanäische Stadt, den Ägyptern bekannt. Ihr König steht auf der Liste der von Josua besiegten Könige (Jos 12, 22). Stadt Sebulons (Jos 19, 11), den Leviten des Clans Merari zugeteilt (Jos 21, 34).
= **Jokmeam** (2), Stadt im 5. Distrikt Salomos (1 Kön 4, 12).
In 1 Chr 6, 53 ersetzt *Jokmeam* zu Unrecht das *Kibzajim* (vgl. // Jos 21, 22). Heute *Tell Qeimun,* 12 km in NW von Megiddo.

JOKSCHAN (4), ein Sohn Abrahams und seiner Nebenfrau Ketura, Vater des Scheba und Dedan, arabischer Völkerschaften (Gen 25, 2–3 // 1 Chr 1, 32).

JOKTAN (6), Sohn des Eber, Bruder des Peleg, Vater der südarabischen Stämme, zu denen Hawila, Ofir und Scheba zählen (Gen 10, 25–30 // 1 Chr 1, 19–23).

JOKTEEL, hebr. *Jokte'el.*
1° **Jokteel** (1), Stadt in der Schefela (Jos 15, 38).
2° **Jokteel** (1), 2 Kön 14, 7. Name, den König Amazja von Juda der von ihm eroberten Stadt Sela gibt → Sela.

JONA, gr. *Jonas,* „Taube".
1° **Jona** (30) **Sohn des Amittai** (2) **aus Gat-Hefer** (1), Prophet, kündigt an, daß Jerobeam II. von Israel das Land in seinen alten Grenzen wiederherstellen werde (2 Kön 14, 25).
Um seinen Namen rankt sich die an wunderbaren Geschehnissen reiche und mit Ironie erzählte Geschichte des Jona-Buches, das zu den „Kleinen Propheten" zählt. Der Ruf Gottes, der das Leben will, richtet sich an alle Wesen: an den jüdischen Propheten, der in die Tiefen des Meeres stürzt, wie an jene Heiden von Ninive, die geschworenen Feinde Israels, und an die unzähligen Tiere (Jon 1; 2, 1,11; 3—4; vgl. Tob 14, 4.8 (var.).
Die ungläubigen Hörer des Evangeliums, die von Jesus Wunder verlangen, werden auf das „Zeichen des Jona", wahrscheinlich seine Predigt und seine Auferstehung, verwiesen (Mt 12, 39–41 // Lk 11, 29–32).
2° **Jona** (1) → Barjona.

JONADAB, Jehonadab, „Jah ist großzügig" (vgl. Nadab).
1° **Jonadab** (4) oder **Jehonadab** (1) 2 Sam 13, 5, **Sohn des Schima** (2), Neffe Davids, Vetter und Freund des Amnon, ein sehr kluger Mann. Er gibt Amnon den Rat, sich vor seinem königlichen Vater krank zu stellen, damit der seiner jungen Tochter Tamar erlaubt, ihren in sie verliebten Halbbruder im Zimmer zu bedienen (2 Sam 13, 3–5). Nach der Ermordung Amnons dementiert Jonadab gegenüber David das Gerücht, es seien alle Söhne des Königs ermordet worden (13, 32–35).

2° **Jonadab** (3), Jer 35, 6.10.19 oder **Jehonadab** (7), 2 Kön 10, 15.23; Jer 35, 8.14.16.18 → Rechab 2°.

JONAM (1), Ahnherr Jesu nach Lk 3, 30.

JONATAN, hebr. *Jehonatan, Jonatan,* „Jah hat gegeben" (vgl. Natan), gr. *Jonathan, Jonathas.*
1° **Jonatan Sohn des Gerschom Sohn des Mose** (1), Levit aus Betlehem in Juda (Ri 18, 30). Zunächst Priester an einem Privatheiligtum im Gebirge Efraim (Ri 17, 7–13), begleitet er dann die Daniter auf ihrer Wanderung nach Nordpalästina. Er und seine Söhne werden Priester am Heiligtum von Dan (18, 3–6.15–30).
2° **Jonatan** (96) **Sohn des Saul** (5): 1 Sam 14, 1; 19, 1; 23, 16; 2 Sam 21, 7; 1 Makk 4, 30; vgl. 1 Sam 14, 49; 31, 2. Als das Land von den Philistern besetzt war, ergriff Jonatan die Initiative zum Befreiungskrieg. Er tötet den philistäischen Statthalter (1 Sam 13, 2 f); mit seinem Schildträger greift er einen feindlichen Posten an, es bricht Panik aus und es kommt zum Sieg von Michmas (13, 16.22; 14, 1–23; vgl. 1 Makk 4, 30). Doch Jonatan hat das vor der Schlacht gebotene Fasten verletzt, und sein Vater Saul verlangt eine Bestrafung: nur das Eintreten des Volkes bewahrt Jonatan vor dem Tod (1 Sam 14, 24–30.36–45). Eine tiefe Freundschaft verbindet Jonatan mit David. Der Sohn Sauls gibt David seinen Mantel und seine Waffen, schließt mit ihm einen Pakt (18, 1–4), tritt für David bei seinem Vater ein (19, 1–7) oder, nach einer anderen Tradition, erleichtert David die Flucht (20; 21, 1) und besucht ihn in seinem Versteck in Horscha (23, 16–18).
Als David vom Tod Jonatans in der Schlacht bei Gilboa erfährt (1 Sam 31, 2 // 1 Chr 10, 2; vgl. 2 Sam 4, 4), beweint er den, dessen Freundschaft wunderbarer war als Frauenliebe (2 Sam 1, 4 f. 12.17–27). Aus Treue zu dieser Freundschaft nimmt David den Sohn Jonatans Merib-Baal in seinen Palast auf (2 Sam 9, 1.7; vgl. 4, 4; 21, 7) und überträgt die Gebeine seines Freundes in das Familiengrab (2 Sam 21, 12–14).
Vater des → Merib-Baal 2°.
3° **Jonatan** (6) **Sohn des Abjatar** (2). Dieser Priestersohn dient zusammen mit Ahimaaz, dem Sohn des Priesters Zadok, als Verbindungsmann zu dem auf der Flucht vor Abschalom befindlichen David (2 Sam 15, 27.36). Beide haben sich an der Rogel-Quelle postiert, werden aber von einem Kundschafter Abschaloms entdeckt und verbergen sich in Bahurin, von wo aus sie David warnen wollen (2 Sam 17, 17–21). Jonatan ist es auch, der Adonija mitteilt, daß David Salomo zum Nachfolger gewählt hat (1 Kön 1, 42 f).
4° **Jonatan Sohn des Schima** (2), Neffe Davids, tötet in Gat einen riesigen Philister, der von Rafa abstammt (2 Sam 21, 20 f // 1 Chr 20, 6 f).
5° **Jonatan Sohn des Schamma aus Harar** (1), Krieger Davids (2 Sam 23, 32–33).
= **Jonatan Sohn des Schage aus Harar** (1), 1 Chr 11, 34.
6° **Jonatan Sohn des Usija** (1), verantwortlich für die Vorräte in den Städten, Dörfern und Festungen der Provinz (1 Chr 27, 25).
7° **Jonatan, Onkel des David,** Ratgeber, Schreiber, mit Jehiël beauftragt, die Kinder des Königs zu erziehen (1 Chr 27, 32).
8° **Jonatan** (1), einer der acht Leviten, die mit zwei Priestern und fünf Beamten von Joschafat in die Städte Judas geschickt werden, um die Leute das Gesetz zu lehren (2 Chr 17, 7–9).
9° **Jonatan** (3), Schreiber. Seine Wohnung wird zum Gefängnis umgewandelt, und Jeremia kommt in eine leere Zisterne, wo es ihm sehr schlecht geht (Jer 37, 15.20; 38, 26).
10° **Jonatan Sohn des Kareach** (1), Jer 40, 8. Befehlshaber im jüdäischen Heer bei der Eroberung Jerusalems durch Nebukadnezzar, begleitet von seinem Bruder → Johanan 9°.
11° **Jonatan** (2), Nachkomme Jerachmeels (1 Chr 2, 32–33).
12° **Jonatan** (1), Vater des → Ebed 2°.
13° **Jonatan Sohn des Asaël** (1), widersetzt sich mit anderen dem Verfahren, die Ehen mit fremdländischen Frauen auseinanderzureißen (Esr 10, 15).
14° **Jonatan** (2), Hoherpriester (Neh 12, 11); vermutlich identisch mit → Johanan 11°.
15° **Jonatan** (1), Hoherpriester, der nach 2 Makk 1, 23 sein Amt zur Zeit des Nehemia ausgeübt hat. Vgl. der Vorhergehende.
16° **Jonatan** (1) und **Jehonatan** (1), zwei Häupter

priesterlicher Familien zur Zeit des Hohenpriesters Jojakim, der eine aus der Familie Malluch (Neh 12, 14), der andere aus der Familie Schemaja (12, 18).
17° **Jonatan** (1), Nachkomme Asafs, Vater des → SECHARJA 25°.
18° **Jonatan** (84) oder **Jonates** (1), mit dem Beinamen **Apphus** (1), 1 Makk 2, 5. Seit 160 Führer des jüdischen Volkes und zwischen 152 und 143 Hoherpriester. Er kämpft zunächst an der Seite seines Bruders Judas Makkabäus (vgl. 2 Makk 8, 22), besonders beim Feldzug zur Befreiung der in Gilead gefangenen Juden (1 Makk 5, 17.24.55). Nach dem Tod des Judas (1 Makk 9, 19) stellt sich Jonatan an die Spitze des Widerstands (9, 28–31). Von Bakchides bedroht, zieht er sich in die Wüste Tekoa zurück (9, 32–49), erringt aber dann bei Bet-Basi einen triumphalen Sieg (9, 58–72). Er residiert in Michmas, wo er „als Richter über das Volk zu herrschen" beginnt (9, 73). Von 152 an wetteifern die syrischen Könige um die Gunst Jonatans: Alexander Balas ernennt Jonatan zum Hohenpriester, Demetrius I. macht in einem Brief verlockende Angebote, die Jonatan aber zurückweist (10, 1–47). In Ptolemais trifft Jonatan die beiden Könige Alexander und Ptolemäus Philometor. Er wird zum Feldherrn und Statthalter ernannt (10, 59–66). Bei Aschdod schlägt Jonatan die von Apollonius befehligte Armee des Demetrius II. in die Flucht (10, 67–89; vgl. 11, 4–6).
Nach dem Tod Alexanders und Philometors wird Demetrius II. König. Er bestätigt in einer neuen Charta die Funktionen und Vorrechte Jonatans (11, 20–37). Als im syrischen Antiochia ein Aufstand ausbricht, kommt Jonatan Demetrius zu Hilfe, doch bald darauf wendet sich der König gegen ihn (11, 38–53). Mit Unterstützung des Tryphon vertreibt Antiochus VI. den Demetrius II. und gewährt Jonatan von neuem die Vorrechte, die ihm schon sein Vater Alexander Balas eingeräumt hatte. Er ernennt ihn sogar zum Befehlshaber von Zölesyrien (11, 57–62), wo Jonatan die Generäle des Demetrius II. in die Flucht schlägt (11, 63–74; 12, 24–32). Jonatan schickt Gesandtschaften nach Rom und Sparta (12, 1–23; vgl. 14, 16–18). Im Jahr 143 wird Jonatan in Ptolemais von Tryphon gefangen und einige Zeit darauf hingerichtet (12, 39–53; 13, 12–25; 14, 16). Ihm folgt sein Bruder Simon (13, 8.14).
19° **Jonatan Sohn des Abschalom** (1), Heerführer des Simon Makkabäus. Er besetzt Joppe (Jafo) und vertreibt die heidnische Bevölkerung aus der Stadt (1 Makk 13, 11).
20° **Jonatan** (1) → JOHANNES 5°.

JOPPE, hebr. *Jafo,* daher *Jaffa* „Die Schöne"?, an der Grenze des Stammesgebietes von Dan (Jos 19, 46), dient als Seehafen für Jerusalem (2 Chr 2, 15; Esr 3, 7; Jon 1, 3; 1 Makk 14, 5).
In der Makkabäerzeit kommt Antiochus Epiphanes über Joppe nach Jerusalem (2 Makk 4, 21). Judas steckt den Hafen in Brand als Vergeltung für die grausame Ertränkung von zweihundert Juden (2 Makk 12, 3.7). Joppe kapituliert vor Jonatan (1 Makk 10, 75–76), der sich dort mit dem König Ptolemäus Philometor trifft (11, 6). Simon Makkabäus besetzt die Stadt (1 Makk 12, 33; 13, 11; 14, 5.34), die mit seiner Zustimmung einen Tribut an Antiochus VII. zahlt (15, 28–35).
Der Apostel Petrus kommt von Lydda nach Joppe, wo er das Mädchen Tabita zum Leben erweckt (Apg 9, 36.38.42). Er wohnt beim Gerber Simon in einem Haus am Meer (9, 43; 11, 5). Dort wird er zum Hauptmann Kornelius nach Cäsarea gerufen (10, 5.8.32; 11, 13), wohin ihn einige Christen aus Joppe begleiten (10, 23).
Heute *Jafo* im Südteil von Tel Aviv.

JORA (1), Haupt einer Familie von Israeliten, die mit Serubbabel aus dem Exil zurückkehren (Esr 2, 18 // Neh 7, 24: *Harif*)

JORAI (1), Gaditer, Familienhaupt (1 Chr 5, 13).

JORAM, „Jah ist erhaben" (vgl. Rama).
1° **Joram** (1), 2 Sam 8, 10 → HADORAM 2°.
2° **Joram** (1), Levit aus dem Clan Kehat, Nachkomme des Mose über Elieser; Aufseher über die im Tempelschatz aufbewahrten Weihegaben (1 Chr 26, 25).
3° **Joram** (1), hebr. *Jehoram,* einer der beiden Priester, die mit fünf Beamten und acht Leviten vom König Joschafat in die Städte Judas geschickt werden, um die Leute das Gesetz zu lehren (2 Chr 17, 7–9).

4° **Joram** (26) **Sohn des Ahab** (8), neunter König von Israel (852–841), aus der dritten Dynastie, folgt auf seinen Bruder Ahasja (2 Kön 1, 17). Zeitgenosse der Könige Joschafat von Juda (2 Kön 3, 1), Joram von Juda (8, 16) und Ahasja von Juda (8, 25; 9, 29).
Mit der Unterstützung Joschafats – oder vielmehr Jorams von Juda – und dessen Vasallen, des Königs von Edom, unternimmt er einen Feldzug gegen Mescha, den König von Moab, nicht ohne den Propheten Elischa um Rat zu fragen. Er schlägt die Moabiter, als er aber sieht, wie der Moabiterkönig auf der Mauer von Kir-Heres seinen Sohn opfert, kehrt er entsetzt in sein Land zurück (2 Kön 3, 6–27). Später führt er mit Hilfe des Ahasja von Juda Krieg gegen König Hasaël von Aram. In Ramot-Gilead wird er verwundet, er geht nach Jesreel, um sich heilen zu lassen (2 Kön 8, 28–29 // 2 Chr 22, 5–6). Während seiner Abwesenheit bereitet Jehu in Ramot die Machtergreifung vor, begibt sich dann nach Jesreel, wo er Joram und Ahasja ermordet (2 Kön 9, 14–26 // 2 Chr 22, 6–8; vgl. 1 Kön 21, 29).
Joram wird weit weniger streng als sein Vater Ahab beurteilt (2 Kön 3, 2).
5° **Joram** (22) **Sohn des Joschafat** (2), fünfter König von Juda (848–841), folgt seinem Vater auf dem Thron (1 Kön 22, 51 // 2 Chr 21, 1; vgl. 1 Chr 3, 11). Zeitgenosse des Königs Joram von Israel (2 Kön 1, 17; 8, 16). Mann der Atalja (2 Kön 8, 18 // 2 Chr 21, 6).
Wahrscheinlich ist er es mehr als sein Vater Joschafat, der mit dem Vasallenkönig von Edom den israelitischen König Joram im Kampf gegen Mescha von Moab unterstützt (2 Kön 3, 7–27). Einige Jahre später befreit sich Edom von der Vormundschaft Jorams und findet seine Unabhängigkeit wieder (2 Kön 8, 21 f // 2 Chr 21, 9 f).
Nach 2 Chr 21 hat Joram, der älteste Sohn Joschafats, seine sechs Brüder umgebracht, um seine Herrschaft zu festigen (VV.2–4.13). Er habe auch eine Schrift des Propheten Elija streng verurteilt (VV. 11–15). Schließlich habe er durch die Philister und Araber eine schmerzliche Niederlage hinnehmen müssen und sei ohne die den Königen vorbehaltenen Ehren bestattet worden (VV. 16–20).
Ahnherr Jesu nach Mt 1, 8.
Sein Sohn und Nachfolger → AHASJA 2°.
Seine Tochter → JOSCHEBA.

JORDAN, hebr. *Jarden,* gr. *Jordanes,* „Der Herabsteigende"?
1° **Jordan** (147), der größte Fluß Palästinas. Seine Quellen liegen am Fuß des Hermon, er strömt in starkem Gefälle (vgl. Ijob 40, 23) bis zum See Gennesaret (−210 m), dann erreicht er nach 104 km in zahlreichen Flußwindungen das Tote Meer (− 392 m). Zwischen diesen beiden Meeren und an den Ufern des Flusses herrscht tropische Vegetation (Jer 12, 5), das Dickicht ist von Löwen bewohnt (Jer 49, 19 // 50, 44; Sach 11, 3).
Man findet 13 × den Ausdruck „Jordan bei Jericho" (Num 22, 1; 26, 3.63; 31, 12; 33, 48.50; 34, 15; 35, 1; 36, 15; Jos 13, 32; 16, 1; 20, 8; 1 Chr 6, 63).
Der Jordan markiert die Ostgrenze Kanaans oder des Gelobten Landes (Num 34, 12; Ez 47, 18; vgl. Jos 23, 4), der Stämme Judas (Jos 15,5), Benjamins (18, 12.19–20), Efraims und West-Manasses (16, 7), Issachars (19, 22) und Naftalis (19, 33 f). Umgekehrt stellt er die Westgrenze der Gebiete von Ruben, Gad und Ost-Manasse dar (Num 32, 5.21.29; Dtn 3, 17; Jos 13, 23.27; 22, 25; vgl. Ri 11, 13.22; 2 Sam 24, 5).
Am Jordan gibt es eine Anzahl von Furten, die im Lauf der biblischen Geschichte benutzt wurden: von Jakob (Gen 32, 11), den Moabitern (Ri 3, 28), Gideon und den Midianitern (7, 24; 8, 4), den Ammonitern (10, 9), Efraim und Gilead (12, 5), den Philistern und den Israeliten (1 Sam 13, 7), als David die Aramäer angreift (2 Sam 10, 17), dann vor seinem Sohn Abschalom flieht (2 Sam 17, 22.24; 19, 16–19. 32–42; 20, 2; 1 Kön 2, 8 usw.), von Judas Makkabäus und seinen Brüdern (1 Makk 5, 24.52; 9, 42–48). Der berühmteste Jordanübergang aber bleibt der Israels unter Josua (Jos 1, 2) – und nicht unter der Führung des Mose (Dtn 3, 27; 4, 21–22; 31, 2) – zur Eroberung des Gelobten Landes (Num 35, 10; Dtn 2, 29; 4, 26; 9, 1; 11, 31; 12, 10; 27, 2.4.12; 30, 18; 31, 13; 32, 47; Jos 1, 11; 3—4; 5, 1; 7, 7; 24, 11; Jdt 5, 15). Dieser Übergang ist so bedeutsam, daß er mit dem Durchzug durch das Rote Meer verglichen wird

(Jos 4, 23; vgl. Ps 66, 6; 114, 3.5). An den Ufern des Jordan halten sich zeitweilig auch Elija und Elischa auf (2 Kön 2, 6–7. 13; 6, 2.4), und in den Wassern des Flusses muß sich der Aramäer Naaman waschen, um vom Aussatz rein zu werden (2 Kön 5, 10–14).
Im Jordan tauft Johannes die Menschen, die zu ihm kommen (Mt 3, 5–5 // Mk 1, 5 // Lk 3, 3), und unter ihnen Jesus (Mt 3, 13 // Mk 1, 9 // vgl. Lk 4, 1).
Nebenflüsse → Kerit; Jabbok. Der Jarmuk wird in der Bibel nicht erwähnt.
2° **Die Ebene** oder **der Distrikt** (11) des **Jordan** (4), hebr. *Kikkar,* tiefer Jordangraben (Dtn 34, 3; 2 Sam 18, 23; 1 Kön 7, 46 // 2 Chr 4, 17). In Gen 13, 10–12; 19, 17.25.28–29 bezeichnet das Wort die Verlängerung dieses Grabens bis zum Süden des Toten Meeres.
3° **Ostjordanland** (40), hebr. *Eber ha-Jarden,* gr. *Peran tou Jordanou* (daher *Peräa*), Transjordanien. Östlich des Jordan liegen die alten Königreiche Sihon und Og (Dtn 1, 5; 3, 8; 4, 46–47.49; Jos 2, 10; 9, 10; 12, 1; 24, 8), deren Gebiet die Stämme Ruben, Gad und Ost-Manasse eingenommen haben (Num 32, 19.32; 34, 15; Jos 1, 14–15; 13, 8.27.32; 14, 3; 18, 7; 22, 4; Ri 5, 17; 10, 8; 1 Sam 31, 7; 1 Chr 12, 38; vgl. Jes 8, 23; Mt 4, 15). Unter den Zuhörern Jesu finden sich Leute aus dem Ostjordanland (Mt 4, 25 // Mk 3,8). Vielleicht hat sich auch Jesus selbst in dieses Gebiet begeben (Mt 19,1 // Mk 10, 1; Joh 3, 26; 10, 40).
Jenseits des Jordan → Abel-Mizrajim; Betanien 2°.
Die Steppen von → Moab.
4° **Westjordanland** (11), Cisjordanien. Das westlich des Jordan gelegene, von den amoritischen Königen bewohnte Land (Jos 5, 1; 9, 1; 12, 7) wird zum Land Israel (Dtn 3, 25), zum Land der übrigen zehn Stämme (Num 32, 19; Dtn 3, 20; Jos 22, 7; Ri 7, 25). Vgl. noch 1 Chr 26, 30; Jdt 1, 9.

JORIM (1), Ahnherr Jesu nach Lk 3, 29.

JORKOAM (2), Stadt im Gebirge Juda (Jos 15, 56: Korr. des hebr. *Jokdeam*), kalebitischen Ursprungs (1 Chr 2, 44).

JOSABAD, Jehosabad, „Jah hat vergütet" (vgl. Sabad).
1° **Josabad** (1) → Sabad 4°.
2° **Josabad aus Gedera** (1), Benjaminiter, Anhänger Davids vor seiner Königszeit (1 Chr 12, 5).
3° **Josabad** (2), zwei Manassiterfürsten, Anhänger Davids vor seiner Königszeit (1 Chr 12, 21).
4° **Josabad** (1), einer der zehn Leviten, die zur Zeit des Königs Hiskija dem Konanja und Schimi bei Arbeiten im Tempel halfen (2 Chr 31, 13).
5° **Josabad** (1), einer der sechs Levitenführer unter Joschija (2 Chr 35, 9).
6° **Josabad Sohn des Jeschua** (1), einer der Leviten, die dem Priester Meremot im Jerusalemer Tempel helfen (Esr 8, 33).
7° **Josabad** (1), Priester aus den Söhnen Paschhur, schickt seine fremdländische Frau zurück (Esr 10, 22).
8° **Josabad** (1), Levit, schickt seine fremdländische Frau zurück (Esr 10, 23).
9° **Josabad** (2), Levit, erklärt dem Volk bei der feierlichen Verlesung durch Esra das Gesetz (Neh 8, 7). Verantwortlich für die äußeren Angelegenheiten des Tempels (Neh 11, 16). Ein oder zwei Personen.
10° **Josabad** (2) **Sohn der Moabiterin Schomer** (2), einer der Mörder des Königs Joasch von Juda (2 Kön 12, 22; 2 Chr 24, 26).
→ Sabad 4°.
11° **Josabad** (1), Torwächter, zweiter der acht Söhne Obed-Edoms (1 Chr 26, 4).
12° **Josabad** (1), Benjaminiter, Offizier im Heer des Königs Joschafat von Juda (2 Chr 17, 18).

JOSACHAR (1) → Sabad 4°.

JOSAPHAT → Joschafat.

JOSCHA Sohn des Amazja (1), Simeoniter, Sippenhaupt (1 Chr 4, 34).

JOSCHABAT (2) → Joscheba.

JOSCHAFAT, gr. *Josaphat,* hebr. *Jehoschafat, Joschafat,* „Jah richtet" (vgl. Schefatja).
1° **Joschafat der Mitniter** (1), Krieger Davids (1 Chr 11, 43: aus Meten).

2° **Joschafat** (1), Priester, Trompetenbläser vor der Bundeslade (1 Chr 15, 24).
3° **Joschafat Sohn des Ahilud** (4), Herold unter David und Salomo (2 Sam 8, 16; 20, 24; 1 Kön 4, 3; 1 Chr 8, 15).
4° **Joschafat Sohn des Paruach** (1), Statthalter des 10. Distrikts Salomos, des Distrikts Issachar (1 Kön 4, 17).
5° **Joschafat** (2), 2 Kön 9, 2.14 Vater des Königs → JEHU 2°.
6° **Joschafat** (77) **Sohn des Asa** (1) und der Asuba, Tochter des Schilhi (1 Kön 22, 42 // 2 Chr 20, 31–32), vierter König von Juda (870–848), folgt seinem Bruder auf dem Thron (1 Kön 15, 24; vgl. 1 Chr 3, 10). Zeitgenosse der israelitischen Könige Ahab (1 Kön 22, 41), Ahasja (22, 52) und Joram (2 Kön 3, 1; 8, 16).
Seine Regierungszeit ist geprägt durch Frieden mit Israel (1 Kön 22, 45). Joschafat unterstützt sogar Ahab im Feldzug gegen die Aramäer bei Ramot-Gilead, ein Feldzug, um dessen willen man die Propheten um Rat fragt, besonders den Micha Sohn des Jimla (1 Kön 22, 1–33 // 2 Chr 18, 1–31). Bei der Rückkehr begegnet Joschafat dem Propheten Jehu (2 Chr 19, 1–3). Die Unterstützung des israelitischen Königs Joram in dessen Feldzug gegen den Moabiterkönig Mescha dürfte mehr die Sache seines Sohnes Joram von Juda gewesen zu sein (2 Kön 3, 7–27). Ein Krieg Joschafats gegen die Moabiter und ihre Verbündeten, die Ammoniter und die Mëuniter, wird 2 Chr 20, 1–30 erwähnt. Joschafat nimmt den Bau von Handelsschiffen in Ezjon-Geber wieder auf, doch muß er ihn schließlich einstellen (1 Kön 22, 49–50 // 2 Chr 20, 36f).
Der Chronist lobt vor allem die Festigkeit seiner Herrschaft, seine Sorge um das Gesetz, sein wohlgeordnetes Heer (2 Chr 17), seine Reformen im Rechtswesen (19, 4–11). Joschafat habe Jahwe aus ganzem Herzen gesucht (2 Chr 22, 9; vgl. 1 Kön 22, 43f.47 // 2 Chr 20, 32; 21, 12). Dieses Lob reiht Joschafat unter die drei großen Könige Judas ein neben Hiskija und Joschija.
Ahnherr Jesu nach Mt 1, 8.
Sein Sohn und Nachfolger → JORAM 5°.
7° **Tal Joschafat** (2), Tal mit dem symbolischen Namen „Jahwe richtet", visionär vorgestellter Ort, an dem Jahwe das Gericht über die Völker hält (Joël 4, 2.12). Es wird auch „Tal der Entscheidung" genannt (4, 14), Eine späte Tradition hat es mit dem Kidron-Tal im SO des Jerusalemer Tempelbergs identifiziert.

JOSCHAWJA und Jeribai, Söhne des Elnaam (1), zwei Brüder, Krieger Davids (1 Chr 11, 46).

JOSCHBEKASCHA (2), Söhne Hemans (1 Chr 25, 4), Vorsteher der 17. Sängerklasse (25, 24).

JOSCHEBA (1) = **Joschabat** (2), gr. *Joschabeth* (vgl. Scheba), **Tochter des Königs Joram, Schwester des Ahasja** (2) und nach 2 Chr 22, 11 die Frau des Priester Jojada. Sie rettet ihren Neffen Joasch vor dem von Atalja befohlenen Massaker der königlichen Familie und verbirgt ihn sechs Jahre lang in einem Nebengebäude des Tempels (2 Kön 11, 2–3 // 2 Chr 22, 11–12).

JOSCHEB-BASCHEBET (1), gr. *Jischbaal der Hachmoniter,* Krieger Davids, Führer der Drei (2 Sam 23, 8).
= **Jaschobam Sohn Hachmonis** (1), 1 Chr 11, 11.
= **Jaschobam Sohn Sabdiëls** (1), aus der judäischen Sippe Perez, verantwortlich für den militärischen Dienst des ersten Monats (1 Chr 27, 2).

JOSCHIBJA (1), Vater des → JEHU 5°.

JOSCHIJA, gr. *Josias,* „Jah unterstützt"?
1° **Joschija** (56) **Sohn des Amon** (3) und der Jedida (2 Kön 22, 1), sechzehnter König von Juda (640–609), folgt seinem Vater auf dem Thron (2 Kön 21, 24.26 // 2 Chr 33, 25). Zeitgenosse der Propheten Zefanja (Zef 1, 1), Jeremia (Jer 1, 2; 3, 6; 25, 3; 36, 2) und wahrscheinlich Nahum.
Nach den gottlosen Regierungen seiner Vorgänger zeichnet sich die Herrschaft des Joschija vor allem durch eine tiefgreifende religiöse Reform aus. Der König scheint sich seit 628 mit der Reform befaßt zu haben (2 Chr 34, 3–7). Bei der Restauration und Reinigung des Tempels findet man (622) das Gesetzbuch (vermutlich den gesetzgeberischen Teil des heutigen Deuteronomiums). Das Buch wird dem König vorgelesen, und der

läßt die Prophetin Hulda um Rat fragen (2 Kön 22, 3–20 // 2 Chr 34, 8–28). Die Reformbewegung verstärkt sich daraufhin und greift von Jerusalem und Juda auch auf jenen Teil des Nordreichs über, der infolge der Schwäche des Assyrerreichs zurückerobert worden war: Höhenheiligtümer werden zerstört, die Priester umgebracht; der Gottesbund wird erneuert und ein feierliches Pascha in Jerusalem begangen (2 Kön 23, 1–24 // 2 Chr 34, 29–33; 35, 1–18). Joschija wird bei Megiddo getötet, als er den Pharao Necho am Durchzug zur Unterstützung der Assyrer hindern will (2 Kön 23, 29f // 2 Chr 35, 20–24; vgl. Jer 22, 10). Joschija ist der letzte König von Juda, der nach David, Joschafat und Hiskija das Lob des deuteronomistischen Geschichtsschreibers erhält (2 Kön 22, 2 // 2 Chr 34, 2; 2 Kön 23, 25; vgl. Sir 49, 1–4).
Ahnherr Jesu nach Mt 1, 10–11.
Seine Söhne und Nachfolger → Joahas 2°; Jojakim 1°; Zidkija 4°.
2° **Joschija (1) Sohn des Zefanja** (2), aus Babylon nach Jerusalem zurückgekehrt; zeigt sich besonders großzügig (Sach 6, 10.14).

JOSCHUA von Bet-Schemesch (2), Eigentümer des Feldes, auf dem die Bundeslade bei der Rückkehr aus dem Philisterland Halt macht (1 Sam 6, 14.18).

JOSECH (1), Ahnherr Jesu nach Lk 3, 26.

JOSEDEK (1) → Jozadak.

JOSEF, „Gott möge hinzufügen [noch andere Kinder]“ vgl. Gen 30, 24. (Vgl. Ebjasaf; Eljasaf; Josefja; Asaf.)
1° **Josef** (220) **Sohn Israels** (2), 1 Chr 5, 1; 7, 29.
a) *Der Patriarch.* Josef ist der erste Sohn Jakobs und der Rahel, geboren in Obermesopotamien (Gen 30, 23–25; 33, 2.7; 48, 7). Von seinem Vater bevorzugt, durch Träume, die ihm eine glänzende Zukunft vorhersagen, ausgezeichnet, muß Josef von seiten seiner Brüder Neid und Mißgunst erfahren (Gen 37).
Der nach Ägypten Verkaufte wird zunächst als Sklave und Gefangener tief gedemütigt (Gen 39). Bald aber offenbart er in diesem Land der Weisen und Wahrsager die Überlegenheit der ihm geschenkten Weisheit, indem er die Träume ägyptischer Würdenträger (Gen 40) und dann die des Pharao selber deutet (41, 1–32: die sieben Kühe und die sieben Ähren). Auch im Kampf gegen die Hungersnot zeigt er sich als Meister der Agrarpolitik (41, 46–57; 47, 13–26). Der schlichte Viehhirt steigt zu den höchsten Würden auf: er wird zum ersten Minister ernannt – bei dieser Gelegenheit erhält er den ägyptischen Namen Zofnat-Paneach (41, 15) –, geht Verbindungen mit dem höchsten ägyptischen Adel ein, indem er Asenat, die Tochter Potifars, des Priesters von On, heiratet. Diese schenkt ihm zwei Söhne Manasse und Efraim (41, 37–45.50–52), die später von Jakob adoptiert werden (48, 1–23).
Die Geschichte Josefs ist von der „seiner Brüder“ nicht zu trennen. Vom Hunger getrieben, „kommen sie zu Josef“, wie die Ägypter (41, 55), und werden auf die Probe gestellt (42—44), bevor sich Josef ihnen zu erkennen gibt (45, 1–15). Josef siedelt seine Brüder und seinen Vater im Land Goschen an (45, 9 – 47, 12). Nach dem Tod seines Vaters – in einer den Exodus vorausdeutenden Geste (vgl. 48, 21; 50, 24f) – überführt Josef den Leichnam Jakobs nach dem Land Kanaan (50, 1–14; vgl. 47, 29). Er verzeiht auch seinen Brüdern ihre früheren Schandtaten, und der Erzähler liefert zum Schluß den Schlüssel für diese ganze Geschichte: „Ihr habt Böses gegen mich im Sinn gehabt, Gott aber hatte dabei Gutes im Sinn, um zu erreichen, was heute geschieht: viel Volk am Leben zu erhalten“ (Gen 50, 15–21; vgl. 45, 5–8). Josef stirbt im Alter von 110 Jahren, das nach der ägyptischen Weisheit ideale Alter (50, 22–26). Vgl. noch Ex 1, 6.8; 13, 19; Jos 24, 32; 1 Makk 2, 53; Ps 105, 17; Weish 10, 13f, Sir 49, 15; Apg 7, 9–18; Hebr 11, 22.

b) Josef, die Söhne Josefs, der Stamm Josef, das Haus Josef bezeichnen auch:

– eine Gruppe von Stämmen mit Einschluß besonders von Efraim und Manasse (Num 36, 1–5; Jos 24, 32; 1 Kön 11, 28), aber auch von Benjamin (2 Sam 19, 21);
– das Nordreich (Ps 78, 67; Ez 37, 16.19; Am 5, 6.15; 6, 6; Sach 10, 6; Obd 18);

– ganz Israel (Ps 77, 16; 80, 2; 81, 6).
Josef in den Stammeslisten → S. 376f → EFRAIM 1°; MANASSE 1°.
2° **Josef** (1), aus Issachar, Vater des → JIGAL 1°.
3° **Josef** (2), aus den Söhnen Asafs, Vorsteher der 1. Sängerklasse (1 Chr 25, 2.9).
4° **Josef** (1), Israelit aus den Söhnen Sakkai, verstößt seine fremdländische Frau (Esr 10, 42).
5° **Josef** (1), Haupt der priesterlichen Familie Schebanja zur Zeit des Hohenpriesters Jojakim (Neh 12, 14).
6° **Josef** (1), Simeoniter, Ahnherr Judits (Jdt 8, 1).
7° **Josef** (5) **Sohn des Secharja** (2), Heerführer, in der Abwesenheit der Makkabäer Judas und Simon beauftragt, in Judäa mit Asarja den Frieden zu sichern (1 Makk 5, 18f). Aus Ruhmbegierde ziehen beide gegen Jamnia und werden vernichtend geschlagen (1 Makk 5, 56–62). Vorher hatte er mit Judas Makkabäus am Feldzug gegen Nikanor teilgenommen (2 Makk 8, 22) und mit Zachäus (seinem Vater?) an der Belagerung idumäischer Festungen (2 Makk 10, 19).
8° **Josef** (2), zwei Ahnherren Jesu und seines Vaters Josef nach Lk 3, 24.30.
9° **Josef** (14), Sohn Jakobs nach Mt 1, 16 und Sohn Elis nach Lk 3, 23. Nachkomme Davids (Mt 1, 20; Lk 1, 27; 2, 4), Bräutigam Marias (Mt 1, 16.18–20.24f; Lk 1, 27; 2, 4; vgl. 2, 16), für den Vater Jesu gehalten (Lk 3, 23; 4, 22 // Mt 13, 55; Joh 1, 45; 6, 42), von Beruf Zimmermann (Mt 13, 55; vgl. Mk 6, 3), wohnt in Nararet (Mt 2, 23; Lk 2, 4.39.51). Im Unterschied zu Maria tritt Josef während des öffentlichen Lebens Jesu nicht mehr auf.
10° **Josef** (2), Mt 13, 55; 27, 56.
= **Joset** (oder **Joses** oder **Jose**) (3), Mk 6, 3; 15, 40.47. Sohn Marias, Bruder des Jakobus, des Simon und Juda, „Bruder" Jesu.
11° **Josef** (6) **von Arimathäa** (4), ein reicher Mann, Mitglied des Hohen Rats, Jünger Jesu, erhält von Pilatus den Leichnam Jesu und bestattet ihn in seinem eignen Grab (Mt 27, 57–60 // Mk 15, 43–46 // Lk 23, 50–53 // Joh 19, 38–42).
12° **Josef** genannt **Barsabbas** mit Beinamen **Justus** (1), Bewerber um die Nachfolge des Judas Iskariot neben Matthias, der gewählt wird (Apg 1, 23).
13° **Josef** (1), Apg 4, 36 → BARNABAS.

JOSES (2) → JOSEF 10°.

JOSIFJA (1), „Möge Jah hinzufügen (andere Kinder)" (vgl. Josef), Vater der → SCHELOMIT 4°.

JOSUA, lat. Transkription des hebr. *Jehoschua* oder *Jeschua,* gr. **Jesus** oder **Jason,** „Jah ist großzügig" (vgl. Schua) oder „Jah rettet" (vgl. Jesaja).
1° **Josua** (210) **Sohn des Nun** (27) oder **des Non** (1 Chr 7, 27), Efraimiter.
= **Hoschea Sohn des Nun** (3), Num 13, 8.16; Dtn 32, 44.
Josua, *Diener des Mose* (Ex 24, 13; 33, 11; Num 11, 28; Dtn 1, 38) in der Wüste des Exodus, siegt über die Amalekiter (Ex 17, 9–14), begleitet Mose auf den Sinai (Ex 24, 13 E), nimmt als Repräsentant seines Stammes an der Erkundung Kanaans teil (Num 13, 8) und spricht sich, allein mit Kaleb, für die Besetzung des Landes aus (Num 14, 6; vgl. 14, 30f.38; 26, 65; 32, 12; Dtn 1, 38). Er *folgt Mose* in der Führung der Gemeinde (Num 27, 15–33), die er nach Kanaan hineinbringen soll (Dtn 1, 38; 3, 21.28; 31, 3.7.14.23; 34, 9).
Nach dem Buch Josua (vgl. die unterschiedlichen Aussagen über die Landnahme in Ri 1!) überquert Josua den Jordan (1—3), errichtet einen Gedenkstein in Gilgal (Jos 4) und beschneidet die Israeliten (5, 2–9), erobert Jericho (5, 13 – 6, 27; vgl. 2 Makk 12, 15; 1 Kön 16, 34), dann Ai (7—8), bringt auf dem Berg Ebal ein Opfer dar (8, 30–35), schließt ein Bündnis mit den Gibeonitern (Jos 9), eilt ihnen zu Hilfe, besiegt die fünf amoritischen Könige, erobert die Städte im Süden (Jos 10), und die des Nordens (Jos 11; vgl. 12, 7). Er teilt dann das Land unter die Stämme auf (14, 1.6.13; 15, 13; 17, 4.14–18; 18, 3.8.10; 19, 51) und erhält selbst zum Erbe die Stadt Timnat-Serach im Gebirge Efraim (19, 49f; vgl. 24, 30 // Ri 2, 9). Abschluß seines Wirkens ist die große Versammlung in Sichem, der „Landtag", zu dem alle Stämme zusammenkommen, um den Bund mit Jahwe zu erneuern (Jos 24). Er stirbt im Alter von 110 Jahren (Jos 24, 29 // Ri 2, 8; vgl. Ri 1, 1; 2, 21). Ein Stammbaum Josuas steht 1 Chr 7, 25–27, ein Lobeshymnus auf ihn Sir 46, 1–6 (vgl. 1 Makk 2, 55).
Das NT sieht in Josua vor allem den, der die

Israeliten in das Gelobte Land geführt hat (Apg 7, 45; Hebr 4, 8).
2° **Josua** (1), ein sonst unbekannter Stadtoberster von Jerusalem, nach dem ein Stadttor benannt ist, bei dem sich zur Zeit des Königs Joschija ein Höhenheiligtum befindet (2 Kön 23, 8).

JOTAM „Jah ist vollkommen", gr. *Joatam.*
1° **Jotam** (4), der jüngste **Sohn Jerubbaals/Gideons** (2), entgeht dem Massaker, das Abimelech unter seinen Halbbrüdern angerichtet hat (Ri 9, 5.21). Die berühmte „Fabel des Jotam" ist ein Lehrgedicht, das in scharf ironischer Form die Einrichtung des Königtums als schädlich und unnütz bezeichnet (Ri 9, 7–15; vgl. 9, 57).
2° **Jotam** (18) **Sohn des Usija** (2) 2 Kön 15, 30.32; vgl. 1 Chr 3, 12 und der Jeruscha (2 Kön 15, 33 // 2 Chr 27, 1), elfter König von Juda (740–736). Zeitgenosse des israelitischen Königs Pekach (2 Kön 15, 32) – aber nicht des Königs Hoschea (trotz 2 Kön 15, 30; vgl. 17, 1) – und der Propheten Hosea (Hos 1, 1), Jesaja (Jes 1, 1), Micha (Mich 1, 1).
Mitregent seines vom Aussatz befallenen Vaters, folgt er ihm nach dessen Tod auf dem Thron (2 Kön 15, 5.7 // 2 Chr 26, 21.23). Nach 2 Kön 15, 34–38 hat er das obere Tor des Tempels erbaut und am Ende seiner Regierungszeit den Anfang des syro-efraimitischen Kriegs gegen Juda erlebt. Der Chronist nennt außerdem noch Arbeiten an der Mauer des Ofel, die Gründung von Städten und einen Krieg gegen die Ammoniter. Das Urteil über Jotam stimmt aber darin überein, daß er getan habe, „was dem Herrn gefiel" (2 Kön 15, 34 // 2 Chr 27, 2–9). In der Zeit Jotams hat eine Volkszählung der Gaditer stattgefunden (1 Chr 5, 17).
= **Joatam** (2), Ahnherr Jesu (Mt 1, 9).
Sein Sohn und Nachfolger → Ahas 1°.
3° **Jotam** (1), Kalebiter aus den Söhnen Jahdais (1 Chr 2, 47).

JOTBA (1), „Anmut", „Liebreiz" (vgl. Mehetabel), Heimat der Meschullemet, Mutter des Königs Amon von Juda (2 Kön 21, 19). Etwa 20 km nördlich von Nazaret.

JOTBATA (3), „Anmut", „Liebreiz" (vgl. Mehetabel), Station des Exodus, im Norden des Golfs von Akaba (Num 33, 33–34), ein wasserreiches Gebiet (Dtn 10,7).

JOZADAK (5), gr. *Josedek* „Jah ist gerecht" (vgl. Zadok), Priester (Esr 3, 2.8; 5, 2; 10, 18; Neh 12, 26).
= **Jehozadak** (8), Sohn des Seraja, Nachkomme Aarons über Zadok (Hag 1, 1.12.14; 2, 2.4; Sach 6, 11), nach Babylon verbannt (1 Chr 5, 40–41).
= **Josedek** (1), Sir 49, 12.
Vater des → Jeschua 4°.
Großvater des → Jojakim 3°.

JUBAL (1) klingt an das hebr. *jobel* „Horn", „Trompete" an. Sohn des Lamech und der Ada, Ahnherr aller Zitherspieler und Schalmeienbläser (Gen 4, 21).

JUCHAL Sohn des Schelemja (1), einer der vier Beamten des Königs Zidkija, die während der Belagerung Jerusalems durch die Chaldäer den Propheten Jeremia in eine Zisterne werfen lassen, weil er durch seine Reden die Verteidiger der Stadt demoralisiert habe (Jer 38, 1–6).
= **Jehuchal Sohn des Schelemja** (1) wird einige Zeit vorher von König Zidkija zu Jeremia als Bote geschickt (Jer 37, 3).

JUDA, hebr. *Jehuda,* gr. *Jouda,* abgeleitet von *jadah,* „loben", „preisen" (Gen 29, 35; vgl. 49, 8), vielleicht Abk. von *Jehudᵓel,* „Gott sei gepriesen" (vgl. Judit; Jude; Jehud; Jehudi).
1° **Juda** (877), Sohn Jakobs und der Lea, eponymer Ahnherr des gleichnamigen Stammes.

a) Der Sohn Jakobs und seine Nachkommen

Als vierter Sohn Jakobs und der Lea vorgestellt (Gen 29, 35; vgl. 35, 22–23; 46, 8–12; Ex 1, 1–2), spielt Juda in der jahwistischen Josefsgeschichte eine mäßigende, vermittelnde Rolle, die in der elohistischen Version Ruben zufällt. Er rät seinen Brüdern, die Josef töten wollen, ihn an ismaelitische Händler zu verkaufen, die sich auf dem Weg nach Ägypten befinden (Gen 37, 25–27). Später verwendet er sich in Ägypten bei Josef für Benjamin (44, 18–34). Juda schickt auch seinen Vater Israel zu Josef voraus, damit er vor ihm in Goschen eintreffe (46, 28). Die Geschichte von Juda und der Tamar (Gen 38) ist eine jahwistische Tradition über den Ursprung des Stammes. Juda trennt sich von seinen Brüdern, heiratet eine Kanaaniterin, Batschua, von der er drei Söhne bekommt: Er, Onan und Schela (38, 1–5). Tamar, die Witwe geworden ist und der Onan den Kindersegen versagt, bringt es durch eine List fertig, von ihrem Schwiegervater Juda schwanger zu werden. Sie schenkt ihm das Zwillingspaar Perez und Serach (38, 6–30). So gibt es insgesamt fünf Söhne Judas (1 Chr 2, 3–4; vgl. Gen 46, 12). Die Sippen Judas werden Num 26, 20–22 erwähnt (vgl. Num 1, 26; Jos 7, 17; Ri 17, 7; 1 Sam 23, 23; Mich 5, 1; Mt 2, 6).

b) Der Stamm Juda

„Die Söhne Judas" (50 x: Num 10, 14; Jos 18, 11.14; Ri 1, 8 u. ö.), „das Haus Juda" (40 x: 2 Sam 2, 4.7.10–11; .... Sach 12,4), „die Leute" oder „das Volk von Juda" (37 x: Ri 15, 10; 1 Sam 11, 8; 15, 4; 2 Sam 19, 41; 2 Kön 14, 21 u. ö.), „die Judäer" (13 x: 2 Kön 16, 6; 25, 25; Jer 32, 12 – 52, 30) oder einfach „Juda" (Jos 18, 5; 2 Kön 24, 20; 2 Chr 28, 19) – das ist der volkreichste Stamm Israels (vgl. Num 1, 27; 2, 9; 26, 22). Der Grund liegt wohl darin, daß Juda außer den Simeonitern (vgl. 1 Chr 4, 27) auch fremdstämmige Elemente wie Kanaaniter (Gen 38), Kenasiter, Kalebiter, Jerachmeeliter (1 Chr 2; vgl. Jos 14, 6.14; Ri 1, 9–15) in sich aufgenommen hat. Daher ist Juda der vielschichtigste, der am wenigsten „israelitische" Stamm, was ihn aber nicht hindert, der bedeutendste Stamm in der Geschichte Israels zu sein. In den dreißig Stammeslisten (→ S. 376f) erscheint Juda 11 × an vierter Stelle, entsprechend der Rangordnung seiner „Geburt", 3 x an dritter Stelle, 2 x auf dem zweiten Platz und 11 x auf dem ersten. Bei der Landnahme wird ihm eine führende Rolle zugeschrieben (Ri 1, 2; vgl. 1, 9). Der „Jakobssegen" verkündet die Vorrangstellung Judas unter seinen Brüdern und die ewige Dauer des Königshauses von Juda (Gen 49, 8.10). Auch wird er als einziger Stamm in der Genealogie Jesu genannt: „Jakob zeugte den Juda und dessen Brüder" (Mt 1, 2). Der Stamm Juda scheint aber erst unter David und durch David seine eigentliche Identität gewonnen zu haben (R. de Vaux). Der Judäer David aus Betlehem (1 Sam 16, 1; 20, 6) hat aus den verschiedenen Elementen die Einheit des Stammes begründet (1 Sam 30, 26–31), indem er sich in Hebron niederließ (2 Sam 2, 1–3), der Kalebiterstadt (Jos 14, 13). Juda entspricht im Süden dem beherrschenden Stamm des Nordens, Efraim oder dem Haus Josef. Und Jahwes Wahl richtet sich auf Juda, auf seine Hauptstadt Zion und auf David, den berühmtesten der „Söhne Judas" (Ps 78, 67–70). Jesus, der Sohn Davids, ist „dem Stamm Juda entsprossen" (Hebr 7, 14), der „Löwe aus dem Stamm Juda" (Offb 5, 5; vgl. Gen 49, 9).

Juda in den Stammeslisten → S. 376f.

Stammesangehörige → ACHAN; BEZALEL 1°; NACHSCHON.

c) Das Land Juda

Juda ist wahrscheinlich zunächst ein geographischer Name wie Efraim oder Naftali und von da auf den Stamm übergegangen, der sich in diesem Gebiet angesiedelt hatte. Erst später hat dann dieser Stamm in der Person des Jakobssohnes Juda einen eponymen Ahnherrn gefunden.

Der Stamm Juda und der Stamm Simeon, dessen Erbbesitz aus dem Anteil der Söhne Judas genommen war (Jos 19, 9), besiedeln den ganzen Süden Palästinas, unterhalb der nichtisraelitischen Grenze, die von Geser, den gibeonitischen Städten und Jerusalem gebildet wird. Daraus ergab sich eine gewisse Isolierung Judas gegenüber den Nordstämmen, was in Juda den Unabhängigkeitsgeist nährte (Gen 38, 1; Dtn. 33, 7) und im Norden den Keim zum späteren Schisma legte. Die in Jos 15, 5–11 genau beschriebene Nordgrenze stellt Juda unter der Herrschaft Davids dar. Die anderen Grenzen Judas, im Süden der Bach Ägyptens (Jos 15, 4), im Osten das Tote Meer (15, 5), im Westen das Mittelmeer (15, 12), fallen mit den idealen Grenzen des Gelobten Landes zusammen. Das „Land Juda" (47 x: Dtn 34, 2; Rut 1, 7; 1 Sam 22, 5; 30, 16; 1 Makk 3, 39; Mt 2, 6) oder einfach „Juda" (Ri 15, 9; 1 Sam 23, 3) umfaßt vier Regionen:

– das *Gebirge* (Jos 11, 21; 15, 48; 20, 7; 21, 11; 2 Chr 21, 11; 27, 4; Lk 1, 39.65), das sich im Norden von Betlehem (Höhe Jerusalems 790 m) bis Hebron im Süden (1010 m) erstreckt.
– das *Hügelland,* zwischen dem Gebirge im Osten und der Küstenebene im Westen gelegen, auch „Schefela" genannt.
– die *Wüste* Juda (Ri 1, 16; Ps 63, 1; vgl. 1 Sam 22—24; Mt 3, 1), eine unfruchtbare Gegend östlich der Linie Jerusalem – Hebron.
– der *Negeb* von Juda → NEGEB 1°.
Nach diesen vier Regionen ordnet Jos 15, 21–63 die Städte Judas. Man findet auch 56 x die allgemeine Bezeichnung „die Städte Judas" (2 Kön 23, 8; 2 Chr 10, 17 . . . 39, 14; Ps 69, 36; Jer 1, 15), mehrmals in Jer zusammen mit Jerusalem (Jer 11, 6.12; 17, 26; 44, 6; vgl. Sach 1, 12) und 2 x die „Töchter Judas„ (Ps 48, 12; 97, 8). Die „Stadt im Bergland von Judäa" (Lk 1, 39) wird gern mit Ain-Karim gleichgesetzt.
Hauptstädte → BEERSCHEBA; BETLEHEM 1°; BET-SCHEMESCH 1°; HEBRON 1°; JERUSALEM.

d) Das Königreich Juda

Die Doppelweihe in Hebron macht David, den alle in Israel und in Juda liebten (1 Sam 18, 16), zum König von Juda (2 Sam 2, 4) *und* zum König von Israel (2 Sam 5, 1–5). Die beiden Gruppen, Judäer und Israeliten, erkannten David als ihren König an, blieben aber getrennt, weil die Südstämme und die großen Familien Hebrons ihren unabhängigen Charakter bewahren wollten. Das Königreich Davids ist eine Doppelmonarchie. David herrscht 33 Jahre lang über ganz Israel und über Juda (2 Sam 5, 5), und die unter David und Salomo wenn auch unvollkommen gewahrte nationale Einheit beruht nur auf der Persönlichkeit des Königs. Nach dem Tod Salomos (931) führt der Starrsinn Rehabeams zum Schisma der zehn Nordstämme, aber der Zerfall des „Vereinigten Königreichs" ist die Rückkehr zu der Situation, die seit der Landnahme vorherrschte. Einzig der Stamm Juda bleibt dem Haus David treu (1 Kön 12, 20; vgl. 2 Kön 17, 21) und bewahrt zugleich eine echtere Form der Religion (1 Kön 12, 27; 13, 1–2; 2 Kön 23, 4–20), auch wenn Juda nicht mehr die Gebote Jahwes beachtet (2 Kön 17, 19). Nach einer oft feindseligen Koexistenz von mehr als zwei Jahrhunderten (1 Kön 12 — 2 Kön 17: → ISRAEL d)) überlebt das Königreich Juda 134 Jahre lang den Untergang des Nordreichs (2 Kön 17, 18; 18–25), den Fall Samarias (721). Die markanteste Herrschaft ist die des Joschija (640–609), der eine religiöse Reform in Gang setzte (2 Kön 23, 4–14), die sich sogar auf das alte Nordreich auswirkte (2 Kön 23, 15–20). Unter der Regierung Zidkijas fällt Jerusalem in die Hände Nebukadnezzars (587), und die Bevölkerung Judas wird nach Babylon deportiert (2 Kön 25, 1–21). Über die im Land gebliebene Bevölkerung wird Gedalja zum Statthalter bestellt, der bald von Jischmael ermordet wird (2 Kön 25, 22–26 // Jer 40, 5 – 41, 18). Das Königreich Juda wird so zu einer Provinz des Babylonischen Großreichs.
Die „Könige Judas" werden 21 x insgesamt erwähnt (1 Sam 27, 6; 2 Kön 18, 5; Sir 49, 4; Jer 8, 1; 17, 19; vgl. Jer 22, 30). Es ist auch die Rede vom „königlichen Haus Juda" (2 Chr 22, 10; Jer 21, 11) und (6 x) vom „Palast des Königs von Juda" (Jer 22, 1.6; 27, 18–21; 32, 2; 38, 22; vgl. 33, 4). Zwanzig Könige, alle aus der Dynastie Davids (→ DAVID b), folgen einander auf dem Thron Judas, angefangen vom Schisma bis zum Ende des Reiches im Jahr 587: → ABIJA 2°; AHAS 1°; AHASJA 2°; AMAZJA 1°; AMON 2°; ASA 1°; ATALJA 1°; HISKIJA 1°; JOAHAS 2°; JOASCH 5°; JOJACHIN; JOJAKIM 1°; JORAM 5°; JOSCHAFAT 6°; JOSCHIJA 1°; JOTAM 2°; MANASSE 2°; USIJA 4°; REHABEAM; ZIDKIJA 4°.
Hauptstadt → JERUSALEM.

e) Judäa und die Juden

Nach dem Exil ist das Land Juda, in dem sich die Heimgekehrten, der „Rest Judas" (Jer 40, 15; 42, 15.19; 43, 5; 44, 12.14.28; Zef 2, 7), niederlassen, nur mehr „der Distrikt" oder „die Provinz" Juda (Esr 5, 8; vgl. Neh 1, 3), deren Ortschaften in Neh 3, 1–32 aufgezählt werden. Und überall siedeln Gruppen, die aus den Nachbarvölkern kommen: Edomiter, Ammoniter, Araber.
Im Griechischen heißt diese Provinz *Judäa* (zu ergänzen ist *chora* oder *ge,* vgl. Joh 3, 22), d. h. „judäisches" oder „jüdisches Land", daher *Judäa* (96 x: deutero-kanonische Schriften 52 x – davon

40 in 1 und 2 Makk –; NT 44 x). Man findet auch „Land der Juden" (Apg 10, 39). Das relativ kleine Gebiet von Judäa aber (vgl. 1 Makk 3, 35) breitet sich nach und nach weiter aus, weil die Makkabäer große Eroberungen machen (vgl. 1 Makk 5, 3.8.50 usw.). „Die Söhne" oder „die Leute von Juda" werden seitdem mit Vorliebe „Juden" (375 x) genannt, hebr. *jehudi* (75), davon in Esr-Neh 16 x, Est 53 x, gr. *Joudaios* (300 x), in LXX 106, im NT 194 x. Die beiden Wörter können mit „Judäer" oder „Jude" übersetzt werden. Es finden sich auch: „das jüdische Volk" (7 x: 1 Makk 8, 20.29; 12, 6; 14, 20; 15, 17; 2 Makk 11, 16.34; Apg 12, 11), „die Nation der Juden" (10 x: 1 Makk 8, 23.25.27; 10, 25; 11, 30.33; 12, 3; 13, 36; 15, 2; 2 Makk 10, 8; Apg 10, 22), „die Gemeinde der Juden" (2 Makk 15, 12). Auf das Wort „Jude" *(joudaios)* beziehen sich: „Judaismus" bzw. „Judentum", gr. *joudaismos* (6 x: 2 Makk 2, 21; 8, 1; 14, 38; Gal 1, 13–14); „judäisch" oder „jüdisch", gr. *joudaikos* (3 x: 2 Makk 13, 21; Gal 2, 14; Tit 1, 14); „judaisieren", gr. *joudaizein* (Gal 2, 14: „wie ein Jude leben"; vgl. Est 8, 17; Dan 14, 28; 1 Kor 9, 20).

Am Beginn der christlichen Ära lebte die überwiegende Mehrheit der Juden außerhalb Judäas und sogar außerhalb Palästinas in der Diaspora. Das Wort „Jude" hat vor allem eine rassische und nationale Bedeutung (Est 10, 3; 1 Makk 2, 23; Apg 16, 1.20; 21, 39). Die Juden sprechen das *Judäische* oder *Jüdische* (2 Kön 18, 26; 2 Chr 32, 18; Jes 36, 11.13; Neh 13, 24), nämlich das *Aramäische.* Dagegen sprechen die Diasporajuden griechisch, man nennt sie daher die „Griechen" (Joh 7, 35; vgl. Apg 6, 1). Im Johannesevangelium sind „die Juden" die Repräsentanten der ungläubigen, Jesus feindlich gesinnten Menschheit (Joh 1, 19; 2, 18; 5, 10; 7, 13; 9, 22; 18, 12; 19, 38; 20, 19).

Juda und Israel → ISRAEL e).

Statthalter → NEHEMIA; SERUBBABEL; FESTUS; PILATUS.

„Fürst von Juda" → SCHESCHBAZZAR.

Könige Judäas → ARCHELAUS; HERODES 1°; 3°.

„König der Juden" → JESUS c).

Juden → GRIECHEN; MORDECHAI.

2° **Juda** (1), Esr 3, 9 → HODAWJA 1°.

3° **Juda** (1), Levit, schickt seine fremdländische Frau zurück (Esr 10, 23).

4° **Juda Sohn des Senua** (1), Benjaminiter, zweiter Stadtkommandant von Jerusalem (Neh 11, 9).

5° **Juda** (1), Levit, mit Serubbabel und Jeschua aus dem Exil zurückgekehrt (Neh 12, 8).

6° **Juda** (2), ein Priester (Neh 12, 34) und ein Sohn Asafs (Neh 12, 36): beide nehmen an der Mauerweihe in Jerusalem teil.

JUDAS

1° **Judas** (123), genannt **der Makkabäer** (31), Führer der Juden (166–160).

Dritter Sohn des Mattatias, eines Priesters (1 Makk 2, 4). Mit seinem Vater und seinen Brüdern zieht er sich in die Wüste und ins Gebirge zurück (1 Makk 2, 28; 2 Makk 5, 27), wo er bis zu 6000 Untergrundkämpfer sammelt (2 Makk 8, 1–8.16). Nach dem Tod seines Vaters übernimmt er als erster von seinen fünf Brüdern die Führung im jüdischen Widerstand gegen den Hellenismus (1 Makk 3, 1–2; vgl. 2, 66).

Judas erringt eine Reihe militärischer Erfolge: gegen Apollonius (1 Makk 3, 10–12) und Seron (3, 13–24), gegen Gorgias bei Emmaus (1 Makk 3, 38 bis 4, 27; 11, 1–12), Vergeltungsschläge gegen Joppe und Jamnia (2 Makk 12, 1–9). Dann nimmt er die Reinigung des Tempels und die Weihe des Altars vor (1 Makk 4, 36–61 // 2 Makk 10, 1–8). Es folgen Feldzüge gegen die Idumäer und Ammoniter (1 Makk 5, 1–8 // 2 Makk 10, 14–25), in Gilead und Galiläa, dann in Idumäa und im Philisterland (1 Makk 5, 9–68 // 2 Makk 12, 10–45). Judas belagert die Zitadelle von Jerusalem (1 Makk 6, 18–27), ist bei Modin erfolgreich (2 Makk 13, 9–17), muß aber vor Bet-Zur und Bet-Sacharja die Waffen strecken (1 Makk 6, 28–47). Mit dem syrischen Befehlshaber Nikanor schließt er Freundschaft (2 Makk 14, 18–26). Als Nikanor wieder die Feindseligkeiten aufnimmt, schlägt ihn Judas bei Kafar-Salama (1 Makk 7, 25–32) und bei Adasa, wo er ihn tötet (1 Makk 7, 39–50 // 2 Makk 15, 25–36). Nach dem Bündnis mit den Römern (1 Makk 8, 1.17–20) wird Judas von Bakchides bei Berea geschlagen und getötet (1 Makk 9, 1–18).

Die beiden „Makkabäer-Bücher" – sie verdanken ihren Titel dem Beinamen des berühmtesten Mattatiassohnes – enthalten zahlreiche Loblieder und Lobsprüche auf Judas (1 Makk 3, 3–9.25–26; 2 Makk 15, 30), den „großen“ (1 Makk 5, 63; 2 Makk 12, 42; 14, 18), den „seit seiner Jugend tapferen Krieger“ (1 Makk 2, 66), den „Retter Israels“ (1 Makk 9, 21), dessen übrige Geschichte, die Kriege und Heldentaten nicht aufgezeichnet sind, weil es „zuviel geworden“ wäre sie zu zahlreich waren“ (1 Makk 9, 22; vgl. Joh 20, 30; 21, 25). Er hat sich mit Leib und Seele ganz für seine Mitbürger aufgeopfert (2 Makk 15, 30), war Führer der Hasidäer (2 Makk 14, 6), vom Herrn beschützt (2 Makk 13, 17), er betete oft vor der Schlacht (1 Makk 4, 30–33; 7, 41–42; vgl. 2 Makk 10, 4.16.25.38; 11, 6; 12, 15.36.38–45; 13, 10.12). Sein Vertrauen auf Gott gipfelt in seinen Schlachtrufen: „Mit Gottes Hilfe!“ (2 Makk 8, 23) und „Gottes Sieg“ (13, 15). Begeisternd sind auch die Reden, die er vor der Schlacht an seine Truppen richtet: 1 Makk 3, 18–22.58–60; 4, 8–11.17–18; 5, 32; 9, 8–10; 2 Makk 8, 16–21; 11, 7; 13, 14. Die beiden Feste der Tempelweihe *(Hannukkah)* und der Nikanor-Tag halten zugleich auch das Andenken an Judas Makkabäus wach (1 Makk 4, 59; 7, 49).

2° **Judas Sohn des Halfi** (1), einer der Heerführer des Makkabäers Jonatan (1 Makk 11, 70).

3° **Judas** (3), einer der Söhne des Simon (Makkabäus). Mit seinem Bruder Johannes Hyrkanus unternimmt er eine siegreiche militärische Aktion gegen Kendebäus und wird dabei verwundet (1 Makk 16, 2.9). Er wird mit seinem Vater und seinem Bruder Mattatias von Ptolemäus, dem Sohn des Abub, während einer Inspektionsreise in das Gebiet von Jericho ermordet (1 Makk 16, 13–21).

4° **Judas der Galiläer** (1), Führer der jüdischen Aufständischen gegen die römische Besatzungsmacht, Vorläufer der Zeloten, wandte sich gegen die Besteuerung durch die Römer (Apg 5, 37).

5° **Judas** (22), **der Iskariote** (6) oder **Iskariot** (3), **Sohn des Iskarioten Simon** (3). Als letzter in den Apostelkatalogen genannt (→ ZWÖLF; Liste S. 383) wird Judas durch zwei Zusätze gekennzeichnet:

– *einer der Zwölf* (Mt 26, 14.47; Mk 14, 10.20.43; Lk 22, 47; Joh 6, 71); vgl. „aus der Zahl der Zwölf“ (Lk 22, 3); „einer seiner Jünger“ (Joh 12, 4); „einer von euch“ (Mk 26,61; Joh 6, 70; 13, 21); „wer von ihnen“ (Lk 22, 23); „er wurde zu uns gezählt“ (Apg 1, 17).

– *der Jesus ausliefert, der ihn verraten hat* (Mt 26, 15–16 // Mk 14, 10–11 // Lk 22, 4–6). Die Formel begleitet 9 x den Namen des Judas (Mt 10, 4 // Mk 3, 19 // Lk 6, 16; Mt 26, 25; 27, 3; Joh 6, 71; 12, 4; 18, 2.5), oder sie bezeichnet ihn mehr oder weniger verhüllt (Mt 26, 21–24 // Mk 14, 18–21 // Lk 22, 21–23; Mt 26, 45–46 // Mk 14, 41–42; Joh 6, 64.71). Die Geste des Verrats, um anzuzeigen, wo Jesus sich aufhält (Joh 11, 57), ist das Freundschaftszeichen, der Kuß (Mt 26, 48–49 // Mk 14, 44–45 // Lk 22, 47–48). Als Motiv wird Liebe zum Geld (Mt 26, 14–16; Joh 12, 6; 13, 29) und der Einfluß Satans genannt (Lk 22, 3; Joh 6, 70; 13, 2.27). Vom Tod des Judas erzählen Mt 27, 3–10 und Apg 1, 15–20 auf unterschiedliche Weise.

6° **Judas** (3), Bruder Jesu (Mt 13, 55 // Mk 6, 3), vermutlich identisch mit dem „Bruder des Jakobus“ in Jud 1.

7° **Judas** (3) **Sohn** (oder **Bruder**) **des Jakobus** (2), einer der Zwölf (Lk 6, 16 // Apg 1, 13), entspricht dem *Thaddäus* (var. *Lebbäus*) von Mt 10, 3 // Mk 3, 18. Judas wird noch Joh 14, 22 erwähnt.
→ ZWÖLF; Liste S. 383.

8° **Judas** (1), Judenchrist?, wohnhaft in Damaskus auf der „Geraden Straße“. Bei ihm trifft Saulus nach seiner Bekehrung den Hananias (Apg 9, 11).

9° **Judas** (3), mit Beinamen **Barsabbas** (1), Judenchrist, Prophet, mit Silas von Jerusalem zur Gemeinde von Antiochia in Syrien gesandt (Apg 15, 22.27.32).

JUDÄA (96) → JUDA 1° e).

JUDÄER (13) → JUDA 1° b), e).

JUDIT, hebr. *Jehudit,* „Judäerin“, „Jüdin“ (vgl. Juda).

1° **Judit Tochter des Hetiters Beeri** (1), eine der hetitischen Frauen Esaus (Gen 26, 34).

2° **Judit** (32) **Tochter des Merari** (2), aus dem Stamm Simeons (Jdt 8, 1; vgl. 9, 2.12), junge Witwe, schön, klug, fromm und tatkräftig, deren Eingreifen die kleine jüdische Nation vor der

Bedrohung durch Nebukadnezzar, das Symbol des Bösen, rettet. Sie spricht den Bewohnern der belagerten Stadt Betulia Mut zu, verschafft sich durch List Eingang beim Heerführer Holofernes, schlägt ihm den Kopf ab, bringt dadurch seine Truppen in völlige Verwirrung und erwirbt sich so höchsten Ruhm (15, 9) – eine erbauliche Erzählung mit phantasievollem historischen Hintergrund.

JULIA (1), römische Christin (Röm 16, 15).

JULIUS (2), **Hauptmann der kaiserlichen Kohorte** (1), hat den Auftrag, den gefangenen Paulus von Cäsarea nach Rom zu begleiten (Apg 27, 1). Er ist Paulus wohlwollend gesinnt (27, 3), traut aber den Vorhersagen des Steuermanns mehr (27, 11); als die Soldaten die Gefangenen beim Schiffbruch töten wollen, widersetzt sich ihnen Julius und rettet Paulus (27, 43).

JUNIAS (1), mit Andronikus in der Grußliste des Röm genannt. Beide sind Volksgenossen des Paulus und waren mit ihm zusammen im Gefängnis (Röm 16, 7).

JUPITER (1), lat. Name des Gottes → ZEUS.

JUSCHAB-HESED (1), (vgl. Hesed), einer der fünf Söhne Meschullams, Nachkomme des Königs Jojachin (1 Chr 3, 20).

JUSTUS, „Der Gerechte“ (vgl. Zidkija).
1° **Justus** (1), Beiname des → JOSEF 12°.
2° **Justus** (1), heißt eigentlich *Titius* (var. *Titus*) **Justus** (1), ein „Gottesfürchtiger“, d.h. ein dem Judentum nahestehender Heide. In sein an die Synagoge angrenzendes Haus zieht Paulus, nachdem er mit den Juden in Korinth gebrochen hat (Apg 18, 7).
3° **Justus** (1), Beiname des JESUS 3°.

JUTTA (2), Stadt im Bergland Juda (Jos 15, 55), den Leviten des Clans Kehat zugeteilt (Jos 21, 16). Etwa 9 km südlich von Hebron.

K

KABBON (1), Ort in der Schefela Juda (Jos 15, 40).

KABRI (3) **Sohn des Otniël** (1) und **Karmi Sohn des Malkiël,** zwei Älteste von Betulia, die mit Usija, dem Sohn des Micha, auftreten (Jdt 6, 15; 8, 10; 10, 6).

KABUL (2), „Wie nichts" oder „Sumpf"?, Ort in Ascher, SO von Akko (Jos 19, 27). Die Städte, die Salomo dem Hiram von Tyrus gibt, werden „Land Kabul" genannt 1 Kön 9, 13).

KABZEEL (3), „Gott versammelt" (vgl. Kibzajim), Stadt im Negeb von Juda (Jos 15, 21).
= **Jekabzeel** (1), von den Söhnen Judas nach dem Exil besiedelt (Neh 11, 25). Lage unbekannt. Heimat des → BENAJA 1°.

KADESCH, „Heilig" (vgl. Kedesch).
1° **Kadesch** (15) oder **Kadesch-Barnea** (11), wichtigste Oase im Norden des Sinai, 75 km südlich von Beerscheba, in der Wüste Paran (Num 13, 26) oder Sin (Num 33, 36) oder Kadesch (Ps 29, 8), nördlich des Bachs von Ägypten (vgl. Jdt 1, 9), an der Südgrenze des Gelobten Landes (Num 34, 4; vgl. Jos 10, 41) und Judas (Jos 15, 3).
Aufenthaltsort der Patriarchen (Gen 16, 14; 20, 1). Überaus wichtige Station des Exodus (Dtn 1, 2.19–46; 2, 14; 9, 23; Ri 11, 16–17; Jdt 5, 14). Grab Mirjams (Num 20, 1), Erkundung Kanaans (Num 13, 26; 32, 8; vgl. Jos 14, 6–7), erfolgloser Versuch, in Kanaan einzudringen (Num 14, 39–45), Entsendung von Kundschaftern an den König von Edom (Num 20, 14–21). In Num 33, 36–37 könnte es sich um ein anderes Kadesch handeln, das vielleicht östlich des Golfs von Akaba lag.
= **En-Mischpat** (1), „Gerichtsquelle" (1), von den vier Königen erobert (Gen 14, 7).
= ? **Kadesch** (1), unter den Städten im Negeb von Juda (Jos 15, 23).
Heute *Ein Qudeis* oder *Ein Qudeirat.*
→ MERIBA.
2° **Kadesch, im Land der Hetiter** (1), nach dem gr. 2 Sam 24, 6 (hebr.? *Tachtim-Hodschi* oder ? *in der Schefela auf Hodschi zu*), am Oberlauf des Orontes. Von David in die Listen aufgenommen. Den Ägyptern bekannt.

KADESCH-BARNEA (11), das unbekannte *Barnea* ist vielleicht ein Personenname (Num 32, 8; 34, 4; Dtn 1, 2.19; 21, 4; 9, 23; Jos 10, 41; 14, 6.7; 15, 3; Jdt 5, 14) → KADESCH 1°.

KADMIEL (8), „Gott ist vor mir" (vgl. Orient 1°), Levit, zusammen genannt mit → JESCHUA 5°.

KADMONITER (1), „Die Orientalen" (vgl. Orient 1°), ein präisraelitisches Volk in Palästina, vielleicht im Ostjordanland (Gen 15, 19).

KAFARNAUM (16), hebr. *Kephar Nahum,* „Dorf des Nahum" (vgl. Kefar-Ammoni), **Stadt Galiläas** (1), Lk 4, 31; am NW-Ufer des Sees Gennesaret, 4 km von der Mündung des Jordan. Nach dem Weggang von Nazaret läßt sich Jesus hier nieder (Mt 4, 13; vgl. Joh 2, 12). Es ist „seine Stadt" (Mt 9, 1); man findet ihn „im Haus" (Mk 2, 1; 9, 33) – wahrscheinlich im Haus des Petrus (Mk 1, 29.33) –, in der Synagoge, wo er lehrt (Mk 1, 21 // Lk 4, 31; Joh 6, 59; die Brotrede). Kafarnaum ist der Mittelpunkt seiner ersten Aktivitäten (Lk 4, 23), wo er zahlreiche Heilungswunder wirkt (Mt

8, 5 // Lk 7, 1; Joh 4, 46; Mk 1, 30–34; 2, 1–12 u. ö). Dorthin kehrt er immer wieder von seinen Wanderungen zurück (Mt 17, 24; Joh 6, 17.24). Aber die Stadt hat die Botschaft Jesu nicht begriffen, und sie erwartet ein beklagenswertes Geschick (Mt 11, 23–24 // Lk 10, 15). Heute *Tell Hum*.

KAFAR-SALAMA (1), „Dorf des Friedens" (vgl. Kefar-Ammoni), bei Gibeon. Hier siegt der Makkabäer Judas über Nikanor (1 Makk 7, 31). Heute *Khirbet Selma*.

KAFNATA (1), phonetische Variante des aram. *Kafelta* „die Doppelte", vielleicht Übersetzung des hebr. *hamischne* „die Neustadt" von 2 Kön 22, 14; Zef 1, 10. Neuer Stadtteil von Jerusalem im NW des Tempels (1 Makk 12, 37).

KAFTOR (3), Insel (Jer 47, 4), von der die Philister stammen (Gen 10, 14 // 1 Chr 1, 12; Am 9, 7), die sich an der palästinensischen Küste niederlassen (Dtn 2, 23).
Vermutlich → Kreta oder die Inseln des Ägäischen Meers.

KAFTORITER (3), Gen 10, 14 // 1 Chr 1, 12; Dt 2, 23; Leute von → Kaftor.

KAIM (1), Ort im Bergland Juda (Jos 15, 57).

KAIN, (19) gr. und lat. Form des hebr. *Qayin* „Schmied"; volkstümliche Etymologie in Gen 4, 1: „Ich habe erworben" (vgl. Kenan; Keniter; Tubal-Kajin).
a) Der eponyme Ahnherr der Keniter. Nach der jahwistischen Genealogie ist Kain der erstgeborene Sohn Adams und Evas und der Bruder Abels (Gen 4). Als Ackerbauer ist er eifersüchtig auf seinen Bruder, den Hirten, und tötet ihn (4, 1–16; Hebr 11, 4). Er ist der Typus des Bösen, des „Ungerechten" (Weish 10, 3), der Mörder des „Unschuldigen" (Mt 23, 35; 1 Joh 3, 12; Jud 11). Nachkommenschaft des Kain (Gen 4, 17–24 J).
= **Kenan** (6), Sohn des Enosch und Vater des Mahalalel (Gen 5, 9–14; 1 Chr 1, 2 P).
= **Kenan** oder **Kainam** (1), Ahnherr Jesu (Lk 3, 36).
b) Der Stamm des Kajin oder die Keniter. Nomaden – Brüder der Rechabiter (1 Chr 2, 55) –, mit den Midianitern verwandt (vgl. Ri 1, 16; Num 10, 29), mit den Amalekitern verbündet (1 Sam 15, 6), danach mit Israel (1 Sam 30, 29), aus ihren Weideplätzen verdrängt (Num 24, 21–22): man findet sie in der Ebene Jesreel (Ri 4, 11), vor allem aber leben sie im Negeb von Juda (Gen 15, 19; 1 Sam 27, 10: *Negeb der Keniter*).
Keniter → Heber 2°; Hobab.
Identisch (?) mit den → Kenasitern.

KAIPHAS (9) → Kajaphas.

KAISER (29), gr. *Kaisar,* lat. *Caesar,* zunächst Beiname der gens Julia, mit dem Julius Caesar (100–44 v. Chr.) geschmückt wird, dann Titel des regierenden römischen Herrschers. Das NT gebraucht das Wort nur im letzteren Sinn (Mt 22, 17–21 // Mk 12, 14–17 // Lk 20, 22–25; 23, 2; Joh 19, 12.15; Apg 17, 7). In Apg 25, 8.10–12.21; 26, 32; 27, 24; 28, 19 ist der regierende Kaiser Nero (54–68).
Kaiser → Augustus 1°; Tiberius.
Anderer römischer Herrscher → Klaudius 1°.

KAJAPHAS (9), lat. *Kaiphas,* Schwiegersohn des Hannas (Joh 18, 13), Hohenpriester (von 18 bis 36) und Vorsitzender des Hohen Rats, des Gerichts, von dem Jesus verurteilt wurde (Mt 26, 3.57–58; Joh 18, 13–14.24.28) und vor dem sich die Apostel Petrus und Johannes verantworten mußten (Apg 4, 6). Nach Joh 11, 49; 18, 14 soll er den Rat gegeben haben, Jesus um der öffentlichen Ruhe und Ordnung willen zu beseitigen. Unter seinem Pontifikat beginnt Johannes der Täufer seine Predigttätigkeit (Lk 3, 2).

KAJIN → Kain.

KALEB (39), „Hund" (vgl. Kelub), **Sohn des Jefunne** (16), genannt **der Kenasiter** (3), Num 32, 12; Jos 14, 6.14; Bruder des Kenas (Jos 15, 17 // Ri 1, 13; 3, 9; vgl. 1 Chr 4, 15), d. h. ein Nichtisraelit. Kaleb wird gleichwohl als einer der zwölf Kundschafter vorgestellt, die Mose von Kadesch ins Gelobte Land aussendet. Bei dieser Gelegenheit

repräsentiert er sogar den Stamm Juda (Num 13, 6), desgleichen bei der Teilung des Landes (Num 34, 19). Mit Josua wendet er sich gegen die allgemeine Mutlosigkeit, die das Volk vor der Landnahme erfaßt hat (Num 13, 30; 14, 6). Er zieht auch mit Josua in Kanaan ein (Num 14, 24.30.38; 26,65; Dtn 1, 36) und nimmt die Gegend von Hebron in Besitz (Jos 14, 6–14; 15, 13–19 // Ri 1, 10–15.20; Jos 21, 12; 1 Chr 6, 41; 1 Makk 2, 56), wo sich im Süden der *Negeb Kalebs* befindet (1 Sam 30, 14). Eine Lobrede auf Kaleb bringt Sir 46, 7–9.
Die Stammbäume in 1 Chr zeigen, daß die Sippe Kaleb in den Stamm Juda eingefügt wurde. Kaleb gilt hier als Sohn des Hezron, eines Enkels Judas (1 Chr 2, 18; vgl. 2, 24). Seine Nachkommenschaft ist 1 Chr 2, 18–24.42–50 aufgeführt.
Kelubai (1) 1 Chr 2, 9: Sohn des Hezron.
= **Kelub** (1), 1 Chr 4, 11; vgl. VV. 11–20.
Sein Bruder → JERACHMEËL 1°.
Seine Frauen und Nebenfrauen → ASUBA 1°; EFA 2°; EFRATA 1°; MAACHA 2°.
Seine Tochter → ACHSA.

KALEBITER (1), 1 Sam 25, 3; aus der Sippe Kaleb → NABAL.

KALKOL (2), Sohn des Mahol, wird mit Heman, Darda und dem Esrachiter Etan zu den bekanntesten Weisen Kanaans gezählt (1 Kön 5, 11). Mit ihnen gehört er auch zu den fünf Söhnen Serachs, eines Sohnes Judas (1 Chr 2, 6).

KALLAI (1), Priester, Haupt der priesterlichen Familie Sallai zur Zeit des Hohenpriesters Jojakim (Neh 12, 20).

KALLISTHENES (1), vermutlich ein zum Hellenismus neigender Jude, wurde von Judas Makkabäus bei lebendigem Leibe verbrannt (2 Makk 8, 33).

KALNE
1° **Kalne** (1), blühende Stadt in Syrien (Am 6, 2).
= **Kalno** (1), wie Karkemisch und Hamat von Tiglat-Pileser III., dem Assyrerkönig, eingenommen (Jes 10, 9). Etwa 25 km im NO von Aleppo.
2° **Kalne** (1), unbekannte Stadt in Babylon (Gen 10, 10). Wahrscheinlich ist zu lesen hebr. *kullanah* „alle (Städte)“.

KALOI LIMENES (1), „Guthafen“ o. ä., nahe bei der Stadt Lasäa, an der Südküste von Kreta. Paulus kommt hier auf seiner Romreise vorbei (Apg 27, 8).

KAMON (1), in Gilead, Begräbnisort des Richters Jaïr (Ri 10, 5). Auf halbem Weg zwischen dem See Gennesaret und Ramot-Gilead.

KAMOS (8) → KEMOSCH.

KAMUEL → KEMUËL.

KANA, hebr, *Qanah,* „Schilfrohr“.
1° **Kana** (2), Bach zwischen Efraim und Manasse (Jos 16, 8; 17, 9).
2° **Kana** (1), Ort in Ascher (Jos 19, 28). Im SO von Tyrus.
3° **Kana in Galiläa** (4), Ort 14 km im NO von Nazaret; heute *Khirbet Qana* (und nicht *Kafr Kanna*).
Jesus verwandelt hier auf einer Hochzeit Wasser in Wein (Joh 2, 1–11); in Kana begegnet er auch dem königlichen Beamten, dessen Sohn er heilt (Joh 4, 46–54).
Heimat des → NATANAEL 2°.

KANAAN (105), hebr. *Kena'an* „Purpur(land)“ (vgl. Kenaana), Gebiet des palästinensisch-phönizischen Küstenstreifens, alter Name des Gelobten Landes, das zum Land → ISRAEL c) geworden ist. Der Jahwist leitet Kanaan von Cham ab, der sowohl als Vater Kanaans wie auch als Vater Ägyptens (Mizrajims) gilt, das dieses Gebiet beherrscht (Gen 9, 22–27). Das Land Kanaan erstreckt sich vom Süden Phöniziens (dessen Name auch „Purpur“ bedeutet), d. h. von Tyrus und Sidon (Jes 23, 1.11–12; vgl. Mt 15, 21–22 // Mk 7, 26) bis zum Negeb (vgl. Gen 10, 19; 2 Sam 24, 7).

a) Die alten Bewohner des Heiligen Landes (vgl. Weish 12, 3). Die kanaanäischen Völker sind genannt in Gen 10, 15–18 // 1 Chr 1, 13–16. In

dieser Liste von zwölf Eigennamen gibt es sieben (Kanaan, Het, Jebusiter, Amoriter, Girgaschiter, Hiwiter und Perisiter), die oft in wechselnder Ordnung zusammen genannt werden, um die vorisraelitischen Völkerschaften Palästinas zu bezeichnen, die „sieben Völker im Land Kanaan" (Apg 13, 19).
Es finden sich nämlich:
– drei Siebenerlisten: Amoriter, Kanaaniter, Girgaschiter, Hetiter, Hiwiter, Jebusiter, Perisiter (Dtn 7, 1; Jos 3, 10; 24, 11);
– zwölf Sechserlisten, von denen zwei die Hiwiter (Gen 15, 20–21; Neh 9, 8) und zehn die Girgaschiter (Ex 3, 8.17; 23, 23; 32, 2; 34, 11; Dtn 20, 17; Jos 9, 1; 11, 3; 12, 8; Ri 3, 5) auslassen;
– fünf Fünferlisten (Ex 13, 5; 1 Kön 9, 20 // 2 Chr 8, 7; Esr 9, 1; Jdt 5, 15–16); die ausgelassenen Namen wechseln von Liste zu Liste;
– eine Viererliste: Amoriter, Kanaaniter, Hetiter, Jebusiter (Num 23, 29);
– drei Dreierlisten: Kanaaniter, Hiwiter (oder Amoriter), Hetiter (Ex 23, 28; 2 Sam 24, 6–7; Ez 16, 3);
– sechs Zweierlisten: Amoriter und Kanaaniter (Dtn 1, 7; Jos 7, 7–9); Kanaaniter und Perisiter (Gen 13, 7; 34, 30); Kanaaniter und Hetiter bzw. hebr. *Hiwiter* (Ri 3, 3); Amoriter und Hetiter (Ez 16, 45).

b) Das Land Kanaan und die Kanaaniter. Das Land Kanaan, zu dem sich Abram aufmacht (Gen 11, 31; 12, 1.5–6; vgl Jdt 5, 9); wo er sich mit seiner Familie niederläßt (Gen 13, 12; 16, 3; vgl. 23, 2.19; Jos 24, 3), wo auch Isaak (Gen 31, 18; 37, 1) und Jakob (Gen 33, 18; 35, 6; 42, 5.13.29–32; 44, 8; 45, 17.25; 46, 6.31; 47, 1–4.13–15; 48, 7; 50, 11; vgl. Jdt 5, 10; Apg 7, 11 = Gen 42, 5) leben, ist das „verheißene Land (Apg 7, 5; Hebr 11, 9; vgl. Gen 12, 7; 13, 15; 15, 18; 17, 8; 26, 2–3; 35, 12; Ex 6, 4; 13, 11; Dtn 1, 8), das Israel „gegeben" ist (Lev 25, 38; Dtn 32, 49; 1 Chr 16, 18 // Ps 105, 11), ein schönes und gutes Land (Num 14, 7; Dtn 8, 7; 11, 10–17), das „von Milch und Honig fließt" (22 x: Ex 3, 8 . . . Sir 46, 8 . . . Ez 20, 6.15), das man aber kennenlernen muß (Num 13, 1 – 14, 9), um es dann im Kampf zu erobern (Ex 23, 23–33; Jos 7, 7–9; 9, 1–2; 17, 16; 24, 11; Ri 3, 1–2; 5, 19; Neh 9, 24). Mit der Landnahme erfüllt sich der Fluch Noachs, der die Unterwerfung des Chamsohnes Kanaan unter Sem, den Ahnherrn Israels, ankündigt (Gen 9, 24–26). Während in einigen Fällen die Kanaaniter und ihre Städte vernichtet werden (Num 21, 3; vgl. Dtn 7, 2; 20, 17), bleiben sie meist neben den Israeliten bestehen (Jos 16, 10; 17, 12–13; Ri 1, 1–35; 3, 1.5; 1 Kön 9, 20–21); daher die gemischten Ehen (Gen 24, 3.37; 28, 1.6–7; 34, 9; 36, 2; 38, 2 // 1 Chr 2, 3; Gen 46, 10 // Ex 6, 15; 34, 16; Dtn 7, 3; Jos 23, 12; Ri 3, 6), die trotz allen Warnungen (Ex 34, 15–16; Lev 18, 3; Dtn 7, 4–6; 20, 18) die Einführung götzendienerischer Bräuche begünstigen (Ri 3, 5–6; Esr 9, 1–2; Ps 106, 38; Weish 12, 3–11).
Die Propheten erinnern Israel an seinen kanaanäischen Ursprung (Ez 16, 3.45). Hosea gibt Efraim/Israel sogar den Namen des Volkes, an dessen Stelle es getreten ist, einen Namen, den es zu tragen verdient (Hos 12, 8), weil es die Fehler (vgl. Dan 13, 56) des kanaanäischen Volkes geerbt hat (Zef 1, 11). Es ist ein Händler-, ein Krämervolk (das hebr. *Kenaan* in diesem Sinn: Ijob 40, 30; Spr 31, 24; Jes 23, 8; Sach 14, 21). In Zef 2, 5 bereitet sich der sprachliche Übergang von „Kanaan" zu „Palästina" vor. In Ägypten, das sich zum wahren Gott bekehren wird, werden fünf Städte die „Sprache Kanaans" sprechen (Jes 19, 18).
König → JABIN.
Gottheiten → ANAT; ASTARTE; BAAL 1°; MOT.
Kanaaniter → BATSCHUA 1°; SCHAUL 2°.
„Im Land Kanaan" → SCHILO.

KANAANITER (67), hebr. *Kena'ani* aus → KANAAN.
Die **kanaanäische Frau** (Mt 15, 22) ist eine Syrophönizierin (Mk 7, 26).

KANANÄUS (2), aram. *Qanana,* „Eiferer", „Zelot", Beiname eines Mitglieds des Zwölferkreises (Mt 10, 4 // Mk 3, 18) → SIMON 10°.
= **Zelot** (2), Lk 6, 15 // Apg 1, 13. Angehöriger der nationalistischen jüdischen Aufstandsbewegung gegen die römische Besatzungsmacht? Leidenschaftlicher Vorkämpfer für die rigorose Gesetzesbeobachtung?

KANDAKE (1), Titel der Königin von Äthiopien, wie Pharao den ägyptischen König bezeichnet. Einer ihrer hohen Beamten bekehrt sich zum Christentum (Apg 8, 27ff).

KANNE (1), akk. *Kannu,* zusammen mit Haran und Eden genannt, Handelsstadt am mittleren Eufrat (Ez 27, 23).

KAPHARNAUM (16) → KAFARNAUM.

KAPPADOZIEN (2), Landschaft in Mittel-Kleinasien, römische Provinz seit 17 v. Chr., wo Juden (Apg 2, 9) und später Christen (1 Petr 1, 1) wohnten.
König → ARIARATHES.

KAREACH (14), „Kahlköpfig" (vgl. Kore), Vater des → JOHANAN 9°; JONATAN 10°

KARER (2), aus Karien stammende Söldner, die zur Zeit der Königin Atalja die königliche Garde bilden (2 Kön 11, 4.19).

KARIEN (1), Gebiet im SW Kleinasiens, an das der Brief des Konsul Luzius gerichtet ist, in dem das Bündnis zwischen Juden und Römern bekanntgegeben wird (1 Makk 15, 23).
Städte → KNIDOS; HALIKARNAS; MILET; MYNDOS; TROGYLLION.

KARKA (1), „Grund", „Boden" (vgl. Karkor), Ort an der Südgrenze Judas (Jos 15, 3).

KARKAS (1), Eunuch, genannt mit → MEHUMAN.

KARKEMISCH (3) am Eufrat (5), aramäische Stadt, 717 von Sargon erobert und zerstört (Jes 10, 9). Im Jahr 609 eilt der Pharao Necho den Assyrern an den Eufrat, nach Karkemisch, zu Hilfe (2 Kön 23, 29 // 2 Chr 35, 20). Er wird 605 von Nebukadnezzar geschlagen (Jer 46, 2–12). Heute *Djerablus,* an der türkisch-syrischen Grenze, 100 km im NO von Aleppo.

KARKOR (1), „Boden" (vgl. Karka), in Transjordanien, Ort, an dem Sebach und Zalmunna ihre Truppen stationiert haben (Ri 8, 10). Unbekannt.

KARMEL, „Obstgarten" (vgl. Bet-Kerem).
1° **Karmel** (16), Gebirge, das die Ebene Jesreel und das Mittelmeer überragt (Höhe 552 m), im Süden des Gebiets von Ascher (Jos 19, 26). Elija fordert hier Israel auf, zwischen Jahwe und Baal zu wählen: Opfer der Baalspropheten und Opfer des Elija (1 Kön 18, 19–43). Hierher ziehen sich Elija (1 Kön 18, 42) und Elischa (2 Kön 2, 25; 4, 25–29) zurück. Der Karmel wird oft mit dem Libanon, dem Baschan, der Ebene Scharon und dem Tabor verglichen. Er ist in der Tat ein schönes Gebirge (Hld 7, 6; Jer 46, 18; Am 9, 3), mit einer üppigen Vegetation (Jes 33, 9; 35, 2; Jer 50, 19; Am 1, 2; Nah 1, 4).
Nach Jdt 1, 8 richtet Nebukadnezzar an das Volk des Karmel ein Bündnisangebot.
Stadt am Karmel → JOKNEAM.
2° **Karmel** (16), Ort im Bergland Juda (Jos 15, 55). Saul errichtet hier ein Denkmal (1 Sam 15, 12). David sendet an die Ältesten von Karmel einen Teil der Beute (30, 29). Der König Usija besitzt hier Weinberge (2 Chr 26, 10: Übersetzung von *Karmel* mit *Obstgärten* möglich). Heute *Khirbet Kirmil,* 12 km südlich von Hebron.
Heimat des → HEZRO; NABAL.
3° **[Karmel],** Name einer Gewitter- und Regengottheit, vergleichbar mit Baal.

KARMELITER (7), 1 Sam 27, 3; 30, 5; 2 Sam 2, 2; 3, 3; 23, 35; 1 Chr 3, 1; 11, 37: gebürtig aus → KARMEL 2°.

KARMI, „Mein Weinberg" ? (vgl. Bet-Kerem).
1° **Karmi** (4), vierter und letzter Sohn Rubens (Gen 46, 9; Ex 6, 14; 1 Chr 5, 3), dessen Nachkommen die Sippe der **Karmiter** bilden (Num 26, 6).
2° **Karmi** (4), Nachkomme Judas (1 Chr 4, 1), Vater des → ACHAN.
3° **Karmi** (3) **Sohn des Malkiël** (1), einer der Ältesten von Betulia (Jdt 6, 15; 8, 10; 10, 6) → KABRI.

KARNAJIM (3), „Die zwei Hörner" (vgl. Asch-

terot-Karnajim), Stadt 40 km östlich des Sees Gennesaret. In der Makkabäerzeit waren Juden dort eingeschlossen. Judas unternahm einen Feldzug, befreite seine Glaubensgenossen, zerstörte die Stadt und ihr Heiligtum, das *Karnion* (1 Makk 5, 26.43–44 // 2 Makk 12, 21–26).
= **Karnajim** (1), vom israelitischen König Jerobeam II. wiedereroberte Stadt (Am 6, 13).

KARPUS (1), gr. *Karpos,* „Frucht", Christ in Troas, bei dem Paulus einen Mantel zurückgelassen hat, den Timotheus nach Rom bringen soll (2 Tim 4, 13).

KARSCHENA (1), hoher persischer Beamter, genannt mit → MEMUCHAN.

KARTA (1), „Die Stadt„ (vgl. Kirjat), Stadt Sebulons, den Leviten des Clans Merari zugeteilt (Jos 21, 34). Heute *Atlit* im SW vom Karmel.

KARTAN (1), (vgl. Karta), Stadt Naftalis, den Leviten des Clans Gerschon zugeteilt (Jos 21, 32).
= ? **Kirjatajim** (1), 1 Chr 6, 61.

KASDIM → CHALDÄER.

KASERIN (1), nach Tob 11, 1 eine Ortschaft gegenüber von Ninive.

KASIFJA (2), Ort in Babylon, wo sich eine jüdische Gemeinde befindet, deren Vorsteher Iddo heißt (Esr 8, 17). Lage unbekannt.

KASLUHITER, (2) hebr. *Kasluhim,* nicht identifiziertes Volk, von Ägypten hergeleitet. Die Philister stammen nicht von Kasluh, sondern von Kaftor (Gen 10, 14 // 1 Chr 1, 12).

KASPIN (1), eine befestigte, mit Mauern umgebene Stadt (2 Makk 12, 13–16).
= **Chaspo** (2), Stadt in Gilead, 15 km östlich des Sees Gennesaret. Hier werden Juden vom Makkabäer Judas befreit (1 Makk 5, 26.36).

KATAN (1), „Der Kleine", Vater des → JOHANAN 10°.

KATTAT (1), Stadt Sebulons (Jos 19, 15).
= ? **Kitron** (1), kanaanäische Stadt, die lange unabhängig bleibt (Ri 1, 30).

KAUDA (1), var. *Klauda,* kleine Insel südlich von Kreta (Apg 27, 16). Heute *Gozzo (Gaudos).*

KEBAR (8), als Fluß bezeichnet, wahrscheinlich aber der Seitenkanal des Eufrat zwischen Babylon und Warka. Dort befindet sich unter den deportierten Juden der Prophet Ezechiel (Ez 1, 1.3; 3, 15.23; 10, 15.20.22; 43, 3).

KEDAR (12), „Schwarzbraun gefärbt" (vgl. Kidron), einer der zwölf Söhne Ismaels (Gen 25, 13 // 1 Chr 1, 29), arabischer Nomadenstamm im Ostjordanland (Ps 120, 5; Hld 1, 5; Jes 42, 11), berühmt wegen seiner tapferen Bogenschützen (Jes 21, 17) und seiner Herden (Jes 60, 7; Ez 27, 21). Mehrere Prophetensprüche kündigen den Untergang Kedars an (Jes 21, 16f; Jer 49, 28).

KEDEMOT (4), (vgl. Orient 1°), eine der letzten Stationen des Exodus (Dtn 2, 26: **Wüste Kedemot),** Stadt Rubens (Jos 13, 18), den Leviten des Clans Merari zugeteilt (Jos 21, 37 // 1 Chr 6, 64). Vermutlich nördlich des Arnon.

KEDESCH, „Heilig", gr. *Kedes,* lat. *Cedes* (vgl. Kadesch).
1° **Kedesch** (1) → KADESCH 1°.
2° **Kedesch** (7) **von Naftali** (2) **in Galiläa** (3), alte kanaanäische Stadt (Jos 12, 22); befestigte Stadt, von Naftali erobert (Jos 19, 37), Zufluchtsstadt (Jos 20, 7), den Leviten des Clans Gerschon zugeteilt (Jos 21, 32 // 1 Chr 6, 61), vom Assyrerkönig Tiglat-Pileser III. eingenommen (2 Kön 15, 29).
= **Kedesch** (2) **in Galiläa** (1), Sieg des Makkabäers Jonatan über die Heerführer des Demetrius II. (1 Makk 11, 63.73).
= **Kedesch** (Korr. des gr. *Kydios*) **-Naftali, in Obergaliläa** (1), Tob 1, 2. Heimat des → BARAK.
3° **Kedesch** (3), am Fuß des Taborberges. Barak versammelt hier Sebulon und Naftali, bevor er Sisera angreift (Ri 4, 9–11).

KEDMA (2), (vgl. Orient 1°), einer der zwölf Söhne Ismaels (Gen 25, 15 // 1 Chr 1, 31), eponymer Ahnherr der Söhne des → ORIENT 1°.

KEDOR-LAOMER (5), „Diener der (Göttin) Lagamar", lat. *Chodorlahomor,* **König von Elam** (2), verbündet mit → AMRAFEL.

KEDRON → KIDRON.

KEFAR-AMMONI (1), „Dorf des Ammoniters" (vgl. Kafarnaum; Kafar-Salama; Kefira; Kefirim), Ort in Benjamin (Jos 18, 24).

KEFAS (9), → KEPHAS.

KEFIRA (4), „Junge Löwin" oder „kleiner Marktflecken" (vgl. Kefar-Ammoni), eine der vier Städte der gibeonitischen Konföderation (Jos 9, 17), in Benjamin (Jos 18, 26). Die Leute von Kefira kehren mit Serubbabel aus dem Exil zurück (Esr 2, 25 // Neh 7, 29).

KEFIRIM (1), „Die Dörfer" (vgl. Kefar-Ammoni) **im Tal Ono** (1), wo Sanballat und Geschem den Nehemia zu einem Treffen einladen (Neh 6, 2). Nahe bei Lod.

KEHAT (32), gr. *Kaath,* zweiter der drei Söhne Levis (Gen 46, 11 // Ex 6, 16; Num 3, 17; 1 Chr 5, 27; 6, 1), stirbt im Alter von 133 Jahren (Ex 6, 18). Eponymer Ahnherr der **Kehatiter.** Mit seinen Brüdern Gerschon und Merari bildet er eine der drei großen Levitenklassen (Num 26, 57; 1 Chr 23, 6.12f). Eine Zählung ergibt 2750 Söhne des Kehat (Num 4, 34–37). Diese gliedern sich in vier Sippen, die Amramiter, Jizhariter, Hebroniter und Usiëliter (Num 3, 27; 1 Chr 23, 12).
Die Aufgaben der Kehatsöhne beim Zeltdienst sind beschrieben in Num 3, 31; 4, 4–15; 7, 9; 10, 21; vgl. 1 Chr 9, 32; 15, 5; 2 Chr 20, 19; 29, 12; 34, 12. Ihnen sind 23 Städte zugeteilt: 13 für die Söhne Aarons in Juda, Simeon und Benjamin und 10 für die anderen Kehatsöhne in Efraim, Dan und West-Manasse (Jos 21, 4–5. 10–26 // 1 Chr 6, 39–46.51–55).
Unter den Nachkommen Kehats reiht der Chronist Samuel ein (1 Chr 6, 7ff) und Heman, einen der drei großen Sänger (1 Chr 6, 18.23). → Liste S. 382.
Unter seinen Söhnen → AMRAM 1°; KORACH 4°.

KEHATITER (15), Num 3, 27.30; 4, 18.34.37; 10, 21; 26, 57; Jos 21, 4.10; 1 Chr 6, 18.39; 9, 32; 2 Chr 20, 19; 29, 12; 34, 12.
Nachkommen des → KEHAT.

KEHELATA (2), „Versammlung" (vgl. Makhelot; Kohelet), Etappe des Exodus in der Wüste (Num 33, 22–23).

KEÏLA (18), hebr. *Qeʾilah,* Stadt in der Schefela, (Jos 15, 44). David befreit das von den Philistern belagerte Keïla; da er argwöhnt, die Bewohner könnten ihn an Saul ausliefern, verläßt er die Stadt (1 Sam 23, 1–13). Zur Zeit des Nehemia ist Keïla Hauptort des Distrikts (Neh 3, 17–18). Heute *Khirbet Qeila* 15 km im NW von Hebron. Über die Herkunft des *Garmiters Keila* vgl. 1 Chr 4, 19.

KELACH (2), akk. *Kalhu,* genannt „die große Stadt" (Gen 10, 11–12). Alte Hauptstadt Assyriens. Heute *Nimrud* 30 km SO von Ninive.

KELAJA (1), Israelit aus den Söhnen Banis, schickt seine fremdländische Frau zurück (Esr 10, 35: Korr. des hebr. *Keluhi*).

KELAL (1), Israelit der Söhne Pahat-Moabs, schickt seine fremdländische Frau zurück (Esr 10, 30).

KELITA (3) = **Kelaja** (1), einer der Leviten, die dem Volk das Gesetz bei der feierlichen Verlesung durch Esra erklären (Neh 8, 7), sich zur Gesetzesbeobachtung verpflichten (Neh 10, 11) und ihre fremdländischen Frauen zurückschicken (Esr 10, 23).

KELUB, „Käfig", „Korb"? (vgl. Kaleb?).
1° **Kelub** (1) → KALEB.
2° **Kelub** (1), Vater des → ESRI.

KELUHI (1) → KELAJA.

KEMOSCH (8), gr. *Chamos,* Nationalgott Moabs (Num 21, 29; Jer 48, 7.13.46) und nicht der Ammoniter (trotz Ri 11, 24), für den Salomo im Osten Jerusalems ein Heiligtum errichtet (1 Kön 11, 7.33; 2 Kön 23, 13).

KEMUËL (vgl. Jakim).
1° **Kemuël** (1), einer der zwölf Söhne Nahors, des Bruders Abrahams, geboren von seiner Frau Milka und Vater des Aram (Gen 22, 21).
2° **Kemuël Sohn des Schiftan** (1), verantwortlich für den Stamm Efraim bei der Aufteilung Kanaans (Num 34, 24).
3° **Kemuël** (1), Vater des → HASCHABJA 4°.

KENAANA, hebr. *Kena^canah* (vgl. Kanaan?).
1° **Kenaana** (4), Vater des Propheten → ZIDKIJA 1°.
2° **Kenaana** (1), Benjaminit aus den Söhnen Jediaël, Familienhaupt und tapferer Krieger (1 Chr 7, 10f).

KENAN (6), gr. *Kainan* → KAIN a).

KENANI (2), Abk. von *Kenanja,* mit Bani zusammen genannter Levit, nimmt an der Bußliturgie teil (Neh 9, 4), Mitunterzeichner der Gesetzesverpflichtung (Neh 10, 14: Korr. des hebr. *Beninu).*

KENANJA, KENANJAHU, „Jah ist fest" (vgl. Kenani; Jojachin).
1° **Kenanja** (1) oder **Kenanjahu** (1), Aufseher der Leviten, die den Transport der Bundeslade unter David durchführen sollten (1 Chr 15, 22.27).
2° **Kenanjahu** (1), Levit, Nachkomme des Jizhar, vom Clan Kehat. Er und seine Söhne sind als Schreiber und Richter mit weltlichen Aufgaben betraut (1 Chr 26, 29).

KENAS (11), (vgl. Kenasiter). Letzter der fünf Söhne des Elifas, die als Söhne der Ada, der Frau Esaus, gelten (Gen 36, 11 // 1 Chr 1, 36), einer der Fürsten (oder Sippen) Edoms (Gen 36, 15.42 // 1 Chr 1, 53).
Bruder Kalebs und Vater des → OTNIËL 1°.
Enkel Kalebs (1 Chr 4, 15).

KENASITER (4), Nachkommen des Kenas, ein vorisraelitisches Volk Palästinas, wohnhaft im Süden des Landes (Gen 15, 19). Kenasiter → KALEB.
Identisch (?) mit den Kenitern → KAIN b).

KENAT (2), Ort in Ostmanasse, vom Manassiter Nobach erobert, der den Ort in Nobach umbenannt haben soll (Num 32, 42); später von Aram und Geschur eingenommen (1 Chr 2, 23).

KENCHREÄ (2), östlicher Hafen von Korinth, nach dem Ägäischen Meer. Aufgrund eines Gelübdes läßt Paulus sich dort sein Haupt scheren (Apg 18, 18), bevor er am Ende seiner zweiten Missionsreise nach Syrien aufbricht. Die Gemeinde von Kenchreä hat eine Diakonin, Phöbe (Röm 16, 1).

KENDEBÄUS (5), Statthalter der maritimen Zone Palästinas unter Antiochus VII., befestigt Kidron und beunruhigt Judäa. Johannes Hyrkanus stellt sich ihm entgegen und schlägt ihn in die Flucht (1 Makk 15, 38–41; 16, 1.4–10).

KENITER (12) → KAIN b).

KEPHAS (9), aram. *Kepha,* „Fels" (vgl. das hebr. *Zur*) → PETRUS.

KERAN (2), letzter der vier Söhne des Dischon (1 Chr 1, 41 // Gen 36, 26), Sohn des Seïr.

KEREN-HAPPUCH (1), „Schminkhörnchen", Name der dritten Tochter Ijobs nach seiner Wiederherstellung (Ijob 42, 14).

KERETER (10), Nachbarvolk der Philister (1 Sam 30, 14), mit diesen praktisch identifiziert (Ez 25, 16; Zef 2, 5). Vielleicht ist *Kereter* mit *Kreter* wiederzugeben (vgl. Gen 10, 14: die Philister stammen von *Kaftor,* Kreta).
Zusammen mit den **Peletern** – das Wort ist wohl eine Variante zu „Philister" –, bilden die Kereter

die Leibgarde Davids (2 Sam 15, 18; 20, 7; 1 Kön 1, 38.44); ihr Führer ist Benaja, Sohn des Jojada (2 Sam 8, 18 // 20, 23; 1 Chr 18, 17).

KERIJOT, gr., *Karioth,* „Die Städte (vgl. Kirjat).
1° **Kerijot** (3), Hauptstadt von Moab nach Am 2, 2; unter anderen Städten Moabs genannt (Jer 48, 24.41: die meisten Autoren betrachten das Wort als Allgemeinbegriff).
2° **Kerijot** (1) → KERIJOT-HEZRON.

KERIJOT-HEZRON (1), (vgl. Kerijot; Hezron), Stadt im Negeb von Juda (Jos 15, 25).
= **Hazor** (1), Jos 15, 25.
Etwa 20 km südlich von Hebron. Vielleicht handelt es sich um zwei Städte, *Kerijot* und *Hezron.*

KERIT (2), linker Nebenfluß des Jordan, an dessen Ufer sich der Prophet Elija verbirgt (1 Kön 17, 3–6).

KEROS (2), Familienhaupt von Tempeldienern, die aus dem Exil zurückkehren (Esr 2, 44 // Neh 7, 47).

KERUB (2), Ort in Babylon, wohin Israeliten verbannt werden (Esr 2, 59 // Neh 7, 61). Lage unbekannt. Vgl. das Folgende.

KERUB-ADDON (1), Neh 7, 61 = **Kerub-Addan** (1), Esr 2, 59; Ort in Babylon, wohin Israeliten verbannt werden. Lage unbekannt. Andere Autoren sehen hier zwei Ortschaften → KERUB und ADDON.

KESALON (1), (vgl. Kislon), an der Grenze von Dan und Juda, im NO von Bet- Schemesch (Jos 15, 10). Etwa 20 km westlich von Jerusalem.

KESED (1), (vgl. Chaldäa), einer der zwölf Söhne Nahors, des Bruders Abrahams, geboren von seiner Frau Milka. Eponymer Ahnherr der Chaldäer (Gen 22, 22).

KESIB (1), (vgl. Kosbi) → ACHSIB 1°.

KESIL, „Unverschämt“, „frech“ (vgl. Kislon).
1° **Kesil** (1), Stadt im Negeb von Juda (Jos 15, 30 // *Betul* Jos 19, 4 // *Betuel* 1 Chr 4, 30; Stadt Simeons im Negeb).
2° **Orion** (3), hebr. *Kesil,* Ijob 9, 9; 38, 31; Am 5, 8. Sternbild.

KESULLOT (1), (vgl. Kislon), „Lenden“, „Seiten“ (Jos 19, 18).
= **Kislot-Tabor** (1), Stadt Issachars, an der Grenze zu Sebulon (Jos 19, 12). Vielleicht *Iksal,* 8 km SO von Nazaret.

KETURA (4), von der gleichen Wurzel wie das hebr. *ketoret* „Weihrauch“ (vgl. Kitron), Nebenfrau Abrahams, Mutter der arabischen Völker, unter denen besonders Midian, Scheba und Dedan auffallen (Gen 25, 1–6 // 1 Chr 1, 32–33).

KEWAN (1), Korr. des hebr. *Kijun,* neben **Sikkut** genannt (Am 5, 26), vermutlich babylonische Gottheiten, deren Kult in Samarien nach dem Fall des Nordreichs eingeführt wurde (721).
= **Romfa** (1), var. *Rephan* (Apg 7, 43).

KEZIA (1), „Zimtblüte“, Name der zweiten Tochter Ijobs nach seiner Wiederherstellung (Ijob 42, 14).

KIBROT-TAAWA (5), „Gräber (des Stammes?) der Taawa“ oder nach der Tradition „Giergräber“. Station des Exodus in der Wüste Sinai (Num 33, 16–17), wo Israel sich gegen seinen Gott auflehnt (Dtn 9, 22). Denn dort begrub man das Volk, das sich seiner Gier hingegeben hatte (Num 11, 34–35).

KIBZAJIM (1), (vgl. Kabzeel), Stadt Efraims, den Leviten des Clans Kehat zugeteilt (Jos 21, 22 // 1 Chr 6, 53: hier zu Unrecht *Jokmeam*).

KIDON (1), „Wurfspieß“ → NACHON.

KIDRON, gr. *Kedron,* „dunkel“, „trüb“ (vgl. Kedar).
1° **Kidron** (12), Bach und Tal zwischen Jerusalem und dem Ölberg. Dem Überschreiten des Kidron

kommt besondere Bedeutung zu: bei David (2 Sam 15, 23.30), bei Schimi (1 Kön 2, 37), bei Jesus (Joh 18, 1). Nehemia steigt des Nachts das Tal hinauf, um die Stadtmauer zu untersuchen (Neh 2, 15). Das Kidrontal, in dem sich die Gihonquelle findet (2 Chr 33, 14), dient als Schuttabladeplatz. Dorthin wirft man Altäre, Devotionalien, Götzenstatuen, die den Tempel und die Heilige Stadt befleckt hatten (1 Kön 15, 13 // 2 Chr 15, 16; 2 Kön 23, 4–12; 2 Chr 29, 16; 30, 14). Eines Tages aber werden alle Felder, die zum Kidrontal gehören, Jahwe heilig sein (Jer 31, 40).
2° **Kidron** (3), Ort südlich von Jamnia, wiederaufgebaut und befestigt von Kendebäus (1 Makk 15, 39–41; 16, 9).

KIJUN → KEWAN.

KILAB (1), zweiter Sohn Davids, geboren in Hebron von der Abigajil, der früheren Frau Nabals aus Karmel (2 Sam 3, 3).
= **Daniel** (1), 1 Chr 3, 1.

KILJON (3), „Schwäche", „Hinfälligkeit", Efratiter aus Betlehem in Juda, einer der beiden Söhne Elimelechs und der Noomi, Mann der Moabiterin Orpa und Schwager der Rut (Rut 1, 2–5; 4, 9f).

KILMAD (1), Handelsstadt in Babylon? (Ez 27, 23). Möglich ist auch die Lesart: „ganz Medien".

KIMHAM
1° **Kimham** (3), Sohn des Barsillai. Als David aus seinem Exil in Mahanajim zurückkehrt, wo Barsillai ihn reich versorgt hatte, begleitet ihn Kimham nach Jerusalem anstelle seines bejahrten Vaters (2 Sam 19, 38–39.41).
2° **Kimham** (1), Name eines Feldlagers oder einer Karawanserei bei Betlehem, wo Johanan und die Judäer, die ihn auf der Flucht nach Ägypten begleiten, Station machen (Jer 41, 17).

KINA (1), Stadt im Negeb von Juda (Jos 15, 22), 35 km östlich von Beerscheba.

KINNERET (4), „Zither"?
a) **Kinneret** (2), Stadt Naftalis (Jos 19, 35), am NW-Ufer des gleichnamigen Sees (vgl. Dtn 3, 17).
= **Kinarot** (2), Jos 11, 2; vom Aramäerkönig Ben-Hadad erobert (1 Kön 15, 20).
= **Gennesaret** (2), wo Jesus an Land geht, nachdem er über den See gefahren ist (Mk 6, 53 // Mt 14, 34).
b) **Meer von Kinneret** (2) oder **von Kinrot** (1), Jos 12, 3. Länge 21 km, Breite 12 km, 209 m unter dem Meeresspiegel. Der See markiert die Nordostgrenze des Gelobten Landes (Num 34, 11) und die Nordwestgrenze des Königreichs Sihon (Jos 12, 3), das zum Stammesgebiet von Gad geworden ist (Jos 13, 27).
= **Wasser von Gennesar** (1), bei denen Jonatan und seine Soldaten lagern (1 Makk 11, 67).
= **See Gennesaret** (1), wo Jesus seine ersten Jünger beruft, Petrus, Andreas, Jakobus und Johannes (Lk 5, 1f).
= **Meer von Galiläa** (5), Berufung der ersten Jünger (Mt 4, 18 // Mk 1, 16); Lehr- und Heiltätigkeit (Mt 15, 29 // Mk 7, 31; Joh 6, 1).
= **Meer von Tiberias** (2), Joh 6, 1; vgl. 6, 22–25. In Joh 21, 1 erscheint hier der Auferstandene seinen Jüngern.
Weitere Verwendung von „Meer" (Mt, Mk, Joh) oder „See" (Lk) zur Bezeichnung des Sees Gennesaret: Stillung des Seesturms (Mt 8, 24–27 // Mk 4, 36–41 // Lk 8, 23–25); die im See ertrunkene Schweineherde (Mt 8, 32 // Mk 5, 13 // Lk 8, 33); Gleichnisrede (Mt 13, 1; Mk 4, 1); Seewandel Jesu (Mt 14, 25f // Mk 6, 48–50 // Joh 6, 16–20). Vgl. noch Mt 4, 13; 17, 27; Mk 2, 13; 3, 7; 5, 1.21.
Städte am See → BETSAIDA 1°; CHORAZIN; KAFARNAUM; MAGDALA; TIBERIAS.

KIR
1° **Kir** (4), Land in Mesopotamien, vermutlich neben Elam (Jes 22, 6). Ursprünglich von Aramäern bewohnt (Am 9, 7). Im Jahr 732 deportiert Tiglat-Pileser die Aramäer von Damaskus dorthin (2 Kön 16, 9; vgl. Am 1, 5).
2° **Kir,** moab. „Mauer", daher auch „Stadt" (vgl. Kirjat), auf der Mescha-Stele *Keriho* genannt.

KIR-HERES (3), hebr. „Scherbenstadt", (vgl. Heres); nach dem gr. *Kir-Hadasch,* „Neustadt", Hauptstadt von Moab, über deren Geschick die Propheten wehklagen (Jes 16, 11; Jer 48, 31.36).

= **Kir-Hareset** (1), Jes 16, 7.
= **Kir-Hareschet** (1), zur Zeit des moabitischen Königs Mescha von den verbündeten Königen Joram von Israel und Joram von Juda schwer bedroht (2 Kön 3, 25).
= **Kir-Moab** (1), zur gleichen Zeit verwüstet wie das Land Moab (Jes 15, 1; vgl. 24, 10). Heute *El-Kerak,* östlich des Toten Meers auf einem geböschten Hügel.

KIRJAT (1), „Die Stadt" (vgl. Ekron; Karta; Kartan; Kerijot; Kerijot-Hezron; Kir 2°; Kirjatajim; die folgenden Komposita mit Kirjat-. Siehe Ir-Heres; Amphipolis), Jos 18, 28.
→ KIRJAT-JEARIM.

KIRJATAJIM, „Die beiden Städte" (vgl. Kirjat).
1° **Kirjatajim** (6), Stadt östlich des Toten Meers. In der **Ebene von Kirjatajim** (hebr. *Schawe-Kirjatajim*) werden die Emiter von den vier Königen des Ostens geschlagen (Gen 14, 5). Kirjatajim liegt im Gebiet von Ruben (Num 32, 37; Jos 13, 19) und später in dem von Moab (Jer 48, 1.23; Ez 25, 9).
2° **Kirjatajim** (1), vielleicht identisch mit
→ KARTAN.

KIRJAT-ARBA (7) oder **Kirjat-ha-Arba** (2), „Stadt der Vier (Sippen oder Bezirke?)" oder „Stadt des Arba" (vgl. Kirjat) → HEBRON 1°.

KIRJAT-BAAL (2), „Stadt des Baal" Jos 15, 60; 18, 14.
→KIRJAT-JEARIM.

KIRJAT-HUZOT (1), „Stadt der Straßen" (vgl. Kirjat), im Ostjordanland, unbekannte Stadt, in der sich Bileam und Balak treffen (Num 22, 39).

KIRJAT-JEARIM (19), „Stadt der Bäume" (vgl. Kirjat; Jaar) **in Juda** (2), Ri 18, 12; 1 Chr 13, 6 oder **Stadt der Söhne Judas** (1), Jos 18, 14.
Eine der vier Städte der gibeonitischen Konföderation (Jos 9, 17), an der Grenze zwischen Juda und Benjamin (Jos 15, 9–10; 18, 14–15). Stadt im Bergland Juda (Jos 15, 60). Der Chronist leitet Kirjat-Jearim von Juda über Schobal und Hur her (1 Chr 2, 50.52–53). Die Daniter lagern hier bei ihrer Wanderung nach Norden (Ri 18, 12). Hier bleibt die von den Philistern zurückgegebene Bundeslade (1 Sam 6, 21; 7, 1–2), bis David sie nach Jerusalem überführen läßt (1 Chr 13, 5–6 // 2 Sam 6, 2; 2 Chr 1, 4; vgl. Ps 132, 6). Unter den aus dem Exil zurückgekehrten Israeliten gibt es Leute aus Kirjat-Jearim (Esr 2, 25 // Neh 7, 29).
= **Kirjat** (1), zählt zu den Städten Benjamins (Jos 18, 28). *Kirjat* könnte auch auf das vorhergehende Wort bezogen werden, so daß zu lesen wäre: *Gibea-Kirjat.*
= **Kirjat Baal** (2), Jos 15, 60; 18, 14.
= **Baala** (4) **in Juda** (1), Jos 15, 9–10; 2 Sam 6, 2 // 1 Chr 13, 6.
= **Gefilde von Jaar** (1), Ps 132, 6.
Heimat des → URIJA 3°.

KIRJAT-SANNA (1), Jos 15, 49 → DEBIR 2°.

KIRJAT-SEFER (5), „Stadt des Buches"
→ DEBIR 2°.

KIR-MOAB (1), „Stadt Moabs" → KIR-HERES.

KISCH gr. *Kis,* lat. *Cis,* akk. *Kaschu,* „Geschenk" (vgl. Kischi; Kuschaja).
1° **Kisch** (15) oder **Cis** (1) **Sohn Abiëls Sohn Zerors Sohn Bechorats Sohn Afiachs** (1), 1 Sam 9, 1; vgl. 14, 51. Benjaminiter, angesehener Mann, Vater des Saul (1 Sam 9, 3; 14, 51; 2 Sam 21, 14; 1 Chr 8, 33// 9, 39).
Vater des → SAUL.
Ahnherr des → MORDECHAI 1°.
2° **Kisch** (2), Benjaminiter, Onkel des Vorhergehenden (1 Chr 8, 30 // 9, 36).
3° **Kisch** (4), jüngerer Bruder des Eleasar, eines Leviten aus dem Clan Merari. Seine Söhne heiraten ihre Cousinen, die Töchter Eleasars (1 Chr 23, 21–22; 24, 29).
4° **Kisch Sohn des Abdi** (1), Levit aus dem Clan Merari; bei der Reform des Hiskija nimmt er an der Tempelreinigung teil (2 Chr 29, 12–15).

KISCHI (1), Sohn des Abdi, Levit aus der Sippe Merari, Vater des Sängers Etan (1 Chr 6, 29).

= **Kuschaja** (1), Vater des Etan (1 Chr 15, 17).

KISCHJON (2), Stadt Issachars (Jos 19, 20), dem Leviten des Clans Gerschon zugeteilt (1 Chr 6, 57).

KISCHON (6), Bach, der am Fuß des Karmel entspringt und sich nördlich von Haifa ins Mittelmeer ergießt. Am Kischon findet das Treffen zwischen Barak und Sisera statt (Ri 4,7.13; 5,21; Ps 83,10). Beim Kischonbach macht der Prophet Elija die Baalspropheten nieder (1 Kön 18,40). → SCHIHOR-LIBNAT.

KISLEW (2), Name des 9. Monats (Nov./Dez.) nach dem babylonisch-assyrischen Kalender, der nach dem Exil Eingang fand (Neh 1, 1; 1 Makk 1, 54).

KISLON (1), „Schwerfällig", „Dumm" (vgl. Kesalon; Kesil; Kesullot; Kislot-Tabor), Benjaminiter, Vater des → ELIDAD.

KISLOT-TABOR (1), „Hänge des Tabor" (vgl. Kislon; Tabor). → KESULLOT.

KITLISCH (1), Ort in der Schefela (Jos 15, 40).

KITRON (1), (vgl. Ketura) → KATTAT.

KITTÄER, (hebr. *Kittim,* gr. *Kitioi.*
Ursprünglich sind die Kittäer Bewohner der Stadt *Kitton* auf der Insel Zypern und dann allgemein die Zyprioten (Jes 23, 1.12). In der Völkertafel gelten die Kittäer neben Elischa, Tarschisch und den Rodanitern (Danaern) als „Söhne Jawans" (Gen 10, 4 // 1 Chr 1, 7). Später bekommt das Wort einen noch weiteren Sinn und bezeichnet nicht nur Zypern, sondern auch die Inseln und Küsten des Mittelmeers, kurz alle seefahrenden Völker (Num 24, 24; Jer 2, 10; Ez 27, 6).
Kittäer, gr. *Chettim* (1 Makk 1, 1) und *Kitieis* (1 Makk 8, 5), bezeichnet Mazedonien, das Heimatland Alexanders des Großen, über das Perseus, der Sohn Philipps V., König wurde. In Dan 11, 30 sind die Kittäer vermutlich die Römer.

KLAUDA → KAUDA.

KLAUDIA (1), römische Christin (2 Tim 4, 21).

KLAUDIUS, gr. *Klaudios,* „Hinkend" (vgl. Paseach).
1° **Klaudius** (2), eigentlich *Tiberius Claudius Nero,* römischer Kaiser (41–54). In seine Regierungszeit fällt ein Edikt, das die Juden aus Rom vertreibt (Apg 18, 2), und eine Hungersnot (Apg 11, 28).
2° **Klaudius** (1) → LYSIAS 3°.

KLEMENS (1), Christ in Philippi (Phil 4, 3).

KLEOPAS, Abk. von *Kleopatros,* im semitischen *Klopha* gesprochen, gr. *Klopas* (vgl. Kleopatra).
1° **Kleopas** (1), einer der beiden Emmausjünger (Lk 24, 18).
2° **Klopas** (1), Joh 19, 25: Mann (oder Vater) der (?) → MARIA 4°.
Kaum identisch mit → ALPHÄUS 1°.

KLEOPATRA (vgl. Kleopas; Patroklus; Antipater).
1° **[Kleopatra],** Tochter Antiochus des Großen und Frau des Ptolemäus V. Epiphanes. →ANTIOCHUS 2°.
2° **Kleopatra** (2), Tochter des Ptolemäus VI. Philometor, Frau des Alexander Balas (1 Makk 10, 57–58), dann des Demetrius II. (11, 9–12).
3° **Kleopatra** (1), Est 10, 3: Frau des → PTOLEMÄUS 8°.

KLOPAS (1) → KLEOPAS 2°.

KNIDOS (2), Stadt in Karien an der SW-Küste Kleinasiens. Sie erhält den Brief des Konsuls Luzius über das Bündnis zwischen Römern und Juden (1 Makk 15, 23). Erwähnt auf der Schiffsreise des Paulus (Apg 27, 7). Heute *Cap Krio.*

KOA (1), chaldäischer Stamm aus Ostbabylonien, manchmal mit den *Qutu* der Keilschrifttafeln gleichgesetzt (Ez 23, 23).

KOHELET (7), „Die [personifizierte] Versammlung" (vgl. Kehelata), gr. *Ekklesiastes,* „Vorsitzender" oder „Prediger einer Versammlung" (Koh 1, 1–2.12; 7, 27; 12, 8–10).

Der Verfasser der Weisheitsschrift (Koh 1, 13; 12, 9–11;) stellt sich als Sohn Davids und König von Jerusalem, als Salomo, vor (Koh 1, 1.12), dessen Sprichwörter, Sentenzen und Lehren die Bewunderung der ganzen Welt erregt haben (Sir 47, 14–17; vgl. Koh 1, 16; 2, 9; und 1 Kön 3, 12; 5, 9–14; 10, 1–13; Mt 12, 42). Kohelet zeigt die Eitelkeit menschlichen Glücks, dessen drei Komponenten – Reichtum, Liebe, Ruhm – im Leben Salomos einen Höhepunkt erreicht zu haben scheinen (1 Kön 10, 4f; 11, 1–3; Mt 6, 29; vgl. Koh 1, 12 – 2, 12). Das erste und das letzte Wort des Buches (Koh 1,2 und 12,8) – abgesehen von Titel und Epilog – lautet: „Windhauch, Windhauch, das alles ist Windhauch". Das Wort „Windhauch" (wörtlich: „Rauch") kommt 38 × im Buch vor. Mit der Aussage „Dem Reichen raubt sein voller Bauch die Ruhe des Schlafs" (Koh 5, 11) bereitet Kohelet die Seligpreisung vor: „Selig, die arm sind vor Gott" (Mt 5, 3).

KOLA (1) → Kona.

KOLAJA, „Jah hat gesprochen" (Vgl. Amarja).
1° **Kolaja** (1), Neh 11,7: Benjaminiter, Ahnherr des → Sallu 1°.
2° **Kolaja** (1), Vater des → Ahab 2°.

KOLHOSE (vgl. Hasael).
1° **Kolhose** (1), Vater des → Schallum 15°.
2° **Kolhose** (1), Ahnherr des → Maaseja 15°.

KOLOSSÄ (1), Stadt in Phrygien, bei Laodizea und Hierapolis, 200 östlich von Ephesus. Der aus Kolossä stammende Epaphras gründet die Gemeinden dieser drei Städte. Paulus hat die Gemeinden selber nicht besucht (vgl. Kol 1, 1; 2, 1; 4, 13–17).
Mitglied der Gemeinde von Kolossä → Philemon.

KONA (1), Jdt 4, 4 = ? **Kola** (1), Jdt 15, 4: angebliche Städte in Samarien. Nicht zu identifizieren.

KONANJA (vgl. Jojachin).
1° **Konanja** (2) und **Schimi,** sein Bruder und Helfer; beide Leviten sind unter dem König Hiskija für die in den Tempel gebrachten Opfergaben verantwortlich. Sie werden von zehn Aufsehern unterstützt (2 Chr 31, 12–13).
2° **Konanja** (1), einer der sechs Levitenführer unter Joschija (2 Chr 35, 9).

KÖNIGSTAL → Schawe.

KÖNIGSTEICH (1), vielleicht das unter Hiskija angelegte Wasserbecken. In der Nähe des Quelltors (Neh 2, 14).

KONJA (3), Abk. von *Jechonja* → Jojachin.

KORACH, gr. *Kore,* „Kahlköpfigkeit"? (vgl. Kareach).
1° **Korach** (4), edomitischer Fürst (oder Clan), letzter der drei Söhne Esaus und der Oholibama (Gen 36, 5.14.18; vgl. 1 Chr 1, 35).
2° **Korach** (1), Edomiterfürst, Sohn des Esausohnes Elifas (Gen 36, 16). Es handelt sich wohl um eine Glosse aufgrund von Gen 36, 18.
3° **Korach** (1), Kalebiter der Söhne Hebrons (1 Chr 2, 43).
4° **Korach** (33) **Sohn des Jizhar Sohn des Kehat Sohn des Levi** (2), Ex 6, 21; Num 16, 1; 1 Chr 6, 22–23; vgl. 1 Chr 6, 7. Liste S. 382.
Der priesterliche Bericht von Num 16, 1 bis 11.16–24.27.32.35 (eingefügt in den jahwistisch-elohistischen Bericht vom politischen Aufstand der Rubeniter Datan und Abiram) schildert den Aufstand Korachs als Versuch, die Ausübung des Priestertums zu erstreiten. Dieser Anspruch wird ihnen verwehrt, das Priestertum bleibt ein Vorrecht der Nachkommen Aarons (vgl. Num 17, 5.14; 26, 9–11; 27, 3; Ps 106, 16; Sir 45, 18; Jud 11).
Die Korachiter: Die Söhne Korachs gehen nicht beim Strafgericht ihres Vaters zugrunde (Num 26, 11). Sie bilden einen der levitischen Clans, den Clan der **Korachiter** (Num 26, 58). Diese alte Aufzählung der levitischen Geschlechter, die von der klassischen Aufteilung in Gerschoniter, Kehatiter und Merariter abweicht, scheint den Ursprung der Korachiter in das Gebiet um Hebron zu verlegen; vgl. oben → Korach 3°. Sie sind Torwächter (1 Chr 9, 19) oder Sänger (2 Chr 20,

29) – Heman, einer der drei großen Sänger, ist aus Korach hervorgegangen (1 Chr 6, 22) –, und den Söhnen Korachs werden zahlreiche Psalmen zugeschrieben (Ps 42; 44—49; 84; 85; 87; 88). Nach 1 Chr 12, 7 gehörten Korachiter zu den ersten Anhängern Davids.
Sohn Korachs oder der Korachiter
→ SCHALLUM 11°.

KORBAN (1), Mk 7, 11: hebr. Bezeichnung der Opfergabe, die dem Tempelschatz anvertraut wird.

KORE, „Rebhuhn" (vgl. En-Kore).
1° **Kore** (2), Korachiter, Vater des → SCHALLUM 11°.
2° **Kore Sohn des Jimna** (1), Levit, Torwächter (2 Chr 31, 14).

KORINTH (6), griechische Stadt, Hauptstadt der römischen Provinz Achaia, mehr als 500000 Bewohner, davon zweidrittel Sklaven, weltoffen (zwei Häfen), lockere Sitten.
1. Aufenthalt des Paulus (Winter 50 – Sommer 52): Auf seiner zweiten Missionsreise predigt Paulus in Korinth vor allem zu den Armen (vgl. 1 Kor 1, 26–28). Er schließt Freundschaft mit Aquila und Priszilla (Apg 18, 1–11). Von hier aus ist der Thessalonicherbrief geschrieben. Gegen Ende seines Aufenthalts ziehen ihn feindlich gesinnte Juden vergeblich vor das Gericht des Prokonsuls Gallio (Apg 18, 12–17). – Auf seiner dritten Missionsreise erhält Paulus während seines Aufenthalts in Ephesus (54–57) schlechte Nachrichten aus Korinth und schreibt einen ersten, verlorengegangen Brief (vgl. 1 Kor 5, 9–13; vielleicht ist 2 Kor 6, 14 – 7, 1 ein Fragment). Aufgrund neuer Informationen und schriftlicher Anfragen (1 Kor 1, 11; 7, 1) schreibt Paulus einen zweiten Brief (=1Korr1–16). AlsaberTitusnachKorinthkommt, um die in 1 Kor 16, 1–4 angekündigte Kollekte vorzubereiten, muß er feststellen, daß die Briefe des Apostels keine Wirkung erzielt haben.
Zweiter Aufenthalt: Blitzreise des Paulus nach Korinth (2 Kor 12, 14; 13, 1–2), es kommt zu einem kurzen und heftigen Zusammenstoß. Nach Ephesus zurückgekehrt, schreibt Paulus einen dritten Brief, den „Tränenbrief" (2 Kor 2, 3–4; 7, 8–12; 10—13). Etwas später erhält Paulus von Titus in Mazedonien gute Nachrichten (vgl. 2 Kor 7, 13). Daraufhin schreibt er einen vierten Brief (= 2 Kor 1—9; doch ist Kap. 9 vielleicht ein unabhängiges Schreiben zur Kollekte).
Dritter Aufenthalt (Winter 57–58): vgl. Apg 20, 3. Während dieser Monate verfaßt Paulus den Römerbrief.
Hafen → KENCHREÄ.
Provinz → ACHAIA.
Synagogenvorsteher → KRISPUS; SOSTHENES 1°.
Christen → CHLOË; GAIUS 3°; STEPHANAS.
→ ZEUS.

KORINTHER (2), Apg 18, 8; 2 Kor 6, 11 aus → KORINTH.

KORNELIUS (8), „Hauptmann in der sogenannten italischen Kohorte; ... fromm und gottesfürchtig, gab dem Volk reichlich Almosen und betete beständig zu Gott" (Apg 10, 1–2). Das ganze 10. Kapitel erzählt von der Vision dieses römischen Offiziers in Cäsarea und von der entsprechenden Vision des Petrus in Joppe, wodurch die Aufnahme der „Heiden" in die Kirche vorbereitet wird. Kornelius und die in seinem Haus Versammelten empfangen den Heiligen Geist und werden getauft. In Apg 11, 1–18 rechtfertigt Petrus vor der Jerusalemer Gemeinde die Aufnahme des Kornelius und seines Hauses in die christliche Glaubensgemeinschaft.

KOS (2), kleine Insel im Ägäischen Meer, westlich von Karien. Auch hierher ist ein Brief des Konsuls Luzius gerichtet, der das Bündnis zwischen Juden und Römern bekanntgibt (1 Makk 15, 23). Paulus kommt am Ende seiner dritten Missionsreise vorbei (Apg 21, 1).

KOSAM (1), Ahnherr Jesu nach Lk 3, 28.

KOSBI (2), „Lustdirne" (vgl. Achsib; Kesib; Koseba) **Tochter des Zur** (1), **eine Midianiterin** (3), von Pinhas mit einem Lanzenstich durchbohrt, zugleich mit dem Simeoniter Simri, dem Sohn Sallus, dem sie sich wahrscheinlich zur Kultprostitution hingegeben hatte (Num 25, 6–18; vgl. 1 Makk 2, 26).

KOSEBA (1) → ACHSIB 1°.

KOZ, gr. *Akkôs* „Der Dornbusch".
1° **Koz** (1), Vater mehrerer Sippen, die von Juda über Aschhur abgeleitet werden (1 Chr 4, 8).
2° **Hakkoz** (5) oder **Akkôs** (1), Haupt der siebten Priesterklasse (1 Chr 24, 10). Unter den aus dem Exil zurückgekehrten Priestern können die *Söhne des Hakkoz* ihre echt israelitische Abstammung nicht nachweisen (Esr 2, 61 // Neh 7, 63). Unter seinen Nachkommen → EUPOLEMUS; MEREMOT 1°.

KRATES (1), „Mächtig" **Führer der zypriotischen (Söldner),** ersetzt Sostrates, den Befehlshaber der Akropolis von Jerusalem (2 Makk 4, 29).

KRESZENS (1), Mitarbeiter des Paulus, unterwegs in Galatien, d. h. in Gallien eher als in Kleinasien (2 Tim 4, 10).

KRETA (6), Insel im Süden des Ägäischen Meers, die größte im Mittelmeer. Demetrius II. rekrutiert hier Söldner (vgl. 1 Makk 11, 38), bevor er nach Antiochia zurückkehrt (1 Makk 10, 67). Kretische Juden sind in der Pfingstgeschichte vorausgesetzt (Apg 2, 11). Bei seiner Romreise kommt der gefangene Paulus in Guthafen vorbei (Apg 27, 7–15). Der Titusbrief spiegelt die Organisationsformen der Missionskirche (Tit 1, 5). Ein Sprichwort stellt die Charakterfehler der Kreter bloß (Tit 1, 12).
Anderer Name der Insel → KAFTOR.
Städte → KALOI LIMENES; GORTYNA; LASÄA; PHÖNIX.
Kap → SALMONE.

KRETER (2), Apg 2, 11; Tit 1, 12 Bewohner von → KRETA.
→ KERETER (Zef 2, 5).

KRISPUS (2), Synagogenvorsteher in Korinth (Apg 18, 8), von Paulus getauft (1 Kor 1, 14).

KUB (1), unbekanntes Land (Ez 30, 5). Vielleicht *Lub,* „Libyen".

KULON (1), Stadt im Gebirge Juda (Jos 15, 59 LXX).

KUN (1), Stadt des Königreichs Zoba, nördlich von Damaskus (1 Chr 18, 8 // 2 Sam 8, 8: *Berotai).*

KUSCH
1° **Kusch** (29), (vgl. Kischi), gr. *Aithiopia,* **Äthiopien** (3), Land südlich des zweiten Nilkatarakts, das Nubien oder Äthiopien der Alten; südlich von Ägypten (Ez 29, 10; 30, 4–5.9; Jdt 1, 10), am Ende der bekannten Welt (vgl. Am 9, 7), an der Westgrenze des persischen Großreichs unter Xerxes (Est 1, 1; 3, 13; 8, 9.12). Bevölkerung hat schwarze Hautfarbe (vgl. Jes 18, 2; Jer 13, 23).
Die 25. Dynastie (715–663) Ägyptens ist kuschitischer Herkunft, und ihre Könige werden von den Assyrern schwer geschlagen (Jes 18, 1–7; 20, 3–5; Zef 2,12; Nah 3, 9) → TIRHAKA.
Man findet Äthiopier in den ägyptischen Armeen (2 Chr 12, 3; Jer 46, 9). Man findet sie aber auch in Juda (2 Sam 18, 21–23.31–32).
→ EBED-MELECH.
Kusch ist manchmal mit den Feinden des Gottesvolks verbündet, mit Gog (Ez 38, 5) oder mit dem Verfolger Antiochus Epiphanes (Dan 11, 43). Eines Tages aber wird sich Äthiopien bekehren und dem Volk Gottes eingegliedert werden (Ps 68, 32; 87, 4; Zef 3, 10). Ein Äthiopier (vgl. Jes 11, 11), hoher Beamter der Königin Kandake von Äthiopien, wird anläßlich einer Wallfahrt nach Jerusalem Christ (Apg 8, 27–39). Mit Kusch scheint oft mehr das im SW gelegene Arabien gemeint zu sein (Gen 2, 13; 10, 7f // 1 Chr 1, 9f; 2 Chr 21, 16; Ijob 28, 19; Jes 43, 3; 45, 14).
Kuschiter → ZIPPORA; SERACH 7°.
2° **Kusch der Benjaminiter** (1), vielleicht ein Feind Davids (Ps 7, 1). Die Übersetzungen haben in ihm den Kuschiter gesehen, der den Tod Abschaloms meldete (vgl. 2 Sam 18, 21–32).

KUSCHAJA (1), „Geschenk Jahs" (vgl. Kisch) → KISCHI.

KUSCHAN (1), Hab 3, 7: vielleicht altertümliche

Bezeichnung für → Midian. Die Übersetzungen haben das Wort als Ableitung von Kusch (Äthiopien) verstanden.

KUSCHAN-RISCHATAJIM (4), „Kuschan-mit-doppelter-Bosheit" (vgl. Birscha?), König von Mesopotamien (oder Edom?). Er beherrschte die Israeliten acht Jahre lang, bis der Richter Otniël, der Sohn des Kenas, ihn besiegte (Ri 3, 8–10).

KUSCHI (vgl. Kusch 1°).
1° **Kuschi** (1), Vater des Propheten → Zefanja 2°.
2° **Kuschi** (1), Vater des → Schelemja 1°.

KUSCHITER oder **Äthiopier** (27), hebr. *Kuschi,* Bewohner von → Kusch 1°.

KUTA (1), 2 Kön 17, 24 = **Kut** (1), 2 Kön 17, 30; akk. *Kutu,* Stadt 30 km NO von Babylon, von den Assyrern eingenommen. Die Bewohner werden nach Samarien deportiert, wo sie ihren Gott Nergal heimisch machen.

KYAMON (1), gegenüber Jesreel (Jdt 7, 3). Lage unbekannt.

KYRENE (2) → Zyrene.

KYRUS [der Große] (24), hebr. *Koresch,* pers. *Kurusch,* „Hirt" (vgl. Jes 44, 28), **König von Persien** (11), **der Perser** (2), **König von Babylon** (1), 550–529.
Das Trostbuch des Deuterojesaja läßt die aus Juda Verbannten auf ihre nahende Befreiung hoffen. Zunächst nur andeutungsweise (Jes 40, 13; 41, 2–5.25–27; 42, 1–9), dann ganz offen (44, 28; 45, 1–4) wird der siegreiche Kyrus angekündigt, der „Hirt" (44, 28), der „Gesalbte" (45, 1), der „Knecht" und „Erwählte" Jahwes (42, 1). Im Oktober 539 zieht Kyrus in Babylon ein. Schon 538 proklamiert er das Edikt, das die Gefangenschaft der Juden beendet, den Wiederaufbau des Jerusalemer Tempels begünstigt und die Rückführung der Kultgegenstände gestattet (2 Chr 36, 22–23 // Esr 1, 1–5; vgl. Esr 1, 7–8; 3, 7; 4, 3–4; 5, 13–17; 6, 2–3.14).
Die Geschichte Daniels wird so dargestellt, als habe sie sich bis in die Regierungszeit des Persers Kyrus hingezogen (Dan 1, 21; 6, 29; 10, 1; 14, 1 f).

KYAXARES, König von Medien (1), 633–584; Zerstörer des Assyrerreichs. In Tob 14, 15, wo der Fall Ninives erwähnt wird, ist anstelle von *Achikar* (var. *Nebukadnezzar* oder *Assuerus*) wohl Kyaxares zu lesen.

L

LABAN, „Der Weiße“ (vgl. Lebana; Lebona; Libanon; Libna).
1° **Laban** (54) **Sohn des Betuël** (1), Gen 28, 5, **Sohn des Nahor** (1), 29, 5, **der Aramäer** (4), 25, 20; 28, 5; 31, 20.24, Bruder der Rebekka (24, 29 f; 27, 43), Onkel des Jakob (29, 10; Jdt 8, 26).
Laban gibt Jakob seine Töchter Lea und dann Rahel zur Frau, und dies nicht ohne Hinterlist (Gen 29; 46, 18.25). Aber Laban findet in Jakob seinen Meister: der bereichert sich auf seine Kosten (30, 25–43) und flieht, wobei er die Familie und die bei seinem Schwiegervater erworbenen Reichtümer mitnimmt (31, 1–21). Laban holt ihn ein und schließt mit ihm einen Vertrag (31, 22–54; 32, 1).
2° **Laban** (1), Ort in Moab (Dtn 1, 1). Unbekannt.

LACHISCH (24), sehr alte kanaanäische Stadt, von Josua erobert (Jos 10, 31–35), deren König damals Jafia ist, ein Verbündeter des
→ ADONI-ZEDEK.
Stadt in der Schefela (Jos 15, 39), befestigt durch den König Rehabeam (2 Chr 11, 9). Aufgrund einer Verschwörung wird der König von Juda Amazja, dorthin verfolgt und getötet (2 Kön 14, 19 // 2 Chr 25, 27). Der assyrische König Sanherib nimmt Lachisch ein und verlegt nach dort, wie es scheint, sein Hauptquartier, von wo aus er seinen Angriff gegen Jerusalem führt (2 Kön 18, 14.17; 19, 8 // Jes 36, 2; 37, 8; 2 Chr 32, 9; vgl. Mich 1, 13). Ein Jahrhundert später belagert Nebukadnezzar die Stadt zur gleichen Zeit wie Jerusalem (Jer 34, 7) und nimmt beide ein. Die Stadt wird nach dem Exil von Judäern wieder besiedelt (Neh 11, 30). Heute *Tell ed Duweir* auf halbem Weg zwischen Jerusalem und Gaza.

LACHMAS (1), Stadt in der Schefela (Jos 15, 40). Heute *Khirbet el Lahm.*

LACHMI, Bruder des Goliat von Gat (1), von Elhanan getöteter Philister (1 Chr 20, 5). In der Parallelstelle (2 Sam 21, 19) wird Goliat von Gat durch Elhanan aus Betlehem getötet. *Lachmi* ist wohl eine Verstümmelung von *Bet-ha-Lachmi,* womit der Chronist 2 Sam 21, 19 und 1 Sam 17 (wo David Goliat tötet) harmonisieren wollte.

LADA (1), hebr. *Laᶜdah* (vgl. Ladan), Vater des Marescha und Sohn des Schela Sohn Judas (1 Chr 4, 21).

LADAN hebr. *Laᶜdan* (vgl. Lada).
1° **Ladan** (Efraimiter) → ERAN.
2° **Ladan** (6) Levit (1 Chr 23, 7–9; 26, 21)
→ LIBNI 1°.

LAËL (1), „Der bei Gott ist“ (vgl. Lemuël), Vater des → ELJASAF 2°.

[LAGAMAR] → KEDOR-LAOMER.

[LAGIDEN], hellenistische Dynastie, die nach dem Tod Alexander d. Gr. über Ägypten herrscht, begründet von dem Mazedonier Ptolemäus, Sohn des Lagos, einem General Alexanders.
→ PTOLEMÄER 1°–8°.
→ SELEUKIDEN.

LAHAD (1), korachitischer Clan, von Juda über Schobal hergeleitet (1 Chr 4, 2).

LAHAI-ROI → BEER-LAHAI-ROI.

LAJESCHA (1), „Löwin“ (vgl. Lajisch; Bet-Lebaot), Stadt Benjamins, bei Anatot, einige km NO von Jerusalem, bedroht durch eine feindliche Invasion aus dem Norden (Jes 10, 30).

LAJISCH, „Löwe“, gr. *Lais* (vgl. Lajescha).
1° **Lajisch** (4), alter Name der Stadt → DAN 2°.
2° **Lajisch** (2), Vater des → PALTIEL 2°.

LAKEDAIMONIER → LAZEDÄMONIER.

LAKKUM (1), Grenzstadt Naftalis, einige km südlich vom See Gennesaret (Jos 19, 33).

LAMECH (11), hebr. *Lemek,* gr. *Lamech.* Nach der jahwistischen Genealogie ist er ein Sohn Metuschaels (Gen 4, 18), und er hat zwei Frauen: Ada, die ihm Jabal und Jubal gebiert, und Zilla, die ihm Tubal-Kajin und Naama schenkt (4, 19–23). In seinem Clan ist die Blutrache furchtbar (4, 24).
Nach der elohistischen Genealogie ist Lamech der Sohn Metuschelachs (Gen 5, 25–26) und Vater des Noachs (5, 28–31; vgl. 1 Chr 1, 3). Er stirbt im Alter von 777 Jahren.
Nach Lk 3, 36 gehört er zu den Ahnherren Jesu.

LAND (Gelobtes) (1), wörtl. „Land der Verheißung“, „verheißenes Land“, gr. *ge tes epaggelias* (Hebr 11, 9; vgl. Apg 7, 5). Das AT hat zum Verb „verheißen“, „geloben“ kein entsprechendes Wort. Der Gedanke wird jedoch häufig durch zwei Formeln ausgedrückt:
– „das Land, das euch der Herr gibt, wie er gesagt hat“ (Ex 12, 25; vgl. Gen 12, 7; 13, 15; 15, 7.18; 17, 8; 26, 2–3; 35, 12; Ex 6, 4; Lev 14, 34; 20, 24; 25, 2; Num 14, 8; Jos 1, 2 u. ö.).
– „das Land, von dem du weißt: Er hat deinen Vätern geschworen, es dir zu geben“ (Dtn 7, 13; vgl. Gen 24, 7; 50, 23; Ex 6, 8; 13, 5.11; 32, 13; 33, 1; Num 11, 12; 14, 16.23.30; Dtn 16x: 1, 8; 6, 10.18.23; 7, 13; 8, 1; 10, 11; 11, 21; 19, 8; 26, 3.15; 27, 3; 28, 11; 30, 20; 34, 4; Jos 1, 6; 21, 43; Ri 2, 1; Jer 11, 5; 32, 22; Bar 2, 34; Ez 20, 6.28.42).
Diese Landverheißung wird nicht bedingungslos gegeben. Ein Teil der Israeliten, die nach dem Gelobten Land ziehen, nach dem „Land der Ruhe“, werden es nicht betreten, weil sie gegen Jahwe gemurrt haben (Num 14, 30; 32, 10–11; Dtn 1, 34–35; 2, 14; 4, 21; Ps 95, 11; Ez 20, 15; Hebr 4, 3). Und auch nachdem sie sich im Gelobten Land niedergelassen haben, werden sie aus ihm vertrieben werden, wenn sie sich dem Jahwebund gegenüber untreu erweisen (Dtn 28, 63; 29, 27; 1 Kön 14, 15; 2 Chr 7, 20). Über das Land Israel hinaus verheißt Gott den Gerechten und Gewaltlosen eine „neue Erde“ (2 Petr 3, 13; vgl. Mt 5, 4; Ps 37, 9.11; Jes 57, 13; 60, 21; 65, 17; 66, 22; Offb 21, 1).

LAND (Heiliges) (4), hebr. *'admat (ha-)qodesch,* gr. *hagia ge.* Es handelt sich zunächst um den Boden, das Stück Land, auf dem Gott sich offenbart, wie der Berg Sinai, an dem Gott vor Mose seinen allerheiligsten Namen kundgibt: „Komm nicht näher heran! Leg deine Schuhe ab; denn der Ort, wo du stehst, ist heiliger Boden“ (Ex 3, 5; vgl. 19, 12). Als „heilig“ wird auch der Ort bei Jericho erklärt, wo der „Anführer des Heeres des Herrn“ dem Josua erscheint (Jos 5, 15). Die Anwesenheit Gottes verleiht einem Ort sakralen Charakter, wie es Jakob in Bet-El ausdrückt: „Wirklich, der Herr ist an diesem Ort, und ich wußte es nicht.. Wie ehrfurchtgebietend ist doch dieser Ort! Hier ist nichts anderes als das Haus Gottes und das Tor des Himmels“ (Gen 28, 16–17).
Das Land Israel wird zum erstenmal in Sach 2, 16 als „Heiliges Land“ bezeichnet. Der Ausdruck begegnet noch in 2 Makk 1, 7 und Weish 12, 3 („dein heiliges Land“). Es ist auch von einem „heiligen Ort“ (2 Makk 1, 29), einem „Heiligtum“ (Ex 15, 17; Ps 114, 2) die Rede. Das Land ist heilig, weil es „das Land des Herrn“ ist (Jes 14, 2; Hos 9, 3; vgl. 2 Chr 7, 20; Weish 12, 3; Jer 16, 18), der „Erbbesitz Jahwes“ (1 Sam 26, 19; 2 Sam 14, 16). Diesem Land, das Jahwe seinem Volk gegeben hat und dessen Hauptstadt Jerusalem, „das Zion des Heiligen Israels“, ist (Jes 60, 14), seine „Gründung auf heiligen Bergen“ (Ps 87, 2), ist er, der Heilige Israels, auf einzigartige Weise verbunden, so daß David meint, in der Fremde ihn nicht mehr verehren zu können (1 Sam 26, 19), und Naaman nach Damaskus Erde aus Israel mitnimmt, um Jahwe dort Opfer darzubringen (2 Kön 5, 17).

Von den Israeliten entweiht und befleckt (Jes 24, 5; Jer 16, 18; Ez 36, 17), wird das Heilige Land eines Tages wieder ganz gereinigt und geheiligt werden, und zwar in seinen idealen Grenzen. So hoffen es die Propheten der nachexilischen Zeit (Ez 47, 13–48, 35; Sach 14). Jahwe aber gehört die ganze Erde (Ex 19, 5; Lev 25, 23; Dtn 10, 14; Ps 24, 1), und die Menschen, denen Gott die Erde übergeben hat (Ps 115, 16; Gen 1, 28), sind nur „Fremde und Halbbürger bei mir" (Lev 25, 23). Die Erde ist heilig, weil sie „der Schemel" für Gottes Füße ist (Jes 66, 1 // Mt 5, 35 // Apg 7, 49). Seitdem aber Gottes Sohn auf diese Erde gekommen ist und sein Evangelium „überall auf der Welt" verkündet werden soll (Mt 26, 13; Apg 1, 8; 13, 47; Röm 10, 18), ist „die ganze Welt heilig" (Origenes).

LAODIZEA (6), phrygische Stadt in Kleinasien, in der Nachbarschaft von Kolossä und Hierapolis. Die christliche Gemeinde ist nicht von Paulus selbst, sondern wohl von Epaphras gegründet (Kol 2, 1; 4, 12–13). An diese Gemeinde ist ein (verlorener) Paulusbrief gerichtet (Kol 4, 15–16) sowie einer der sieben Briefe in der Apokalypse (Offb 1, 11; 3, 14–22).

LAODIZENER (1), Kol 4, 16. Christen aus → Laodizea.

LAPPIDOT (1), „Fackeln", „Leuchten"?, Mann der Prophetin → Debora 2°.

LASÄA (1), Stadt an der Südküste Kretas, bei Kaloi Limenes (Apg 27, 8).

LASTHENES (2), Kreter, Minister des syrischen Königs Demetrius II. In einem Brief an Lasthenes verkündet Demetrius das neue Dokument zugunsten der Juden (1 Makk 11, 31–32).

LAZARUS, gr. *Lazaros,* vom hebr. *El^cazar,* Eleasar, „Gott hat geholfen" (vgl. Eser).
1° **Lazarus** (11) aus Betanien, Bruder der Marta und Maria, Freund Jesu. Er wird krank und stirbt. Jesus erweckt ihn zum Leben (Joh 11, 1–5.11.14.17.43f; vgl. 12, 17). Vor seinem Sterben hält Jesus ein Mahl bei Lazarus (Joh 12, 1–2.9–11).
2° **Lazarus** (4), Lk 16, 19–31. Dies ist das einzige Beispiel, wo eine Gleichnisgestalt, der Arme, mit einem Namen bezeichnet wird. Der Grund liegt vielleicht in der Bedeutung des Namens.

LAZEDÄMONIER (1) → Sparta.

LEA (34), „Kuh" (vgl. Rebekka), Tochter Labans und ältere Schwester Rahels (Gen 29, 16f), als erste Frau Jakob trügerisch untergeschoben (29, 23–25), Mutter Rubens, Simeons, Levis und Judas (29, 30–35; vgl. 30, 14f), dann Issachars, Sebulons und einer Tochter Dina (30, 16–21; vgl. 34, 1; 35, 23; 46, 15). Durch ihre Magd Silpa wird sie auch zur Mutter Gads und Aschers (30, 9–13; vgl. 35, 26; 46, 18). Sie wird zusammen mit Rahel genannt (Gen 31, 4.14.33; 33, 1f 7; Rut 4, 11). Nach Gen 49, 31 wurde sie in Machpela bei Hebron bestattet.

LEBANA (2) „Weiße", „Vollmond" (vgl. Laban), Familienhaupt von Tempeldienern, die aus dem Exil zurückkehren (Esr 2, 45 // Neh 7, 48).

LEBAOT → Bet-Lebaot.

LEBO-HAMAT (12), „Eingang nach Hamat" → Hamat 2°.

LEBONA (1), abgeleitet von *Lebana* (vgl. Laban), Ort auf halbem Weg zwischen Bet-El und Sichem, im NW von Schilo (Ri 21, 19).

LECHA (1), Ort in Juda, hergeleitet von Schela über Er (1 Chr 4, 21).

LEHABITER (2), hebr. *Lehabim,* von Ägypten hergeleitetes Volk (Gen 10, 13 // 1 Chr 1, 11), vielleicht die Libyer. Es könnte sich aber auch um einen Ort zwischen Jerusalem und Geser handeln, den Salomo vom Pharao als Geschenk erhalten hat (vgl. 1 Kön 9, 16f).

LEHI (5), „Kinnbacken", nicht zu identifizierender Ort Judas, bei dem eine Episode aus der

Simsongeschichte spielt (Ri 15, 9.14.17.19). Nach einigen Übersetzungen ist Lehi der Ort, an dem der Held Schamma, der Harariter, ganz allein ein Heer der Philister schlägt (vgl. 2 Sam 23, 11).
→ EN-KORE; RAMAT-LEHI.

LEMUËL (2), „Der ist bei Gott" (vgl. Laël), König des arabischen Stammes von Massa (Spr 31, 1.4). Weisheitslehrer, dem Spr 31, 1–9 zugeschrieben werden.

LESCHA (1) → DAN 2°.

LESCHEM (2) → DAN 2°.

LETUSCHITER (1), arabischer Stamm, über Dedan von Jokschan hergeleitet, einem Sohn Abrahams und seiner Nebenfrau Ketura (Gen 25, 3).

LEUKIOS (1) → LUZIUS.

LËUMMITER (1), „Horden", arabischer Stamm, über Dedan von Jokschan hergeleitet, einem Sohn Abrahams und seiner Nebenfrau Ketura (Gen 25, 3).

LEVI, „Verbunden mit", „Bezogen auf" (vgl. Gen 29, 34; Num 18, 2–4).
1° **Levi, Sohn Levis, Leviten (370).**
Das Wort kommt 4 x in Lev (25, 32–33) und 182 x im Werk des Chronisten vor (1–2 Chr, Esr, Neh). Nach Gen 29, 34 ist Levi der dritte Sohn Jakobs und der Lea, geboren nach Simeon und vor Juda. Levi und Simeon rächen die Vergewaltigung ihrer Schwester Dina auf heimtückische und grausame Weise, was ihnen den Tadel Jakobs einträgt (Gen 34, 25–31). Der Jakobssegen nennt noch Simeon und Levi zusammen, tadelt den von ihnen (an Sichem) verübten Frevel und kündigt die Zerstreuung der beiden Stämme an (Gen 49, 5–7). Man kann annehmen, daß Levi Simeon in den Süden gefolgt ist, wo dieser nach und nach von Juda aufgesogen wurde. Levi, Simeon und Juda sind nämlich alle drei Söhne Leas, und Levi, der in den Stammeslisten 13 x erscheint, kommt 10 x unmittelbar hinter Juda oder Simeon. Die alte Aufteilung der levitischen Clans von Num 26, 58 weist sodann daraufhin, daß Leviten bei Hebron und Libna im Süden wohnten. Schließlich kommt der Levit des Micha aus Juda (Ri 17, 7; 18, 30), während der Levit von Ri 19, 1, der in Efraim lebt, nach Juda zieht, um eine Nebenfrau zu suchen.
Der priesterliche Stamm. Der weltliche Stamm Levi ist also verschwunden. Seine überlebenden Mitglieder scheinen sich dann auf kultische Funktionen spezialisiert zu haben. Gewiß begegnet man ursprünglich Priestern, die aus anderen Stämmen als dem Levis hervorgehen: Efraimiter, wie der Sohn des Micha (Ri 17, 5) – bei der ersten Gelegenheit zieht ihm sein Vater freilich einen Leviten vor (Ri 17, 12) – , wie Samuel (1 Sam 2, 18; 7, 9), Judäer (2 Sam 8, 18), Manassiter (2 Sam 20, 26).
Die Nachkommen Levis sind dann wohl für kultische Aufgaben ausgesondert worden (Num 1, 50; 3, 6f). Sie werden Gott anstelle der Erstgeborenen Israels dargebracht (Num 3, 12; 8, 16). In der Geschichte mit dem Goldenen Kalb zeigen sie sich besonders eifrig, die Ehre Jahwes wiederherzustellen (Ex 32, 25–29; vgl. Dtn 33, 8–11). Sie werden nicht mit den anderen Stämmen gemustert (Num 1, 47–49), haben kein Gebiet wie die anderen Stämme, denn „Jahwe ist ihr Erbteil" (Jos 13, 33; 14, 3f; 18, 7; vgl. Num 18, 20; Dtn 10, 9 u. ö.). Sie leben verstreut über die Städte anderer Stämme (vgl. Num 35, 2–8; Jos 21 // 1 Chr 6, 39–66), wo sie als Fremde wohnen (Dtn 12, 12.18; 14, 27.29 u. ö.), als Nutznießer des ihnen zustehenden Zehnten (Num 18, 20–24; vgl. Hebr 7, 5–11).
Der deuteronomistische Geschichtsschreiber (7. Jahrhundert) läßt den Stamm Levi ausgesondert sein, damit er die Bundeslade trägt, Jahwe dient und das Volk segnet (Dtn 10, 8; 31, 9.25). Jeder Levit kann das Priestertum ausüben (Dtn 18, 6–7), aber dieser Grundsatz wird nicht immer beachtet (vgl. 2 Kön 23, 9). Die Unterscheidung zwischen Priestern und Leviten vollzieht sich mit der Aufhebung der kleinen Heiligtümer zugunsten der großen, wie Jerusalem oder Bet-El (vgl. Ez 44, 10–31; 45, 4–5; 48, 10–13). Für den Verfasser der Priesterschrift (5. Jahrhundert) ist Aaron der erste Hohepriester Israels, seine Söhne sind

die einzigen legitimen Priester (vgl. Ex 28—29; 39; Num 16–18), und die anderen Nachkommen Levis sind bestimmt, ihnen zu dienen und dem Zeltheiligtum zu dienen (Num 3, 6—12; 8, 6–26; 18, 1–7).
Die Zahl der aus dem Exil zurückgekehrten Leviten ist sehr gering im Verhältnis zur Zahl der Priester (Esr 3, 36–40 // Neh 7, 39–43; Esr 8, 18–19). Zur Zeit des Esra und Nehemia trifft man aber auf andere Leviten (Neh 3, 17f; 10, 10–14; 11, 18), die auch von den Sängern, den Torwächtern, den Tempeldienern und den Knechten Salomos unterschieden werden (vgl. Esr 2, 40–58).
Um 300 weist der Chronist, der gewiß die Unterscheidung zwischen Priestern und Leviten aufrechterhält, den Leviten eine beträchtliche Rolle im israelitischen Kult zu: bei der Bundeslade (1 Chr 15—16), im Tempel (23—26), bei der Durchführung der religiösen Reformen des Hiskija (2 Chr 29—31) und Joschija (34—35). Da sie die Lade nicht mehr zu tragen brauchten (1 Chr 23, 26), wird ein Teil von ihnen mit dem Kultgesang betraut (1 Chr 16, 4). Zugleich werden die anderen Sänger den Leviten angeglichen. Die drei Häupter der Sängerschulen, Heman, Asaf und Etan/Jedutun, erhalten in Kehat, Gerschom und Merari, den Söhnen Levis, ihre levitischen Ahnherren (1 Chr 6, 18–32). Ähnlich bekommen die Torwächter als Ahnherren Korach und Obed-Edom (1 Chr 26, 1–19), beide Nachkommen Levis, der erste über Kehat, der zweite über Merari – nach Darstellung des Chronisten.
Neben dem Dienst der Sänger, der Musiker und Torwächter übernehmen die Leviten andere Aufgaben: wie die Verwaltung des Tempels (1 Chr 9, 26; 26, 20f; 2 Chr 24, 6.11; 31, 11–15), die Annahme und Lagerung von Opfergaben (2 Chr 29, 34; 35, 11), das Amt von Schreibern und Richtern (1 Chr 23, 4), die Belehrung des Volkes (vgl. 2 Chr 17, 8–9; Neh 8, 7.9).
Levi in den Stammeslisten → S. 376.
Stammbaum des Levi → S. 382.
Leviten → Barnabas; Jonatan 1°.
Tochter Levis → Jochebed.
2° **Levi** (2), zwei Ahnherren Jesu (Lk 3, 24.29).
3° **Levi** (3) → Matthäus.

LEVIATAN (6), hebr. *Liwjatan,* ugar. *Lotan,* in der phönizischen Mythologie siebenköpfiges Chaosungeheuer (Ijob 3, 8; vgl. 7, 12), als flüchtige Schlange und als gewundene Schlange bezeichnet (Jes 27, 1; vgl. Ijob 26, 13), dem Drachen des Meeres gegenübergestellt. Symbol der Unordnung und Inkarnation der Macht des Bösen, wird Leviatan von Jahwe bei der Schöpfung und beim Durchzug durch das Rote Meer besiegt (Ps 74, 14). In Ijob 40, 25 – 41, 26 ist das Krokodil gemeint (vgl. Ps 104, 26), und es soll wohl auf Ägypten, den Feind Israels, angespielt werden. Der Drache von Offb 12, 3 zeigt manche Züge dieser Chaosschlange.
→ Rahab 1°; Urmeer.

LEVITEN (242), hebr. *lewiim* (239), gr. *leveites* (3), Lk 10, 32; Joh 1, 19; Apg 4, 36 → Levi 1°.

LIBANON (73), hebr. *Lebanon,* „Weiß" (vgl. Laban), Gebirgskette in einer Länge von 170 km, parallel zur Nordküste Palästinas (vgl. Jos 9, 1), mit einigen Gipfeln über 3000 m. Von den Hiwitern besiedelt (Ri 3, 3), wird der Libanon als innerhalb der theoretischen Grenzen des Gelobten Landes liegend betrachtet (Dtn 1, 7; 3, 25; 11, 24; Jos 1, 4; 13, 5–6; 1 Kön 9, 19; Sach 10, 10).
Das Gebirge ist berühmt wegen seiner Wälder, besonders seiner Zedern und Zypressen (Ri 9, 15; 1 Kön 5, 13.20–23.28; 2 Kön 19, 23; Esr 3, 7; Ps 29, 5; 92, 13; 104, 16; Hld 3, 9; 5, 15; Sir 24, 13; 50, 12; Jes 2, 13; 14, 8; 29, 17; 33, 9; 35, 2; 37, 24; 60, 13; Jer 22, 6.23; Ez 17, 3; 27, 5; 31, 3.16; Hos 14, 6–8; Hab 2, 17; Sach 11, 1), seiner Flora (2 Kön 14, 9; Ps 72, 16; Hld 4, 11; Nah 1, 4) und Fauna (Hld 4, 8; Jes 40, 16), seinen schneebedeckten Gipfeln (Jer 18, 24) und seinen Wasserfällen (Hld 4, 15).
→ Antilibanon; Hermon.

LIBANONWALDHAUS (6), hebr. *Jaᶜar ha-Lebanon* (vgl. Jaar; Libanon), von Salomo neben dem Tempel in Jerusalem erbaut. Seinen Namen hat es von den 45 Zedernsäulen aus dem Libanon, die den großen Saal wie einen Wald aussehen ließen. Später wurden in ihm Waffen aufbewahrt (1 Kön 7, 2; 10, 17.21 // 2 Chr 9, 16.20; Jes 22,8).

LIBERTINER (1), jüdische Freigelassene (Apg 6, 9), vermutlich Nachkommen der Kriegsgefangenen, die von Pompejus nach Rom gebracht worden waren.

LIBNA, „Weiß" (vgl. Laban).
1° **Libna** (2), Etappe der Israeliten in der Wüste zwischen dem Sinai und Kadesch (Num 33, 20–21). Unbekannt.
2° **Libna** (16), alte kanaanäische Königsstadt, von Josua eingenommen (nach Jos 10, 29–32.39; 12, 15). Ort in der Schefela Judas (Jos 15, 42), den Leviten Kehats zugeteilt (Jos 21, 13 // 1 Chr 6, 42) → LIBNI 1°. Unter Joram wird Libna von den Philistern erobert (vgl. 2 Kön 8, 22 // 2 Chr 21, 10). Zur Zeit Hiskijas wird die Stadt von Sanherib belagert (2 Kön 19, 8 // Jes 37, 8). Heimat der Hamital, der Mutter der Könige Joahas und Zidkija von Juda (2 Kön 23, 31 // 25, 18; Jer 52, 1). Vermutlich 10 km südlich von Ekron.
Libnat (1) → SCHIHOR-LIBNAT.

LIBNI (vgl. Libna).
1° **Libni** (4) ist mit Schimi ein Sohn Gerschons, des Sohnes Levis (Ex 6, 17 // Num 3, 18 // 1 Chr 6, 2.5). Seine Nachkommen bilden die Sippe der **Libniter** (Num 3, 21). Nach der alten Aufzählung der levitischen Geschlechter in Num 26, 58 (abweichend von der kanonischen Einteilung in Gerschoniter, Kehatiter und Merariter) wohnten die Libniter ursprünglich in der Stadt → LIBNA 2°.
= **Ladan** (6), auch er mit Schimi vorgestellt als Sohn und levitischer Clan Gerschons (1 Chr 23, 7–9; 26, 21).
Vater des → JEHIËL 2°.
2° **Libni** (1), Levit des Clans Merari, Sohn des Machli und Vater des Schimi (1 Chr 6, 14).

LIBNITER (2), Num 3, 21; 26, 58 vom Clan → LIBNI 1°.

LIBYEN (1), Land westlich von Ägypten, nahe bei Zyrene. Juden aus dieser Gegend sind beim ersten christlichen Pfingstfest in Jerusalem (Apg 2, 10).
→ KUB.

LIBYER (4), hebr. *Lubim,* aus Libyen stammend, mit den Kuschitern als ägyptische Hilfstruppen genannt (2 Chr 12, 3; 16, 8; Dan 11, 43; Nah 3, 9).
→ LEHABITER; LIBYEN; PUT.

LIKHI (1), Buchstabenumstellung (?) des hebr. *Helki* „Helekiter" (1 Chr 7, 19) → HELEK.

LINUS (1), Christ in Rom (2 Tim 4, 21).

LO-AMMI (1), „Nicht mein Volk" (vgl. Ammi), symbolischer Name, den der Prophet Hosea seinem zweiten von der Gomer geborenen Sohn gibt (Hos 1, 9); in der Folge wird dieser Name zu *Ammi* „Mein Volk" (Hos 2, 3.25).

LOD (4) → LYDDA.

LO-DABAR (5), „Nichts", Stadt im Ostjordanland, im Gebiet von Gad (Jos 13, 26: hebr. *Lidebir*), vermutlich von Joasch oder Jerobeam II., den Königen Israels, wiedererobert (Am 6, 13). Heimat des → MACHIR 2°.

LOIS (1), Großmutter des Timotheus (2 Tim 1, 5). → EUNIKE.

LOHESCH (2), „Der Zauberer" oder „Wahrsager", Fürst des Volkes, Mitunterzeichner der Gesetzesverpflichtung (Neh 10, 25). Vater des → SCHALLUM 14°.

LO-RUHAMA (2), „Kein Erbarmen" (vgl. Jeroham), symbolischer Name, den der Prophet Hosea seiner von der Gomer geborenen Tochter gibt (Hos 1, 6.8). In der Folge wird dieser Name zu *Ruhama,* „Erbarmen" (Hos 2, 3.25).

LOT (38) (vgl. Lotan) ist nach der priesterlichen Tradition **Sohn des Haran** (1) und Neffe Abrahams, mit dem er von Ur wegzieht und von Haran nach Kanaan kommt (Gen 11, 27.31; 12, 5).
Nach der jahwistischen Tradition läßt sich Lot in der Jordanebene bei Sodom nieder (13, 1–14). Als einziger Gerechter in einer Stadt von Sündern entgeht er der Zerstörung und dem Untergang

Sodoms, während die Frau des Lot zurückschaut und zur Salzsäule wird (19, 1–29; vgl. Weish 10, 6–7; 19, 17; Sir 16, 8; 2 Petr 2, 7f und Lk 17, 28–32), ein Vorbild des Endgerichts. Die Moabiter und Ammoniter werden aus einer inzestuösen Verbindung zwischen Lot und seinen Töchtern hergeleitet (Gen 19, 30–38). Moab und Ammon heißen deshalb auch „Söhne Lots“ (Dtn 2, 9.19; Ps 83, 9). Nach der unabhängigen Überlieferung von Gen 14 wird der von den vier verbündeten Königen gefangene Lot durch einen Überraschungsangriff Abrahams befreit.

LOTAN (7), (vgl. Lot), erster Sohn des Horiters Seïr (Gen 36, 20 // 1 Chr 1, 38) und erster der Horiterfürsten oder Clans (Gen 36, 29). Er hat zwei Söhne, Hori und Hemam, und eine Schwester, Timna (Gen 36, 22 // 1 Chr 1, 39).

LUD (6), ein von Ägypten (Mizrajim) in der jahwistischen Genealogie hergeleitetes Volk (Gen 10, 13 // 1 Chr 1, 11), während es die Priesterschrift mit Sem in Verbindung bringt (Gen 10, 22 // 1 Chr 1, 17). An den anderen Stellen wird es immer in Parallele zu Put genannt (Jes 66, 19; Jer 46, 9; Ez 27, 10; 30, 5; Jdt 2, 23), so daß Lud eine Bevölkerung an der afrikanischen Küste des Roten Meeres bezeichnen könnte. Manche Autoren setzen das Lud von Gen 10, 22 // 1 Chr 1, 17 und Jes 66, 19 mit Lydien gleich. Andere sehen im Lud von Gen 10, 13 einen Ort zwischen Jerusalem und Geser, den Salomo von Pharao geschenkt bekommen habe.

LUDITER (3), hebr. *Ludim* (Gen 10, 13 // 1 Chr 1, 11; Jer 46, 9), Leute von → LUD.

LUHIT (2), eine Steige in Moab (Jes 15, 5; Jer 48, 5). Schwer zu lokalisieren. Vielleicht im Westen des Landes.

LUKAS (3), (vgl. Luzius), mit Demas zusammen genannt, Arzt, Mitarbeiter des Paulus (Kol 4, 14; Phlm 24; 2 Tim 4, 11). Früher manchmal mit dem „Bruder“ von 2 Kor 8, 18 gleichgesetzt oder mit dem Verfasser der „Wir-Berichte“ (Apg 16, 10–17; 20, 5–15; 21, 1–18; 27, 1 – 28, 16). Die Tradition schreibt ihm die Verfasserschaft am dritten Evangelium und an der Apostelgeschichte zu.

LUS, „Liebenswert“
1° **Lus** (7), alter Name von → BET-EL 1°.
2° **Lus** (1), Stadt im Hetiterland. Nach Ri 1, 26 wurde sie von einem Bewohner Bet-Els gegründet, nachdem er diese Stadt dem Haus Josef ausgeliefert hatte.

LUZIUS, gr. *Leukios* oder *Loukios* (vgl. Lukas), Name römischen Ursprungs.
1° **Luzius** (1), eigentlich *Lucius Caecilius Metellus Calvus,* römischer Konsul im Jahr 142 v. Chr. Er verschickt an alle möglichen Könige, Städte, Inseln und Länder einen Rundbrief, der das Bündnis zwischen Juden und Römern bekanntgibt (1 Makk 15, 16–24).
2° **Luzius von Zyrene** (1), einer der fünf „Propheten und Lehrer“ der Gemeinde von Antiochia (Apg 13, 1f).
3° **Luzius** (1), Judenchrist in Korinth (Röm 16, 21).

LYDDA (4), Hauptstadt eines der drei vom Makkabäer Jonatan angegliederten Bezirke (1 Makk 11, 34; vgl. 10, 30.38; 11, 28.57). Der Apostel Petrus heilt hier einen Gelähmten, den Äneas (Apg 9, 32.35.38). Etwa 15 km im SW von Joppe.
= **Lod** (4), neben Ono genannte Stadt, nach dem Exil von Juden bewohnt (Esr 2, 33 // Neh 7, 37), von Benjamin (Neh 11, 35; vgl. 1 Chr 8, 12).

LYDIA (2), Purpurhändlerin aus Thyatira in Lydien, wohnt in Philippi. Dem Judentum zugeneigt, bekehrt sie sich zum christlichen Glauben und empfängt die Taufe mit ihrem ganzen Haus. Sie gewährt Paulus Gastfreundschaft, und der aus dem Gefängnis entlassene Apostel verabschiedet sich von der in ihrem Haus versammelten Gemeinde (Apg 16, 14–15.40).

LYDIEN (1), Landschaft Kleinasiens am Ägäischen Meer zwischen Mysien und Karien. Nach seiner Niederlage bei Magnesia am Sipylos im Jahre 189 muß Antiochus der Große Lydien an Eumenes, den König von Pergamon, abtreten

(1 Makk 8, 8). Im Jahr 133 wird Lydien der römischen Provinz Asien angegliedert.
→ LUD; MAGOG.
Städte → PHILADELPHIA 1°; SARDES; SMYRNA; THYATIRA.

LYKAONIEN (1), Landschaft im NW Ziliziens, meist Hochebenen, in der heutigen Türkei, im Jahre 25 v. Chr. zur römischen Provinz Galatien geschlagen. Landessprache war noch an manchen Orten das Lykaonische (Apg 14, 11). Paulus verkündet hier auf seinen beiden ersten Missionsreisen das Evangelium (Apg 14, 6; vgl. 16, 1).
Städte → MYRA; PATARA; PHASELIS.

LYSANIAS, „Der den Ärger vertreibt" (vgl. Lysimachus).
1° **Lysanias** (1), vermutlich Kommandant der Stadt Efron, die von Judas Makkabäus erobert wird (2 Makk 12, 27). Der gr. Text hat *Lysias.*
2° **Lysanias, Tetrarch von Abilene** (1), im Synchronismus genannt, der das Auftreten Johannes des Täufers zeitlich einordnet (Lk 3, 1). Sonst nicht bekannt.

LYSIAS
1° **Lysias** (23), **Oberbefehlshaber von Zölesyrien und Phönizien** (1), 2 Makk 10, 11. Aus königlicher Familie stammend, regierte er Syrien in Abwesenheit des Königs Antiochus Epiphanes (1 Makk 3, 32–36). Um den jüdischen Aufstand niederzuschlagen, schickt er ein Heer nach Judäa, das aber bei Emmaus besiegt wird (1 Makk 3, 38–40; 4, 1–27). Im folgenden Jahr unternimmt er selbst einen Feldzug gegen die Juden, scheitert aber bei Bet-Zur (1 Makk 4, 28–35 // 2 Makk 11, 1–12; vgl. 1 Makk 6, 6). Friedensverhandlungen und ein Brief des Lysias an die Juden (2 Makk 11, 13–21; vgl. 11, 35 f; 12, 1). Bei der Thronbesteigung des sehr jungen Antiochus V. Eupator (1 Makk 6, 17) führt Lysias einen neuen Feldzug gegen die Juden, die mehrere Niederlagen erleiden: bei Bet-Zur und Bet-Sacharja und eine Belagerung Jerusalems (1 Makk 6, 28–54; vgl. 2 Makk 13, 1–4). Lysias bewegt Antiochus, mit den Juden zu verhandeln (1 Makk 6, 55–60; 2 Makk 13, 23–26): ein Brief Antiochus V. an Lysias (2 Makk 11, 22–26). Im Jahr 161 wird Lysias von seinem Heer an Demetrius I. ausgeliefert und zugleich mit Antiochus V. getötet (1 Makk 7, 2–4 // 2 Makk 14, 2).
2° **Lysias** (1) → LYSANIAS 1°.
3° **Lysias** (3), mit Beinamen **Klaudius** (1), römischer Oberst der Burg Antonia in Jerusalem (Apg 23, 26; 24, 7 v.l 22). Er hatte für das römische Bürgerrecht eine hohe Summe bezahlen müssen (22, 24–29). Ihm ist es zu verdanken, daß Paulus nicht von den Juden im Tempel gelyncht wurde (Apg 21, 31–39), daß er sich vor dem Hohen Rat verantworten konnte (22, 30) und nach Cäsarea gebracht wurde, bevor ihn fanatische Verschwörer ermorden konnten (23, 12–33).

LYSIMACHUS, „Der dem Kampf ein Ende macht" (vgl. Lysanias).
1° **Lysimachus** (6), Bruder des Hohenpriesters Menelaus und zeitweilig selbst Hoherpriester; er wird von der Menge im Tempel wegen zahlreicher sakrilegischer Diebstähle umgebracht (2 Makk 4, 29.39–42).
2° **Lysimachus Sohn des Ptolemäus** (1), Mitglied der jüdischen Gemeinde Jerusalems, Übersetzer des Buches Ester (Est 11, 1).

LYSTRA (6), Stadt in Lykaonien, etwa 30 km südlich von Ikonien. Als Begleiter des Barnabas verkündigt Paulus hier auf seiner ersten Missionsreise das Evangelium und heilt einen Kranken. Man hält Paulus für Hermes und Barnabas für Zeus. Das Eintreffen von Juden aus Ikonien kehrt die Situation um. Paulus wird gesteinigt. Am nächsten Tag reist er nach Derbe (Apg 14, 6–20; vgl. 2 Tim 3, 11). Auf dem Rückweg kommt er noch einmal in Lystra vorbei (Apg 14, 21 f). Auf seiner zweiten Missionsreise nimmt Paulus von Lystra den jungen Timotheus als Mitarbeiter mit (Apg 16, 1–3).

LYZIEN (2), kleinasiatische Landschaft an der Mittelmeerküste, in der heutigen Türkei. Auch hierher ist der Brief des Konsuls Luzius gerichtet, in dem das Bündnis zwischen Juden und Römern bekanntgemacht wird (1 Makk 15, 23). Seit 43 n. Chr. bildet Lyzien mit Pamphylien eine römische Provinz.

M

MAACHA, (vgl. Abel-Bet-Maacha; Bet-Maacha).
1° **Maacha** (6), einer der zwölf Söhne Nahors, des Bruders Abrahams, geboren von seiner Nebenfrau Rëuma (Gen 22, 24). Die **Maachiter** sind ein aramäisches Volk, östlich des Oberlaufs des Jordan, an der Grenze zu Israel (Dtn 3, 14; Jos 12, 5; 13, 11.13), mit den Ammonitern gegen David verbündet (2 Sam 10, 6.8 // 1 Chr 19, 6–7).
2° **Maacha** (1), Nebenfrau des Kaleb, von der mehrere Clans hergeleitet werden. Von ihr stammen vermutlich → Eschtemoa und Jaasanja 2°.
3° **Maacha** (2), Schwester und Frau des Machir (1 Chr 7, 15–16).
4° **Maacha** (2), Frau des Jëiël, des Vaters Gibeons (1 Chr 8, 29 // 9, 35).
5° **Maacha** (1), Vater des → Hanan 3°.
6° **Maacha** (1), Vater des → Schefatja 3°.
7° **Maacha** (1), 1 Kön 2, 39.
= **Maoch** (1), 1 Sam 27, 2; Vater des → Achisch.
8° **Maacha Tochter des Talmaï, des Königs von Geschur** (2), Frau des David und Mutter des Abschalom (2 Sam 3, 3 // 1 Chr 3, 2). Mutter der → Tamar 2°.
9° **Maacha** (7) **Enkelin Abschaloms** (4), Lieblingsfrau Rehabeams des Königs von Juda (2 Chr 11, 21), Mutter auch des Abija (1 Kön 15, 2; 2 Chr 11, 20.22), Großmutter Asas (1 Kön 15, 10), der ihr die Würde einer „Herrin" entzog (1 Kön 15, 13).
= **Michaja Tochter des Uriël aus Gibea** (1), Mutter des Abija (2 Chr 13, 2).

MAACHITER, hebr. *Ma*[c]*akhati.*
1° **Maachiter** (5), Dtn 3, 14; Jos 12, 5; 13, 11.13; 2 Sam 23, 34 (möglich auch *Bet-Maacha*), aus dem Land → Maacha 1°.
2° **Maachiter** (3), 2 Kön 25, 23 // Jer 40, 8; 1 Chr 4, 19: vom kalebitischen Clan → Maacha 2°.

MAADAI (1), Abk. von *Maadja,* Israelit aus den Söhnen Bani, schickt seine fremdländische Frau zurück (Esr 10, 34).

MAADJA (1), hebr. *Ma*[c]*adjah* (vgl. Maadai), aus dem Exil mit Serubbabel zurückgekehrter Priester (Neh 12, 5).
= **Moadja** (1), nach ihm heißt eine priesterliche Familie, deren Haupt zur Zeit des Hohenpriesters Jojakim Piltai ist (Neh 12, 17).

MAAI (1), Levit, Sohn Asafs (?), Musiker bei der Mauerweihe in Jerusalem (Neh 12, 36).

MAARAT (1), Ort im Bergland Juda (Jos 15, 59).

MAASEJA, „Werk Jahs" (vgl. Asael).
1° **Maaseja** (2), Levit, Torwächter, dem Dienst an der Lade zugeteilt (1 Chr 15, 18), Harfenspieler (15, 20).
2° **Maaseja Sohn des Adaja** (1), Hofbeamter, in die Verschwörung gegen Atalja verstrickt (2 Chr 23, 1–14).
3° **Maaseja** (1), Offizier (Werber?, Truppenführer?) im Heer des Königs Usija (2 Chr 26, 11).
4° **Maaseja** (1), Judäer, „Sohn des Königs" (= Polizeioffizier?), getötet von Sichri im syro-efraimitischen Krieg (2 Chr 28, 7).
5° **Maaseja** (1), Kommandant von Jerusalem unter Joschija. Er begleitet den Schreiber Schafan und den königlichen Herold Joach zum Hohenpriester Hilkija, um die Bezahlung der Tempelarbeiter zu regeln (2 Chr 34, 8ff).

6° **Maaseja** (3), Priester, Vater des → ZEFANJA 3°.
7° **Maaseja** (1), Vater des Propheten → ZIDKIJA 2°.
8° **Maaseja Sohn des Schallum** (1), Schwellenwächter, für den im Tempel ein Gemach reserviert ist (Jer 35, 4).
9° **Maaseja** (3), drei Priester, die ihre fremdländischen Frauen wegschicken: der erste aus den Söhnen Jeschuas (Esr 10, 18); der zweite aus den Söhnen Harims (10, 21); der dritte aus den Söhnen Paschhurs (10, 22).
10° **Maaseja** (1), Israelit aus den Söhnen Pahat-Moabs, schickt seine Frau zurück (Esr 10, 30).
11° **Maaseja** (1), Vater des → ASARJA 18°.
12° **Maaseja** (1), vornehmer Laie, steht bei der Gesetzesverlesung zur Rechten Esras (Neh 8, 4).
13° **Maaseja** (1), Levit, erklärt dem Volk das Gesetz bei der feierlichen Verlesung (Neh 8, 7).
14° **Maaseja** (1), Führer des Volkes, Mitunterzeichner der Gesetzesverpflichtung (Neh 10, 26).
15° **Maaseja Sohn des Baruch Sohn des Kolhose Sohn des Hasaja Sohn des Adaja Sohn des Jojarib Sohn des Secharja** (1), Judäer aus dem Clan Schela, wohnhaft in Jerusalem nach dem Exil (Neh 11, 5).
16° **Maaseja** (1), Benjaminiter, Ahnherr des → SALLU 1°.
17° **Maaseja** (1), zwei Priester, die mit Nehemia an der Mauerweihe in Jerusalem teilnehmen (Neh 12, 41–42).
18° **Maaseja** (1), Ahnherr des Sängers Asaf (1 Chr 6, 25: hebr. *Baaseja*).

MAASJA, „Jah ist eine feste Burg" (vgl. Asasja).
1° **Maasja** (1), Leiter der 24. Priesterklasse (1 Chr 24, 18).
2° **Maasja** (1), Priester, Mitunterzeichner der Gesetzesverpflichtung (Neh 10,9).

MAAZ (1), „Grimm" (vgl. Ahimaaz), erster der drei Söhne Rams, aus dem Clan Jerachmeël (1 Chr 2, 27).

MACHBANNAI (1), Gaditer, Anhänger Davids vor dessen Königszeit (1 Chr 12, 14).

MACHBENA (1). Nachkomme der Maacha, des Nebenweibs Kalebs (1 Chr 2, 49).

MACHI (1), Gaditer, Vater des → GEÜEL.

MACHIR, „Der Verkaufte", „Söldner".
1° **Machir** (19) **Sohn des Manasse** (7): Gen 50, 23; Num 32, 39–40; 36, 1; Jos 13, 31; 17, 3; 1 Chr 7, 17; oder „Erstgeborener Manasses" (Jos 17, 1) genannt – mit seinem Clan, dem Clan der **Machiriter** – an der Spitze der manassitischen Clans (Num 26, 29–34; Jos 17, 1 ff). **Vater Gileads** (4): Jos 17, 1; 1 Chr 2, 21.23; 7, 14.
Nach Gen 50, 23 sind die Söhne Machirs in Ägypten geboren, „auf den Knien Josefs", d. h. von ihm adoptiert. Nach 1 Chr 2, 21 bestehen Bande zwischen Machir und Juda.
Machir, ein „Kriegsmann" (Jos 17, 1), erobert Gilead (Num 32, 39–40), wo er sich niederläßt (Dtn 3, 15; Jos 13.31). Der alte Text von Ri 5, 14 stellt Machir auf die gleiche Stufe wie die Stämme Efraim, Benjamin, Sebulon, Issachar, Naftali, während Manasse nicht genannt wird. Wahrscheinlich wurde Machir von Manasse verdrängt und aufgesogen, wie es mit Simeon durch Juda und Ruben durch Gad geschah.
→ ZELOFHAD; GILEAD 1°.
2° **Machir Sohn des Ammiël von Lo-Dabar** (3), bleibt dem Hause Saul treu, besonders dem Sohn Jonatans, Merib-Baal (2 Sam 9, 4–5), versorgt David und dessen Leute auf der Flucht (2 Sam 17, 27–29).

MACHLA
1° **Machla** (4), Num 26, 33; 27, 1; 36, 11; Jos 17, 3: Manassiterin, die erste von fünf Töchtern des → ZELOFHAD.
2° **Machla** (1), Manassiterin, eins von drei Kindern der Molechet (1 Chr 7, 18).

MACHLI (vgl. Machlon).
1° **Machli** (9) ist, mit Muschi, ein Sohn des Levisohnes Merari (Ex 6, 19; Num 3, 20; 1 Chr 6, 4.14; 23, 21; 24, 26). Seine Nachkommen bilden die Sippe der **Machliter** (Num 3, 33; 26, 58).
Nachkommen → ASAJA 1°; ELEASAR 4°; KISCH 3°; SCHEREBJA.
2° **Machli** (3), Levit des Clans Merari, einer der drei Söhne des Muschi (1 Chr 23, 23 // 24, 30), Ahnherr des Sängers Etan (1 Chr 6, 32).

MACHLON (4), „Wehmut"? (vgl. Machli?), Efratiter aus Betlehem in Juda, einer der beiden Söhne Elimelechs und der Noomi, erster Mann der Moabiterin Rut, stirbt kinderlos (Rut 1, 2–5; 4, 9–10).

MACHNADBAI (1), Esr 10, 40 → SAKKAI 1°.

MACHPELA (6), „Doppel", Acker und Höhle **gegenüber von Mamre** (5), die Abraham als Begräbnisplatz für Sara kauft (Gen 23, 7–20). Nach ihr werden dort Abraham (25, 8–10), Isaak und Rebekka, Lea und Jakob (49, 30–31; 50, 13) begraben (vgl. aber Gen 50, 10–11 mit Apg 7, 16). Die Tradition identifiziert den Ort in *Haram el Khalil* bei Hebron.

MACHSEJA, gr. *Maasaias,* lat. *Maasias,* „Jah ist Zuflucht" (vgl. Ahasbai).
1° **Machseja** (1), Jer 33, 12 = **Maasias** (1), Bar 1, 1; Vater des Nerija, Großvater des → BARUCH 1°.
2° **Machseja** (1), Jer 51, 59; vermutlich mit dem Vorhergehenden identisch. Vater des Nerija, Großvater des → SERAJA 3°.

MADAI (2), Gen 10, 2; 1 Chr 1, 5 → MEDER.

MADIANITER → MIDIANITER.

MADMANNA (2), „Mist" (vgl. Madmena), Stadt im Negeb von Juda (Jos 15, 31), kalebitischen Ursprungs (1 Chr 2, 49).

MADMEN (1), (vgl. Madmena), Stadt in Moab, vielleicht südlich des Arnon (Jer 48, 2).

MADMENA (1), „Mist" (vgl. Madmanna), nicht identifizierte Ortschaft, im NO von Jerusalem (Jes 10, 31).

MADON (2), Jos 11, 1; 12, 19 → MEROM.

MAGADAN (1), Lage unbekannt, am See Gennesaret (Mt 15, 39 // Mk 8, 10: *Dalmanuta*).

MAGBISCH (1), Ort in Juda (oder Judäa), dessen Bewohner mit Serubbabel aus dem Exil zurückkehren (Esr 2, 30).

MAGDALA (14), vom hebr. *Migdal,* „Turm" (vgl. Gedalja), Ort am Westufer des Sees Gennesaret, nördlich von Tiberias.
Heimat der → MARIA 2°.

MAGDIËL (2), „Gott ist mein Geschenk" oder „Gott ist meine Ehre" (vgl. Megiddo), Fürst oder Clan in Edom (Gen 36, 43 // 1 Chr 1, 54).

MAGOG (5), „Land des Gog" (vgl. Gog), einer der sieben Söhne Jafets (Gen 10, 2 // 1 Chr 1, 5), das kleinasiatische Lydien. Gilt als Land, in dem Gog herrscht (Ez 38, 2; 39, 6), und als Symbol der Heidenvölker, die sich gegen das Gottesvolk verbündet haben (Offb 20, 8f).

MAGPIASCH (1), Führer des Volkes, Mitunterzeichner der Gesetzesverpflichtung (Neh 10, 21).

MAHALALEL, gr. *Maleleel,* „Lob Gottes" (vgl. Hillel).
1° **Mahalalel** (6), Sohn des Kenan und Vater des Jered (Gen 5, 12–17 P; vgl. 1 Chr 1, 1).
= **Mehujaël** (1) oder **Mehijaël** (1), Sohn des Irad und Vater des Metuschaël (Gen 4, 18 J).
= **Mahaldel** (1), Lk 3, 37: Ahnherr Jesu vor der Sintflut.
2° **Mahalalel** (1), Ahnherr des → ATAJA.

MAHALAT
1° **Mahalat Tochter Ismaels Sohn Abrahams und Schwester des Nebajot** (1), Frau Esaus (Gen 28, 9).
2° **Mahalat Tochter des Jerimot Sohn Davids** (1) **und der Abihajil Tochter des Eliab Sohn Isais** (1), eine der Frauen des Königs Rehabeam, dem sie drei Söhne schenkt (2 Chr 11, 18–19).

MAHALEB (2), phönizische Stadt an der Grenze Aschers (Jos 19, 29: Korr. des hebr. *Mehebel*), bleibt lange Zeit unabhängig (Ri 1, 31: Korr des hebr. *Achlab*). Im NO von Tyrus.

MAHANAJIM (13), „Die beiden Lager", vgl. Gen 32, 3.8.11 (vgl. Mahane-Dan).
Ort, an dem Jakob die Engel Gottes begegnen (Gen 32, 3). Stadt im Ostjordanland, südlich des

Jabbok, an der Grenze zwischen Gad und Manasse (Jos 13, 26.30), den Leviten des Clan Merari zugeteilt (Jos 21, 38 // 1 Chr 6, 65). Im 7. Distrikt Salomos (1 Kön 4, 14). Zufluchtsort des Saulssohnes Eschbaal (2 Sam 2, 8.12.29) und des vor seinem Sohn Abschalom fliehenden David (2 Sam 17, 24.27; vgl. 19, 33; 1 Kön 2, 8).

MAHANE-DAN (2), „Lager Dans" (vgl. Mahanajim) → DAN 3°.

MAHASIOT (2), „Visionen" (vgl. Hasaël), aus den Söhnen Hemans, Vorsteher der 23. Sängerklasse (1 Chr 25, 4.30).

MAHAT, gr. *Maath.*
1° **Mahat Sohn des Amasai** (2), Levit des Clan Kehat, genannt mit **Joël Sohn des Asarja** oder **Asarjahu** in der Genealogie des Sängers Heman (1 Chr 6, 20–21) und im Bericht von der Tempelreinigung bei der Reform des Hiskija (2 Chr 29, 12). Vgl. Ahimot Bruder des Amsai (1 Chr 6, 10).
2° **Mahat** (1), einer der zehn Leviten, die dem Konanja und Schimi zur Zeit des Hiskija im Tempel helfen (2 Chr 31, 13).
3° **Mahat** (1), Ahnherr Jesu nach Lk 3, 26.

MAHAWITER (1), 1 Chr 11, 46 (Korr. des hebr. *Mahawim*)?
→ ELIËL 5°.

MAHER-SCHALAL-HASCH-BAS (2), „Schnelle Beute-Rascher Raub", prophetischer Name des zweiten Sohnes Jesajas (Jes 8, 1–4).

MAHOL (1), „Tanz" (vgl. Mehola; Abel-Mehola), Vater der drei Weisen Heman, Kalkol und Darda (1 Kön 5, 11).

MAHRAI oder **Mahrai aus Netofa** (3), Krieger Davids (2 Sam 23, 28 // 1 Chr 11, 30). Nach 1 Chr 27, 13, wo er als **Serachiter** bezeichnet wird, ist er für den (militärischen) Dienst des 10. Monats verantwortlich.

MAKAZ (1), im 2. Distrikt Salomos (1 Kön 4, 9). Lage unbekannt.

MAKED (2), Stadt im NO Gileads, wo von Judas Makkabäus befreite Juden leben (1 Makk 5, 26.36).

MAKHELOT (2), „Versammlungen" (vgl. Kehelata), Etappe des Exodus zwischen dem Sinai und Kadesch (Num 33, 25–26).

MAKKABÄER (31), gr. *Makkabaios,* hebr. *Maqqaba,* „Hammer"? (vgl. Markus) oder *Maqqebai,* „Bezeichnet von Jahwe"?, Beiname des berühmtesten Sohnes des Mattatias, dem Namen **Judas** (9) hinzugefügt (1 Makk 2, 4.66; 3, 1; 5, 24; 8, 20; 2 Makk 2, 19; 5, 27; 8, 1; 14, 6) oder allein (22) gebraucht (1 Makk 5, 34; 2 Makk 8, 5.16; 10, 1.16.19.21.25.30.33–35; 11, 6–7.15; 12, 19–20; 13, 24; 14, 27.30; 15, 7.21) → JUDAS 1°.

MAKKEDA (9), alte kanaanäische Königsstadt, von Josua eingenommen (Jos 10, 28–29; 12, 16). In einer Höhle nahe der Stadt verbergen sich fünf Könige. Nach ihrer Hinrichtung läßt Josua sie dort begraben (Jos 10, 10.16–27). Stadt in der Schefela (Jos 15, 41). Lage unbekannt.

MAKRON (1), „Langhaupt", Beiname des → PTOLEMÄUS 10°

MALACHIAS (1) → MALEACHI.

MALCHUS (1), gr.-lat. Form des nabat. *Maliku,* „König" (vgl. Melech), Knecht des Hohenpriesters, dem Petrus ein Ohr abschlägt (Joh 18, 10; vgl. Mt 26, 51).

MALEACHI (1), „Mein Bote", aus Mal 3, 1 abgeleiteter Name, um den um 450 lehrenden anonymen Propheten zu bezeichnen (Mal 1, 1). Der „letzte" der zwölf „kleinen" Propheten.

MALKAM (1), gr. *Malkom* (vgl. Melech), Benjaminiter, Familienhaupt in Moab (1 Chr 8, 9).

MALKIËL, gr. *Melchiel,* „Mein König ist Gott" (vgl. Melech).
1° **Malkiël** (3), Sohn des Beria Sohn Aschers (Gen 46, 17 // 1 Chr 7, 31), dessen Nachkommen die Sippe der **Malkiëliter** bilden (Num 26, 45).

2° **Melchiël** (1), Jdt 6, 15: Vater des → KARMI.

MALKIËLITER (1), Sippe des → MALKIËL 1°.

MALKIJA, „Mein König ist Jah" (vgl. Melech)
1° **Malkijahu** (1), Prinz von Geblüt, in dessen Zisterne Jeremia geworfen wird (Jer 38, 6).
2° **Malkija** (2), Vater des → PASCHHUR 3°.
3° **Malkija** (1), Ahnherr des Sängers Asaf (1 Chr 6, 25).
4° **Malkija** (2), Ahnherr des Priesters → ADAJA 6°.
5° **Malkija** (1), Vorsteher der 5. Priesterklasse (1 Chr 24, 9).
6° **Malkija** (2), zwei Israeliten aus den Söhnen Parosch, die ihre fremdländischen Frauen verstoßen (Esr 10, 25).
7° **Malkija** (1), Israelit aus den Söhnen Harim, schickt seine fremdländische Frau zurück (Esr 10, 31).
8° **Malkija Sohn des Harim** (1), beteiligt sich freiwillig am Wiederaufbau der Jerusalemer Mauer (Neh 3, 11). Derselbe wie der Vorhergehende?
9° **Malkija Sohn des Rechab** (1), Vorsteher des Bezirks Bet-Kerem, beteiligt sich an seinem Wiederaufbau (Neh 3, 14).
10° **Malkija** (1), aus der Gilde der Goldschmiede, ebenfalls Freiwilliger beim Wiederaufbau (Neh 3, 31).
11° **Malkija** (1), vornehmer Laie, steht bei der feierlichen Verlesung des Gesetzes zur Linken Esras (Neh 8, 4).
12° **Malkija** (1), Priester, Mitunterzeichner der Gesetzesverpflichtung (Neh 10, 4).
13° **Malkija** (1), Priester, nimmt an der Mauerweihe in Jerusalem teil (Neh 12, 42).

MALKIRAM (1), „Mein König ist erhaben" (vgl. Melech; Rama), ein Sohn des Königs Jojachin, in Babylon gefangen (1 Chr 3, 18).

MALKISCHUA (5), (vgl. Melech; Schua 1°), einer der drei Söhne des Königs Saul (1 Sam 14, 49; 1 Chr 8, 33 // 9, 39), die bei der Schlacht von Gilboa ums Leben kommen (1 Sam 31, 2 // 1 Chr 10, 2).

MALLOTI (2), aus den Söhnen Hemans, Leiter der 19. Sängerklasse (1 Chr 25, 4.26).

MALLUCH, jüngere Form des hebr. *Melech,* „König".
1° **Malluch** (1), Levit aus dem Clan Merari, Ahnherr des Sängers Etar (1 Chr 6, 29).
2° **Malluch** (1), Israelit aus den Söhnen Bigwais, schickt seine fremdländische Frau zurück (Esr 10, 29).
3° **Malluch** (1), Israelit aus den Söhnen Harims, schickt seine fremdländische Frau zurück (Esr 10, 32).
4° **Malluch** (3), Priester, aus dem Exil zurückgekehrt (Neh 12, 2), Mitunterzeichner der Gesetzesverpflichtung (Neh 10, 5), nach ihm heißt eine priesterliche Familie (Neh 12, 14).
5° **Malluch** (1), Führer des Volkes, Mitunterzeichner der Gesetzesverpflichtung (Neh 10, 28).

MALLUS (1), gr. *Mallotai,* Stadt Ziliziens, an der Küste gelegen, deren Bewohner unter Antiochus Epiphanes einen Aufstand machen (2 Makk 4, 30).

MALTA (1), gr. *Melite,* Mittelmeerinsel, südlich von Sizilien, wo Paulus nach dem Schiffbruch gastliche Aufnahme findet und Kranke heilt (Apg 28, 1–10).
Erster der Insel → PUBLIUS.

MAMMON, aram. *Mamon,* „Reichtum", Personifikation des Geldes als der die Welt versklavenden Macht (Mt 6, 24 // Lk 16, 13; Lk 16, 9.11; vgl. Sir 31, 8).

MAMRE (10), gr. *Mambre,* Amoriter, Bruder des Eschkol und Aner, Gast und Verbündeter Abrahams (Gen 14, 23.24), nach ihm heißt ein **Eichenhain,** der Aufenthaltsort und Heiligtum der Patriarchen geworden ist (Gen 13, 18; 14, 13; 35, 27), wo die „drei Männer" Abraham erscheinen (Gen 18, 1–16).
Von der Tradition 3 km nördlich von Hebron lokalisiert, bei *Ramat el Khalil.*
Gegenüber Mamre → MACHPELA.

MANAËN (1), hebr. *Menahem,* „Tröster" (vgl. Nahum), Jugendgefährte des Tetrarchen Herodes, einer der fünf „Propheten und Lehrer" der Gemeinde von Antiochia (Apg 13, 1).

MANAHAT (vgl. Naha).
1° **Manahat** (2), zweiter Sohn des Schobal, des zweiten Sohns Seïrs (Gen 36, 23 // 1 Chr 1, 40).
2° **Manahat** (1), Ort, nach dem die Bewohner von Geba als Gefangene weggeführt werden (1 Chr 8, 6).
= **Manah** (1), Stadt im Bergland Juda (Jos 15, 59 LXX). Ihre Bewohner, die **Manahatiter,** werden als Nachkommen Hurs, des Erstgeborenen Efratas, über Schobal betrachtet (1 Chr 2, 52: Korr. des hebr. *Manuhot*) und über Salmon (2, 54).

MANAHATITER (2), hebr. *Manahti* aus
→ MANAHAT 2°.

MANASSE, hebr. *Menaschsche,* abgeleitet in Gen 41, 51 vom hebr. *naschah* (vergessen).
1° **Manasse** (125) **Sohn Josefs** (4): Num 27, 1; 32, 33; 36, 12; Jos 17, 1–2. Stamm Israels.
Ältester Sohn Josefs und der Asenat, der Tochter Potiferas, geboren in Ägypten (Gen 41, 50–51; 46, 20.27). Mit seinem Bruder Efraim von Jakob gesegnet und als eigene Söhne adoptiert, wobei aber Efraim die Vorrangstellung erhält (Gen 48, 1–20).
Nachkommen und Geschlechter Manasses (Num 26, 29–34; vgl. Jos 17, 1–6; 1 Chr 7, 14–19). Der ärmste Clan ist der des Abiëser, zu dem Gideon gehört (Ri 6, 15). Musterungen des Stammes (Num 1, 34–35; 2, 20–21; 26, 29–34). Die Bevölkerung ist mit Kanaanitern gemischt (Ri 1, 27)
→ SICHEM.
Manasse und Efraim bilden zwei Stämme (Jos 14, 4), sie heißen auch **Josef** (Gen 49, 22; Dtn 27, 12) oder **die Söhne Josefs** (Num 26, 28–37; Jos 16, 1–4; 17, 14–18; 1 Chr 7, 29), oft zusammen genannt (Dtn 34, 2; 2 Chr 30, 1; 34, 6.9; Ps 60, 9 // 108, 9; Ps 80, 3; Jes 9, 20). Diesen beiden Stämmen gehört das größte und reichste Gebiet des Heiligen Landes sowie das Nationalheiligtum von Sichem und dann von Schilo.
Manasse umfaßt *zwei Halbstämme* (Jos 13, 7–8; 21, 5–6.25.27; 1 Chr 27, 20–21): der eine hat sein Gebiet *westlich* des Jordan und heißt Westmanasse (Jos 17, 7–13; vgl. 1, 27–28; 1 Chr 7, 29), der andere *östlich* des Jordan ist Ostmanasse (Jos 13, 29–31; vgl. 1 Chr 5,23–26). Dieser Halbstamm wird wegen seiner geographischen Lage häufig mit Ruben und Gad zusammen genannt (Num 32, 33–41; 34, 14–15; Dtn 3, 12–16; 4, 43; 29, 7; Jos 1, 12f; 4, 12; 12, 16; 13, 8; 18, 7; 22; 2 Kön 10, 33; 1 Chr 5, 18.26; 26, 32).
Seine „Söhne“ → GILEAD 1°; JAIR 1°; MACHIR 1°; ZELOFHAD.
Manasse in den Stammeslisten → S. 376f.
Der Bruderstamm → EFRAIM 1°.
2° **Manasse** (26), vierzehnter König von Juda (687–642), **Sohn des Hiskija** (1): Jer 15, 4; 1 Chr 3, 13 und der Hefzi-Bah: 2 Kön 21, 1. Er folgt seinem Vater auf dem Thron (2 Kön 20, 21 // 2 Chr 32, 33) im Alter von 12 Jahren und regiert 55 Jahre (2 Kön 21, 1 // 2 Chr 33, 1). Die von seinem Vater durchgeführte religiöse Reform wird von ihm wieder rückgängig gemacht: Höhenheiligtümer werden wieder aufgebaut, der Baalskult, die Verehrung Astartes und des ganzen Himmelheers erneuert, Altäre im Tempel aufgestellt (Joschija wird sie zerstören: 2 Kön 23, 12), Totenbeschwörer und Wahrsager rehabilitiert, der eigene Sohn geopfert, Unschuldige zum Tod verurteilt (2 Kön 21, 2–16 // 2 Chr 33, 1–10). Die jüdische Überlieferung hat ihm sogar die Schuld am Tod des Propheten Jesaja zugeschrieben. Die Sünden Manasses erlangen eine traurige Berühmtheit (2 Kön 21, 20; 23, 26; 24, 3; Jer 15, 4; vgl. Sir 49, 4). Nach 2 Chr 33, 11 wurde Manasse von den Assyrern in die Babylonische Gefangenschaft geführt. Durch diese Prüfung soll er sich bekehrt haben (2 Chr 22, 12–16.18–19.23). Aufgrund dieser Erzählung ist im Frühjudentum das „Gebet des Manasse“ entstanden, ein Bußpsalm von 15 Zeilen. Manasse wurde im Garten des Usa begraben (2 Kön 21, 18 // 2 Chr 33, 20).
Er gilt auch als Ahnherr Jesu (Mt 1, 10).
Sein Sohn und Nachfolger → AMON 2°.
3° **Manasse** (1), Israelit aus den Söhnen Pahat-Moabs, schickt seine fremdländische Frau zurück (Esr 10, 30).
4° **Manasse** (1), Israelit aus den Söhnen Haschums, schickt seine fremdländische Frau zurück (Esr 10, 33).
5° **Manasse** (6), Simeoniter, Mann der Judit (Jdt 8, 2.7; 10, 3; 16, 22–24).
6° **Manasse** (1), Tob 14, 10 → ACHIKAR.

MANASSITER (4), Dtn 4, 43; 29, 7; 2 Kön 10, 33; 1 Chr 26, 32 → MANASSE 1°.

MANIUS (1), eigentlich *Titus Manius,* einer der römischen Gesandten, die nach Antiochia kommen und den Brief über den Friedensvertrag zwischen Römern und Juden abfassen (2 Makk 11, 34).

MANOACH (18), „Ruheort" (vgl. Nahat), Daniter aus Zora, Vater des Simson (Ri 13; 14, 1–11; 16, 31).

MAOCH (1) → MAACHA 7°.

MAON, „Versteck", „Zufluchtsort" (vgl. Bet-Meon).
1° **Maon** (8), Stadt im Bergland Juda (Jos 15, 55), kalebitischen Ursprungs (1 Chr 2, 45). Saul verfolgt David in die **Steppe Maon** (1 Sam 23, 24–28; 25, 1: Korr. des hebr. *Paran*). Heimat des Nabal vom Karmel (1 Sam 25, 2–3). Etwa 15 km südlich von Hebron. Heute *Khirbet Ma'in.*
2° **Maon** (1), korr. in Midian (Ri 10, 12). Identisch mit (?) → MËUNITER?

MARA, „Bitter" (vgl. Marot; Meratajim).
1° **Mara** (5), erste Station des Exodus nach dem Durchzug durch das Rote Meer (Num 33, 8–9). Das Volk murrt wegen des bitteren Wassers, und Mose macht es süß (Ex 15, 22–25).
→ MASSA 2°.
2° **Mara** (1), Beiname („Die Bittere"), den sich Noomi („Meine Liebliche"), die Schwiegermutter der Rut, bei ihrer Rückkehr aus Moab gibt (Rut 1, 20–21).

MARALA (1), Ort an der Grenze Sebulons (Jos 19, 11). Vielleicht *Tell Ghaata* im Kischontal.

MARDOCHAI → MORDECHAI.

MARDUK → MERODACH.

MARESCHA (8), hebr. *Mare'schah* und *Mareschah,* gr. *Marisa,* „Gipfel", Stadt in der Schefela (Jos 15, 44; vgl. Mich 1, 15), früher kalebitisch (1 Chr 2, 42; 4, 21), befestigt durch Rehabeam (2 Chr 11, 8), Ort eines Zusammenstoßes zwischen dem König Asa und dem Kuschiter Serach (2 Chr 14, 8–11).
= **Marisa** (2), der Makkabäer Judas zieht durch die Stadt (1 Makk 5, 66: Korr. des gr. Samaria); Zufluchtsort des Statthalters Gorgias (2 Makk 12, 35).
Heimat des → ELIËSER 6°.

MARIA, „Seherin", „Herrin"?
1° **Maria** (19), Mutter Jesu.

a) In den Kindheitsevangelien

Mt und Lk: Maria, Verlobte Josefs (Mt 1, 16), ist schwanger aus der Kraft des Heiligen Geistes (Mt 1, 18; Lk 1, 27.35), gebiert in Betlehem einen Sohn, Jesus (Mt 1, 25; 2, 1; Lk 2, 4–7), wohnt dann in Nazaret (Mt 2, 23; Lk 2, 39).
Mt: Josef weigert sich, Maria, die schwanger ist, zu verstoßen (1, 19–24). Nach der Geburt Jesu besuchen die Weisen Maria (2, 11), Maria muß mit Josef und Jesus für einige Zeit nach Ägypten fliehen (2, 13–15), und sie läßt sich auf Weisung des Engels in Nazaret nieder (2, 19–23).
Lk: Der Engel Gabriel verkündigt Maria, der „Begnadeten" (1, 28), die Geburt Jesu (1, 26–37). Maria nimmt als „Magd des Herrn" das Wort Gottes an (1, 38), sie besucht ihre Base Elisabet (1, 39–56) und bekundet ihre Dankbarkeit im Magnifikat. Als sie Jesus in Betlehem gebiert, kommen Hirten vom Feld (2, 16). Bei der Darstellung im Tempel wundert sie sich über das, was von ihrem Kind gesagt wird, und der greise Simeon kündigt ihr selbst schweres seelisches Leid an (2, 22–34). Auch die Antwort des Zwölfjährigen im Tempel begreift sie nicht, und doch hört sie nicht auf, alles, was geschieht, in ihrem Herzen zu bewahren, um darüber nachzudenken (2, 19. 41–51).

b) Im übrigen Neuen Testament

Im öffentlichen Leben Jesu erscheint Maria nur wenige Male: bei der Hochzeit in Kana (Joh 2, 1–5) und anschließend in Kafarnaum (Joh 2, 12), in der Perikope von der „wahren Familie Jesu" (Mt 12, 46–50 // Mk 3, 31–35 // Lk 8, 19–21), bei der Seligpreisung Marias durch eine unbekannte Frau aus dem Volk (Lk 11, 27; vgl. 1, 48), die Jesus durch den Hinweis auf den gläubigen Gehorsam seiner Mutter unterstreicht, und in der Nazaretperikope (Mt 13, 55 // Mk 6, 7; vgl. Joh 6, 42). Nach dem Joh-Ev steht Maria unter dem Kreuz, wo ihr der sterbende Jesus den Lieblingsjünger anvertraut und umgekehrt (Joh 19, 25–27). Die Apg nennt Maria, die „Mutter Jesu“, und „seine Brüder“ unter den Personen, die nach der Himmelfahrt die Jerusalemer Urgemeinde bilden (Apg 1, 14).

Paulus erinnert die Galater, daß „Gott seinen Sohn sandte, geboren von einer Frau“ (Gal 4, 4; vgl. Jes 7, 14; Mich 5, 2). Ob die Frau von Offb 12 auf Maria hinweisen will, sei es als Mutter des Messias, sei es als Bild der Kirche, ist exegetisch umstritten.

2° **Maria** (14) **von Magdala** (12). Durch Jesus von „sieben Dämonen“ befreit (Lk 8, 2; vgl. Mk 16, 9), gehört Maria zur Gruppe der Frauen, die Jesus von Galiläa aus folgen (Lk 8, 2), beim Kreuz stehen (Mt 27, 55–56 // Mk 15, 40–41 // Joh 19, 25; vgl. Lk 23, 49), beim Begräbnis helfen (Mt 27, 61 // Mk 15, 4; vgl. Lk 23, 56), Duftstoffe zur Salbung des Leichnams kaufen (Mk 16, 1) und das leere Grab auffinden (Mt 28, 1 ff // Mk 16, 2 ff // Joh 20, 1 f; vgl. Lk 24, 1 ff).

Maria von Magdala sieht als erste den Auferstandenen (Joh 20, 11–18; vgl. Mk 16, 9) und gehört zu den Frauen, die den Aposteln die Botschaft von der Auferstehung überbringen (Lk 24, 9–10; Joh 20, 18; vgl. Mt 28, 8; Mk 16, 8).

3° **Maria** (11) von Betanien, Schwester der Marta und des Lazarus (Joh 11, 1–5).

Sie wird wiederholt zu Füßen Jesu dargestellt (Lk 10, 39; Joh 11, 32; 12, 3), zeigt sich eher bereit, Jesu Wort zu hören als im Haushalt zu helfen, was ihr das Urteil einträgt: „Maria hat das Bessere gewählt, das soll ihr nicht genommen werden“ (Lk 10, 38–40). Beim Tod ihres Bruders Lazarus hält sie sich im Haus auf, während Juden kommen, um sie zu trösten (Joh 11, 19–20.45). Jesus läßt sie durch ihre Schwester rufen, sie kommt, und angesichts ihrer Tränen weint auch Jesus (Joh 11, 28–35). Einige Tage vor Jesu Tod gießt sie bei einem Mahl in Betanien Salböl über die Füße Jesu (Joh 12, 1–7; vgl. 11, 2). Diese „Salbung von Betanien“ wird meist von der in Lk 7, 36–50 erzählten unterschieden, und die namenlose Sünderin des Lk sollte weder mit Maria von Betanien noch mit Maria von Magdala identifiziert werden. Gleichwohl hat die Annahme, daß es sich bei diesen drei Frauen um ein und dieselbe Person handle, immer noch Anhänger.

4° **Maria** (7), **Mutter des Jakobus** (4): Mt 27, 56; Mk 15, 40; 16, 1; Lk 24, 10, **und des Josef** (1) oder **Joset** (2): Mk 15, 40.47.

= ? **Maria [Frau] des Klopas** (1), Schwester (?) Marias, der Mutter Jesu (Joh 19, 25). Sie wird (ausgenommen Lk 8, 2; Joh 20) mit Maria von Magdala zusammen genannt.

5° **Maria** (1), Mutter des Markus. In ihrem Haus in Jerusalem versammeln sich die ersten Anhänger Jesu. Petrus geht nach seiner Flucht aus dem Gefängnis dorthin (Apg 12, 12–17).

Ihre Magd → RHODE.

6° **Maria** (1), eifrige Christin in Rom (Röm 16, 6).

MARKUS (8), Name röm. Ursprungs, „Hammer“ (vgl. Makkabäer), Beiname des **Johannes** (5), Sohn der Maria (Apg 12, 12.25; 15, 37), Vetter des Barnabas (Kol 4, 10). Er verläßt Jerusalem, um Barnabas und Paulus nach Antiochia zu begleiten (Apg 12, 25), folgt ihnen zunächst auf der ersten Missionsreise, kehrt aber dann wieder um (Apg 13, 5.13). Später begleitet er Barnabas nach Zypern (Ap 15, 37–39). Schließlich begegnet er auch als Mitarbeiter und Gefährte des Paulus (Phlm 24; Kol 4, 10; vgl. 2 Tim 4, 11: „ein guter Helfer“). „Petrus“ nennt ihn „seinen Sohn“ (1 Petr 5, 13). Die altkirchliche Tradition schreibt ihm die Verfasserschaft am zweiten Evangelium, das in Wahrheit das älteste ist, zu.

MAROT (1), „Bitterkeit“ (vgl. Mara), Ort in der Schefela (Mich 1, 12).

MARSENA (1), pers. Name, Beamter, genannt mit → MEMUCHAN.

MARTA (13), nach dem Aram. „Gebieterin“, Schwester der Maria und des Lazarus von Betanien. Herrin des gastfreundlichen Hauses, rührig und geschäftig (Lk 10, 38–41; Joh 12, 2). Beim Tod ihres Bruders erkennt sie in Jesus den Messias und Sohn Gottes, die Quelle jeder Auferstehung (Joh 11, 1–5.19–39).

MASAI (1), gr. *Maasai,* Abk. von *Maaseja,* Priester in Jerusalem nach dem Exil (1 Chr 9, 12) → AMASAI 4°.

MASCH (1), einer der vier Söhne Arams, des Sohnes Sems (Gen 10, 23). Aramäischer Stamm.
= **Meschech** (1), 1 Chr 1, 17.

MASCHAL (1), abgeleitet von → MISCHAL.

MASCHMANNA (1) → MISCHMANNA.

MASREKA (2), in Edom, Königsstadt von Samla (Gen 36, 36 // 1 Chr 1, 47).

MASSA
1° **Massa** (4), hebr. *Massa',* „Orakel", einer der zwölf Söhne Ismaels (Gen 25, 14 // 1 Chr 1, 30); ismaelitischer Stamm in Nordarabien (Spr 30, 1; 31, 1).
König → LEMUËL.
2° **Massa** (5), hebr. *Massah,* „Prüfung", „Versuchung", symbolischer Name einer Quelle auf dem Exodus, wo Israel durch sein Murren Gott auf die Probe stellt (Ex 17, 7; Dtn 6, 16; 9, 22; 33, 8; Ps 95, 8–9; vgl. Hebr 3, 8–9.15–17).
→ MARA 1°; MERIBA; REFIDIM.

MATHUSALA (1) → METUSCHELACH.

MATRED (2), „Der eifrig verfolgt", Vater (oder Mutter) der → MEHETABEL 1°.

MATRITER (2), hebr. *Matri,* benjaminitischer Clan des Königs Saul (1 Sam 10, 21).

MATTAN, „Geschenk", „Gabe", Abk. von *Mattanja,* gr. *Matthan* (vgl. Natan).
1° **Mattan** (2), Baalspriester, zugleich mit Atalja getötet (2 Kön 11, 18 // 2 Chr 23, 17).
2° **Mattan** (1), Vater des → SCHEFATJA 7°.
3° **Mattan** (2), Ahnherr Jesu nach Mt 1, 15.

MATTANA (2), „Schenkung" (vgl. Natan), Station des Exodus vor dem Ostjordanland (Num 21, 18).

MATTANJA, hebr. *Mattanjahu,* „Gabe Jahwes" (vgl. Natan; Dositheus).
1° **Mattanja** (1), vor der Thronbesteigung Name des → ZIDKIJA 4°.
2° **Mattanja** (2), aus den Söhnen Hemans, Vorsteher der 9. Sängerklasse (1 Chr 25, 4.16).
3° **Mattanja** (1), aus den Söhnen Asafs, Ahnherr des → JAHASIËL 4°.
4° **Mattanja** (1), Levit aus den Söhnen Asafs, nimmt bei der Reform des Königs Hiskija an der Tempelreinigung teil (2 Chr 29, 13).
5° **Mattanja** (6) **Sohn des Micha** (3) oder **Michaja** (1) **Sohn des Sakkur** (1) – oder **des Sichri** (1) oder **des Sabdi** (1) – **Sohn Asafs** (3), Sänger (Neh 12, 8.25), wohnt in Jerusalem nach dem Exil (1 Chr 9, 15 // Neh 11, 17).
Ahnherr des → SECHARJA 25°; USI 5°.
6° **Mattanja** (1), Ahnherr des → HANAN 7°.
7° **Mattanja** (4), vier Israeliten, die ihre fremdländischen Frauen fortschicken: der erste aus den Söhnen Elams (Esr 10, 26); der zweite aus den Söhnen Sattus (10, 27); der dritte aus den Söhnen Pahat-Moabs (10, 30); der vierte aus den Söhnen Banis (10, 37).

MATTAT (2), zwei Ahnherren Jesu nach Lk 3, 24.29.

MATTATA (1), Ahnherr Jesu nach Lk 3, 31.

MATTATIAS, hebr. *Mattitja,* „Gabe Jahwes" (vgl. Natan).
1° **Mattatias** (11), **Sohn des Johanan Sohn des Simeon, Priester aus der Linie Jojarib** (1), wohnhaft in Modeïn, Vater von fünf Söhnen, unter ihnen der Makkabäer Judas (1 Makk 2, 1–5). Er weigert sich, das Gesetz und seine Observanzen preiszugeben, stellt sich an die Spitze des Widerstands gegen den Hellenismus, geht in den Untergrund und erklärt den Heiligen Krieg (1 Makk 2, 6–28.39–48). Er stirbt einige Monate später 166 v. Chr. (1 Makk 2, 69f).
Vater des → ELEASAR 9°; JOHANAN 18°; JONATAN 18°; JUDAS 1°; SIMEON 5°.

2° **Mattatias Sohn des Abschalom** (1), einer der Heerführer des Makkabäers Jonatan (1 Makk 11, 70).
3° **Mattatias** (1), Sohn des Makkabäers Simon, Enkel des → MATTATIAS 1°, Bruder des Johanan Hyrkanus, zur gleichen Zeit wie sein Vater und sein Bruder Judas von Ptolemäus, dem Sohn des Abub, ermordet (1 Makk 16, 14).
4° **Mattatias** (1), einer der drei Botschafter, die Nikanor zu den Juden sendet (2 Makk 14, 19).

MATTATTA (1), (vgl. Natan), Israelit aus den Söhnen Haschum, schickt seine fremdländische Frau zurück (Esr 10, 33).

MATTENAI, Abk. von *Mattanja* (vgl. Natan).
1° **Mattenai** (2), zwei Israeliten, die ihre fremdländischen Frauen zurückschicken: der erste aus den Söhnen Haschum (Esr 10, 22); der zweite aus den Söhnen Bani (10, 37).
2° **Mattenai** (1), Haupt der priesterlichen Familie Jojarib zur Zeit des Hohenpriesters Jojakim (Neh 12, 19).

MATTHÄUS (5), gr. *Matthaios,* abgeleitet vom hebr. *Mattai* oder *Matja,* Abk. von *Mattenai* oder *Mattitja* (vgl. Natan) → ZWÖLF; Liste S. 383. Steuerpächter in Kafarnaum, wird in den Kreis der Zwölf berufen (Mt 9, 9), wo er an siebter (Mk 3, 18; Lk 6, 15) oder an achter Stelle (Mt 10, 3; Apg 1, 13) genannt wird.
= **Levi** (2), Lk 5, 27.29 oder **Levi Sohn des Alphäus** (1), Mk 2, 14.

MATTHIAS (2), Abk. von *Mattatias* (vgl. Natan), anstelle des Judas Iskariot in die Gruppe der zwölf Apostel gewählt (Apg 1, 21–26).
→ ZWÖLF; Liste S. 383.

MATTITJA, gr. *Mattatias,* „Gabe Jahwes" (vgl. Natan).
1° **Mattitja Erstgeborener des Korachiter Schallum** (1), Levit (1 Chr 9, 31).
2° **Mattitja** (1) oder **Mattitjahu** (2), Levit, Torwächter, dem Dienst an der Lade zugeteilt (1 Chr 15, 18), Zitherspieler (15, 21; 16, 5).
3° **Mattitjahu** (2), aus den Söhnen Jedutuns, Vorsteher der 14. Sängerklasse (1 Chr 25, 3.21).
4° **Mattitja** (1), Israelit aus den Söhnen Nebos, schickt seine fremdländische Frau weg (Esr 10, 43).
5° **Mattitja** (1), vornehmer Laie, steht bei der feierlichen Gesetzesverlesung zur Rechten Esras (Neh 8, 4).
6° **Mattitja** (2), zwei Ahnherren Jesu nach Lk 3, 25.26.

MAZEDONIEN (22), Landschaft im Norden von Griechenland.
Heimat Alexanders des Großen (1 Makk 1, 1), des Haman (Est 12, 6). Viertausend Mazedonier nehmen an einer Schlacht in Babylonien teil (2 Makk 8, 20). – Römische Provinz (Hauptstadt: Thessalonich), wo Paulus auf seiner zweiten Missionsreise besonders lebendige Gemeinden gründet (Apg 16, 9–14; 18, 5; vgl. Phil 4, 15), die er auf der dritten Missionsreise besucht (Apg 19, 21–22; 20, 1–6; vgl. 1 Kor 16, 5; 2 Kor 1, 16; 2, 13; 7, 5f; vgl. 1 Tim 1, 3). Die Christen Mazedoniens spenden reichlich für die Kollekte zugunsten der armen Jerusalemer Gemeinde (Röm 15, 26–27; 2 Kor 8, 1–15; 9, 1–4) und für die persönlichen Bedürfnisse des Paulus (2 Kor 11, 9).
Andere Bezeichnung → KITTÄER.
Städte → AMPHIPOLIS; APOLLONIA; BERÖA 2°; NEAPOLIS; PHILIPPI; THESSALONICH.
Könige → ALEXANDER 1°; PERSEUS; PHILIPPUS 1°–2°.
Mazedonische Reisebegleiter des Paulus
→ ARISTARCH; GAIUS 1°;

MAZEDONIER (11), Est 8, 12^{k-o}; 1 Makk 1, 1; 6, 2; 2 Makk 8, 20; Apg 16, 9; 19, 29; 27, 2; 2 Kor 9, 2.4 → MAZEDONIEN.

MEA (2), Name eines Turms in Jerusalem (Neh 3, 1; 12, 39: „Turm" bzw. „Tor der Hundert").

MECHARITER (1), unbekannt. Heimat des → HEFER 4°.

MECHONA (1), „Residenz" (vgl. Jojachin), Ort in Juda (Neh 11, 28). Nicht identifiziert.

MEDAD (2), mit Eldad zusammen genannt, beide geistbegabte Israeliten (Num 11, 26–27).

MEDAN (2), nach der akk. Wurzel *dananu,* „stark sein" (vgl. Danna), einer der sechs Söhne Abrahams und seiner Nebenfrau Ketura (Gen 25, 2 // 1 Chr 1, 32).

MEDEBA (5), gr. *Medaba,* alte Stadt in Moab, zerstört (Num 21, 30), Ruben zugeteilt (Jos 13, 9.16), erwähnt beim ersten Feldzug Davids gegen die Ammoniter (1 Chr 19, 7) und wieder moabitisch geworden (Jes 15, 2).
= **Medaba** (1), in der Makkabäerzeit vom arabischen Stamm der Söhne Amrais besetzt (1 Makk 9, 36).
Heute *Madaba,* 32 km südlich von Amman.

MEDER, MEDIEN (56), hebr. *Madai,* iranischer Stamm im NO Babyloniens. In der Völkertafel zählen die Meder zu den sieben Söhnen Jafets (Gen 10, 2 // 1 Chr 1, 5). Die Assyrer deportieren manche Israeliten des Nordreichs bis nach Medien (2 Kön 17, 6 // 18, 11; vgl. Tob 1, 14–15; 5, 2–10; 6, 6.10; 11, 15; 14, 4.12.15). Nach den Worten der Propheten wird Babylon unter den Schlägen der Meder fallen (Jes 13, 17; 21, 2; Jer 51, 11.28), aber auch die Könige der Meder werden gestraft werden (Jer 25, 25).
Antiochus der Große verliert Medien (1 Makk 8, 8: oder *Mysien?*). Der König Demetrius II. dringt in Medien ein, wird aber dort gefangengenommen (1 Makk 14, 1–3). Meder und Perser werden zusammen genannt: Jdt 16, 10; Est 1, 3–19; 10, 2; Dan 5, 28; 6, 9–16; 8, 20; vgl. 7, 5–6; 1 Makk 6, 56. Juden aus Medien erscheinen in der Völkerliste des Pfingstfestes (Apg 2, 9).
Könige → Arphaxad; Arsakes; Astyages; Darius 3°.
Meder → Darius 4°.
Städte → Ekbatana; Rages.

MEFAAT (4), (vgl. Jafia), Stadt des Stammes Ruben (Jos 13, 18), den Leviten vom Clan Merari zugeteilt (Jos 21, 37 // 1 Chr 6, 64), danach Stadt Moabs (Jer 48, 21). Lage ungewiß.

MEFIBOSCHET, „Der die Schande verbreitet (?)", gr. *Memphibosthe* (vgl. Isch-Boschet), Verballhornung von *Meribbaal.*
1° **Mefiboschet** (1), Sohn des Saul
→ Meribbaal 1°.
2° **Mefiboschet** (14), Enkel des Saul
→ Meribbaal 2°.

MEGIDDO (11), (vgl. Magdiël), bedeutende kanaanäische Königsstadt im SO des Karmel, die Ebene Jesreel beherrschend, an der Straße, die von Ägypten nach Syrien und Mesopotamien führt, häufig neben Taanach genannt (Jos 12, 21; Ri 5, 19 u. ö.), Manasse, Issachar und Ascher zugeteilt, aber lange Zeit unabhängig geblieben (Jos 17, 11f; Ri 1, 27; 1 Chr 7, 29). Von Salomo wiederaufgebaut (1 Kön 9, 15), im 5. Distrikt seines Reiches (1 Kön 4, 12). Der König Ahasja von Juda sucht hier verwundet Zuflucht und stirbt (2 Kön 9, 27). Joschija wird hier vom Pharao Necho getötet, als er die Ägypter aufzuhalten versucht (2 Kön 23, 29–30 // 2 Chr 35, 22).
= **Meggidon** (1), Sach 12, 11: in seiner fruchtbaren Ebene feiert man den Kult des phönizischen Gottes Hadad-Rimmon. Heute *Tell el Mutesellim.*
→ Harmagedon.

MEHETABEL, „Gott macht das Gute" (vgl. Jotba; Jotbata).
1° **Mehetabel Tochter des Matred des** (hebr. *Tochter des*) **Me-Sahab** (2), Frau des Königs von Edom → Hadad 3°.
2° **Mehetabel** (1), Ahnherr des
→ Schemaja 22°.

MEHIDA (2), Familienhaupt von Tempeldienern, die aus dem Exil zurückkehren (Esr 2, 52 // Neh 7, 54).

MEHIR (1), „Lohn", „Preis", Sohn des Kelub (= Kaleb) und Vater des Eschton (1 Chr 4, 11).

MEHOLATITER (2), „Tanz", aus Mehola stammend, einer Stadt der Jordansenke (1 Sam 18, 19; 2 Sam 21, 8); → Abel-Mehola.
Heimat des → Adriël; Elischa.

MEHUJAEL (1) oder **Mehijael** (1), „Gott macht leben" (vgl. Jehiël) → Mahalalel 1°.

MEHUMAN (1) und **Biseta, Harbona, Bigta, Abagta, Setar, Karkas** (ohne Harbona noch einmal in Est 7, 9 genannt): die sieben Eunuchen, die dem persönlichen Dienst des Königs Xerxes zugeteilt sind (Est 1, 10–15). Im gr. Text lautet die Liste: **Haman, Basan, Tharra, Borase, Satholta, Abatasa, Tharabe.**

ME-JARKON (1), Fluß, der bei Joppe ins Mittelmeer mündet und der die NW-Grenze Dans bildet (Jos 19, 46). Nach dem gr. Text handelt es sich um *Jerakon,* einen Ort in Dan, der nicht weit von Joppe an der Mittelmeerküste liegt.

MELATJA (1), „Jah hat verlassen" (vgl. Pelet), **aus Gibeon** (1), Freiwilliger beim Wiederaufbau der Jerusalemer Mauer (Neh 3, 7).

MELCHI (2), „Mein König" (vgl. Melech), zwei Ahnherren Jesu nach Lk 3, 24.28.

MELCHISEDEK (11), „Mein König ist Gerechtigkeit" (vgl. Melech; Zadok) **König von Salem** (3). Der geheimnisvolle Priesterkönig von Salem (vermutlich Jerusalem) erscheint kurz in Gen 14, 17–20. Nach der Befreiung des Lot bringt er Wein und Brot herbei, segnet Abraham, der ihm den Zehnten seiner Beute gibt. Für Ps 110, 4 ist Melchisedek ein Vorbild Davids und damit selbst Bild des Messias als König und Priester.
Der Hebr sieht im ewigen Priestertum des Melchisedek ein Vorbild des Hohenpriestertums Christi, des Sohnes Gottes (7, 1–19; vgl. Hebr 5, 6.10; 6,20).

MELEA (1), Ahnherr Jesu nach Lk 3, 31.

MELECH, „König" (vgl. Abimelech; Adrammelech; Ahimelech; Alammelech; Anammelech; Ebed-Melech; Elimelech; Jamliku; Molechet; Malchus; Malkiel; Malkiram; Malkischua; Malkija; Malkam; Malluch; Melchi; Melchisedek; Milka; Milkom; Moloch; Netan-Melech; Regem-Melech).
1° **Melech** (2), ein Sohn des Micha, Enkel des Königs Saul (1 Chr 8, 35 // 9, 41).
2° **Melech** (1), Jes 57, 9: Titel zahlreicher semitischer Gottheiten (vgl. Jes 30, 33), darunter Jahwes → Jahwe k).
→ Milkom (Zef 1, 5).

[MELKART], Gottheit der Unterwelt, in Tyrus und Karthago verehrt (→ Melech 2°). Zu seiner Ehre fanden alle vier Jahre Spiele statt. Angeglichen an → Herakles.

MEMFIS (1), gr. Name des hebr. *Noph* oder *Moph;* ägypt. *Mn-nfr;* akk. *Mempi, Mimpi,* Jdt 1, 10. Hauptstadt von Unter-Ägypten, am linken Ufer des Nil, wenige km von Kairo.
= **Noph** (7), wo sich eine Kolonie geflüchteter Juden befindet (Jer 44, 1), ist Zeuge der Erniedrigung Israels (Jer 2, 16), wird aber auch seinerseits zerstört werden (Jes 19, 13; Jer 46, 14.19; Ez 30, 13.16).
= **Moph** (1), Hos 9, 6.

MEMMIUS (1), eigentlich **Quintus Memmius** (1), einer der zwei römischen Gesandten in Antiochia, die einen Brief an die Juden über den Friedensvertrag mit Rom verfassen (2 Makk 11, 34).

MEMUCHAN (3) und **Karschena, Schetar, Admata, Tarschisch, Meres, Marsena,** sieben hohe persische und medische Beamte, die Zutritt zum König Xerxes haben (Est 1, 14–21). Der gr. Text nennt neben **Mouchaios** (= Memuchan) nur drei Beamte: **Arkesaios, Sarsathaios, Malesear.**

MENAHEM (8) **Sohn des Gadi** (2), sechzehnter König Israels (743–738), Gründer der fünften Dynastie. Er folgt Schallum, den er zuvor ermordet hat, auf dem Thron, straft die Stadt Tappuach, die ihm Widerstand leistete, hart und wird von Assyrerkönig Tiglat-Pileser, dem er schweren Tribut leistet, unterstützt. Nach seinem Tod folgt ihm sein Sohn Pekachja (2 Kön 15, 14–22).
Vater des → Pekachja.

MENELAUS (17), gr. *Menelaos,* **Bruder des Simon** (1), aus der Priesterklasse Bilga. Hoherpriester von 172 bis 163 v. Chr., Verräter seines Vaterlands und seines Amtes; er läßt den Hohenpriester Onias ermorden (2 Makk 4, 23–50) und hilft dem Antiochus Epiphanes beim Tempelraub (2 Makk 5, 5–23). Von Antiochus Epiphanes wird er zum jüdischen Hohen Rat gesandt, um über den Friedensschluß zu verhandeln (2 Makk 11, 27–32). Antiochus Eupator verurteilt ihn zum Feuertod, und er wird in Berea verbrannt (2 Makk 13, 1–8).

MENESTHEUS (2), Vater des → APOLLONIUS 1°.

MENI (1), „Verteilung", Schicksal" (vgl. Jimna 1°–2°), ein sonst unbekannter Gott, vielleicht eine Schicksalsgottheit (Jes 65, 11).

MENNA (1), Ahnherr Jesu nach Lk 3, 31.

MEONOTAI (2), Sohn Otniëls, Sohn des Kenas, Nachkomme Kalebs (1 Chr 4, 13–14).

MERAB (4), (vgl. Rabba), **Tochter Sauls** (2): 1 Sam 18, 19; 2 Sam 21, 8 (var. *Merab;* hebr. *Michal*), ältere Schwester der Michal (1 Sam 14, 49), David versprochen, aber dem Adriël von Meho ... ben (1 Sam 18, 17–19), von dem sie fünf ... 21, 8–9).

MI ... „Gelieb-
te ... ilie
S ...

und K...
gestellt wird, ei...
(Num 26, 57; 1 Chr 23, ...

zwei Sippen untergeteilt, die Machliter und die Muschiter (Num 3, 33; vgl. 26, 58). Nach einer Musterung betrug ihre Zahl 3200 (Num 4, 42–45). Ihre Funktionen im Dienst am Heiligtum werden beschrieben: 3, 36–37; 4, 31–33; 7, 8; 10, 17; vgl. 1 Chr 15, 6.17; 26, 10.19. Für sie sind zwölf ausgewählte Städte in den Stämmen Ruben, Gad und Sebulon reserviert (Jos 21, 7.34–40 // 1 Chr 6, 48.62–66).
Als Nachkomme Meraris gilt Etan, einer der drei großen Sänger (1 Chr 6, 29–32). → Liste S. 382.
Vater des → MACHLI 1°; MUSCHI.
2° **Merari** (2), Simeoniter, Vater der → JUDIT 2°.

MERARITER (3), Num 3, 33.35; 26, 57 vom Clan → MERARI 1°.

MERATAJIM (1), „Doppelter Aufstand" oder „Doppelte Bitterkeit" (vgl. Mara), jüdische Verballhornung des babyl. *Marratim,* „Lagune", Gegend um die Mündung von Tigris und Eufrat (Jer 50, 21).

MERED (2), „Aufstand"?, Sohn des Esra und Mann der Pharaonentochter Bitja, von Kaleb hergeleitet (1 Chr 4, 17–18).

MEREMOT, nach dem ugar. „Mot hat gesegnet" (vgl. Merib-Baal; Mot).
1° **Meremot** (5) **Sohn des Urija** (3) **Sohn des Koz**
... mit Serubbabel aus dem Exil zurückgekehrter
... h 12, 3), nimmt in Jerusalem die von
... ckgebrachten Tempelgegen-
... 8, 33), hilft beim Wiederauf-
... Neh 3, 4.21) und unterzeich-
... flichtung (Neh 10, 6).
... n ihm heißt eine priesterliche
... 5).
... Israelit aus den Söhnen Banis,
... dländische Frau zurück (Esr 10,

... pers. Name?, Beamter genannt mit
... N.

... (7), „Widerspruch", „Hader" (vgl.

Symbolischer Name der Quelle, die aus dem Felsen springt, als Mose mit seinem Stab an ihn schlägt. Die Israeliten stillen dort ihren Durst. Die Geschichte wird verschieden lokalisiert: bei Refidim, südlich des Sinai (Ex 17, 1–7), bei Kadesch (Num 20, 1–13), bei Meriba von Kadesch (Dtn 32, 51; vgl. Num 27, 14). An diesem Ort des „Haders" (Ex 17, 2.7) erfahren Mose und Aaron, daß sie das Gelobte Land nicht betreten werden (Num 20, 12.24; 27, 14). Die Meriba-Episode wird noch erwähnt: Dtn 33, 8; Ps 81, 8; 95, 8; 106, 32.
= **Meriba von Kadesch** (4), einer der südlichen Grenzpunkte des Gelobten Lands (Ez 47, 19; 48, 28).
Anderer Name dieser Quelle → Massa 2°.

MERIB-BAAL „Baal ist Sieger" oder „Baal ist Beistand"; nach dem ugar. „Baal hat gesegnet" (vgl. Baal; Meremot). Außer in 1 Chr 8, 34; 9, 40 ist *Merib-Baal* eine Korrektur des hebr. *Mefiboschet.*
1° **Merib-Baal** (1), einer der beiden Söhne Sauls und der Rizpa, die David den Gibeonitern zur Hinrichtung ausliefert (2 Sam 21, 8).
2° **Merib-Baal** (18) **Sohn des Jonatan** (6) **Sohn des Saul** (4): 2 Sam 4, 4; 21, 7; 1 Chr 8, 34 // 9, 40. Seit dem Alter von fünf Jahren an beiden Beinen gelähmt (2 Sam 4, 4; 9, 3.13) und im Hause des Machir, des Sohnes Ammiëls von Lo-Dabar, versorgt, holt ihn David an seinen Hof und gibt ihm, im Gedenken an Jonatan, den Grundbesitz seines Großvaters Saul zurück (2 Sam 9). Beim Aufstand Abschaloms begleitet er den zur Flucht gezwungenen David nicht, sondern bleibt in Jerusalem. Sein Diener Ziba beschuldigt ihn bei David, sich noch Hoffnungen auf den Thron seines Großvaters zu machen (2 Sam 16, 1–4). Nach dem Tod Abschaloms gelingt es Merib-Baal, sich zu rechtfertigen, aber David verpflichtet ihn, die Hälfte seines Landbesitzes an Ziba abzutreten (2 Sam 19, 25–31).
Vater des → Micha 1°.

MERODACH (1), (vgl. Mordochai; Ewil-Merodach; Merodach-Baladan), biblische Vokalisierung (nach dem hebr. *meborach,* „verflucht") von *Marduk,* dem Hauptgott von Babylon, gewöhnlich mit dem Namen „Bel" bezeichnet (Jer 50, 2).

MERODACH-BALADAN (2), akk. *Marduk-apal-iddina,* „Marduk hat einen Sohn geschenkt" (vgl. Merodach; Baladan), **Sohn des Baladan** (2), König von Babylon (721–710, 703). Er sendet dem von seiner Krankheit genesenen König Hiskija von Juda ein Schreiben und Geschenke (2 Kön 20, 12 // Jes 39, 1–8).

MEROM (4), alte kanaanäische Stadt. An den **Wassern von Merom** besiegt Josua nach Jos 11, 5–9 die gegen Israel verbündeten kanaanäischen Könige des Nordens. In Jos 11, 1 und 12, 19 liest der gr. Text *König von Merom* anstelle des hebr. *König von Madon.* Einige km NW von Safed; vgl. das gegenwärtige *Meiron.*

MERON (1), Jos 12, 20. Vielleicht nur die Wiederholung des vorhergehenden Wortendes von *Schimron* oder eine Variante von *Merom.*

MERONOT (2), Ortschaft bei Gibeon, Heimat des → Jadon; Jechdeja 2°.

MEROS (1), vom Debora-Lied verfluchte Stadt (Ri 5, 23). Südlich von Kedesch in Naftali, *Khirbet Marous.*

MERRAN (1), Bar 3, 23 korr. in → Midian.

ME-SAHAB (2), „Goldwasser" (vgl. Sahab), Herkunftsort (oder Ahnherr) der → Mehetabel 1°.

MESALOT (1), gr. *Maisaloth* vom hebr. *Mesillot,* „Steige", im Gebiet von Arbela; Ort von Bakchides eingenommen (1 Makk 9, 2). Im Westen des Sees Gennesaret.

MESCHA „[Gott] rettet" (vgl. Jesaja).
1° **Mescha** (1), Weidegebiet der Söhne Joktans, arabischer Stämme (Gen 10, 30).
Gleichzusetzen (?) mit → Massa 1°.
2° **Mescha** (1), Benjaminiter, Familienhaupt in Moab (1 Chr 8, 9).

3° **Mescha** (1), Erstgeborener Kalebs und Vater des Sif (1 Chr 2, 42: gr. *Marisa*).
4° **Mescha** (1), **König von Moab** (4), leistet dem König von Israel einen Tribut von „100000 Lämmern und 100000 Widdern samt ihrer Wolle". Nach dem Tod Ahabs macht er einen Aufstandsversuch, wird aber vom israelitischen König Joram geschlagen, der vom König von Juda (Joschafat oder eher sein Sohn Joram) unterstützt wird. In seiner Hauptstadt Kir-Heres eingeschlossen, opfert Mescha seinen Sohn auf der Mauer. Von Panik ergriffen, räumen die Sieger das Feld (2 Kön 3, 4–27).
Die im Louvre von Paris ausgestellte Mescha-Stele meldet, daß Moab unter Omri Israel unterworfen wurde und daß sich der König Mescha unter dem Sohn Omris erhoben hat.

MESCHACH (15), gr. *Misach,* Name für → Mischael 3°.

MESCHECH
1° **Meschech** (9) und **Tubal**, zwei der sieben Söhne des Jafet (Gen 10, 2: var. *Moschech* // 1 Chr 1, 5), treiben Handel mit Tyrus (Ez 27, 13). Kleinasiatische Völkerschaften, vielleicht die Phrygier und Zilizier, oder Völkerschaften an der Schwarzmeerküste. Gog wird der „Großfürst von Meschech und Tubal" genannt (Ez 38, 2–3; 39, 1). Beide Namen werden noch zusammen genannt (Jes 66, 19 LXX; Ez 32, 26). In Ps 120, 5 steht Meschech in Parallele zu Kedar, einem ismaelitischen Nomadenstamm.
2° **Meschech** (1) → Masch.

MESCHELEMJA (4), „Jah hat Ersatz geleistet" (vgl. Salem) → Schallum 11°.

MESCHESABEL, „Gott rettet" (vgl. Nebuschasban).
1° **Meschesabel** (1), Ahnherr des → Meschullam 14°.
2° **Meschesabel** (1), Führer des Volkes, Mitunterzeichner der Gesetzesverpflichtung (Neh 10, 22).
3° **Meschesabel** (1), Vater des → Petachja 3°.

MESCHILLEMOT, „Ersatz" (vgl. Salem).
1° **Meschillemot** (1), Vater des → Berechja 3°.
2° **Meschillemot** (2), Ahnherr des Priesters → Amasai 4°.

MESCHOBAB (1), (vgl. Jaschub), Simeoniter, Clanhaupt (1 Chr 4, 34.38–41).

MESCHULLAM, „Ersetzt" (vgl. Salem).
1° **Meschullam** (1), Ahnherr des → Schafan 1°.
2° **Meschullam** (1), Sohn des Serubbabel, Nachkomme des Königs Jojachin (1 Chr 3, 19).
3° **Meschullam** (1), Gaditer, Familienhaupt (1 Chr 5, 13).
4° **Meschullam** (1), Benjaminiter der Söhne Elpaals, Familienhaupt in Jerusalem (1 Chr 8, 17).
5° **Meschullam** (2), Benjaminiter, Vater des → Sallu 1°.
6° **Meschullam Sohn des Schefatja Sohn des Reguël Sohn des Jibnija** (1), Benjaminiter, Familienhaupt in Jerusalem nach dem Exil (1 Chr 9, 8).
7° **Meschullam** (2), Priester → Schallum 6°.
8° **Meschullam** (1), 1 Chr 9, 12: Ahnherr des Priesters → Amasai 4°.
9° **Meschullam** (1), Levit des Clan Kehat, Werkmeister bei der Restauration des Tempels unter Joschija (2 Chr 34, 12).
10° **Meschullam** (2), einer der Gesandten Esras zu Iddo (Esr 8, 16), einer seiner Assistenten bei der feierlichen Gesetzesverlesung (Neh 8, 4): eine oder zwei Personen.
11° **Meschullam** (1), einer der Männer, die sich der Ehescheidung mit ausländischen Frauen widersetzen (Esr 10, 15).
12° **Meschullam** (1), Israelit aus den Söhnen Bigwais, schickt seine fremdländische Frau zurück (Esr 10, 29).
13° **Meschullam Sohn des Besodja** (1), hilft beim Wiederaufbau des Tors der Neustadt (Neh 3, 6).
14° **Meschullam Sohn des Berechja** (3) **Sohn des Meschesabel** (1), ein anderer Helfer beim Wiederaufbau (Neh 3, 4.30). Seine Tochter ist verheiratet mit Johanan, dem Sohn des Ammoniter Tobija (Neh 6, 18).
15° **Meschullam** (1), Führer des Volkes, Mitunterzeichner der Gesetzesverpflichtung (Neh 10, 21).
16° **Meschullam** (2), Priester, Mitunterzeichner

der Gesetzesverpflichtung (Neh 10, 8), Trompetenbläser bei der Mauerweihe in Jerusalem (Neh 12, 33): eine oder zwei Personen.
17° **Meschullam** (1), Haupt der priesterlichen Familie Esra zur Zeit des Jojakim (Neh 12, 13).
18° **Meschullam** (1), Haupt der priesterlichen Familie Ginneton zur Zeit Jojakims (Neh 12, 16).
19° **Meschullam** (1) → SCHALLUM 11°.

MESCHULLEMET (1), „Ersetzte" (vgl. Salem), **Tochter des Haruz** (1), stammt aus Jotba, Mutter des Königs von Juda Amon (2 Kön 21, 19).

MESOPOTAMIEN (6), gr. *Mesopotamia,* „Zweistromland", bezeichnet:
a) im weiteren Sinn das Land auf beiden Seiten des Eufrat und Tigris (*Unter-* und *Obermesopotamien*), wo sich jüdische Kolonien befinden, deren Repräsentanten in Jerusalem beim ersten christlichen Pfingstfest anwesend gedacht sind (Apg 2, 9).
= **Jenseits des Stromes** (5), Land, aus dem Gott Abraham fortziehen heißt (Jos 24, 2–3.14–15; vgl. Gen 12, 1) und wohin Israel eines Tages in die Verbannung gehen wird (1 Kön 14, 15).
b) den unteren Teil dieser Region (*Untermesopotamien*), das alte Land der Chaldäer, wo Abraham wohnt, bevor er sich in Haran niederläßt (Apg 7, 2).
c) gewöhnlicher die Landschaft, die an drei Seiten vom großen Bogen des oberen Eufrat umgeben ist (*Obermesopotamien*), deren geographisches Zentrum die Stadt Haran darstellt, wo die Patriarchen wohnten (vgl. Jdt 2, 24; 5, 6–9).
= **Mesopotamien Syriens** (1), Jdt 8, 26.
= **Aram Naharajim** (5), „Aram der beiden Ströme", gr. *Mesopotamia, Mesopotamia Syrias* oder *Syria potamôn,* Land Abrahams, bevor er nach Kanaan kam und wohin er seinen Knecht schickte, um für seinen Sohn Isaak eine Frau zu holen (Gen 24, 2–10). Heimat des Bileam (Dtn 23, 5; vgl. Num 23, 7). Reich des Kuschan-Rischatajim (Ri 3, 8). David schlägt mehrmals das Heer von Aram Naharajim (1 Chr 19, 6; Ps 60, 2).
= **Paddan-Aram** (10), „Ebene von Aram", gr. *Mesopotamia* oder *Mesopotamia Syrias,* eine Bezeichnung, die vielleicht in Hos 12, 13 mit „Gegend von Aram" erklärt wird. Heimat des Betuël, des Schwiegervaters Isaaks (Gen 25, 20), wohin sich Jakob begibt, um eine Frau zu suchen (Gen 28, 2–7), das Land, wo er reich wird (31, 18), wo elf seiner Söhne geboren werden (35, 26; 46, 15), von wo aus er wieder nach Kanaan zurückkehrt (Gen 33, 18; 35, 9). Im alten Credo von Dtn 26, 5 heißt Jakob ein „heimatloser Aramäer".
= **Paddan** (1), Gen 48, 7.
Aramäer aus Paddan-Aram → BETUËL 1°; LABAN 1°.
= **Aram-jenseits-des-Stroms** (2), d. h. des Eufrat (2 Sam 10, 16; 1 Chr 19, 16).
→ EUFRAT; TIGRIS.
→ ASSYRIEN; BABYLON; CHALDÄA.

MESSIAS → JESUS b).

METEN (1), Bezeichnung des (unbekannten) Herkunftsortes des → JOSCHAFAT 1°.

METUSCHAEL (2), „Mann Gottes", gr. *Mathousala,* → METUSCHELACH.

METUSCHELACH (6), „Mann des (Gottes) Schelach" oder „des Wurfspießes"? (vgl. Schelach), Sohn Henochs und Vater des Lamech, der älteste unter den Erzvätern vor der Sintflut, 969 Jahre (Gen 5, 21–27 P; vgl. 1 Chr 1, 3).
= **Metuschael** (2), Sohn des Mehujael und Vater des Lamech (Gen 4, 18 J).
= **Mathousala** (1), Ahnherr Jesu nach Lk 3, 37.

MËUNITER (4), hebr. *Me^c^unim,* Stamm, dessen Namen an den von *Maan* erinnert, einer im SO von Petra gelegenen Stadt (2 Chr 20, 1; 26, 7). Unter den Tempeldienern, die aus dem Exil zurückkehren, sind Söhne der Mëuniter (Esr 2, 50 // Neh 7, 52).
Gleichzusetzen (?) mit → MAON 2°.

MEZOBAJA (1), 1 Chr 11, 47 aus → ZOBA.

MIBHAR (1), „Wahl" (vgl. Jibhar) **Sohn des Hagri** (1), Krieger Davids (1 Chr 11, 38).

MIBSAM

1° **Mibsam** (2), einer der zwölf Söhne und Clanhäupter Ismaels (Gen 25, 13 // 1 Chr 1, 29).
2° **Mibsam** (1), Simeoniter, Nachkomme Schauls, Ahnherr Schimis (1 Chr 4, 25).

MIBZAR (2), „Festung" (vgl. Bezer), ein edomitischer Fürst oder Clan (Gen 36, 42 // 1 Chr 1, 53).

MICHA, gr. *Micha, Michaias,* lat. *Michäus,* „Wer ist wie . . .?" (vgl. Ex 15, 11; Jes 44, 7), Abk. von *Michaja, Michajahu, Michajehu,* „Wer ist wie Jah?". Im Hebr. erscheint der unter Micha vorgestellte Namen in verschiedenen Formen.
1° **Micha** (5), Benjaminiter, Sohn des Merib-Baal, Nachkomme des Königs Saul (2 Sam 9, 12; 1 Chr 8, 34 // 9, 40) und Vater mehrerer Söhne (1 Chr 8, 35 // 9, 41).
2° **Micha** (1), Levit, Mitunterzeichner der Gesetzesverpflichtung (Neh 10, 12).
3° **Micha** (3) oder **Michaja** (1), Nachkomme Asafs, Vater des → Mattanja 5°,
Ahnherr des → Usi 5°; Secharja 25°.
4° **Micha** (1), Rubeniter, Nachkomme Joëls, Ahnherr des Beera (1 Chr 5, 5).
5° **Micha** (4), Levit aus dem Clan Kehat, erster der Söhne Usiëls. Das Haupt der Söhne Michas ist Schamir (1 Chr 23, 20; 24, 24–25).
6° **Micha** (19) oder **Michajehu** (2), Efraimiter, der ein Privatheiligtum mit einem Götzenbild und einem Priester besitzt (Ri 17). Kundschafter, die die Wanderung der Daniter vorbereiten, halten sich bei Micha auf und befragen seinen Priester nach dem Ausgang ihres Unternehmens (Ri 18, 1–6). Dann bemächtigen sich die Daniter des Priesters und des Götterbildes, während Micha vergeblich protestiert (Ri 18, 13–31).
7° **Micha** (18) **Sohn des Jimla** (4), Prophet zur Zeit Ahabs. Von Ahab, dem König von Israel, vor einer Expedition gegen Ramot-Gilead befragt, antwortet Micha zunächst ironisch. Dann schildert er die ihm von Jahwe gewährte Vision und sagt, als einziger gegenüber 400 Hofpropheten, das Scheitern des Unternehmens voraus. Wegen dieser freimütigen Rede wird er vom Propheten Zidkija geohrfeigt, dann vom Stadtkommandanten ins Gefängnis geworfen, während Ahab in den Krieg zieht und den Tod findet (1 Kön 22, 5–28 // 2 Chr 18, 7–27).
8° **Micha der Moreschetiter** (2), Prophet zur Zeit Jotams, des Ahas und Hiskijas (Mich 1, 1), Zeitgenosse Jesajas. Einer der zwölf „kleinen Propheten". Er wird namentlich in Jer 26, 18–19 genannt als Verfasser eines Unheilsorakels gegen Jerusalem, das ihm gleichwohl keine Bestrafung eingebracht habe.
9° **Micha** (1) oder **Michaja** (1), Vater des → Achbor 2°.
10° **Michajehu** (2) **Sohn des Gemarjahu Sohn des Schafan** (1), berichtet den Beamten des Königs Jojakim, unter denen auch sein Vater ist, was er eben von der Lesung des Jeremia-Buches gehört hat (Jer 36, 11–13).
11° **Micha** (1), Vater des → Usija 7°.

MICHAEL, „Wer ist wie Gott?" (vgl. Micha; Michal; Mischael).
1° **Michael** (1), Vater des → Setur.
2° **Michael** (1), Ahnherr des Sängers Asaf (1 Chr 6, 25).
3° **Michael** (2), aus Issachar, einer der fünf militärischen Führer der Söhne Usis (1 Chr 7, 3–5).
Vater des → Omri 3°.
4° **Michael** (1), Benjaminiter aus den Söhnen Beria, Familienhaupt in Jerusalem (1 Chr 8, 16).
5° **Michael** (1), Manassiter, Krieger, verbündet mit David, Heerführer (1 Chr 12, 21).
6° **Michael** (1), einer der sechs Söhne des Königs Joschafat von Juda, die von ihrem älteren Bruder Joram bei seiner Thronbesteigung ermordet werden (2 Chr 21, 2–4.13).
7° **Michael** (1), Gaditer, Familienhaupt (1 Chr 5, 13).
8° **Ben-Michael** (17), Gaditer der Söhne Abihajils; oder nach einer anderen Lesart Michael, Ahnherr des Abihajil (1 Chr 5, 14).
9° **Michael** (1), Vater des → Sebadja 8°.
10° **Michael** (5), Schutzengel des Gottesvolks, genannt „Engelfürst" (Dan 10, 13.21; 12, 1), „Erzengel", Widersacher Satans (Jud 9; vgl. Sach 3, 1–2; Offb 12, 7).

MICHAJA

1° **Michaja** (1), Priester, Trompetenbläser bei der Mauerweihe in Jerusalem (Neh 12, 41).
2° **Michaja** (1), **Tochter des Uriël aus Gibea,** Mutter des Abija (2 Chr 13, 2) → MAACHA 9°.
3° **Michaja** (1), einer der fünf Beamten, die vom König Joschafat mit zwei Priestern und acht Leviten in die Städte Judas geschickt werden, um das Volk im Gesetz zu unterweisen (2 Chr 17, 7–9).

MICHAL (18), Abk. von *Michael,* **Tochter des Saul** (8), jüngere Schwester der Merab (1 Sam 14, 49), verliebt sich in David (18, 20–28), der sie zur Frau gewinnt, nachdem er zweihundert Philister getötet hat (18, 27). Sie rettet David das Leben, als er von Saul mit dem Tod bedroht wird (19, 11–17). Der gibt sie dem Palti, dem Sohn des Lajisch, zur Frau (25, 44). Nach dem Tod des Saul fordert sie David von Ischbaal, dem Sohn Sauls, zurück (2 Sam 3, 13–16). Als Michal aber David wegen seines Tanzes vor der Bundeslade verachtet, hält er sich von ihr für immer zurück (2 Sam 6, 16–23; vgl. 1 Chr 15, 29). In 2 Sam 21, 8 var. *Merab.*

MICHMAS (11), gr. *Machmas,* „verborgene Stelle", Ort im Norden Jerusalems (vgl. Jes 10, 28), wo Jonatan, der Sohn Sauls, sich in einer siegreichen Schlacht gegen die Philister auszeichnet (1 Sam 13, 2–23; 14, 5.31). Mit Serubbabel kommen aus dem Exil 22 Menschen aus Michmas zurück (Esr 2, 27 // Neh 7, 31). Die Stadt wird von Benjaminitern bewohnt (Neh 11, 31).
= **Machmas** (1), wo Jonatan, der Bruder des Judas Makkabäus, sich niederläßt und das Volk richtet (1 Makk 9, 73). 12 km nördlich von Jerusalem. Gegenüber von Michmas → BOZEZ.

MICHMETAT (2) **gegenüber von Sichem** (1), Gelände oder Ort an den Grenzen von Efraim und Manasse (Jos 16, 6; 17, 7).

MICHRI (1), Benjaminiter, Ahnherr des → ELA 5°.

MIDDIN (1), Ort in der Wüste Juda (Jos 15, 61).

MIDIAN (63), einer der sechs Söhne Abrahams und seiner Nebenfrau Ketura (Gen 25, 2 // 1 Chr 1, 32). Seine Söhne: Gen 25, 4 // 1 Chr 1, 33. Es handelt sich um Nomadenstämme, die gewöhnlich im Osten des Golfs von Akaba lokalisiert werden, aber wohl eher auf der Sinaihalbinsel beheimatet waren (vgl. 1 Kön 11, 18; Hab 3, 6–7). Niederlage Midians durch Edom in Moab (Gen 36, 35 // 1 Chr 1, 46).
Mose flüchtet nach Midian (Ex 2, 15 // Apg 7, 29), wo er die Tochter eines midianitischen Priesters heiratet (Ex 2, 16–18). Von dort schickt ihn Gott nach Ägypten zurück, damit er sein Volk befreie (Ex 4, 19 ff). – Die Geschichte von der Midianiterin Kosbi und dem Israeliten Simri, die beide zusammen durchbohrt werden (Num 25, 6–18; vgl. 1 Makk 2, 26). – Heiliger Krieg gegen Midian: Abschlachtung der fünf midianitischen Könige (Num 31, 1–12; vgl. Jos 13, 21). Als Israel von Midian schwer bedrückt wird, führt Gideon zwei siegreiche Feldzüge: westlich des Jordan mit der Tötung der beiden midianitischen Führer Oreb und Seeb (Ri 6, 33; 7, 1 – 8, 3); östlich des Jordan, wobei die beiden Könige Midians Sebach und Zalmunna umgebracht werden (Ri 8, 4–28; vgl. 9, 17; 10, 12; Ps 83, 10–12; Jes 9, 3: „Tag von Midian"; 10, 26). Holofernes soll Midian vernichtend geschlagen haben (Jdt 2, 26). – Handelsvolk (Gen 37, 28.36; Bar 3, 23; vgl. Jes 60, 6).
Mögliche alte Bezeichnung Midians → KUSCHAN. Heimat des → JITRO; REGUËL 2°.

MIDIANITER (8): Gen 37, 28.36; Num 10, 29; 25, 6.14–15.17; 31, 2 aus → MIDIAN.

MIGDAL-EDER, „Herdenturm" (vgl. Gedalja).
1° **Migdal-Eder** (1), südlich von Bet-El. In dieser Gegend begeht Ruben Blutschande mit Bilha, der Nebenfrau seines Vaters Jakob (Gen 35, 21).
2° **Herdenturm** (1), symbolische Bezeichnung für Jerusalem (Mich 4, 8).

MIGDAL-EL (1), „Gottesturm" (vgl. Gedalja), befestigte Stadt Naftalis (Jos 19, 38).

MIGDAL-GAD (1), „Turm Gads" (vgl. Gad; Gedalja), Stadt in der Schefela (Jos 15, 37).

MIGDAL-SICHEM (3), „Turm von Sichem", wahrscheinlich die Akropolis von Sichem (Ri 9, 46.47.49).
= vermutlich **Bet-Millo** (3): Ri 9, 6.20.

MIGDOL (6), „Turm" (Gedalja), Grenzstadt im äußersten NO Ägyptens. In ihrer Nähe lagern die Israeliten beim Exodus (Ex 14, 2; Num 33, 7). Zur Zeit des Jeremia sind hier Judäer ansässig (Jer 44, 1), und Jer 46, 14 kündigt den Untergang der Stadt an. Der Ausdruck „von Migdol bis Syene" bezeichnet die äußersten Grenzen Ägyptens im Norden und im Süden (Ez 29, 10; 30, 6).

MIGRON (2), Ort nahe bei Michmas, in Benjamin (Jes 10, 28). In 1 Sam 14, 2 wird das hebr. *in Migron* oft korr. in „bei der Tenne".

MIJAMIN (vgl. Jamin?).
1° **Mijamin** (1), Vorsteher der 5. Priesterklasse (1 Chr 24, 9).
2° **Mijamin** (2), Priester, mit Serubbabel aus dem Exil zurückgekehrt (Neh 12, 5), Mitunterzeichner der Gesetzesverpflichtung (Neh 10, 8).
= **Minjamin** (1), Name einer Priesterfamilie zur Zeit Jojakims (Neh 12, 17).
3° **Mijamin** (1), Israelit aus den Söhnen Parosch, schickt seine fremdländische Frau zurück (Esr 10, 25).

MIKLOT
1° **Miklot** (4), Benjaminiter, Vater des Schima, Großonkel Sauls (1 Chr 8, 31.32 // 9, 37–38).
2° **Miklot** (1), Befehlshaber des militärischen Dienstes im zweiten Monat, für den der Ahoachiter Dodai verantwortlich war (1 Chr 27, 4). Viele Übersetzungen lassen mit der LXX den Namen *Miklot* weg.

MIKNEJA (2), „Bezitz Jahs" (vgl. Elkana), Levit, Torwächter, dem Dienst an der Lade zugeteilt (1 Chr 15, 18), Harfenspieler (15, 21).

MILALAI (1), Levit, Sohn Asafs (?), spielt bei der Mauerweihe in Jerusalem ein Instrument (Neh 12, 36).

MILET (3), Hafen Kariens an der Westküste Kleinasiens, 50 km südlich von Ephesus. Am Ende seiner dritten Missionsreise ruft Paulus die Ältesten der ephesinischen Gemeinde nach Milet und richtet an sie eine große Abschiedsrede, sein pastorales Testament (Apg 20, 15–38). Nach 2 Tim 4, 20 mußte Paulus den kranken Trophimus in Milet zurücklassen.

MILKA, „Königin" (vgl. Melech).
1° **Milka** (7) **Tochter Harans** (1): Gen 11, 29; schenkt Nahor, dem Bruder Abrahams, acht Söhne (Gen 22, 20–23). Unter ihnen ist Betuël, der Vater Rebekkas (Gen 24, 15.24.47).
2° **Milka** (4): Num 26, 33; 27, 1; 36, 11; Jos 17, 3 in Manasse, eine der fünf Töchter des → ZELOFHAD.

MILKOM (5), „König" (vgl. Melech), Nationalgott der Ammoniter, **das Scheusal der Ammoniter** (3). Nach der Einnahme von Rabba erbeutet David den Edelstein, der den Kopf der Götterstatue schmückte (2 Sam 12, 30 // 1 Chr 20, 2 LXX). Salomo verehrt Milkom (1 Kön 11, 5.33), errichtet ihm ein Heiligtum (1 Kön 11, 7 LXX; hebr. *Moloch*). Der König Joschija entweiht es (2 Kön 23, 13), während zur selben Zeit Zefanja den Milkom-Kult anprangert (Zef 1, 5: Korr. des hebr. *Melech*).

MILLO (6), „Erdwall", „Aufschüttung" (vgl. Jimla). Anachronistisch erwähnt in 2 Sam 5, 9 und 1 Chr 11, 8, wird der Millo erst unter Salomo errichtet (1 Kön 9, 15.24; 11, 27) und unter Hiskija erneuert (2 Chr 32, 5). Er bestand vermutlich aus einem befestigten aufgeschütteten Erdwall im Norden der Davidsstadt von Jerusalem.
= vermutlich **Bet-Millo** (1), wo der König Joasch ermordet wird (2 Kön 12, 21).

MINJAMIN (vgl. Jamin?).
1° **Minjamin** (1), einer der sechs Leviten, die zur Zeit des Königs Hiskija unter der Oberaufsicht des Jimnasohnes Kore für die Verteilung der Lebensmittel zuständig waren (2 Chr 31, 15).
2° **Minjamin** (1), Priester, Trompetenbläser bei der Mauerweihe in Jerusalem (Neh 12, 41).
3° **Minjamin** (1) → MIJAMIN 2°.

MINNI (1), Jer 51, 27: Landschaft in Armenien um den See von Van.

MINNIT (2), Ort im Land Ammon (Ri 11, 33), nach ihm wird eine Weizensorte benannt (Ez 27, 17). Etwa 15 km SW von Rabba.

MIRJAM, „Seherin" oder „Herrin"?
1° **Mirjam** (14), Schwester des Mose und des Aaron, Tochter Amrans und der Jochebed, vom Stamm Levi (Num 26, 59 // 1 Chr 5, 29; vgl. Ex 2, 1–8), Prophetin (Ex 15, 20–21), revoltiert mit Aaron gegen Mose, der eine Kuschiterin geheiratet hat, und wird daraufhin mit Aussatz geschlagen und dann auf die Fürbitte des Mose hin geheilt (Num 12, 1–15; vgl. Dtn 24, 9). Sie stirbt in Kadesch (Num 20, 1). In Mich 6, 4 wird sie neben Mose und Aaron als Führerin Israels beim Auszug aus Ägypten genannt. Andere Prophetinnen → DEBORA 2°; HANNA 3°; HULDA; NOADJA 2°.
2° **Mirjam** (1), Kalebiter(in), Sohn (oder Tochter) der Pharaonentochter Bitja (1 Chr 4, 17).

MIRMA (1), „Betrügerei", Benjaminiter, Familienhaupt in Moab (1 Chr 8, 9).

MISA (3), letzter von vier Söhnen des Reguël in Edom, der als Sohn der Basemat, der Frau Esaus, gilt (Gen 36, 13.17; 1 Chr 1, 37).

MISCHAËL, gr. *Misael,* „Wer ist bei Gott?" oder „Wer ist, was Gott ist?" (vgl. Michael).
1° **Mischael** (2), Levit des Clans Kehat, einer der drei Söhne Usiëls (Ex 6, 22), erhält von Mose den Auftrag, die Leichname des Nadab und des Abihu aus dem Heiligtum wegzuschaffen (Lev 10, 4).
2° **Mischaël** (1), vornehmer Laie, steht bei der feierlichen Gesetzesverlesung zur Linken des Esra (Neh 8, 4).
3° **Mischaël** (8), mit Beinamen **Meschach** (15), einer der drei Gefährten Daniels
→ HANANJA 17°.

MISCHAL (2), Ort in Ascher (Jos 19, 26), den Leviten des Clans Gerschon zugeteilt (Jos 21, 30).
= **Maschal** (1), 1 Chr 6, 59.

MISCHAM (1), Benjaminiter der Söhne Elpaals, wohnt in der Gegend von Lod (1 Chr 8, 12).

MISCHMA, „Hörensagen", „Gerücht" (vgl. Schemaja).
1° **Mischma** (2), einer der zwölf Söhne und Clanhäupter Ismaels (Gen 25, 14 // 1 Chr 1, 30).
2° **Mischma** (2), Simeoniter, Nachkomme Schauls, Ahnherr Schimis (1 Chr 4, 25).

MISCHMANNA (1), „Fetter Bissen", „guter Bissen" (vgl. Getsemani), Gaditer, Anhänger Davids vor dessen Königszeit (1 Chr 12, 11).

MISCHRAÏTER (1), hebr. *Mischra'i,* Clan Judas, von Schobal abstammend (1 Chr 2, 53).

MISPERET (1), einer der zwölf Anführer der Heimkehrer aus dem Exil (Neh 7, 7).
= **Mispar** (1), Esr 2, 2.

MISREFOT-MAJIM (2), „Verbrennungen" (vgl. Saraf), Ort an der NW-Grenze des Gelobten Landes (Jos 11, 8; 13, 6: Korr. des hebr. *Misrefot-Majim,* „Verbrennungen von Wasser", d. h. Salinen, in *Misrefot-mijam,* „Misrefot in Westen"). Zwischen Tyrus und Akko.

MISTTOR → ASCHENTOR

MITHRIDATES → MITREDAT.

MITKA (2), „Süße", Etappe des Exodus zwischen dem Sinai und Kadesch (Num 33, 28–29).

MITNITER → METEN.

MITREDAT, gr. *Mithridates,* pers. Name „Gabe des Mithra".
1° **Mitredat** (2), Kämmerer des Königs Kyrus von Persien, soll an Scheschbazzar die liturgischen Geräte des Tempels zurückgeben (Esr 1, 8), Beauftragter des persischen Königs in Samarien und einer der Verfasser des Briefes, der Artaxerxes über die Arbeiten beim Wiederaufbau Jerusalems berichtet (Esr 4, 7): eine oder zwei Personen.
2° **[Mithridates I.],** Partherkönig → ARSAKES.

[MITTELMEER], oft zusammen mit dem → TOTEN MEER genannt. Es wird mit drei verschiedenen Ausdrücken bezeichnet, die sich auf die Westgrenze Kanaans, des Gelobten Landes oder einer seiner an der Küste lebenden Stämme beziehen.
= **Großes Meer** (12), hebr. *ha-jam ha-gadol* (Num 34, 6–7; Jos 1, 4; 9, 1; 15, 12.47; 23, 4; Ez 47, 15.19–20; 48, 28). In Ez 47, 10 bezeichnet „Großes Meer" das Mittelmeer als solches, d. h. es wird nicht nur im Zusammenhang mit Grenzfestlegungen gebraucht (vgl. *das Meer* in 1 Kön 5, 23 u. ö.).
= **Westliches Meer** (4), hebr *ha-jam ha-ʾaharon* (Dtn 11, 24; 34, 2; Joel 2, 20; Sach 14, 8).
= **Meer der Philister** (1), hebr. *jam Pelischtim* (Ex 23, 31).
Teile des Mittelmeers → ADRIA; Meer von Zilizien und Pamphylien (Apg 27, 5).
Inseln → ARWAD; CHIOS; KAUDA; KOS; KRETA; MALTA; PATMOS; RHODOS; SAMOS; SAMOTHRAKE; ZYPERN.
Häfen → ASSOS; ATHEN; ATTALIA; CÄSAREA; DELOS; EPHESUS; JOPPE; KENCHREÄ; MILET; NEAPOLIS; PUTEOLI; SELEUKIA; SIDON; TROAS; TYRUS.

MITYLENE (1), Hafen der Insel Lesbos im Ägäischen Meer, wo Paulus am Ende seiner dritten Missionsreise eine Nacht verbringt (Apg 20, 14 f).

MIZAR (1), „Kleiner [Berg]" (vgl. Zoar), ein vielleicht in der Nähe der beiden Hermonberge (des großen und des kleinen) gelegener Berg (Ps 42, 7).

MIZPA, MIZPE, Ha-Mizpe, gr. *Massepha* oder *Maspha* „Beobachtungspunkt", „Wachposten" (vgl. Zafon).
1° **Mizpa** (34) oder **Mizpe** (1), Stadt Benjamins (Jos 18, 26: hebr. *Ha-Mizpe)*.
Traditioneller Versammlungsort Israels: zur Richterzeit, wo Israel sich durch Schwur verpflichtet, das Verbrechen der Bewohner von Gibea zu rächen (Ri 20, 1.3; 21, 1.5.8); zur Zeit Samuels, wo das Volk Trankspenden ausgießt und fastet, während Samuel ein Opfer darbringt und das Volk richtet (1 Sam 7, 5–12; vgl. 7, 16) und wo Saul durch Losentscheid zum König bestimmt wird (1 Sam 10, 17–27). Der König Asa befestigt die Stadt und legt eine große Zisterne an (1 Kön 15, 22 // 2 Chr 16, 6; Jer 41, 9). Gedalja wird hier von der babylonischen Besatzungsmacht zum Statthalter eingesetzt und wird hier ermordet (Jer 40–41 // 2 Kön 25, 23–25). Zur Zeit des Nehemia beteiligen sich die Leute von Mizpa, dem Hauptort des Distrikts, am Wiederaufbau Jerusalems (Neh 3, 7.15.19).
= **Maspha** (2), Versammlungsort der Juden, um vor der Schlacht bei Emmaus zu fasten und das Gesetz zu lesen (1 Makk 3, 46–57). An die 13 km nördlich von Jerusalem, vermutlich das gegenwärtige *Tell en-Nasbeh.*
2° **Mizpa** oder **Mizpe** (4), jenseits des Jordan, südlich des Jabbok, Grenze zwischen Laban und Jakob (Gen 31, 48–49), Heimat des Jiftach (vgl. Ri 10, 17; 11, 34). Sitz eines Heiligtums (Ri 11, 11).
= **Mizpe-Gilead** (2), Ri 11, 29.
= **Ramat-Mizpe** (1), Stadt der Gaditer (Jos 13, 26).
3° **Mizpa** oder **Mizpe** (2), „am Fuß des Hermon" (Jos 11, 3.8). Lage unbekannt.
4° **Mizpe-Moab** (1), Ort in Moab, wo David seine Eltern vor der Rache Sauls verbirgt (1 Sam 22, 3).
5° **Mizpa** (1), eine der vorhergehenden Ortschaften, ohne daß eine genauere Präzisierung möglich wäre (Hos 5, 1).
6° **Ha-Mizpe** (1), Ort in der Schefela (Jos 15, 38).

MIZRAJIM, hebr. Name *Ägyptens.* Die duale Form weist auf Ober- und Unterägypten. Mizrajim gilt als einer der vier Söhne Hams (Gen 10, 6 // 1 Chr 1, 8); seine Nachkommenschaft (Gen 10, 13–14 // 1 Chr 1, 11–12).
= **Mazor** (5), 2 Kön 19, 24 // Jes 37, 25; Jes 19, 6; Mich 7, 12.
→ ÄGYPTEN; MUZUR.

MNASON aus Zypern (1), Christ der ersten Generation, wohnt wahrscheinlich zwischen Jerusalem und Cäsarea, nimmt Paulus am Ende der dritten Missionsreise bei sich auf (Apg 21, 16).

MOAB (193), hebr. *Mo'ab,* Volksetymologie

nach Gen 19, 37: „Hervorgegangen aus dem Vater“ oder „Wasser des Vaters“ (vgl. Pahat-Moab). Land und Volk in Transjordanien, östlich des Toten Meers. Fruchtbare Hochfläche, genannt **Steppen von Moab** (Num 22, 1; 26, 3; 31, 12; 33, 48–50; 36, 13; Dtn 34, 1; Jos 13, 32) oder **Grünland Moabs** (Gen 36, 35 // 1 Chr 1, 46; Num 21, 20; Rut 1, 1–6.22; 2, 6; 4, 3; 1 Chr 8, 8). In Moab gibt Jahwe Mose den Befehl, das Gelobte Land aufzuteilen (Num 33, 50 – 36, 12), dort schärft Mose das Gesetz ein (Dtn 1, 5) und schließt den Bund (Dtn 28, 69), dort erhält er die Gesetze und Verordnungen (Num 36, 13). Von dort aus, auf dem Berge Nebo, schaut er vor seinem Tod das Gelobte Land (Dtn 34, 1–6).
Moabiter und Ammoniter, „Söhne Lots“ (Dtn 2, 9.19; Ps 83, 9), sind oft zusammen erwähnt. Die beiden Völker werden in der Geschichte von den Töchtern Lots (Gen 19, 36–38) als Verwandte der Israeliten dargestellt, mit denen sie oft im Streit liegen (Ps 83, 6–9; vgl. Jdt 5, 2). Der König von Moab, Balak, widersetzt sich Israel bei der Landnahme Kanaans (Num 22—24). Zur Richterzeit bedrückt ein anderer Moabiterkönig, Eglon, die Israeliten (Ri 3, 12–30). Saul zieht gegen Moab in den Krieg (1 Sam 14, 47), David unterwirft die Moabiter (2 Sam 8, 2.12 // 1 Chr 18, 2.11). Moabiter und Ammoniter greifen Joschafat von Juda an(2 Chr 20, 1–23). Unter Joram, dem König von Israel, findet ein siegreicher Feldzug Israels und Judas gegen den Moabiterkönig Mescha statt (2 Kön 3, 4–27). Umgekehrt greifen Moabiter und Ammoniter Juda unter Jojakim an (2 Kön 24, 2). Israel und seine Führer lassen sich von den heidnischen Bräuchen und Gottheiten Moabs verführen (Num 25, 1 f; Ri 10, 6; 1 Kön 11, 1–7.33; 2 Kön 23, 13 ; Esr 9, 1; Neh 13, 23). Die Feindschaft Israels gegen Moab erscheint in Dtn 23, 4–5, wo den Moabitern und Ammonitern der Eintritt in die Gemeinde Jahwes untersagt wird, und in den zahlreichen Prophetensprüchen gegen Moab (Jes 11, 14; 15; 16; 25, 10; Jer 9, 24–25; 25, 21; 27, 2–3; 48: in diesem Kap. wird Moab 34 × genannt; Ez 25, 8–11; Am 2, 1–2; Zef 2, 8–11). Gleichwohl vertraut David dem König von Moab seine Eltern an (1 Sam 22, 3–4), flüchten Judäer bei der Belagerung Jerusalems nach Moab (Jer 40, 11). Und vor allem wird eine Moabiterin, Rut, die Ahnfrau Davids und dann des Messias (Rut 1, 22; 4, 13.17–22; Mt 1, 5–16).
Könige → BALAK; EGLON 1°; MESCHA 4°; SCHALMAN.
Moabiter → JITMA; ORPA; RUT; SCHIMRIT.
Nationalgott → KEMOSCH.
Gebirge → ABARIM; NEBO 1°.
Fluß → ARNON.
Städte → AR; AROËR 1° ; BAAL-MEON; BET-DIBLATAJIM; BET-GAMUL; BET-JESCHIMOT; BET-PEGOR; DIBON 1°; ELALE; HESCHBON; HORONAJIM; JASER; KIR-HERES; KIRJATAJIM 1°; MEDEBA; MIZPA 4°; NEBO 2°.

MOABITER (16), Dtn 2, 11.29; 23, 4; Rut 1, 4.22; 2, 2.6.21; 4, 5.10; 1 Kön 11, 1; 1 Chr 11, 46; 2 Chr 24, 26; Esr 9, 1; Neh 13, 1.23 aus → MOAB.

MOCHMUR (Bach) (1), Jdt 7, 18. Vielleicht im Osten von Sichem gedacht.

MODEÏN (8), Wahlheimat des Mattatias, des Vaters der Makkabäer (1 Makk 2, 1). Dort weigert er sich, den Götzenbildern auf dem Altar zu opfern (2, 23) und verläßt mit seinen Söhnen die Stadt. Bei Modeïn erringt Judas einen Sieg (2 Makk 13, 14 ff), und Simon verbringt hier auf dem Marsch gegen Kendebäus eine Nacht mit seinem Heer (1 Makk 16, 4). In Modeïn sind bestattet: Mattatias (1 Makk 2, 70), Judas (9, 19), Jonatan (13, 25). Über ihrem Grab errichtet ihr Bruder Simon ein Mausoleum (13, 27–30).
Etwa 30 km NW von Jerusalem.

MOPH (1), Hos 9, 6 → MEMFIS.

MOLADA (4), Stadt im Negeb von Juda (Jos 15, 26; vgl. Neh 11, 26), alte Stadt Simeons (Jos 19, 2 // 1 Chr 4, 28).

MOLECHET (1), „Königtum“? (vgl. Melech), Manassiterin, Schwester Gileads (?) und Mutter Abiësers, Ischhods und Machlas (1 Chr 7, 18).

MOLID (1), „Der erzeugt“, Sohn des Abischur und der Abihajil, aus dem Clan Jerachmeël (1 Chr 2, 29).

MOLOCH (9), hebr. *Molech* (vgl. Melech), beleidigende Verballhornung von *Melech,* „König“, vokalisiert wie das hebr. *boschet,* „Schande“ (der König der Schande), Wort phönizischen Ursprungs, das eine Opferart bezeichnet, in Israel aber als Gottesnamen verstanden wurde (Lev 18, 21; 20, 2–5; 2 Kön 23, 10; Jer 32, 35). In 1 Kön 11, 7 liest der gr. Text *Milkom* anstelle des hebr. *Molech.* Die Stephanusrede spricht im Anschluß an Am 5, 25–27 LXX vom „Zelt des Moloch“, das die Israeliten herumgetragen hätten (Apg 7, 43).

MORDECHAI (68), gr. *Mardochäus,* „Von Marduk“ (vgl. Merodach), **Sohn des Jaïr Sohn des Schimi Sohn des Kisch** (2), Benjaminiter (Est 1, 1; 2, 5), genannt der **Jude** (7), Vetter und Vormund der Ester (2, 7.15), deportiert nach Susa (2, 5). Beim Dienst an der königlichen Pforte deckt er eine Verschwörung gegen den König Xerxes auf (2, 21–22), weigert sich aber, vor Haman, dem obersten Minister, das Knie zu beugen (3, 2–6), woraufhin der König ein Vernichtungsdekret gegen die Juden unterzeichnet. Ester interveniert beim König (4, 1–17), der sich bei der Lektüre seiner Memoiren an die Verdienste Mordechais erinnert. Haman muß Mordechai mit Ehren überhäufen und wird selbst an den Galgen gehängt, den er für den Juden errichtet hatte (5, 9–14; 6, 1–13; 7, 9–10). Mordechai tritt an die Stelle Hamans und erlangt ein Dekret, das die Juden rehabilitiert und ihnen das Recht gibt, ihrerseits ihre Feinde zu töten (8, 1–2.15; 9, 4; 10, 3). Der „Tag des Mordechai“ wird mit dem Purim-Fest gleichgesetzt (9, 20–32; 2 Makk 15, 36).

MORDOCHAI (2), einer der zwölf Anführer der Heimkehrer aus dem Exil (Esr 2, 2 // Neh 7, 7).

MORE, „Der Lehrende“, „Der Wahrsager“.

1° **Hügel More (1)**, an dessen Fuß die Midianiter zur Zeit Gideons lagern (Ri 7, 1). Ein Dutzend km südlich des Berges Tabor, heute *Djebel Dahi.*
2° **Eiche More** (2), heiliger Baum bei Sichem (Gen 12, 6; Dtn 11, 30; vgl. Gen 35, 4; Jos 24, 26; Ri 9, 6).
= vermutlich **Orakel-Eiche** (1), Ri 9, 37.

MORESCHET-GAT (1), (vgl. Gat), Ort in der Schefela, nahe bei Gat (Mich 1, 14). Heimat des Propheten → MICHA 8°.

MORESCHETITER (2), Jer 26, 18; Mich 1, 1 aus → MORESCHET-GAT.

MORIJA (2), Ort der Opferung Isaaks (Gen 22, 2), gleichgesetzt mit dem Hügel, auf dem der Jerusalemer Tempel erbaut ist (2 Chr 3, 1).

MOSE (867), hebr. Moscheh (vgl. Muschi), gr. *Moyses, Moses,* abgeleitet vom ägypt. *mos,* „Sohn“, wie Ahmosis, Tutmosis (vgl. Ramses), in Ex 2, 10 vom hebr. *maschah,* „herausziehen“, gedeutet, daher „(aus dem Wasser) herausgezogen“. Der Name Mose erscheint 706 × von Ex 2, 10 bis Jos 24, 5; 16 × von Ri bis 2 Kön; 22 × in den Dan-Esr-Neh-Chr; 8 × in den Pss; 21 × in den deuterokanonischen Schriften und 80 × im NT. Das Leben des Mose wird um 1250 angesetzt, das wahrscheinlichste Datum des Exodus.

a) Mose und der Exodus

Zu den in Ägypten unterdrückten Hebräern gehörend (Ex 1; Weish 10, 15), wird Mose an den Ufern des Nil in einer levitischen Familie geboren (Ex 2, 1; 6, 16.18.20; Num 26, 59; 1 Chr 5, 27–29; 23, 12–13) und nach der Legende von der Tochter des Pharao vor dem Ertrinken gerettet (Ex 2, 1–10; Weish 18, 5; Apg 7, 20–21) und in aller Weisheit der Ägypter ausgebildet (Apg 7, 22). Im Alter von 40 Jahren wird er sich der Lage seines Volkes bewußt (Apg 7, 23; Ex 2, 11), setzt sich für einen seiner mißhandelten Brüder ein und tötet einen Ägypter (Ex 2, 12). Von seinen Landsleuten zurückgewiesen (Ex 2, 14; Weish 11, 14; Apg 7, 35) und den Zorn des Pharao fürchtend, flieht er nach Midian, wo er die Tochter Jitros, Zippora, heiratet, die ihm zwei Söhne schenkt (Ex 2, 12–22). Am Sinai/Horeb begegnet ihm Gott im brennenden Dornbusch, offenbart sich als „Jahwe“ und gibt ihm den Auftrag, die Hebräer zu befreien und in das den Vätern gelobte Land zu führen. Dazu wird Mose mit Wunderkraft ausgestattet, und sein Bruder Aaron soll ihm zur Seite stehen (Ex 3, 1 – 4, 18). Dann kehrt Mose nach

Ägypten zurück (Ex 4, 18–31). Nach mehrfachen Interventionen beim Pharao, unterstützt von Zeichen und Wundern – den „ägyptischen Plagen“ (Ex 5—13; vgl. Dtn 34, 12; Ps 105, 26; Weish 10, 16; Sir 45, 2; Jes 63, 12) –, öffnet Mose seinem Volk den Weg zur Freiheit, indem er die Flüchtenden durch das Rote Meer ziehen läßt (Ex 14—15). Vierzig Jahre lang (Num 32, 13; Am 5, 25) führt er sie durch die Wüste (Ex 15, 22 – 18, 27; Num 11—14; 20—21).
Am Sinai wird der Bund geschlossen und das Gesetz gegeben (Ex 19—24). Die Geschichte mit dem Goldenen Kalb zeigt einen zürnenden, aber auch für das sündige Volk fürbittenden Mose, der den Bund erneuert und mit leuchtendem Antlitz vom Berg herabsteigt (Ex 32—34), wo er die Herrlichkeit Gottes geschaut hatte (Ex 33, 18–23; vgl. Ex 16, 10; 24, 16; 40, 34–38; 2 Makk 2, 8; Ps 99, 7; Sir 45, 3.5; 2 Kor 3, 7.13). In Moab angelangt, gegenüber Jericho, stirbt Mose mit 120 Jahren auf dem Berg Nebo (Dtn 34; vgl. 2 Makk 2, 4) und überträgt Josua die weitere Führung des Volkes nach Kanaan.
Die Rolle des Mose (und Aarons) beim Exodus wird noch erwähnt: Jos 24, 5; 1 Sam 12, 6.8; 1 Kön 8, 53; Ps 77, 21; 106, 26; Weish 10, 15 – 11, 16; Jes 63, 11–13; Hos 12, 14; Mich 6, 4; Apg 7, 36; 1 Kor 10, 2; Hebr 3, 16; 11, 29.

Hauptzüge im biblischen Mosebild

Der demütigste Mensch, den die Erde getragen hat (Num 12, 3; vgl. Ex 3, 11; 4, 10; 6, 12.30; Sir 45, 4); Mann Gottes (Dtn 33, 1; Jos 14, 6; 1 Chr 23, 14; 2 Chr 30, 16; Esr 3, 2; Ps 90, 1); Knecht Gottes, Jahwes, des Herrn (38 ×): Num 12, 7; Dtn 34, 5; Jos (17 ×); Jes 63, 11; Bar 1, 20; 2, 28; Mal 3, 22; Hebr 3, 5. Erwählter Gottes (Ps 106, 23); Freund Gottes (Ex 33, 11); Beliebt bei Gott und den Menschen (Sir 45, 1); Heiliger (Weish 11, 1). Der mit Gott spricht und zu dem Gott redet (Ex 6, 28; 33, 9–11; 34, 29.34–35; Num 3, 1.14; 7, 89; 12, 2.8; Ps 103, 7; Sir 45, 5). (Die Formel: „Jahwe sprach zu Mose“ kommt von Ex bis Dtn mehr als 200 × vor.) Prophet, d. h. der im Namen Gottes spricht (Ex 19, 6–7; Num 11, 24; Dtn 18, 15–20; 34, 10; Weish 11, 1; vgl. Sir 46, 1; Hos 12, 14; Apg 7, 38); Mittler zwischen Gott und den Menschen (Ex 20, 18–21; 24, 2; 34, 2–3; Dtn 5, 1–5; Gal 3, 19; vgl. Hebr 8, 6; 9, 15f), daher auch seine Rolle als Fürbitter: für den Pharao, seine Schwester Mirjam, vor allem aber für sein Volk (Ex 5, 22–23; 8, 4–8; 9, 27–33; 10, 16–18; 17, 9–13; 32, 11 bis 14.30.32; Num 11, 2; 12, 13; 14, 13–19; 16, 22; 21, 7; Lev 9, 23–24; Dtn 9, 25–29; 2 Makk 2, 10; Ps 90, 1; 99, 6; 106, 23; Sir 45, 3; Jer 15, 1). Allein mit Gott (Ex 24, 2; 34, 2–5; vgl. 19, 12.20–21), der Jahwe von Angesicht zu Angesicht kennt (Dtn 34, 10), der die Gestalt Jahwes sieht (Num 12, 8; vgl. Ex 24, 10), mit dem Gott ist (Jos 1, 5.17; 3, 7), in dem die Weisheit wohnt (Weish 10, 16f) und der Geist, den er überträgt (Num 11, 25; Dtn 34, 9; vgl. Jes 63, 11). Er wird Priester genannt (Ps 99, 6), und weil er aus dem Stamm Levi stammt (Ex 2, 1), weiht er Aaron und dessen Söhne zu Priestern (Ex 28, 1; 29; Lev 8—9; Sir 45, 6). Er überträgt Eleasar das Priestertum seines Vaters Aaron (Num 20, 23–28), bringt das Opfer zur Heiligung des Volkes dar (Ex 19, 24) und segnet mit Aaron das Volk (Lev 9, 23).

b) Mose und das Gesetz

Der Pentateuch, die „fünf Bücher Mose“ (Gen, Ex, Lev, Num, Dtn), heißen auch „das Gesetz“ (Sir Prol; Mt 5, 17; 12, 5 u. ö.), das Gesetz des Mose (Lk 24, 44 u. ö.), das Buch des Gesetzes des Mose (Neh 8, 1) oder ganz einfach „Mose“ (Lk 16, 29.31; 24, 27; Apg 21, 21; 26, 22; 2 Kor 3, 15). Aus diesem Grund ist die Verfasserschaft und Autorität des Mose sogar auf das Buch Genesis übertragen worden, in dem sein Name überhaupt nicht erscheint.
Die Aussage von Joh 1, 17: „Das Gesetz wurde durch Mose gegeben“ wird im AT durch eine Vielzahl von Formeln belegt, als deren Grundtyp gelten kann: „Jahwe sprach zu Mose: Du aber gebiete den Israeliten . . .“ (Ex 31, 12–13). Etwa 100 ×, vor allem im Lev, leiten die Worte: „Jahwe sprach zu Mose“ ein Gesetz ein. Das NT bezieht sich mehr als 40 × auf Mose als Gesetzgeber oder Verfasser des Gesetzbuches, „auf die Bräuche, die uns Mose überliefert hat“ (Apg 6, 14; vgl. 15, 1). Von Mose heißt es nicht nur, daß er das Gesetz oder eines seiner Teile verkündet, angeordnet, vorgeschrieben, sondern daß er es auch schriftlich

niedergelegt habe (Ex 24, 4; 34, 27–28; Num 32, 2; Dtn 1, 5; 31, 9.22.24; Jos 8, 32; Bar 2, 28; Mk 12, 19 // Lk 20, 28; Joh 1, 45; 5, 47; Röm 10, 5). Hinzu kommen die zahlreichen Hinweise auf das, was „im Gesetzbuch des Mose geschrieben steht" (Jos 8, 31.34–35; 23, 6; 1 Kön 2, 3; 2 Kön 14, 6; 2 Chr 23, 18; 35, 12; Esr 3, 2; 6, 18; Neh 13, 1; Tob 7, 12; Bar 2, 2; Dan 9, 11.13; Lk 24, 44; 1 Kor 9, 9), wobei entweder ein bestimmtes Gesetz zitiert wird (Mk 12, 19) oder mehr allgemein die messianische Grundhaltung des Pentateuch vorausgesetzt ist (Joh 1, 45).

c) Jesus, der neue Mose

Mose, der Israel als „Anführer und Befreier" (Apg 7, 35) gesandt ist, gehört zu den großen Vorbildern Christi, des „Propheten wie" Mose, der für die Endzeit angekündigt ist (Dtn 18, 15; Apg 3, 22; 7, 37), „des Propheten" schlechthin (Joh 1, 21), über den Mose geschrieben hat (Joh 5, 46). Mose wird in der Verklärungsgeschichte als anwesend dargestellt (Mk 9, 2–10 parr), um den Übergang vom alten zum neuen Bund zu veranschaulichen und die Ankunft des wahren Mittlers zu bezeugen (Gal 3, 19; Hebr 8, 6; 9, 15; 12, 24; vgl. 1 Tim 2, 5), des endzeitlichen Befreiers (vgl. Gal 3, 13; Hebr 9, 12). Als Zuchtmeister (Gal 3, 24) sollte das Gesetz zu Christus führen, der „sein Ende" ist (Röm 10, 4), der gekommen ist, das Gesetz nicht aufzuheben, sondern zu erfüllen (Mt 5, 17), indem er es durch das Geschenk der Gnade und Wahrheit vollendet (Joh 1, 17). Jesus verkündigt das neue Gesetz (Mt 5, 3 – 7, 29), das dem alten überlegen ist (Mt 5, 20), dessen Vorschriften oft zu einer unerträglichen Last geworden waren (Mt 23, 4). Jesus bringt den Menschen die befreiende Wahrheit (Joh 8, 32) und legt ihnen ein Joch auf, das nicht drückt, und eine Last, die leicht zu tragen ist (Mt 11, 28–30).
Sohn des → Amram 1°; Jochebed.
Bruder des bzw. der → Aaron; Mirjam 1°.
Gatte der → Zippora
Schwiegersohn des → Hobab; Jitro.
Vater des → Gerschom 1°.

MOSER (1) → Moserot.

MOSEROT (2), „Bande" (vgl. Assir), Station des Exodus (Num 33, 30–31).
= **Moser** (1), wo Aaron gestorben sein soll (Dtn 10, 6).
Identisch (?) mit → Hor 1°.

[MOT], (vgl. Ahimot, Hazarmawet; Meremot), ugar. Name, kanaanäischer Gott der Trockenheit oder einfach Personifikation des Todes (vgl. Jes 28, 15.18). An diesen Stellen kann es sich um den Tod im allgemeinen oder um den Gott *Mot* handeln (vgl. Dtn 14, 1).

MOZA
1° **Moza** (1), Sohn der Efa, der Nebenfrau Kalebs (1 Chr 2, 46).
2° **Moza** (4), Benjaminiter, Nachkomme des Königs Saul und Ahnherr der Söhne Azels (1 Chr 8, 36–37 // 9, 42–43).
3° **Moza** (1), Stadt Benjamins (Jos 18, 26).

MUPPIM (1), ein Sohn Benjamins (Gen 46, 21).

MUSCHI (8), (vgl. Mose) ist mit Machli ein Sohn des Levisohnes Merari (Ex 6, 19; Num 3, 20; 1 Chr 6, 4; 23, 21; 24, 26). Seine Nachkommen (1 Chr 23, 23; 24, 30) bilden die Sippe der **Muschiter** (Num 3, 33; 26, 58). Die letztgenannte Aufzählung der levitischen Clans ist älter und weicht von der üblichen Einteilung in Gerschoniter, Kehatiter und Merariter ab; sie scheint den Weideraum der Leviten in der Gegend um Hebron zu suchen. Zu den Nachkommen Muschis gehört Etan, einer der großen Sänger (1 Chr 6, 32).

MUZUR (2), Gebiet nördlich von Syrien, zum Kaukasus hin, woher Salomo Pferde einführt (1 Kön 10, 28 // 2 Chr 1, 16: Korr. des hebr. *Mizrajim,* „Ägypten").

MYNDOS (1), Hafen Kariens, bei Halikarnaß. Auch dorthin geht der Brief des Konsuls Luzius, der das Bündnis zwischen Römern und Juden bekanntgibt (1 Makk 15, 23).

MYRA (2), Stadt Lyziens (Apg 27, 5) in Kleinasien, am Myros. Ihr Hafen heißt *Andriake.* Zen-

trum des Getreidehandels. Paulus steigt hier auf ein alexandrinisches Schiff um, das nach Italien fährt (Apg 27, 5–6). Die Hinzufügung von *Myra* in Apg 21, 1 ist textkritisch ganz unsicher.
Heute *Dembre* in der Türkei.

MYSIEN (2), eine in die römische Provinz Asien eingegliederte Landschaft, die im NW der heutigen Türkei liegt. Paulus hat sie auf seiner zweiten Missionsreise (Apg 16, 7–8) und auf der dritten (vgl. 20, 5–13) durchquert. Der „Mysarch" von 2 Makk 5, 24 war der Anführer der mysischen Söldner.
Städte → ADRAMYTTIUM; ASSOS; PERGAMON; TROAS.

N

NAAM (1), „Anmutig“ (vgl. Noomi), einer der Söhne Kalebs, Sohn des Jefunne (1 Chr 4, 15).

NAAMA, „Anmutig“, „Hübsch“ (vgl. Noomi).
1° **Naama** (1), Tochter Lamechs, Schwester des Tubal-Kajin, vielleicht Ahnfrau der Freudenmädchen (Gen 4, 22).
2° **Naama die Ammoniterin** (3), Mutter des Königs von Juda Rehabeam (1 Kön 14, 21.31 // 2 Chr 12, 13).
3° **Naama** (1), Ort in der Schefela (Jos 15, 41).
4° **Naama** (4) → Naamatiter.

NAAMAN (vgl. Noomi)
1° **Naaman** (4), Sohn Benjamins (Gen 46, 21) oder Sohn Belas Sohn Benjamins (Num 26, 40; 1 Chr 8, 4), dessen Nachkommen die Sippe der **Naamaniter** bilden (Num 26, 40).
2° **Naaman** (1), Benjaminiter der Söhne Ehuds, Familienhaupt von Bewohnern Gebas, die nach Manahat übergesiedelt sind (1 Chr 8, 7). Derselbe wie der Vorhergehende?
3° **Naaman** (12) **der Aramäer** (1): 2 Kön 5, 20, oder **der Syrer** (1): Lk 4, 27. Heerführer des Königs von Aram, der durch den Propheten Elischa vom Aussatz geheilt wird, indem er sich im Jordan badet (2 Kön 5).

NAAMATITER (4), hebr. *Naʾamati,* Bewohner eines wahrscheinlich idumäischen oder arabischen Orts (Ijob 2, 11; 11, 1; 20, 1; 42, 9).
Heimat des → Zofar.

NAARA, „Junges Mädchen“ (vgl. Naarai?; Nearja?)
1° **Naara** (3), eine der Frauen des Aschhur, Mutter mehrerer Clans, die von Juda hergeleitet werden (1 Chr 4, 5–6).
2° **Naara** (1), Ort an der Grenze Efraims und Manasses (Jos 16, 7).
= **Naaran** (1), in Efraim (1 Chr 7, 28). Vermutlich 8 km NW von Jericho.

NAARAI (1) **Sohn des Esbai** (1) → Paarai.

NAASSON (3) → Nachschon.

NABAD (1), Tob 11, 18 → Nadab 5°.

NABAL (21), „Grausam“, „Verrückt“, „Infam“ (vgl. 1 Sam 25, 25), **Kalebiter** (1), reicher Viehzüchter in Karmel im Bergland Juda. Er weigert sich, für den „Schutz“ zu zahlen, den David seinen Herden gewährt, d. h. sich erpressen zu lassen. Als er am nächsten Tag aus dem Mund seiner Frau erfährt, daß David zur Rache entschlossen ist, wird er vom Schlag getroffen und stirbt (1 Sam 25, 2–39).
Mann der → Abigajil.

NABATÄER (2), ursprünglich südarabischer Nomadenstamm, später seßhaft im alten Gebiet der Edomiter mit Petra als Hauptstadt. Die Nabatäer beherrschten auch einen Teil des Ostjordanlands. In der Makkabäerzeit werden sie aus Feinden allmählich Verbündete der Juden (1 Makk 5, 25 // 2 Makk 12, 10–12; 1 Makk 9, 35). Das Arabien von Gal 1, 17 meint wohl das Nabatäerreich (vgl. 4, 25). → Arabien.
Könige → Aretas 1°; 2°.

NABOT (22) **aus Jesreel** (9), weigert sich, seinen

Weinberg an den König Ahab von Israel abzutreten. Isebel läßt Nabot aufgrund falscher Zeugen steinigen und schenkt den Weinberg ihrem Mann. Daraufhin ergeht der Spruch des Propheten Elija an den König: „An der Stelle, wo die Hunde das Blut Nabots geleckt haben, werden Hunde auch dein Blut lecken" (1 Kön 21, 1–19; vgl. 2 Kön 9, 21.24–26).

NABUCHODONOSOR (117) → Nebukadnezzar.

NACHBI Sohn des Wofsi (1), Clanhaupt des Stammes Naftali, von Mose als Kundschafter in das Land Kanaan gesandt (Num 13, 14).

NACHON (Tenne des) 1), (vgl. Jojachin): 2 Sam 6, 6.
= **Tenne des Wurfspießes** oder **des Kidon** (1): 1 Chr 13,9. Bei der Übertragung der Bundeslade von Kirjat-Jearim nach Jerusalem stirbt hier Usa, nachdem er die Lade berührt hat. Der Ort des Geschehens erhält den Namen **Perez-Usa** (2): 2 Sam 6, 8 // 1 Chr 13, 11. Lage unbekannt.

NACHOR (1) → Nahor 1°.

NACHRAI aus Beerot (2), Waffenträger Joabs, des Sohns der Zeruja, Krieger Davids (2 Sam 23, 37 // 1 Chr 11, 39).

NACHSCHON (10), (vgl. Nahasch), gr. *Naasson,* **Sohn des Amminadab** (5), verantwortlich für den Stamm Juda (Num 2, 3; 7, 12; 10, 14;), leitet die Musterung seines Stammes (Num 1, 7), bringt die Opfergabe für die Altarweihe am ersten Tag dar (Num 7, 12–17). Nach Ex 6, 23 ist er der Bruder der Elischeba, der Frau Aarons. Aus dem jüdischen Clan Perez hervorgegangen, gilt er als Ahnherr Davids nach Rut 4, 20; 1 Chr 2, 10.
= **Naasson** (3), Ahnherr Davids und Jesu (Mt 1, 4; Lk 3, 32).

NADAB, „(Jah) ist großzügig" (vgl. Abinadab; Ahinadab; Amminadab; Nedabja).
1° **Nadab** und **Abihu** (12) **Söhne Aarons** (7), ältere Brüder des Eleasar und Itamar, Priester, die ohne Kinder sterben als Strafe für ein kultisches Vergehen: Darbringung eines ungehörigen Feueropfers (Lev 10, 1–5; vgl. Ex 6, 23; 24, 1.9; 28, 1; Lev 16, 1; Num 3, 2–4; 26, 60–61; 1 Chr 5, 29; 24, 1–2). Die Geschichte von Lev 10, 1–5 wird erzählt, um das Gesetz über die Trauerbräuche der Priester einzuleiten (Lev 10, 6–7).
2° **Nadab** (2), Sohn des Schammai und Vater des Seled und Efraim (hebr. *Appaim)* vom Clan Jerachmeel in Juda (1 Chr 2, 28.30).
3° **Nadab** (2), Benjaminiter von Gibeon (1 Chr 8, 30 // 9, 36).
4° **Nadab** (4) **Sohn des Jerobeam** (1) und sein Nachfolger, zweiter König von Israel (910–909), Zeitgenosse des Königs Asa. Bei der Belagerung der philistäischen Stadt Gibbeton wird er von einem seiner Heerführer ermordet. Dieser, Bascha, besteigt dann den Thron (1 Kön 14, 20; 15, 25–31).
5° **Nadab** (5), nach Tob 11, 18 (gr. *Nabad;* var. *Nasbas;* korr. *Nadan)* Vetter des Tobit, freut sich mit ihm über seine Heilung. Nach Tob 14, 10 wird Nadab (var. *Haman;* korr. *Nadan*) wegen eines Vergehens bestraft, das er gegen seinen Adoptivvater Achikar begangen hat.

NADABAT (1), 1 Makk 9, 37 → Nebo 2°.

NAFISCH (3), „Großer Reichtum", einer der zwölf Söhne oder Clanhäupter Ismaels (Gen 25, 15 // 1 Chr 1, 31). Arabischer Stamm im Ostjordanland, im Streit mit israelitischen Stämmen jenseits des Jordan (1 Chr 5, 19).

NAFTALI (57), gr. *Nephtali,* „Ich habe gekämpft", Volksetymologie nach Gen 30, 8.
Naftali ist Sohn Jakobs und der Bilha, der Magd Rahels – wie Dan – (Gen 30, 7) und eponymer Ahnherr des gleichnamigen Stammes. Das Gebiet Naftalis liegt westlich des Sees Gennesaret und des Oberlaufs des Jordan, nördlich von Sebulon und östlich von Ascher (Jos 19, 32–39): ein bergiges und waldiges Land (vgl. Gen 49, 21), von Jahwe gesegnet (Dtn 33, 23).
Nachkommen und Clans: Gen 46, 24 // 1 Chr 7, 13; Num 26, 48–50. Musterungen: Num 1, 42f; 2, 30; 26, 50. Bevölkerung mit Kanaanitern vermischt:

Ri 1, 33. Levitische Städte: Jos 21, 6.32 // 1 Chr 6, 47.61. Naftali hat vielleicht mit Sebulon an der Schlacht an den Wassern von Merom gegen die Kanaaniter teilgenommen (vgl. Jos 11, 5–8; Ri 5, 18). Jedenfalls haben Naftali und Sebulon etwas später in Taanach bei den Wassern von Megiddo über Sisera gesiegt, und die Schlacht wurde von einem Naftaliter, Barak, geführt (Ri 4—5). Die beiden Stämme nehmen auch am Feldzug Gideons gegen Midian teil (Ri 6, 35; vgl. 7, 23). Unter Salomo bildet Naftali den 8. Distrikt des Königreichs (1 Kön 4, 15). Etwa zehn Jahre vor dem Fall Samarias wird Naftali von Tiglat-Pileser erobert, die Bevölkerung wird nach Assyrien deportiert (2 Kön 15, 29; vgl. Jes 8, 23; Mt 4, 15; Tob 1, 4–5; 7, 3). Nach 2 Chr 34, 6 hat sich die Reform des Joschija auch in Naftali ausgewirkt; vielleicht schon die des Hiskija (Ps 68, 28).
schon die des Hiskija (Ps 68, 28).
Naftali in den Stammeslisten → S. 376f.
Stadt → Kedesch 2°.

NAFTUHITER (2), hebr. *Naphtuhim,* nach dem ägypt. „Jene vom Delta" auf Ägypten bezogen in Gen 10, 13 // 1 Chr 1, 11. Vielleicht ist *Naftuh* auch ein Ort zwischen Jerusalem und Geser, den Salomo vom Pharao zum Geschenk erhalten hat.

NAGGAI (1), Ahnherr Jesu nach Lk 3, 25.

NAHALAL (2), „Tränke", Stadt Sebulons (Jos 19, 15), den Leviten vom Clan Merari zugeteilt (Jos 21, 35).
= **Nahalol** (1), kanaanäische Stadt, die lange unabhängig bleibt (Ri 1, 30).

NAHALE-GAASCH (1) → Gaasch.

NAHALIËL (2), „Bach Gottes" oder „Gott ist mein Bach" oder „Gott ist mein Erbteil", eine der letzten Etappen des Exodus (Num 21, 19).

NAHALOL (1). „Tränke" → Nahalal.

NAHAM (1), „Trost" (vgl. Nahum), Bruder des Hodija, in Juda (1 Chr 4, 19).

NAHAMANI (1), „Mitglieder" (vgl. Nahum), einer der zwölf Anführer der aus dem Exil zurückkehrenden Juden (Neh 7, 7). Im Paralleltext von Esr 2, 2 fehlt sein Name.

NAHASCH, „Schlange" (vgl. Ir-Nahasch?; Nachschon; Nehuschtan).
1° **Nahasch** (7) **der Ammoniter** (2), **König der Ammoniter** (2): 1 Chr 19, 1 // 2 Sam 10, 1; belagert Jabesch in Gilead. Saul kommt der Stadt zu Hilfe und schlägt das Heer des Nahasch (1 Sam 11.1–11). Nach 1 Sam 12, 12 hat diese ammonitische Bedrohung die Israeliten bewogen, einen König zu fordern.
Vater des → Hanun 1°.
2° **Nahasch** (2), Ammoniter, Vater der bzw. des → Abigal; Schobi.

NAHAT, „Ruhe" (vgl. Manahat; Manoach).
1° **Nahat** (3), erster der Söhne und Fürsten Reguëls in Edom, die als Söhne Basemats, der Frau Esaus, gelten (Gen 36, 13.17 // 1 Chr 1, 37).
2° **Nahat** (1), Levit des Clan Kehat, Ahnherr Samuels nach 1 Chr 6, 11 (// *Toach* 1 Chr 6, 19 // *Tohu* 1 Sam 1, 1).
3° **Nahat** (1), einer der sechs Leviten, die zur Zeit des Königs Hiskija dem Konanja und Schimi bei der Arbeit helfen (2 Chr 31, 13).

NAHOR, gr. *Nachor,* „Schnarcher".
1° **Nahor** (5), Erzvater nach der Sintflut, Sohn des Serug, Vater des Terach und Ahnherr Abrahams (Gen 11, 22–25; 1 Chr 1, 26).
= **Nachor** (1), Ahnherr Jesu nach Lk 3, 34.
2° **Nahor** (12), **Bruder Abrahams** (1): Gen 22, 23; Sohn des Terach (Gen 11, 26f), wohnt in Mesopotamien (vgl. Jos 24, 2). Nach Gen 22, 20–24 J (vgl. Gen 10, 23 P) ist Nahor der Ahnherr der aramäischen Stämme. Auch er hat zwölf Söhne (vgl. die zwölf Söhne Jakobs und die zwölf Söhne Ismaels), acht von seiner Frau Milka (darunter Betuël, der Vater Labans und der Rebekka: Gen 24, 15.24.47) und vier von seiner Nebenfrau Rëuma.
„Der Gott Nahors" (Gen 31, 53).
Ahnherr des → Laban 1°.
3° **Nahor** (1), Stadt in der Gegend von Haran, in Obermesopotamien, die im 2. Jahrtausend v. Chr.

eine gewisse Bedeutung hatte. Abraham sendet seinen Knecht dorthin, um für Isaak eine Frau zu suchen (Gen 24, 10).

NAHUM, gr. *Naoum,* „Getröstet" (vgl. Kafarnaum; Menahem; Naham; Nahamani; Nehemia; Nehum; Noach?; Tanhumet).
1° **Nahum** (2) **der Elkoschiter** (1): Nah 1, 1; einer der zwölf „kleinen Propheten", er kündigt kurz vor 612 den Untergang Ninives an. In Tob 14, 4 wird diese Weissagung ausdrücklich erwähnt.
2° **Nahum** (1), Ahnherr Jesu nach Lk 3, 25.

NAIN (1), lat. *Naim,* Stadt in Galiläa, wo Jesus den Sohn einer Witwe zum Leben erweckt (Lk 7, 11 f). An die 10 km SO von Nazaret.

NANÄA (2), babylonische Göttin, Frau des Gottes → Nebo 4°, in Elam seit 2000 v. Chr. und noch in römischer Zeit verehrt, von den Griechen mit der Artemis gleichgesetzt. In einem Tempel der Nanäa, dem **Nanaion,** in Persien wird Antiochus IV. von den Priestern der Göttin zu Tode gesteinigt (2 Makk 1, 13–16).

NARZISSUS (1), ein in Röm 16, 11 genannter Mann, in dessen Haus sich viele Christen befinden.

NASIRÄER (1), gr. *naziraioi,* Umschrift des hebr. *nasir* (Ri 13, 5.7.16–17), Juden, die sich Gott auf eine besondere Weise weihen und sich durch ein Gelübde für immer oder eine bestimmte Zeit verpflichten, sich nicht das Haar scheren zu lassen, keine berauschenden Getränke zu trinken, sich nicht einem Leichnam zu nähern (vgl. die Vorschriften in Num 6). Das Ende des Gelübdes wird durch eine eigene Zeremonie angezeigt (1 Makk 3, 49; vgl. Apg 18, 18; 21, 23–26).
→ Nazoräer.

NATAN, gr. *Nathan,* Abk. von *Netanja,* „Jah hat gegeben", oder *Elnatan,* „Gott hat gegeben" (vgl. Elnatan; Etnan; Jonatan; Mattan; Mattana; Mattanja; Mattata; Mattenai; Matthias; Matthäus; Mattitja; Natanael; Netan-Melech; Netanja; auch Dositheus; Sabad).
1° **Natan** (4), ein Sohn Davids, in Jerusalem geboren (2 Sam 5, 14 // 1 Chr 3, 5 // 14, 4). Sein Clan ist in Sach 12, 12 genannt.
= **Natan** (1), Ahnherr Jesu nach Lk 3, 31.
2° **Natan** (2): 2 Sam 23, 36 // 1 Chr 11, 38 → Jigal 2°.
3° **Natan** (33), Prophet. Er greift in drei entscheidenden Augenblicken in das Leben Davids ein (Sir 47, 1). Als David einen Tempel bauen will, verkündet er dem König, daß nicht er, David, Jahwe ein Haus errichten wird, sondern daß umgekehrt Jahwe ihm, David, ein Haus, eine Dynastie gründen will (2 Sam 7, 2–4.17 // 1 Chr 17, 1–3.15). Als David den Hetiter Urija töten läßt und dessen Frau Batseba heiratet, klagt ihn der Prophet furchtlos an (2 Sam 12, 1.5.7.13.15.25; vgl. Ps 51, 2). Schließlich spielt Natan eine Hauptrolle im Thronfolgestreit, er setzt seine Autorität für Salomo ein und wendet sich gegen die Kandidatur des Adonija (1 Kön 1, 8–11.22–24.32 bis 34.38.44–45). „Die Geschichte des Propheten Natan" (1 Chr 29, 29; 2 Chr 9, 29) meint wahrscheinlich nicht eine eigene Schrift, sondern wohl eher die Texte in 2 Sam, die sich auf Natan beziehen. Nach 2 Chr 29, 25 soll Natan bestimmte kultische Vorschriften erlassen haben.
Sein Sohn (?) → Asarja 3°; Sabud 1°.
4° **Natan** (2), Enkel der Tochter des Scheschan und des Ägypters Jarha, vom Clan Jerachmeel in Juda (1 Chr 2, 36).
5° **Natan** (1), Israelit der Söhne Binnuis, schickt seine fremdländische Frau weg (Esr 10, 39).
6° **Natan** (1), einer der Gesandten des Esra zu Iddo (Esr 8, 16).
7° **Natan** (1), Tob 5, 14 (var. *Jathan),* Bruder des → Hananja 15°.

NATANAEL, gr. Umschrift des hebr. *Netan'el,* „Gott hat gegeben" (vgl. Natan).
1° **Natanael** (1), Simeoniter, Ahnherr der Judit (Jdt 8, 1).
2° **Natanael** (6) **aus Kana in Galiläa** (1): Joh 21, 2; einer der ersten Jünger Jesu (Joh 1, 45–49), der als „echter Israelit", als „Mann ohne Falschheit" bezeichnet wird. Er glaubt, weil Jesus ihn „unter dem Feigenbaum gesehen hat" (1, 50), eine rätselhafte Aussage, die vielleicht auf das Schriftstu-

dium des Natanael hindeutet. Er gehört auch zu den Jüngern, denen der Auferstandene am See Gennesaret erscheint (21, 2). Seit dem 9. Jahrhundert wird Natanael oft mit dem Apostel Bartholomäus gleichgesetzt, wahrscheinlich weil beide mit Philippus zusammen genannt werden (vgl. Joh 1, 45; Mt 10, 3).

NAZARET (10) **in Galiläa** (5), Ort, etwa 30 km westlich der Südspitze des Sees Gennesaret. Wohnort Josefs, Marias und Jesu, „ihre Stadt“ (Lk 2, 39.51). Nach Mt 2, 23 läßt sich Josef hier erst nach der Geburt Jesu und der Rückkehr aus Ägypten nieder, während nach Lk 1, 26f und 2, 4 Maria und Josef schon vorher in Nazaret wohnten. Jesus verläßt Nazaret, um das Evangelium zu verkünden (Mk 1, 9; Mt 4, 13: **Nazara**). Hierher kehrt er auch während seiner öffentlichen Tätigkeit zurück (Lk 4, 16: **Nazara**). In der Tat ist Nazaret „seine Heimat“ (Mt 13, 54 // 6, 1 // Lk 4, 23). Vgl. die feststehenden Wendungen „Jesus von Nazaret“ (Mt 21, 11; Apg 10, 37) und „Jesus der Nazarener“ (Mk 1, 24; 10, 47; 14, 67; 16, 6; Lk 4, 34; 24, 19).
→ NAZORÄER.

NAZORÄER (13), wird manchmal mit „Nazaräer“ oder „Nazarener“ wiedergegeben. Herkunft und Bedeutung des Wortes sind dunkel (oft wird es vom hebr. *nasir* abgeleitet → NASIRÄER). Auf Jesus wird die Bezeichnung 12 × angewandt, wahrscheinlich um seine Herkunft von Nazaret anzuzeigen (Mt 2, 23; 26, 71; Lk 18, 37; Joh 18, 5.7; 19, 19; Apg 2, 22; 3, 6; 4, 10; 6, 14; 22, 8; 26, 9). Einmal ist von der „Nazoräersekte“, den Anhängern Jesu, die Rede (Apg 24, 5).

NEA (1), Ort in Sebulon (Jos 19, 13).

NEAPOLIS (1), „Neustadt“ (vgl. Numenius; Amphipolis; Hadascha), Hafen von Philippi, in Ostmazedonien. Paulus geht hier auf seiner zweiten Missionsreise an Land (Apg 16, 11).

NEARJA (vgl. Naara 1°).
1° **Nearja** (2), Nachkomme des Königs Jojachin, einer der Söhne Schechanjas und Vater von drei Söhnen (1 Chr 3, 22–23).
2° **Nearja** (1), einer der simeonitischen Stammesfürsten, wohnhaft im Gebirge Seïr (1 Chr 4, 42f).

NEBAI (1), var. *Nobai,* Führer des Volkes, Mitunterzeichner der Gesetzesverpflichtung (Neh 10, 20).

NEBAJOT (5), Erstgeborener von zwölf Söhnen oder Clanhäuptern Ismaels (Gen 25, 13 // 1 Chr 1, 29). Arabischer Stamm, berühmt wegen seiner Widder (Jes 60, 7).

NEBALLAT (1), Ort, von Benjaminitern bewohnt (Neh 11, 34). Etwa 7 km NO von Lydda.

NEBAT (26), „[Gott] hat angesehen“, Efraimiter, Vater des → JEROBEAM 1°.

NEBO
1° **Nebo** (2), ein 19 km östlich des Jordan gelegener Berg (838 m), auf der Höhe von Jericho. Dort soll Mose gestorben sein (Dtn 32, 49f; 34, 1; vgl. 2 Makk 2, 4).
2° **Nebo** (7), ein am Abhang des Nebo-Berges gelegener Ort, eine der letzten Etappen des Exodus (Num 33, 47), Stadt Rubens (Num 32, 3.38; 1 Chr 5, 8), dann moabitisch (Jes 15, 2; Jer 48, 1.22). = ? **Nadabat** (1), 1 Makk 9, 37.
3° **Nebo** (3), Ort in Juda – identisch mit Nob? –, nach dem Exil von Israeliten wiederbewohnt (Esr 2, 29 // Neh 7, 33), von denen manche ihre ausländischen Frauen zurückschicken (Esr 10, 43).
4° **Nebo** (1), akk. *Nabur* (vgl. Abed-Nego; Nebukadnezzar; Nebuschasban; Nebusaradan), assyro-babylonischer Gott der Schrift und der Weisheit, gilt als Sohn des → BEL und Mann der → NANÄA. Jes 46, 1 sieht im Fall Babylons zugleich einen Sturz Nebos.

NEBUKADNEZZAR (117), gr. *Nabuchodonosor,* akk. *Nabu-kudurri-usur* „Nabu, schütze meinen Sohn!“ (vgl. Nebo 4°), **König von Babylon** (124) oder **der Babylonier** (2) von 605 bis 592.
Die historische Gestalt. Im Jahr 605 schlägt Nebukadnezzar das Heer des Pharao Necho bei Karkemisch (Jer 46, 2; vgl. 2 Kön 24, 7). Im Jahr 604 dringt er zum erstenmal in Palästina ein (vgl. Jer

36, 29), erzwingt die Unterwerfung des Königs von Juda Jojakim. Dieser rebelliert jedoch drei Jahre später gegen den König von Babylon (2 Kön 24, 1–2). Im Jahr 597 belagert Nebukadnezzar Jerusalem (Jer 35, 11), was nach drei Monaten zur Kapitulation des Königs Jojachin und zur ersten jüdischen Deportation führt (2 Kön 24, 10–16 // Jer 24, 1; 27, 19–20; 29, 1–2; Ez 17, 12; 19, 9; Est 1, 1; 2, 6; Bar 1, 9; Dan 1, 1; vgl. Jer 22, 25; 29, 1–23). Nebukadnezzar setzt Zidkija zum König über Juda ein (2 Kön 24, 17; Jer 37, 1; Ez 17, 13). Ende 589 rebelliert Zidkija (2 Kön 24, 20 // Jer 52, 3; Ez 17, 15). Nebukadnezzar belagert wiederum Jerusalem und die übrigen festen Plätze Judas (vgl. Jer 34, 7; Ez 24, 2). Mitte 587 fällt Jerusalem in die Hände der Babylonier, Zidkija wird gefangengenommen, der Tempel und die Stadt werden zerstört, die Bevölkerung wird nach Babylon deportiert (2 Kön 25, 1–21 // Jer 39, 1–10 // 52, 4–27; 44, 30; vgl. Jer 50, 17; 51, 34; 52, 29; 1 Chr 5, 41; Esr 1, 7; 2, 1; 5, 12). Nebukadnezzar setzt Gedalja zum Statthalter von Juda ein (2 Kön 25, 22–24 // Jer 40, 5–12; 41, 2). Während der schwierigen Jahre, die dem Fall Jerusalems voraufgingen, hatte Jeremia zur Unterwerfung unter Nebukadnezzar geraten (Jer 27—28; 38, 17–23) und dann, als ihm kein Gehör geschenkt wurde, den tragischen Ausgang der Rebellion vorhergesagt (Jer 21, 2–10; 32, 1–5.28.36; 34, 1–3; 37, 17.19; 38, 3). Etwa zur gleichen Zeit greift Nebukadnezzar unter anderen auch die arabischen Stämme an (vgl. Jer 49, 28.30) und die Festung von Tyrus (Ez 26, 7ff; 29, 18). Um 568/567 wendet er sich gegen Ägypten (Jer 46, 13; vgl. Jer 43, 10–13; Ez 29, 19f; 30, 10f. 24f; 32, 11).
Seine Heerführer und Beamten → NEBUSARADAN; NEBUSCHASBAN; NERGAL-SAREZER; SAMGAR-NEBOR; SAR-SECHIM.
Die literarische Fiktion. Als Phantasiegestalt erscheint Nebukadnezzar in Dan 1—4 (1: Daniel und seine Gefährten am Hof des N.; 2: der Traum des N.; 3: die von N. errichtete goldene Statue; 4: Traum und Wahnsinn des N.) und in Jdt, wo er als **König der Assyrer** (6) bezeichnet wird (Jdt 1, 1.7.11; 2, 1.4; 4, 1). Er gibt seinem General Holofernes den Auftrag, den Westen zu züchtigen (2, 1–19) und ihn zur Anbetung des „einzigen Nebukadnezzars" zu zwingen (3, 8). Doch er wird von Judit, einer Frau, schmählich besiegt (14, 18). – Vgl. auch Bar 1, 11–12.
Vater des → BELSCHAZZAR.

NEBUSARADAN (15), akk. *Nabu-zeru-iddin,* „Nabu hat mir Nachkommenschaft gegeben" (vgl. Nebo 4°), Kommandant der Garde Nebukadnezzars. Als Jerusalem Ende Juli 587 kapituliert, zieht Nebusaradan in die Stadt ein, plündert den Tempel und steckt ihn in Brand, zerstört die Stadt, deportiert die wohlhabendere Bevölkerung und läßt die kleinen Leute unter der Statthalterschaft Gedaljas im Land (2 Kön 25, 8.11–20 // Jer 39, 9.10 // 52, 12–26; Jer 41, 10). Jeremia läßt er frei (Jer 39, 11–13; 40, 1–5). Im Jahr 582 organisiert er eine erneute Deportation (Jer 52, 30).

NEBUSCHASBAN (1), akk. *Nabu-schezibanni,* „Nabu, rette mich!" (vgl. Nebo 4°; Meschesabel), hoher Würdenträger Nebukadnezzars (Jer 39, 13). In V. 3 aber heißt der Würdenträger Sar-Sechim.

NECHO (8), gr. *Nechao,* **König von Ägypten** (5), Sohn und Nachfolger Psammetichs I. (609 bis 594). Necho kommt 609 den schwerbedrängten Assyrern zu Hilfe. Joschija will ihn aufhalten, doch Necho tötet ihn (2 Kön 23, 29 // 2 Chr 35, 20–22). Im selben Jahr führt er den Nachfolger des Joschija, den König Joahas, nach Ägypten in die Gefangenschaft und ersetzt ihn durch seinen Bruder Jojakim. Juda wird ein schwerer Tribut auferlegt (2 Kön 23, 33–35 // 2 Chr 36, 3–4). Im Jahr 605 wird Necho von Nebukadnezzar bei Karkemisch geschlagen (Jer 46, 2). Necho ist vielleicht der Urheber des Angriffs gegen Gaza (Jer 47, 1).

NEDABJA (1), „Der, den Jah zufriedenstellt" (vgl. Nadab), ein Sohn des Königs Jojachin (1 Chr 3, 18).

NEFEG
1° **Nefeg** (1), Sohn des Jizhar, Levit des Clans Kehat (Ex 6, 21).
2° **Nefeg** (3), einer der in Jerusalem geborenen Söhne Davids (2 Sam 5, 15 // 1 Chr 3, 7 // 14, 6).

NEFILIM (2), hebr. Name „[Vom Himmel] Gefallene", oft mit „Riesen" wiedergegeben. Wesen, die aus der Verbindung zwischen den himmlischen „Söhnen Gottes" und den sterblichen „Menschentöchtern" hervorgegangen sind (Gen 6, 4). Nach Num 13, 33 stammen von ihnen ab die Söhne des → ANAK. Vgl. noch Sir 16, 7; Bar 3, 26.

NEFTAI (1), gr. Name für das Rohöl, das Nehemia als „Wasser" über die Opfergaben gießen läßt, woraufhin sie sich entzünden (2 Makk 1, 36).

NEFTAR (1), ein anderer Name für das Rohöl, der „Reinigung" bedeutet (2 Makk 1, 36).

NEFTOACH (2), Quelle an der Grenze zwischen Juda und Benjamin (Jos 15, 9; 18, 15), 4 km NW von Jerusalem.

NEFUSITER (2), Familie von Tempeldienern, die aus dem Exil zurückkehren (Esr 2, 50: hebr. *Nefusim* // Neh 7, 52: hebr. *Nefischsim*).

NEGEB „Trocken", daher „Süden", „Mittag" (vgl. Ramat-Negeb).
1° **Negeb** (44), fast wüstenartiges Gebiet im Süden Palästinas (daher „Südland"). Oft wird es zusammen mit den anderen Landschaften Palästinas genannt, dem Bergland und der Schefela (Dtn 1, 7; Jos 10, 40; 11, 16; 12, 8; 15, 21–60; Ri 1, 9; 2 Chr 28, 18; Jer 17, 26; 32, 44; 33, 13; Obd 19–20; Sach 7, 7).
Nach den Clans, die den Negeb bewohnen, unterscheidet die Bibel zwischen dem **Negeb Judas** (1 Sam 27, 10; 30, 14; 2 Sam 24, 7; 2 Chr 28, 18), dem **Negeb Arads** (Ri 1, 16), dem **Negeb Kalebs** (1 Sam 30, 14; vgl. Jos 15, 19 // Ri 1, 15), dem **Negeb der Keniter,** dem **Negeb Jerachmeëls** (1 Sam 27, 10) und dem **Negeb der Kereter** (1 Sam 30, 14).
Die Patriarchen, Abraham (Gen 12, 9; 13, 1.3; 20, 1) und Isaak (Gen 24, 62), die Kundschafter des Mose (Num 13, 17.22) ziehen durch den Negeb. Der Stamm Simeon besitzt hier eine Anzahl Städte (Jos 19, 2–7 // // 1 Chr 4, 28–32), die von Juda übernommen werden (Jos 15, 21–32; vgl. Neh 11, 26–29). Ein Gebiet reich an Stürmen (Jes 21, 1), Bächen (Ps 126, 4) und verschiedenen wilden Tieren (Jes 30, 6). – Ein Wald wird nur einmal erwähnt (Ez 21, 2f).
2° **Negeb** → SÜDEN.

NEGIËL (1), Stadt Aschers (Jos 19, 27), etwa 10 km östlich von Akko.

NEHELAM, aus (3), Aufenthaltsort oder Herkunftsbezeichnung des → SCHEMAJA 3°.

NEHEMIA (14), „Jah tröstet", **Sohn des Hachalja** (2): Neh 1, 1; 10, 2. Ein jüdischer Laie, Mundschenk am Hof des persischen Königs Artaxerxes, an der jüdischen Restauration nach dem Exil hauptbeteiligt. Er erfüllt in Jerusalem zwei Missionen, von denen er selbst in dem nach ihm benannten Buch berichtet. Erste Mission (445–433). Von der dramatischen Lage Jerusalems unterrichtet, erhält Nehemia den offiziellen Auftrag, sich nach Jerusalem zu begeben (Neh 2, 1–10). Er wird zum Statthalter von Juda ernannt (Neh 5, 14; 12, 26). In 52 Tagen gelingt es ihm, die Stadtmauer wieder zu erneuern, und dies trotz der Feindseligkeit des Statthalters von Samaria Sanballat und seiner Verbündeten (Neh 2, 11 – 4, 17; 6, 1–19). Er bekämpft die soziale Ungerechtigkeit, unter der die arme Bevölkerung leidet (5, 1–13), organisiert die Bewachung der Stadt (7, 1–3) und ihre Wiederbesiedlung (7, 4–72). Und bei all dem rühmt er seine Selbstlosigkeit (5, 14–19). Zweite Mission (vor 424). Um verschiedenen Mißständen in der jüdischen Gemeinde zu begegnen, ergreift er folgende Maßnahmen: Dem Ammoniter Tobija wird verwehrt, weiter im Tempel zu wohnen; den Leviten werden ihre Anteile zugesichert; die Sabbatbeobachtung wird eingeschärft; gemischte Ehen (mit ausländischen Frauen) werden verboten; kultische Vorschriften erlassen (13, 4–31).
Nehemia wird noch erwähnt: 2 Makk 1, 18 bis 23.31.33.36; 2, 13; Sir 49, 13.

NEHEMJA, „Jah tröstet" (vgl. Nahum).
1° **Nehemja** (2), einer der zwölf Männer, die den nach Jerusalem zurückkehrenden Exulanten als Anführer dienen (Esr 2, 2 // Neh 7, 7).

2° **Nehemja Sohn des Asbuk** (1), Vorsteher der Distriktshälfte von Bet-Zur, hilft freiwillig beim Wiederaufbau der Jerusalemer Mauer (Neh 3, 16).

NEHUM (1) → REHUM 1°.

NEHUSCHTA Tochter des Elnatan (1), Mutter Jojachins, des Königs von Juda, gebürtig aus Jerusalem (2 Kön 24, 8), mit ihrem Sohn nach Babylon deportiert (2 Kön 24, 12.15; Jer 22, 26f; 29, 2).

NEHUSCHTAN (1), ein vom hebr. *nahasch,* „Schlange", gebildetes Wort, das an *nehoschet,* „ehern", anklingt (vgl. Nahasch). Nach 2 Kön 18, 4 handelt es sich um die „Kupferschlange, die Mose angefertigt hatte". Hiskija zerstört bei seiner religiösen Reform dieses von den Israeliten angebetete Götzenbild. Vgl. Num 21, 4–9; Weish 16, 6f; Joh 3, 14.

[NEITH], in Sais verehrte Göttin → ASENAT.

NEKODA, akk. *Niquddu,* „Wasserhuhn".
1° **Nekoda** (2), Haupt einer Familie von Tempeldienern, die aus dem Exil heimkehren (Ex 2, 48 // Neh 7, 50).
2° **Nekoda** (2), Haupt einer Familie, deren Söhne bei der Rückkehr aus dem Exil ihre israelitische Abstammung nicht nachweisen können (Esr 2, 60 // Neh 7, 62).

NEMUËL, var. *Jemuël.*
1° **Jemuël** (2), einer der Söhne des Jakobsohnes Simeon (1 Chr 4, 24), dessen Nachkommen die Sippe der **Jemuëliter** bilden (Num 26, 12).
= **Jemuël** (2), Gen 46, 10 // Ex 6, 15.
2° **Nemuël** (1), nach Num 26, 9 ein Rubeniter, Bruder Datans und Abirams.

NEPHTALIM (57) → NAFTALI.

NER, „Lampe" (vgl. Abner; Neri; Nerija).
1° **Ner** (15), Benjaminiter, Sohn Abiëls, Bruder des Kisch, Vater Abners (1 Sam 14, 51), Onkel Sauls (vgl. 1 Sam 10, 14–16), aus Gibeon (1 Chr 8, 30 // 9, 36).
Vater des → ABNER.
2° **Ner** (2), Benjaminiter, Vater des Kisch und Großvater Sauls nach 1 Chr 8, 33 // 9, 39.

NEREUS (1), er und seine Schwester werden von Paulus gegrüßt (Röm 16, 15).

NERGAL (1), (vgl. Nergal-Sarezer), babylonischer Gott der Unterwelt. Sein Kult wird in Samaria eingeführt von der Bevölkerung, die aus Kuta deportiert wurde (2 Kön 17, 30).

NERGAL-SAREZER (3), akk. *Nergal-scharri-uzur,* „Nergal, beschütze den König" (vgl. Nergal; Sarezer). Heerführer des Königs von Babylon Nebukadnezzar. Er zieht 587 in Jerusalem ein (Jer 39, 3.13).

NERI (1), Ahnherr Jesu nach Lk 3, 27.

NERIJA, gr. *Nerias,* „Jah ist meine Leuchte" (vgl. Ner).
1° **Nerija** (6) **Sohn des Machseja** (1): Jer 32, 12.16; 36, 4.8; 43, 3; 45, 1.
= **Nerijahu** (3): Jer 36, 14.32; 43, 6.
= **Nerias Sohn des Maasias** (1): Bar 1, 1. Vater des → BARUCH 1°.
2° **Nerija Sohn des Machseja** (1): Jer 51, 59; derselbe wie der Vorhergehende?
Vater des → SERAJA 3°.

NETAIM (1), „Pflanzungen", Ort in Juda, vielleicht in der Schefela (1 Chr 4, 23).

NETAN-MELECH (1), „Der König hat gegeben" (vgl. Melech; Natan), Eunuch, bewohnt eine Kammer in den Nebengebäuden des Jerusalemer Tempels (2 Kön 23, 11).

NETANEL, gr. und lat. *Natanael,* „Gott hat gegeben" (vgl. Natan).
1° **Netanel Sohn des Zuar** (5), verantwortlich für den Stamm Issachar (Num 2, 5; 7, 18; 10, 15), leitet die Musterung seines Stammes (Num 1, 8), bringt die Opfergabe für die Altarweihe am zehnten Tag dar (Num 7, 18–23).
2° **Netanel** (1), vierter Sohn Isais und Bruder Davids (1 Chr 2, 14).

3° **Netanel** (1), Priester, Trompetenbläser vor der Lade (1 Chr 15, 24).
4° **Netanel** (1), Vater des Leviten → SCHEMAJA 10°.
5° **Netanel** (1), Torwächter, fünfter Sohn Obed-Edoms (1 Chr 26, 4).
6° **Netanel** (1), einer der fünf Beamten, die vom König Joschafat mit zwei Priestern und acht Leviten in die Städte Judas geschickt werden, um das Volk im Gesetz zu unterweisen (2 Chr 17, 7–9).
7° **Netanel** (1), einer der sechs Führer der Leviten unter dem König Joschija (2 Chr 35, 9).
8° **Netanel** (1), Priester, aus den Söhnen Paschhurs, schickt seine fremdländische Frau zurück (Esr 10, 22).
9° **Netanel** (1), Haupt der Priesterfamilie Jedaja zur Zeit des Hohenpriesters Jojakim (Neh 12, 21).
10° **Netanel** (1), Priester, spielt bei der Mauerweihe in Jerusalem ein Instrument (Neh 12, 36).

NETANJA, gr. *Natanias,* „Jah hat gegeben" (vgl. Natan).
1° **Netanja** (14) oder **Netanjahu** (2): 2 Kön 25, 23.25; Jer 40; 41.
Vater des → JISCHMAËL 4°.
2° **Natanja** (1) oder **Netanjahu** (1), aus den Söhnen Asafs, Vorsteher der 5. Sängerklasse (1 Chr 25, 2.12).
3° **Netanjahu** (1), einer der acht Leviten, die der König Joschafat mit zwei Priestern und fünf Beamten in die Städte Judas schickt, damit sie das Volk im Gesetz unterweisen (2 Chr 17, 7–9).
4° **Netanjahu** (1), Vater des → JEHUDI 2°.

NETOFA (2): Esr 2, 22 // Neh 7, 26. Ort, 5 km im SO von Betlehem gelegen, dessen Bevölkerung, die **Netofatiter,** judäischen Ursprungs ist (1 Chr 2, 54). Nach dem Exil bewohnen Leviten „die Dörfer der Netofatiter" (1 Chr 9, 16; Neh 12, 28).
Netofatiter → EFAI; HELED; MAHRAI; SERAJA 6°.

NEUSTADT (4), hebr. *ha-Mischneh,* in Jerusalem, im NW des Tempels (2 Kön 22, 14 // 2 Chr 34, 22; Zef 1, 10). Das **Tor** des neuen Stadtviertels liegt in der Mauer und führt von der Altstadt zur Neustadt. So heißt es Neh 3, 6 im hebr. *ha-Jeschanah,* „(Tor der) Altstadt", und in der syr. Übersetzung, „Neustadttor". Vielleicht ist es mit dem „Efraimtor" von Neh 12, 39 identisch.

NEZIACH (2), Haupt einer Familie von Tempeldienern, die aus dem Exil heimkehren (Esr 2, 54 // Neh 7, 56).

NEZIB (1), Ort in der Schefela (Jos 15, 43). Etwa 10 km NW von Hebron.

NIBHAS (1), unbekannte Gottheit, von den Awitern in Samaria eingeführt (2 Kön 17, 31).

NIBSCHAN (1), Ort in der Wüste Juda (Jos 15, 62).

NIGER (1), Name lat. Ursprungs „Der Schwarze" (vgl. Pinhas).
→ SIMEON 18°.

NIKANOR (vgl. Andronikus).
1° **Nikanor** (41) **Sohn des Patroklus** (1), syrischer Heerführer, gehört zu den engsten Freunden des Königs (2 Makk 8, 9). Im Jahr 165 nimmt er neben Gorgias an einem Feldzug gegen den Makkabäer Judas teil und wird bei Emmaus geschlagen (1 Makk 3, 38 – 4, 25 // 2 Makk 8, 8–29.34–36). Unter Demetrius I. wird er im Jahr 161 noch einmal von Judas – mit dem ihn eine vorübergehende Freundschaft verband – bei Kafar-Salama besiegt. Er zieht dann nach Jerusalem und stößt Drohungen gegen den Tempel aus (1 Makk 7, 26–38 // 2 Makk 14, 12–36). Schließlich wird er im März 160 in einer Schlacht bei Adasa getötet und sein Heer vernichtet. Dieser jüdische Sieg wird jedes Jahr am 13. Adar als „Nikanorstag" gefeiert (1 Makk 7, 39–49 // 2 Makk 15, 1–36; vgl. 1 Makk 9, 1).
2° **Nikanor der Zypriarch** (1), Führer der aus Zypern stammenden Söldner, einer der fünf syrischen Feldherrn, die den Juden keine Ruhe gönnen (2 Makk 12, 2).
3° **Nikanor** (1), einer der → SIEBEN.

NIKODEMUS (5), „Volksbesieger" (vgl. Andronikus), Pharisäer, vornehmer Jude, „Lehrer in Israel", besucht Jesus bei Nacht (Joh 3, 1–10), wendet sich im Hohen Rat gegen eine vorschnelle Verurteilung Jesu (Joh 7, 50f) und nimmt an seinem Begräbnis teil (Joh 19, 39).

NIKOLAITEN (2), gnostisierende Christen, die sogar an heidnischen Kultmählern teilnehmen (Offb 2, 6.15).

NIKOLAUS (1), „Volksbesieger" (vgl. Andronikus), Proselyt aus Antiochia, einer von den → SIEBEN.

NIKOPOLIS (1), „Stadt des Sieges", Stadt in Epirus an der Westküste Griechenlands. Nach Tit 3, 12 will Paulus hier überwintern, wobei ihm Titus Gesellschaft leisten soll.

NIL oder **Fluß** (46), hebr. *Je'or,* **Ägyptens** (2), der längste Strom der Welt (6671 km). Dank seiner schlammhaltigen Wasser, die jedes Jahr zur Überschwemmungszeit den Boden düngen, begründet er den Reichtum Ägyptens (Jes 19, 5–8; 23, 3.10; Jer 46, 7–8; Am 8, 8; Sach 10, 11). Vgl. noch Gen 41, 1–3.17–18 (die fetten und die mageren Kühe); Ex 1, 22; 2, 3.5 (Aussetzung des Mose); 4, 9; 7, 15–25.28; 8, 1–7; vgl. Ps 78, 44; Weish 11, 6; 19, 10 (die „ägyptischen Plagen").
Die Flüsse (16) **Ägyptens** (4) sind die Arme des Nildeltas (2 Kön 19, 24; Jes 7, 18; Ez 29, 3–5.10; 30, 12; Nah 3, 8). In Jer 2, 18 wird das hebr. *Schihor* (abgeleitet vom ägypt. *Schihor* „Teich des Horus") mit „Nilwasser" übersetzt. Es handelt sich um den östlichen Arm des Nils, der im Mensale-See bei Daphne mündet (vgl. Jes 23, 3).

NIMRA (1), (vgl. Nimrim) → BET-NIMRA.

NIMRIM (Wasser von) (2), (vgl. Bet-Nimra; Nimra), Oase in Moab (Jes 15, 6 // Jer 48, 34). In der Nähe des Toten Meers, im SO (vgl. das *Wadi en Numeira)* oder im NO (vgl. das *Wadi Nimrim).*

NIMROD (4), identisch mit dem babylonischen Gott *Ninurta,* dem Gott der Jagd und des Krieges? Die Bibel leitet Nimrod von Kusch her, stellt ihn als großen Jäger und ersten Herrscher der Städte Babel, Erech und Akkad dar (Gen 10, 8–10 // 1 Chr 1, 10). In Mich 5, 5 bezeichnet das **Land Nimrods** Assyrien.

NIMSCHI (5), nach dem ugar. „Manguste", Ahnherr des → JEHU 2°.

NINIVE (37), hebr. *Ninveh,* gr. *Nineue,* akk. *Ninua,* am linken Ufer des Tigris (vgl. Nah 2, 7), gegenüber vom heutigen Mossul.
Infolge der Feldzüge Tiglat-Pilesers gegen Galiläa (vgl. 2 Kön 15, 29) werden Israeliten nach Ninive deportiert (Tob 1, 3.10.17.19.22; 2, 2; 7, 3; 11, 1.15–17; 14, 1.9). Sanherib macht Ninive zur Hauptstadt von Assyrien (2 Kön 19, 36 // Jes 37, 37; vgl. Gen 10, 11–12). der Untergang Ninives (612) wird angekündigt von Zef 2, 13–15 und vor allem von Nah 1—3; vgl. Tob 14, 4.15. Die Bekehrung Ninives, der „großen Stadt", deren Bosheit bis zu Gott emporgestiegen ist, soll im Buch Jona Gottes Liebe illustrieren, mit der er alle Menschen retten will (Jon 1, 2f; 3, 2–10; 4, 11; vgl. Lk 11, 30.32 // Mt 12, 41). Nach Jdt 1, 1 ist „die große Stadt" Ninive die Hauptstadt eines Assyrerkönigs Nebukadnezzar (vgl. 2, 21).

[NINURTA], (vgl. Nimrod), assyro-babylonischer Gott des Krieges und der Fruchtbarkeit → NISROCH.

NISAN (2), Monatsname (Neh 2, 1; Est 11, 2) babylonisch-assyrischer Herkunft; bezeichnet den ersten Monat (März/April).

NISROCH (2), unbekannter Gott des assyro-babylonischen Pantheons. Vielleicht handelt es sich um *Ninurta, Nusku* oder *Marduk.* Nach 2 Kön 19, 37 // Jes 37, 38 hatte er einen Tempel in Ninive.

NO (4), „Stadt", das *Theben* der Griechen in Oberägypten, Hauptstadt Ägyptens zur Zeit des Neuen Reichs (seit 1570 v. Chr.). Stadt des Widdergottes Amon (Jer 46, 25), deren Untergang, zusammen mit dem ganz Ägyptens, Ez 30, 14–16 ankündigt.
= **No-Amon** (1): Nah 3, 8–9. Von den Assyrern unter Asenappar (Assurbanipal) im Jahr 663 stark zerstört.

NOA (4): Num 26, 33; 27, 1; 36, 11; Jos 17, 3; in Manasse, eine der fünf Töchter des → ZELOFHAD.

NOACH (56), gr. *Noe,* „Ruhe"; in Gen 5, 29 wird der Name von der Wurzel *nhm,* „trösten", hergeleitet (vgl. Nahum).
Nach der jahwistischen Tradition (J) ist Noach Nachkomme Kains (des Ahnherrns handwerklicher, technischer Fähigkeiten) über Lamech (Gen 5, 29) und Erfinder des Weinbaus (Gen 9, 20–27). Die Priesterschrift (P) läßt ihn von Set über Lamech abstammen (Gen 5, 28). Nach beiden Traditionen hat er drei Söhne: Sem, Ham und Jafet (J: Gen 9, 18–19; P: Gen 5, 32 // 6, 10; 10, 1.32; vgl. 1 Chr 1, 4). In der aus J und P zusammengestellten Sintfluterzählung ist Noach die Hauptperson. Er allein entgeht mit seiner Familie und den in der Arche geborgenen Tieren dem Strafgericht, das die verderbte Menschheit vernichtet (Gen 6, 5 – 8, 22). Als die Wasser sich verlaufen haben, schließt Gott mit Noach und der ganzen Menschheit einen Bund, dessen Zeichen der Regenbogen ist (Gen 9, 1–17 P; vgl. Jes 54, 9). Noach ist der Gerechte (Weish 10, 4; Ez 14, 14.20), der durch seinen Glauben Gerettete (Hebr 11, 7; 1 Petr 3, 20; 2 Petr 2, 5; vgl. Mt 24, 37–38 // Lk 17, 26–27) und ein Retter, insofern er „die Hoffnung der Welt" repräsentiert (Weish 14, 6; vgl. Sir 44, 17f). Noach zählt zu den Ahnherren Jesu (Lk 3, 36).

NOADJA, hebr. *No^{c}adjah,* „Begegnung mit Jah".
1° **Noadja Sohn des Binnui** (1), einer der Leviten, die dem Priester Meremot im Tempel helfen (Esr 8, 33).
2° **Noadja** (1), eine Nehemia feindlich gesinnte Prophetin (Neh 6, 14).

NO-AMON (1), „Stadt des Amon" → NO.

NOB (6), Priesterstadt (1 Sam 22, 19) und Heiligtum, wohin sich die Priesterschaft von Schilo nach der in 1 Sam 4 geschilderten Katastrophe flüchtet. Auf der Flucht vor Saul hält sich hier David beim Priester Ahimelech, einem Nachkommen des Priesters Eli, auf; der versorgt ihn mit Lebensmitteln, den Schaubroten und dem Schwert des Goliat (1 Sam 21, 2–10; vgl. Mk 2, 25–26 parr). Der Edomiter Doëg meldet dies Saul, der Ahimelech und die Bewohner von Nob umbringen läßt. Als einziger entgeht Abjatar dem Massaker; er schließt sich David an (1 Sam 22, 9–20).
Nach Jes 10, 32 liegt Nob vor den Toren Jerusalems. In nachexilischer Zeit wird die Stadt wieder von Benjaminitern bewohnt (Neh 11, 32).

NOBACH
1° **Nobach** (1), Manassiter, bemächtigt sich der Stadt Kenat und gibt ihr seinen Namen (Num 32, 42).
2° **Nobach** (1), Ort in Gilead (Num 32, 42) → KENAT.
3° **Nobach** (1), Nachbarort von Jogboha, südlich des Jabbok (Ri 8, 11). Vermutlich vom Vorhergehenden verschieden.

NOD (1), hängt mit dem hebr. *nad,* „Vagabund", „Umherirrender", zusammen (vgl. Gen 4, 14), ein – unbekanntes – Land östlich von Eden, in dem sich Kain nach der Ermordung seines Bruders Abel aufhält (Gen 4, 16).

NODAB (1), arabischer Stamm, der sich im Konflikt mit den israelitischen Stämmen des Ostjordanlandes befindet (1 Chr 5, 19).

NOEMI (21) → NOOMI.

NOF (7): Jes 19, 13; Jer 2, 16; 44, 1; 46, 14.19; Ez 30, 13.16 → MEMFIS.

NOFACH (1), Stadt in Moab (Num 21, 30). Der hebr. Text dieser Stelle ist unverständlich.

NOGAH (2), „Blitz", „Klarheit", einer der in Jerusalem geborenen Söhne Davids (1 Chr 3, 7 // 14, 6).

NOHA (1), vierter Sohn Benjamins (1 Chr 8, 2).

NON (1), 1 Chr 7, 27 → NUN.

NOOMI (21), gr. *Noemi,* „Meine Anmutige",

„Liebliche" (vgl. Abinoam; Ahinoam; Elnaam; Naam; Naama; Naaman), lebt mit ihrem aus Betlehem in Juda stammenden Mann Elimelech und ihren Söhnen Machlon und Kiljon in Moab. Nach ihrem Mann sterben auch ihre Söhne, die zwei Moabiterinnen, Rut und Orpa, geheiratet hatten. In Begleitung ihrer Schwiegertochter Rut kehrt Noomi nach Betlehem zurück (Rut 1). Sie gibt Rut den Rat, sich von Boas heiraten zu lassen, der ein Löserecht an ihr hat (Rut 2, 1.18–23; 3, 1–5.16–18; 4, 1–8). Aus dieser Ehe geht ein Knabe hervor, Obed, den Noomi adoptiert. Er ist der spätere Großvater Davids (4, 14–17).
→ MARA.

NUMENIUS (4), „Am Neumondstag [geboren]" (vgl. Neapolis; Hodesch), **Sohn des Antiochus** (2), Gesandter der Juden nach Sparta und Rom (1 Makk 12, 16 f; 14, 22.24; 15, 15).

NUN
1° **Nun** (30) oder **Non** (1), Efraimiter, Vater des → JOSUA 1°.
2° **Nun** (1), Heimat des → JASCHEN.

NYMPHA(S) (1), Christin in Laodizea, Leiterin einer Hausgemeinde (Kol 4, 15).

O

OBADJA, gr. Abdia(s), „Knecht Jahwes“ (vgl. Ebed).

1° **Obadja** (1), aus Issachar, einer der fünf militärischen Befehlshaber aus den Söhnen Usis (1 Chr 7, 3–5).

2° **Obadja** (2), Benjaminiter, einer der sechs Söhne Azels, Nachkomme des Königs Saul (1 Chr 8, 38 // 9, 44).

3° **Obadja** (1), Stammesfürst in Gad, mit David verbündet vor seiner Königsherrschaft (1 Chr 12, 10).

4° **Obadjahu** (1), Sebuloniter, Vater des → JISCHMAJA 2°.

5° **Obadjahu** (7), Palastvorsteher des Königs Ahab von Israel. Als treuer Jahwegläubiger rettet er während der Verfolgung der Isebel manchen Jahwepropheten das Leben. Elija beauftragt ihn, seinen Besuch bei Ahab anzukündigen (1 Kön 18, 3–16).

6° **Obadja** (1), einer der fünf Beamten, die König Joschafat mit zwei Priestern und acht Leviten in die Städte Judas schickt, um das Volk im Gesetz zu unterweisen (2 Chr 17, 7–9).

7° **Obadjahu** (1), Levit des Clans Merari, überwacht mit anderen die Restauration des Tempels unter Joschija (2 Chr 34, 12).

8° **Obadja** (1), Nachkomme des Königs Jojachin über Serubbabel und Hananja (1 Chr 3, 21).

9° **Obadja Sohn des Jehiël** (1), aus den Söhnen Joabs, aus dem Exil mit Esra zurückgekehrtes Familienhaupt (Esr 8, 9).

10° **Obadja** (1), Priester, Mitunterzeichner der Gesetzesverpflichtung (Neh 10, 6).

11° **Obadja** (3) **Sohn des Schemaja** (oder **Schammua**) **Sohn Galals Sohn des Jedutun** (2), levitischer Sänger in Jerusalem, immer zusammen mit Bakbakkar und Mattanja genannt (1 Chr 9, 16 // Neh 11, 17: hebr. *Abda*; Neh 12, 25).

12° **Obadja** (1), Obd 1: einer der zwölf „kleinen Propheten“. Man weiß nichts von ihm. Das seinen Namen tragende Buch ist das kürzeste im AT. Es kündigt das Gericht über Edom an, weil Edom den Untergang Jerusalems im Jahr 587 ausgenutzt hat und in Süd-Judäa eingedrungen ist.

OBAL (1), einer der dreizehn Söhne Joktans (Gen 10, 28). Nicht zu identifizierender Stamm (bzw. Gebiet) in Südarabien.
= **Ebal** (1), 1 Chr 1, 22.

OBED, „Knecht“ (vgl. Ebed).

1° **Obed** (5) → EBED 1°.

2° **Obed** (5), Sohn des Boas und der Moabiterin Rut (Rut 4, 13–16), Vater des Isai und Großvater Davids (Rut 4, 17.21–22; 1 Chr 2, 12).
= **Jobed** (3), Ahnherr Jesu (Mt 1, 5; Lk 3, 32).

3° **Obed** (2), Nachkomme der Tochter Scheschans und des Ägypters Jarha, aus dem Clan Jerachmeel in Juda (1 Chr 2, 37–38).

4° **Obed** (1), Krieger Davids (1 Chr 11, 47).

5° **Obed** (1), Torwächter, einer der Söhne Schemajas, Sohn Obed-Edoms (1 Chr 26, 7).

6° **Obed** (1), Vater des → ASARJA 13°.

OBED-EDOM (20), „Knecht Edoms“ (vgl. Ebed; Edom), **der Gatiter** (3), Philister, dessen Haus sich an der Straße von Kirjat-Jearim nach Jerusalem befindet. Während der Übertragung der Lade stirbt Usa plötzlich. Erschreckt stellt David die Lade im Hause Obed-Edoms ab. Drei Monate später erfährt er, daß Jahwe Obed-Edom und sein ganzes Haus gesegnet habe, und läßt

daraufhin die Lade nach Jerusalem überführen (2 Sam 6, 10–12 // 1 Chr 13, 13–14; 15, 25).
Dem Chronisten zufolge macht David Obed-Edom zum Torwächter – und gelegentlich zum Zitherspieler – bei der Lade. Plötzlich wird Obed-Edom zum Sohn Jedutuns aus dem Clan Merari, also zum Leviten (1 Chr 16, 38) (Liste S. 382). Eine Gruppe von Torwächtern wird vor ihm hergeleitet (1 Chr 26, 4–8.15; vgl. 2 Chr 25, 24).

OBIL (1), (vgl. Jabal) **der Ismaeliter** (1), verantwortlich für die Kamele des Königs (1 Chr 27, 30).

OBOT (4), Etappe des Exodus (Num 21, 10–11; 33, 43–44). Südlich des Toten Meers.

OCHOZIAS → Ahasja.

OCHRAN (5), (vgl. Achar), Vater des → Pagiël.

ODED = Iddo? (vgl. Joëd).
1° **Oded** (2), Prophet zur Zeit Asas von Juda nach 2 Chr 15, 8 (hebr.).
2° **Oded** (1), Prophet in Samarien, Zeitgenosse des Königs Ahas von Juda (2 Chr 28, 9–11).

ODOMERA (1), vermutlich Führer eines arabischen Stammes, der mit Bakchides zusammenarbeitet. Er wird vom Makkabäer Jonatan geschlagen (1 Makk 9, 66).

ODOLLOM (1) → Adullam.

OFEL, „Auswuchs", daher „Hügel", „Anhöhe", eine Art Akropolis.
1° **Ofel** (7), in Jerusalem, im alten Zion (vgl. Mich 4, 8). Südlicher Teil des Hügels, der den Königspalast trägt (Jes 32, 14). Der Ofel wird restauriert von den Königen Jotam (2 Chr 27, 3) und Manasse (2 Chr 33, 14) sowie von Nehemia (Neh 3, 27). Hier wohnen die Tempeldiener (Neh 3, 26 MT; 11, 21).
2° **Ofel** (1), in Samaria, Hügel, auf dem vermutlich der Königspalast erbaut war (2 Kön 5, 24).

OFENTURM (2), hebr. *Tannurim,* an der NO-Ecke Jerusalems, unter Nehemia ausgebessert (Neh 3, 11); liegt auf dem Prozessionsweg bei der Mauerweihe (Neh 12, 38). Vermutlich mit dem vom König Usija errichteten Turm identisch (vgl. 2 Chr 26, 9).

OFIR (16), einer der dreizehn Söhne Joktans (Gen 10, 29 // 1 Chr 1, 23). In Südarabien, berühmt wegen seines Goldes (1 Chr 29, 4; Ijob 22, 24; 28, 16; Ps 45, 10; Sir 7, 18; Jes 13, 12; Jer 10, 9) und seiner Edelsteine (1 Kön 10, 11 // 2 Chr 9, 10; Tob 13,17). Nach Ofir fährt man über das Meer (1 Kön 9, 28 // 2 Chr 8, 18), das Rote Meer (1 Kön 22, 49).

OFNI (1), Stadt Benjamins (Jos 18, 24), 5 km NNW von Bet-El. Heute *Jifna.*

OFRA, „Gazelle"?(vgl. Tabita).
1° **Ofra** (5) **von Abiëser** (2), in Manasse, Heimat Gideons, der im Grab seines Vaters Joasch bestattet ist (Ri 6, 11.24; 8, 27.32; 9, 5).
2° **Ofra** (2), → Efraim 4°.
3° **Ofra** (1), Nachkomme Otniëls, Sohn des Kenas (1 Chr 4, 14).

OG (22), Name einer Gottheit?, **König von Baschan** (15). Wahrscheinlich eine legendäre Gestalt: letzter Überlebender der Rafaïter (sein berühmtes Bett ist wohl ein Dolmen im Ammoniterland): Dtn 3, 11; Jos 12, 4. Der Bericht von der Eroberung seines Landes – Baschan (vgl. Jos 12, 5) – durch die Israeliten (Dtn 3, 1–6; vgl. Num 21, 33–35) ist vermischt mit der Eroberung des Königreichs Sihon. Og wird immer in Parallele zu Sihon gestellt (Dtn 1, 4; 29, 6; 1 Kön 4, 19; Neh 9, 22; Ps 135, 11; 136, 19–20). Vgl. den Ausdruck „die beiden Amoriterkönige" (Dtn 3, 8; 4, 47; 31, 4; Jos 2, 10; 9, 10; 24, 12). Sein „Reich" wird Ost-Manasse (Dtn 3, 13; Jos 13, 30f).
Seine Städte → Aschtarot; Edreï 1°; Salcha.

OHAD (2), (vgl. Ehud), der dritte der sechs Söhne Simeons (Gen 46, 10 // Ex 6, 15). Er fehlt in Num 26, 12f und 1 Chr 4, 24.

OHEL (1), „Zelt" (vgl. Ohola; Oholiab; Oholiba; Oholibama), der zweite von fünf Söhnen Meschullams, Nachkomme des Königs Jojachin (1 Chr 3, 20).

OHOLA (5), „Sein Zelt“ (vgl. Ohel), symbolische Bezeichnung Samarias (Ez 23, 4.5.36.44). Ältere Schwester der **Oholiba,** d. h. Jerusalems. Die beiden Schwestern, mit Jahwe verehelicht, haben sich Ägypten, Assyrien und Babylon zur Unzucht hingegeben. Sie werden die Folgen ihrer Schamlosigkeit zu tragen haben.

OHOLIAB (5), „Mein Zelt ist der Vater“ (vgl. Ohel), **Sohn des Ahisamach vom Stamm Dan** (3), ein mit dem Judäer Bezalel zusammen genannter Kunsthandwerker bei der Errichtung des Zeltheiligtums und der Herstellung verschiedener Kultgegenstände (Ex 31, 6; 35, 34; 36, 1–2; 38, 23).

OHOLIBA (6), „Mein Zelt [ist] in ihr“ (vgl. Ohel), symbolische Bezeichnung Jerusalems (Ez 23, 4.11.22.36.44) → OHOLA.

OHOLIBAMA, „Mein Zelt ist das Höhenheiligtum“ (vgl. Ohel; Bamot).
1° **Oholibama Tochter des Ana** (1), Enkeltochter Seïrs (Gen 36, 25). Vgl. die Folgenden.
2° **Oholibama** (5) **Tochter des Ana** (3) **Sohn** (hebr. *Tochter)* **des Zibon** (2), Urenkelin des Seïr, Frau Esaus (Gen 36, 2), Mutter der Edomiterfürsten Jëusch, Jalam und Korach (Gen 36, 5.14.18).
3° **Oholibama** (2), ein edomitischer Fürst oder Clan (Gen 36, 41 // 1 Chr 1, 52). Vgl. die Vorhergehenden.

OKINA (1), Ort an der phönizischen Küste nach Jdt 2, 28. Unbekannt. Vielleicht ist → AKKO gemeint.

ÖLBERG (16), hebr. *Har ha-Setim* (vgl. Beerset; Birsajit; Setam?; Setan), mit zahlreichen Ölbäumen bedeckt (vgl. Neh 8, 15), im Osten Jerusalems, jenseits des Kidrontals (vgl. Joh 18, 1).
Der vor seinem Sohn Abschalom fliehende David besteigt weinend diesen Berg (2 Sam 15, 30.32). Salomo errichtet hier Höhenheiligtümer für die Götter Kemosch und Milkom (1 Kön 11, 7). Auch der hebr. Text von 2 Kön 23, 13 nennt den Ölberg den „Berg der Zerstörung“ oder „des Verderbens“ (vgl. Ex 12, 23; 2 Sam 24, 16; Jes 54, 16; Spr 18, 9). Als die Herrlichkeit Gottes den Tempel verläßt, hält sie sich auf dem Ölberg auf, bevor sie zu den Exulanten in Babylon geht (Ez 11, 23). Am Tag des eschatologischen Kampfes werden „die Füße Jahwes“ auf dem Ölberg stehen (Sach 14, 4 f).
Jesus begibt sich mehrmals an den Ölberg, vor allem in den Tagen vor seinem Leiden (Mt 21, 1 // Mk 11, 1 // Lk 19, 29; Mt 24, 3 // Mk 13, 3; Mt 26, 30 // Mk 14, 26 // Lk 22, 39; Lk 19, 37; 21, 37; Joh 8,1. Am Ölberg läßt Lukas Jesus zum Himmel auffahren (vgl. Apg 1, 12).
→ BETANIEN 1°; BETFAGE; GETSEMANI.

OLYMPAS (1), (vgl. Olympius), vermutlich ein römischer Christ (Röm 16, 15).

OLYMPIUS (1), von Olymp, dem heiligen Berg der griechischen Götter („Olympisch“) → ZEUS.

OMAR (3), „Beredt“ (vgl. Amarja), zwölfter der Söhne des Elifas, gilt als Sohn der Ada, einer Frau Esaus (Gen 36, 11 // 1 Chr 1, 36). Ein Fürst oder Clan in Edom (Gen 36, 15).

OMRI
1° **Omri** (1), einer der Söhne des Benjaminsohnes Becher (1 Chr 7, 8).
2° **Omri** (1), Judäer, Ahnherr des → UTAI 1°.
3° **Omri Sohn des Michael** (1), verantwortlich für den Stamm Issachar (1 Chr 27, 18).
4° **Omri** (15), vielleicht nichtisraelitischer Herkunft, sechster König von Israel (885–874), Begründer der dritten Dynastie. Sein Weg zur Königsherrschaft war mühsam. Zwar gelang es ihm, den Mörder seines Vorgängers Simri rasch auszuschalten, aber um seinen Rivalen Tibni, den Sohn des Ginat, scharte sich eine Zeitlang halb Israel (1 Kön 16, 16–22). Wie seine Vorgänger residierte er zunächst in Tirza. Dann errichtete er auf einem verlassenen Hügel eine neue Stadt, Samaria (1 Kön 16, 24), und sie blieb die Hauptstadt Israels bis zum Untergang des Reiches (721). Im Streit mit Damaskus mußte er einige Städte abtreten (vgl. 1 Kön 20, 34). „Omri tat, was dem Herrn

mißfiel, und trieb es noch schlimmer als alle seine Vorgänger" (1 Kön 16, 25 f). Dieses negative Urteil zielt auf die religiöse Haltung des Herrschers, dem jedoch politische Größe nicht abgesprochen werden kann.
Vater des → AHAB 1°.
Großvater der → ATALJA 1°.

ON
1° **On** (5), Stadt in Ägypten, nicht weit von Kairo, mit einem Tempel des Sonnengotts Ra. Am Tag Jahwes gegen Ägypten werden die jungen Männer von On getötet werden (Ez 30, 17).
= **Heliopolis** (1), gr. Name von On. Bei der Ankunft Nebukadnezzars werden, wie Jer 43, 13 ankündigt, besonders „die spitzen Säulen des Sonnentempels" (hebr. *Bet-Schemesch)* zertrümmert werden (LXX: „Obelisken von Heliopolis, die in On sind").
Heimat des Priesters Potifera, Vater der → ASENAT.
2° **On** (1), „Macht" (vgl. Onam; Onan), **Sohn des Pelet** (1), Rubeniter wie Datan und Abiram; beteiligt sich an ihrem Aufstand gegen Mose (Num 16, 1).

ONAM (vgl. On 2°).
1° **Onam** (2), letzter der fünf Söhne des Seïrsohnes Schobal (Gen 36, 23 // 1 Chr 1, 40).
2° **Onam** (2), Sohn Jerachmeëls und der Atara (1 Chr 2, 26). Seine Nachkommenschaft: 2, 28–41. In Juda.

ONAN (8), „Der Starke"? (vgl. On 2°), zweiter Sohn Judas und der Kanaaniterin Batschua. Als sein Bruder Er stirbt, heiratet er nur widerwillig die Witwe Tamar nach dem Gesetz der Leviratsehe (vgl. Dtn 25, 5–10), weigert sich aber, mit ihr Kinder zu zeugen (daher der Ausdruck „Onanismus"). Sein vorzeitiger Tod wird als Strafe für sein Verhalten gedeutet (Gen 38, 4.8–11; 46, 12 // Num 26, 19; 1 Chr 2, 3).

ONESIMUS (2), „Nützlich", „Brauchbar" (vgl. Phlm 11), Sklave des Philemon in Kolossä. Er flieht aus dem Haus seines Herrn, Paulus begegnet ihm als Gefangener, bekehrt ihn zum Glauben und macht ihn zu einem wertvollen Mitarbeiter (Kol 4, 9). Nach einiger Zeit schickt ihn Paulus zu Philemon zurück mit der Bitte, ihn „nicht mehr als Sklaven, sondern ... als geliebten Bruder" aufzunehmen (Phlm 1.10–18).

ONESIPHORUS (2), „Der etwas Nützliches beschafft" (vgl. Onesimus), ein in den Pastoralbriefen gerühmter Christ. Er soll Paulus in Ephesus wie in Rom beigestanden haben (2 Tim 1, 16f; 4, 19). Der Familie des wohl schon Verstorbenen gebührt besondere Aufmerksamkeit.

ONIAS, abgeleitete Form von *Johanan* (vgl. Johannes).
1° **Onias I.** (4), jüdischer Hoherpriester, Zeitgenosse Alexanders d. Gr. Er soll vom Spartanerkönig Ares einen Brief erhalten haben, der den Juden ein Freundschaftsbündnis anbot (1 Makk 12, 7–8.19–20).
2° **Onias II.** (1), Hoherpriester, Vater des → SIMEON 4°.
3° **Onias III.** (15), Sohn des Simeon, Enkel des Vorhergehenden. Hoherpriester (185–175), Vorkämpfer der Orthodoxie, verteidigt den Tempelschatz gegen Heliodor (2 Makk 3, 1–35). Vom Tempelvorsteher Simeon verleumdet, begibt er sich nach Antiochia zum König, um sein Verhalten zu rechtfertigen (2 Makk 4, 1–6). Er wird dann im Hohenpriesteramt durch seinen Bruder Jason ersetzt (2 Makk 4, 7). Nachdem er sich in das Heiligtum der Daphne bei Antiochia geflüchtet hat, meldet er, daß der neue Hohepriester Menelaus, der das Amt erschlichen hatte, den Jerusalemer Tempel schwer bestohlen hat. Dieser läßt ihn (im Jahr 170) auf heimtückische Weise ermorden (2 Makk 4, 32–38; vgl. Dan 9, 26; 11, 22). Onias wird auch als Fürsprecher seines Volkes bei Gott vorgestellt (2 Makk 15, 12.14; vgl. 3, 31–33; 4, 5).

ONO (5), eine den Ägyptern bekannte Stadt. Von den Benjaminitern neu aufgebaut (1 Chr 8, 12). Vor dem Exil von Israeliten bewohnt (Esr 2, 33 // Neh 7, 37) und nachher wieder von Benjaminitern (Neh 11, 35). Etwa 9 km NW von Lod.
Im Tal von Ono → KEFIRIM.

OREB (5), „Rabe", und **Seeb,** „Wolf", von Gideon besiegte Midianiterfürsten (Ri 7, 25; 8, 3; Ps 83, 12). Ihre Geschichte haftet an unbekannten Orten wie dem **Rabenfelsen** (2): Ri 7, 25; Jes 10, 26, und der **Wolfskelter** (Ri 7, 25).

OREN (1), „Lorbeerbaum" (vgl. Arnon), einer der Söhne Jerachmeëls in Juda (1 Chr 2, 25).

ORIENT, Osten
1° **Orient** (13), hebr. *Kedem*, „Vorn", „Osten" (vgl. Kadmiel; Kadmoniter; Kedemot; Kedma).
Die **Söhne des Orients,** dessen eponymer Ahnherr *Kedma* ist, gehören zu den zwölf Söhnen Ismaels und sind ein Nomadenstamm, der die Wüste im nördlichen Ostjordanland und die syrische Wüste durchzieht. Zu ihnen wird Ijob gerechnet (Ijob 1, 3). Sie sind berühmt wegen ihrer Weisheit (1 Kön 5, 10). In der Richterzeit unternehmen sie wie Midian und Amalek Raubzüge gegen Israel (Ri 6, 3.33; 7, 12; 8, 10). Zeitweilig herrschen sie über Ammon und Moab, doch werden sie dann wieder selber ausgeplündert (Jes 11, 14) und vernichtet (Jer 49, 28).
Das **Morgenland** (Gen 25, 6) oder **Land der Söhne des Ostens** (Gen 29, 1) liegt vermutlich im NO Israels, südlich von Damaskus.
Das **Ostgebirge** (Num 23, 7) stellt den gebirgigen Rand der syrischen Wüste dar, falls er sich nicht um das ganze Gebiet zwischen Phönizien und Syrien handelt.
2° **Osten** (1), hebr. *Misrah* „Aufgang [der Sonne]" (vgl. Esrachiter; Jisrachja; Serachiter; Serach; Serachja). Das **Osttor** liegt in der Tempelmauer nach Osten zu. Zur Zeit des Nehemia ist Schemaja, Sohn des Schechanja, sein Hüter (Neh 3, 29).
Die „Sterndeuter" „kommen aus dem Osten" nach Jerusalem (Mt 2, 1); gr. *apo anatolōn.*

ORION (3) → Kesil 2°.

ORNAN (12) **der Jebusiter** (4) → Arauna.

ORPA (2), „Die den Rücken wendet", Moabiterin. Nach dem Tod ihres Mannes Kiljon, Sohn des Elimelech, kehrt sie zu ihrem Volk zurück, während ihre Schwägerin Rut ihrer Schwiegermutter Noomi nach Betlehem folgt (Rut 1, 4.14).

ORTHOSIA (1), Hafen an der phönizischen Küste, zwischen Tripolis und dem Fluß Eleutherus. Hierher flüchtet sich Tryphon (1 Makk 15, 37).

OSEE → Hosea.

OSNI (1), (vgl. Asanja), vierter der sieben Söhne Gads. Seine Nachkommen bilden die Sippe der **Osniter** (Num 26, 16).
= **Ezbon** (1), Gen 46, 16.

OTNI (1) Abk. von *Otniel,* Torwächter, einer der Söhne Schemajas, Sohn des Obed-Edom (1 Chr 26, 7).

OTNIËL, hebr. *Otnie'el,* gr. *Gothoniel* (vgl. Otni).
1° **Otniël** (7) **Sohn des Kenas** (4) **des jüngeren Bruders des Kaleb** (3). Dieser Neffe Kalebs erobert die Stadt Kirjat-Sefer. Dafür gibt ihm Kaleb seine Tochter Achsa zur Frau sowie die oberen und die unteren Wasserquellen (Jos 15, 16–19 // Ri 1, 12–15).
Nach Ri 3, 8–11 befreit derselbe Otniël, einer der „kleinen Richter" Israels, sein Volk von der Bedrückung durch Kuschan-Rischtajim, den König von Edom (hebr. *König von Aram*).
Von Otniël stammen schließlich Hatat und Meonotai ab (1 Chr 4, 13).
→ Heldai 1°.
2° **Gothoniël** (1), Jdt 6, 15: Vater des → Kabri.

OX (1) → Uz.

OZIAS → Usija.

OZIEL (1) → Usiël.

OZEM
1° **Ozem** (1), sechster Sohn Isais und Bruder Davids (1 Chr 2, 15).
2° **Ozem** (1), einer der Söhne Jerachmeëls, in Juda (1 Chr 2, 15).

P

PAARAI aus Arab (1), Krieger Davids (2 Sam 23, 35).
= **Naarai Sohn des Esbai** (1): 1 Chr 11, 37.

PADDAN (1), „Ebene“ → MESOPOTAMIEN c).

PADON (2), (vgl. Pedaja), Haupt einer Familie von Tempeldienern, die aus dem Exil heimkehren (Esr 2, 44 // Neh 7, 47).

PAGIËL Sohn des Ochran (5), verantwortlich für den Stamm Ascher (Num 2, 27; 7, 72; 10, 26), leitet die Musterung seines Stammes (Num 1, 13), bringt die Opfergabe für die Altarweihe am 11. Tag (Num 7, 72–77).

PAGU (1): Gen 36, 39 = **Pagi** (1): 1 Chr 1, 50. Stadt in Edom, Hauptstadt des Edomiterkönigs Hadad. Unbekannt.

PAHAT-MOAB (6), „Statthalter von Moab“? (vgl. Moab), israelitisches Familienhaupt, dessen Söhne aus dem Exil heimkehren, die einen mit Serubbabel und Jeschua (Esr 2, 6 // Neh 7, 11), die anderen mit Esra (Esr 8, 4). Manche unter ihnen schicken ihre fremdländischen Frauen zurück (Esr 10, 30–32). Pahat-Moab gehört zu den Führern des Volkes, die die Gesetzesverpflichtung mitunterzeichnen (Neh 10, 15).
Unter seinen Söhnen → HASCHUB 2°.

PALAL (1), „[Jah] hat entschieden“ (vgl. Pelalja), **Sohn des Usai** (1), beteiligt sich freiwillig am Wiederaufbau der Jerusalemer Stadtmauer (Neh 3, 25).

[PALÄSTINA], „Land der Philister“. Ursprünglich bezeichnete das Wort den Küstenstreifen südlich von Jafo (Joppe), der von den Philistern in Besitz genommen war. Später ging der Name auf das ganze Land zwischen dem Libanon und dem Roten Meer über, auf das klassische „Land der Bibel“.

PALLU (5), (vgl. Pelaja 2°), zweiter der vier Söhne Rubens (Gen 46, 9 // Ex 6, 14 // 1 Chr 5, 3). Seine Nachkommen bilden die Sippe der **Palluiter** (Num 26, 5), von dem die Söhne Eliabs abgeleitet werden: Datan und Abiram (Num 26, 8). Derselbe (?) wie → PELET 3°.

PALTI, Abk. von *Paltiel* oder *Pelatja* (vgl. Pelet 1°–2°).
1° **Palti Sohn des Rafu** (1), Clanhaupt im Stamm Benjamin, von Mose als Kundschafter nach Kanaan entsandt (Num 13, 9).
2° **Palti Sohn des Lajisch aus Gallim** (1) → PALTIËL 2°.

PALTIËL, „Gott ist meine Befreiung“ (vgl. Pelet 1°–2°).
1° **Paltiël Sohn des Asan** (1), verantwortlich für den Stamm Issachar bei der Aufteilung Kanaans (Num 34, 26).
2° **Paltiël** (1) oder **Palti** (1) **Sohn des Lajisch** (2) **aus Gallim** (1), zweiter Mann der Tochter Sauls Michal, nach ihrem ersten Mann David (1 Sam 25, 44; 2 Sam 3, 15).

PAMPHYLIEN (6), „[Land] aller Stämme“, Landschaft Kleinasiens an der Südküste zwischen Lyzien im Westen und Zilizien im Osten. Seit 43

n. Chr. bildet Pamphylien mit Lyzien eine römische Provinz. Hier leben zahlreiche Juden. An sie ist auch der Brief des Konsuls Luzius gerichtet, der das Bündnis zwischen Römern und Juden bekanntgibt (1 Makk 15, 23).
Juden aus Pamphylien werden in der Völkertafel des Pfingstberichts genannt (Apg 2, 10). Barnabas und Paulus verkünden hier das Evangelium (Apg 14, 24), und Markus trennt sich dort von ihnen (15, 38). Auf seiner Seereise nach Rom kommt der gefangene Paulus an der Küste Pamphyliens vorbei (Apg 27, 5).
Städte → Attalia; Perge; Side.

PAPHOS (2), Hafen an der Südküste Zyperns. Auf ihrer ersten Missionsreise treffen Barnabas, Paulus und Markus hier mit dem römischen Prokonsul Sergius Paulus zusammen. Dieser bekehrt sich trotz der Feindseligkeit des jüdischen Zauberers Barjesus zum christlichen Glauben. Von Paphos fahren die Missionare nach Pamphylien (Apg 13, 6–13).

PARA (1), Ort in Benjamin (Jos 18, 23). Im *Wadi Fara,* 6 km nördlich von Anatot. → Perat.

PARADIES → Eden 1°.

PARAN, hebr. Pa'ran.
1° **Wüste Paran** (6). Hier halten sich Ismael (Gen 21, 21) und die Israeliten während des Exodus (Num 10, 12; 12, 16; 13, 3.26) auf. Hierher flüchtet sich David, als er von Saul verfolgt wird (1 Sam 25, 1: anstelle des hebr. *Paran* ist mit dem Gr. besser *Maon* zu lesen). Nach Num 13, 26 liegt die Wüste Paran bei Kadesch.
2° **Paran** (2), zwischen Ägypten und Midian (Dtn 1, 1; 1 Kön 11, 18). Vermutlich identisch mit dem Vorhergehenden.
3° **Berg Paran** (2), in Edom oder Seïr (Dtn 32, 2; Hab 3, 3).
4° **El-Paran** oder **Eiche des Paran** (1) → El-Paran.

PARBAR (2), persisches Wort?, bezeichnet vielleicht eine Galerie, einen Säulengang … des Jerusalemer Tempels (1 Chr 26, 18).

PARMASCHTA (1), pers. Name, akk. *Paruschta*, Bruder des → Parschandata.

PARMENAS (1), Apg 6, 5 → Sieben.

PARNACH (1), Sebuloniter, Vater des → Elizafan 2°.

PAROSCH (6), „Floh", Haupt einer israelitischen Familie, deren Söhne aus dem Exil heimkehren, die einen mit Serubbabel und Jeschua (Esr 2, 3 // Neh 7, 8), die anderen mit Esra (Esr 8, 3). Manche von ihnen schicken ihre fremdländischen Frauen zurück (Esr 10, 25). Parosch unterzeichnet auch die Gesetzesverpflichtung (Neh 10, 15). Unter seinen Söhnen → Pedaja 3°.

PARPAR (1), Fluß, der vom Antilibanon kommt und mit Abana zu den „Flüssen von Damaskus" gehört (2 Kön 5, 12).

PARSCHANDATA (1), pers. Name, und **Dalfon, Aspata, Porata, Adalja, Aridata, Parmaschta, Aridai, Arisai, Wajesata,** die zehn Söhne des Judenverfolgers Haman, die mit ihrem Vater gehängt werden (Est 9, 7–14; vgl. 9, 25). Im gr. Text lauten die Namen: **Pharsanestain, Delphon, Phasga, Phardata, Barea, Sarbacha, Marmasim, Aruphaios, Arsaios, Zabuthaios.**

PARTHER (1), iranischer Stamm, der das Gebiet im SO des Kaspischen Meers bewohnt. Die in der Völkertafel des Pfingstberichts genannten Parther sind in Jerusalem ansässige Diasporajuden, die in Parthien gelebt haben (Apg 2, 9). Anspielungen auf die Parther: Offb 6, 2; 9, 14ff; 16, 12.
König → Arsakes.

PARUACH (1), aus Issachar, Vater des → Joschafat 4°.

PARWAJIM (1), unbekanntes Gebiet, vielleicht in Südarabien? Nach 2 Chr 3, 6 soll man dort Gold finden.

PASACH (1), aus Ascher, erster der drei Söhne

des Jaflet, Krieger und Familienhaupt (1 Chr 7, 33f).

PASCHHUR
1° **Paschhur** (5) **Sohn des Immer** (1), Priester, Oberst der Tempelpolizei. Er schlägt den Propheten Jeremia und legt ihn in den Block, weil er den Untergang Jerusalems angekündigt hat. Am nächsten Morgen befreit Paschhur Jeremia, und dieser sagt ihm die Deportation nach Babylon voraus, daß er dort sterben und begraben werden solle, weil er Lügen geweissagt habe (Jer 20, 1–6).
2°**Paschhur** (1), derselbe wie der Vorhergehende? Vater des Ministers → GEDALJA 3°.
3° **Paschhur Sohn des Malkija** (2). Während der Belagerung Jerusalems konsultiert er mit dem Priester Zefanja, Sohn des Maaseja, für den König Zidkija den Propheten Jeremia (Jer 21, 1ff). Später gehört er zu den vier Ministern des Zidkija, die den Jeremia in eine Zisterne werfen lassen, weil er durch seine Worte die letzten Verteidiger der Stadt demoralisiert habe (Jer 38, 1–6).
4° **Paschhur** (2), Sohn des Malkija, Ahnherr des Priesters → ADAJA 6°.
5° **Paschhur** (4), Haupt einer Priesterfamilie, deren Söhne aus dem Exil heimkehren (Esr 2, 38 // Neh 7, 41). Einige von ihnen schicken ihre fremdländischen Frauen zurück (Esr 10, 22). Paschhur zählt zu den Mitunterzeichnern der Gesetzesverpflichtung (Neh 10, 4).

PAS-DAMMIN (1) → EFES-DAMMIN.

PASEACH, „Hinkend" (vgl. Tifsach; Klaudius).
1° **Paseach** (1), einer der Söhne Eschtons, Nachkomme des Kelub (= Kaleb): 1 Chr 4, 12
2° **Paseach** (2), Haupt einer Familie von Tempeldienern, die aus dem Exil heimkehren (Esr 2, 49 // Neh 7, 51).
3° **Paseach** (1), Vater des → JOJADA 5°.

PATARA (1), Hafen im kleinasiatischen Lyzien. Paulus macht hier am Ende seiner dritten Missionsreise Station (Apg 21, 1).

PATMOS (1), kleine Insel der Sporaden im Ägäischen Meer. Johannes, der Verfasser der Offenbarung, ist wegen seines Glaubens und seiner Predigt auf die Insel verbannt (Offb 1, 9).

PATROBAS (1), (vgl. Antipater), Christ, den Paulus grüßen läßt (Röm 16, 15).

PATROKLUS (1), (vgl. Antipater; Kleopatra), 2 Makk 8, 9: Vater des → NIKANOR 1°.

PATROS (5), ägypt. *Po-to-resi*, „Land des Südens", bezeichnet Oberägypten. Die Genealogie von Gen 10, 14 // 1 Chr 1, 12 leiten Patros von Ägypten her. „Patros" wird auch bei den großen Propheten mit „Ägypten" zusammen genannt (Jes 11, 11; Jer 44, 1.15: nach Patros verbannte Israeliten; Ez 29, 14: fern von Patros verbannte Ägypter; 30, 14: Verwüstung von Patros).

PATROSITER (2), hebr. *Patrusim,* Gen 10, 14 // 1 Chr 1, 12: Bewohner von → PATROS.

PAULUS, gr. *Paulos.*
1° **Paulus** (157), römischer Name des **Saulus** (15) oder **Saul** (8) aus **Tarsus** (2), Apostel.
Paulus: 127 × in Apg: 13, 9 – 28, 25; 29 × in Röm bis Phlm; 1 × in 2 Petr 3, 15.
Saulus: Apg 7, 58; 8, 1.3; 9, 1.8.11.22.24; 11, 25.30; 12, 25; 13, 1–2.7.9.
Saul: Apg 9, 4.17; 22, 7.13; 26, 14.

a) Leben und Wirken

Als *Jude* (vgl. Röm 9, 3–4; 11, 14) vom Stamm Benjamin (Röm 11, 1), palästinensischer Herkunft, „ein Hebräer von Hebräern" (Phil 3, 5), geboren in Tarsus in Zilizien (Apg 9, 11; 21, 39; vgl. 9, 30; 11, 25; 22, 3; 23, 34) zwischen 5–10 n. Chr., römischer Bürger von Geburt an (Apg 16, 37–38; 22, 25–29; 23, 27), am achten Tag beschnitten (Phil 3, 5). Er wurde als Pharisäer zur strengen Beobachtung des Gesetzes erzogen (Gal 1, 13–14; Phil 3, 5; Apg 26, 5), studierte in der Schule des Gamaliel (Apg 22, 3; vgl. 5, 34) und „setzte (sich) mit dem größten Eifer ... für die Überlieferungen (seiner) Väter ein" (Gal 1, 14; Apg 22, 3). Als „junger Mann" soll er um 34 oder 36 bei der Steinigung des Stephanus die Kleider der Zeugen bewacht haben (Apg 7, 58 – 8, 1). „Mit Drohung und Mord gegen die Jünger des Herrn" wütend (Apg 9, 1), erscheint Saulus zunächst als „Lästerer, *Verfolger* und Frevler" (vgl. 1 Tim 1, 13) Jesu (Apg 9, 4–5 // 26, 14–15), der „Anhänger des (neuen) Weges" (Apg 9, 2. 21; 22, 4; 26, 9–12), der Kirche Gottes (Apg 8, 3 f; 1 Kor 15, 9; Gal 1, 13 f; Phil 3, 6).

„Von Christus Jesus ergriffen" (Phil 3, 12), der ihm auf dem Weg nach Damaskus erscheint (Apg 9, 3–6 // 22, 6–10 // 26, 12–18; vgl. 9, 27) und sich ihm offenbart (Gal 1, 12.15–16; 2, 2; 1 Kor 9, 1; 15, 8), bekehrt sich Saulus zum Herrn (vgl. 2 Kor 3, 14–16) um das Jahr 34 oder 36. „Seinetwegen" ist er sofort bereit, „alles aufzugeben", „... um Christus zu gewinnen und in ihm zu sein". Fortan will er nur noch „Christus erkennen und die Macht seiner Auferstehung und die Gemeinschaft mit seinem Leiden" (Phil 3, 8–10). Der Verfolger wird bald zum Verfolgten um Christi willen (vgl. 2 Kor 12, 10; Apg 9, 16; 13, 50; Röm 8, 35; 1 Kor 4, 12; Gal 5, 11; 2 Kor 4, 9; 11, 23 f; 1 Thess 2, 15; 2 Tim 3, 11).

Nach dem Empfang der Taufe im Hause eines gewissen Judas in Damaskus (Apg 9, 11–18) predigt Saulus vor den Juden der Stadt (9, 20), daß Jesus der Messias ist (9, 22). Von einer jüdischen Verschwörung bedroht, flieht er auf abenteuerliche Weise (Apg 9, 25; vgl. 2 Kor 11, 33). Nach Apg 9, 26–28 soll er nach Jerusalem gegangen und von Barnabas den Aposteln empfohlen worden sein. Dagegen berichtet Paulus selbst von seinem Aufenthalt „in Arabien", der Rückkehr nach Damaskus, und erst drei Jahre später sei er nach Jerusalem gegangen, um Kephas kennenzulernen (Gal 1, 17–18). Anschließend wirkte er in Syrien und Zilizien (Gal 1, 21), wahrscheinlich auch in seiner Heimatstadt Tarsus (Apg 9, 29–30). Von dort holte ihn Barnabas nach Antiochia, wo beide zusammen ein volles Jahr in der Gemeinde arbeiteten (Apg 11, 25–26). Saulus ist einer der fünf „Propheten und Lehrer" der antiochenischen Gemeinde (13, 1–2), die bald zum Mittelpunkt des hellenistischen Christentums und daher auch zum Ausgangsort der paulinischen Missionsreisen werden sollte (vgl. 14, 26).

Saulus/Paulus (Apg 13, 9) ist also von Christus „gesandt" (Apg 22, 21; 26, 17; 1 Kor 1, 17; Gal 1, 1), wie die Zwölf (Mt 10, 5.16 parr; Joh 17, 18). Der Titel „Apostel" wird ihm 20 × beigelegt, meist von ihm selbst: Röm 1, 1; 11, 13; 1 Kor 1, 1; 4, 9; 9, 1–2; 15, 9; 2 Kor 1, 1; Gal 1, 1; vgl. Eph 1, 1; Kol 1, 1; 1 Th 2, 7; 1 Tim 1, 1; 2, 7; 2 Tim 1, 1.11; Tit 1, 1; Apg 14, 4.14: gegen den sonstigen Sprachgebrauch der Apg. Das Missionsgebiet des Paulus sind die „Heiden" im Unterschied zum jüdischen Volk, den „Beschnittenen" (Gal 2, 7–9). Er bezeichnet sich selbst als „Apostel der Heiden" (Röm 11, 13; vgl. 1, 5; 15, 16; Gal 1, 16; Gal 2, 2; 1 Thess 2, 16), und als solcher ist er auch den nachfolgenden Generationen in Erinnerung geblieben (Eph 3, 1.8; 1 Tim 2, 7; Apg 9, 15; 14, 27; 26, 20; 28, 28). Ein unermüdlicher Prediger, ein Kenner der hellenistischen Kultur, das Aramäische (Phil 3, 5; Apg 21, 40) wie das Griechische beherrschend (Apg 21, 37), arbeitet Paulus auch mit seinen eigenen Händen als Zeltmacher (Apg 18, 3; 20, 34; 1 Kor 4, 12; 1 Thess 2, 9; vgl. 2 Thess 3, 8).

Die Berufung des Paulus zum Heidenapostel konkretisiert sich in seinen drei großen *Missionsreisen*:

1. Reise (46–48) mit Barnabas und Johannes Markus: Antiochia in Syrien, Zypern, Antiochia in Pisidien, Ikonion, Lystra, Derbe, Antiochia in Syrien (Apg 13, 1 – 14, 26).

2. Reise (49–52) mit Silas: Antiochia in Syrien, Zilizien, Lykaonien (wo Paulus in Lystra den Timotheus mitnimmt), Phrygien, Galatien, Mysien (Troas), Mazedonien (Philippi, Amphipolis, Apollonia, Thessalonich, Beröa), Griechenland (Athen, Korinth), Ephesus, Antiochia in Syrien (Apg 15, 36 – 18, 22).

3. Reise (53–58): Galatien, Phrygien, Ephesus (von 53 bis 56), Korinth, Ephesus, Mazedonien, Korinth, Mazedonien, Mysien (Troas), Milet, Ptolemais, Cäsarea, Jerusalem (Apg 18, 23 – 21, 16).

Im Jahr 58 wird Paulus in Jerusalem verhaftet (Apg 21, 27ff) und nach Cäsarea gebracht (23, 23f), wo er zwei Jahre als Gefangener auf seinen Prozeß wartet. Da er an das Gericht des Kaisers appelliert, wird er nach Rom gebracht, wo er nach einem abenteuerlichen Schiffbruch und der Überwinterung in Malta ankommt (Apg 27—28). Sein weiteres Schicksal liegt im dunkeln. Falls er noch einmal freigekommen ist, hat er vielleicht die geplante Spanienreise unternommen (vgl. Röm 15, 24 f). Eine nochmalige Tätigkeit in der östlichen Reichshälfte ist unwahrscheinlich, sie wird auch von den Pastoralbriefen nicht vorausgesetzt, da diese nur bekannte Situationen des früheren Pauluslebens variieren. Nach späterer Überlieferung ist Paulus im Jahr 64 oder 67 während der Neronischen Verfolgung enthauptet worden. In 2 Kor 11, 23–28 hat er schon lange vorher die Summe seiner apostolischen Leiden und Mühen gezogen.

b) Die „Reden" und Briefe

Die „Apostelgeschichte" ist vor allem eine „Geschichte des Paulus": 7, 58 – 8, 3; 9, 1–30; 11, 25–26; 12, 25; 13—28. Neben den Reiseberichten enthält das Buch auch *sechs große Reden,* die Paulus in den Mund gelegt werden: in der Synagoge von Antiochia in Pisidien (13, 16–42. 46–47); auf dem Areopag in Athen (17, 22–31); in Milet vor den ephesinischen Ältesten (20, 18–35); auf den Stufen der Burg Antonia an die Jerusalemer Juden (22, 1–21), in Cäsarea vor dem Statthalter Felix (24, 10–21); dann die Verteidigungsrede vor dem König Agrippa (26, 2–30); außerdem die kurze Predigt in Lystra (14, 15–17) und die Schlußerklärung vor den Juden in Rom (28, 25–28).

Die dem Paulus eigentümliche „Theologie", die vor allem eine Christologie ist und in Tod und Auferstehung Jesu ihren Mittelpunkt hat, läßt sich allein aus seinen *Briefen* entnehmen, von denen sieben sicher von ihm selber stammen: Röm, 1 und 2 Kor, Gal, Phil, Phlm, 1 Thess. Die „deuteropaulinischen" Briefe haben paulinische Ansätze weiterentwickelt, sofern sie nicht den Bedürfnissen ihrer eigenen Zeit Rechnung tragen (Kol, Eph, 2 Thess), und die wohl erst im 2. Jahrhundert entstandenen Pastoralbriefe (1 und 2 Tim, Tit) widmen sich ganz den Problemen der Gemeindeverfassung und Ketzerbekämpfung.

Die sieben Paulusbriefe sind echte Gelegenheitsschreiben, aus bestimmten Situationen entstanden und für einen genau begrenzten Empfängerkreis gedacht. Das macht sie so lebendig, reizvoll, aber auch in mancher Hinsicht „schwer verständlich" (vgl. 2 Petr 3, 15). Dagegen sind die Deuteropaulinen von vornherein für einen weiteren Leserkreis bestimmt (vgl. Kol 4, 16; Eph 1, 1 var.).

Abfassungszeit und -ort der Paulusbriefe lassen sich nur ungefähr und mit vielen Fragezeichen angeben:

51 in Korinth: 1 Thess (älteste Schrift des NT)
56 in Ephesus: Phil (??)
57 in Ephesus: 1 Kor; Gal (?); Phlm (?)
in Mazedonien: 2 Kor
57–58 in Korinth: Röm; Gal (?)
61–63 in Rom: Phil (?), Phlm (?)
um 80–90 in Kleinasien: Kol, Eph, 2 Thess
nach 100 in Kleinasien (?): 1 und 2 Tim, Tit.

Hauptpersonen des Pauluslebens → APOLLOS; AQUILAS; ARISTARCH; BARNABAS; MARKUS; SILAS; TIMOTHEUS 2° ; TITUS 2° ; TYCHIKUS.

Orte der paulinischen Missionstätigkeit → ANTIOCHIA 1°–2°; ATHEN; KORINTH; DAMASKUS; EPHESUS; PHILIPPI; ROM.

2° **Sergius Paulus** (1), Prokonsul von Zypern (46–47 oder 49–50). Dieser „verständige Mann" ließ „Barnabas und Saulus rufen und wünschte, von ihnen das Wort Gottes zu hören". Gegen den Widerstand des jüdischen Zauberers Barjesus bekehrt sich Sergius Paulus zum christlichen Glauben (Apg 13, 7–12).

PEDAHEL (1), „Gott kauft los", „befreit" (vgl. Pedaja), **Sohn des Ammihud** (1), bei der Aufteilung Kanaans für den Stamm Naftali verantwortlich (Num 34, 28).

PEDAJA, „Jah kauft los", „befreit" (vgl. Padon; Pedazur; Pedahel; Jifdeja).

1° **Pedaja** (1), Vater der Königin-Mutter → SEBUDA.

2° **Pedaja** (2), Sohn des gefangenen Königs Jojachin und Bruder (unter anderen) Schealtiëls (1 Chr 3, 17–18). Nach 1 Chr 3, 19 ist er Vater des Serubbabel und des Schimi. An neun anderen Stellen aber gilt Schealtiël als Vater des → SERUBBABEL.

3° **Pedaja Sohn des Parosch** (1), beteiligt sich

freiwillig am Wiederaufbau der Jerusalemer Mauer (Neh 3, 25).
4° **Pedaja** (1), steht bei der feierlichen Gesetzesverlesung zur Linken Esras (Neh 8, 4).
5° **Pedaja** (1), Neh 11, 7: Benjaminiter, Ahnherr des → SALLU 1°.
6° **Pedaja** (1), Levit, ein von Nehemia eingesetzter Verwalter über die Vorratskammern im Tempel (Neh 13, 13).
7° **Pedaja** (1), Manassiter, Vater des → JOËL 10°.

PEDAZUR (5), „Der Fels [Gott] kauft los", „befreit" (vgl. Pedaja; Zur), Manassiter, Vater des → GAMLIËL.

PEGOR, gr. *Phogor, Phagor* (vgl. Baal-Pegor; Bet-Pegor).
1° **Pegor** (1), nach Num 23, 28 ein Berggipfel im Ostjordanland, auf dem Bileam und Balak ein Opfer darbringen. Von dort aus sehen sie auf Israel herab.
2° **Pegor** (4), anderer Name für Baal-Pegor, den auf diesem Berg verehrten Gott → BAAL-PEGOR 1°; 2°.
3° **Pegor** (1), Ort im Bergland Juda (Jos 15, 59 LXX). Von Betlehem 7 km SW entfernt. Heute *Khirbet Faghur.*

PEKACH (11), Abk. von *Pekachja,* **Sohn des Remalja** (13), achtzehnter König von Israel (737–732), vielleicht aus Gilead stammend. Waffenträger des Königs Pekachja, gelangt er zur Herrschaft, nachdem er seinen Herrn ermordet hat (2 Kön 15, 25.27). Zeitgenosse der Könige von Juda Jotam und Ahas (2 Kön 15, 32; 16, 1).
Mit Rezin, dem König von Damaskus, bildet er eine Koalition gegen die Assyrer. Als König Ahas von Juda dem Bündnis nicht beitreten will, bedrohen Pekach und Rezin Jerusalem (2 Kön 15, 37; 16, 5) und die davidische Dynastie, da sie Ahas durch den Sohn des Tabeal ersetzen wollen, einen Mann ihrer Wahl (Jes 7, 1.4–9; vgl. 8, 6). Ahas erleidet schwere Verluste (2 Chr 28, 5–8). Er wendet sich daraufhin an den assyrischen König Tiglat-Pileser III., der die Koalition vernichtend schlägt (2 Kön 16, 7–9). Pekach verliert Galiläa und Gilead (2 Kön 15, 29). Ein Jahr vorher hatte er bereits Naftali abtreten müssen. Er wird von Hoschea, dem Sohn Elas, der ihm auf dem Thron folgt, ermordet (2 Kön 15, 30).

PEKACHJA (3), „Jah hat (die Augen) geöffnet" (vgl. Pekach), **Sohn des Menahem** (1), dem er auf dem Thron folgt, siebzehnter König von Israel (738–737), aus der fünften Dynastie. Er stirbt in Samaria in der Burg des Königspalastes, ermordet von seinem Waffenträger Pekach, dem Sohn des Remalja (2 Kön 15, 22–26).

PEKOD (2), aramäischer Nomadenstamm im Osten Babylons (Jer 50, 21; Ez 23, 23). Der Name ist aus keilschriftlichen Inschriften bekannt.

PELAJA, hebr. 1°: *Pelajah* (vgl. Elifelehu; Peletiter); 2° *Pela'jah* (vgl. Pallu).
1° **Pelaja** (1), einer der Söhne Eljoënais, Nachkomme des Königs Jojachin (1 Chr 3, 24).
2° **Pelaja** (2) gehört zu den Leviten, die dem Volk das Gesetz bei der feierlichen Verlesung durch Esra erklären (Neh 8, 7) und die Verpflichtung unterzeichnen, es zu beobachten (10, 11).

PELALJA (1), „Jah hat entschieden" (vgl. Palal; Elifal; Eflal), Neh 11, 12: Ahnherr des Priesters → ADAJA 6°.

PELATJA, „Überlebender Jahwes" (vgl. Pelet 1°–2°).
1° **Pelatja** (1), ein Anführer der Simeoniter, der sich im Gebirge Seïr niederläßt (1 Chr 4, 42).
2° **Pelatjahu** (2) **Sohn des Benajahu** (1) oder **Benaja** (1), einer der Führer des Volks von Jerusalem, der Ezechiel anklagt, das Volk nach der ersten Belagerung durch die Babylonier schlecht beraten zu haben. Sein plötzlicher Tod soll wohl den Tod aller ankündigen, die von Israel übriggeblieben sind (Ez 11, 1.13).
3° **Pelatja** (1), Sohn Hananjas, Nachkomme des Königs Jojachin (1 Chr 3, 21).
4° **Pelatja** (1), Fürst des Volkes, Mitunterzeichner der Gesetzesverpflichtung (Neh 10, 23).

PELEG (7), gr. *Phaleg* oder *Phalek,* Nachkomme

Sems. Nach der jahwistischen Tradition ist Peleg der älteste Sohn des Eber und der Bruder des Joktan. Sein Name soll „Trennung" bedeuten, was auf eine Landaufteilung anspielen könnte (Gen 10, 25 // 1 Chr 1, 19). In der Priesterschrift ist er der Sohn Ebers und Vater des Regu (Gen 11, 16–19 // 1 Chr 1, 25), Ahnherr Abrahams.
= **Phalek** (1), Ahnherr Jesu nach Lk 3, 35.

PELET, hebr. 1°–2° (letzter Buchstabe *tet*): „Überlebender" (vgl. Bet-Pelet; Elifelet; Elpelet; Melatja; Palti; Paltiel; Pelatja; Piltai; Jaflet); 3°–4° (letzter Buchstabe *tau*).
1° **Pelet** (1), Kalebiter aus den Söhnen Jahdais (1 Chr 2, 47).
2° **Pelet** (1), Benjaminiter, Bruder des → JESIËL.
3° **Pelet** (1), Sohn Rubens, Vater des → ON 2°. Derselbe (?) wie → PALLU.
4° **Pelet** (1), Sohn des Jonatan, vom Clan Jerachmeël (1 Chr 2, 33).

PELETER (7), Leibwächter Davids, zusammen mit den → KERETER.

PELETITER (3), (vgl. Pelaja 1°), aus Bet-Pelet (?): 2 Sam 23, 26; 1 Chr 11, 36 → AHIJA 7°; HELEZ 1°.

PELONITER (3) → PELETITER.

PENINNA (3), „Perle" (?), zweite Frau des Elkana. Weil sie ihrem Gatten Söhne und Töchter geschenkt hat, hört sie nicht auf, Hanna, die erste Frau Elkanas und zukünftige Mutter Samuels zu schmähen wegen ihrer Unfruchtbarkeit (1 Sam 1, 2.4–7).

PENTAPOLIS „Die fünf Städte" (vgl. Amphipolis).
1° **Pentapolis** (1), Name, der Weish 10, 6 den fünf Nachbarstädten Sodom, Gomorra, Adma, Zebojim und Zoar gegeben wird; sie heißen auch „die Städte der (Jordan)ebene" (Gen 13, 12; 19, 29; vgl. Ez 16, 46.55). Gegen die vier Großkönige verbündet (Gen 14), werden sie, außer Zoar, in derselben Katastrophe zerstört (Gen 19). Im Süden des Toten Meers.
→ ADMA; SODOM; ZEBOJIM; ZOAR.
2° **[Pentapolis der Philister],** vgl. die „fünf" Fürsten (Jos 13, 3; 1 Sam 6, 18), umfaßt die Städte im Philisterland → ASCHDOD; ASCHKELON; EKRON; GAT 1°; GAZA.

PENUËL, gr. *Phanuël,* „Antlitz Gottes" (vgl. Hazlelponi; Jefunne).
1° **Penuël** (7), Ort, an dem Jakob mit Gott kämpft, seinen Segen erzwingt und den Namen „Israel" empfängt (Gen 32, 31: *Peniel;* 32, 32). Gideon zerstört den Turm von Penuel und bestraft die Bewohner der Stadt, weil sie ihm kein Brot gegeben haben (Ri 8, 8–9.17). Jerobeam I., König von Israel, befestigte Penuël (1 Kön 12, 25). Liegt am Jabbok im Ostjordanland. Vielleicht *Tulul ed-Dahab.*
2° **Penuël** (1), Vater des Gedor, zu den Söhnen Hurs gerechnet (1 Chr 4, 4). In Juda.
3° **Penuël** (1), Benjaminiter aus den Söhnen Scheschaks, Familienhaupt in Jerusalem (1 Chr 8, 25).
4° **Penuël** (1), aus Ascher, Vater der Prophetin → HANNA 3°.

PEOR → PEGOR.

[PERÄA], das jenseits [des Jordan liegende Land] → JORDAN 3°
Die bei jüdisch-hellenistischen Schriftstellern gebräuchliche Bezeichnung kommt in der Bibel nicht vor.

PERAT (4), hebr. Wort, das den Eufrat bezeichnet. In Jer 13, 4–7 könnte es sich auf das *Wadi Fara* nördlich von Anatot beziehen.
→ EUFRAT; PARA.

PERAZIM (1), „Durchbruch" (vgl. Perez)
→ BAAL-PERAZIM.

PERESCH (1), „Mist", Sohn des Machir und der Maacha, in Manasse (1 Chr 7, 16).

PEREZ (16), gr. *Phares,* „Durchbruch" (vgl. Gen 38, 29), **Sohn Judas** (1): 1 Chr 9, 4.
Perez wird aus der Verbindung zwischen Juda und seiner Schwiegertochter Tamar, die vermutlich

eine Kanaaniterin ist, geboren. Zwillingsbruder des Serach (Gen 38, 27–30; Rut 4, 12), ist er der vierte der fünf Judasöhne (Gen 46, 12; 1 Chr 2, 3–4; vgl. 4, 1). Perez hat zwei Söhne, Hezron und Hamul (Gen 46, 12; Num 26, 21; 1 Chr 2, 5). Seine Nachkommen bilden die Sippe der **Pereziter** (Num 26, 20). Der Stammbaum von Perez bis David wird Rut 4, 18–22 geboten (vgl. 1 Chr 2, 5. 10–15; Mt 1, 3–6; Lk 3, 31–33).
= **Phares** (3), Ahnherr Jesu (Mt 1, 3; Lk 3, 33).

PEREZ-USA (2), „Wegraffung Usas" (2 Sam 6, 8) → NACHON.

PERGAMON (2), alte Hauptstadt Mysiens, seit 129 v. Chr. der römischen Provinz Asien eingegliedert. Liegt 130 km nördlich von Ephesus. In dieser Hochburg des Kaiserkults lebt eine christliche Gemeinde, an die einer der sieben Gemeindebriefe gerichtet ist. Es gibt in der Gemeinde treue Zeugen, wie den Martyrer Antipas, und Häretiker, wie die Nikolaiten (Offb 1, 11; 2, 12). Heute *Bergama* in der Türkei.

PERGE (3) **in Pamphylien** (1), etwa 13 km von der Hafenstadt Attalia entfernt. Paulus und Barnabas kommen hier auf der ersten Missionsreise zweimal vorbei: auf dem Hinweg nach Pisidien (Apg 13, 13 f) – in Perge trennt sich Markus von ihnen – und auf dem Rückweg, wo sie das Evangelium verkünden (14, 25).

PERISITER (24), hebr. *Perizzi,* „Ein offenes Land [bewohnend]", eines der vorisraelitischen Völker Kanaans (Gen 13, 7; Ri 1, 4 f), wohnt im Bergland Efraim (Jos 17, 15), in der Gegend von Sichem (Gen 34, 20) → KANAAN a).

PERSEPOLIS (1), eine der alten Hauptstädte des Perserreichs der Achmäniden, von Alexander d. Gr. zerstört. Der Tempel, von dem in 2 Makk 9, 2 die Rede ist, befindet sich nicht in Persepolis, sondern eher im NW, in Elymais (vgl. 1 Makk 6, 1).

PERSER, PERSIEN (57), hebr. *Paras, Parsi,* altpers. *Persa,* gr. *Persis, Persike, Perses* (vgl. Persepolis; Persis), iranischer Stamm, verwandt mit den → MEDERN, unter deren Oberherrschaft sie zunächst standen. Als Kyrus II. d. Gr. (559–530) im Jahr 533 des Mederreich zerstörte und seinem Weltreich einverleibte, herrschten die Perser vom Indus bis nach Ägypten. Im Jahr 331 ging auch dieses Reich durch Alexander d. Gr. unter.
Zum erstenmal wird Persien in Ez 27, 10 erwähnt, im Klagelied über Tyrus, in dessen Heer auch Perser dienten; dann in Ez 38, 5, wo Persien an der Seite von Gog, dem König von Magog, kämpft. Mit der Einnahme Babylons durch Kyrus (539) endet das Exil (2 Chr 36, 20; vgl. 2 Makk 1, 19). Die Perserkönige zeigen sich den Juden gegenüber freundlich (Esr 9, 9). Judäa wird eine Provinz des persischen Großreichs (vgl. Esr 4, 9; 5, 6; 6, 6). Die Geschichte des Buches Ester spielt in Persien (Est 1, 3.19; 8, 12 u. ö.): eine junge deportierte Jüdin wird Königin von Persien und rettet ihre Glaubensgenossen vor der Vernichtung.
Hohe Beamte → MEMUCHAN.
Das Buch Daniel spielt auf die Eroberung Babylons durch die Perser an (5, 28) sowie auf den Aufstieg und Fall des Perserreichs (7, 6: *das dritte Tier;* 8, 3 f. 7.20: *das große Horn des Widders;* vgl. 10, 13.20; 11, 2). Der Judenverfolger Antiochus Epiphanes durchquert Persien und findet dort den Tod (1 Makk 3, 31.37; 6, 1.5.56; 2 Makk 1, 13; 9, 1.21).
Könige → ARSAKES; ARTAXERXES 1°; DARIUS 1°–3°; KYRUS; XERXES.
Städte → EKBATANA; PERSEPOLIS; SUSA.

PERSEUS (1), **König der Kittäer** (1), Sohn Philipps V. von Mazedonien und letzter König von Mazedonien, von den Römern 168 bei Pydna geschlagen (1 Makk 8, 5).

PERSIS (1), (vgl. Persien), gr. Name einer Sklavin oder Freigelassenen, die wohl aus Persien stammt. Eine aktive Christin, die Paulus grüßen läßt (Röm 16, 12).

PERUDA (1), Haupt einer Familie von Knechten Salomos, die aus dem Exil heimkehren (Esr 2, 55).

= **Perida** (1), Neh 7, 57.

PETACHJA, „Jah öffnet [den Schoß]“ (vgl. Jiftach).
1° **Petachja** (1), Priester, Vorsteher der 19. Priesterklasse (1 Chr 24, 16).
2° **Petachja** (2), Levit, schickt seine fremdländische Frau zurück (Esr 10, 23), nimmt an der Bußliturgie teil (Neh 9, 5).
3° **Petachja Sohn des Meschesabel** (1), Judäer vom Clan Serach, Ratgeber des Perserkönigs in jüdischen Angelegenheiten (Neh 11, 24).

PETOR (2), akk. *Pitru,* **am Fluß** (1): Num 22, 5 **in Aram Naharajim** (1): Dtn 23, 5 Heimat Bileams. Stadt am Eufrat, südlich von Karkemisch.

PETRA → SELA.

PETRUS (154), aram. *Kepha,* „Fels“ gr. *Petros,* **Kephas** (9), Beiname des **Simon** (50) oder **Symeon** (2) **Sohn des Johannes** (4) oder **des Jona** (1), der erste von den Zwölf.
Man findet:
Kephas (9): Joh 1, 42; 1 Kor 1, 12; 3, 22; 9, 5; 15, 5; Gal 1, 18; 2, 9.11.14.
Petrus: Evv 95; Apg 56; Gal 2, 7; 1 Petr 1, 1; 2 Petr 1, 1; der Name Petrus allein wird 126 × verwendet.
Simon (17): Mt 17, 25; Mk 1, 16.29–30.36; 14, 37; Lk 4, 38; 5, 3–5.10; 22, 31; 24, 34; Joh 1, 41.
Simon genannt Petrus (8): Mt 4, 18; 10, 2; Mk 3, 16; Lk 6, 14; Apg 10, 5.18.32; 11, 13.
Simon Petrus (19): Mt 16, 16; Lk 5, 8; Joh 1, 40; 6, 8.68; 13, 6.9.24.36; 18, 10.15.25; 20, 2.6; 21, 2–3.7.11.15.
Simon Sohn des Johannes (4): Joh 1, 42; 21, 15–17.
Simon Sohn des Jona (oder *Barjona*): Mt 16, 17.
Symeon: Apg 15, 14.
Symeon Petrus: 2 Petr 1, 1.

a) Petrus und Jesus

Aus Betsaida gebürtig (Joh 1, 44), gehört Petrus mit seinem Bruder Andreas (Mt 4, 18; Mk 1, 16.29; Joh 1, 40.44; 6, 8) zur Gruppe der Fischer am „See von Galiläa“ (Mt 4, 18 // Mk 1, 16; Lk 5, 2–10; Joh 21, 2–11). Verheiratet (vgl. 1 Kor 9, 5), wohnt er mit Andreas in Kafarnaum (Mt 8, 5.14 // Mk 1, 21.29–30 // Lk 4, 31.38). Von Jesus als erster berufen (Mt 4, 18 par; vgl. aber Joh 1, 35–41), ist er „der Erste“ unter den Zwölf (Mt 10, 2).
Dieser „Primat“ des Petrus wird feierlich in der Szene bei Cäsarea Philippi bestätigt, da Simon Barjona als Wortführer der Zwölf in Jesus den „Messias, den Sohn des lebendigen Gottes“, erkennt und den neuen Namen „Petrus“ erhält, weil er der „Fels“ ist, auf dem Jesus seine Kirche gegründet hat (Mt 16, 13–19). Für ihn hat Jesus besonders gebetet, „daß sein Glaube nicht erlischt“ und er nach seiner Bekehrung „die Brüder stärke“ (Lk 22, 32). Schließlich überträgt der Auferstandene dem Petrus das Hirtenamt über seine Herde (Joh 21, 15–19). Die Vorrangstellung des Petrus zeigt sich auch darin, daß er in allen vier Listen der → ZWÖLF den ersten Platz einnimmt. Ebenso wird er immer als erster der drei engsten Jesusjünger genannt – Petrus, Jakobus und Johannes –, die bei besonderen Anlässen dabeisein dürfen: bei der Auferweckung der Tochter des Jaïrus (Mk 5, 37 // Lk 8, 51), bei der Verklärung (Mt 17, 1–8 // Mk 9, 2–8 // Lk 9, 28–36), bei der Parusierede (Mk 13, 3), im Garten Getsemani (Mt 26, 37 // Mk 14, 33). Vgl. ferner die Zusammenstellung „Petrus und Johannes“ (Lk 22, 8; Joh 18, 15; 20, 2 f; 21, 20–23; Apg: siehe unter b). Er erscheint als Repräsentant der Zwölf (Mt 17, 24; Joh 13, 24), er wird eigens neben dem Kreis der Jünger genannt (Mk 16, 7), er ist ihr Sprecher, der sich an Jesus wendet (Mt 14, 28; 15, 15; 16, 16.22; 17, 4 parr; 18, 21; 19, 27 parr; 26, 33; Mk 11, 21; Joh 6, 68) und an den sich Jesus wendet (Mt 17, 25; Mk 8, 33; Lk 22, 31; Joh 13, 6–9; 18, 11). Petrus ist wahrscheinlich der erste, dem der Auferstandene erscheint (1 Kor 15, 5; vgl. Mk 16, 7; Joh 20, 2).
Die Evangelien schildern Petrus als einen Menschen, der mit großen Vorzügen, aber auch manchen charakterlichen Schwächen ausgestattet ist. Abgesehen von seiner hohen Berufung in der Kirche Jesu Christi (Mt 16, 18–19), zeichnet er sich durch eine unbestrittene Autorität im Jüngerkreis und durch sein entschiedenes Engagement für Jesus aus (Mt 19, 27 // Mk 10, 28 // Lk 18, 28; Mt 26, 33 parr; Joh 6, 68; 13, 9.37; 18, 10). Daneben erscheint er aber auch als vorschnell und

vermessen (Mt 14, 28; 26, 33–35), als träge und verschlafen (Mt 26, 40), als feige und furchtsam bis zur Verleugnung (Mk 14, 66–72 parr; Joh 18, 15–18.25–27), als „Satan“, der sich dem Heilsplan Gottes widersetzt (Mt 16, 22–23 // Mk 8, 32–33). Doch dieser Petrus bekennt sich als Sünder (Lk 5, 8), beweint bitterlich seine Schuld (Lk 22, 62; Mt 26, 75) und macht die dreifache Verleugnung durch ein dreifaches Bekenntnis der Liebe wieder gut (Joh 21, 15–17).

b) Die „Petrusgeschichte“

In ihrem ersten Teil (Apg 1, 15 – 5, 42; 8, 14 – 25; 9, 26 – 12, 19; 15) ist die Apostelgeschichte vor allem eine „Petrusgeschichte“. Von Anfang an nimmt Petrus den ersten Platz ein. Er steht an der Spitze in der Liste der Elf, die nach der Himmelfahrt in Jerusalem versammelt sind (Apg 1, 12–14), er leitet die Wahl des Matthias, der als Ersatz für Judas in den Zwölferkreis aufgenommen wird (1, 15–26), er spricht am Pfingstfest und später zum Volk von Jerusalem (2, 14–41; 3, 12–16), vor dem Hohen Rat (4, 7–12.19–20; 5, 29–32), vor dem „Apostelkonzil“ (15, 7–11). Oft wird er von Johannes begleitet, doch dieser spielt nur die stumme Rolle eines „Doubles“ (3, 1.3–4.11; 4, 1–13.19; 8, 14). Auch wenn Paulus, den Petrus in Jerusalem empfängt (Gal 1, 18–19; vgl. Apg 9, 27), der „Apostel der Heiden“ (Röm 11, 13) ist, und Petrus „der Apostel der Beschnittenen“ (Gal 2, 7–9), macht der Verfasser der Apostelgeschichte Petrus zum ersten Missionar unter den Heiden (15, 7): Er überträgt den von Philippus bekehrten Samaritern den Heiligen Geist (8, 14–17), er geht in Cäsarea in das Haus des heidnischen Hauptmanns Kornelius (10, 17–33), er verkündet, daß Christus „der Herr aller (Menschen)“ ist (10, 34–43), er tauft die ersten Heiden (10, 44–48) und „öffnet so (durch Gott) den Heiden die Tür zum Glauben“ (14, 27; vgl. 11, 18; 15, 14). Petrus und Paulus erscheinen bereits als die beiden Säulen der Kirche. Wenn Paulus in Antiochia dem Petrus „offen entgegentritt“, d. h. wörtlich „ins Angesicht widersteht“ (Gal 2, 11), dann geschieht dies nicht aus Eifersucht oder um seine Autorität grundsätzlich zu bestreiten (vgl. 1 Kor 1, 12; 3, 21–22). Vielmehr tadelt er nur die Feigheit, Unaufrichtigkeit und Heuchelei des Petrus (Gal 2, 12–14), weil er sich um die Einheit der Kirche aus Juden und Heiden sorgt, eine Einheit, die Petrus besonders am Herzen liegen sollte (vgl. Lk 22, 31–32). Petrus hat auch den Auftrag erhalten (vgl. Mt 16, 19), in der Kirche disziplinäre Entscheidungen zu treffen. Er tut dies gegenüber dem Zauberer Simon (Apg 8, 18–26) und dem betrügerischen Ehepaar Hananias und Saphira (Apg 5, 1–11). Wie die Zwölf allgemein (Mt 10, 8), so besitzt Petrus in hervorragendem Maß die von Jesus verliehene Gabe der Krankenheilung. Er heilt den Gelähmten an der Schönen Pforte des Tempels (Apg 3, 1–11), den lahmem Äneas in Lydda (Apg 9, 32–35) und viele Kranke, die man „auf die Straßen“ hinaustrug, damit, wenn Petrus vorüberkam, „wenigstens sein Schatten auf einen von ihnen fiel“ (5, 15–16). Auch die Erweckung der verstorbenen Tabita, einer Schneiderin in Joppe (9, 36–42), zeigt, wie rasch sich die fromme Legende der Petrusgestalt bemächtigt hat.

In der Apg sehen wir Petrus verfolgt, aber froh, daß er gewürdigt wird, „für seinen (Jesu) Namen Schmach zu erleiden“ (5, 41), verhaftet, eingekerkert, aber zweimal auf wunderbare Weise befreit (4, 3.21.23; 5, 18–19.22–23; 12, 1–19). Nach der Überlieferung soll er in Rom (um 64 oder 67) gekreuzigt worden sein. Diese „Todesart“ scheinen auch die geheimnisvollen Andeutungen des Nachtragskapitels vorauszusetzen (Joh 21, 18–19).

„Petrus“, dem „Apostel Jesu Christi“, werden zwei Briefe zugeschrieben (1 Petr; 2 Petr), die beide erst aus späterer Zeit stammen.

PETUËL (1), „Jugend Gottes“, Vater des Propheten → Joël 13°.

PËULLETAI (1), (vgl. Elpaal), Levit, Torwächter, achter Sohn Obed-Edoms (1 Chr 26, 5).

PHANUËL (1) → Penuël 4°.

PHARAO (277), hebr. *Par^c^oh,* ägypt. *Per-âa,* „Großes Haus“, Amtstitel des Königs von Ägypten (wie Kandake die Königin von Äthiopien bezeichnet).

Vier Pharaonen werden namentlich genannt: → SCHISCHAK I. (945–925); TIRHAKA (685–664); NECHO (609–594); HOFRA (589–566).
Bei den nicht mit Namen Genannten könnte es sich handeln:
- bei dem *Pharao* (128), der die Hebräer bedrückt und mit den Ereignissen des Exodus verknüpft ist, um → RAMSES II. (1290–1224);
- beim *Pharao* (5), dem Schwiegervater Salomos, um → PSUSENNES II. (955–950);
- bei dem *Pharao* (4), an den Hiskija eine Gesandtschaft schickt, um → SCHABAKA (710–696).

Zu dem in 2 Kön 17, 4 erwähnten „So, König von Ägypten" → SAIS.
Nicht zu identifizieren sind:
- der *Pharao* (6) zur Zeit Abrahams (Gen 12, 10–20);
- der *Pharao* (90) zur Zeit Josefs, des Sohnes Jakobs (Gen 40; 41; 45; 47; 50, 4–9; vgl. Apg 7, 10.13).
- die *Pharaonen* von 1 Chr 4, 18; Jer 25, 19; 46, 25; Ez 17, 17; 29, 2 f; 30, 21–25; 31, 2.18; 32, 2.31 f.

PHARISÄER (98), hebr. *Parusch,* aram. *Perischaja,* „Getrennt".
Die Pharisäer sind Mitglieder einer jüdischen Sekte, einer „Partei" (Apg 23, 6.9; 26, 5), die wie die Essener aus der Bewegung der → HASIDÄER hervorgegangen ist. Sie waren aufrichtig bestrebt, das Gesetz besser kennenzulernen und seine Beobachtung auch unter veränderten Umständen möglich zu machen. Dazu „trennten" sie sich von den unreinen Heiden, den Sündern (Mt 9, 11 parr; Lk 15, 2), den religiös gleichgültigen Juden, dem „Volk des Landes" (vgl. 2 Kön 24, 14), diesem „verfluchten Volk, das vom Gesetz nichts versteht" (Joh 7, 49).
In der strengen Beobachtung aller Gebote des mosaischen Gesetzes (Röm 2, 17–20) und auch der geringsten Vorschriften der „Überlieferung der Alten" (Mt 15, 2; Mk 7, 3.5; vgl. Gal 1, 14) bestand die „Gerechtigkeit", d. h. die Vollkommenheit und Heiligkeit der Pharisäer (Mt 5, 20; vgl. Lk 18, 9–14), die besessen zu haben sich Paulus rühmt (Phil 3, 5–6). Die pharisäische Überlieferung, „eure Überlieferung" (Mt 15, 3,6; Mk 7, 9.13), wurde durch die Schriftgelehrten begründet, die mehrheitlich zu dieser Partei gehörten (vgl. Mt 23, 2.7). Sie entdeckten im Gesetz, der Tora, 613 Vorschriften (248 Weisungen und 365 Verbote), die man „befolgen" mußte (Mt 19, 20; 23, 3; Mk 7, 9; Gal 4, 10). Übrigens werden die Pharisäer oft formelhaft zusammen mit den Schriftgelehrten genannt (61 × im NT): Mt 5, 20; 12, 38; 15, 1; 23, 2–29; Mk 2, 16; 7, 1.5; Lk 5, 21.30; 6, 7; 11, 53; 15, 2; Joh 8, 3; oder mit den Gesetzeslehrern: Lk 5, 17; 7, 30; 10, 25; 11, 45–46.52; 14, 3; vgl. Mt 22, 34–35; Apg 5, 34; 1 Tim 1, 7.
Die Pharisäer werfen Jesus vor, das Sabbatgebot zu verletzen (Mt 12, 2 parr; Lk 6, 7; 14, 1–3; Joh 9, 13–14), die Regeln der rituellen Reinheit nicht einzuhalten (Mt 15, 1–3; Mk 7, 3–4; Lk 11, 37–39), nicht zu fasten (Mt 9, 14), sich die Vollmacht der Sündenvergebung anzumaßen (Lk 5, 21), die Dämonen mit Hilfe des Anführers der Dämonen auszutreiben (Mt 9, 34; 12, 24). Sie versuchen, Jesus eine Falle zu stellen (Mt 19, 3; 22, 15.35; Lk 11, 54; 14, 1; Joh 8, 3), werden aber selbst gefangen (Mt 19, 8; 22, 22.46; Lk 5, 22; 14, 4–6) und werden „von sinnloser Wut erfüllt" und beraten, „was sie gegen Jesus unternehmen könnten" (Lk 6, 11).
Jesus wiederum zeigt sich sehr streng im Umgang mit den Pharisäern, vor allem in der „Weherede" (Mt 23, 1–36; Lk 11, 37–53) und in den drei Gleichnissen vom unfruchtbaren Feigenbaum (Mt 21, 18–22), von den beiden Söhnen (Mt 21, 28–32) und den bösen Winzern (Mt 21, 33–44), bei denen die Pharisäer „merkten, daß er von ihnen sprach" (Mt 21, 45). Er, der nicht gekommen ist, um „Gesetz und die Propheten aufzuheben", sondern „um zu erfüllen" (Mt 5, 17), wirft den Pharisäern nicht ihre Lehre vor (Mt 23, 2–3), sondern ihre oft unaufrichtige Gesinnung, das, was man später zu Unrecht „Pharisäismus" genannt hat. Zudem darf nicht übersehen werden, daß die Schärfe der Polemik weniger Jesus selbst als der späteren Gemeinde anzulasten ist, die sich mit dem von den Pharisäern beherrschten Judentum auseinandersetzen mußte: Ihre Gesetzeskenntnis erfüllt sie mit Stolz und falscher Heilssicherheit (Lk 18, 11–12; vgl. Röm 2, 17–20). Ihr juristisches Denken führe sie zu Kleinlichkeitskrämerei und Heu-

chelei (Mt 12, 1–2; 23, 3–5.27; Lk 12, 1). Sie seien ängstlich darauf bedacht, „den Zehnten von Minze, Dill und Kümmel" zu geben, ließen aber „das Wichtigste im Gesetz außer acht: Gerechtigkeit, Barmherzigkeit und Treue" (Mt 23, 23 // Lk 11, 42). Die pharisäische Tradition, die unter dem Vorwand, das Gesetz des Mose zu erfüllen, es in Wirklichkeit „außer Kraft setze" (Mk 7, 13 par) und „den Willen Gottes mißachte" (Lk 7, 30), sei nur eine „Überlieferung der Menschen" (Mk 7, 7–8). Sie seien „blinde Führer" (Mt 23, 16–26; Röm 2, 19) und geldgierig (vgl. Lk 16, 14).
Trotz aller heftigen Polemik gibt es doch zahlreiche Gemeinsamkeiten mit den Pharisäern. Im Unterschied zu den Sadduzäern, mit denen sie 7 × zusammen genannt werden (Mt 3, 7; 16, 1.11–12; 22, 34; Apg 23, 6–9), glauben sie an die Auferstehung der Toten, an Engel und Geister (Apg 23, 8), erwarten sie aufrichtig das Kommen des Messias und die Errichtung des Gottesreiches. So hören wir von Pharisäern, die Jesus und dem jungen Christentum wohlwollend gegenüberstehen, wie Nikodemus, Gamaliel oder jenem Schriftgelehrten, von dem es heißt: „Du bist nicht mehr fern vom Reich Gottes" (Mk 12, 34).
→ GAMALIEL; NIKODEMUS; SIMEON 13°.

PHASELIS (1), Hafen im kleinasiatischen Lyzien. Die Stadt wird unter den Adressaten des Briefes genannt, in dem der Konsul Luzius das Bündnis zwischen Juden und Römern bekanntgab (1 Makk 15, 23).

PHILADELPHIA, „Bruderliebe" (vgl. Philetus).
1° **Philadelphia** (2), Stadt in Lydien, gegründet von Attalus II. Philadelphos (159–138 v. Chr). Hier gibt es eine christliche Gemeinde, an die einer der sieben Briefe in der Offenbarung gerichtet ist. Die Christen werden gelobt, daß sie trotz der Verfolgung ihrem Glauben treu geblieben sind (Offb 1, 11; 3, 7–13). Liegt 130 km östlich von Smyrna entfernt.
2° **[Philadelphia],** Name, den Ptolemäus II. Philadelphos (285–246) der Ammoniterstadt *Rabba* gegeben hat. Stadt der → DEKAPOLIS. Heute *Amman.*

PHILEMON (1), (vgl. Philetus), ein wahrscheinlich in Kolossä wohnender Christ, der eine Hausgemeinde leitet. Der seinen Namen tragende Brief ist auch zur öffentlichen Verlesung bestimmt. Onesimus ist Sklave des Philemon, Apphia wahrscheinlich seine Frau, Archippus vielleicht sein Sohn (Phlm 1).

PHILETUS (1), „Geliebter" (vgl. Philadelphia; Philemon; Philippi; Philippus; Philologus; Philometor; Theophilus), häretischer Christ, der die Auferstehung schon für geschehen hält (2 Tim 2, 17–18). → HYMENÄUS.

PHILIPPER (1), Phil 4, 15 Christen aus → PHILIPPI.

PHILIPPI (4), gr. *Philippoi* (vgl. Philippus), verdankt seinen Namen Philippus II., dem Vater Alexanders d. Gr. Die Stadt gehört zum ersten von vier Bezirken der römischen Provinz Mazedonien und genießt als römische „Kolonie" seit 31 v. Chr. die gleichen Rechte wie die italienischen Städte (Apg 16, 12). Ihre Bevölkerung ist auch mehrheitlich italienischer Herkunft. Die jüdische Minderheit besitzt keine Synagoge, sondern versammelt sich außerhalb der Stadt am Ufer eines Flusses (16, 13).
Im Verlauf seiner zweiten Missionsreise (um 49–50) gründet Paulus, der von Silas und Timotheus begleitet wird, hier eine der ersten christlichen Gemeinden auf europäischem Boden. Weil er Unruhe in die Stadt gebracht habe, wird er ins Gefängnis geworfen, aber auf wunderbare Weise befreit (Apg 16, 11–40; vgl. 1 Thess 2, 2). Am Ende seiner dritten Missionsreise (Pascha 58) kommt er wieder hier vorbei (Apg 20, 6). Aus dem Philipperbrief spricht eine außergewöhnliche Herzlichkeit (Phil 1, 3–8; 4, 1). Die Beziehungen des Apostels zur Gemeinde waren so eng, daß die Philipper ihn sogar mit materiellen Gütern versorgen durften, was den anderen paulinischen Gemeinden verwehrt war (Phil 2, 25; 4, 10–19; vgl. Apg 16, 15.40; 2 Kor 11, 8).
Christen in Philippi → EVODIA; KLEMENS; LYDIA; SYNTYCHE.
Hafen von Philippi → NEAPOLIS.

PHILIPPUS, „Pferdeliebhaber" (vgl. Philetus; Archippus).
1° **Philippus II.** (2), König von Mazedonien, Vater des → ALEXANDER 1°.
2° **Philippus V.** (1), 1 Makk 8, 5: König von Mazedonien, 197 von den Römern geschlagen bei Kynoskephalä.
3° **Philippus** (5), Freund des Antiochus Epiphanes, sein Vertrauter, von ihm zum Vormund seines Sohnes, des künftigen Antiochus V., und anstelle des Lysias zum Regenten des Reiches ernannt (1 Makk 6, 14–16; vgl. 3, 32). Nach dem Tod des Epiphanes flieht Philippus nach Ägypten zu Ptolemäus Philometor (2 Makk 9, 29). Später kehrt er nach Antiochia zurück, um Lysias zu vertreiben (2 Makk 13, 23), wird aber von ihm geschlagen (1 Makk 6, 55f.63).
4° **Philippus** (3), ein **Phrygier** (1), Aufseher des Antiochus Epiphanes in Jerusalem, ein noch größerer Barbar als der, der ihn eingesetzt hatte (2 Makk 5, 22; 6, 11; 8, 8).
5° **[Herodes] Philippus** (2) → HERODES 5°.
6° **[Herodes] Philippus** (3) → HERODES 6°.
7° **Philippus** (16) **von Betsaida** (2) **aus Galiläa** (1), einer der Zwölf. In der Liste der Zwölf führt er die zweite Gruppe von vier Aposteln an (Mt 10, 3 // Mk 3, 18 // Lk 6, 14 // Apg 1, 13). Nach Joh 1, 43–48 stammt er aus demselben Ort wie Petrus und Andreas. Er führt Jesus nach seiner Berufung den Natanael zu. Mit Andreas tritt er in der Speisungsgeschichte auf (Joh 6, 5–7), und wieder mit Andreas vermittelt er den in Jerusalem anwesenden Griechen eine Begegnung mit Jesus (12, 20–22). Schließlich verlangt er von Jesus eine sichtbare Offenbarung des Vaters (14, 8–9). → ZWÖLF; Liste S. 383.
8° **Philippus** (16), einer der → SIEBEN, der **Evangelist** (Apg 21, 8), predigt in Samaria (8, 4–13), tauft einen hohen Beamten der Königin von Äthiopien (8, 26–40). Er hat vier prophetisch begabte Töchter, und in Cäsarea nimmt er Paulus, der von seiner dritten Missionsreise zurückkehrt, in sein Haus auf (21, 8f). – Polykrates von Ephesus und Eusebius von Cäsarea haben ihn mit dem Apostel Philippus identifiziert, was in der neueren Exegese kaum noch geschieht.

PHILISTER (300), hebr. *Pelischti(m)*, gr. *Phylistiim* (11 x): Gen 10, 14 — Jos 13, 3; 1 Makk 3, 24; Sir 46, 18; 47, 7; 50, 26. Sonst wird die hebr. Bezeichnung immer mit *allophyloi*, „Fremdstämmige", wiedergegeben, z. B. in 1 Makk 3, 41; 4, 22.30; 5, 66.68. Sie gehören zu den „Seevölkern", die von Kaftor abstammen (Gen 10, 14; 1 Chr 1, 12; Am 9, 7; vgl. Dtn 2, 23; Jer 47, 4), d. h. von Kreta oder den Inseln des Ägäischen Meers, und die sich um das 12. Jahrhundert v. Chr. an der Küste Kanaans südlich des Karmel niederlassen.
Das **Philisterland** (19): Gen 21, 32.34; Ex 13, 17; 1 Sam 27, 1; 29, 11; 30, 16; 31, 9; 1 Kön 5, 1; 2 Kön 8, 2–3; 1 Chr 10, 9; 2 Chr 9, 26; 1 Makk 3, 24.41; 4, 22; 5, 66. Es heißt auch „Gebiet der Philister" (1 Sam 6, 1; 27, 7.11) oder die „Bezirke der Philister" (Jos 13, 2; vgl. 1 Makk 5, 68) oder „Gaue der Philister" (Joël 4, 4). Es umfaßt die Schefela im Westen des Berglands von Juda und die Küstenebene.
Die Philister werden mehrmals als „Unbeschnittene" (also Nicht-Semiten) bezeichnet (Ri 14, 3; 15, 18; 1 Sam 14, 6; 17, 26.36; 31, 4; 2 Sam 1, 20; 1 Chr 10, 4). Politisch gesehen, bilden sie eine Konföderation von **fünf Städten** (Pentapolis), die jeweils von einem Fürsten regiert werden. Die „fünf Philisterfürsten" werden in Jos 13, 3 und 1 Sam 6, 17–18 aufgezählt. Als Gruppe werden sie 22 x genannt (Ri 3, 3; 16, 5–30; 1 Sam 5, 8–11; 6, 4–18; 7, 7; 18, 30; 29, 2–9; 1 Chr 12, 20; Sir 46, 18; vgl. Jer 25, 20, wo sie „Könige" genannt werden).
→ ASCHDOD; ASCHKELON; EKRON; GAT 1°; GAZA.
Mit Streitwagen gut ausgerüstet (1 Sam 13, 5) und mit Eisenwaffen versehen, deren Monopol sie sich gegenüber Israel sichern wollen (1 Sam 13, 19–22), möchten die Philister ihr Herrschaftsgebiet auf das Bergland ausdehnen. Ihre politische Einheit und militärische Stärke stellen lange Zeit eine Gefahr für Israel dar. Zur Richterzeit liefert Jahwe die Israeliten den Philistern aus (Ri 10, 7; 13, 1; vgl. 3, 1–3), und die Simsongeschichte spiegelt nur auf schwankhafte Weise diesen Streit mit dem alten Erzfeind wider (Ri 14—16). Mit Simson beginnt aber erst die Befreiung Israels aus der Hand der Philister (Ri 13, 5), den endgültigen Sieg erringen dann später Saul (1 Sam 13—14; 1 Makk

4, 30), der aber von den Philistern geschlagen auf Gilboa stirbt (1 Sam 31; 2 Sam 1, 20; 21, 12), und vor allem David in seinem berühmten Kampf gegen Goliat (1 Sam 17) und seinen vielen siegreichen Schlachten (1 Sam 18, 17–27, 30; 19, 8; 23, 1–5; 2 Sam 5, 17–25 // 1 Chr 14, 8–16; 2 Sam 8, 1.12; 19, 10 Sir 47, 7). Gleichwohl bleiben die Philister die Feinde Israels (vgl. Ps 83, 8; Sir 50, 26; Jes 9, 11), sie werden als solche noch erwähnt unter Joschafat von Juda (2 Chr 17, 11), Joram (21, 16–17), Usija (26, 6–7), Ahas (28, 18), Hiskija (2 Kön 18, 8) und in den Sprüchen der Propheten (Jes 2, 6; 14, 29–31; Jer 25, 20; 47, 1–7; Ez 16, 27.57; 25, 15–17; Am 1, 8; Zef 2, 5; Sach 9, 6–7).
König → Abimelech 1°.
„Der Philister" → Goliat.
Gott → Dagon.
Andere Stadt → Gibbeton.
„Meer der Philister" → Mittelmeer.

PHILOLOGUS (1), „Der zu sprechen liebt" (vgl. Philetus), ein Christ, den Paulus grüßen läßt (Röm 16, 15).

PHILOMETOR (3), „Der seine Mutter liebt" (vgl. Philetus): 2 Makk 4, 21; 9, 29; 10, 13 → Ptolemäus 6°.

PHLEGON (1), „Brennend", Christ, den Paulus grüßen läßt (Röm 16, 14).

PHÖBE (1), gr. *Phoibe,* „Glänzende" (Beiname der mit der Mondgöttin gleichgesetzten Artemis), „Dienerin der Gemeinde von Kenchräa . . .; sie selbst hat vielen, darunter auch mir, geholfen" (Röm 16, 1–2). Vielleicht hat sie den Römerbrief von Korinth überbracht.

PHOGOR (1) → Fogor.

PHÖNIX (1), gr. *Phoinix* (vgl. Phönizien), Hafen an der Südküste Kretas, den das Schiff zu erreichen sucht, auf dem der gefangene Paulus nach Rom gebracht wird (Apg 27, 12).

PHÖNIZIEN (9), gr. *Phoinike,* „Dattelpalme" oder „Purpur"? (vgl. Phönix), schmaler Küstenstreifen zwischen dem Libanon und dem Mittelmeer, vom Karmel bis zur Mündung des Orontes. In 2 Makk 4, 22 umfaßt Phönizien auch die palästinensische Küste. In der Makkabäerzeit bildet Phönizien mit Zölesyrien eine Provinz, deren Statthalter nacheinander sind → Apollonius 1°; Ptolemäus 9°; Lysias 1°.
Jesus begegnet einer Syrophönizierin (Mk 7, 26), einer „kanaanäischen Frau" (Mt 15, 22). Bei der Verfolgung, die wegen Stephanus entstanden war, kamen die versprengten Missionare „bis nach Phönizien" (Apg 11, 19). Auf ihrem Weg zum Jerusalemer „Konzil" besuchen Paulus und Barnabas die Gemeinden in Phönizien (Apg 15, 3). Auf der Rückreise von der dritten Missionsreise kommt Paulus wieder für sieben Tage nach Tyrus (Apg 21, 2–4).
Städte → Arwad; Gebal 1°; Sidon; Tripolis; Tyrus.
Götter → Anat; Astarte; Baal 1°; El; Hadad 1°; Hadad-Rimmon.

PHRYGIEN (3), kleinasiatische Landschaft im Westen der anatolischen Hochebene zwischen Lydien und Kappadozien, im Jahr 103 v. Chr. der römischen Provinz Asia eingegliedert. Juden aus Phrygien erscheinen auch in der Völkertafel des Pfingstberichts (Apg 2, 10). Paulus kommt auf seiner zweiten und dritten Missionsreise durch das Land (Apg 16, 6; 18, 23). Die dort bestehenden christlichen Gemeinden wurden nicht von ihm gegründet. → Kolossä; Hierapolis; Laodizea.

PHRYGIER (1), 2 Makk 5, 22: aus Phrygien stammend → Philippus 4°.

PHYGELUS (1), kleinasiatischer Christ, der sich aus Gründen, die nicht angegeben werden, von Paulus abgewandt haben soll (2 Tim 1, 15).

PI-BESET (1), hebr. Form des ägypt. *Pi-Bastit,* „Haus der Bastet" (ägyptische Göttin mit dem Katzenkopf), (vgl. Pi-Hahirot; Pitom; Ramses 2°), gr. *Bubastos,* **Bubaste,** Stadt im SO des Nildeltas. Am Tag Jahwes gegen Ägypten werden die jungen Männer von Pi-Beset niedergemetzelt werden (Ez 30, 17).

PICHOL (3), Gen 21, 22.32; 26, 26: Heerführer des → Abimelech 1°.

PI-HAHIROT (4), volkstümliche Erklärung „Mündung der Kanäle"; ägypt. *Pir-Hrt,* „Haus der [syr. Göttin] Hrt" (vgl. Pi-Beset), **gegenüber von Baal-Zefon** (3), Station des Exodus vor dem Durchzug durch das Rote Meer (Ex 14, 2.9; Num 33, 7.8: anstelle von *Hahirot*). Im Osten des Nildeltas.

PILATUS (55), Beiname des **Pontius** (3), **Statthalter** (9) **von Judäa** (1): Lk 3, 1; residiert in Cäsarea, von wo er zu den hohen Festtagen nach Jerusalem kommt. Den Juden ist er verhaßt, weil er mehrfach ihre religiösen Gefühle verletzt und seine Truppen rücksichtslos eingesetzt hat (vgl. den Lk 13, 1 berichteten Zwischenfall). Mit Herodes Antipas ist er zunächst verfeindet, versöhnt sich aber mit ihm (Lk 23, 12). Als Johannes der Täufer an die Öffentlichkeit tritt (Lk 3, 1), ist er bereits Statthalter von Judäa (26–36).
Vor allem ist Pilatus als Richter im Prozeß Jesu bekannt (Mt 27, 2.11–26 // Mk 15, 1–15 // Lk 23, 1–24 // Joh 18, 28 – 19, 16.19–22.31; vgl. 1 Tim 6, 13). Obwohl er die Unschuld Jesu anerkennt (Lk 23, 14f.22; Joh 19, 4.6), verurteilt er ihn doch zum Kreuzestod aus Furcht vor den Juden (Joh 19, 12; vgl. Apg 3, 13; 4, 27; 13, 28), nachdem er sich „vor allen Leuten die Hände gewaschen hat" (Mt 27, 24). Er weigert sich aber, die Inschrift über dem Kreuz zu ändern (Joh 19, 21–22) und überläßt den Leichnam Jesu dem Josef von Arimatäa (Mt 27, 58 // Mk 15, 43f // Lk 23, 52 // Joh 19, 38). Dagegen stellt er den Juden die von ihnen angeforderte Grabeswache zur Verfügung (Mt 27, 62–65).

PILDASCH (1), einer der zwölf Söhne des Abrahamsbruders Nahor, geboren von seiner Frau Milka (Gen 22, 22).

PILHA (1), Führer des Volkes, Mitunterzeichner der Gesetzesverpflichtung (Neh 10, 25).

PILTAI (1), (vgl. Pelet 1°–2°), Priester, Haupt der priesterlichen Familie Moadja zur Zeit des Hohenpriesters Jojakim (Neh 12, 17).

PINHAS, hebr. Form des ägypt. „Der Schwarze" (vgl. Tachpanhes), gr. *Phinees.*
1° **Pinhas** (20) **Sohn des Eleasar** (9) **Sohn Aarons** (3) und einer Tochter des Putiël (Ex 6, 25), tut sich bei Pegor in der Geschichte mit der Midianiterin Kosbi hervor, indem er den Israeliten Simri zugleich mit der ihn verführenden Midianiterin tötet. Aufgrund dieses religiösen Eifers wird ihm die Verheißung eines immerwährenden Priestertums zuteil (Num 25, 7–8.10–13; vgl. 1 Makk 2, 26.54; Ps 106, 30f; Sir 45, 23f). Pinhas nimmt dann auch am Heiligen Krieg gegen Midian teil (Num 31, 6) und trifft bei den Stämmen des Ostjordanlandes Anstalten – nach der Errichtung eines Altars am Jordanufer –, daß sich der „Frevel von Pegor" nicht wiederhole (Jos 22, 13.30–32).
Die Notiz Ri 20, 28, Pinhas habe Dienst vor der Bundeslade getan, ist vermutlich eine Glosse. Für den Chronisten ist Pinhas außerdem für die Zeltwächter verantwortlich (1 Chr 9, 20). Pinhas, Enkel Aarons, gilt als Ahnherr des Zadok (1 Chr 5, 30 // 6, 35 // Esr 7, 5). Unter den Priestern, die aus dem Exil zurückkehren, gibt es Söhne des Pinhas (Esr 8, 2).
Stadt des Pinhas → Gibea 3°.
2° **Pinhas** (7) und **Hofni** (5), **Söhne des Eli** (4), Priester im Heiligtum von Schilo (1 Sam 1, 3). Diese beiden Taugenichtse bringen die Opfer in Verruf (2, 12–17) und mißachten die Vorhaltungen ihres Vaters (2, 22–25). Sie fallen als Begleiter der Bundeslade in einer Schlacht gegen die Philister (4, 4.11.17; vgl. 2, 29.34). Die Frau des Pinhas stirbt bei der Todesnachricht und der Geburt eines Sohnes, des Ikabod (4, 19–22).
Vater des → Ikabod.
3° **Pinhas** (1), Priester, Vater des → Eleasar 5°.

PINON (2), (vgl. Punon), ein Fürst oder Clan in Edom (Gen 36, 41 // 1 Chr 1, 52).

PIRAM (1), **König von Jarmut** (4), Amoriter, verbündet mit → Adoni-Zedek.

PIRATON (1), hebr. *Pirᶜaton,* gr. *Pharathon,* Stadt in Efraim, wo der „kleine" Richter Abdon bestattet ist (Ri 12, 15).
= **Faraton** (1), von Bakchides befestigt (1 Makk 9, 50). Von Sichem 9 km SW entfernt.

PIRATONITER oder **aus Piraton** (5)
→ Abdon 1°; Benaja 2°.

PISCHON (1), gr. *Phison,* einer der vier Paradiesesströme (Gen 2, 11).
= **Phison** (1), mit dem das Gesetz verglichen wird (Sir 24, 25).

PISGA (8), Berg im Ostjordanland beim Toten Meer (Dtn 3, 17; 4, 49), gegenüber von Jericho (Dtn 34, 1). Letzte Station des Exodus vor dem Jordan (Num 21, 20). Vom Pisga herab prophezeit Bileam über Israel (Num 23, 14), und Mose sieht das Gelobte Land (Dtn 3, 27; 34, 1). Im Gebiet von Ruben (Jos 13, 20; vgl. 12, 3).

PISIDIEN (2), kleinasiatische Landschaft zwischen Phrygien im Norden und Pamphylien im Süden, in der römischen Provinz Galatien. Paulus durchquert Pisidien auf dem Hin- und Rückweg bei seiner ersten Missionsreise (Apg 14, 24).
Stadt → Antiochia 2°.

PISPA (1), aus Ascher, einer der drei Söhne des Jitran, tapferer Krieger und Familienhaupt (1 Chr 7, 38).

PITOM (1), ägypt. *Pr-itm,* „Haus des [Gottes] Atum" (vgl. Pi-Beset), Stadt mit Lagerhäusern im Osten des Nildeltas; die Hebräer haben an ihr mitgebaut (Ex 1, 11). Vielleicht *Tell Artabi.*

PITON (2), Benjaminiter, Nachkomme des Königs Saul, Sohn des Micha (1 Chr 8, 35 // 9, 41).

PIZZEZ (1), „Der Zerschmetterer" (vgl. Bet-Pazzez), Priester, Vorsteher der 18. Priesterklasse (1 Chr 24, 25).

POCHERET-ZEBAJIM (2), „Gazellenfalle"? (vgl. Zibja 2°), Haupt einer Familie von Knechten Salomos, die aus dem Exil heimkehren (Esr 2, 57 // Neh 7, 59).

PONTUS (2), gr. *Pontos,* „offene See", Landschaft im Norden Kleinasiens an der Küste des Schwarzen Meers, römische Provinz seit 65 v. Chr. Dort gab es viele Juden (vgl. Apg 2, 9; 18, 2) und später christliche Gemeinden (1 Petr 1, 1).
Stadt → Sampsame.

PORATA (1), pers. Name, Bruder des
→ Parschandata.

PORZIUS (1), Apg 24, 27 → Festus.

[POSEIDON], gr. Gott des Meeres, der *Neptun* der Römer.

POSIDONIUS (1), „von Poseidon", einer der drei Gesandten, die Nikanor zu den Juden schickt (2 Makk 14, 19).

POTIFAR, Abk. von Potifera, ägypt. „Der, den [der Gott] Ra gegeben hat", lat. *Putiphar* (vgl. Putiël).
1° **Potifar** (2), **Ägypter** (3), Kämmerer des Pharao und Oberster der Leibwache, an den Josef, der Sohn Jakobs, verkauft wird (Gen 37, 36; 39, 1.2.5; vgl. 40, 3f; 41, 10).
2° **Potifera** (3), ägypt. Priester von On, Vater der → Asenat.

PRISKA (3) oder Priszilla (3), Frau des
→ Aquila.

PROCHORUS (1), einer von den → Sieben.

[PSUSENNES II.], Pharao (6), **König von Ägypten** (2), der letzte der 21. Dynastie (955–950). Er ist vermutlich der Vater der „Tochter des Pharao", die Salomo zur Frau nahm (1 Kön 3, 1; 7, 8; 9, 16.24; 11, 1). Vielleicht handelt es sich auch in 1 Kön 11, 17–22 um ihn.

[PTAH], ägypt. Gott → Apis.

PTOLEMAIS (19), Name der nach Ptolemäus Philadelphos umbenannten Stadt → Akko.

PTOLEMÄUS (vgl. Ptolemais).
1° **[Ptolemäus I. Soter],** Sohn des Lagos, eines Generals Alexanders d. Gr. (vgl. 1 Makk 1, 6–9),

erster König der hellenistischen Dynastie in Ägypten (306–285).
= **König des Südens** (1), Dan 11, 5; der Feldherr, der ihn an Macht überflügelt, ist → SELEUKUS 1°.
2° **[Ptolemäus II. Philadelphos],** König von Ägypten (285–246).
= **König des Südens** (1), Dan 11, 6; Vater der → BERENIKE 1°.
3° **[Ptolemäus III. Euergetes I.],** König von Ägypten (246–221).
= **König des Südens** (1), Dan 11, 9; er bemächtigt sich Antiochias, der Hauptstadt der Seleukiden, von wo er reiche Beute heimbringt (Dan 11, 7–8).
4° **[Ptolemäus IV. Philopator],** König von Ägypten (221–205).
= **König des Südens** (1), Dan 11, 11; wahrscheinlich Anspielung auf seinen Sieg über Antiochus d. Gr. in der Schlacht von Raphia, ein Sieg, der ohne Folgen blieb (V. 12).
5° **[Ptolemäus V. Epiphanes],** König von Ägypten (205–180).
= **König des Südens** (1), Dan 11, 14. Von Antiochus d. Gr. besiegt, muß er ihm Palästina abtreten; er heiratet Kleopatra, eine Tochter Antiochus' d. Gr., die sich keineswegs die Annexionspläne ihres Vaters zu eigen macht, sondern für ihre neue Heimat, Ägypten, Partei ergreift (vgl. Dan 11, 15–17).
6° **Ptolemäus VI.** (14) **Philometor** (3), **König von Ägypten** (4) von 180 bis 145. Um 174 heiratet er (2 Makk 4, 21). Im ersten ägyptischen Feldzug des Antiochus Epiphanes (169) erleidet er eine schwere Niederlage (1 Makk 1, 18–20). Im folgenden Jahr, zu Beginn des zweiten ägyptischen Feldzugs des Antiochus, wird er von dem Befehlshaber von Zypern, Ptolemäus Makron, der zu Antiochus übergeht, verraten (2 Makk 10, 13). [Nach dem Tod des Antiochus schließt sich sein Vertrauter Philippus dem Philometor an (2 Makk 9, 29)]. Im Jahr 150 gibt Ptolemäus seine Tochter Kleopatra dem Alexander Balas zur Frau. Die beiden Könige begegnen sich in Ptolemais,wo der Makkabäer Jonatan mit ihnen zusammentrifft (1 Makk 10, 51–60). Im Jahr 145 aber begibt sich Ptolemäus nach Antiochia. Dort vereinigt er die beiden Kronen von Ägypten und Asien. Er nimmt seine Tochter dem Alexander wieder weg und gibt sie Demetrius II. zur Frau. Alexander wird in einer Schlacht besiegt und getötet. Auch Ptolemäus stirbt (1 Makk 11, 1–18).
= **König des Südens** (3), Dan 11, 25–27: Anspielungen auf die Niederlage des Ptolemäus (beim ersten ägyptischen Feldzug des Antiochus), auf die schlechten Ratgeber, die ihn umgeben, auf den demütigenden Friedensvertrag, den er als Gefangener des Antiochus unterzeichnen muß (vgl. Dan 11, 40).
7° **Ptolemäus VII.** (1), König von Ägypten (145–117), auch an ihn ist der Brief des Konsuls Luzius gerichtet, in dem das Bündnis zwischen Juden und Römern bekanntgegeben wird (1 Makk 15, 16).
= **Euergetes** (1), Sir Prol. 27.
8° **Ptolemäus** (1), König von Ägypten, der mit Kleopatra verheiratet ist (Est 10, 3[l]; Zusatz zur gr. Übersetzung). Es handelt sich entweder um Ptolemäus VIII. (114–113) oder um Ptolemäus XII. (48–47).
9° **Ptolemäus (5) Sohn des Dorymenes** (2), **Befehlshaber über Zölesyrien und Phönizien** (1), 2 Makk 8, 8. Mit Nikanor und Gorgias führt er den Krieg gegen die Juden (1 Makk 3, 38ff). Einige Jahre vorher hatte sich Ptolemäus bei Antiochus Epiphanes zum Anwalt des verbrecherischen Hohenpriesters Menelaus gemacht (2 Makk 4, 45f). – In 2 Makk 6, 8 ist das gr. *Ptolemäus* wohl in *Leute von Ptolemais* zu korrigieren.
10° **Ptolemäus Makron** (1), Befehlshaber von Zypern, zeigt sich den Juden gegenüber tolerant und großzügig. Er verübt Selbstmord, weil er wegen seines Abfalls von [Ptolemäus] Philometor und des Übergangs zu Antiochus Epiphanes als Verräter beschimpft wird (2 Makk 10, 12–13).
11° **Ptolemäus** (3) **Sohn des Abub** (2), Befehlshaber der Ebene von Jericho, Schwiegervater des Hohenpriesters Simon (Makkabäer), den er mit seinen beiden Söhnen Mattatias und Judas in der Festung Dok oberhalb von Jericho auf heimtückische Weise ermorden läßt (1 Makk 16, 11–21).
12° **Ptolemäus** (1), Sohn des → DOSITHEUS 1°.
13° **Ptolemäus** (1), Vater des → LYSIMACHUS 2°.

PUA, hebr. 1°–2°: *Puᵓah,* „Färbemittel"; 3°: *Puᶜah,* ug. *Pgt,* „Junges Mädchen".

1° **Pua** (1), Sohn des Dodo, Vater des → TOLA 2°.
2° **Pua** (1), → PUWA.
3° **Pua** (1), eine der hebräischen Hebammen in Ägypten (Ex 1, 15–21).

PUBLIUS (2), „Erster" der Insel Malta. Er nimmt Paulus und seine schiffbrüchigen Gefährten gastfreundlich auf. Paulus heilt den an Fieber und Ruhr daniederliegenden Vater des Publius (Apg 28, 7–8).

PUDENS (1), ein Christ in Rom, dem Timotheus bekannt (2 Tim 4, 21).

PUL
1° **Pul** (3), akk. *Pulu,* babyl. Name des → TIGLAT-PILESER.
2° **Pul** (1), Jes 66, 19 → PUT.

PUNITER (1) Num 26, 23 → PUWANITER.

PUNON (2), (vgl. Pinon), Etappe des Exodus (Num 33, 42–43). Heute *Feinan,* 40 km südlich des Toten Meers.

PURA (2), Diener Gideons, begleitet seinen Herrn bis zu den Vorposten der Midianiter (Ri 7, 10–11).

PUT (9), gr. *Phoud* oder *Libyer,* steht in der Völkertafel unter den Söhnen Hams neben Kusch, Ägypten und Kanaan (Gen 10, 6 // 1 Chr 1, 8). Bei den Propheten bezeichnet Put immer ein kriegerisches Volk (Nah 3, 9), und es wird mit Lud (Jes 66, 19 LXX; hebr. *Pul;* Ez 27, 10; Jdt 2, 23) oder Kusch (Ez 38, 5) oder mit beiden zusammen genannt (Jer 46, 9; Ez 30, 5). Put meint wahrscheinlich eine Bevölkerung der afrikanischen Küste, vielleicht im Süden des Roten Meers. Andere denken an Libyen.

PUTEOLI (1), Hafen im Golf von Neapel. Der gefangene Paulus bleibt auf seiner Romreise sieben Tage bei der christlichen Gemeinde der Stadt (Apg 28, 13f). Heute *Pozzuoli.*

PUTIËL (1), ägypt.-hebr. Mischform, „Der, den [der Gott] El gegeben hat" (vgl. Potifar). Eine Tochter Putiëls heiratet den Priester Eleasar, einen Sohn Aarons, und schenkt ihm einen Sohn, den Pinhas (Ex 6, 25).

PUTITER (1), Clan Judas, von Schobal und Hur hergeleitet (1 Chr 2, 53).

PUWA (2), zweiter von vier Söhnen Issachars (Gen 46, 13), dessen Nachkommen die Sippe der **Puwaniter** bilden (Num 26, 23: Korr. des hebr. *Puni*).
= **Pua** (1), 1 Chr 7, 1.

PYRRHUS (1), lat. Umschrift des gr. *Pyrros,* „Rotes Feuer", Vater des → SOPATER.

Q

QUARTUS (1), „Vierter“, Christ in Korinth (Röm 16, 23).

QUELLTOR (3), hebr. *Ajin* (vgl. Ajin), im SO Jerusalems, auf dem Weg, den Nehemia bei seiner nächtlichen Mauerinspektion nimmt (Neh 2, 14); von Schallun, dem Sohn Kolhoses, instandgesetzt (3, 15); an ihm führt die Prozession bei der Mauerweihe vorbei (12, 37).

QUINTUS (1), „Fünfter“, **Memmius** (1) → MEMMIUS.

QUIRINIUS (1), gr. *Kyrenios,* mit seinem ganzen Namen *Publius Sulpicius Quirinius,* **Statthalter von Syrien** (1), führt in Palästina um das Jahr 6 n. Chr. eine Steuererhebung durch. Lk 2, 2 setzt diesen Zensus schon unter der Regierung Herodes d. Gr. (um 6 v. Chr.) an, vielleicht weil Quirinius bereits seit 12 v. Chr. im Vorderen Orient für die römische Politik verantwortlich war.

R

[RA], (vgl. Potifar; Ramses), ägyptischer Sonnengott, seine Hauptstadt ist → On 1°.

RAAMJA (1), einer der zwölf Anführer der aus Babylon heimkehrenden Exilanten (Neh 7, 7).
= **Reelaja** (1), Esr 2, 2.

RABBA, hebr. *Rabbah,* „Die Große [Stadt]" (vgl. Bat-Rabbim; Rabbit; Jerobeam; Merab; Jerubbaal).
1° **Rabba** (9) oder **Rabba der Ammoniter** (5): Dtn 3, 11; 2 Sam 12, 26; 17, 27; Jer 49, 2), Hauptstadt Ammons, liegt gegenüber von Aroër (Jos 13, 25). Man sieht hier das „eiserne Bett" des Königs Og von Baschan (Dtn 3, 11). Von Joab belagert, wird die Stadt von David eingenommen (2 Sam 11, 1; 12, 26–31 // 1 Chr 20, 1–3; vgl. 2 Sam 10, 3). In ihren Sprüchen gegen die Heiden kündigen die Propheten das Strafgericht über Ammon und besonders Rabba an (Jer 49, 2–3; Ez 21, 25; 25, 5; Am 1, 14). → Wasserstadt.
In hellenistischer Zeit heißt die Stadt → Philadelphia 2°. Heute *Amman,* Hauptstadt von Jordanien.
Heimat des → Schobi.
2° **Rabba** (1), Stadt im Bergland Juda (Jos 15, 60).

RABBIT (1), Jos 19, 20 → Daberat.

RABENFELSEN (2), „Fels Orebs", Ri 7, 25; Jes 10, 26 → Oreb

RABSCHAKE (1), gr. *Rapsakes,* hebr. *rab schakeh,* „Obermundschenk". Es handelt sich nur um den Titel eines hohen Heerführers im Lager des Sanherib (vgl. 2 Kön 18, 17.19.26–28). Der gr. Übersetzer des Buches Jesus Sirach hat den Titel aber als Eigennamen verstanden (Sir 48, 18).

RACHEL (48) → Rahel.

RADDAÏ (1), „Jah herrscht", fünfter Sohn Isais und Bruder Davids (1 Chr 2, 14).

RAFA, Abk. von *Rafael?* (vgl. Rafael).
1° **Rafa** (6), 2 Sam 21, 16.18.20.22; 1 Chr 10, 6.8: eponymer Ahnherr der → Rafaïter.
2° **Rafa** (1), fünfter Sohn Benjamins nach 1 Chr 8, 2.
3° **Rafa** (1), Benjaminiter, Nachkomme des Königs Saul und Ahnherr der Söhne Azels (1 Chr 8, 37).
= **Refaja** (1): 1 Chr 9, 43.

RAFAEL, gr. Umschrift des hebr. *Repha'el,* „Gott hat geheilt" (vgl. Bet-Rafa; Rafa; Rafu; Rafaiter; Refaja).
1° **Rafael** (1), aus Naftali, Ahnherr des Tobit und des Tobija (Tob 1, 1). Im Kurztext (Alexandrinus und Vaticanus) weggelassen.
2° **Rafael** (14), ein Engel, der zur Heilung von Tobit und Sara gesandt ist (Tob 3, 17).
= **Asarja** (6) **Sohn des großen Hananja** (1), der Name, unter dem sich der Engel dem Tobit vorstellt und mit dem er von Tobija angeredet wird (5, 13; 6, 7.14; 7, 9; 9, 2).
Er begleitet Tobija als Reiseführer nach Medien, wo dieser eine hinterlegte Geldsumme abholen soll (5, 4). Dank seines überirdischen Eingreifens entgeht Tobija dem Angriff eines Riesenfisches, aus dessen Eingeweiden wertvolle Heilmittel mitgenommen werden (6, 7). Die von einem Dämon

besessene Sara wird geheilt und kann Frau des Tobija werden (6, 11.14.18; 7, 1.9; 8, 2.3). Das Geld wird bei Gabaël geholt (9, 1.2.5), und der alte Tobit erlangt sein Augenlicht wieder (11, 2.7). Erst am Ende seiner irdischen Mission enthüllt der Engel seinen wahren Namen und sein himmlisches Wesen: Rafael, einer von den sieben Engeln,die immer vor Gott stehen (12, 15).
3° **Rafael** (1), Torwächter, ein Sohn des Schemaja, Sohn Obed-Edoms (1 Chr 26, 7).

RAFAIN (1), Simeoniter, Ahnherr der Judit (Jdt 8, 1).

RAFAÏTER, hebr. *Repha'im,* „Heiler" (vgl. Rafael).
1° **Rafaïter** (10) oder **Nachkommen Rafas** (6). Sagenhafte Riesen der Vorzeit, ein Volk so groß, zahlreich und hochgewachsen wie die Anakiter (Dtn 2, 21). Vor der Landnahme der Israeliten wohnen sie im Ostjordanland (Gen 15, 18–20; Jos 17, 15), in Baschan (Dtn 3, 13; Gen 14, 5), Ammon, wo man sie **Samsummiter** nennt (Dtn 2, 20) oder **Susiter** (Gen 14, 5), und Moab, wo sie **Emiter** genannt werden (Dtn 2, 10–11; Gen 14, 5). Vgl. die poetische Beschreibung der Amoriter als „groß wie die Zedern" (Am 2, 9).
Vier „Rafaïter" werden in 2 Sam 21, 16–22 // 1 Chr 20, 4–8 erwähnt. Sie werden von den Helden Davids erschlagen.
→ ANAK; GOLIAT; NEFILIM; OG; SIMSON; SIPPAI.
2° **Rafaïter-Ebene,** wo die Erinnerung an dieses sagenumwobene Volk lebendig geblieben ist. Nahe Jerusalem, an der Grenze zwischen Juda und Benjamin (Jos 15, 8; 18, 16), Schlachtfeld, auf dem Israeliten und Philister zusammentreffen (2 Sam 5, 18.22 // 1 Chr 14, 9.13; 2 Sam 23, 13 // 1 Chr 11, 15). Bebautes Land (Jes 17, 5). Genaue Lokalisierung umstritten.
3° **Rafaïter** (8), poetische Bezeichnung der Verstorbenen (Ijob 26, 5; Ps 88, 11; Spr 2, 18; 9, 18; 21, 16; Jes 14, 9; 26, 14.19), gewöhnlich mit „Schatten" oder „Totengeist" wiedergegeben (nach dem hebr. *raphah,* „schwach sein").

RAFON (1), Stadt in Gilead, bei der die Heere des Judas Makkabäus und des Timotheus aufeinandertreffen (1 Makk 5, 37). Liegt 50 km östlich des Sees Gennesaret, heute *er-Rafeh*

RAFU (1), (vgl. Rafael), Vater des → PALTI 1°.

RAGES (11) **in Medien** (6), Stadt im Bergland, etwa 150 km NO von Ekbatana, nicht weit vom heutigen Teheran. Heimat des Gabaël, bei dem Tobit eine Geldsumme deponiert hat (Tob 1, 14; 4, 1.20; 5, 5.6; 6, 10.13; 9, 2.5).
= **Ragau** (2), Ort, an dem Arphaxad vernichtend geschlagen wird (Jdt 1, 5.15).

RAGMA (5), nach der Priesterschrift einer der fünf Söhne des Kusch und der Vater des Scheba und Dedan (Gen 10, 7 // 1 Chr 1, 9). Südarabischer Stamm, der mit Tyrus Handel treibt (Ez 27, 22).

RAGUËL (22), ein in Ekbatana wohnender Jude, Mann der Edna, Vater der Sara und Schwiegervater des Tobija (Tob 6, 11.13; 7, 1–15; 8, 8.11.15; 9, 5–6; 10, 7–13; 14, 12–13). → SARA 2°.

RAHAB, hebr. 1°: *Rahab,* „Wild", „Stürmisch"; 2°: *Rachab* (vgl. Rehob).
1° **Rahab** (6), Chaosungeheuer, mythische Personifikation des Urmeers, von Gott am Schöpfungstag besiegt (Ijob 9, 13; 26, 12; Ps 89, 11). Auch eine symbolische Bezeichnung für Ägypten (Ps 87, 4; Jes 30, 7). In Jes 51, 9 werden beide Bedeutungen verknüpft. → LEVIATAN; TEHOM.
2° **Rahab** (8), **die Dirne** (5) von Jericho, rettet die Kundschafter Josuas, indem sie sie in ihrem Haus versteckt. Diese Tat wird ihr bei der Eroberung Jerichos durch die Israeliten vergolten. Sie und ihre Familie bleiben am Leben (Jos 2, 1–21; 6, 17.22–25). Das NT lobt sie wegen ihres Glaubens (Hebr 11, 31) und ihrer Gastfreundschaft (Jak 2, 25). Nach Mt 1, 5 ist sie die Mutter des Boas (aufgrund einer rabbinischen Legende?) und eine Ahnfrau Jesu.

RAHAM (1), „Aasgeier", Kalebiter, Sohn des Schema und Vater Jorkoams (1 Chr 2, 44).

RAHEL (48), gr. und lat. *Rachel,* „Schaf", jüngere Tochter des Aramäers Laban, „Hirtin", wegen

ihrer Anmut und Schönheit von Jakob bevorzugt; doch kann er sie erst zu seiner Frau machen, nachdem er ihre ältere Schwester Lea geheiratet hat (Gen 29, 6–31; vgl. Hos 12, 13). Durch ihre Magd Bilha schenkt sie Jakob zwei Söhne, Dan und Naftali (Gen 30, 1–8; 35, 25; 46, 25). Später gebiert sie Josef (Gen 30, 22f.25) und nach der Ankunft in Kanaan (vgl. 31, 4–19.31–35; 33, 1–7) den Benjamin, bei dessen Geburt sie stirbt (35, 16–19; 35, 24; 44, 27; 46, 19.22; vgl. 48, 7). Rahel und Lea gelten als Stamm-Mütter Israels (Rut 4, 11). Das **Grabmal Rahels** (Gen 35, 20) liegt an der Grenze zwischen Benjamin und Efraim (1 Sam 10, 2) bei Rama, 8 km nördlich von Jerusalem (Jer 31, 15; Mt 2, 18).
→ Efraim 4°.

RAKKAT (1), „Gestade" (vgl. Rakkon), befestigte Stadt in Naftali (Jos 19, 35). Vermutlich am See Gennesaret.

RAKKON (1), „Gestade" (vgl. Rakkat), Ort in Dan (Jos 19, 46). An der Küste des Mittelmeers. Vgl. → Me-Jarkon.

RAM (vgl. Rama).
1° **Ram** (4), Sohn des Hezron, Enkel des Perez (Rut 4, 19; 1 Chr 2, 9–10), Nachkomme Judas.
= **Aram** (2), einer der Ahnherren Jesu (Mt 1, 4). Vgl. die Folgenden.
2° **Ram** (2), Erstgeborener des Jerachmeël (1 Chr 2, 25.27). Vgl. den Vorhergehenden und den Folgenden.
3° **Ram** (1), Clan, zu dem Elihu Sohn Barachels, des Busiters gehört (Ijob 32, 2). Vgl. die Vorhergehenden.

RAMA, „Höhe" (vgl. Abiram; Abram; Adoniram; Ahiram; Amram; Baara; Hadoram 2°–3°; Hiram; Jeremai?; Jeremia?; Jeremot?; Joram; Malkiram?; Ram; Ramja; Romamti-Eser; Ruma).
1° **Rama** (16), Nachbarstadt von Bet-El (Ri 4, 5) und Gibea (Ri 19, 13) in Benjamin (Jos 18, 25). Liegt auf dem Gebiet des Königs Asa von Juda, wird aber zeitweilig vom israelitischen König Bascha besetzt (1 Kön 15, 17.21–22 // 2 Chr 16, 1.5–6). Über Rama rückten gewöhnlich die Angreifer aus dem Norden heran (Jes 10, 29; Hos 5, 8). Nach dem Fall des Königsreichs Juda versammeln sich hier die Kolonnen der Deportierten (Jer 31, 15; 40, 1), auch die Leute von Rama ziehen ins Exil (vgl. Esr 2, 26 // Neh 7, 30). Die wieder heimkehrenden Söhne Benjamins nehmen die Stadt in Besitz (Neh 11, 33). Ort, an dem Rahel begraben ist (Jer 31, 15; vgl. Mt 2, 18), 8 km nördlich von Jerusalem. Heute *er-Ram.*
2° **Rama** (15), Stadt Efraims, Heimat Samuels. Hier hat er sein Haus, hier richtet er Israel (1 Sam 7, 17; 8, 4; 15, 34; 16, 13). Dort begegnet der vor Saul fliehende David dem Samuel, und beide wohnen im „Prophetenhaus" (1 Sam 19, 18–23; 20, 1). Samuel liegt in Rama begraben (1 Sam 25, 1 // 28, 3), wo schon seine Eltern, Elkana und Hanna, wohnten (1 Sam 1, 19; 2, 11).
= **Ramatajim** (1), 1 Sam 1, 1 (hebr. *Ramatajim-Zofim*).
= **Ramatajim** (1), Vorort eines Distrikts, der den Juden zuerkannt wird (1 Makk 11, 34: gr. Rathamin; vgl. 10, 30).
= **Arimatäa** (4), Heimat des → Josef 11°. Liegt 14 km NO von Lod. Heute *Rentis.*
3° **Rama** (1), Ort an der Grenze von Ascher (Jos 19, 28). Mit dem Folgenden identisch?
4° **Rama** (1), befestigte Stadt in Naftali (Jos 19, 36).
5° **Rama im Negeb** (2), Stadt der Söhne Simeons (Jos 19, 8), in Juda aufgegangen (1 Sam 30, 27: Ramat-Negeb).
6° **Rama** (1), eine der vorhergehenden Städte, Heimat des → Schimi 10°.
7° **Ramot** (1), Stadt in Issachar, den Leviten des Clans Gerschon zugeteilt (1 Chr 6, 58).
= **Remet** (1), Jos 19, 21.
= **Jarmut** (1), Jos 21, 29.

RAMATAJIM (1), gr. *Ramathaim,* „Die beiden Höhen" → Rama 2°.

RAMATAJIM-ZOFIM (1), 1 Sam 1, 1
→ Rama 2°.

RAMATITER (1), 1 Chr 27, 27: Herkunftsbezeichnung des → Schimi 10°.

RAMAT-LEHI (1), „Höhe des Kinnbackens", Name eines Ortes, der in der Simson-Geschichte durch den Kampf gegen die Philister mit dem Eselskinnbacken erklärt wird (Ri 15, 17) → LEHI.

RAMAT-MIZPE (1), „Aussichtshöhe" → MIZPA 2°.

RAMAT-NEGEB → RAMA 5°.

RAMESSE (1), Jdt 1, 9 → RAMSES 2°.

RAMJA (1), (vgl. Rama?), Israelit aus den Söhnen Parosch, schickt seine ausländische Frau zurück (Esr 10, 25).

RAMOT-GILEAD (24), Zufluchtsstadt in Gad (Dtn 4, 43 // Jos 20, 8), den Leviten vom Clan Merari zugeteilt (Jos 21, 38 // 1 Chr 6, 65), Hauptstadt des 6. salomonischen Distrikts (1 Kön 4, 13). Die von den Aramäern eroberte Stadt versucht Ahab von Israel mit Hilfe Joschafats von Juda zurückzugewinnen, wird aber vor der Stadt getötet (1 Kön 22, 3–6.12.15.20.29 // 2 Chr 18, 2–5.11.14.19.28). Sein Sohn Joram nimmt, durch Ahasja von Juda unterstützt, den Aramäern die Stadt ab, wird aber schwer verwundet. Als er in Jesreel gesund werden will, schmiedet Jehu, der von einem Schüler des Elischa zum König gesalbt wurde, in Ramot-Gilead ein Komplott gegen ihn (2 Kön 8, 28.29 // 2 Chr 22, 5.6; 2 Kön 9, 1–2.4ff.14f). Liegt 35 km östlich von Bet-Schean. Heute *Tell Ramit.*

RAMSES, hebr. *Raᶜamses* oder *Raᶜmses,* ägypt. „Ra hat ihn gezeugt" oder „Sohn des Ra" (vgl. Ra; Mose).
1° **[Ramses II.],** ägyptischer Pharao (1290–1224). Er ist mit großer Wahrscheinlichkeit **der Pharao** des Exodus (vgl. Ex 1, 8—18,10). Vgl. Dtn 6, 21–22; 7, 8–18; 11, 3; 29, 1; 34, 11; 1 Sam 2, 27; 6, 6; 2 Kön 17, 7; Neh 9, 9–10; Jdt 5, 11; Ps 105, 30; 135, 8–9; 136, 10–15; Weish 10, 15; Apg 7, 17–21; Röm 9, 17; Hebr 11, 24–29.
2° **Ramses** (5), auf ägypt. *Pi-Ramses,* „Haus des Ramses" (vgl. Pi-Beset). Residenz des Pharao Ramses II., im Ostteil des Nildeltas gelegen, mit *Tanis* oder mit *Quantir* identifiziert. Josef siedelt seinen Vater und seine Brüder im Gebiet von Ramses an (Gen 47, 11). Der Pharao setzt die Israeliten zur Zwangsarbeit beim Bau der Vorratsstadt Ramses ein (Ex 1, 11). Diese Stadt ist der Ausgangspunkt des Exodus nach dem Gelobten Land (Ex 12, 37; Num 33, 3.5). Als „Ramesse" wird Ramses noch Jdt 1, 9 erwähnt.

RASI (1), einer der Ältesten von Jerusalem, der sich durch seinen Eifer für das Gesetz den Ehrentitel „Vater der Juden" verdient. Als ihn die Truppen des Nikanor in seinem Haus festnehmen wollen, begeht er auf schauerliche Weise Selbstmord (2 Makk 14, 37–46).

RASSIS (Die Söhne des) (1), unbekannter Nomandenstamm, den Holofernes ausplündert (Jdt 2, 23).

REAJA, „Jah hat gesehen".
1° **Reaja Sohn des Schobal** (1), Vater der Zoratiterclans in Juda (1 Chr 4, 2).
2° **Reaja** (1), Rubeniter, Nachkomme Joëls, Ahnherr des Beera (1 Chr 5, 5).
3° **Reaja** (2), Familienhaupt von Tempeldienern, die aus dem Exil heimkehren (Esr 2, 47 // Neh 7, 50).

REBA (2), „Vier", einer der fünf Midianiterkönige, Vasallen des Amoriterkönigs Sihon (Jos 13, 21). Von den Israeliten auf dem Exodus besiegt und getötet (Num 31, 8).

REBEKKA (31), gr. Umschrift des hebr. *Ribqah,* Umstellung von *Biqrah,* „Kuh" (vgl. Lea), **Tochter des Betuël** (3), des Aramäers in Paddan-Aram (Gen 24, 15.24; 25, 20; vgl. 22, 23), Schwester des Aramäers Laban (24, 29–30; 28, 5; vgl. 29, 12), Frau Isaaks (24, 45–67; 25, 20; 26, 7–8) und nach langer Unfruchtbarkeit Mutter der Zwillingsbrüder Esau und Jakob (Gen 25, 21–26; vgl. 26, 35; 27, 42.46). Rebekka bevorzugt Jakob (25, 28) und hilft ihm, den für Esau, den älteren Bruder, bestimmten Segen auf betrügerische Weise zu erlangen (27, 5–17; vgl. Röm 9, 10). Sie wird in der Höhle von Machpela bestattet (Gen 49, 31).
Ihre Amme → DEBORA 1°.

RECHA (1), 1 Chr 4, 12 → Rechab 2°.

RECHAB (vgl. Bet-Markabot).
1° **Rechab** (4), Bruder des → Baana 1°.
2° **Rechab** (9), nach ihm heißt der Clan der **Rechabiter.**
Ihr Ahnherr (Jer 35, 6) ist **Jonadab** (3) oder **Jehonadab** (7) **Sohn des Rechab** (7), ein leidenschaftlicher Jahwegläubiger, der den Jehu in seinem Kampf gegen den Baalskult unterstützt (2 Kön 10, 15.23). Sein Clan lebt nach den Idealen der Wüstenreligion, wie sie einst von den Stämmen Israels geübt wurde: Ablehnung der städtischen und bäuerlichen Kultur (Jer 35, 6–10). Als die babylonischen Truppen auf Jerusalem vorrükken (598), flüchten sich die Rechabiter in die Stadt, und Jeremia stellt sie den Bewohnern Judas und Jerusalems als Vorbild der Treue hin (Jer 35, 2–19).
Nach 1 Chr 2, 55 sollen die Rechabiter den Kenitern verwandt sein, und nach 1 Chr 4, 12 sind die Leute Rechabs aus Kelub (= Kaleb) hervorgegangen.
3° **Rechab** (1), Vater des → Malkija 9°.

RECHABITER (4), Jer 35, 2.3.5.18 vom Clan des → Rechab 2°.

REELAJA (1), Esr 2, 2: einer der zwölf Männer, die den Heimkehrern nach Zion als Anführer dienen.
= **Raamja** (1), Neh 7, 7.

REFACH (1), Efraimiter, Ahnherr Josuas (1 Chr 7, 25).

REFAËL (1), 1 Chr 26, 7 → Rafael 3°.

REFAÏTER → Rafaiter.

REFAJA, „Jah hat geheilt" (vgl. Rafael).
1° **Refaja** (1), Nachkomme des Königs Jojachin über Hananja (1 Chr 3, 21).
2° **Refaja** (1), einer der simeonitischen Stammesfürsten, die im Gebirge Seïr wohnen (1 Chr 4, 42 f).
3° **Refaja** (1), aus Issachar, Haupt der Familie Tola (1 Chr 7, 2).
4° **Refaja** (1) → Rafa 3°.
5° **Refaja Sohn des Hur** (1), verantwortlich für einen Bezirk Jerusalems, hilft freiwillig beim Wiederaufbau der Stadtmauer (Neh 3, 9).

REFIDIM (5), „Ort der Ruhe", letzte Station des Exodus vor dem Sinai (Ex 19, 2; Num 33, 14–15), Ort des Wasserwunders (Ex 17, 1 ff). Nach Ex 17, 7–8 ist Refidim mit Massa und Meriba identisch, und dort soll eine Schlacht zwischen Israel und Amalek stattgefunden haben.

REGEM (1), akk. *Ragimu,* „Blitz" (Beiwort des Gottes Hadad), Kalebiter, einer der Söhne Jahdaïs (1 Chr 2, 47).

REGEM-MELECH (1), (vgl. Regem; Melech), Name des Juden, der den Sarezer begleitet, oder (nach dem syr.) Titel („hoher Beamter des Königs") des Gesandten Sarezer (Sach 7, 2).

REGIUM (1), gr. *Rhegion,* süditalienischer Hafen, heute *Reggio.* Station der Schiffsreise des Paulus von Malta nach Rom (Apg 28, 13).

REGU (5), gr. *Ragau* (vgl. Reguel), nach der Priesterschrift Sohn des Peleg, Vater des Serug und Ahnherr Abrahams (Gen 11, 18–21; 1 Chr 1, 25).
= **Ragau** (1), Ahnherr Jesu (Lk 3, 35).

REGUËL, hebr. *Reᶜuᵓel,* gr. *Raguel,* „Freund Gottes" (vgl. Regu; Reï).
1° **Reguël** (7), **Sohn Esaus** (1), Gen 36, 17 und der Basemat (Gen 36, 4.10; 1 Chr 1, 35), Vater von vier Söhnen, des Nahat, Serach, Schamma und Misa, den „Söhnen der Basemat" (Gen 36, 13). Sie sind die Fürsten oder Clans Reguëls in Edom (Gen 36, 17).
2° **Reguël** (2), Ex 2, 18 **der Midianiter** (1): Num 10, 29; Schwiegervater des Mose.
→ Jitro.
3° **Reguël** (5), Gaditer, Vater des
→ Eljasaf 1°.
4° **Reguël** (1), Benjaminiter, Ahnherr des → Meschullam 6°.

REHABEAM (53), gr. *Roboam,* „Der Onkel hat

mir Raum geschaffen" (vgl. Ps 4, 2) oder „Das Volk hat sich vermehrt" (vgl. Rehob), **Sohn des Salomo** (6) und der Ammoniterin Naama (1 Kön 14, 21 // 2 Chr 12, 13), erster König Judas nach der Reichstrennung (931–913).
Rehabeam folgt seinem Vater Salomo problemlos auf dem Thron (1 Kön 11, 43 // 1 Chr 9, 31) als König von Juda (1 Kön 12, 27; 14, 21 // 2 Chr 12, 13). Als er sich aber nach Sichem begibt, dem Versammlungsort der Nordstämme, um von ihnen als König von Israel anerkannt zu werden, provozieren seine Unnachgiebigkeit (Weigerung, die Steuern zu ermäßigen) und Härte (Entsendung des Aufsehers der Zwangsarbeiter Adoram) das politische Schisma: Jerobeam trennt sich von Juda (1 Kön 12, 1–19 // 2 Chr 10, 1–18). Der Chronist bietet eine tendenziöse Darstellung der Fakten, wenn er Abija sagen läßt, sein Vater sei damals ein junger, furchtsamer Mann gewesen, der den Bösewichten aus dem Norden nicht habe Widerstand leisten können (2 Chr 13, 7). Realistischer ist dagegen das harte Urteil Jesu Sirachs, der den „starrköpfigen Sohn, reich an Torheit, arm an Einsicht" (Anspielung auf den Namen Rehabeams) für den Aufstand der Nordstämme verantwortlich macht (Sir 47, 23). Der Prophet Schemaja rät davon ab, die Revolte mit Gewalt niederzuschlagen (1 Kön 12, 21–23 // 2 Chr 11, 1–4), aber Rehabeam und Jerobeam führen die ganze Zeit über Krieg (1 Kön 14, 30 // 2 Chr 12, 15). Rehabeam befestigt Städte in Juda und Benjamin, und er legt in ihnen Vorräte an Lebensmitteln und Waffen an (2 Chr 11, 5.12.23). Von den aus dem Norden kommenden Priestern und Leviten unterstützt, wandelt er drei Jahre lang auf den Spuren Davids und Salomos (2 Chr 11, 17), dann aber verläßt er das Gesetz Jahwes (2 Chr 12, 1.14; vgl. 1 Kön 14, 22–24). Der Chronist stellt die Invasion Judas durch den ägyptischen König Schischak als Strafe für diese Untreue dar (2 Chr 12, 2–11 // 1 Kön 14, 25–28), als Demütigung des Königs (2 Chr 12, 6.12). Rehabeam ist unter den Ahnherren Jesu (Mt 1, 7).
Mann der → Maacha 9°; Mahalat 2°.
Sein Sohn und Nachfolger → Abija 2°.

REHABJA (2) oder **Rehabjahu** (3), „Jah hat Raum geschaffen" (vgl. Rehob), Levit des Clans Kehat, Enkel des Mose, erster der Söhne Eliësers, Vater einer zahlreichen Nachkommenschaft (1 Chr 23, 17; 24, 21), Aufseher über die Weihegaben (26, 25).

REHOB, „[Markt]platz" (vgl. Rahab 2°?; Rehabja; Rehabeam; Rehobot).
1° **Rehob** (5), zwei Städte des Stammes Ascher (Jos 19, 28.30), von denen eine kanaanäisch bleibt (Ri 1, 31), die andere den Leviten des Clans Gerschon zugeteilt wird (Jos 21, 31 // 1 Chr 6, 60).
2° **Rehob** (2) → Bet-Rehob.
3° **Rehob** (2): 2 Sam 8, 3.12 Vater des → Hadad-Eser. Vgl. den Vorhergehenden.
4° **Rehob** (1), Levit, Mitunterzeichner der Gesetzesverpflichtung (Neh 10, 12).

REHOBOT (1), „Weite Räume" (vgl. Rehob), Brunnen, mit denen von Esek und Sitna genannt, über die es aber keinen Streit gibt (Gen 26, 22). Zwischen Gerar und Beerscheba.

REHOBOT-NAHAR (2), „Die Plätze am Strom" (vgl. Rehob), Stadt in Edom, südlich des Toten Meers. Mögliche Korr.: *Rehobot am Eufrat.* Auf jeden Fall Stadt des Edomiterkönigs → Schaul 1°.

REHOBOT-IR (1), „Die Plätze der Stadt" oder „Die Stadt mit den großen Plätzen" (vgl. Rehob; Ir-Heres), neben Ninive und Kelach genannte Stadt (Gen 10, 11). Nicht identifiziert.

REHUM (vgl. Jeroham).
1° **Rehum** (1), einer der zwölf Männer, die den Zug der Heimkehrer nach Zion anführen (Esr 2, 2).
= **Nehum** (1), Neh 7, 7.
2° **Rehum** (4), Statthalter von Samaria (Hauptstadt der Provinz, die den Distrikt Juda umfaßt). Er erlangt vom König Artaxerxes I. ein Schreiben, das die Einstellung der Arbeiten am Jerusalemer Tempel anordnet, und läßt die Weisung sofort ausführen (Esr 4, 8.9.17.23).
Sein Sekretär → Schimschai.
3° **Rehum Sohn des Bani** (1), Levit, hilft freiwillig beim Wiederaufbau der Mauer mit (Neh 3, 17).

4° **Rehum** (1), Führer des Volkes, Mitunterzeichner der Gesetzesverpflichtung (Neh 10, 26).
5° **Rehum** (1) → Harim 1°.

REÏ (1), (vgl. Reguël), sonst unbekannte Persönlichkeit. Im Thronfolgestreit nimmt Reï für Salomo gegen Adonija Partei (1 Kön 1, 8).

REKEM
1° **Rekem** (2), einer der fünf Midianiterkönige, der Vasallen des Amoriterkönigs Sihon (Jos 13, 21). Sie werden von den Israeliten während des Exodus besiegt und getötet (Num 31, 8).
2° **Rekem** (1), Stadt in Benjamin (Jos 18, 27).
3° **Rekem** (2), Kalebiter der Söhne Hebrons, Ahnherr des Maon über Schammai (1 Chr 2, 43–44).
4° **Rekem** (1), Manassiter, Nachkomme des Machir und der Maacha (1 Chr 7, 16).

REMALJA (13), Vater des Königs → Pekach.

REMET (1) → Rama 7°.

RESA (1), Sohn des Serubbabel und Ahnherr Jesu (Lk 3, 27).

RESEN (1), Stadt zwischen Ninive und Kelach (Gen 10, 12). Nicht identifiziert.

RESON Sohn des Eljada (1), zunächst Diener des Königs Hadad-Eser von Zoba, dann Bandenführer und schließlich als König von Damaskus Widersacher Salomos (1 Kön 11, 23).

RESCHEF (1), „Flamme" (kanaanäischer Gott), Efraimiter, Ahnherr Josuas (1 Chr 7, 25). Mögliche Korr.: *Reschef und Telach* zu → Schutelach.

RËUMA (1), Nebenfrau Nahors, des Bruders Abrahams, und Mutter von vier Söhnen: Tebach, Gaham, Tahasch und Maacha (Gen 22, 24).

REZEF (2), von Sanherib eroberte Stadt (2 Kön 19, 12 // Jes 37, 12). Zwischen Palmyra und dem Eufrat.

REZIN, akk. *Razunnu,* gr. *Raasson, Rason.*
1° **Rezin** (9), **König von Aram** (5) oder **der Aramäer** (1), bildet mit König Pekach von Israel eine antiassyrische syro-efraimitsche Koalition. Als Ahas von Juda seinen Beitritt verweigert, dringen Rezin und Pekach in Juda ein und bedrohen Jerusalem (2 Kön 15, 37; 16, 5; vgl. Jes 9, 10?) und die davidische Dynastie, indem sie den regierenden König durch den Sohn Tabeals, einen Mann ihrer Wahl, ersetzen wollen (Jes 7, 1.4–9; vgl. 8, 6). Der König der Aramäer und Pekach legen Ahas schweren Tribut auf (2 Chr 28, 5–8). Dieser wendet sich an König Tiglat-Pileser III. von Assyrien, der die Koalitionspartner vernichtend schlägt. Rezin stirbt (2 Kön 16, 7–9). Der hebr. Text von 2 Kön 16, 6 berichtet, daß Rezin Elat eingenommen und dort die Edomiter angesiedelt habe, die sich der syro-efraimitischen Koalition angeschlossen hätten.
2° **Rezin** (1), Haupt einer Familie von Tempeldienern, die aus dem Exil heimkehren (Esr 2, 48 // Neh 7, 50).

RHEGION (1) → Regium.

RHODE (1), „Rose" (vgl. Rhodos), junge Magd im Hause der Maria, der Mutter des Johannes Markus. Als Petrus aus dem Gefängnis freikommt, klopft er an die Tür des Hauses, Rhode erkennt ihn an der Stimme, vergißt aber in ihrer Freude, ihm zu öffnen (Apg 12, 13).

RHODOKUS (1), jüdischer Offizier, verrät sein Volk, wird verhaftet und hingerichtet (2 Makk 13, 21).

RHODOS (2), Insel im SO des Ägäischen Meers. Dort befindet sich eine jüdische Kolonie. So ist auch der Brief des Konsuls Luzius, der das Bündnis zwischen Juden und Römern bekanntgibt, nach Rhodos adressiert (1 Makk 15, 23). Auf dem Rückweg von seiner dritten Missionsreise macht Paulus hier kurzen Aufenthalt (Apg 21, 1).
= **Rodaniter** (1), 1 Chr 1, 7: Bewohner von Rhodos.

RIBAI (2), Benjaminiter, Vater des → Ittai 2°.

RIBLA (12) **im Lande Hamat** (5), Stadt am Orontes, zwischen Hamat und Damaskus. Heute *Rableh*. Ribla bildet die Nordgrenze Palästinas (Ez 6, 14: hebr. *Dibla*). Bei Ribla legt der Pharao Necho im Jahr 609 den König Joahas von Juda in Ketten (2 Kön 23, 33). Dort schlägt Nebukadnezzar von Babylon sein Hauptquartier auf und tötet nach dem Fall Jerusalems (587) dort die Söhne des Zidkija, blendet ihn selbst (2 Kön 25, 6–7 // Jer 39, 5–7; 52, 9–11) und läßt den Stadtadel von Jerusalem hinrichten (2 Kön 25, 20–21 // Jer 52, 26–27).

RIFAT (2), einer der drei Söhne Gomers, des Sohnes Jafets (Gen 10, 3 // 1 Chr 1, 6). Ein nicht identifiziertes Volk.

RIMMON , 1°–4°: hebr. „Granatbaum" (vgl. En-Rimmon; Gat-Rimmon; Rimmon-Perez); 5°: akk. *Ramanu* (vgl. Hadad-Rimmon; Tabrimmon).
1° **Rimmon** (4) **im Negeb** (1): Sach 14, 10; zählt zu den Städten des Negeb von Juda (Jos 15, 32), früher eine Stadt Simeons (Jos 19, 7 // 1 Chr 4, 32).
= **En-Rimmon** (1), von den Söhnen Judas nach dem Exil wieder bewohnt (Neh 11, 29).
2° **Rimmon** (3), Grenzstadt Sebulons (Jos 19, 13), den Leviten des Clans Merari zugeteilt (Jos 21, 35: Korr. von *Dimna* // 1 Chr 6, 62: Korr. von *Rimmono*).
3° **Sela-Rimmon** oder **Felsen Rimmon** (4), Zuflucht der Benjaminiter, die den Vernichtungsfeldzug Israels gegen sie nach dem Verbrechen von Gibea überlebt haben (Ri 20, 45.47; 21, 13). Liegt 6 km östlich von Bet-El. Heute *Rammun*.
4° **Rimmon aus Beerot** (3), Benjaminiter, Vater des Rechab und des → Baana 1°.
5° **Rimmon** (3), einer der Namen des Hadad, des aramäischen Gewittergottes. Naaman, der Befehlshaber des aramäischen Heeres, besucht seinen Tempel in Begleitung des Königs (2 Kön 5, 18).

RIMMON-PEREZ (2) „Granatbaum der Bresche" (vgl. Rimmon 1°–4°; Perez), Etappe des Exodus zwischen dem Sinai und Kadesch (Num 33, 19–20).

RINNA (1), „Geschrei", Judäer, einer der Söhne des Schimon (1 Chr 4, 20).

RISSA (2), Etappe des Exodus zwischen dem Sinai und Kadesch (Num 33, 21–22).

RITMA (2), „Ginster", Etappe des Exodus zwischen dem Sinai und Kadesch (Num 33, 18–19).

RIZJA (1), (vgl. Tirza ?), aus Ascher, einer der drei Söhne des Ulla, Familienhaupt, angesehener Mann (1 Chr 7, 39–40).

RIZPA (4), „glühender Stein", **Tochter des Aja** (4), Nebenfrau des Saul, dann des Abner (2 Sam 3, 7–8). Von Saul hat sie zwei Söhne, Armoni und Merib-Baal. Als diese von den Gibeonitern gehängt werden, wacht Rizpa mehrere Monate lang bei ihren Leichnamen, bis sie beerdigt werden (2 Sam 21, 8–11).

ROBOAM (53) → Rehabeam.

RODANITER (1), 1 Chr 1, 7: Bewohner von → Rhodos.
In Gen 10, 4 wird anstelle der unbekannten *Dodaniter* (hebr. *Dodanim*) Rodaniter gelesen.

ROGEL-QUELLE (4) → Walkerquelle

ROGLIM (2), „Die Walker" (vgl. Walkerquelle), Ort in Gilead, Heimat des → Barsillai 1°.

ROHGA (1), aus Ascher, einer der Söhne Schemers, angesehener Mann, Familienhaupt (1 Chr 7, 34).

ROM (20), Hauptstadt des Römischen Reiches. Die erste Anspielung auf Rom im AT findet sich Dan 11, 30, wo die **Kittäer** vermutlich die Römer bezeichnen. Kurz vor Ende des 2. Jahrhunderts v. Chr. singt der Autor von 1 Makk ein begeistertes Loblied auf die **Römer** (1 Makk 8, 1–6). Unter Antiochus IV. Epiphanes – vor seiner Regierung Geisel in Rom (1 Makk 1, 10) wie später Demetrius I. (1 Makk 7, 1) – nehmen drei römische Legaten mit den Juden Kontakt auf (2 Makk 11,

34–38). Unter Demetrius I. schickt Judas Makkabäus den Eupolemus und Jason nach Rom, um ein Bündnis zu schließen (1 Makk 8, 17–32; vgl. 2 Makk 4, 11), das Jonatan (1 Makk 12, 1–4.16) und nachher Simon (1 Makk 14, 16–19.40; 15, 15–24) erneuert haben. Nikanor hofft, durch den Verkauf jüdischer Kriegsgefangener die Summe zu erlangen, die der König den Römern als Tribut schuldet (2 Makk 8, 10.36).
Das NT erinnert uns, daß Judäa unter römischer Herrschaft (seit 63 v. Chr.) steht (Joh 11, 48), daß es in Rom eine starke jüdische Kolonie gibt (Apg 18, 2; vgl. 2, 10), daß Philippi eine römische Siedlung ist (Apg 16, 12.21). Die Hauptstadt des Reiches wird vor allem im Zusammenhang mit dem Wirken des Paulus genannt. Der Apostel ist „römischer Bürger von Geburt an" (Apg 22, 28; vgl. 16, 37–38; 22, 25–29; 23, 27), er plant mehrmals, nach Rom zu gehen (Röm 15, 22; vgl. Apg 19, 21). Von Korinth aus schreibt er im Winter 57–58 seinen „Römerbrief" (Röm 1, 7.19). Als er Pfingsten 58 in Jerusalem verhaftet wird, fühlt er sich vom Herrn gerufen, „auch in Rom" Zeugnis abzulegen (Apg 23, 11). Nach Cäsarea überführt, appelliert er an den Kaiser, um in Rom vor Gericht gestellt zu werden (Apg 25, 10.12; vgl. 28, 17), weil er bzw. Lukas das Gerechtigkeitsempfinden der Römer hoch einschätzt (Apg 25, 16; vgl. 18, 15; 28, 16). Eine ereignisreiche Überfahrt bringt ihn nach Rom (Apg 27, 1 – 28, 14), wo er zwei Jahre (61–63) als Gefangener in einer Mietwohnung zubringt (Apg 28, 15–16) und das Reich Gottes verkündigt (28, 30–31). Aus 2 Tim 1, 8; 2, 9 wird oft eine zweite römische Gefangenschaft erschlossen, was aber sehr umstritten ist. Die römische Gemeinde wurde wahrscheinlich von Juden und Proselyten gegründet, die zu den Hochfesten nach Jerusalem pilgerten (vgl. Apg 2, 10), doch scheint sie nach der Vertreibung der Juden aus Rom (Apg 18, 2) überwiegend heidenchristlich geworden zu sein (vgl. Röm 1, 5–6.13; 11, 13). Jedenfalls bilden die Judenchristen gegen Ende des Jahrhunderts wohl nur noch eine Minderheit (vgl. Apg 28, 21–28). Paulus läßt 28 Mitglieder der Gemeinde grüßen (Röm 16, 1–5), falls die Grußliste ursprünglich für Rom bestimmt war.
Symbolischer Name → BABYLON b).
→ ITALIEN.
Kaiser → AUGUSTUS; KLAUDIUS; TIBERIUS.
Prokonsuln → GALLIO; LUZIUS 1°; PAULUS 2°.
Legaten → MANILIUS; MEMMIUS; PAULUS 2°.
Statthalter → FELIX; FESTUS; PILATUS; QUIRINIUS.
Tribun → LYSIAS 3°.
Hauptleute → JULIUS; KORNELIUS.
Andere → PUBLIUS; TERTULLUS.

ROMAMTI-ESER (2), „Ich habe mich erhoben, [du, meine] Hilfe" (vgl. Rama; Eser), von den Nachkommen Hemans (1 Chr 25, 4), Leiter der 24. Sängerklasse (25, 31).

ROMFA (1), babylonische Gottheit, deren Kult nach dem Fall des Nordreichs (721) in Samaria eingeführt wurde (Apg 7, 43). Vgl. → KEWAN.

ROSCH (1), „Haupt", Sohn Benjamins (Gen 46, 21).

ROSSTOR (4), hebr. *Susim,* in den Ostmauern Jerusalems; führte vermutlich zu den königlichen Ställen (2 Kön 11, 16 // 2 Chr 23, 15; Jer 31, 40; Neh 3, 28).

ROTES MEER (3), gr. *Erythra thalassa,* Übersetzung des hebr. *Jam Suf,* „Schilfmeer", von Gott beim Exodus Israels trocken gelegt (Jdt 5, 13; Hebr 11, 29; vgl. 1 Kor 10, 1f), Schauplatz von Zeichen und Wundern (Apg 7, 36).
= **Schilfmeer** (24), eine Lokalisierung ist schwierig, denn der Ausdruck bezeichnet mehrere Dinge:
– den Ort, an dem die Israeliten unter Führung des Mose beim Auszug aus Ägypten das Meer auf wunderbare Weise durchquerten (Ex 15, 4.22; Dtn 11, 4; Jos 2, 10; 4, 23; 24, 6f; Neh 9, 9ff; Ps 106, 7.9.22; 136, 13.15; vgl. die Stellen, an denen nur das Wort „Meer" gebraucht wird: Ex 14 – 15; Num 33, 8; Ps 66, 6; 74, 13; 77, 17.20; 78, 13.53; 114, 1.3.5; Jes 43, 16; 50, 2; 51, 10; 63, 11.
– den Golf von Suez (Ex 10, 19; 13, 18; Num 33, 10–11).
– den Golf von Akaba (Num 14, 25; 21, 4; Dtn 1, 40; 2, 1; 1 Kön 9, 26; Jer 49, 21; Ex 23, 31?; Ri 11, 26 ?).

RUBEN (70), hebr. *Re'uben,* volkstümliche Etymologie *Ra'ah be'onje* „[Jahwe] hat mein Elend gesehen“, **Erstgeborener Jakobs** (2): Gen 35, 23; 46, 8; vgl. 49, 3, oder **Erstgeborener Israels** (5): Ex 6, 14; Num 1, 20; 26, 5; 1 Chr 5, 1.3.
Als ältester der Jakobssöhne und erstes Kind der Lea (Gen 29, 32) ist Ruben der eponyme Ahnherr des gleichnamigen Stammes. Er wird 15 × von 30 in den Listen der Stämme Israels an der Spitze genannt. Als Ältester verteidigt er (nach der elohistischen Tradition) Josef gegen seine Brüder, die ihn töten wollen (Gen 37, 21f, 29; 42, 22), und bietet seine Söhne als Geiseln anstelle Benjamins an (Gen 42, 37). Er verliert sein Erstgeburtsrecht wegen seines Verhältnisses zu Bilha, der Nebenfrau seines Vaters Jakob (Gen 35, 22; 1 Chr 5, 1f; vgl. Gen 49, 3f).
Es gibt vier Söhne oder Clans von Ruben (Gen 46, 9; Ex 6, 14; Num 26, 5–7; 1 Chr 5, 3–10). Von Musterungen des Stammes ist Num 1, 21 und 26, 7 die Rede. Ruben, Gad und Ostmanasse bilden die transjordanischen Stämme. Auch findet man oft die Zusammenstellung Ruben / Gad (Num 32, 1–2.6.25.29.31; Jos 22, 25.32–34) oder Ruben / Gad / Halb-Manasse (Num 32, 33–39; 34, 14–15; Dtn 3, 12–16; 4, 43; 29, 7; Jos 1, 12; 4, 12; 12, 6; 13, 8; 18, 7; 32, 1–21; 2 Kön 10, 33; 1 Chr 5, 18.26; 26, 32). Nach Num 32, 1–4 lassen sich Ruben und Gad im Land Jaser und im Land Gilead nieder. Die Aufteilung der Städte zwischen den beiden (Num 32, 34–38) zeigt, daß Ruben ein Gebiet inmitten von Gad einnimmt. Dagegen befindet sich Ruben nach Jos 13, 15–28 im Süden zwischen dem Arnon und der Stadt Heschbon, Gad im Norden.
Trotz Num 32, 6–32; Jos 1, 12–18; 22, 1–9 haben Ruben und Gad wohl nicht an der Landnahme Kanaans teilgenommen. Ri 1 und Jos 1—11, wo von dieser Landnahme berichtet wird, räumen ihnen keinen wirklichen Platz ein. Wenn Ruben ursprünglich eine bedeutende Gruppe war (worauf der Ausdruck „Erstgeborener“ hinweist), dann hat er seinen Vorrang verloren (vgl. Gen 49, 3–4; Dtn 33, 6: kleine Zahl). Nach der Richterzeit ist von Ruben nicht mehr die Rede. Ständige Kämpfe mit Moab, Gad und den Nomaden (vgl. 1 Chr 5, 10) scheinen Ruben aufgerieben zu haben. Wohl infolge dieses Niedergangs sind Rubeniter ins Westjordanland übergewechselt: vgl. den Stein Bohans, des Sohnes Rubens, an der Grenze zwischen Juda und Benjamin (Jos 15, 6; 18, 17); die zugleich rubenitischen und judäischen Clans des Karmi und Hezron; der rubenitische und benjaminitische Clan Bela; der Inzest Rubens, der in Migdal-Eder südlich von Bet-El lokalisiert wird (Gen 35, 21–22).
Ruben in den Stammeslisten → S. 376f.
Rubeniter → ADINA; BEERA 1°; DATAN; ELIZUR; ELIËSER 5°; SCHAMMUA 1°.

RUBENITER (19): Num 26, 7; 34, 14; Dtn 3, 12.16; 4, 43; 29, 7; Jos 1, 12; 12, 6; 13, 8; 22, 1; 2 Kön 10, 33; 1 Chr 5, 6.26; 11, 42; 12, 38; 26, 32; 27, 16; vom Stamm → RUBEN.

RUFUS, gr. *Rouphos,* „Rot“ (vgl. Edom).
1° **Rufus** (1), Bruder des Alexander und Sohn des Simon von Zyrene (Mk 15, 21).
2° **Rufus** (1), Christ in Rom. Paulus fühlt sich der Mutter des Rufus wie seiner eigenen verbunden (Röm 16, 13). Identisch mit dem Vorhergehenden?

RUMA (1), (vgl. Rama) → ARUMA.

RUT (13), „Freundin“, „Gefährtin“, **die Moabiterin** (7).
Hauptperson des kleinen Buchs, das ihren Namen trägt. In dieser Erzählung geht es einmal um die Eigenschaft Ruts als „Fremde“ im Bundesvolk (2, 10) – sie ist eine Moabiterin (1, 4.22; 2, 2.6.21; 4, 5.10; vgl. 1, 1.2.6.22; 4, 3) – und dann um ihre Treue zur Familie (3, 10). Schon durch ihre erste Ehe ist Rut in einen efratitischen Clan aus Betlehem in Juda eingetreten (1, 1–5), sie bleibt ihrer Schwiegermutter Noomi verbunden (1, 14.18), kehrt mit ihr nach Betlehem zurück (1, 22), wo sie Boas heiratet, ihren nächsten Verwandten (2, 20; 4, 9–10) Der aus dieser Verbindung geborene Sohn Obed (4, 13–17) ist der Vater Isais und Großvater Davids (4, 17.22). Deshalb hat Rut auch einen Platz im Stammbaum Jesu (Mt 1, 5).

S

SAAWAN (2), hebr. *Za^cawan,* zweiter der drei Söhne des Ezer, des sechsten Sohnes des Seïr (Gen 36, 27 // 1 Chr 1, 42).

SABA (24), gr. Umschrift des hebr. *Scheba.*
Die Priesterschrift leitet Saba von Ham über Kusch her (Gen 10, 7 // 1 Chr 1, 9), der Jahwist von Sem über Joktan (Gen 10, 28 // 1 Chr 1, 22) oder von Abraham über Jokschan (Gen 25, 3 // 1 Chr 1, 32).
Dieses Händlervolk, **die Sabäer** (Joël 4, 8; vgl. Ijob 6, 19; Ez 27, 22–23; 38, 13), wohnt in Südarabien, einem Gebiet, das wegen seines Goldes und seiner Edelsteine (Ps 72, 10.15), seiner Duftstoffe und Gewürze berühmt ist (Jes 60, 6; Jer 6, 20; Ez 27, 22–24).
Die Königin von Saba (8) kommt nach Jerusalem, weil sie von der Weisheit Salomos gehört hat; sie bringt ihm von den Schätzen ihres Landes und schließt mit ihm wohl auch Handelsverträge ab (1 Kön 10, 1–13 // 2 Chr 9, 1–12).
= **Die Königin des Südens** (2), sie, die Heidin, war eifriger bedacht, Salomo zu hören, als es die jüdischen Zeitgenossen Jesu waren, die Weisheit Christi zu vernehmen (Mt 12, 42 // Lk 11, 31).
In Ijob bezeichnet *Sabäer* räuberische Nomaden.

SABAD, „Er hat ein Geschenk gemacht" (vgl. Ammisabad; Elsabad; Josabad; Sabdi; Sabdiël; Sabud; Sebadja; Sebuda; Sebulon; Zebedäus;).
1° **Sabad** (2), Nachkomme der Tochter Scheschans, vom Clan Jerachmeël (1 Chr 2, 36–37).
2° **Sabad** (1), Efraimiter (1 Chr 7, 21).
3° **Sabad Sohn des Achlai** (1), Krieger Davids (1 Chr 11, 41).
4° **Sabad Sohn der Ammoniterin Schimat** (1), einer der Mörder des Königs Joasch von Juda (2 Chr 24, 26).
= **Josachar Sohn der Schimat** (1), 2 Kön 12, 22 (var. *Josabad*).
5° **Sabad** (3), drei Israeliten, die ihre fremdländischen Frauen wegschicken; der erste, aus den Söhnen Sattus (Esr 10, 27); der zweite, aus den Söhnen Haschums (10, 33), der dritte, aus den Söhnen Nebos (10, 43).

SABADÄER (1), gr. *Zabadaioi,* ein vom Makkabäer Jonatan besiegter arabischer Stamm (1 Makk 12, 31). Er war vielleicht zwischen dem Antiliban-on und Damaskus beheimatet, wo die heutigen Ortschaften *Zebedani* und *Kefr Zebad* an den Namen erinnern.

SABÄER (2), Joël 4, 8 (hebr. *Scheba'im*); Ijob 1, 15 (hebr. *Scheba*) → SABA.

SABAOT (282) → ZEBAOT.

SABAT (2) → SCHEBAT.

SABBAI
1° **Sabbai** (1), Israelit aus den Söhnen Bebais, schickt seine fremdländische Frau zurück (Esr 10, 28).
2° **Sabbai** (1), Vater des → BARUCH 2°.

SABDI, „Mein Geschenk" (vgl. Sabad).
1° **Sabdi** (3), Judäer, Sohn des Serach (Jos 7, 1.17–18), Ahnherr des → ACHAN.
= ? **Simri** (1), einer der fünf Söhne Serachs, Sohn Judas (1 Chr 2, 6).
2° **Sabdi** (1), Benjaminiter aus den Söhnen Schimis, Familienhaupt in Jerusalem (1 Chr 8, 19).

3° **Sabdi aus Schefam** (1), Aufseher über die Weinvorräte (1 Chr 27, 27).
4° **Sabdi Sohn des Asaf** (1) → SAKKUR 4°.

SABDIËL, „Geschenk Gottes" oder „Mein Geschenk ist Gott" (vgl. Sabad).
1° **Sabdiël** (1), Vater des → JASCHOBAM 1°.
2° **Sabdiël Sohn des Haggedolim** (1), Aufseher über die in Jerusalem wohnenden Priester (Neh 11, 14).
3° **Sabdiël der Araber** (1), Mörder des Alexander Balas (1 Makk 11, 17). Diodorus nennt Sabdiël unter seinem gr. Namen *Diokles.* Ihm soll Alexander Balas seinen Sohn Antiochus anvertraut haben. Sabdiël war vielleicht der Vater des → JAMLIKU.

SABTA (2), einer der fünf Söhne des Kusch (Gen 10, 7 // 1 Chr 1, 9) nach der priesterschriftlichen Überlieferung. In Südarabien?

SABTECHA (2), einer der fünf Söhne des Kusch (Gen 10, 7 // 1 Chr 1, 9) nach der priesterschriftlichen Überlieferung. In Südarabien?

SABUD (vgl. Sabad).
1° **Sabud Sohn des Natan** (1), Vertrauter des Königs Salomo; der hebr. Text nennt ihn auch Priester (1 Kön 4, 5).
2° **Sabud** (1), Vater des → UTAI 2°.

SACHAR, „Lohn" (vgl. Issachar).
1° **Sachar** (1), 1 Chr 11, 35 = **Scharar** (1), Vater des → AHIAM.
2° **Sachar** (1), Torwächter, vierter Sohn des Obed-Edom (1 Chr 26, 4).

SACHARJA (7) **Sohn des Iddo** (2): Esr 5, 1; 6, 14, oder **Sohn des Berechja** (1) oder **Berechjahu** (1) **Sohn des Iddo** (2): Sach 1, 1.7. Einer der zwölf kleinen Propheten, der zwischen Okt./Nov. 520 (Sach 1, 1.7) und Nov. 518 (Sach 7, 1), wenn nicht noch länger, wirkte. Zeitgenosse des Propheten Haggai, mit dem er die Juden zum Wiederaufbau des Jerusalemer Tempels aufruft (Esr 5, 1; 6, 14). Sacharja ist Priester, Haupt der Priesterfamilie Iddo zur Zeit des Jojakim (Neh 12, 16). In dem nach ihm benannten Buch stammen Sach 1–8 sicher vom *Propheten,* der die Juden zur Bekehrung mahnt (1, 3–6; 7, 4–14; 8, 16f) und von seinen Visionen berichtet (1, 7f; 2, 1f; 5f u. ö.). Daneben offenbart das Buch sein *priesterliches* Interesse für den Tempel (vgl. Esr 5, 1; 6, 14), das Fasten (Sach 7, 1–3; 8, 18f) und das „Heilige Land" (2, 16; vgl. 5, 1–11).
Manche Autoren betrachten die Angabe **Sohn des Berechja** oder **Berechjahu** (Sach 1, 1.7) als eine Glosse nach Jes 8, 2 (→ SECHARJA 8°).

SACHEJA (1), Benjaminiter, Familienhaupt, in Moab (1 Chr 8, 10).

SADDUZÄER (14), hebr. *Zadduk,* aram. *Zaddukaja* (vgl. Zadok), Religionspartei (Apg 5, 17; 23, 6), deren Namen sich von → ZADOK 1° herleitet. Ihre Mitglieder rekrutieren sich aus den oberen Klassen der Priester und wohlhabenden Laien. Im Hohen Rat haben sie die Mehrheit. Von den Pharisäern, mit denen sie 7 × zusammen genannt (Apg 23, 7–8) und scharf verurteilt werden (Mt 3, 7; 16, 1 6.11–12), unterscheiden sie sich in drei wesentlichen Punkten:
– Sie halten sich an das geschriebene Gesetz (vgl. Mt 22, 23–24; Mk 12, 18–19 // Lk 20, 27–28), zu dessen Auslegung nur die Priester befähigt seien.
– „Sie behaupten nämlich, es gebe weder eine Auferstehung noch Engel noch Geister, die Pharisäer dagegen bekennen sich zu all dem" (Apg 23, 8). Was die Frage der Auferstehung angeht, so antwortet das synoptische Streitgespräch nicht mit Dan 12, 2–3 (einer von den Sadduzäern abgelehnten Stelle), sondern mit Ex 3, 6, einem dem Gesetz des Mose entnommenen Argument (Mt 22, 23–34 // Mk 12, 18–27 // Lk 20, 27–38).
– Sie sind politisch stärker engagiert und akzeptieren die römische Herrschaft. Machtbewußt und einflußreich, scheinen sie hauptverantwortlich für den Tod Jesu gewesen zu sein: vgl. die Rolle der Hohenpriester in der Passionsgeschichte, wo die Pharisäer nur in Joh 18, 3 genannt werden. Diese Feindseligkeit übertragen die Sadduzäer auch auf die Jünger Jesu (Apg 4, 1; 5, 17).

SADOK → ZADOK.

SAF (1) → Sippai.

SAHAM (1), „Ekel", letzter der drei Söhne der Mahalat und des Königs Rehabeam (2 Chr 11, 19).

SAKKAI, gr. *Zakchaios,* vielleicht Diminutiv von *Secharja* (vgl. Zacharias)? oder „Der Reine"?
1° **Sakkai** (3), Familienhaupt, dessen Söhne mit Serubbabel aus aus dem Exil heimkehren (Esr 2, 9 // Neh 7, 14) und von denen einige ihre fremdländischen Frauen zurückschicken (Esr 10, 40).
2° **Sakkai** (1) → Baruch 2°.

SAKKUR (vgl. Zacharias).
1° **Sakkur** (1), Rubeniter, Vater des → Schammua 1°.
2° **Sakkur** (1), Simeoniter, Nachkomme des Schaul und Vater des Schimi (1 Chr 4, 26).
3° **Sakkur** (1), Levit vom Clan Merari, einer der Häupter der Söhne des Jaasija (1 Chr 24, 27).
4° **Sakkur** (3) **Sohn des Asaf** (1), Vorsteher der dritten Sängerklasse (1 Chr 25, 10; Neh 12, 35; vgl. 1 Chr 25, 2).
= **Sichri Sohn Asafs** (1): 1 Chr 9, 15.
= **Sabdi Sohn Asafs** (1): Neh 11, 7. Ahnherr des → Mattanja 5°; Secharja 25°.
5° **Sakkur Sohn des Imri** (1), hilft freiwillig beim Wiederaufbau der Stadtmauer mit (Neh 3, 2).
6° **Sakkur** (1), Levit, Mitunterzeichner der Gesetzesverpflichtung (Neh 10, 13).
7° **Sakkur Sohn des Mattanja** (1), Vater des → Hanan 7°.
8° **Sakkur** (1), Sänger, schickt seine fremdländische Frau zurück (Esr 10, 24).

SALA (1) → Schelach.

SALAMIËL (1) → Schelumiel.

SALAMIS (1), Hafen an der Ostküste von Zypern. Paulus, Barnabas und Markus verkündigen hier das Evangelium in den Synagogen (Apg 13, 5).

SALATHIËL (3) → Schealtiel.

SALCHA (4), eine der Hauptstädte Ogs in Baschan (Dtn 3, 10; vgl. Jos 12, 5), den Stämmen des Ostjordanlands zugesprochen (Jos 13, 11), von den Gaditern bewohnt (1 Chr 5, 11). Liegt 120 km östlich von Bet-Schean.

SALEM, gr. Umschrift des hebr. *Schalem* „Unversehrt"; *Schalem* ist auch der Name einer in Ugarit bekannten Gottheit. Die hebr. Wurzel des Wortes ruft die Vorstellung der „Fülle", der „Ganzheit", daher des „Friedens" hervor (vgl. Bischlam; Kafar-Salama; Jerusalem, Meschelemja; Meschillemot; Meschullam; Meschullemet; Salim; Salome; Salomo; Schallum; Schalman; Schelemja; Schelomi; Schelomit; Schelumiël; Schillem).
1° **Salem** (3): Gen 14, 18; Hebr 7, 1–2 Stadt, deren König → Melchisedek ist. Von der jüdischen Tradition mit Jerusalem identifiziert.
2° **Salem** (1), durch Ps 76, 3 mit Jerusalem identifiziert.

SALIM (vgl. Salem).
1° **Salim** (1): Jdt 4, 4 „Tal von Salim"; heute *Salim,* 5 km östlich von Jerusalem.
2° **Salim** (1), Ort, in dessen Nähe Johannes tauft (Joh 3, 23). Lokalisierung ungewiß: bei Skythopolis? bei Ain Farah?

SALLAI
1° **Sallai** (1), Benjaminiter, wohnt nach dem Exil in Jerusalem (Neh 11, 8).
2° **Sallai** (1), Neh 12, 20 → Sallu 2°.

SALLU, hebr. 1° *Sallu'*; 2° *Sallu.*
1° **Sallu Sohn des Meschullam** (2), Benjaminiter, der nach dem Exil in Jerusalem wohnt. Seine Genealogie in 1 Chr 9, 7: *Sohn des Hodawja Sohn des Senua,* weicht von der in Neh 11, 7 gegebenen ab: *Sohn des Joëd Sohn des Pedaja Sohn des Kolaja Sohn des Maaseja Sohn des Itiël Sohn des Jeschaja.*
2° **Sallu** (1) = **Sallai** (1), aus dem Exil mit Serubbabel zurückgekehrter Priester (Neh 12, 7); nach ihm heißt eine Priesterfamilie, deren Haupt zur Zeit des Hohenpriesters Jojakim Kallai ist (Neh 12, 20).

SALMA → Salmon.

SALMAI (1), Haupt einer Familie von Tempeldienern, die aus dem Exil heimkehren (Neh 7, 48).
= **Samlai** (1), Esr 2, 46 (*ᑫSalmai*).

SALMANASSAR V. (6), hebr. *Schalmanᵓeser,* akk. *Schulman-aschared,* „[Der Gott] Schulman ist überlegen", **König von Assyrien** (6) oder **der Assyrer** (1) von 727 bis 722, Sohn und Nachfolger Tiglat-Pilesers III.
Er führt zwei Feldzüge gegen Hoschea, den letzten König von Israel. Beim ersten unterwirft sich Hoschea und zahlt an Assyrien einen jährlichen Tribut. Als aber Hoschea in der Folgezeit den Tribut verweigert und ein Bündnis mit Ägypten sucht, läßt ihn Salmanassar ins Gefängnis werfen, und er belagert Samaria. Die Stadt fällt nach drei Monaten, als der Nachfolger Salmanassars, Sargon II., den Thron besteigt (2 Kön 17, 3–5; 18, 9–10). Vgl. Tob 1, 2.13.15.16 (Korr. des gr. *Enemessaros*).

SALMON
1° **Salmon** (4), Nachkomme Judas über Perez, Sohn des Nachschon und Vater des Boas (Rut 4, 20: hebr. *Salma;* var. *Salmon;* V.21: hebr. *Salmon;* var. *Salma)* und Ahnherr Davids. Nach Mt 1, 5 war Salmon „der Vater von Boas; dessen Mutter war Rahab". Ahnherr Jesu (vgl. auch Lk 3, 32).
= **Salma** (2), Sohn des Nachschon und Vater des Boas (1 Chr 2, 11).
2° **Salmon** (2), einer der Söhne Hurs Sohn des Juda (1 Chr 2, 51). Vater mehrerer judäischer Clans, unter ihnen Betlehem, Zora, Netofa (1 Chr 2, 54).

SALMONE (1), Kap im Osten oder Südosten von Kreta (Apg 27, 7).

SALOM (1), 1 Makk 2, 26 → Salu.

SALOM (1), Bar 1, 7 → Schallum 6°.

SALOME (vgl. Salem).
1° **Salome** (2), eine der Frauen, die Jesus nachfolgen und sich in der Nähe des Kreuzes aufhalten (Mk 15, 40). Sie geht auch am Ostermorgen zum Grab, um den Leichnam Jesu zu salben (Mk 16, 1).
= ? **die Mutter der Zebedäussöhne** (2): Mt 20, 20; 27, 55.
2° **[Salome] Tochter der Herodias** (2) und des Herodes Philippus. Sie tanzt bei der Geburtstagsfeier des Herodes Antipas und läßt sich, auf Anstiften ihrer Mutter, auf einer Schale den Kopf des Täufers Johannes bringen (Mk 6, 21–28 // Mt 14, 6–11).

SALOMO, hebr. *Schelomoh,* „Der Friedfertige" (vgl. 1 Chr 22, 9; vgl. 1 Kön 5, 4f; Sir 47, 13.16); gr. *Salomon* (AT), *Solomon* (NT).
1° **Salomo** (303) **Sohn Davids** (6), König von Israel (970–931).
= **Jedidja** (1): 2 Sam 12, 24–25.
Salomo (vielleicht ein Thronname) findet sich 162 × in 1 und 2 Kön, 109 × in 1 und 2 Chr, 12 × im NT.

Regierung Salomos

Geboren in Jerusalem (2 Sam 5, 14) von David und Batseba, der Frau des Urija (Mt 1, 6; vgl. 2 Sam 11, 26–27; 12, 24–25), folgt Salomo trotz der legitimen Ansprüche seines Halbbruders Adonija, die von Abjatar und Joab unterstützt werden, seinem Vater auf dem Thron, was ihm ohne die Intrigen seiner Mutter und des Propheten Natan sicher nicht gelungen wäre (1 Chr 23, 1; vgl. 29, 22–23.28; 2 Chr 1, 1). Er wird an der Gihon-Quelle gesalbt (1 Kön 1, 28–40), und um seine Herrschaft zu festigen (1 Kön 2, 46; vgl. 2, 12; 2 Chr 1, 1), entledigt er sich seiner Widersacher: Adonija (1 Kön 1, 52; 2, 13–26), sein Komplize Joab (1 Kön 2, 28–35), Schimi, der einzig mögliche Thronbewerber aus der Dynastie des Saul (1 Kön 2, 36–46), sie werden alle umgebracht, und Abjatar wird vom Priestertum ausgeschlossen (1 Kön 2, 26–27).
Salomo heiratet *die Tochter des Pharao,* vielleicht Psusennes II. (1 Kön 3, 1; 7, 8; 9, 16.24; 11, 1). Er opfert im alten Höhenheiligtum von Gibeon und hat dort, wie die Überlieferung erzählt, einen

prophetischen Traum (1 Kön 3, 4–15 // 2 Chr 1, 3–12; vgl. Weish 8, 9 – 9, 12). Im Inneren reorganisiert Salomo die Verwaltung des Reiches (1 Kön 4, 1–6), teilt das Land in zwölf Distrikte ein (1 Kön 4, 7f), verleiht aber Juda einen Sonderstatus (1 Kön 4, 19). Er befestigt mehrere Städte (1 Kön 9, 15–19), mehrt die Zahl der Streitwagen und Pferde (1 Kön 10, 26–29 // 2 Chr 1, 14–17). Nach außen unterhält er freundschaftliche Beziehungen mit Phönizien, Hiram von Tyrus (1 Kön 5, 15), Arabien, der Königin von Saba (1 Kön 10 // 2 Chr 9), Zilizien (1 Kön 10, 28), Ammon (Heirat mit der Naama; vgl. 1 Kön 14, 21). Die Flotte, die er in Ezjon-Geber bauen läßt (1 Kön 9, 26–29 // 2 Chr 8, 17–18), ermöglicht ihm lohnende Handelsbeziehungen (vgl. 1 Kön 10, 11–12.22). Gleichwohl muß er sich während seiner ganzen Regierungszeit mit Gegnern herumschlagen: mit dem Edomiter Hadad (1 Kön 11, 14–25) und dem Aramäer Reson (1, 23–24).

Im vierten Jahr seiner Regierung (1 Kön 6, 1) beginnt Salomo mit dem Bau des Tempels auf dem Berg Morija (2 Chr 3, 1). Material und Arbeiter besorgt er sich vom König von Tyrus (1 Kön 5, 15–26), er versichert sich der Hilfe des tyrischen Bronzekünstlers Huram-Abi (1 Kön 7, 13–46), hebt in ganz Israel Fronarbeiter aus (1 Kön 5, 27–32; 9, 15.22) – die „Söhne der Knechte Salomos" (Esr 2, 55–58 // Neh 7, 57–60; 11, 3) sind vielleicht Nachkommen der zur Zwangsarbeit herangezogenen Kanaaniter – und macht Adoram zu ihrem Aufseher (1 Kön 4, 6; 12, 18). Steuern und Abgaben werden erhöht (vgl. 1 Kön 12, 4.9–10). Die Übertragung der Bundeslade und die feierliche Weihe des Tempels münden in ein langes Gebet Salomos (1 Kön 8 // 2 Chr 5—6; vgl. 2 Makk 2, 8–11). Nach dem Chronisten hat Salomo, der Erbauer des Tempels (1 Chr 5, 56; 6, 17; 2 Chr 35, 3; Esr 5, 11; vgl. Apg 7, 47), nur ausgeführt, was David sorgfältig vorbereitet hatte (1 Chr 22; 29, 1–10). Er richtet Klassen von Priestern und Leviten ein (2 Chr 8, 14; vgl. 35, 4; Neh 12, 45). Der Salomonische Tempel wird 587 zerstört. Neben dem Tempel baut Salomo für sich einen Palast in dreizehnjähriger Arbeitszeit (1 Kön 7, 1; vgl. 9, 10), das Libanonwaldhaus, die Thronhalle, seine Privatwohnung und ein Haus für seine ägyptische Frau (1 Kön 7, 1–12). Ferner legt er den Millo im Norden der Davidstadt an (1 Kön 9, 15.24; 11, 27).

Macht, Reichtum und Ruhm verändern das Herz des Königs, der unter dem Einfluß seines großen Harems (1 Kön 11, 1–3) einem religiösen Synkretismus zuneigt (vgl. schon 1 Kön 3, 3; 11, 4–8). Jahwe kündigt das Strafgericht an (1 Kön 11, 9–13; vgl. Sir 47, 20–22). Die politische Opposition verkörpert sich im Efraimiter Jerobeam Sohn des Nebat, einem Beamten Salomos (1 Kön 11, 26f; 2 Chr 13, 6), während Ahija von Schilo die Feindschaft der prophetischen Kreise gegenüber dem König, der Jahwe verlassen hat, zum Ausdruck bringt (1 Kön 11, 29–39). Nach Salomos Tod (1 Kön 11, 43; Sir 47, 23) kommt das Volk „unter zwei Szepter" und aus Efraim wird ein „abtrünniges Reich" (Sir 47, 21).

Die Gestalt Salomos

Zwei Züge prägen die Gestalt Salomos in der Geschichte: der königliche Glanz des Ruhmes und die Weisheit. Von der Herrlichkeit, der Pracht, der Größe und dem Reichtum Salomos spricht die Bibel auf überschwengliche Weise (1 Chr 29, 25; vgl. 1 Kön 3, 13; 1 Kön 10, 27 // 2 Chr 1, 16). Als die Königin von Saba nach Jerusalem kommt und all die Pracht mit ihren eigenen Augen sieht, kann sie sich vor Staunen nicht fassen (1 Kön 10, 1–13 // 2 Chr 9, 1–12). Zum sagenhaften Reichtum Salomos vgl. noch 1 Kön 9, 28 // 2 Chr 8, 18; 1 Kön 10, 14–29 // 2 Chr 9, 13–25 // 2 Chr 1, 14–17; 1 Kön 5, 14; Hld 3, 7–11; Sir 47, 18. Die imposanten und verschwenderisch ausgestatteten Bauwerke (1 Kön 6—7; vgl. Koh 2) sowie die zahllosen Frauen und Nebenfrauen (1 Kön 11, 3) haben seinen Ruhm vermehrt.

Die Weisheit Salomos ist sprichwörtlich. Sie wird illustriert durch das „salomonische Urteil" (1 Kön 3, 16–28). Nach 1 Kön 5, 10–11 war die Weisheit Salomos größer als die aller Söhne des Orients und als die Weisheit Ägyptens (vgl. 1 Kön 3, 6–12 // 2 Chr 1, 8–12; Weish 8, 21 – 9, 18; 1 Kön 5, 21 // 2 Chr 2, 11; 1 Kön 5, 9–14.26; 10, 1–9.23–24 // 2 Chr 9, 1–8.22–23; Sir 47, 12.14–17). Diesem Ruf verdankt Salomo, daß ihm verschiedene literarische Werke zugeschrieben wurden: *zwei Psalmen*

(Ps 72, 1; 127, 1) das *Buch der Sprichwörter* (Spr 1, 1; 10, 1; 25, 1). das Buch *Kohelet* oder *Der Prediger Salomo* (Koh 1, 1.12), das *Hohelied* (Hld 1, 1), das *Buch der Weisheit,* dessen gr. Titel „Die Weisheit Salomos" lautet (vgl. Weish 7—9), und dann zwei apokryphe Bücher, die *Psalmen Salomos* (eine jüdisch-messianische Liedersammlung) und die *Oden Salomos* (ein Gebet- und Gesangbuch aus christlich-gnostischen Kreisen).
Über der Größe Salomos darf man aber nicht die Schattenseiten seiner Regierung übersehen, die erpresserischen Steuererhebungen und die harte Fronarbeit. Und auch die so viel gerühmte Weisheit Salomos hat eine Kehrseite. Salomo stirbt in geistiger Verwirrung, sein Herz hat sich unter dem Einfluß seiner ausländischen Frauen von Jahwe abgewandt (1 Kön 11, 1.4). Für Kohelet ist all dieses Glück, dieser Reichtum und diese Weisheit nur Eitelkeit und Haschen nach Wind (Koh 1, 12 bis 2, 12).
Jesus, der Nachkomme Salomos (Mt 1, 6–7), relativiert auf seine Weise die Herrlichkeit dieses Königs: „Selbst Salomo war in all seiner Pracht nicht gekleidet wie eine von ihnen", d. h. den Lilien des Feldes (Mt 6, 28 // Lk 12, 27). Und von der „Weisheit Salomos" heißt es ganz deutlich: „Hier ist einer, der mehr ist als Salomo" (Mt 12, 42 // Lk 11, 31).
Sein Sohn und Nachfolger → Rehabeam.
Seine Töchter → Basemat 2°; Tafat.
2° **Halle Salomos** (3), Säulengang im Tempel, an der Ostseite des Vorplatzes. Hier lehrt Jesus (Joh 10, 23), und hier versammeln sich die Jerusalemer Christen (Apg 3, 11; 5, 12).

SALU (2), Simeoniter, Vater des → Simri 1°.

SALZ, hebr. *Melach* (vgl. Tel-Melach).
1° **Salzmeer** (9) → Totes Meer.
2° **Salztal** (5), Teil der Araba, zwischen dem Toten Meer und dem Golf von Akaba. Die Edomiter werden hier von David geschlagen (2 Sam 8, 13 // 1 Chr 18, 12: von Abischai; // Ps 60, 2: von Joab); zwei Jahrhunderte später schlägt sie hier Amazja von Juda (2 Kön 14, 7 // 2 Chr 25, 11).
3° **Salzstadt** (1), hebr. *Ir-Melach,* Ort in der Wüste Juda (Jos 15, 62).

SAMARIA, SAMARIEN (130), hebr. *Schomron,* aram. *Schamrajin,* „Wachtturm"? gr. *Samareia* (vgl. Schemarja).

a) Samaria, Hauptstadt, Königreich und Provinz

Samaria ist ursprünglich der Name eines Berges in Kanaan (1 Kön 16, 24; vgl. Sir 50, 26; Am 3, 9; 4, 1; 6, 1), den der König Omri von Israel einem gewissen Schemer abkauft. Dort erbaut er eine Stadt, die er nach dem Besitzer des Berges „Samaria" nennt und die nun anstelle Tirzas Hauptstadt des Nordreiches wird (1 Kön 16, 23–24.28; vgl. Jes 7, 9; 8, 4; 9, 8; Ez 16, 53.55). Seitdem residieren die Könige Israels in Samaria (1 Kön 16, 29; 20, 43; 21, 1.18; 22, 52; 2 Kön 1, 2; 3, 1.6; 10, 36; 13, 1.10; 14, 23; 15, 8.13.17.23.27; 17, 1; 2 Chr 18, 2; 22, 9), und dort liegen begraben die Könige Omri (1 Kön 16, 28), Ahab (1 Kön 22, 37), Jehu (2 Kön 10, 35), Joahas (2 Kön 13, 9) und Joasch (2 Kön 13, 13; 14, 16). Der Königshof von Samaria ist mehrmals Schauplatz von Verbrechen und Verschwörungen, angefangen mit Jehu, der in Jesreel und Samaria die siebzig Söhne Ahabs umbringen läßt (2 Kön 10, 1–17), über Menahem, der den Schallum ermordet (2 Kön 15, 14), bis schließlich zu Pekach, der den Pekachja tötet (2 Kön 15, 25; vgl. Hos 8, 4). Samaria ist auch der Aufenthaltsort von Propheten wie Elischa (2 Kön 5, 3; vgl. 2, 25) und Oded (2 Chr 28, 9; vgl. 2 Kön 23, 18; Jer 23, 13). Als Hauptstadt von Israel wird Samaria häufig zu Jerusalem, der Hauptstadt von Juda, in Beziehung gesetzt (2 Kön 18, 34–35 // Jes 36, 19–20; 2 Kön 21, 13; Tob 14, 4; Jes 10, 11; Jer 23, 13–14; Ez 16, 2.46f; 23; Am 6, 1; Mich 1, 1.5). Die Stadt besitzt eine Akropolis (Ofel) (2 Kön 5, 24) und einen Teich (1 Kön 22, 38).
Der Name der Stadt wird auf das umliegende Land übertragen. Es heißt „das Land Samaria" (2 Kön 18, 34–35 // Jes 36, 19–20 LXX; fehlt im MT), „die Fluren von Samaria" (Obd 19), „die Berge Samarias" (Jer 31, 5) oder „Samaria" (2 Kön 17, 24.26). Es entspricht zunächst dem Nordreich oder Israel. So werden die Könige Ahab und Ahasja „Könige von Samarien" genannt (1 Kön 21, 1; 2 Kön 1, 3).
Während die Stadt in der Vergangenheit mehrmals von den Aramäern bedroht war (1 Kön 20;

2 Kön 6, 24 – 7, 20; vgl. 2 Kön 6, 19–20), wurde sie 724 vom König Salmanassar V. von Assyrien belagert. Sie fiel 721 unter den Schlägen Sargons II., der die Bewohner nach Assyrien deportieren ließ (2 Kön 17, 5–6 // 18, 9–10) und die Provinz *Samarien* gründete, in der er fremde Völkerschaften ansiedelte (2 Kön 17, 24f). Nach dem Untergang des Nordreichs wird sein Gebiet eine Provinz, die zu den verschiedenen Großreichen gehört, die Palästina besetzt halten: Assyrien (vgl. 2 Kön 17, 24; Esr 4, 10), Persien (vgl. Esr 4, 17; Neh 3, 34), das hellenistische Syrien (1 Makk 3, 10; 10, 30; 11, 28.34; 2 Makk 15, 1) und Rom, wo Samarien das Zentralgebiet des westlichen Palästina zwischen Galiläa im Norden und Judäa im Süden ist (Joh 4, 4; Apg 1, 8; 9, 31).

b) Die Sünde Samarias und ihre Bestrafung

Als Samaria die Hauptstadt des Nordreichs wurde, erbte es die „Sünde Jerobeams“ (2 Kön 13, 6.17.21–22): den Altar in Bet-El und das Höhenheiligtum, das Jerobeam, der Sohn Nebats, der Israel zur Sünde verführte, errichtet hatte (vgl. 2 Kön 23, 15). Die „Sünde Samarias“ (Am 8, 14) bezieht sich vielleicht auf die in Samaria eingeführte Verehrung der Göttin Aschima, bestimmt aber auf den schismatischen Kult des „Kalbes von Samaria“, der in Bet-El betrieben wurde (Hos 8, 5–6; 10, 5), d. h. auf das von Jerobeam aufgestellte „Goldene Kalb“ (1 Kön 12, 28–29.32), die „Sünde Israels“ (Hos 10, 8). Die Propheten verurteilen unterschiedslos den Altar von Bet-El, den Tempel des Baal und die von Ahab aufgestellten Kultgegenstände (1 Kön 16, 32–33; 2 Kön 10, 26; 13, 6) sowie alle Höhenheiligtümer in den Städten Samarias (1 Kön 13, 32; 2 Kön 18, 34 // Jes 36, 19; Jes 10, 10–11; vgl. Hos 7, 1). Zugleich kündigen sie das Strafgericht an (Am 3, 9–12; Hos 14, 1; Jes 8, 4). Nach dem Fall des Nordreichs und seiner Hauptstadt sehen die Propheten in diesem Drama ein Vorzeichen des Gerichts über Juda und Jerusalem, wo die Sünden und Vergehen nicht viel anders sind als in Samaria (2 Kön 21, 13; Jes 10, 11; Jer 23, 13–14). Vgl. die symbolische Geschichte von Ohola (Samaria) und der Oholiba (Jerusalem) in Ez 23 (vgl. 16, 46f).
Königreich → ISRAEL d).
Statthalter → AMON 1°.
Städte → BET-EL 1°; SICHEM; SYCHAR.
Berge → GARIZIM.

c) Die Samariter

Das Wort erscheint erstmalig in 2 Kön 17, 29 nach dem Untergang des Reiches Israel. Es bezeichnet nicht einfach nur die Bewohner der Stadt und Provinz Samaria, sondern hat deutlich eine ethnische und religiöse Note. Die Samariter sind eine Mischbevölkerung, bestehend aus den Nachkommen der israelitischen Nordstämme, vor allem Efraim und Manasse, einerseits und den aus verschiedenen Ländern in diese assyrische Provinz umgesiedelten Völkerschaften anderseits (2 Kön 17, 24; Esr 4, 4.9–10). Außerdem brachten diese Fremden ihre Götter und Bräuche mit sich (2 Kön 17, 29–31), aber sie wollten auch dem „Gott des Landes“ ihre Verehrung zollen, wozu sie ein eigens aus dem Exil zurückbeorderter Priester anleiten mußte (2 Kön 17, 26–28). Das Ergebnis war ein religiöser Synkretismus, der sie in den Augen der gläubigen Juden als halbe Heiden erscheinen ließ (2 Kön 17, 41). In nachexilischer Zeit versuchen diese „Völker der Nachbarländer“ (Esr 3, 3), den Wiederaufbau Jerusalems zu hindern (Esr 4, 1–5.6–24; Neh 3, 34). Damit kommt es zur endgültigen Trennung zwischen Juden und Samaritern, zu einer dauernden Feindschaft. Die Samariter errichten im 4. Jh. v. Chr. einen schismatischen Altar auf dem Berg Garizim (2 Makk 6, 2; vgl. Joh 4, 20f) und erkennen von den biblischen Schriften nur den Pentateuch an. Nach Sir 50, 25–26 verabscheuen die Juden die Samariter, dieses „törichte Volk, das in Sichem wohnt“. Diese Abneigung ist auch noch in neutestamentlicher Zeit spürbar (vgl. Mt 10, 5; Lk 9, 52–53; Joh 4, 9), und die Bezeichnung „Samariter“ gilt als Schimpfwort (Joh 8, 48). Gleichwohl ist der „Samariter“ im Evangelium Vorbild der barmherzigen Nächstenliebe (Lk 17, 11–18). Jesus selbst scheint sich nicht gescheut zu haben, durch Samarien zu ziehen (Lk 9, 52; 17, 11; vgl. Joh 4, 4), und es ist wohl auch das erste Missionsgebiet der Urkirche gewesen: durch den Evangelisten Philippus (Apg 8, 1–9), durch Petrus und Johannes (Apg 8, 14–25: Simon Magus!) und durch Barnabas und Saulus (15, 3).

SAMARITER (12): 2 Kön 17, 29; Mt 10, 5; Lk 9, 52; 10, 33; 17, 16; Joh 4, 9.39–40; 8, 48; Apg 8, 25 → SAMARIA c).

SAMARITISCH (3), gr. *Samaritis:* 1 Makk 10, 30; 11, 28.34 → SAMARIA a).

SAMGAR-NEBO (1), hebr. *Samgar-Nebu* (vgl. Nebo 4°), hoher Offizier im Hauptquartier Nebukadnezzars in Jerusalem (Jer 39, 3)? Nach babyl. Dokumenten wird *Samgar* in *Sin-Magir,* eine Stadt im NO Akkads, korrigiert, so daß nur von Nergal-Sarezer, dem „Fürsten von Sin-Magir", die Rede wäre.

SAMLA (4) **von Masreka** (2), König von Edom. Sein Vorgänger ist Hadad, sein Nachfolger Schaul (Gen 36, 36–37 // 1 Chr 1, 47–48).

SAMOS (2), (vgl. Samothrake), Insel im Ägäischen Meer, SW von Ephesus. Dort befindet sich eine jüdische Kolonie, an die der Brief des Konsuls Luzius, der das Bündnis zwischen Römern und Juden bekanntgibt, gerichtet ist (1 Makk 15, 23). Auf dem Rückweg von seiner dritten Missionsreise macht Paulus auf Samos kurz Station (Apg 20, 15).

SAMOTHRAKE (1), „Samos von Thrazien" (vgl. Samos; Thraker). Insel im Norden des Ägäischen Meers, nahe der thrazischen Küste. Sie wurde im 8. Jahrhundert v. Chr. von Bewohnern der Insel Samos besiedelt. Paulus kommt hier auf seiner zweiten Missionsreise mit Silas und Timotheus vorbei (Apg 16, 11).

SAMPSAME (1), Stadt in Pontus am Schwarzen Meer, zwischen Sinope und Trabzon. Dort befindet sich eine jüdische Kolonie, an die der Brief des Konsuls Luzius vom Bündnis zwischen Juden und Römern gerichtet ist (1 Makk 15, 23). Heute *Samsun* in der Türkei.

SAMSON (39) → SIMSON.

SAMSUMMITER (1), Dtn 2, 20 → RAFAÏTER 1°.

SAMUEL, hebr. *Schemuʾel,* „Namen Gottes" oder „Sein Name ist El" (vgl. Sem). Die in 1 Sam 1, 20 gebotene volkstümliche Etymologie paßt besser zu Saul als zu Samuel („Erbetener").
1° **Schemuël Sohn des Ammihud** (1) → SCHEMUËL 1°.
2° **Schemuël** (1), 1 Chr 7, 2 → SCHEMUËL 2°.
3° **Samuel** (144), Efraimit aus Rama, Sohn des Elkana und der lange unfruchtbaren Hanna, wird von seiner Mutter dem Dienst am Heiligtum von Schilo geweiht, wo er beim Priester Eli seine Kindheit verbringt (1 Sam 1, 20–28; 2, 11. 18–21.26) und in einer „Audition" zum *Propheten* berufen wird (1 Sam 3).
Eine Tradition, die ihren Sitz am Heiligtum von Mizpa hat, stellt Samuel als neuen Mose dar (vgl. Ex 18, 13 f; 32, 11). Er gilt sowohl als *Richter,* d. h. als Befreier vom philistäischen Joch, als auch als *Fürbitter* bei Jahwe um diesen Sieg (1 Sam 7, 2–14). Nach 7, 15 – 8, 3 ist Samuel zeit seines Lebens ein wandernder Richter, wie nach ihm seine Söhne (8, 1–5; 12, 2) die letzten der „kleinen" Richter sind. Die wesentliche und entscheidende Rolle jedoch hat Samuel bei der Einführung des Königtums gespielt. Darüber gibt es zwei parallele Überlieferungen. Nach der einen verlangt das Volk einen König, wie ihn die anderen Nationen haben. Ohne diesem Verlangen zuzustimmen, erinnert Samuel an das „Recht des Königs" und seine Mißbräuche (8, 4–22). Er ruft das Volk nach Mizpa zusammen, und dort wird Saul durch Los zum König bestimmt (10, 17–25). Danach zieht sich Samuel zurück und fordert Israel auf, die Rechte Gottes zu achten (1 Sam 12). Nach der anderen Tradition begegnet Samuel, der Gottesmann (9, 6), der Prophet oder Seher (9, 9), in Rama dem jungen Saul, der seine verlorenen Eselinnen sucht, und salbt ihn zum König 9, 1 – 10, 16). Nach dem Sieg über die Ammoniter ruft das Volk am Heiligtum von Gilgal Saul zum König aus (11, 15). Die beiden Traditionen werden in 11, 12–14 harmonisiert. Dann kommt es zum Bruch zwischen Samuel und Saul (13, 8–15; 15). Es heißt, daß Samuel bis zu seinem Tod Saul nicht mehr gesehen habe (15, 35), aber dann treffen sich David und Saul bei Samuel in Rama (19, 18–24), und die Hexe von

En-Dor beschwört auf Verlangen Sauls den toten Samuel (28, 4–20). Nach der Verwerfung Sauls begibt sich Samuel nach Betlehem, wo er nicht den ältesten, sondern den jüngsten der Söhne Isais zum König salbt, den David (16, 1–13; vgl. 1 Chr 11, 3). Samuel stirbt in Rama und wird dort begraben (25, 1 // 28, 3).
Die Tradition hat in Samuel vor allem den Seher (1 Chr 9, 22; 26, 28; 29, 29) oder den Propheten (2 Chr 35, 18; Apg 3, 24; 13, 20; vgl. Hebr 11, 32) gesehen sowie den mit Mose vergleichbaren Fürbitter (Ps 99, 6; Jer 15, 1). Ein Loblied auf Samuel (Sir 46, 13–20). Der Chronist spricht von einer „Geschichte des Sehers Samuel" (1 Chr 29, 29) und macht aus diesem efraimitischen Priester (vgl. 1 Sam 2, 18; 7, 9f) einen Nachkommen Levis über Kehat (1 Chr 6, 7–13) und einen Ahnherrn des Sängers Heman (1 Chr 6, 18–23).

SANBALLAT (10), akk. *Sin-uballit* „[Der Gott] Sin schenkt das Leben" (vgl. Belschazzar; Sin), der **Horoniter** (3), pers. Statthalter von Samarien. Er versucht mit Tobija, dem Statthalter des Ammoniterlands, und Geschem, dem Statthalter der arabischen Föderation von Kedar, den Wiederaufbau der Jerusalemer Stadtmauer zu verhindern (Neh 2, 10.19; 3, 33–35). Die Wachsamkeit des Nehemia macht seine Absichten und Drohungen zunichte: die Angriffe auf die Stadt (4, 1–3), Attentate gegen Nehemia und Schmähungen (6, 1–14). Sanballat hat als Schwiegervater einen Enkel des Hohenpriesters Eljaschib, den Nehemia aus seiner Umgebung verjagt hat (Neh 13, 28).

SANHERIB (20), gr. *Sennacherib,* akk. *Sin-ahhe-eriba,* „Sin hat mir Brüder ersetzt" (vgl. Sin), **König von Assyrien** (36) oder **der Assyrier** (1), **der Großkönig** (4): 2 Kön 18, 19.28 // Jes 36, 4.13 (704–681), Sohn und Nachfolger Sargons II. (entgegen Tob 1, 15).
Als Hiskija von Juda gegen Assyrien revoltiert (2 Kön 18, 7), dringt Sanherib in Juda ein (701) und bemächtigt sich der festen Plätze des Landes (2 Kön 18, 13 // Jes 31, 1 // 2 Chr 32, 1–8). Sanherib nimmt Jerusalem nicht ein, legt aber dem König von Juda die Zahlung eines Tributs auf (2 Kön 18, 14–16). Die assyrischen Annalen bestätigen die Angaben von 2 Kön 18, 13–16. Es gibt übrigens zwei Parallelberichte über die Drohungen des Assyrerkönigs gegen Jerusalem, die Reaktion des Propheten Jesaja und das Scheitern Sanheribs vor Jerusalem. Der erste Bericht (2 Kön 18, 17 – 19, 9a // Jes 36,2 – 37, 9a) enthält: Die Entsendung des Obermundschenks des Assyrerkönigs nach Jerusalem (2 Chr 32, 9–19); die Mahnung des Jesaja und den Rückzug Sanheribs, der sich vor einem Angriff des Pharao Tirhaka schützen muß (vgl. Sir 48, 18; Nah 1, 11). Der zweite Bericht (2 Kön 19, 9b–36 // Jes 37, 9b–37 // 2 Chr 32, 17.20–22) enthält: einen Brief Sanheribs an Hiskija; die Intervention des Jesaja; Abzug der wohl durch die Pest dezimierten assyrischen Armee (vgl. Tob 1, 18; 1 Makk 7, 41; 2 Makk 8, 19; 15, 22; Sir 48, 21). Beziehen sich diese beiden Berichte auf ein und denselben Feldzug Sanheribs im Jahr 701 oder auf zwei verschiedene Feldzüge (701 und um 690)? Sanherib wird von zweien seiner Söhne, Adrammelech und Sarezer, ermordet (2 Kön 19, 37 // Jes 37, 38 // 2 Chr 32, 21f; vgl. Tob 1, 21).

SANOACH
1° **Sanoach** (3), Stadt in der Schefela Judas (Jos 15, 34), nach dem Exil von Judäern bewohnt (Neh 11, 30). Die Einwohner von Sanoach nehmen am Maueraufbau in Jerusalem teil, indem sie das Taltor ausbessern (Neh 3, 13).
2° **Sanoach** (2), Stadt im Gebirge Juda (Jos 15, 56), vermutlich kalebitischen Ursprungs (vgl. 1 Chr 4, 18).

SANSANNA (1), Ort im Negeb von Juda (Jos 15, 31), 15 km NO von Beerscheba.

SAPHIRA (1), gr. *Sapphira,* „Saphir" (Apg 5, 1), Frau des → HANANIAS 1°.

SARA, hebr. **Sarah,** gr. **Sarra,** „Prinzessin", „Herrin" (vgl. Israel; Seraja).
1° **Sara** (42) = **Sarai** (17): Gen 11, 26 – 17, 5, **Frau des Abraham** (6): Gen 11, 29.31; 12, 17; 16, 1.3; 20, 18. Zweimal gibt Abraham seine Frau Sara als seine Schwester aus, beim Pharao in Ägypten (Gen 12, 10–20 J) und bei Abimelech, dem König von Gerar (Gen 20, 1–17 E).

Sara begleitet Abraham von Ur nach Haran (Gen 11, 31) und von da nach Kanaan (12, 5). Die unfruchtbare Sara gibt ihre ägyptische Magd Hagar dem Abraham, um durch sie Nachkommenschaft zu erhalten (Gen 16, 1–8; vgl. 25, 12). Im Alter von 90 Jahren erhält Sarai den Namen Sara und die Verheißung eines Sohnes mit zahlreicher Nachkommenschaft (Gen 17, 15–22 P; vgl. Röm 4, 19). In Mamre verkündet Jahwe der Sara, daß sie übers Jahr einen Sohn gebären wird, und sie lacht (Gen 18, 6–15 J; vgl. Röm 9, 9). Sara gebiert Isaak (Gen 21, 1–7; vgl. 24, 36). Auf Ismael eifersüchtig, verlangt sie von Abraham, daß er Hagar und ihren Sohn verstoße (Gen 21, 8–12). Sie stirbt im Alter von 127 Jahren in Hebron. Abraham begräbt sie in der Höhle von Machpela (Gen 23, 1–20; vgl. 25, 10; 49, 31).
Nach Jes 51, 1–2 ist Sara die Ahnfrau Israels. Paulus sieht in Sara, der Freien, das Vorbild des himmlischen Jerusalem, der Mutter aller freien Gotteskinder (Gal 4, 22–31). Gelobt wird auch der Glaube Saras (Hebr 11, 11) und ihr Gehorsam gegenüber ihrem Eheherrn (1 Petr 3, 6).
2° **Sara** (18) **Tochter des Raguël** (4): Tob 3, 7, 17; 11, 15 und der Edna. Sie hat sieben Männer geheiratet, von denen einer nach dem anderen in der Hochzeitsnacht gestorben ist, alle getötet vom Dämon Aschmodai. Darum bittet sie Gott, ihr das Leben zu nehmen (Tob 3; vgl. 12, 12–14). Auf den Rat des Engels Rafael hin heiratet sie den jungen Tobias (6, 11–18; 7—8). Mit ihrem Mann verläßt sie Ekbatana und die Ihren (10, 7–12), um sich nach Ninive zu ihren Schwiegereltern Tobit und seiner Frau zu begeben (11, 15–17) Nach dem Tod der Schwiegereltern kehren Sara, Tobias und ihre Kinder nach Ekbatana zurück (14, 12).

SARAF (1), „Glühende Schlange" (vgl. Misrefot), Nachkomme Judas über Schela, nach Moab ausgewanderter Clan, später wieder in Betlehem (1 Chr 4, 22).

SARAI (7), andere Form von → SARA 1°.

SARASADAI (1), Jdt 8, 1 → ZURISCHADDAI.

SARCHEDON (6) → ASARHADDON.

SARDES (3), alte Hauptstadt Lydiens in Kleinasien. In der Offenbarung ist ein Brief an die Gemeinde von Sardes gerichtet: „Dem Namen nach lebst du, aber du bist tot" (Offb 3, 1–6; vgl. 1, 11). Etwa 80 km östlich von Smyrna.

SAREPTA (4), Umschrift des hebr. *Zarphat* bzw. *Zarphatah,* **das zu Sidon gehört** (1 Kön 17, 9), **im Land Sidon** (1): Lk 4, 26. Phönizische Stadt zwischen Tyrus und Sidon. Heute *Sarafand.*
Hier hält sich der Prophet Elija während der großen Trockenheit bei einer Witwe auf. Er vermehrt ihre Lebensmittel und erweckt ihren Sohn vom Tod (1 Kön 17, 9–24; vgl. Lk 4, 26). Nach Obd 20 stellt Sarepta die Nordgrenze des neuen Israel dar.

SAREZER, hebr. *Sar'ezer,* akk. *Schar-uzur,* „Schütze den König" (vgl. Belschazzar; Nergal-Sarezer; Schenazzar).
1° **Sarezer** (2), Bruder des → ADRAMMELECH 2°.
2° **Sarezer** (1), ein von der Stadt (?) Bet-El nach Jerusalem gesandter Mann, der dort wegen eines Gedenkfastens um Rat fragen soll (Sach 7, 2). Manche Kommentare lesen Bet-El-Sarezer und sehen in ihm einen hohen persischen Beamten, der wegen der Fastenfrage von Babylon nach Jerusalem geschickt wird.

SARGON II. (1), akk. *Scharru-ukin,* **König von Assyrien** (6), Nachfolger Salmanassars V. (721–705). Zu Beginn seiner Regierung erobert er die Stadt Samaria, die sein Vater seit drei Jahren belagert hatte, deportiert die Bevölkerung nach Assyrien und siedelt in Samaria Völkerschaften aus Mesopotamien an (2 Kön 17, 6 // 18, 11; 17, 24–27; vgl. Jer 50, 17). Zehn Jahre später bemächtigt er sich der philistäischen Stadt Aschdod (Jes 20, 1).
Sein Sohn und Nachfolger → SANHERIB.

SARID (2), „Überlebender", Stadt Sebulons (Jos 19, 10.12). Manche Kommentare lesen mit einigen gr. Hss. *Sadud.*

SARON → SCHARON.

SAR-SECHIM (1), hoher Würdenträger unter den Beamten des Hauptquartiers Nebukadnezzars in Jerusalem (Jer 39, 3). Der Vers bereitet aber zahlreiche Schwierigkeiten, und manche Autoren schlagen vor, anstelle von *Nebo, Sar-Sechim Nebu-Sarsechim* zu lesen.

SASA (1), Sohn des Jonatan, vom Clan Jerachmeel (1 Chr 2, 33).

SATAN (54), hebr. *satan,* „Ankläger" „Widersacher", gr. *diabolos* (AT), *Satanas* (NT).
In 18 Fällen bezeichnet das Wort *Satan* (von einer Wurzel *satan/satam,* „sich widersetzen") ein personifiziertes Wesen, das Gott und den Gläubigen feindlich ist (vgl. Sir 21, 27). In Ijob 1, 6–12; 2, 1–7 (14 ×) und in Sach 3, 1–2 (3 ×) wird „der Satan" (mit Artikel) als Mitglied des himmlischen Hofstaats, als einer der „Gottessöhne" (Ijob 1, 6; 2, 1) oder „Engel des Herrn" (Sach 3, 1–2) vorgestellt. Er spielt hier die Rolle des „Anklägers" gegen Ijob und den Hohenpriester Jeschua. Nach 1 Chr 21, 1 hat Satan (zum Eigennamen geworden) und nicht Jahwe (2 Sam 24, 1) den David zur Volkszählung verführt.
Die LXX übersetzen *(der) Satan* immer mit *ho diabolos* (von *dia-ballo* „Böses sagen", „verleumden"), leiten so zum Sprachgebrauch des NT über (vgl. besonders Weish 2, 24: „der Neid des Teufels"), wo die Worte *satanas* (meist mit Artikel) und *diabolos* 35 × gebraucht werden, um unterschiedslos den Satan zu bezeichnen. Jesus wird vom Satan (Mk 1, 13) oder vom Teufel (Mt 4, 1; Lk 4, 2) versucht. Petrus und Judas, die sich dem Plan Gottes widersetzen, werden der eine als Satan (Mt 16, 23 // Mk 8, 33), der andere als Teufel (Joh 6, 70; vgl. Lk 22, 3; Joh 13,27) hingestellt. Gleiche Bedeutung haben die beiden Wörter auch in Offb 12, 9; 20, 2.
Im Gegensatz zu Gott, dem allein Guten (Mt 19, 17 parr), ist Satan **der Böse** (12): Mt 5, 37 . . . 1 Joh 5, 19, der Feind (Mt 13, 39; Lk 10, 19), der Lügner (Joh 8, 44), der Verführer (Offb 12, 9; 20, 7–8; vgl. 1 Kor 7, 5; 2 Kor 2, 11; 2 Thess 2, 9; 1 Tim 5, 15), mit der alten Schlange von Gen 3 gleichgesetzt (Offb 12, 9; 20, 2; 2 Kor 11, 3), Offenbarer eines falschen Wissens (Offb 2, 24; vgl. Gen 3, 5f). Als Anführer der Dämonen (Mt 9, 34; 12, 24; Mk 3, 22; Lk 11, 15) hat auch er „seine Engel" (2 Kor 12, 7; Mt 25, 41; Offb 12, 7.9; vgl. 2 Petr 2, 4; Jud 6). Als „Herrscher dieser Welt" (Joh 12, 31; 14, 30; 16, 11; vgl. Jak 3, 15; Offb 2, 13–15), als „Gott dieser Welt" (2 Kor 4, 4; vgl. Eph 2, 2) herrscht er über ein Reich der Finsternis (Apg 26, 18; vgl. Lk 22, 53; Kol 1, 13), auch wenn er sich als Engel des Lichts verkleidet (2 Kor 11, 14), und er hat Macht über die Menschen (Lk 4, 6; Joh 13, 27; Apg 5, 3; vgl. Lk 13, 16; 1 Kor 5, 5; 1 Tim 1, 20). Er widersetzt sich Jesus (Versuchungsgeschichte) und den Aposteln (Lk 22, 31; 1 Thess 2, 18). Wenn die Juden Christus verwerfen, zeigen sie sich als „Söhne des Teufels" (Joh 8, 44), als „Synagoge Satans" (Offb 2, 9; 3, 9). Satan wird aber endgültig von Christus besiegt (Lk 10, 18; Joh 12, 31; 14, 30; 16, 11.33; vgl. Offb 12, 7f).
→ ABADDON; BEELZEBUL; BELIAR; LEVIATAN.

SATTU (5), Familienhaupt, dessen Söhne mit Serubbabel aus dem Exil zurückkehren (Esr 2, 8 // Neh 7, 13; vgl. Esr 8, 5 LXX). Einige von ihnen schicken ihre fremdländischen Frauen zurück (Esr 10, 27). Sattu gehört zu den Mitunterzeichnern der Gesetzesverpflichtung (Neh 10, 15).

SAUL (395), hebr. *Schaᵓul,* gr. *Saoul* „[Von Gott] Erbetener", (vgl. Eschtaol; Schealtiel; Schela?; Silas), **Sohn des Kisch** (4), **Benjaminiter** (3), erster König von Israel (1030–1010).

Die Regierung Sauls

Saul stammt aus einem bescheidenen Clan Benjamins (1 Sam 10, 21), dem kleinsten aller Stämme Israels (1 Sam 9, 21; vgl. 9, 1.16; 1 Chr 12, 1–2; Apg 13, 21) und wohnt in Gibea (1 Sam 10, 26; vgl. 11, 4; 15, 34). Als er die Eselinnen seines Vaters sucht, begegnet er in Rama zufällig dem Samuel (1 Sam 9), der ihn insgeheim zum König salbt (1 Sam 10, 1; vgl. Sir 46, 13). Nach anderen Überlieferungen aus kultischen Kreisen wird Saul, ein junger, großgewachsener und schöner Mann (1 Sam 9, 2; 10, 23–24), in Mizpa durch das Los bestimmt (10, 17–25) oder nach einem Blitzsieg über die Ammoniter (11, 1–12) in Gilgal zum König proklamiert (11, 12–15). Samuel, der letzte

„Richter", tritt ab, um Saul, dem ersten König, Platz zu machen (1 Sam 12; vgl. Sir 46, 19).
Von Anfang an übernimmt Saul die Rolle der Richter als Befreier Israels vom Joch der Philister. Sein Sohn Jonatan erschlägt den Philistervogt in Gibea (1 Sam 13, 3f). Es kommt zur Schlacht von Michmas; ein rituelles Vergehen des Volkes, hervorgerufen durch eine willkürliche Entscheidung Sauls, bringt Israel um die Früchte des Siegs (1 Sam 13–14). Saul schlägt auch die Amalekiter; da er aber den König Agag am Leben läßt und den besten Teil der Beute auf die Seite schafft, um ihn Jahwe zu opfern, sündigt er schwer gegen das Banngesetz des Heiligen Kriegs (15, 11–15). Samuel zieht Saul deswegen zur Rechenschaft (15, 16–23), auch wegen des Opfers, das der König in Gilgal dargebracht hatte (13, 7–15; vgl. 10, 8), ohne daß der Grund deutlich würde. Samuel verkündet dem König, daß Jahwe ihn verworfen hat (15, 23.26). Von da an sieht Samuel bis zu seinem Tod Saul nicht wieder (15, 35).
Mit Saul geht es nach der Verwerfung durch Jahwe bergab, ein böser, „von Jahwe kommender" Geist nimmt von ihm Besitz (1 Sam 16, 14). Schwermut, Niedergeschlagenheit und Angst (16, 16.23; 28, 5; 31, 3 MT) wechseln mit Wutausbrüchen (18, 10; 20, 30–33) und prophetischer Raserei (19, 20–24; vgl. 10, 9–12). Saul verfolgt den jungen David – dessen Wert er erkennt (18, 5), aber in dem er einen Konkurrenten sieht (16, 2; 18, 6–8; 22, 17) – mit seiner Eifersucht und seinem Haß (18,9–15.28–29). Er gibt ihm seine Tochter Michal zur Frau in der Hoffnung, ihn damit in eine Falle zu locken (18, 17–30). Die Freundschaft seines Sohnes Jonatan mit David (18, 1–4; 19, 1–7) reizt die Wut des Königs noch mehr. Er versucht mehrmals, David zu töten (19, 8–24; vgl. 18, 10–11). Als er erfährt, daß die Priester von Nob David geholfen haben, läßt er sie umbringen (20, 1–10; 22, 6–22). Um David zu fassen, unternimmt er sogar einen Feldzug (23, 15; 24, 15; 26, 20) und verfolgt ihn bis Keila und in die Wüste (23—24; 26). David aber schont das Leben seines Feindes (24, 20; 26, 11), sucht bei den Philistern Zuflucht, und Saul hört auf, ihn zu suchen (27, 1–4). Angesichts der philistäischen Übermacht am Berg Gilboa konsultiert Saul eine Hexe in En-Dor. Sie beschwört für ihn die Schatten Samuels, und der König erfährt von seiner Niederlage und seinem bevorstehenden Tod (28, 3–25; vgl. Sir 46, 20). Saul und seine Söhne fallen in der Schlacht von Gilboa (1 Sam 31, 1–13 // 1 Chr 10, 1–14; vgl. 2 Sam 1, 1–16; 2, 4–7; 4, 4.10).
Nach dem Tod Sauls geht der Machtkampf zwischen David und dem **Hause Sauls** (16) weiter (2 Sam 3, 1.6). Abner, der Heerführer Sauls, setzt zunächst Eschbaal, den Sohn Sauls, zum König von Israel ein (2 Sam 2, 8–10), während David zum König von Juda gesalbt wird (2 Sam 2, 4). Abner verhandelt bald mit David, um ihm die Herrschaft über ganz Israel anzubieten (2 Sam 3, 12–21). Nach 1 Chr 12, 30 verbünden sich dreitausend Brüder Sauls mit David. Der neue König zeigt sich der Familie Sauls gegenüber nachsichtig (2 Sam 9, 1f), liefert aber den Gibeonitern sieben Nachkommen Sauls zur Hinrichtung aus, damit eine Vertragsverletzung Sauls gesühnt werde (2 Sam 21, 1–9; vgl. Jos 9, 3–27).

Gestalt Sauls

Zwischen Samuel, der sich zurückzieht (1 Sam 16, 12–13), und David, dem Aufsteiger (13, 14; 15, 28), geht Saul gleichsam unter. Er erscheint wie ein Mann des Übergangs zwischen der Zeit der Richter (1 Sam 8, 1–2) und dem Königtum (8, 4–21), und als erster Titelträger hat er eine äußerst schwierige Situation zu bewältigen. Hinzu kommt, daß die Geschichtsschreibung von ihm fast nur Anekdoten berichtet und auf seine Beziehung zu Samuel und David abgestellt ist. Von ihm allein ist nur 33 × die Rede (13, 16 – 14, 52).
Saul ist mehr „Richter" als König und eher ein Heerführer als ein Verwalter des Landes. Die einzige „Maßnahme", die er ergriffen haben soll, war die Verjagung der Totenbeschwörer und Wahrsager (1 Sam 28, 3). Seine Regierung läßt sich zusammenfassen, indem man auf seine Kriege und Siege hinweist (14, 47–48). Seine Tapferkeit und seine militärischen Erfolge besingt auch David in der Totenklage nach der Niederlage von Gilboa (2 Sam 1, 19.21–24.27). Die Tatsache, daß Saul trotz seiner Demut (1 Sam 9, 21; 10, 22; 15, 17.24; 24, 18; 26, 21) und seiner guten Absichten (13, 11–12; 14, 41; 15, 15.20) von Jahwe verworfen

wird (15,23.26; vgl. 13,13f; 15,11.35; 18,12; 2 Sam 7, 15; Apg 13, 22), unterstreicht sowohl die Freiheit der göttlichen Auserwählung (1 Sam 10, 24; vgl. 10, 1; 15, 17) als auch die Verpflichtung des Auserwählten, dem Wort Gottes unbedingt treu zu sein (15, 22–23; vgl. 1 Chr 10, 13). Die Herrschaft Sauls illustriert auf tragische Weise die Schwierigkeit, auf dem Thron der Königsherrschaft Jahwes über Israel zu sitzen (vgl. 1 Chr 28, 5). Saul, der „Gesalbte Jahwes" (1 Sam 10, 1; 12, 3.5; 24, 7.11; 26, 9.11.16.23; 2 Sam 1, 14–16; Sir 46, 19), sucht einen Kompromiß zwischen der Forderung Jahwes, der ihn erwählt hat, und den Wünschen des Volkes, das ihn zum König ausgerufen hat, zu finden. Samuel, der „Prophet", erinnert ihn noch über den Tod hinaus (1 Sam 28, 16–18) an die unverjährbare Pflicht, Gott allein zu gehorchen. In der ganzen Geschichte der israelitischen Monarchie steht der Prophet neben dem König, um ihm ins Bewußtsein zu rufen, daß ein König nur „der Knecht Jahwes" ist (vgl. Natan und David; Elija und Ahab usw.).
Seine Söhne → Eschbaal; Ischbaal; Jonatan 2°; Merib-Baal 1°; 2°.
Seine Töchter → Merab; Michal.
Seine Frau → Ahinoam 1°.
Seine Nebenfrau → Rizpa.
Aus seinem Clan → Schimi 6°.
Seine Stadt → Gibea 1°.

SCHAAF (2), unter den Söhnen Jahdais (1 Chr 2, 47). Gilt als Sohn Kalebs und seiner Nebenfrau Maacha, Vater des Madmanna (1 Chr 2, 49).

SCHAALBIM (3), von den Amoritern bewohnte Stadt (Ri 1, 35). Im Gebiet von Dan (Jos 19, 42), später im 2. Distrikt Salomos (1 Kön 4, 9). NW von Ajalon.
= **Schaalbon** (2), Heimat des → Eljachba.

SCHAALBONITER (2), 2 Sam 23, 32; 1 Chr 11, 33 aus → Schaalbim.

SCHAALIM (Gebiet von) (1), im Gebirge Efraim. Saul sucht hier die Eselinnen seines Vaters (1 Sam 9, 4).

SCHAARAJIM (3), „Die beiden Tore", Stadt in der Schefela Judas (Jos 15, 36), einst von Simeon bewohnt (1 Chr 4, 31). Israel erringt hier einen Sieg über die Philister (1 Sam 17, 52).

SCHAASCHGAS (1), gr. *Gai,* Eunuch des Königs Xerxes, Haremswächter (Est 2, 14).

[SCHABAKA] ist vermutlich der Pharao, an den Hiskija von Juda um 703–702 eine Gesandtschaft schickt, um militärische Hilfe gegen die assyrische Bedrohung zu erbitten (2 Kön 18, 21 // Jes 36, 6; 30, 2–3; vgl. 19, 4.11).

SCHABBETAI (3), „Am Sabbat [geboren]", Levit, widersetzt sich der Auflösung der Mischehen (Esr 10, 15); erklärt dem Volk das Gesetz bei der feierlichen Verlesung durch Esra (Neh 8, 7); verantwortlich für die äußeren Angelegenheiten des Tempels. Eine oder mehrere Personen.

SCHADDAI (48), (vgl. Ammischaddai; Zurischaddai; Schedëur?), gr. *Pantokrator* (15), „Der Allmächtige".
Die Bezeichnung *Schaddai* könnte vom akk. *schadu,* „der Bergbewohner", kommen oder vom hebr. *sadaj, sadeh,* „Der von der Steppe", „Der von den Feldern" (was das akk. *schadu* auch bedeuten kann).
Es gibt zwei Formen: – **Schaddai** (40) allein gebraucht: Num 24, 4.16; Rut 1, 20–21; Ijob (31); Ps 68, 15; 91, 1; Jes 13, 6; Ez 1, 24; Joel 1, 15.
– **El-Schaddai** (8), kombiniert mit El: Gen 17, 1; 28, 3; 35, 11; 43, 14; 48, 3; 49, 25; Ex 6, 3; Ez 10, 5.
Schaddai ist ein alter Gottesname, vielleicht ursprünglich in Nordmesopotamien beheimatet und von den Erzvätern Israels mitgebracht. Er wurde dann mit El identifiziert, daher der Name El-Schaddai. Nach Ex 6, 3 hat sich Gott von Abraham, Isaak und Jakob unter dem Namen El-Schaddai geoffenbart (vgl. Gen 17, 1; 28, 3; 35, 11; 43, 14; 48, 3; 49, 25).

SCHADRACH (15), Name der dem → Hananja 17° beigelegt wird.

SCHAFAM (1), Gaditer, wohnt in Baschan (1 Chr 5, 12).

SCHAFAN
1° **Schafan** (29) **Sohn des Azalja** (2) **Sohn des Meschullam** (1), Sekretär des Königs Joschija. Als er mit dem Hohenpriester Hilkija die Bezahlung der Arbeiter regelt, die den Tempel restaurieren, erfährt er, daß im Tempel das Gesetzbuch (der gesetzgeberische Teil des Dtn) gefunden wurde. Hilkija übergibt das Buch dem Schafan, der es nach Kenntnisnahme zum König bringt und ihm vorliest (2 Kön 22, 3–10 // 2 Chr 34, 8–9). Schafan gehört auch zu der Delegation, die Joschija wegen des Buches zur Prophetin Hulda schickt (2 Kön 22, 12–15.20 // 2 Chr 34, 20–23.28). Seine Söhne und Enkel → AHIKAM; ELASA 3°; GEMARJA 2°; GEDALJA 4°; MICHA 10°.
2° **Schafan** (1), Vater des → JAASANJA 3°.

SCHAFAT, Abk. von *Schefatja*
1° **Schafat Sohn des Hori** (1), Haupt eines Clans im Stamm Simeon, von Mose als Kundschafter nach Kanaan gesandt (Num 13, 5).
2° **Schafat** (4): 1 Kön 19, 16.19; 2 Kön 3, 11; 6, 31 Vater des Propheten → ELISCHA.
3° **Schafat** (1), einer der Söhne des Schechanja, Nachkomme des Königs Jojachin (1 Chr 3, 22).
4° **Schafat** (1), Gaditer, wohnt in Baschan (1 Chr 5, 12).
5° **Schafat Sohn des Adlai** (1), Aufseher über die Rinderherden in den Tälern unter David (1 Chr 27, 29).

SCHAFIR (1), „Schönheit“ (vgl. Schifra), Wortspiel mit *schofar* „Hornbläser“ (nach einer Korr. der Jerusal. Bibel); Ort in der Schefela (Mich 1, 11).

SCHAFTOR (4), hebr. *Zo'n,* gr. *Probatike,* in Jerusalem nördlich des Tempels, zur Zeit Nehemias wiederhergestellt (Neh 3, 1; vgl. 3, 32; 12, 39). Bei diesem Tor befindet sich der Teich Betesda (Joh 5, 2).

SCHAGE (1), Vater des → JONATAN 5°.

SCHAHARAJIM (1), „In der Morgenröte [geboren]“ oder „Die beiden Morgenröten“ (vgl. Scharja), Benjaminiter, wohnt in der Steppe Moab (1 Chr 8, 8). Der hebr. Text ist verderbt und wird verschieden gedeutet.

SCHAHAZAJIM (1), vom hebr. *schahaz,* „erhöhter Platz“, Stadt Issachars, zwischen dem Tabor und dem Jordan (Jos 19, 22).

SCHALISCHA (1), im Gebirge Efraim, 25 km NNO von Lod. Saul durchstreift das **Gebiet von Schalischa** auf der Suche nach den Eselinnen seines Vaters (1 Sam 9, 4).
= **Baal-Schalischa** (1). Mit den zwanzig Gerstenbroten, die ein Mann aus Baal-Schalischa bringt, macht der Prophet Elischa hundert Männer satt (2 Kön 4, 42).

SCHALLECHET (1), „Abgehauener Stamm“, eine Pforte des Tempels in Jerusalem (1 Chr 26, 16). Unbekannt.

SCHALLUM, Abk von *Schelemja* (vgl. Salem).
1° **Schallum** (2), Nachkomme der Tochter Scheschans, vom Clan Jerachmeel (1 Chr 2, 40–41).
2° **Schallum** (1), Simeoniter, Sohn des Schaul, Ahnherr Schimis (1 Chr 4, 25).
3° **Schallum** (1), aus Naftali → SCHILLEM.
4° **Schallum** (4) **Sohn des Jabesch** (3), fünfzehnter König Israels (743), Zeitgenosse des Usija von Juda. Er führt eine Verschwörung gegen den König Secharja von Israel an, ermordet ihn in Jibleam und reißt die Macht an sich. Einen Monat später wird er in Samaria von Menahem umgebracht, der ihm auf dem Thron folgt (2 Kön 15, 10.13–15).
5° **Schallum** (1). Vater des → JEHISKIJA.
6° **Schallum** (3), Sohn des Hohenpriesters Zadok, Nachkomme Aarons (1 Chr 5, 38–39 // Esr 7, 2: Ahnherr des Esra).
= **Meschullam** (2), 1 Chr 9, 11 // Neh 11, 11.
= ? **Salom** (1), Ahnherr des → JOJAKIM 2°.
7° **Schallum** (2) **Sohn des Tikwa Sohn des Harhas** (1): 2 Kön 22, 14 oder **Sohn des Tokhat Sohn des Hasra** (1): 2 Chr 34, 22. Mann der Prophetin Hulda, verantwortlich für die liturgischen Gewänder des Tempels.
8° **Schallum** (2), anderer Name des Königs → JOAHAS 2°.

9° **Schallum** (1), Onkel des Jeremia, Vater des → Hanamel.
10° **Schallum** (1), Vater des → Maaseja 8°.
11° **Schallum** (5), zusammen mit Akkub und Talmon genannt, alle drei Torwächter in Jerusalem (1 Chr 9, 17; vgl. Neh 11, 19), deren Söhne mit Serubbabel aus dem Exil zurückkehren (Esr 2, 42 // Neh 7, 45).
= ? **Meschullam** (1), auch er zusammen mit Akkub und Talmon genannt (Neh 12, 25).
= **Schallum Sohn des Kore Sohn des Ebjasaf Sohn des Korach** (1), 1 Chr 9, 19; Schwellenhüter am Zeltheiligtum.
= **Schallum der Korachiter** (1): 1 Chr 9, 31. Vater des → Mattitja 1°.
= **Meschelemja** (3) **Sohn des Kore, einer der Söhne Ebjasafs** (1): 1 Chr 26, 1 (Korr. des hebr. *Asaf*), Vater von sieben Söhnen (1 Chr 26, 2.9).
= **Meschelemja** (1), Vater des → Secharja 11°.
= **Schelemjahu** (1): 1 Chr 26, 14.
12° **Schallum** (1), Torwächter, schickt seine fremdländische Frau zurück (Esr 10, 24).
13° **Schallum** (1), Israelit aus den Söhnen des Sakkai, schickt seine fremdländische Frau zurück (Esr 10, 42).
14° **Schallum Sohn des Lohesch** (1), Vorsteher des halben Distrikts von Jerusalem, beteiligt sich mit seinen Söhnen (hebr. Töchtern) am Wiederaufbau der Stadtmauer (Neh 3, 12).
15° **Schallum Sohn des Kolhose** (1), Distriktsvorsteher von Mizpa, beteiligt sich am Wiederaufbau der Mauer in Jerusalem (Neh 3, 15: hebr. *Schallun).*

SCHALLUN (1) → Schallum 15°.

SCHALMAN (1), (vgl. Salem), vermutlich *Salamanu,* König von Moab, Vasall des Assyrerkönigs Tiglat-Pileser III. Schalman verwüstet die Stadt Bet-Arbel bei einem Einfall in Gilead (Hos 10, 14).

SCHALTIËL (3) → Schealtiël.

SCHAMA (1), Abk. von *Schemaja,* „Jah hat gehört“, und **Jëuël Söhne des Aroëriters Hotam** (1), zwei Brüder, Krieger Davids (1 Chr 11, 44).

SCHAMGAR (2), hurritischer Name, **Sohn des Anat** (2), nach Ri 3, 31 einer der „kleinen“ Richter Israels, der 600 Philister mit einem Ochsenstachel schlug (vgl. 2 Sam 23, 11 f. 18). In Ri 5, 6 scheint es sich um eine andere Person zu handeln.

SCHAMHUT (1), „[Geboren im Augenblick einer] Katastrophe“ → Schamma 4°.

SCHAMIR
1° **Schamir** (1), Levit, aus den Söhnen Michas, vom Clan der Usiëliter (1 Chr 24, 24).
2° **Schamir** (1), Ort im Bergland Juda (Jos 15, 48), 20 km SW von Hebron.
3° **Schamir** (2), Stadt im Gebirge Efraim, Heimat des „kleinen“ Richters Tola (Ri 10, 1–2).

SCHAMMA, hebr. 1°–4°: *Schammah;* 5°: *Schamma'.*
1° **Schamma** (3), dritter von vier Söhnen und Führern Reguëls in Edom, gilt als Sohn Basemats, der Frau Esaus (Gen 36, 13.17; 1 Chr 1, 37).
2° **Schamma** (2), dritter der Söhne Isais und Bruder Davids (1 Sam 16, 9; 17, 13; vgl. 17, 14–22).
= **Schima** (5), 1 Chr 2, 13: Vater des → Jonatan 4°; Jonadab 1°.
3° **Schamma** (2) **Sohn des Ela** (1) **aus Harar** (2), Krieger Davids, geht bei Lehi aus einem Zweikampf gegen einen Philister siegreich hervor (2 Sam 23, 11).
Vater des → Jonatan 5°.
4° **Schamma aus Harod** (1), anderer Krieger Davids (2 Sam 23, 25).
= **Schammot der Haroditer** (1), 1 Chr 11, 27.
= **Schamhut** (1) **der Serachiter** (1), verantwortlich für den militärischen Dienst im fünften Monat (1 Chr 27, 8).
5° **Schamma** (1), aus Ascher, einer der elf Söhne Zofachs (1 Chr 7, 37).

SCHAMMAI
1° **Schammai** (3), Sohn des Onam und Bruder des

Jada, vom Clan Jerachmeël (1 Chr 2, 28.32). Seine Nachkommenschaft (VV. 28–31).
2° **Schammai** (2), Kalebiter, Sohn des Rekem und Vater des Maon (1 Chr 2, 44–45).
3° **Schammai** (1), einer der Söhne der Pharaonentochter Bitja und des Mered (1 Chr 4, 17). Zu Kaleb gerechnet.

SCHAMMOT der Haroditer (1)
→ Schamma 4°.

SCHAMMUA, Abk. von *Schemaja.*
1° **Schammua Sohn des Sakkur** (1), Clanhaupt im Stamm Ruben, von Mose als Vertreter seines Stammes zur Erkundung des Landes Kanaan ausgesandt (Num 13, 4).
2° **Schammua** (2), einer der Söhne Davids, die in Jerusalem geboren wurden (2 Sam 5, 14; 1 Chr 14, 4).
= **Schima** (1), 1 Chr 3, 5.
3° **Schammua** (1) = **Schemaja** (1), Vater des Leviten → Obadja 11°.
4° **Schammua** (1), Haupt der Priesterfamilie Bilga zur Zeit des Hohenpriesters Jojakim (Neh 12, 18).

SCHAMSCHERAÏ (1), zusammengesetzt aus *Schimschaï* und dem in der Bibel nicht vorkommenden *Schamraï*, Benjaminiter aus den Söhnen Jerohams, Familienhaupt in Jerusalem (1 Chr 8, 26).

SCHARAI (1), Israelit aus den Söhnen Sakkais, schickt seine fremdländische Frau zurück (Esr 10, 40).

SCHARAR (1) = **Sachar** (1), Vater des
→ Ahiam.

SCHARON, gr. *Saron*, „Flaches Land".
1° **Scharon** (7), Küstenebene zwischen dem Karmel und Joppe, reich an Weideland (1 Chr 27, 29; Hld 2, 1; Jes 33, 9; 35, 2; 65, 10). In der Liste der von Josua besiegten kanaanäischen Könige steht der *König von Scharon* (Jos 12, 18: hebr. *lascharon*). In dieser Gegend hat Petrus missioniert (Apg 9, 35).
Heimat des → Schitrai.
2° **Scharon** (1), Weidegebiet im Ostjordanland, von den Gaditern benutzt (1 Chr 5, 16).

SCHARONITER (1), 1 Chr 27, 29 aus
→ Scharon 1°.

SCHARUHEN (1) → Schilhim.

SCHASCHAÏ (1), Israelit aus den Söhnen Sakkaïs, schickt seine fremdländische Frau zurück (Esr 10, 40).

SCHASCHAK (2), Benjaminiter, dessen elf Söhne in Jerusalem wohnen (1 Chr 8, 14.22–25).

SCHAUL, gr. *Saoul*, „[Von Gott] erbeten" (vgl. Eschtaol; Schealtiël; Saul; Silas).
1° **Schaul** (4) **aus Rehobot am Strom** (2), König von Edom. Sein Vorgänger ist Samla und sein Nachfolger Baal-Hanan (Gen 36, 37–38 // 1 Chr 1, 48–49).
2° **Schaul** (4), **der Sohn der Kanaaniterin** (2), der letzte der Söhne des Jakobsohnes Simeon (Gen 46, 10 // Ex 6, 15; 1 Chr 4, 24), dessen Nachkommen die Sippe der Schauliter bilden (Num 26, 13).
3° **Schaul** (1), Levit aus dem Clan Kehat, Ahnherr Samuels (1 Chr 6, 9).

SCHAWE (1), „Ebene" (vgl. Jischwa; Jischwi), das Tal, in dem Abraham, der König von Sodom und Melchisedek nach der Niederlage Kedor-Laomers und seiner Verbündeten zusammentreffen (Gen 14, 17).
= **Königstal** (2), nahe bei Jerusalem, wo Abschalom schon zu Lebzeiten einen Gedenkstein für sich errichtet hat (2 Sam 18, 18; vgl. Gen 14, 17). Nicht zu verwechseln mit dem Grab Abschaloms im Kidrontal, das aus hellenistischer Zeit stammt.

SCHAWSCHA (1), (vgl. Simson?) 1 Chr 18, 16
→ Seraja 1°.

SCHEAL (1), Israelit aus den Söhnen Bigwais, schickt seine fremdländische Frau zurück (Esr 10, 29).

SCHEALTIËL (7), hebr. *Sche᾽altî᾽el*, „Ich habe

[ihn] erbeten von Gott" (vgl. Saul): 1 Chr 3, 17; Esr 3, 2.8; 5, 2; Neh 12, 1; Hag 1, 1; 2, 23 oder hebr. *Schaltiʾel* (Hag 1, 12.14; 2, 2), gr. *Salathiël*, Sohn des gefangenen Königs Jojachin und Onkel des Serubbabel (1 Chr 3, 17).
= **Salathiël** (3), Sohn des Jojachin (Mt 1, 12) oder Sohn des Neri (Lk 3, 27), Vater des Serubbabel und Ahnherr Jesu.

SCHEARJA (2), Benjaminiter, einer der sechs Söhne des Azel, Nachkomme des Königs Saul (1 Chr 8, 38 // 9, 44).

SCHEAR-JASCHUB (1), „Ein Rest wird zurückkehren" oder „kehrt um" (vgl. Jaschub), symbolischer Name des ersten Sohnes des Propheten Jesaja (Jes 7, 3; vgl. 10, 21–22).

SCHEBA, gr. *Sabee,* „Sieben", „Fülle" oder „Schwur" (vgl. Bet-Scheba; Beerscheba; Batseba; Elisabet; Schiba; Joscheba).
1° **Scheba** (1), alte Stadt Simeons (Jos 19, 2) → SCHEMA 1°.
2° **Scheba Sohn des Bichri** (8), **Benjaminiter** (1), verleitet Leute aus Israel zum Aufstand gegen David. Von Abischai, Joab und den Kriegern Davids verfolgt, wird er in Abel-Bet-Maacha eingeholt und belagert. Eine Frau liefert ihn aus, indem sie seinen Kopf über die Mauer wirft (2 Sam 20, 1–22).
3° **Scheba** (1), Gaditer, Familienhaupt (1 Chr 5, 13).

SCHEBANJA (vgl. Schebna?)
1° **Schebanja** (1), Priester, Trompetenbläser vor der Bundeslade (1 Chr 15, 24).
2° **Schebanja** (2), Priester, Mitunterzeichner der Gesetzesverpflichtung (Neh 10, 5). Nach ihm heißt eine Priesterfamilie, deren Haupt zur Zeit des Hohenpriesters Jojakim Josef ist (Neh 12, 14).
= **Schechanja** (1), Priester, mit Serubbabel aus dem Exil heimgekehrt (Neh 12, 3).
3° **Schebanja** (3), einer der Leviten, die an der Bußliturgie teilnehmen (Neh 9, 4–5) und die Gesetzesverpflichtung unterzeichnen (Neh 10, 13).
4° **Schebanja** (1) → SCHECHANJA 8°.

SCHEBARIM (1), „Steinbrüche" (vgl. Scheber), in der Nähe von Ai (Jos 7, 5).

SCHEBAT (2), babyl.-assyr. Monatsname, nach dem Exil übernommen für den 11. Monat (Jan./Febr.); gr. *Sabat* (Sach 1, 7; 1 Makk 16, 14).

SCHEBER (1), „Bruch" (vgl. Schebarim) oder „Weizen"?, einer der Söhne Maachas, der Nebenfrau Kalebs (1 Chr 2, 48).

SCHEBNA (9), Abk. von *Schebanjahu*?, Palastvorsteher, mehr um seine eigenen Angelegenheiten als um die seiner Untergebenen besorgt. Jesaja kündigt an, daß er seines Amtes enthoben und durch Eljakim, den Sohn des Hilkija, ersetzt wird (Jes 22, 15–20). Während der Belagerung Jerusalems durch Sanherib (701) begleitet Schebna, jetzt Sekretär geworden, den neuen Palastvorsteher und Chef der jüdischen Delegation Eljakim ins Lager der Assyrer, um Verhandlungen zu führen (2 Kön 18, 18 – 19, 7 // Jes 36, 3 – 37, 7).

SCHEBUËL → SCHUBAËL.

SCHECHANJA, „Jah hat seine Wohnung eingerichtet".
1° **Schechanja** (1), Priester, Leiter der 10. Priesterklasse (1 Chr 24, 11).
2° **Schechanja** (1), einer der sechs Leviten, die zur Zeit des Königs Hiskija unter der Aufsicht des Jimnasohnes Kore für die Verteilung der Lebensmittelvorräte zuständig sind (2 Chr 31, 15).
3° **Schechanja** (3), Nachkomme des Königs Jojachin über Serubbabel und Hananja, Vater von sechs Söhnen (1 Chr 3, 21–22), darunter des Hattusch (1 Chr 3, 22; Esr 8, 2–3).
4° **Schechanja Sohn des Jahasiël** (1), Israelit aus den Söhnen Sattus (LXX), mit Esra aus dem Exil heimgekehrt (Esr 8, 5).
5° **Schechanja Sohn des Jehiël, einer der Söhne Elams** (1), rät Esra, die Trennung der Mischehen durchzuführen (Esr 10, 2–4).
6° **Schechanja** (1), Vater des → SCHEMAJA 21°.
7° **Schechanja Sohn des Arach** (1), Schwiegervater des Ammoniters Tobija, des Statthalters des Ammoniterlands (Neh 6, 18).

8° **Schechanja** (1), Levit, Mitunterzeichner der Gesetzesverpflichtung (Neh 10, 11); (var. *Schebanja).*
9° **Schechanja** (1) → SCHEBANJA 2°.

SCHECHEM (3) → SICHEM.

SCHECHEMITER (1), Num 26, 31 → SICHEM.

SCHEDËUR (5), „Schaddai ist Licht"? (vgl. Schaddai; Ur 2°), Vater des → ELIZUR.

SCHEERA (1), Tochter Efraims, die Bet-Horon erbaut, das untere und das obere, und *Usen-Scheera* (1 Chr 7, 24).

SCHEFAM
1° **Schefam** (2), Ort an der theoretischen NO-Grenze des Gelobten Landes (Num 34, 10–11).
2° **Schefam (aus)** oder **der Schifmiter** (1). Identisch mit dem Vorhergehenden?
Heimat des → SABDI 3°.

SCHEFATJA, „Jah hat gerichtet" (vgl. Elischafat; Joschafat; Schafat; Schiftan).
1° **Schefatja Sohn der Abital** (2), fünfter Sohn Davids, geboren in Hebron (2 Sam 3, 4 // 1 Chr 3, 3).
2° **Schefatja aus Harif** (1), Benjaminiter, einer der ersten Anhänger Davids vor seiner Königsherrschaft (1 Chr 12, 6).
3° **Schefatja Sohn des Maacha** (1), verantwortlich für den Stamm Simeon (1 Chr 27, 16).
4° **Schefatja** (1), einer der sechs Söhne des Königs Joschafat von Juda, die von ihrem älteren Bruder Joram nach seiner Thronbesteigung ermordet werden (2 Chr 21, 2–4.13).
5° **Schefatja** (1), Benjaminiter, Vater des → MESCHULLAM 6°.
6° **Schefatja** (2), Haupt einer Familie von Knechten Salomos, die aus dem Exil heimkehren (Esr 2, 57 // Neh 7, 59).
7° **Schefatja Sohn des Mattan** (1), einer der vier Beamten des Königs Zidkija, die während der Belagerung Jerusalems durch die Chaldäer Jeremia in eine Zisterne werfen lassen, weil er die Moral der Verteidiger geschwächt habe (Jer 38, 1–6).
8° **Schefatja** (3), Israelit, Familienhaupt, dessen Söhne teils mit Serubbabel (Esr 2, 4 // Neh 7, 9), teils mit Esra (Esr 8, 8) aus dem Exil zurückkehren.
9° **Schefatja** (1), Judäer, Ahnherr des → ATAJA.

SCHEFELA, gr. *Sephela* oder *Pedine*, „Niederung", „Ebene".
1° **Schefela** (20), bezeichnet gewöhnlich das Hügelland zwischen dem Gebirge Juda und der (von den Philistern bewohnten) Küstenebene am Mittelmeer (Jos 10, 40; 11, 16a; 12, 8; Ri 1, 9; 2 Chr 28, 18; Jer 17, 26; 32, 44; 33, 13; Obd 19; Sach 7, 7). In Dtn 1, 7; Jos 9, 1 wird die Schefela deutlich von der Küstenebene unterschieden. Nach den Städten der Schefela werden die Städte der Küstenebene aufgezählt (Jos 15, 33–44.45–47; vgl. Obd 19). An den meisten der zitierten Stellen ist die Schefela neben dem Bergland und dem Negeb von Juda genannt. Es werden dort Ackerbau und Viehzucht betrieben (2 Chr 26, 10), Feigenbäume (1 Kön 10, 27 // 2 Chr 1, 15; 9, 27) und Ölbäume (1 Chr 27, 28) angebaut.
Städte → ADIDA; EMMAUS 1°. Vgl. auch die Liste Jos 15, 33–47.
2° **Schefela** (2) ist in Jos 11, 16b das Gebiet westlich des Gebirges Efraim und in Jos 11, 2 vielleicht die Ebene im Norden des Karmel.

SCHEFER (2), Berg, Station des Exodus zwischen dem Sinai und Kadesch (Num 33, 23–24).

SCHEFI (1), vierter von fünf Söhnen des Seïrsohnes Schobal (1 Chr 1, 40).
= **Schefo** (1), Gen 36, 23.

SCHEFUFAN (1), 1 Chr 8, 5 → SCHUFAM.

SCHEHARJA (1), (vgl. Schaharajim), Benjaminiter aus den Söhnen Jerohams, Familienhaupt in Jerusalem (1 Chr 8, 26).

SCHELA (9), „Bitte"? (vgl. Saul), dritter Sohn Judas und der Batschua, einer Kanaaniterin (Gen 38, 5; 46, 12 // 1 Chr 2, 3). Nach dem vorzeitigen Tod seiner Söhne Er und Onan, die nacheinander mit Tamar verheiratet waren, weigert sich Juda, Schela seiner Schwiegertochter als Mann zu geben (Gen 38, 11.14.26). Die Nachkommen Schelas (1 Chr 4, 21–23) bilden die Sippe der **Schelaniter** (Num 26, 20). Nach dem Exil wohnen die Schelaniter in Jerusalem (1 Chr 9, 5 // Neh 11, 5: Korr. von „Schiloniter“).

SCHELACH (vgl. Metuschelach; Schilhi; Schiloach).
1° **Schelach** (9), „Wurfspieß“, Sohn des Arpachschad, Sohn Sems und Vater des Eber (Gen 10, 24 // 1 Chr 1, 18 J; Gen 11, 12–15 // 1 Chr 1, 24 P).
= **Sala** (1), Ahnherr Jesu (Lk 3, 35).
2° **Schelach** (1), „Kanal“ oder „Gesandter“ (Neh 3, 15) → SCHILOACH 1°.

SCHELANITER (3): Num 26, 20; 1 Chr 9, 5; Neh 11, 5 von der Sippe → SCHELA.

SCHELEF (2), der zweite von dreizehn Söhnen des Joktan, Stamm oder Gebiet in Südarabien (Gen 10, 26 // 1 Chr 1, 20).

SCHELEMJA, „Jah hat ergänzt“ oder „in Frieden bewahrt“ (vgl. Salem).
1° **Schelemja Sohn des Kuschi** (1) → JEHUDI 2°.
2° **Schelemja Sohn des Abdeel** (1) → JERACHMEËL 3°.
3° **Schelemja** (2), Vater des → JUCHAL.
4° **Schelemja** (1), Vater des → JIRIJA.
5° **Schelemja** (1) → SCHALLUM 11°.
6° **Schelemja** (1), Israelit aus den Söhnen Binnuis, schickt seine fremdländische Frau zurück (Esr 10, 39).
7° **Schelemja** (1), Israelit aus den Söhnen Sakkais, schickt seine fremdländische Frau zurück (Esr 10, 41).
8° **Schelemja** (1), Vater des → HANANJA 10°.
9° **Schelemja** (1), untadeliger Priester, zur Zeit des Nehemia einer derAufseher über die Vorräte im Tempel (Neh 13, 13).

SCHELESCH (1), (vgl. Schilscha), aus Ascher, einer der Söhne des Heldai (1 Chr 7, 35).

SCHELOMI (1), (vgl. Salem), aus Ascher, Vater des → AHIHUD.

SCHELOMIT, fem. von *Schelomi* (vgl. Salem).
1° **Schelomit Tochter des Dibri, vom Stamm Dan** (1), Frau eines Ägypters und Mutter eines Gotteslästerers (Lev 24, 11).
2° **Schelomit** (1), Tochter Serubbabels, eines Nachkommen des Königs Jojachin (1 Chr 3, 19).
3° **Schelomit** (1), letzter von vier Söhnen der Maacha und des Königs Rehabeam (2 Chr 11, 20).
4° **Schelomit Sohn des Josifja** (1), israelitisches Familienhaupt aus den Söhnen Banis, mit Esra aus dem Exil heimgekehrt (Esr 8, 10).
5° **Schelomit** (1), Levit des Clans Gerschon – Sohn des Schimi? –, ein Familienhaupt Ladans (1 Chr 23, 9).
6° **Schelomit** (1), Levit des Clans Kehat, erster der Söhne des Jizhar (1 Chr 23, 18).
= **Schelomot** (2), 1 Chr 24, 22.
7° **Schelomit** (3), Levit des Clans Kehat, Nachkomme des Mose über Eliëser, mitverantwortlich für den Schatz der Opfergaben (1 Chr 26, 25.26.28).

SCHELUMIËL (5), gr. *Salamiël*, „Gott ist mein Friede“ (vgl. Salem), **Sohn des Zurischaddai** (5), verantwortlich für den Stamm Simeon (Num 2, 12; 7, 36; 10, 19), leitet die Musterung seines Stammes (Num 1, 6), bringt die Opfergabe für die Altarweihe am fünften Tag herbei (Num 7, 36–41).
= **Salamiël Sohn des Sarasade** (1), Ahnherr der Judit (Jdt 8, 1).

SCHEMA, „Klang“, „Melodie“ (vgl. Schemaja).
1° **Schema** (1), Stadt im Negeb von Juda (Jos 15, 26).
= **Scheba** (1), frühere Stadt Simeons (Jos 19, 2), 25 km westlich von Beerscheba.
2° **Schema** (2), Kalebiter der Söhne Hebrons, Ahnherr Jorkoams (1 Chr 2, 43–44).
3° **Schema** (1), Rubeniter, Ahnherr des → BELA 3°.
4° **Schema** (1), Benjaminiter, Familienhaupt Ajalons, Sieger über die Leute von Gat (1 Chr 8, 13). Derselbe (?) wie → SCHIMI 5°.

5° **Schema** (1), angesehener Laie, steht bei der feierlichen Gesetzesverlesung rechts von Esra (Neh 8, 4).

SCHEMAA (1) **aus Gibea** (1). Vater des → JOASCH 3°.

SCHEMAJA, „Jah hat gehört" (vgl. Elischama; Eschtemoa; Hoschama; Ismael; Mischma; Schama; Schammua; Schema 2°–5°; Schima; Schimat; Schimi; Simeon; Jischma; Jischmaja).

1° **Schemaja** (4) oder **Schemajahu** (1), „Gottesmann", „Prophet". Er interveniert zweimal beim König Rehabeam: Nach dem Abfall der Nordstämme rät er von einem Waffengang gegen Israel ab (1 Kön 12, 22–24 // 2 Chr 11, 2–4); später, als der Pharao Schischak Jerusalem bedroht, weist er den König auf die religiösen Ursachen der politischen Situation hin (2 Chr 12, 5–7). Nach 2 Chr 12, 15 gab es eine Geschichte des Propheten Schemaja, in der auch die Geschichte Rehabeams aufgezeichnet war.

2° **Schemajahu** (1), Vater des Propheten → URIJA 3°.

3° **Schemaja** (4) oder **Schemaja aus Nehelam** (3), ein Deportierter, der sich in gehässiger Weise gegen den Brief des Propheten Jeremia an die Verbannten wendet und deshalb verflucht wird (Jer 29, 24–32).

4° **Schemajahu** (1), Vater des → DELAJA 1°.

5° **Ben-Schemaja** (1), Simeoniter, Clanhaupt (1 Chr 4, 37), oder nach einer anderen Lesart *Schemaja*, Ahnherr des Sisa.

6° **Schemaja** (1), Rubeniter, Sohn des Joël, Ahnherr des Beera (1 Chr 5, 4).

7° **Schemaja Sohn des Haschub Sohn des Asrikam Sohn des Haschabja** (2), **Sohn des Buni** (1) **aus den Söhnen Meraris** (1), ein Levit, der in Jerusalem wohnt (1 Chr 9, 14 // Neh 11, 15).

8° **Schemaja** (1) = **Schammua** (1), Vater des Leviten → OBADJA 11°.

9° **Schemaja** (2), levitischer Amtsträger, aus den Söhnen des Elizafan, nimmt an der Übertragung der Lade teil (1 Chr 15, 8.11).

10° **Schemaja Sohn des Netanel** (1), Levit, Schreiber (1 Chr 24, 6).

11° **Schemaja** (3), ältester Sohn Obed-Edoms, Torwächter; seine Söhne sind Familienhäupter und tapfere Krieger (1 Chr 26, 4.6–7).

12° **Schemajahu** (1), einer der acht Leviten, die der König Joschafat mit zwei Priestern und fünf Beamten in die Städte Judas schickt, um die Bevölkerung im Gesetz zu unterweisen (2 Chr 17, 7–9).

13° **Schemaja** (1), Levit aus den Söhnen Jedutuns, beteiligt sich an der Reinigung des Tempels bei der Reform des Hiskija (2 Chr 29, 14).

14° **Schemajahu** (1), einer der sechs Leviten, die unter der Oberaufsicht des Kore Sohn des Jimna zur Zeit des Königs Hiskija für die Verteilung der Lebensmittelvorräte verantwortlich sind (2 Chr 31, 15).

15° **Schemajahu** (1), einer der sechs Oberhäupter der Leviten zur Zeit des Königs Joschija (2 Chr 35, 9).

16° **Schemaja** (2), Nachkomme des Königs Jojachin, Sohn des Schechanja und Vater von sechs Söhnen (1 Chr 3, 22). Vielleicht ist (durch Textkorrektur) auch nur von sechs Söhnen des Schechanja die Rede.

17° **Schemaja** (1), Israelit der Söhne Adonikams, kehrt mit Esra aus dem Exil heim (Esr 8, 13).

18° **Schemaja** (1), einer der Gesandten des Esra zu Iddo (Esr 8, 16).

19° **Schemaja** (1), Priester aus den Söhnen Harims, schickt seine fremdländische Frau zurück (Esr 10, 21).

20° **Schemaja** (1), Israelit aus den Söhnen Harims, schickt seine fremdländische Frau zurück (Esr 10, 31).

21° **Schemaja Sohn des Schechanja** (1), Wächter am Osttor, beteiligt sich freiwillig am Wiederaufbau der Jerusalemer Stadtmauer (Neh 3, 29).

22° **Schemaja Sohn des Delaja Sohn des Mehetabel** (1), Prophet. Er rät dem vom Tod bedrohten Nehemia, das Asylrecht in Anspruch zu nehmen und im Tempel Zuflucht zu suchen. Da sich Nehemia, ein Laie, aber in das Innere des Heiligtums begeben soll, will ihn Schemaja arglistig zu einer schweren Übertretung verführen (Neh 6, 10–12).

23° **Schemaja** (3), Haupt einer Priesterfamilie, die mit Serubbabel aus dem Exil heimkehrt (Neh 12,

6). Mitunterzeichner der Gesetzesverpflichtung (Neh 10, 9). Zur Zeit des Hohenpriesters Jojakim heißt das Haupt der Familie Schemaja Jonatan (Neh 12, 18).
24° **Schemaja** (1), Nachkomme Asafs, Ahnherr des → SECHARJA 25°.
25° **Schemaja** (1), Priester, Trompetenbläser bei der Mauerweihe in Jerusalem (Neh 12, 34).
26° **Schemaja** (1), Nachkomme Asafs?, spielt bei der Mauerweihe ein Instrument (Neh 12, 36).
27° **Schemaja** (1), Priester, steht bei der Mauerweihe neben Nehemia (Neh 12, 42).

SCHEMARJA, „Jah hat bewacht" (vgl. Samaria; Schemer?; Schimrat; Schimri; Schimrit; Schimron; Schomer; Jischmerai).
1° **Schemarja** (1), Benjaminiter, Anhänger Davids vor seiner Königszeit (1 Chr 12, 6).
2° **Schemarja** (1), zweiter der drei Söhne der Mahalat und des Königs Rehabeam (2 Chr 11, 19).
3° **Schemarja** (2), zwei Israeliten, die ihre fremdländischen Frauen zurückschicken: der erste aus den Söhnen Harims (Esr 10, 32); der zweite aus den Söhnen Sakkais (Esr 10, 41).

SCHEMEBER (1), hebr. *Schem'eber* (vgl. Sem), **König von Zebojim** (2), Gen 14, 2.8 verbündet mit → BERA.

SCHEMED (1), Benjaminiter aus den Söhnen Elpaals. „Dieser baute Ono und Lod mit seinen Tochterstädten" (1 Chr 8, 12).

SCHEMER, „Depot" (vgl. Schemarja?).
1° **Schemer** (2), Eigentümer des Berges, den Omri von Israel kauft, um auf ihm Samaria zu erbauen (1 Kön 16, 24).
2° **Schemer** (2), aus Ascher, vom Clan Beria, Sohn Hebers und Vater von drei Söhnen (1 Chr 7, 32: hebr. *Schomer*. 34).
3° **Schemer** (1), Levit vom Clan Merari, Ahnherr des Sängers Etan (1 Chr 6, 31).

SCHEMIDA (3), „Der Name hat erkannt" (vgl. Sem; Jada), letzter der Söhne Manasses (Jos 17, 2), fünfter von sechs Söhnen Gileads, dessen Nachkommen die Sippe der **Schemidaiter** bilden (Num 26, 32). Zu den Söhnen Schemidas (1 Chr 7, 19) zählen Sichem und Likhi [= ? Helek], Söhne des Manasse in Jos 17, 2; als Söhne Gileads gelten sie Num 26, 30–32.

SCHEMIRAMOT, akk. weiblicher Name, (Göttin?) *Sammuramat*, „Semiramis".
1° **Schemiramot** (3), Levit, Torwächter, dem Dienst an der Bundeslade zugeteilt (1 Chr 15, 18), Harfenspieler (15, 20; 16, 5).
2° **Schemiramot** (1), einer der acht Leviten, die der König Joschafat mit zwei Priestern und fünf Beamten in die Städte Judas schickt, um das Volk im Gesetz zu unterweisen (2 Chr 17, 7–9).

SCHEMUEL (vgl. Samuel).
1° **Schemuel Sohn des Ammihud** (1), verantwortlich für den Stamm Simeon bei der Aufteilung Kanaans (Num 34, 20).
2° **Schemuel** (1), aus Issachar, Haupt der Familie Tola (1 Chr 7, 2).

SCHENAZZAR (1), hebr. *Schena'zzar*, akk. *Sin-uzur* „Sin, beschütze!" (vgl. Sarezer; Sin) → SCHESCHBAZZAR.

SCHERBENTOR (1), hebr. *Harsit* (vgl. Kir-Heres), in Jerusalem, führt anscheinend nach dem Ge-Hinnomtal hinaus, vielleicht identisch mit dem → ASCHENTOR. Jeremia vollzieht hier die Zeichenhandlung mit dem zerbrochenen Krug (Jer 19, 2).

SCHEREBJA (8) **aus den Söhnen Machlis Sohn Levis Sohn Israels** (1), angesehener Mann, führender Levit, der mit Esra aus dem Exil nach Jerusalem heimkehrt (Esr 8, 18.24), Zeitgenosse des Hohenpriesters Jeschua (Neh 12, 8.24), leitet mit anderen die Bußliturgie (Neh 9, 4–5), Mitunterzeichner der Gesetzesverpflichtung (Neh 10, 13). Nach Neh 8, 7 gehört er zu den Leviten, die bei der feierlichen Gesetzesverlesung durch Esra dem Volk das Gesetz erklären. Eine oder mehrere Personen.

SCHERESCH (1), „Wurzel", Manassiter, Sohn Machirs und der Maacha (1 Chr 7, 16).

SCHESCHACH (2), kryptographischer Name für Babylon (Jer 25, 26; 51, 41).

SCHESCHAI (3), einer der drei Söhne des → ANAK.

SCHESCHAN (5), vom Clan Jerachmeel. Nach 1 Chr 2, 31 ist er der Sohn Jischis und der Vater des Achlai. Nach einer anderen Tradition hat er keine Söhne, aber eine seiner Töchter heiratet seinen ägyptischen Knecht und macht ihn so zum Ahnherrn des Elischama (1 Chr 2, 34–35).

SCHESCHBAZZAR (4), neubabyl. *Sin-ab-uzur* (vgl. Sin). Dieser Fürst Judas ist der Führer des ersten Zuges von Heimkehrern (Esr 1, 8.11); er hat den offiziellen Auftrag, den Tempel von Jerusalem wiederaufzubauen (Esr 5, 13–16; vgl. 6, 3–5). Tatsächlich legt er nur die Fundamente des Tempels.
= ? **Schenazzar** (1), einer der Söhne Jojachins, des in Babylon gefangenen Königs von Juda (1 Chr 3, 18).

SCHESCHONK (7) → SCHISCHAK.

SCHETAR (1), Beamter, genannt mit → MEMUCHAN.

SCHETAR-BOSNAI (4), genannt mit → TATTENAI.

SCHEWA
1° **Schewa** (1), 2 Sam 20, 25 → SERAJA 1°.
2° **Schewa** (1), einer der Söhne Maachas, der Nebenfrau Kalebs, Vater des Machbena und Vater Gibeas (1 Chr 2, 49).

SCHIBA (1), hebr. *Schib'ah,* „Sieben" (vgl. Scheba), ein von Isaak im Negeb gegrabener Brunnen (Gen 26, 33; vgl. Gen 21, 28.30). Andere LA (nach LXX und dem Kontext) *Scheba* (oder *Schebu'a*), „Schwur". Daher der Name der Stadt *Beerscheba.*

SCHIFI (1), Simeoniter, Clanhaupt (1 Chr 4, 37), Vater des → SISA 1°.

SCHIFMITER (1), hebr. *Schifmi,* von → SCHEFAM 2°.

SCHIFRA (1), „Schönheit" (vgl. Saphira), eine der hebräischen Hebammen in Ägypten (Ex 1, 15–21).

SCHIFTAN (1), (vgl. Schefatja, Efraimiter, Vater des → KEMUËL 2°.

SCHIHOR, hebr. Umschrift des ägypt. *Schihor,* „Teich des Horus" (vgl. Schihor-Libnat).
1° **Schihor** (2) **in Ägypten** (1): 1 Chr 13, 5 oder Fluß, der östlich von Ägypten fließt (Jos 13, 3). Heute wahrscheinlich *Wadi el-Arisch,* südlich von Gaza.
2° **Schihor, Teich des Horus, Kanal** oder **Nil** (2): Jes 23, 3; Jer 2, 18 → NIL.

SCHIHOR-LIBNAT (1), (vgl. Schihor), „Weiße" (vgl. Laban), **Fluß Libnat,** an der Südgrenze von Ascher (Jos 19, 26).
Heute vielleicht *Nahr ez-Zerqa* oder der *Kischon.*

SCHIKKARON (1), an der NW-Grenze von Juda zwischen Ekron und Jabneel (Jos 15, 11). Nicht identifiziert.

SCHILFMEER (24) → ROTES MEER.

SCHILLEM (2) „[Jah] hat [das verstorbene Kind] ersetzt" (vgl. Salem), der letzte von vier Söhnen Naftalis (Gen 46, 24), dessen Nachkommen die Sippe der **Schillemiter** bilden (Num 26, 49).
= **Schallum** (1), 1 Chr 7, 13.

SCHILHI (2), (vgl. Schelach), Vater der → ASUBA 2°.

SCHILHIM (1), Stadt im Negeb von Juda (Jos 15, 32).
= ? **Scharuhen** (1), einstige Stadt Simeons (Jos 19, 6).

SCHILO (32), (vgl. Taanat-Schilo), **im Land Kanaan** (3): Jos 21, 2; 22, 9; Ri 21, 12. Stadt im Norden von Bet-El, im Osten der Straße, die von

Bet-El nach Sichem führt, und im Süden von Lebona (Ri 21, 19). Sitz eines alten Heiligtums (1 Sam 1, 3.9.24; 2, 14; vgl. Ri 18, 31), betreut von der Familie Eli (1 Sam 14, 3; 1 Kön 2, 27), wo Samuel seine Kindheit verbringt (1 Sam 1, 24; 2, 11; 3, 21) und wo die Bundeslade steht (1 Sam 4, 3–4.12; vgl. Ps 78, 60).
Josua verteilt hier den sieben Stämmen, die nach Juda, Efraim und Manasse übrigbleiben, ihren Erbbesitz (Jos 18, 1.8–10; 19, 51; vgl. 22, 9–12). Jedes Jahr wird in Schilo ein Jahwefest mit Volksbelustigungen gefeiert (Ri 21, 12.19–21). Die Stadt wird wahrscheinlich von den Philistern zerstört (vgl. Jer 7, 12–14; 26, 6–9), und die Priesterschaft von Schilo flüchtet nach Nob (1 Sam 21, 2; 22, 19). In Schilo aber bleibt eine Gemeinschaft von Propheten → AHIJA 3°.
Nach der Reform des Joschija und sogar nach der Zerstörung des Tempels kommen Leute von Schilo zur Wallfahrt nach Jerusalem (vgl. Jer 41, 5). Heute *Kh. Seilun.*
Priester → ELI 1°.

SCHILOACH, gr. *Siloam,* lat. *Siloe,* „Gesandter" (Joh 9, 7), „Kanal" (vgl. Schelach).
1° **[Teich] Schiloach** (4): Jes 8, 6; Neh 3, 15 (hebr. *Schelach,* „Kanal", Identifizierung mit Schiloach umstritten), im SO von Jerusalem. Wasserbehälter oder Endpunkt des Kanals, den der König Hiskija in den Felsen treiben ließ, um die Wasser des Gihon in die Stadt zu leiten (vgl. 2 Kön 20, 20; 2 Chr 32, 30; Sir 48, 17; Jes 22, 11). – Auf den Rat Jesu hin wäscht sich der Blindgeborene hier seine Augen und wird sehend (Joh 9, 7.11).
2° **Schiloachturm** (1), nicht weit vom Teich. Beim Einsturz werden achtzehn Menschen erschlagen (Lk 13, 4).

SCHILONITER oder **aus Schilo** (7), hebr. *Schiloni*: 1 Kön 11, 29; 12, 15; 15, 29; 2 Chr 9, 29; 10, 15 → AHIJA 3°. In 1 Chr 9, 5 // Neh 11, 5 ist *Schiloniter* in *Nachkommen Schelas* zu korrigieren
→ SCHELA.

SCHILSCHA (1), fem. vom hebr. *Schelesch,* aus Ascher, einer der elf Söhne des Zofach (1 Chr 7, 37).

SCHIMA, hebr. 1°–4°: *Schim^{c}ah* (1°) oder *Schim^{c}a^{c}* (vgl. Schemaja) 5°: *Schimʾah.*
1° **Schima** (5), Bruder Davids (2 Sam 13, 3.32; 21, 21; 1 Chr 2, 13) → SCHAMMA 2°.
2° **Schima** (1), Sohn Davids
→ SCHAMMUA 2°.
3° **Schima** (1), Levit des Clans Merari, Ahnherr des Asaja (1 Chr 6, 15).
4° **Schima** (1), Levit des Clans Gerschon, Ahnherr des Sängers Asaf (1 Chr 6, 24).
5° **Schima** (1), Benjaminiter der Söhne Miklots, aus der Familie Sauls, wohnt in Jerusalem.
= **Schimam** (1), 1 Chr 9, 38.

SCHIMAT (2), hebr. *Schim^{c}at* (vgl. Schemaja), **die Ammoniterin** (1), Mutter des → SABAD 4°.

SCHIMATITER (1), hebr. *Schim^{c}atim,* zu Schima (?) oder Schimat (?) gehörig, Clan Judas, von Salmon hergeleitet (1 Chr 2, 55). Unbekannt.

SCHIMI, hebr. *Schim^{c}i* (vgl. Schemaja).
1° **Schimi** (2), Simeoniter, Nachkomme des Schaul, Vater von sechzehn Söhnen und sechs Töchtern (1 Chr 4, 26–27).
2° **Schimi** (1), Rubeniter, Nachkomme Joëls, Ahnherr des Beera (1 Chr 5, 4).
3° **Schimi** (8), Bruder des Libni/Ladan, Sohn des Levisohnes Gerschon (Ex 6, 17 // Num 3, 18 // 1 Chr 6, 2). Seine Nachkommen (1 Chr 23, 7–11) bilden den Clan der **Schimiter** (Num 3, 21; Sach 12, 13). Schimi ist der Ahnherr des Sängers Asaf (nach 1 Chr 6, 27).
4° **Schimi** (1), Levit des Clans Merari, Ahnherr des Asaja (1 Chr 6, 14).
5° **Schimi** (1), Benjaminiter, Vater von neun Familienhäuptern in Jerusalem (1 Chr 8, 21). Derselbe (?) wie → SCHEMA 4°.
6° **Schimi** (18), **Sohn des Gera** (4), **Benjaminiter** (3) **von Bahurim** (2). Als David vor seinem Sohn Abschalom fliehen muß, stößt Schimi, der zum selben Clan wie die Familie Sauls gehört, gegen den König Verwünschungen aus (2 Sam 16, 5–13). Er geht dann dem nach Jerusalem zurückkehrenden König als erster entgegen und erlangt von ihm Vergebung (2 Sam 19, 17–24). Vor seinem Tod beauftragt aber David seinen Sohn Salomo, die

Schmähungen Schimis nicht zu vergessen (1 Kön 2, 8). Schimi erhält daraufhin den Befehl, Jerusalem nicht zu verlassen und keinen Kontakt zu den Leuten seines Clans aufzunehmen. Als er einige flüchtige Sklaven nach Gat verfolgt, um sie zurückzuholen, läßt ihn Salomo verhaften und hinrichten (1 Kön 2, 36–46).
Ahnherr des → MORDECHAI.
7° **Schimi** (1), Anhänger Salomos bei der Thronfolge, gegen Adonija (1 Kön 1, 8).
8° **Schimi Sohn des Ela** (1), Vogt Salomos in Benjamin (1 Kön 4, 18).
9° **Schimi** (1), Vorsteher der 10. Sängerklasse (1 Chr 25, 17). In 1 Chr 25, 3 muß man seinen Namen ergänzen, um die Zahl von sechs Söhnen Jedutuns zu erreichen.
10° **Schimi aus Rama** (1), verantwortlich für die Weinberge (1 Chr 27, 27).
11° **Schimi** (1), Levit, aus den Söhnen Hemans, nimmt an der Reinigung des Tempels bei der Reform des Hiskija teil (2 Chr 29, 14).
12° **Schimi** (2), Levit, Bruder des → KONANJA 1°.
13° **Schimi** (1), Bruder des Serubbabel, Nachkomme des Königs Jojachin (1 Chr 3, 19).
14° **Schimi** (1), Levit, schickt seine fremdländische Frau zurück (Esr 10, 23).
15° **Schimi** (2), zwei Israeliten, die ihre fremdländischen Frauen zurückschicken: der erste aus den Söhnen Haschums (Esr 10, 33), der zweite aus den Söhnen Binnuis (10, 38).
16° **Schimi, der große** (1), gr. *Semeias,* Tob 5, 14 (var. gr. *Semelias*), Vater des Natan und des → HANANJA 15°.

SCHIMITER (2): Num 3, 21; Sach 11, 13 vom Clan des → SCHIMI 3°.

SCHIMON (1), Judäer, Vater von vier Söhnen (1 Chr 4, 20).

SCHIMRAT (1), (vgl. Schemarja), Benjaminiter aus den Söhnen Schimis, Familienhaupt in Jerusalem (1 Chr 8, 21).

SCHIMRI (vgl. Schemarja).
1° **Schimri** (1), Ahnherr des Sisa (1 Chr 4, 37). Simeoniter, Clanhaupt. Nach einer anderen LA *Ben-Schimri.*
2° **Schimri** (1), Vater des → JEDIAËL 2°.
3° **Schimri** (1), Torwächter, erster – aber nicht erstgeborener – der Söhne des Hosa, Nachkomme Meraris (1 Chr 26, 10).
4° **Schimri** (1), Levit aus den Söhnen des Elizafan (Clan Kehat), nimmt an der Reinigung des Tempels bei der Reform des Hiskija teil (2 Chr 29, 13).

SCHIMRIT (1), **die Moabiterin** (1) → SCHOMER 1°.

SCHIMRON (vgl. Schemarja).
1° **Schimron** (3), letzter der vier Söhne Issachars (Gen 46, 13 // 1 Chr 7, 1), dessen Nachkommen die Sippe der **Schimroniter** bilden (Num 26, 24).
2° **Schimron** (3), alte kanaanäische Stadt, deren König als von Josua besiegt gilt (Jos 11, 1; 12, 20). Zur Stadt Sebulons geworden (Jos 19, 15). Etwa 10 km westlich von Nazaret.

SCHIMRONITER (1), von der Sippe des → SCHIMRON 1°.

SCHIMRON-MERON (1), Jos 12, 20 → SCHIMRON 2°; MERON

SCHIMSCHAI (4), (vgl. Simson; Schamscherai), Sekretär des Rehum, des Statthalters von Samaria zur Zeit des Artaxerxes I. (Esr 4, 8–9.17.23).

SCHINAB (1), hebr. *Schin'ab,* akk. *Sin-abuschu,* „[Der Gott] Sin ist sein Vater" (vgl. Sin), **König von Adma** (2): Gen 14, 2.8; verbündet mit → BERA.

SCHINAR (9), hebr. *Schin*ᶜ*ar,* akk. *Scha-an-hara.*
Das Land Schinar (4) bezeichnet Babylonien mit den Städten Babel, Erech und Akkad (Gen 10, 10f). Hier wird der Turm von Babel errichtet (Gen 11, 2). Das Volk Gottes wird nach dort verbannt (Jes 11, 11; vgl. Dan 1, 2). Es ist das symbolische Zentrum der Bosheit und Gottlosigkeit (Sach 5, 11). Schinar ist berühmt wegen seines Luxus' (Jos 7, 21). Außerhalb der Bibel bezeich-

net Schinar eine Region in Obermesopotamien, heute das *Djebel Sindjar*.
König → AMRAFEL.

SCHION (1), Ort in Issachar (Jos 19, 19).

SCHISA der Rubeniter (1), Vater des → ADINA.

SCHISCHA (1) → SERAJA 1°.

SCHISCHAK, ägypt. *Schoschenk,* gr. *Sousakim,* erster Pharao der 22. Dynastie (950–929), zu dem sich der gegen Salomo revoltierende Jerobeam flüchtet (1 Kön 11, 40; 12, 2) und der um 926 gegen Jerusalem zieht. Er läßt sich die Schätze des Tempels und des Königspalastes ausliefern (1 Kön 14, 25–26). Der genauere Paralleltext von 2 Chr 12, 2–12 spricht von einem Feldzug in Juda und sieht in ihm ein Strafgericht Jahwes.

SCHITRAI aus Scharon (1), Aufseher über das Großvieh in der Ebene von Scharon (1 Chr 27, 29).

SCHITTIM, „Akazie" (vgl. Bet-Schitta).
1° **Schittim** (4), letztes Lager Israels am Ende des Exodus in Moab (Num 25, 1) vor dem Jordanübergang (Jos 3, 1; vgl. Mich 6, 5), von wo aus Josua die Kundschafter nach Jericho schickt (Jos 2, 1).
= **Abel- Schittim** (1), am Jordan, in den Steppen Moabs (Num 33, 49). Im NO des Toten Meers.
2° **Schittim-Tal** (1), Joël 4, 18. Lokalisierung umstritten: unterer Teil des Kidrontals (*Wadi-en-Nar?*) oder im NO des Toten Meers (vgl. 1°).

SCHLANGENSTEIN (1), hebr. *Eben ha-Zohelet,* im Süden Jerusalems, nahe der Walkerquelle. Hier versammeln sich Adonija und seine Anhänger im Augenblick der Thronfolge Davids (1 Kön 1, 9: „Stein Sohelet").

SCHOA (1), chaldäischer Stamm in Ostbabylonien, manchmal identifiziert mit den *Sutu* der Keilschrifttexte (Ez 23, 23).

SCHOBAB, „Rückkehr" (vgl. Jaschub).
1° **Schobab** (3), einer der in Jerusalem geborenen Söhne Davids (2 Sam 5, 14 // 1 Chr 3, 5 // 14, 4).
2° **Schobab** (1), Sohn Kalebs und seiner Frau Asuba (1 Chr 2, 18).

SCHOBACH (2), Heerführer des Hadad-Eser, von David besiegt und getötet (2 Sam 10, 16.18).
= **Schofach** (2): 1 Chr 19, 16.18.

SCHOBAI (2), Haupt einer Familie von Torwächtern, die aus dem Exil heimkehren (Esr 2, 42 // Neh 7, 45).

SCHOBAL
1° **Schobal** (5), zweiter Sohn des Horiters Seïr (Gen 36, 20 // 1 Chr 1, 38) und Horiterfürst oder Clan (Gen 36, 29). Er hat fünf Söhne (Gen 36, 23 // 1 Chr 1, 40).
2° **Schobal** (4), Sohn Judas (nach 1 Chr 4, 1). Sohn Judas über Hur und Vater, unter anderen, von Kirjat-Jearim (nach 1 Chr 2, 50.52f).
Vater des → REAJA 1°.

SCHOBEK (1), (vgl. Jischbak), Führer des Volkes, Mitunterzeichner der Gesetzesverpflichtung (Neh 10, 25).

SCHOBI Sohn des Nahasch aus Rabba der Ammoniter (1), ein Mann, der dem vor Abschalom flüchtenden David in Mahanajim sehr gewogen war (2 Sam 17, 27–29).

SCHOFACH (2) → SCHOBACH.

SCHOHAM (1), „Karneol", Levit aus dem Clan Merari, ein Haupt der Söhne des Jaasija (1 Chr 24, 27).

SCHOMER (vgl. Schemarja).
1° **Schomer** (1) = **Schimrit die Moabiterin** (1), Mutter des → JOSABAD 10°.
2° **Schomer** (1) → SCHEMER 2°.

SCHÖNE PFORTE (2), auch „korinthische Pforte" genannt, führt am Jerusalemer Tempel vom äußeren Hof (oder Vorhof der Heiden) zum ersten inneren Hof (oder Vorhof der Frauen). Petrus heilt dort einen Gelähmten (Apg 3, 2.10).

SCHUA, hebr. 1°: *Schua*[c], „Vornehm", „Edelmütig" (vgl. Abischua; Batschua; Elischua; Josua; Malkischua); 2°: *Schu*[c]*a*[ɔ].
1° **Schua** (2), Kanaaniter, Vater der → BATSCHUA 1°.
2° **Schua** (1), aus Ascher, Schwester der drei Söhne des Heber, Sohn des Beria (1 Chr 7, 32).

SCHUACH (2), einer der sechs Söhne Abrahams und seiner Nebenfrau Ketura, Volk oder Gebiet in Arabien (Gen 25, 2 // 1 Chr 1, 32).

SCHUACHITER (5), hebr. *Schuhi,* aus Schuach. Heimat des → BILDAD.

SCHUAL, hebr. *Schu*[c]*al,* „Fuchs" (vgl. Hazar-Schual).
1° **Gebiet von Schual** (1), nicht weit von Ofra und Michmas (1 Sam 13, 17). Lokalisierung unsicher.
2° **Schual** (1), aus Ascher, einer der elf Söhne des Zofach (1 Chr 7, 36).

SCHUBAËL
1° **Schubaël** (3) **Sohn des Gerschom Sohn des Mose** (1), Aufseher über die Schatzkammern (1 Chr 26, 24; 24, 20).
= **Schebuël** (1), Levit, Sohn Gerschoms (1 Chr 23, 16), Enkelsohn des Mose, vom Clan Kehat.
2° **Schubaël** (1), Vorsteher der 13. Sängerklasse (1 Chr 25, 20).
= **Schebuël** (1), aus den Söhnen Hemans (1 Chr 25, 4).

SCHUFAM (2), „Viper", ein Sohn Benjamins, dessen Nachkommen die Sippe der **Schufamiter** bilden (Num 26, 39).

SCHUHA (1), „Graben", Bruder des Kelub (= Kaleb) (1 Chr 4, 11).

SCHUHAM (1), Sohn Dans, dessen Nachkommen die einzige namentlich genannte Sippe Dans bilden, die **Schuhamiter** (Num 26, 42–43).
= **Huschim** (2), Sohn Dans (Gen 46, 23; 1 Chr 7, 12) (vielleicht stellt dieser Vers den Rest einer Genealogie Dans dar).

SCHULAMMIT (2), (vgl. die Schunemiterin → ABISCHAG ?), fem. Form von „Salomo", die „zu Salomo gehörende" oder die „Friedfertige"?, Name der Braut (Hdl 7, 1; vgl. 8, 10).

[SCHULMAN] → SALMANASSAR.

SCHUMATITER (1), Clan Judas, hergeleitet von Schobal (1 Chr 2, 53).

SCHUNEM (3), Stadt Issachars (Jos 19, 18), zur Zeit Sauls von den Philistern besetzt (1 Sam 28, 4). Der Prophet Elischa hat hier eine Wohnung im Haus einer Frau (2 Kön 4, 8–10). Diese **Schunemiterin** (4, 12.25.36) bringt ein Kind zur Welt, wie es ihr Elischa angekündigt hat. Einige Jahre später stirbt der Knabe. Die Schunemiterin beklagt sich beim Propheten, der das Kind zum Leben erweckt (4, 11–37). Wegen einer Hungersnot flieht die Schunemiterin ins Philisterland, kehrt nach sieben Jahren zurück und erlangt, dank der Fürsprache des Elischa, ihr Haus und ihren Acker wieder (8, 1–6). Einige km NO von Jesreel. Heimat der → ABISCHAG.

SCHUNEMITERIN oder **aus Schunem** (8): 1 Kön 1, 3.15; 2, 17.21–22; 2 Kön 4, 12.25.36 → SCHUNEM.

SCHUNI (2), dritter von sieben Söhnen des Gad (Gen 46, 16), dessen Nachkommen die Sippe der **Schuniter** bilden (Num 26, 15).

SCHUPPIM
1° **Schuppim** (2), wird zusammen mit Huppim in 1 Chr 7, 12 von Benjamin hergeleitet (doch könnte dieser Vers zu einer Genealogie Dans gehört haben; vgl. Num 26, 42 f) und in 1 Chr 7, 15 von Manasse.
2° **Schuppim** (1), Torwächter am Tempel (1 Chr 26, 16).

SCHUR (6), „Mauer" (vielleicht im Hinblick auf die von den Ägyptern errichtete Mauer, die vor den Einfällen der Semiten schützen sollte?), Wüste (Ex 15, 22), im Osten von Ägypten (Gen 25, 18; 1 Sam 15, 7; vgl. 27, 8), in der Nachbarschaft von Kadesch (Gen 20, 1). Hagar nimmt auf ihrer Flucht mit Ismael den Weg nach Schur (Gen 16, 7). Israel durchquert die Wüste beim Auszug aus Ägypten (Ex 15, 22).

SCHUTELACH (5), Sohn Efraims, dessen Nachkommen die Sippe der **Schutelachiter** bilden (Num 26, 35–36; vgl. 1 Chr 7, 20–21.25: Korr. des hebr. *Reschef und Telach*).

SEBA (4), gr. *Saba,* Sohn des Kusch nach der Priestertradition (Gen 10, 7 // 1 Chr 1, 9). Genannt zusammen mit Saba (Ps 72, 10), mit Ägypten und Kusch (Jes 43, 3; vgl. 45, 14: Sebaiter). Land und Volk südlich von Ägypten.

SEBACH (12), „[Geboren am Tag des] Opfers“, und **Zalmunna,** verballhornte oder fiktive Namen der beiden **Könige von Midian** (3). Im Verlauf eines Feldzugs gegen die Region um Tabor werden sie von Gideon verfolgt, besiegt und getötet (Ri 8, 5–28; vgl. 9, 17; Ps 83, 10–12; Jes 9, 3).

SEBADJA, „Geschenk des Jah“ (vgl. Sabad).
1° **Sebadja** (1), Benjaminiter der Söhne des Beria, Familienhaupt in Jerusalem (1 Chr 8, 15).
2° **Sebadja** (1), Benjaminiter der Söhne Elpaals, Familienhaupt in Jerusalem (1 Chr 8, 17).
3° **Sebadja** (1), Benjaminiter, Bruder des → JOËLA.
4° **Sebadja** (1), Sohn des Kriegers Davids Asaël, Nachfolger seines Vaters als Aufseher über den (militärischen) Dienst des vierten Monats (1 Chr 27, 7).
5° **Sebadja** (1), Torwächter, Korachiter, dritter Sohn des Meschelemja (1 Chr 26, 2).
6° **Sebadja** (1), einer der acht Leviten, die der König Joschafat mit zwei Priestern und fünf Beamten in die Städte Judas schickt, um die Menschen im Gesetz zu unterweisen (2 Chr 17, 7–9).
7° **Sebadja Sohn des Jischmael** (1), Fürst im Hause Juda, richtet unter Joschafat über die Angelegenheiten des Königs (2 Chr 19, 11).
8° **Sebadja Sohn des Michael** (1), Familienhaupt der Söhne des Schefatja, mit Esra aus dem Exil heimgekehrt (Esr 8, 8).
9° **Sebadja** (1), Priester der Söhne Immers, schickt seine fremdländische Frau zurück (Esr 10, 20).

SEBAITER (1), Leute von „hohem Wuchs“ (Jes 45, 14), Bewohner von → SEBA.

SEBAM (1) → SIBMA.

SEBINA (1), Israelit aus den Söhnen Nebos, schickt seine fremdländische Frau zurück (Esr 10, 43).

SEBUDA (1), (vgl. Sabad) **Tochter des Pedaja** (1), gebürtig aus Ruma, Mutter des Königs Jojakim von Juda (2 Kön 23, 36).

SEBUL (6), „Beherrschung“, „Oberherrschaft“ (vgl. Isebel; Sebulon), Vertreter Abimelechs in Sichem. Insgeheim meldet er ihm den Aufstand der Stadt, der von Gaal, einem Abenteurer, angeführt wird. Als das Heer des Abimelech eingreift, gewinnt Sebul über Gaal die Oberhand (Ri 9, 28–41).

SEBULON (50), gr. *Zabulon,* in Gen 30, 20 nach dem hebr. *sebed,* „Geschenk“, gedeutet, „Gott hat mir ein Geschenk gemacht“ (vgl. Sabad), und anschließend gleich nach dem hebr. *sabal* „(wohnen) bleiben“ oder „als Fürst(in) behandeln“, „ehren“ (vgl. Sebul).
Sebulon ist wie Issachar, mit dem er eng verbunden erscheint, ein Sohn Jakobs und der Lea. Beide Söhne besetzen das heilige Gebirge Tabor und leben beide am Meer (Dtn 33, 18–19). Das Gebiet Issachars war zunächst nur ein Teil Sebulons, worauf Ri 1, 22–36 hindeutet, wo von Sebulon (1, 30), aber nicht von Issachar die Rede ist. Das Territorium Sebulons (vgl. Jos 19, 10–16) ist eingeschlossen von den Gebieten Aschers (Jos 19, 27), Naftalis (19, 34), Issachars und Manasses. Es hat niemals direkt am Meer gelegen. Die beiden Sprüche, die auf ein Wohnen an der Küste hindeuten (Gen 49, 13; Dtn 33, 19), sind wohl so zu verstehen, daß Leute aus Sebulon sich als Schiffsknechte verdingt haben.

Nachkommen und Clans Sebulons: Gen 46, 14 // Num 26, 26–27. Musterungen: Num 1, 30–31; 2, 8; 26, 27. Die mit Kanaanitern gemischte Bevölkerung: Ri 1, 30. Levitische Städte: Jos 21, 7.34 // 1 Chr 6, 48.62.
Der Wortlaut von Ri 5, 18 erinnert vielleicht an die Rolle, die Sebulon und Naftali in der Schlacht an den Wassern von Merom gespielt haben (Jos 11, 5–8). Diese beiden Stämme werden auch in dem Kampf gegen Sisera zusammen genannt (Ri 4, 6.10; 5, 14–15). Sebulon und Naftali nehmen ferner gemeinsam am Feldzug Gideons gegen Midian teil (Ri 6, 35). Obwohl Sebulon in 2 Kön 15, 29 namentlich nicht erwähnt wird, muß der in Untergaliläa seßhafte Stamm die Feldzüge Tiglat-Pilesers und die Deportation von 732 erlebt haben. Jesaja kündigt dieser Region im Norden Palästinas (→ Galiläa) als Ausgleich für diese Erniedrigung eine glorreiche Zukunft an (Jes 8, 23 // Mt 4, 15). Leute aus Sebulon nehmen am Paschafest des Hiskija teil (2 Chr 30, 10–11.18; vgl. Ps 68, 28).
Sebulon in den Stammeslisten → S. 376f.
Heimat des → Elon 2°.

SEBULONITER (3): Num 26, 17; Ri 12, 11–12 aus → Sebulon.

SECHACHA (1), (vgl. Sukkot), Ort in der Wüste Juda (Jos 15, 61).

SECHARJA, gr. *Zacharias,* „Jah erinnert sich" (vgl. Josachar; Secher; Sakkai; Sakkur; Sichri).
1° **Secharjahu** (1), Rubeniter aus den Söhnen Joëls (1 Chr 5, 7).
2° **Secharja** (1), Benjaminiter → Secher.
3° **Secharjahu** (1), Manassiter, Vater des → Jiddo.
4° **Secharja** (1), einer der fünf Beamten, die der König Joschafat mit zwei Priestern und acht Leviten in die Städte Judas schickt, um die Leute im Gesetz zu unterweisen (2 Chr 17, 7–9).
5° **Secharjahu** (1), einer der sechs Söhne des Königs Joschafat von Juda, die von ihrem älteren Bruder Joram ermordet wurden, als er den Thron bestieg (2 Chr 21, 2–4.13).
6° **Secharja** (1) **Sohn des Priesters Jojada** (2), von prophetischem Geist erfüllt, tritt er dem gesetzesbrecherischen Volk entgegen; da wird er auf Befehl des Königs Joasch von Juda, seinem Vetter, im Vorhof des Tempels gesteinigt (2 Chr 24, 20–22.25).
= **Zacharias** (2), **Sohn des Barachias** (1), ermordet „zwischen dem Tempelgebäude und dem Altar" (Mt 23, 35); die Angabe „Sohn des Barachias" kommt vielleicht aus einer Verwechslung mit Jes 8, 2 → Secharja 8°; Lk 11, 51.
7° **Secharja** (1), Ratgeber des Usija von Juda, er unterwies den König in der Furcht Gottes (2 Chr 26, 5).
8° **Secharja** (1) oder **Secharjahu** (1), Großvater des Königs Hiskija, Vater der → Abija 4°.
= **Secharja Sohn des Jeberechja** (1), vom Propheten Jesaja als offizieller Zeuge für die Niederschrift des Namens Maher-Schalal-Hasch-Bas gewählt (Jes 8, 2).
9° **Secharja** (3) **Sohn des Jerobeam** (1) und sein Nachfolger, vierzehnter König von Israel (743), fünfter und letzter aus der Dynastie Jehu. Nach sechsmonatiger Herrschaft wird er von Schallum, dem Sohn des Jabesch, ermordet, der auch seinen Platz einnimmt (2 Kön 14, 29; 15, 8–12).
10° **Secharjahu** (1), Priester, einer der Tempelvorsteher unter Joschija (2 Chr 35, 8).
11° **Secharja Sohn des Meschelemja** (1): 1 Chr 9, 21 oder **Secharjahu** (2), erster von sieben Söhnen des Meschelemja, Torwächter, Korachiter vom Clan Kehat (26, 2), angesehener Ratgeber (26, 14).
12° **Secharjahu** (1) oder **Secharja** (2), Levit, Torwächter, dem Dienst an der Bundeslade zugeteilt (1 Chr 15, 18), Harfenspieler (15, 20; 16, 5).
13° **Secharja** (1), Priester, Trompetenbläser vor der Bundeslade (1 Chr 15, 24).
14° **Secharja** (1), Levit aus den Söhnen Usiëls (Clan Kehat), Haupt der Söhne des Jischija (1 Chr 24, 25).
15° **Secharjahn** (1), Torwächter des Clans Merari (1 Chr 26, 11), vierter der Söhne des → Hosa 1°.
16° **Secharjahu** (1), aus den Söhnen Asafs, Vater des → Jahasiël 4°.
17° **Secharjahu** (1), Levit aus den Söhnen Asafs, nimmt bei der Reform des Königs Hiskija an der Reinigung des Tempels teil (2 Chr 29, 13).

18° **Secharja** (1), Levit aus dem Clan Kehat, einer der Werkmeister bei der Restauration des Tempels unter Joschija (2 Chr 34, 12).
19° **Secharja** (1), Neh 11, 12: Ahnherr des Priesters → Adaja 6°.
20° **Secharja** (1), Judäer, Ahnherr des → Ataja.
21° **Secharja** (1), Judäer, Ahnherr des → Maaseja 15°.
22° **Secharja** (1), Israelit, Familienhaupt der Söhne des Parosch, mit Esra aus dem Exil heimgekehrt (Esr 8, 3).
23° **Secharja Sohn des Bebai** (1), Israelit, Familienhaupt der Söhne des Bebai, mit Esra aus dem Exil heimgekehrt (Esr 8, 3).
24° **Secharja** (2), einer der Botschafter des Esra zu Iddo (Esr 8, 16), steht ihm bei der feierlichen Verlesung des Gesetzes zur Seite (Neh 8, 4). Eine oder zwei Personen.
25° **Secharja Sohn des Jonatan Sohn des Schemaja Sohn des Mattanja Sohn des Michaja Sohn des Sakkur Sohn Asafs** (1) spielt bei der Mauerweihe in Jerusalem ein Instrument (Neh 12, 35).
26° **Secharja** (1), Priester, Trompetenbläser bei der Mauerweihe (Neh 12, 41).
27° **Secharja** (1), Israelit aus den Söhnen Elams, schickt seine fremdländische Frau zurück (Esr 10, 26).
28° **Secharja** (2), Vater (?) des Heerführers → Josef 7°.
=? **Zachäus** (1), militärischer Führer, der mit (seinem Sohn) Josef und Simon Makkabäus an der Belagerung der idumäischen Festungen teilnimmt (2 Makk 10, 19).

SECHER (1), Abk. von *Secharja,* Benjaminiter von Gibeon (1 Chr 8, 31).
= **Secharja** (1), 1 Chr 9, 37 → Secharja 2°.

SECHU (1), Ort in der Nähe von Rama in Efraim. Dort gibt es eine große Zisterne (1 Sam 19, 22).

SEDRACH (15) → Schadrach.

SEEB (6), hebr. *Seʾeb* „Wolf“ → Oreb.

SEFAR (1), Südgrenze des Lebensraums der Söhne Joktans in Arabien (Gen 10, 30).

SEFARAD (1), lat. *Bosphorus,* vielleicht Sardes in Lydien. Nach dort sind Juden aus Jerusalem ausgewandert (Obd 20).

SEFARWAITER (1), 2 Kön 17, 31: Leute aus → Sefarwajim.

SEFARWAJIM (6), Stadt, die wie Heimat und Arpad vom assyrischen König Sanherib eingenommen wird (2 Kön 19, 13 // Jes 37, 13). Gegenüber der assyrischen Bedrohung haben sich die Götter von Sefarwajim – Adrammelech und Ahammelech, zu deren Ehren die Bürger der Stadt ihre Kinder als Brandopfer darbringen (2 Kön 17, 31) – als völlig ohnmächtig erwiesen (2 Kön 18, 34 // Jes 36, 19). Die Bevölkerung von Sefarwajim wird nach Samarien verpflanzt, um die Stelle der deportierten Israeliten einzunehmen (2 Kön 17, 24). Nicht identifizierte Stadt in Syrien.

SEGUB
1° **Segub** (1), jüngster Sohn Hiëls von Bet-El, gestorben (als Bauopfer?) beim Wiederaufbau von Jericho (1 Kön 16, 34).
2° **Segub** (2), Sohn des Judäers Hezron und der Tochter Machirs, Vater des Jaïr (1 Chr 2, 21–22).

SEÏR, hebr. *Seʿir,* „Rauh“, „Zottig“? (vgl. Seïra; Seorim).
1° **Seïr** (39), ein Land, das als **Gebirge Seïr** (16) bezeichnet wird (Gen 14, 6; 36, 8–9; Dtn 1, 2; 2, 1.5; Jos 24, 4; 1 Chr 4, 42; 2 Chr 20, 10.22–23; Sir 50, 26: gr. *Samaria*; Ez 35, 2–3.7.15). Liegt zwischen dem Toten Meer und dem Golf von Akaba (vgl. Gen 14, 6), in der Region von Kadesch (Dtn 1, 2; 2, 1), nicht weit von Horma (Dtn 1, 44) und dem Berg Pele (Jos 11, 17 // 12, 7).
Früher von den → Horiter(n) bewohnt, als deren eponymer Ahnherr **der Horiter Seïr** gilt (Gen 36, 20–21), später von → Edom (das ursprünglich im Osten der Araba liegt). Nach 1 Chr 4, 42 lassen sich die Simeoniter im Gebirge Seïr nieder, aus dem sie die Amalekiter vertreiben.
2° **Seïr** (1), ein – vom vorhergehenden verschiedenes – Gebirge, im Westen von Kirjat-Jearim, zwischen Juda und Benjamin (Jos 15, 10). Identisch (?) mit → Seïra.

SEÏRA (1), Ort, an dem sich Ehud nach dem Mord an Eglon verbirgt (Ri 3, 26). Vielleicht nördlich von Jericho? Identisch (?) mit → SEÏR 2°.

SEKUNDUS (1), „Zweiter", **aus Thessalonich** (1), Begleiter des Paulus auf dem Rückweg von der dritten Missionsreise, zwischen Griechenland und Syrien (Apg 20, 4).

SELA (7), gr. *Petra,* befestigte Stadt in der Wüste Edom (Ri 1, 36), von Amazja, dem König von Juda, erobert (2 Kön 14, 7 // 2 Chr 25, 12); er gibt ihr den Namen **Jokteel** (1): 2 Kön 14, 7. Die „Stadt" von 2 Makk 5, 8 ist *Petra,* die Hauptstadt der Nabatäer. Übrigens ist Sela, das oft mit dem heutigen Petra gleichgesetzt wird, wahrscheinlich mehr nördlich zu suchen, in der Region von Bozra. Möglicherweise hat man es auch mit mehreren Städten des gleichen Namens zu tun. Vgl. Jes 16, 1; 42, 11; Jer 49, 16; Obd 3.

SELA-MACHLEKOT (1), „Fels des Entschlüpfens" oder „Fels der Trennung", Ort in der Wüste Maon, wo Saul von der Verfolgung Davids abstand (1 Sam 23, 25–28).

SELA-RIMMON (4) → RIMMON 3°.

SELED (2), Sohn des Nadab, ohne Söhne gestorben; vom Clan Jerachmeel (1 Chr 2, 30).

[SELEUKIDEN], hellenistisches Herrscherhaus, begründet vom Mazedonier Seleukus I., das von 305 bis 64 v. Chr. über Asien (Syrien und Babylonien) herrschte. Vgl. Dan 2, 41–43 (*das Reich*); 7, 7–10 *(die zehn Hörner)*.
→ SELEUKUS 1°–4°; ANTIOCHUS 1°–6°; DEMETRIUS 1°–2°; ALEXANDER 2°; TRYPHON.
→ Liste S. 409.
→ LAGIDEN.

SELEUKUS (vgl. Seleuzia).
1° **[Seleukus I. Nikator],** König von Syrien (305–281), der Fürst von Dan 11, 5. General Alexanders des Großen, dann, nach dessen Tod, Stellvertreter Ptolemäus I., macht sich ein Riesenreich in Asien zurecht und gründet die seleukidische Dynastie.
2° **[Seleukus II. Kallinikos],** Sohn des Antiochus II., König von Syrien (246–226).
= **König des Nordens** (2), erleidet durch Ptolemäus III. Euergetes eine schwere Niederlage. Der Sieger macht reiche Beute. Seleukus versucht dann, einen Gegenangriff gegen Ägypten zu führen (Dan 11, 7–9). Vater des → ANTIOCHUS 2°.
3° **[Seleukus III. Keraunus],** Sohn des Seleukus II., König von Syrien (226–223), nimmt mit seinem Bruder Antiochus dem Großen am Feldzug gegen Ägypten teil (vgl. Dan 11, 10: *seine Söhne*). Er wird ermordet.
4° **Seleukus IV. [Philipator]** (3), Sohn und Nachfolger Antiochus des Großen, genannt **König von Asien** (1), d. h. von Syrien (187–175). Zunächst macht er dem Tempel von Jerusalem kostbare Geschenke (2 Makk 3, 2–3). Dann schickt er seinen Minister Heliodor, um den Tempelschatz auszuplündern (2 Makk 5, 18). Nach seinem Tod – er wird von Heliodor ermordet – folgt ihm sein Bruder Antiochus Epiphanes auf dem Thron (2 Makk 4, 7). Vgl. Dan 11, 20.
Vater des → DEMETRIUS 1°.

SELEUZIA (2) **am Meer** (1), (vgl. Seleukus), Hafen von Antiochia in Syrien, angelegt von Seleukus I. Ptolemäus VI. bemächtigt sich der Hafenstadt (1 Makk 11, 8). Barnabas und Paulus besteigen dort ein Schiff nach Zypern zu ihrer ersten Missionsreise (Apg 13, 4).

SEM (19), gr. Umschrift des hebr. *Schem,* „Name", „Ansehen" (vgl. Samuel; Schemida; Schemeber), erster der drei Söhne Noachs (Gen 5, 32; 6, 10; 10, 1; 1 Chr 1, 4). Aus der Sintflut gerettet (Gen 7, 13; 9, 18), ist er einer der Ahnherren der nachsintflutlichen Menschheit (vgl. Gen 9, 19), der eponyme Urvater der Semiten.
Nach der jahwistischen Tradition ist er der Ahnherr aller Söhne des Eber (Gen 10, 21.24–29.31 // 1 Chr 1, 18–23). Kanaan, Sohn Hams, wird Sem unterworfen sein und dem Jafet, der sich auf Kosten Sems ausdehnen wird (Gen 9, 21–27). Dem Elohisten zufolge sind die Söhne Sems Elam, Assur, Arpachschad, Lud und Aram (Gen 10, 22 // 1 Chr 1.17). Über Arpachschad ist Sem der Ahnherr Abrahams (Gen 11, 10–26 // 1 Chr 1,

24–27). Diese Genealogie ist in den lukanischen Stammbaum Jesu aufgenommen (Lk 3, 34–36). Schließlich verbindet Sir 49, 16 Sem und Set.

SEMACHJA (1), „Jah hat unterstützt" (vgl. Ahisamach; Jismachja), Torwächter, einer der Söhne Schemajas Sohn des Obed-Edom (1 Chr 26, 7).

SEMEIAS → SCHIMI 16°.

SEMIRA (1), „Gesang"?, Benjaminiter, einer der neun Söhne des Becher, Krieger und Familienhaupt (1 Chr 7, 8f).

SENAA (2), (vgl. Senua), Ort in Judäa, dessen Bewohner mit Serubbabel aus dem Exil heimkehren (Esr 2, 35 // Neh 7, 38).
= **Ha-Senaa** (1), dessen Söhne das Fischtor in Jerusalem wieder herrichten (Neh 3, 3). Etwa 10 km NW von Jericho.

SENIR (4), gr. *Sanir* → HERMON.

SENNACHERIB (20) → SANHERIB.

SENNE (1) → BOZEZ.

SENUA (vgl. Senaa).
1° **Senua** (1), Benjaminiter, Ahnherr des → SALLU 1°.
2° **Senua** (1), Benjaminiter, Vater des → JUDA 4°.

SEORIM (1). (vgl. Seïr), Vorsteher der 4. Priesterklasse (1 Chr 24, 8).

SEFELA → SCHEFELA.

SERACH, 1°: hebr. *Serach,* „Überfluß"; 2°–7°: hebr. *Zerach,* gr. *Zara,* „Glanz", „Blitz".
1° **Serach** (2), Tochter des Jakobssohnes Ascher (Gen 46, 17 // 1 Chr 7, 30).
2° **Serach** (3), zweiter von vier Söhnen und Fürsten Reguëls in Edom, gelten als Söhne der Basemat, der Frau Esaus (Gen 36, 13.17; 1 Chr 1, 37).
3° **Serach** (2). Vater des Edomiterkönigs → JOBAB 2°.
Mit dem Vorhergehenden identisch (?).
4° **Serach** (11), stammt aus der blutschänderischen Verbindung Judas mit seiner – wahrscheinlich kanaanäischen – Schwiegertochter Tamar und Zwillingsbruder des Perez (Gen 38, 27–30). Der letzte von fünf Söhnen Judas (Gen 46, 12; 1 Chr 2, 3–6). Seine Nachkommen bilden die Sippe der **Serachiter** (Num 26, 20; Jos 7, 17; 1 Chr 27, 8.11.13).
= **Zara** (1), in der Genealogie Jesu (Mt 1, 3).
Vom Clan Serach oder der Serachiter → ACHAN; ETAN 1°; HEMAN; MAHRAI; SCHAMHUT; SIBBECHAI; JËUËL.
5° **Serach** (2), Sohn Simeons → ZOHAR 2°.
6° **Serach** (2), Levit vom Clan Gerschon (1 Chr 6, 6.26).
7° **Serach der Kuschiter** (1) oder **die Kuschiter** (4), äthiopische Söldner im Dienst Ägyptens oder Nomaden des Negeb. Sie fallen in die Schefela Judas ein. Der König Asa hält sie bei Marescha auf, schlägt sie in die Flucht und verfolgt sie bis Gerar (2 Chr 14, 8–14; vgl. 16, 8).

SERACHITER
1° **Serachiter** (5), judäischer Clan von → SERACH 4°.
2° **Serachiter** (1), Num 26, 13: simeonitischer Clan von → SERACH 5°.

SERACHJA, „Jah hat sich erhoben" oder „hat aufgeleuchtet".
1° **Serachja** (4), Priester, Nachkomme Aarons und Ahnherr des Zadok (1 Chr 5, 32; 6, 36; Esr 7, 4).
2° **Serachja** (1), Vater des → ELJOËNAÏ 2°.
3° **Serachja** (1) → JISRACHJA 1°.

SERAJA, „Jah kämpft", „zeigt sich stark" oder „Jah herrscht", „ist Herr" (vgl. Israel; Sara).
1° **Seraja** (1), Sekretär Davids (2 Sam 8, 17).
= **Schija** (1): 2 Sam 20, 25 (Korr. des hebr. ^{K}*Scheja;* ^{Q}*Schewa*).
= **Schischa** (1), 1 Kön 4, 3: Vater des Ahija und des → ELIHOREF.
= **Schawscha** (1), 1 Chr 18, 16.
2° **Seraja Sohn des Asriël** (1) → JERACHMEËL 3°.
3° **Seraja** (3) **Sohn des Nerija Sohn des Machseja** (1), Quartiermeister, begibt sich um 593 (mit

Zidkija von Juda?) nach Babylon. Jeremia gibt ihm ein Orakel über den zukünftigen Untergang Babylons mit. Dort soll Seraja den Spruch lesen und dann in den Eufrat werfen mit den Worten: „So soll Babel versinken . . .“ (Jer 51, 59–64). Vermutlich Bruder des → BARUCH 1°.

4° **Seraja** (2), Hoherpriester zur Zeit der Einnahme Jerusalems, wird nach Ribla zu Nebukadnezzar geführt, der ihn töten läßt (2 Kön 25, 18 // Jer 52, 24). Vgl. den Folgenden.

5° **Seraja** (4), Nachkomme des Hohenpriesters Zadok (1 Chr 5, 40; vgl. Neh 11, 11), Vater des Esra (Esr 7, 1). Vgl. den Vorhergehenden.

6° **Seraja Sohn des Tanhumet** (2) **der Netofatiter** (1), Offizier der judäischen Armee, Anhänger Gedaljas nach dem Fall Jerusalems (2 Kön 25, 23 // Jer 40, 8).

7° **Seraja** (2), Sohn des Kenas, Bruder Otniëls und Ahnherr vom „Tal der Handwerker“ (1 Chr 4, 14).

8° **Seraja** (1), Simeoniter, Ahnherr des → JEHU 5°.

9° **Seraja** (1), einer der zwölf Anführer bei der Heimkehr nach Zion (Esr 2, 2).
= **Asarja** (1), Neh 7, 7.

10° **Seraja** (3), Haupt einer Priesterfamilie, die mit Serubbabel aus dem Exil heimkehrt (Neh 12, 1), Mitunterzeichner der Gesetzesverpflichtung (Neh 10, 3). Zur Zeit des Hohenpriesters Jojakim ist Meraja Haupt der Familie Seraja (Neh 12, 12).

SERED

1° **Sered** (2), erster der drei Söhne Sebulons (Gen 46, 14), dessen Nachkommen die Sippe der **Serediter** bilden (Num 26, 26).

2° **Sered** (4), hebr. *Zered,* Bach im Süden von Moab, Station des Exodus (Num 21, 12; Dtn 2, 13–14).

SERESCH (4), altpers., „Strubbelkopf“, gr. *Zozara,* Frau des Haman, des obersten Ministers des Xerxes (Est 5, 10.14; 6, 13).

SERGIUS, gr. *Sergios* → PAULUS 2°.

SERON (2), **General des syrischen Heeres** (1), von Judas und seinen Mitstreitern bei Bet-Horon in die Flucht geschlagen (1 Makk 3, 13).

SERUBBABEL (26), gr. *Zorobabel,* akk. *Zer-Babili,* „Samen“, „Nachkommenschaft Babylons“ (vgl. Jisreel; Babylon), **Sohn des Schealtiël** (9): Esr 3, 2.8; 5, 2; Neh 12, 1; Hag 1, 1.12.14; 2, 2.23; vgl. Mt 1, 12; Lk 3, 27. In 1 Chr 3, 17.19 wird er jedoch als Neffe des Schealtiël und Sohn des Pedaja vorgestellt. Enkel des Königs Jojachin und damit Nachkomme Davids, war es ihm nicht vergönnt, auf dem Thron Davids zu sitzen und in Juda zu herrschen (Jer 22, 30). In Babylon geboren, wie sein Name besagt, wird er nach dem Edikt des Kyrus im Jahre 538 Kommissar für die Rückführung der Verbannten.

Serubbabel und Jeschua

Einige Zeit, nachdem eine kleine Gruppe von Exilanten in Jerusalem unter Führung des → SCHESCHBAZZAR angekommen ist, stehen Serubbabel und Jeschua an der Spitze der zwölf Männer (Esr 2, 2 // Neh 7, 7), die zwischen 538 und 522 einen zweiten Zug von Heimkehrern begleiten (Esr 2, 1–70) // Neh 7, 6–72; vgl. Sir 49, 11–12). Unter ihnen befanden sich wahrscheinlich auch die Propheten Haggai und Sacharja. Serubbabel tritt an die Stelle von Scheschbazzar. Er wird **Statthalter** oder **Hochkommissar** (hebr. *pedach*) **von Juda** oder **der Juden** (5): Esr 6, 7; Hag 1, 1.14; 2, 2.21; vgl. Neh 12, 47. Ihm ist von den Persern die Zivilverwaltung der Provinz anvertraut, während sein „Zweiter“, Jeschua Sohn des Jozadak, der erste **Hohepriester** der Juden wird. Die Propheten Haggai (August/Dezember 520) und Sacharja (Oktober/November 520–November 518) rufen Serubbabel und Jeschua auf (Esr 5, 1–2; 6, 14; Hag 1, 1.12–14; 2, 2–9; vgl. Sach 4, 6–10), das Volk aus seiner geistigen Lethargie herauszureißen. Der Wiederaufbau des Tempels, der unter Scheschbazzar begonnen (nach Esr 3, 1–9; 4, 2–3; 6, 7; Sir 49, 12), aber bald unterbrochen wurde, soll der Beweis sein, daß Glaube und Eifer in der Gemeinde zu neuem Leben erwacht sind und daß Gott seinen Segen wieder spenden wird (vgl. Hag 2, 18–19). Die beiden Führer der nachexilischen Gemeinde verkörpern in ihren Personen die Erwartung einer Herrschaft, in deren Ausübung sich der Priester und der König einträchtig teilen. Sie sind „die zwei Ölbäume“ und „die beiden Gesalb-

ten, die vor dem Herrn der ganzen Welt stehen" (Sach 4, 11–13). Jeschua, der Feuerprobe entrissen, wird feierlich zum Hohenpriester eingesetzt und erhält absolute Vollmacht über Tempel und Kult (Sach 3, 1–9). Auf Serubbabel wird das Vokabular der Erwartung eines königlichen Messias angewandt (Hag 2, 23; vgl. Sir 49, 11; Sach 6, 12; vgl. Jer 23, 5). In Sach 6, 11–13 handelt es sich um seine Krönung als Davidssproß, auch wenn nach dem Tod des Serubbabel sich die Messiashoffnung auf die Person des Priesters konzentrierte und sein Name durch den des Jeschua ersetzt wurde.
Die Nachkommenschaft Serubbabels ist in 1 Chr 3, 19–24 verzeichnet. Serubbabel erscheint unter den Ahnherren Jesu (Mt 1, 12–13; Lk 3, 27). Lukas leitet Serubbabel von David nicht über Salomo und die königliche Linie her, sondern über Natan, einen anderen Sohn Davids.

SERUG (5), nach der Priesterschrift Erzvater der nachsintflutlichen Zeit, Sohn des Regu, Vater des Nahor und Ahnherr Abrahams (Gen 11, 20–23; 1 Chr 1, 26).
= **Serouch** (1), Lk 3, 35 unter den Vorfahren Jesu. Verwandt mit dem akk. *Sarugi,* einem Ort nahe Harran.

SET, hebr. *Schet,* volksetymologisch vom hebr. *schat* hergeleitet, „(Gott) hat erweckt" oder „gewährt" (vgl. Gen 4, 25).
1° **Set** (10), nach jahwistischer Tradition von Adam und Eva geboren, nachdem Kain den Abel erschlagen hatte. Der Sohn Sets, Enosch, hat als erster den Namen Jahwes angerufen (Gen 4, 25–26). In P stirbt Set, der Sohn Adams und Vater des Enosch, mit 912 Jahren (Gen 5, 3–7; 1 Chr 1, 1; vgl. Sir 49, 16). Zählt zu den Vorfahren Jesu (Lk 3, 38).
2° **Die Söhne Sets** (1), Beduinenstamm oder auch die Moabiter selbst (Num 24, 17). Vielleicht mit den *Schutu* identisch, einem Stamm im südöstlichen Palästina, der in den ägyptischen und assyrischen Texten erwähnt wird. Vgl. den Vorhergehenden.

SETAM (2), Levit vom Clan Gerschon, einer der drei Familienhäupter der Familie Ladan (1 Chr 23, 8), Aufseher über die Tempelschätze (26, 22).

SETAN (1), „Der sich mit Ölbäumen befaßt", Benjaminiter der Söhne Jedials, Familienhaupt, tapferer Krieger (1 Chr 7, 10).

SETAR (1), altpers. „Totschläger", Eunuch, genannt mit → MEHUMAN.

SETUR (1), (vgl. Sitri), **Söhne des Michael** (1), Clanhaupt des Stammes Ascher, von Mose als Kundschafter ausgesandt, um als Vertreter seines Stammes das Land Kanaan kennenzulernen (Num 13, 13).

SIA
1° **Sia** (2), Familienhaupt von Tempeldienern, die aus dem Exil heimkehren (Esr 2, 44: *Siaha* // Neh 7, 47: *Si'a).*
2° **Sia** (1), hebr. *Ziᶜa,* Gaditer, Familienhaupt (1 Chr 5, 13).

SIBBECHAI aus Huscha (5), Krieger Davids, der in einem Kampf gegen die Philister den Sippai, einen Rafaiter, tötet (2 Sam 21, 18 // 1 Chr 20, 4; 2 Sam 23, 27: hebr. *Mebunnai* // 1 Chr 11, 29). Nach 1 Chr 27, 11, wo er als **Serachiter** bezeichnet wird, ist er verantwortlich für den (militärischen) Dienst des achten Monats.

SIBMA (5), Stadt im Ostjordanland, mit der Nachbarstadt Heschbon zusammen genannt, von Ruben bewohnt (Num 32, 38; Jos 13, 19), dann von Moab, und berühmt wegen seines Weinbergs (Jes 16, 8–9; Jer 48, 32).
= **Sebam** (1), Num 32, 2.

SIBRAJIM (1), zwischen dem Gebiet von Damaskus und dem Gebiet von Hamat (Ez 47, 16).
= ? **Sifron** (1), Ort an der Nordgrenze des Gelobten Landes (Num 34, 9). Lokalisierung ungewiß.

SICHEM (68), hebr. *Schekem,* „Schulter", „Nakken" (vgl. Gen 48, 22), gr. *Sychem* oder *Sikima.* Stadt im Gebirge Efraim, am Eingang des Tals, das den Berg Ebal vom → GARIZIM trennt (Dtn

11, 30; Jos 8, 33; vgl. Ri 9, 36). Verkehrsknotenpunkt zwischen Jerusalem und Phönizien (Ri 21, 19; Hos 6, 9), dem Jordan und dem Mittelmeer (Dtn 11, 30).
Sichem ist ein heiliger Ort der Patriarchen (Gen 12, 6–7; 35, 4). Jakob kauft hier einen Acker von den Söhnen Hamors, des Vaters von Sichem (Gen 33, 18–19), und wie Abraham errichtet er hier einen Altar (Gen 33, 20). Auf dem Acker wird Josef begraben (Jos 24, 32; vgl. Apg 7, 16, wo Sichem mit Machpela verwechselt wird). Die Söhne Jakobs lassen ihre Herden in der Gegend weiden (Gen 37, 12–14). Die Bewohner der Stadt werden von einem eponymen hiwitischen Ahnherrn hergeleitet, von Sichem, dem Sohn des Hiwiters Hamor, dem Fürst des Landes (Gen 34, 2; vgl. Ri 9, 28). Sie werden als Verbündete der Israeliten dargestellt, da Sichem die Jakobstochter Dina, die er vergewaltigt hatte, heiraten will (Gen 34, 1–24). Das Ende der Geschichte (34, 25–30) scheint zu besagen, daß die Stadt dieser „Fremden“ (vgl. Jdt 9, 2–4) durch List und Gewalt erobert wurde (vgl. Gen 48, 22; 49, 5; Ps 60, 8 // 108, 8).
Sichem wird bald Efraim (1 Chr 7, 28; vgl. Jos 8, 33), bald Manasse (→ Schechem und am Schluß des Artikels) zugeschrieben, da diese beiden Stämme zusammen als „Söhne Josefs“ betrachtet werden (1 Chr 7, 28–29). Es ist eine Asylstadt (Jos 20, 7), den Leviten vom Clan Kehat übergeben (Jos 21, 21 // 1 Chr 6, 52).
Als Sitz der Bundeslade (Jos 8, 33), als Ort, an dem die Kanaaniter den Bundesgott Baal-Berit verehrten (Jos 8, 33; vgl. 9, 46), ist Sichem der große Versammlungsort der Stämme Israels, wo Josua einen Bund mit dem Volk schließt und ihm eine Verfassung und ein Recht gibt (Jos 24, 1–28). In Sichem läßt sich Abimelech, der Sohn Gideons und einer Sichemiterin (Ri 8, 31), zum König ausrufen (9, 1–6). Auf Anstiften seines Bruders Jotam (9, 7–21) empören sich die Sichemiter gegen den König, der die Stadt zerstören läßt (9, 22–49.57). Unter Salomo wird Sichem zur zweiten Hauptstadt des Königreichs. Dort vollzieht Rehabeam den politischen Bruch zwischen Juda und Israel (1 Kön 12, 1 // 2 Chr 10, 1). Die Israeliten berufen die Versammlung der Nordstämme nach Sichem ein und proklamieren Rehabeam zum König (1 Kön 12, 20). Er macht Sichem zur ersten Hauptstadt des Nordreichs (1 Kön 12, 25). Nach dem Exil wird die Stadt zur Metropole der → Samariter (Sir 50, 26), wohin sich auch die aus Jerusalem wegen ihrer „Mischehen“ vertriebenen Juden flüchten (vgl Jer 41, 5). Heute *Tell Balata,* westlich von Nablus.
= **Schechem** (3), Sohn des Manasse (nach Jos 17, 2), vierter von sechs Söhnen Gileads, dessen Nachkommen die Sippe der **Schechemiter** bilden (Num 26, 31). In 1 Chr 7, 19 rangiert Schechem unter den Söhnen des Schemida (dessen „Bruder“ er in anderen Texten ist).
Gegenüber von Sichem → Michmetat.
Die Akropolis → Migdal-Sichem.
→ Sychar.

SICHRI, „Mein Andenken“ (vgl. Secharja).
1° **Sichri** (1), Levit des Clans Kehat, Sohn des Jizhar und Bruder des Korach und Nefeg (Ex 6, 21).
2° **Sichri** (1), Benjaminiter der Söhne Schimis, Familienhaupt in Jerusalem (1 Chr 8, 19).
3° **Sichri** (1), Benjaminiter der Söhne Scheschaks, Familienhaupt in Jerusalem (1 Chr 8, 23).
4° **Sichri** (1), Benjaminiter der Söhne Jerihams, Familienhaupt in Jerusalem (1 Chr 8, 27).
5° **Sichri Sohn des Asaf** (1) → Sakkur 4°.
6° **Sichri** (1), Levit des Clans Kehat, Nachkomme Amrams über Mose und Eliëser, einer der Aufseher über die Schatzkammern der Weihegeschenke (1 Chr 26, 25).
7° **Sichri** (1), Rubeniter, Vater des → Eliëser 5°.
8° **Sichri** (1), Judäer, Vater des → Amasja.
9° **Sichri** (1), Vater des → Elischafat.
10° **Sichri** (1), efraimitischer Held, der im syroefraimitischen Krieg gegen den König Ahas von Juda den Sohn des Königs Maaseja, den Palastvorsteher Asrikam und den Stellvertreter des Königs Elkana tötet (2 Chr 28, 7).
11° **Sichri** (1), Benjaminiter, Vater des → Joël 12°.
12° **Sichri** (1), Haupt der Priesterfamilie Abija, zur Zeit des Hohenpriesters Jojakim (Neh 12, 17).

SIDDIM (Tal von) (3), von Gen 14, 3 mit dem

„Salzmeer“ identifiziert, südlicher Teil des Toten Meers, voll von Erdpechgruben (14, 10). Ort des Zusammenstoßes zwischen den Königen von Sodom, Gomorra und den Nachbarstädten einerseits und den vier Großkönigen anderseits (14, 8).

SIDE (1), Hafen Pamphyliens in Kleinasien, wohin auch der Brief des Konsuls Luzius über das Bündnis zwischen Römern und Juden gerichtet ist (1 Makk 15, 23).

SIDON (34), hebr. *Zidon,* „Fischfang“? (vgl. Betsaida), **Groß-Sidon** (2): Jos 11, 8; 19, 28.

a) **Sidon,** auch „Jungfrau, Tochter Sidon“ genannt (Jes 23, 12), nach dem Jahwisten die erste der kanaanäischen Städte (Gen 10, 15 // 1 Chr 1, 13; vgl. Gen 10, 19; Mt 15, 21–22). Bedeutende phönizische Stadt, die „Festung am Meer“ (Jes 23, 4 MT), westlich des Hermon (vgl. Dtn 3, 9), berühmt wegen ihrer Ruderer (Ez 27, 8), ihrer Holzhauer (1 Kön 5, 20; vgl. 1 Chr 22, 4; Esr 3, 7), ihres Handels (Jes 23, 2) und ihrer Weisheit (Sach 9, 2), deren Bewohner ruhig und zufrieden leben (Ri 18, 7). Sidon wird als Stadt Aschers gezählt (Jos 19, 28), an der äußersten Grenze von Sebulon (49, 13), in weiter Entfernung von Lajisch/Dan (Ri 18, 7.28). Die Israeliten werden von den Sidoniern unterdrückt (Ri 10, 12; vgl. 3, 3) und haben sich die Stadt immer nur theoretisch angeeignet (Jos 13, 4–6; vgl. Ri 1, 31). Israel – und besonders der König Salomo – läßt sich von den Göttern Sidons zum Abfall von Jahwe verführen (1 Kön 11, 5.33; 2 Kön 23, 13; vgl. Ri 10, 6; 1 Kön 11, 1–2). Der Spruch Ez 28, 21–23 (vgl. 32, 30) erklärt sich aus der Rolle, die Sidon in der Politik gespielt hat, die zum Untergang Judas führte. Die vom König des Nordens bedrohte „befestigte Stadt“ (Dan 11, 15) ist vielleicht Sidon.
Auf seiner Seereise nach Rom darf Paulus in Sidon an Land gehen (Apg 27, 3–4). Heute *Saida.*

b) **Tyrus und Sidon** → Tyrus b).
König → Etbaal.
Stadtgöttin → Astarte.
Im Gebiet von Sidon → Sarepta.
→ Phönizien.

SIDONIER (18): Dtn 3, 9; Jos 13, 4.6; Ri 3, 3; 10, 12; 18, 7; 1 Kön 5, 20; 11, 1.5.33; 16, 31; 2 Kön 23, 13; 1 Chr 22, 4; Esr 3, 7; Ez 32, 30; Lk 4, 26; Apg 12, 20 Bewohner von → Sidon.

SIEBEN (Die). Absoluter Gebrauch (1): Apg 21, 8. Die Zahl „Sieben“ ist im AT die Zahl der heidnischen Völker in → Kanaan, im Unterschied zu den „zwölf“ Stämmen Israels. Im NT gelten die „Sieben“ als Mitarbeiter der Zwölf, es sind „Männer von gutem Ruf und voll Geist und Weisheit“, die sich „dem Dienst an den Tischen“ widmen, d. h. in den christlichen Gemeinden wirtschaftliche und karitative Aufgaben wahrnehmen sollen. Diese spätere lukanische Deutung der Jerusalemer „Sieben“ geht von dem zu seiner Zeit bestehenden Amt der Diakone aus, während es sich in Wirklichkeit wohl um die Leiter des hellenistischen Teils der Urgemeinde gehandelt hat. Alle Namen der Sieben sind griechisch, und die meisten von ihnen sind hellenistischer Herkunft: **Stephanus, Philippus, Prochorus, Nikanor, Timon, Parmenas** und **Nikolaus** (Apg 6, 1–6). Stephanus und Philippus werden auch nicht als Armenpfleger oder „Tischdiener“ dargestellt, sondern als vom Geist erfüllte Prediger des Evangeliums.

SIEBENGESTIRN (3) hb. *Kimah,* Ijob 9, 9; 38, 31; Am 5, 8, Sternbild.

SIF
1° **Sif** (1), Stadt im Negeb von Juda (Jos 15, 24). Etwa 60 km südlich von Hebron.
2° **Sif** (5), Stadt im Bergland Juda (Jos 15, 55), kalebitischen Ursprungs (1 Chr 2, 42; 4, 16), von Rehabeam befestigt (2 Chr 11, 8).
Bis in die Nähe der Stadt erstreckt sich die **Steppe Sif** (4), wo sich David vor den Verfolgungen Sauls verbirgt. Sauls Sohn Jonatan kommt hierher, um David zu versorgen (1 Sam 23, 14–18), aber einige **Sifiter** verraten Saul, daß David sich in ihrer Gegend aufhält (23, 19–24 // 26, 1–2; vgl. Ps 54, 2).
→ Hachila, Horescha.

SIFA (1), Femininform von *Sif,* zweiter von vier Söhnen des Jehallelel, ein von Kaleb hergeleiteter Clan (1 Chr 4, 16).

SIFITER (3): 1 Sam 23, 19; 26, 1; Ps 54, 2 Leute aus → SIF 2°.

SIFMOT (1), Ort im südlichen Juda (1 Sam 30, 28).

SIFRON (1) → SIBRAJIM.

SIHON (37), (3), **Amoriter** (3), **König der Amoriter** (13), **König von** (oder *der herrscht* bzw. *wohnt in*) **Heschbon** (17). Oft zusammen mit dem König Og von Baschan genannt; vgl. auch **die beiden Amoriterkönige** (6): Dtn 3, 8; 4, 47; 31, 4; Jos 2, 10; 9, 10; 24, 12; vgl. Dtn 3, 21; Jos 13, 12.
Sein Reich, das sich auf Kosten Moabs vergrößert hat (Num 21, 16–29; Jer 48, 45), erstreckt sich über den Jordan (Dtn 3, 8; 4, 47), vom Arnon (Dtn 2, 24) bis zum Jabbok (Jos 12, 2), und von der Wüste bis zum Jordan (Ri 11, 22). Sihon widersetzt sich Israel, das sein Land durchziehen möchte, mit Gewalt, aber die Israeliten schlagen ihn bei Jahaz und erobern sein Gebiet (Num 21, 21–32; Dtn 2, 24–36; Ri 11, 19–22), das Ruben, Gad (vgl. 1 Kön 4, 19f) und dem östlichen Halbstamm Manasse zugeteilt wird (Num 32, 33–41; Dtn 29, 6–7; Jos 13, 8–11.15–21.24–27). Das Schicksal Sihons soll auch dem legendären König Og widerfahren (Num 21, 34; Dtn 3, 2.6) und den anderen Feinden Israels (Dtn 3, 21; 31, 4; vgl. Jos 2, 10; 9, 10). Der Sieg über die beiden Amoriterkönige hat sich dem Gedächtnis Israels tief eingeprägt (Dtn 1, 4; 3, 8; 4, 46–47; Jos 13, 10–12.21; 24, 8.12; Neh 9, 22; Ps 135, 11; 136, 19–20).
Hauptstadt → HESCHBON.

SIKKUT (1) → KEWAN.

SIKYON (1), gr. *Sikyôn,* Stadt des Peloponnes, westlich von Korinth, wohin der Brief des Konsuls Luzius über das Bündnis zwischen Römern und Juden gerichtet ist (1 Makk 15, 23).

SILAS (13), gräzisierte Form von *Saul,* lat. *Silvanus.* Judenchrist, römischer Bürger (Apg 16, 37f), Prophet (15, 32). In der Urgemeinde von Jerusalem nimmt Silas einen bedeutenden Platz ein (15, 22). Mit Judas, Barnabas und Saulus gehört er zu den Abgesandten des Jerusalemer Konzils zur Gemeinde von Antiochia (15, 22–34). Er begleitet Paulus auf seiner zweiten Missionsreise (15, 40), in Lystra gesellt sich ihnen Timotheus zu. In Philippi wird er mit Paulus eingekerkert (16, 19.25.29), in Thessalonich teilt er mit ihm Erfolge und Schwierigkeiten (17, 4.10), er bleibt mit Timotheus in Beröa, während Paulus nach Athen reist (17, 14–15). In Korinth trifft er wieder mit ihm zusammen (18, 5).
= **Silvanus** (4), arbeitet mit Paulus und Timotheus in Korinth zusammen (2 Kor 1, 19), erscheint als Mitabsender der beiden Thessalonicherbriefe (1 Thess 1, 1; 2 Thess 1, 1). Auch der erste Petrusbrief erwähnt seinen Namen (1 Petr 5, 12), und manche Exegeten sehen in ihm den eigentlichen Verfasser des Schreibens.

SILLA (1), neben dem Bet-Millo von Jerusalem, wo der König Joasch ermordet wurde, genannt (2 Kön 12, 21). Lage unbekannt.

SILO (32) → SCHILO.

SILOAM (5) → SCHILOACH.

SILPA (7), nach dem arab. „Mit kleiner Nase". Magd Labans und dann seiner Tochter Lea, Nebenfrau Jakobs (Gen 29, 24; 30, 9), dem sie zwei Söhne, Gad und Ascher, gebiert (30, 10–12; 35, 26; 37, 2; 46, 18).

SILVANUS (4) → SILAS.

SIMEON, Symeon, Simon, hebr. *Schimᶜôn,* „[Jah] hat gehört" (vgl. Schemaja), gr. *Symeôn, Simôn.*
1° **Simeon** oder **Symeon** (46), Sohn Jakobs und Stamm Israels.
Zweiter Sohn Jakobs und der Lea (Gen 29, 33; 35, 23; Ex 1, 2; 1 Chr 2, 1; vgl. Gen 48, 5). Als Einzelperson erscheint er nur in der Josefsgeschichte. Josef behält ihn als Geisel bei sich, bis ihm Benjamin gebracht wird (Gen 42, 24.36; 43, 23). Der Stamm der **Söhne Simeons** (16) oder der **Simeoniter** (4) ist fast ganz aus der Geschichte Israels verschwunden. Die in Gen 34, 25–31 (vgl.

49, 5) erzählte Episode, in der die beiden Brüder Simeon und Levi den Hiwiter Sichem durch eine List kampfunfähig machen, will wahrscheinlich zeigen, daß die beiden Stämme sich zunächst bei der kanaanäischen Stadt Sichem niedergelassen haben, bevor sie in Israel „zerstreut" werden (Gen 49, 7). Simeon nimmt – mit seinem „Bruder" Juda (Ri 1, 3.17) – den Süden des Gelobten Landes ein. Diese beiden Stämme sind durch eine Art nichtisraelitischer Barriere von den anderen Stämmen getrennt: Jerusalem, Geser und die gibeonitische Föderation. Die Simeoniter ziehen als Nomaden im Negeb umher (vgl. 1 Chr 4, 39–40). Simeonitische Clans werden in Gen 46, 10 // Ex 6, 15 und Num 26, 12 // 1 Chr 4, 24 erwähnt. Die zahlenmäßige Stärke wird in Num 1, 23 // 2, 13 (59300) und Num 26, 14 (22200) angegeben (vgl. 1 Chr 4, 38).

Das Stammesgebiet beschreibt Jos 19, 1–9; 1 Chr 4, 24–43. Der zur Zeit der Richter bereits geschwächte Stamm ist sehr bald in Juda aufgegangen. Daraus erklärt sich, daß zwölf Namen von Städten Simeons in Juda wiederbegegnen (vgl. Jos 15, 26–32) und daß Simeon in Dtn 33 nicht genannt wird.

Hervorragende Simeoniter → Judit 2°; Usija 7°; Schelumiël; Simri 1°.

Simeon in den Stammeslisten → S. 376f.

2° **Simeon** (1), Israelit aus den Söhnen Harims, schickt seine fremdländische Frau zurück (Esr 10, 31).

3° **Simeon** (1), Ahnherr des → Mattatias 1°.

4° **Simeon Sohn des Johanan** (Onias II.) (1), Hoherpriester (218–192), dessen Verdienste in Sir 50, 1–21 gepriesen werden. Vater des → Onias 3°.

5° **Simon** (67) oder **Simeon** (1), genannt **Tassi** (1), **Sohn des Mattatias** (1), Nachkomme Jojaribs, Bruder des Makkabäers Judas, Hoherpriester und Ethnarch der Juden (143–134).

Zweiter Sohn des Mattatias (1 Makk 2, 3). Die Abschiedsrede des sterbenden Mattatias empfiehlt ihn den Brüdern als einen guten Ratgeber und als den, der an ihnen Vaterstelle vertreten soll (2, 65). Tatsächlich hat Simon erst als dritter die Führung des Volkes übernommen. Zunächst wird er von seinem Bruder Judas beauftragt, mehrere Feldzüge zu unternehmen: gegen Nikanor (2 Makk 8, 22), gegen die Idumäer (10, 19–20), in Galiläa, um die von den Heiden unterdrückten Juden zu befreien (1 Makk 5, 17–23.55), und noch einmal gegen Nikanor (2 Makk 14, 17).

Nach dem Tod des Judas, der in Modin bestattet wird (1 Makk 9, 19), suchen Simon und Jonatan in der Wüste Tekoa Zuflucht (9, 33–41). Simon zwingt den Syrer Bakchides, die Belagerung von Bet-Basi aufzugeben (9, 62–68). Er hilft seinem Bruder Jonatan, den Apollonius bei Joppe und Aschdod zu schlagen (10, 74–82). Jonatan setzt ihn zum Befehlshaber von der Tyrischen Treppe bis zur Grenze Ägyptens, d. h. über das gesamte Küstengebiet ein (11, 59). Als solcher gewinnt Simon Bet-Zur zurück (11, 64–65), er erobert Joppe (12, 33), baut Adida wieder auf (12, 38), wohin er sein Hauptquartier verlegt (13, 13). Als Jonatan von Tryphon gefangengenommen wird, übernimmt Simon anstelle seines Bruders die Führung (13, 1–10). Er vertreibt Tryphon aus Judäa (13, 12–24) und errichtet in Modin eine Grabstätte für seine Familie (13, 25–30).

Im Jahr 142 verbündet sich Simon mit Demetrius II., der die Abmachung von 145 bestätigt (1 Makk 11, 30f) und zunächst die religiöse, dann die politische Unabhängigkeit Judäas anerkennt. Mit Simon beginnt eine neue Ära, er vereinigt in seiner Person als Hoherpriester, Feldherr und Ethnarch die religiöse, militärische und politische Macht des jüdischen Volkes (13, 41–42). Rom und Sparta erneuern ihre Bündnisse mit Simon (1 Makk 14, 16–24; 15, 15–24). Simon bemächtigt sich Gesers bzw. Gazaras (13, 43–48), dann im Juni 141 der Zitadelle von Jerusalem, des Symbols fremdländischer Herrschaft (13, 49–52). Eine Lobrede auf ihn enthält 14, 1–15. Ein Ehrendekret für ihn ist auf dem Berg Zion eingraviert (14, 25–49). Simon erhält einen freundschaftlichen Brief von Antiochus VII. (15, 1–9), der aber plötzlich seinen Sinn ändert (15, 27) und von Simon mehrere Städte fordert. Der weigert sich und schickt seine beiden Söhne gegen den Statthalter Kendebäus (16, 1–10). Simon kommt auf tragische Weise ums Leben, er wird von seinem Schwiegersohn Ptolemäus in Dok ermordet. Sein Sohn Johanan (Johannes Hyrkanus) tritt die Nachfolge an (1 Makk 16, 11–24; vgl. 13, 53).

6° **Simeon** (7), **Priester der Klasse Bilga** (Korr. des gr. *Stamm Benjamin)* (1), Tempelvorsteher (2 Makk 3, 4), dessen Schurkerei, Bosheit und Raserei angeprangert werden (4, 3–6). In seinem Haß gegen den Hohenpriester Onias löst er den Raubzug des Helidor aus, der die angeblich sagenhaften Schätze des Jerusalemer Tempels beschlagnahmen will (3, 4–11; 4, 1–6).
Bruder des → MENELAUS.
7° **Simeon** (1), ein Ahnherr Jesu (Lk 3, 30).
8° **Simeon** (2), ein „gerechter und frommer" Mann, der „auf die Rettung Israels wartete". Er kommt zugleich mit der hochbetagten Prophetin Hanna in den Tempel, um das Jesuskind zu begrüßen und ihm seine Zukunft vorauszusagen (Lk 2, 25–35).
9° **Simon** (50) oder **Symeon** (2) **Sohn des Johannes** (4) odes **des Jona** (1), jüdischer Name des → PETRUS.
10° **Simon** (4) **Kananäus** (4) oder **der Zelot** (2): Mt 10, 4 // Mk 3, 18 bzw. Lk 6, 15 // Apg 1, 13; einer von den → ZWÖLF.
11° **Simon** (2), „Bruder" Jesu (Mt 13, 55 // Mk 6, 3).
12° **Simon Iskariot** (3), Joh 6, 71; 13, 2 LA. 26: Vater des → JUDAS 5°.
13° **Simon** (3) **der Pharisäer** (4), lädt Jesus zu Tisch und wird durch das Beispiel der Sünderin und das Gleichnis von den zwei Schuldnern belehrt, wer „mehr liebt" (Lk 7, 36–50). Mit dem Folgenden identisch?
14° **Simon** (2), der Aussätzige in Betanien. Jesus ist bei ihm zu Tisch (Mt 26, 6 // Mk 14, 3).
15° **Simon von Zyrene** (3), Vater des Alexander und des Rufus (Mk 15, 21). Er wird gezwungen, Jesus das Kreuz tragen zu helfen (Mt 27, 32 // Mk 15, 21 // Lk 23, 26).
16° **Simon** (4), Zauberer in Samaria, versucht, den Aposteln Petrus und Johannes die Vollmacht der Geistverleihung abzukaufen (Apg 8, 9–24). Als Simon **Magus** spielt er in der judenchristlichen Literatur des 2. Jahrhunderts (Pseudo-Klementinen) eine große Rolle.
17° **Simon** (4), ein Färber in Joppe, in dessen Haus Petrus gastfreundliche Aufnahme findet (Apg 9, 43; 10, 6.17.32).
18° **Simeon** genannt **Niger** (1), einer der fünf „Propheten und Lehrer" der antiochenischen Gemeinde (Apg 13, 1).

SIMEONITER (4), hebr. *Schim'oni*: Num 25, 14; 26, 14; Jos 21, 4; 1 Chr 27, 16. Nachkommen des → SIMEON 1°.

SIMMA (3), Levit des Clans Gerschon, Sohn des Jahat (1 Chr 6, 5) oder Enkel des Jahat und Ahnherr Asafs (6, 27).
Vater des → JOACH 3°.

SIMRAN (2), einer der sechs Söhne Abrahams und seiner Nebenfrau Ketura (Gen 25, 2 // 1 Chr 1, 32). In Arabien.

SIMRI, gr. *Zambri.*
1° **Simri Sohn des Salu** (2), Haupt einer Familie aus Simeon. Er wird von Pinhas zusammen mit der Midianiterin Kosbi, der Tochter Zurs, getötet, als sie sich ihm gerade zur kultischen Prostitution hingibt (Num 25, 6–18; vgl. 1 Makk 2, 26: gr. *Zambri Sohn des Salom*).
2° **Simri** (1), Judäer → SABDI 1°.
3° **Simri** (4), Benjaminiter, Sohn des Joadda, Nachkomme des Königs Saul und Ahnherr der Söhne Azels (1 Chr 8, 36 // 9, 42).
4° **Simri** (8), Offizier im israelitischen Heer, befehligt die Hälfte der Streitwagen. Er ermordet den König Ela in Tirza, der damaligen Hauptstadt, im Hause des Palastvorstehers Arza und ergreift die Macht. Ebenso rasch löscht er das Haus Bascha, des Vaters Elas, aus. Zur gleichen Zeit wird aber der General Omri zum König ausgerufen, und dieser belagert Tirza. Besiegt, gibt sich Simri selbst den Tod, indem er den Königspalast anzündet. Seine Herrschaft über Israel hatte nur sieben Tage (885) gedauert (1 Kön 16, 9–12.15–20; vgl. 2 Kön 9, 31).
5° **Simri** (1): Jer 25, 25. Unbekannter Ort. Vielleicht ist *Simki* zu lesen, das Kryptogramm für Elam? oder *Gimri,* das mit Gomer, dem Sohn Jafets, zusammenhängt und die Kimmerer bezeichnet?

SIMSON (39), hebr. *Schimschon,* gr. *Samson,* Verkleinerungsform von hebr. *Schemesch,* „Son-

ne“ (vgl. Bet-Schemesch; En-Schemesch; Ir-Schemesch; Schimschai; Schawscha?. Siehe Heliopolis; Heres).
Im Buch der Richter wird Simson als letzter der „großen“ Richter dargestellt: Vom Mutterleib an Gott geweiht, soll er Israel aus der Hand der Philister erretten (Ri 13, 5). Streng genommen, ist er aber weder ein Richter noch ein Freiheitskämpfer. Es handelt sich vielmehr um einen Held der Volkssage, dessen physische Kraft gegen die Philister seine Schwäche gegenüber den Frauen aufwiegt. Er tritt immer allein auf, und seine Handstreiche bezwecken eher, den Feind lächerlich zu machen als das Land vom Joch des Besetzers zu befreien.
Er wird im Schoß einer danitischen Familie in Zora geboren (Ri 13), heiratet eine Philisterin und gibt seinen dreißig Gefährten das Rätsel von dem „Starken und dem Süßen“ auf (Ri 14). Dann zündet er die Ernte der Philister an und tötet tausend von ihnen mit einem Eselskinnbacken (Ri 15). In der Philisterstadt Gaza begegnet er einer Dirne und trägt die Stadttore auf einen Berg hinauf (16, 1–3). Simson wird von Dalila verraten, und er rächt sich an den Philistern, indem er den Tempel ihres Gottes Dagon zum Einsturz bringt, wobei die dort Versammelten umkommen (16, 4–31).
Im NT wird Simson mit den drei anderen Richtern Gideon, Barak und Jiftach erwähnt (Hebr 11, 32).

SIN
1° **[Sin],** Mondgott in Assyro-Babylonien; seine Tochter ist Ischtar. Er wird in der Bibel nicht genannt, aber sein Name ist in die Zusammensetzung mehrerer Eigennamen eingegangen (vgl. Sanballat; Sanherib; Schenazzar; Scheschbazzar; Schinab; Sinai?).
2° **Wüste Sin** (4), zwischen Elim und dem Sinai (Ex 16, 1: das Manna und die Wachteln; 17, 1; Num 33, 11–12: Etappe auf dem Exodus).
Nicht zu verwechseln mit der Wüste → Zin.
3° **Sin** (2), „die Festung Ägyptens“ (Ez 30, 15–16). Stadt im Osten des Nildeltas. Vielleicht das *Pelusium* der Alten.

SIN-MAGIR (1) → Samgar-Nebo.

SINAI (41), ein Wort, das vom hebr. *seneh,* „Dornbusch“, hergeleitet wird (vgl. Ex 3, 2–4) oder vom Gott *Sin* (vgl. Sin 1°), Berg und Wüste auf der Halbinsel Sinai.
Vokabular: *Sinai* (7): Ex 16, 1; Dtn 33, 2; Ri 5, 5; Jdt 5, 14; Ps 68, 9.18; Sir 48, 7; *Berg Sinai* (19): Ex (10): 19, 11 usw.; Lev 7, 38; 25, 1; 26, 46; 27, 34; Num 3, 1; 28, 6; Neh 9, 13; Apg 7, 38; Gal 4, 25; *Wüste Sinai* (13): Ex 19, 1.2; Lev 7, 38; Num (10) 1, 1 usw.; *Wüste des Berges Sinai* (Apg 7, 30); *Berg Gottes* (Ex 4, 27; 18, 5; 24, 13; vgl. Ex 19, 3); *Berg Jahwes* (Num 10, 33; vgl. 1 Kön 19, 11); *Berg* (34): Ex (18); Dtn (15): 4, 11 – 10, 10; 1 Kön 19, 11; *Berge* (Ex 32, 12); *Wüste* (± 120); *Wüsten* (Jes 48, 21).
Ort, an dem sich Gott dem Mose zum erstenmal im brennenden Dornbusch offenbart (Ex 3, 2–4; vgl. Apg 7, 30–35; Mk 12, 26 // Lk 20, 37). Gott gibt Mose den Auftrag, sein Volk aus Ägypten zu befreien (Ex 3, 1–4.17). Am Gottesberg empfängt Mose den Besuch seines Bruders Aaron (Ex 4, 27).
Der Sinai ist eine der großen Etappen zwischen dem Auszug der Israeliten aus Ägypten und ihrem Einzug in das Gelobte Land (Ex 16, 1; 19, 1–2; 33, 6; Num 10, 12.33; 33, 15–16; Dtn 1, 2.6.19; Jdt 5, 14). Dort versammelt sich das Volk in der Wüste vor Gott (Ex 19, 7–15; Dtn 4, 10; 9, 10; 10, 4; 18, 16; Apg 7, 38), dort spricht Gott zu seinem Volk (Dtn 1, 6; 4, 15; 5, 2; Neh 9, 13). Auf dem Berg Sinai, inmitten von Blitzen, Donnern und der Wolke, auf dem rauchenden Berg (Ex 19, 16–25; Dtn 5, 2–5.23–31) steigt Gott (Dtn 33, 2; Ri 5, 5; Ps 68, 9.18) herab in seiner Herrlichkeit (Ex 19, 11.20; 24, 16; Neh 9, 13), spricht zu Mose (Ex 19.19; 31, 18; 33, 9–11; Lev 25, 1; Num 1, 1; 3, 1.14; 9, 1; Apg 7, 38), läßt ihn ein wenig von seiner Herrlichkeit schauen (Ex 33, 18–23; Sir 45, 3), gibt ihm Gebote für sein Volk (Ex 20, 1–21; Lev 26, 46; 27, 34; Sir 45, 3–5; Mal 3, 22) und schließt mit ihm den Bund (Dtn 5, 2–3; 28, 69) durch ein Opfer (Ex 24; vgl. Num 28, 6). Mose verbringt vierzig Tage und vierzig Nächte auf dem Berg (Ex 24, 18; 34, 28; Dtn 10, 10), während das unten gebliebene Volk das Goldene Kalb anbetet (Ex 32, 1–10; Dtn 9, 8; Ps 106, 19). Gott übergibt ihm die Gesetzestafeln (Ex 24, 12; 31, 18; 32, 15; 34, 1–4.28–29),

die in der „Bundeslade“ aufbewahrt werden (Ex 25, 16.21; 40, 20; Dtn 10, 2–5; vgl. 1 Kön 8, 9 // 2 Chr 5, 10).
Für die in Ex 19—40; Lev 1—27; Num 1—10 enthaltenen narrativen Überlieferungen und Gesetzestexte gibt das Sinaigeschehen den Rahmen ab, z. B. für die Begegnung zwischen Mose und Jitro (Ex 18, 5), die Musterung des Volkes (Num 1, 19; 26, 64), den Tod Nadabs und Abihus (Num 3, 4; vgl. Lev 10, 1–7), die Feier des Pascha (Num 9, 5), die Darbringung der Weihegaben (Lev 7, 38) und Brandopfer (Num 28, 6; vgl. Am 5, 25) u.a.m.
Als das Volk sich im Land Kanaan niedergelassen hat, wird der Berg Zion, „von dem die Weisung des Herrn kommt“ (Jes 2, 3), zum neuen Sinai (vgl. Ps 68, 17–18). Und für Paulus repräsentiert der Sinai den alten Bund, der durch Christus abgeschafft ist (Gal 4, 24–26). Trotz der Bedeutung, die der Sinai in der atl. Geschichtsschreibung und Gesetzgebung besitzt, scheinen die Israeliten vergessen zu haben, wo er genau liegt. Die Tradition identifiziert ihn mit dem *Djebel Musa* (2245 m).
= **Horeb** (18).
Vokabular: *der Horeb* (15): Ex 17, 6; Dtn (10): 1, 1.2.6.19; 4, 10.15; 5, 2; 9, 8; 18, 16; 28, 69; 1 Kön 8, 9 // 2 Chr 5, 10; Ps 106, 19; Sir 48, 7; Mal 3, 22; *der Berg Horeb* (Ex 33, 6); *der Berg Gottes, der Horeb* (Ex 3, 1; 1 Kön 19, 8).
Horeb ist der Name des Sinai im historischen Rahmen des Dtn und in der dtn Redaktion des Königsbuches. Das Wort *Horeb* stellt in Ex 3, 1 und 17, 6 eine Glosse dar, ebenso wie in Dtn 33, 2 *Sinai* aus einer anderen Quelle stammt als das übrige Dtn. In Sir 48, 7 werden die beiden Namen parallel gebraucht. Zum Horeb wandert der Prophet Elija auf seiner Flucht vor dem Zorn Isebels vierzig Tage und vierzig Nächte. Dort begegnet er Gott (1 Kön 19, 1–19; vgl. Sir 48, 7) in der Höhle, in der sich Mose während der Erscheinung Gottes verborgen hatte (Ex 33, 22).

SINEAR → Schinar.

SINIM (1) → Syene.

SINITER (2), Stamm an der phönizischen Küste, von Kanaan hergeleitet (Gen 10, 17 // 1 Chr 1, 15).

SION → Zion.

SIPPAI, Nachkomme der Rafaïter (1), in einem Krieg gegen die Philister bei Gob oder Geser von Sibbechai aus Huscha getötet (1 Chr 20, 4).
= **Saf, Nachkomme des Rafa** (1), 2 Sam 21, 18.

SIRA (1), hebr. *Sirah,* Zisterne in der Umgebung von Hebron (2 Sam 3, 26).
→ Bor-Sira.

SIRACH (3), hebr. *Sira,* Vater des → Jesus 1°.

SIRJON (2) → Hermon.

SISA, hebr. 1°–2°: *Ziza‘*; 3°: *Zizah.*
1° **Sisa** (1), Simeoniter, Clanhaupt (1 Chr 4, 37).
2° **Sisa** (1), dritter der vier Söhne der Maacha und des Königs Rehabeam (2 Chr 11, 20).
3° **Sisa** (1), 1 Chr 23, 11.
= **Sina** (1), Levit des Clans Gerschon, zweiter der vier Söhne Schimis (1 Chr 23, 10).

SISERA, hebr. *Sisra‘,* gr. *Sisara.*
1° **Sisera** (19), nach dem Prosabericht von Ri 4 bewohnt er Haroschet-Gojim und befehligt das Heer des Kanaaniterkönigs Jabin von Hazor (4, 2). Sein mit 900 eisernen Streitwagen ausgestattetes Heer wird am Bach Kischon von Naftali und Sebulon unter dem Oberbefehl des Barak geschlagen (4, 7–9.12–16; Ps 83, 10). Sisera stirbt durch die Hand einer Frau, der Jaël, unter deren Zelt er sich verborgen hatte (Ri 4, 17–22). Im Lied von Ri 5 ist Sisera zum König und alleinigen Gegner Israels geworden (5, 20.26.28.30). In 1 Sam 12, 9 wird er Heerführer Hazors genannt.
2° **Sisera** (2), Haupt einer Familie von Tempeldienern, die aus dem Exil heimkehren (Esr 2, 53 // Neh 7, 55).

SISMAI (2), Nachkomme der Tochter Scheschans, vom Clan Jerachmeel (1 Chr 2, 40).

SITNA (1), „Streit“ (vgl. Satan), Name eines

Brunnens, Gegenstand eines Streites zwischen den Hirten von Gerar und denen Isaaks (Gen 26, 21). Zusammen mit den Brunnen von Esek und Rehobot genannt. Zwischen Gerar und Beerscheba.

SITRI (1), (vgl. Setur), letzter der drei Söhne Usiëls, Levit vom Clan Kehat (Ex 6, 22).

SIW (2), althebr. Monatsname, achter Monat, der „Blumenmonat" April/Mai (1 Kön 6, 1.37).

SIWAN (2), babyl.-assyr. Monatsname, dritter Monat, Mai/Juni (Est 8, 9; Bar 1, 8).

SKEVAS (1), gr. *Skeuas,* jüdischer Hoherpriester. Seine sieben Söhne werden als umherziehende Exorzisten dargestellt, die bei ihren Dämonenaustreibungen den Namen „Jesus" verwenden. „Und der Mensch, in dem der böse Geist hauste, sprang auf sie los, überwältigte sie und setzte ihnen so zu, daß sie nackt und zerschunden aus dem Haus fliehen mußten" (Apg 19, 14–16).

SKORPIONENSTEIGE (3), hebr. *Akrabim,* Paß zwischen dem äußersten Süden des Toten Meers und der Wüste Zin, an der Südgrenze des Gelobten Landes (Num 34, 4) und Judas (Jos 15, 3); zwischen Juda und Edom (Ri 1, 36).

SKYTHEN (2), gr. *Skythai* (vgl. Skythopolis), Volk am Nordufer des Schwarzen Meers, als barbarisch angesehen (2 Makk 4, 47; Kol 3, 11) → Aschkenas.

SKYTHOPOLIS (2), „Stadt der Skythen" (Amphipolis; Skythen), hellenistischer Name von → Bet-Schean.

SKYTHOPOLITER (1), 2 Makk 12, 30: Bewohner von → Skythopolis.

SMYRNA (2), „Myrrhe", größter Hafen Kleinasiens, mit Pergamon ein Zentrum des Kaiserkults. Einer der sieben Gemeindebriefe der Offenbarung ist an die Christen Smyrnas gerichtet und warnt sie vor einer bevorstehenden Verfolgung (Offb 1, 11; 2, 8–11). Heute *Izmir* in der Türkei, etwa 60 km nördlich von Ephesus.

SO (1), der König von Ägypten (2 Kön 17, 4). Da ein solcher König unbekannt ist, wird der Text oft korrigiert in: *Sais, zum König von Ägypten.* Sais ist die Stadt des Nildeltas, die Residenz der Pharaonen der 26. Dynastie (663–525 v. Chr.). Der König Hoschea von Israel hat eine Gesandtschaft dorthin geschickt. Andere Kommentare korrigieren *So* in *Sewe,* das sie mit *Sibe* identifizieren, dem Oberbefehlshaber der ägyptischen Armee.

SOCHO
1° **Socho** (4) **in Juda** (1), Stadt in der Schefela Judas (Jos 15, 35). Zur Zeit Sauls ziehen die Philister ihre Truppen bei Socho zusammen (1 Sam 17, 1). Unter Ahas wird die Stadt von den Philistern eingenommen (2 Chr 28, 18).
Etwa 25 km SW von Jerusalem.
2° **Socho** (3), Stadt im Bergland Juda (Jos 15, 48; vgl. 1 Chr 4, 18), von Rehabeam befestigt (2 Chr 11, 7).
Etwa 15 km SW von Hebron.
3° **Socho** (1), Ort im 3. Distrikt Salomos (1 Kön 4, 10). Etwa 25 km NW von Sichem.

SODI (1), Sebuloniter, Vater des → Gaddiël.

SODOM (48), hebr. *Sedom,* und **Gomorra,** die bekanntesten Städte der Pentapolis, d. h. der fünf Städte in der Ebene südlich des Toten Meers (Gen 13, 12; 19, 29; vgl. 13, 10; 19, 28; Jer 50, 40; sowie der Ausdruck „Sodom mit ihren Töchtern" Ez 16, 46.53).
Grenzstadt der Kanaaniter (Gen 10, 19), wo Lot wohnt (Gen 13, 12; 14, 12; 19, 12–15.29; Sir 16, 8). Ihre Bewohner gelten als große Bösewichter und Sünder (Gen 13, 13; 18, 20; Jes 3, 9; Klgl 4, 6) wegen ihrer sexuellen Abartigkeit (Gen 19, 4–11; Weish 19, 17; 2 Petr 2, 7–8; Jud 7), ihres Stolzes (Sir 16, 8) und ihrer Mißachtung der Gastfreundschaft gegenüber Fremden (Gen 19, 8), den beiden Engeln (Gen 19, 1). Von der Homosexualität ist das ganze Volk ohne Ausnahme befallen, von den Jungen bis zu den Alten (Gen 19, 4), so daß sich in der Stadt nicht einmal „zehn Gerechte"

finden, die das göttliche Strafgericht, auf die Fürbitte Abrahams hin, verhindern könnten (18, 32). Gott verschont den Lot, wahrscheinlich den einzigen „Gerechten" (Weish 10, 6; 19, 17; 2 Petr 2, 7–8), und seine Familie (Gen 19, 12–16.29), bevor er über Sodom und Gomorra Schwefel und Feuer regnen läßt. So ist aus diesen Städten und dieser Ebene (Gen 19, 24–29; Lk 17, 29; 2 Petr 2, 6), aus diesem „Garten Jahwes" (Gen 13, 10) eine öde Brandstätte geworden (Dtn 29, 22; Weish 10, 7), wo sich „Salzsäulen" erheben, unter denen die Tradition die Frau des Lot zu erkennen glaubt (Gen 19, 26; Weish 10, 7).
Sodom und Gomorra haben in zweifacher Hinsicht eine exemplarische, wenn auch traurige Bedeutung:
– durch die Katastrophe, die sie zerstört hat (Dtn 29, 12; Jes 1, 9 // Röm 9, 29; Jes 13, 19; Jer 49, 18; 50, 40; Am 4, 11; Zef 2, 9; vgl. Hos 11, 8).
– durch die Sünden, die diesen Städten ein solches Strafgericht zugezogen haben und deren sich auch das auserwählte Volk schuldig gemacht hat (Dtn 32, 32; Jes 1, 10; 3, 9; Jer 23, 14; Mt 11, 23–24; Lk 10, 12), so daß Jerusalem Sodom genannt werden kann (Offb 11, 8).
König von Sodom → Bera.
König von Gomorra → Birscha.

SOFERET (2), „Sekretariat" (vgl. Misperet; Kirjat-Sefer), Familienhaupt von „Knechten Salomos" (Esr 2, 55; Neh 7, 57).

SOHELET (Stein), „gleitender [Stein]", im Süden Jerusalems, nahe der Walkerquelle. Andonija und seine Anhänger versammeln sich dort in dem Augenblick, da sich das Problem der Thronfolge Davids stellt (1 Kön 1, 9).
→ Schlangenstein.

SOHET
1° **Sohet** (1), erster der beiden Söhne Jischis, vom Clan Kalebs hergeleitet (1 Chr 4, 20).
2° **Ben-Sohet** (1), zweiter der Söhne Jischis, vom Clan Kalebs hergeleitet (1 Chr 4, 20).

SOPATER (1), gr. *Sopatros* (vgl. Sosipater), **Sohn des Pyrrhus, aus Beröa** (1), einer der Begleiter des Paulus auf dem Rückweg von der dritten Missionsreise von Griechenland nach Syrien (Apg 20, 4). Derselbe (?) wie → Sosipater 2°.

SOPHONIAS → Zefanja.

SOREK (Tal) (1), „Rote Weintraube", Heimat der Delila, in die sich Simson verliebt (Ri 16, 4). Westlich von Jerusalem.

SOSIPATER, lat. Umschrift des gr. *Sosipatros* (vgl. Sopatros).
1° **Sosipater** (2), Heerführer des Makkabäers Judas (2 Makk 12, 19), nimmt im Lauf eines Feldzuges im Land des Tobija den Timotheus gefangen (12, 24).
2° **Sosipater** (1), Judenchrist aus Korinth (Röm 16, 21). Derselbe (?) wie → Sopater.

SOSTHENES
1° **Sosthenes** (1), Synagogenvorsteher in Korinth, von einer (jüdischen? heidnischen?) Menge mißhandelt, nachdem der Prokonsul Gallio zugunsten des Paulus auf einen Urteilsspruch verzichtet hat (Apg 18, 17).
2° **Sosthenes** (1), Mitarbeiter des Paulus (1 Kor 1, 1). Derselbe wie der Vorhergehende?

SOSTRATUS (2), gr. *Sostratos,* „Retter des Heeres", Oberst der Akropolis von Jerusalem, muß sich mit dem Hohenpriester Menelaus vor Antiochus Epiphanes verantworten, weil die Steuern nicht abgeliefert wurden (2 Makk 4, 28–29).

SOTAI (2), Haupt einer Familie von Knechten Salomos, die aus dem Exil heimkehren (Esr 2, 55 // Neh 7, 57).

SPANIEN (3), von den Römern erobert (1 Makk 8, 3–4). Im Winter 57–58 faßt Paulus den Plan, nach Spanien zu reisen (Röm 15, 24.28).

SPARTA (1), gr. *Sparte* (1 Makk 14, 16), Stadt Griechenlands auf dem Peloponnes. Im Jahr 144 schickt der Makkabäer Jonatan eine Gesandtschaft nach Sparta, um das Bündnis zwischen beiden Völkern zu erneuern (1 Makk 12, 2.5–18;

vgl. 12, 19–23). Nach dem Tod Jonatans (142) erneuern die Spartaner in einem an den Makkabäer Simon gerichteten Brief das Bündnis mit den Juden (1 Makk 14, 16–23). Nach Sparta, wo es eine jüdische Kolonie gegeben haben muß, ist auch der Brief des Konsuls Luzius über das Bündnis zwischen Römern und Juden gerichtet (1 Makk 15, 23).
= **Lazedämon** (1), 2 Makk 5, 9 (wörtl: *bei den Lazedämoniern*); dorthin geht der Hohepriester Jason ins Exil, wo er 168 stirbt.
König → Ares.

SPARTANER (9): 1 Makk 12, 2.5.6.20–21; 14, 20.23; 15, 23 die Bewohner von → Sparta.

STACHYS (1), „Ähre", Christ in Rom (Röm 16, 9).

STEPHANAS (3), (vgl. Stephanus), einer der allerersten Christen Korinths und Achaias; einer der wenigen, der mit seiner Familie von Paulus selbst getauft wurde (1 Kor 1, 16; 16, 15). Sehr aktiver Christ, der vermutlich mit Fortunatus und Achaikus den Brief der Korinther nach Ephesus zu Paulus überbracht hat (1 Kor 16, 16–18). Dann hat er wohl auch den 1 Kor als Antwort des Apostels zurückgebracht.

STEPHANUS (7), gr. *Stephanos,* „Kranz" (vgl. Stephanas), einer der → Sieben, ein Mann „von gutem Ruf und voll Geist und Weisheit" (Apg 6, 3), der „voll Gnade und Kraft Wunder und große Zeichen unter dem Volk tat" (6, 8). Wahrscheinlich hellenistischer Herkunft (vgl. 6, 1), zog er den Haß der Juden auf sich, die seiner Weisheit und dem Geist, mit dem er sprach, nicht widerstehen konnten (6, 10). Seine Verteidigungsrede vor dem Hohen Rat enthält eine Zusammenfassung der biblischen Geschichte (7, 1–53). Das zunächst vielleicht reguläre Verfahren artet in einen Lynchprozeß aus, und sein Sterben wird mit Zügen der lukanischen Leidensgeschichte ausgestattet (7, 59–60). Die Anwesenheit des Saulus/Paulus bei der Steinigung (7, 54 – 8, 2; vgl. 22, 20) verklammert beide Teile der Apostelgeschichte und läßt den Heidenapostel als geistigen Erben des Hellenisten Stephanus erscheinen.

STOIKER (1), gr. *Stoikoi,* und Epikuräer, denen Paulus in Athen begegnet, sind die beiden philosophischen Hauptschulen dieser Epoche (Apg 17, 18).

SUACH (1), aus Ascher, einer der elf Söhne des Zofach (1 Chr 7, 36).

SUCHATITER (1), hebr. *Suchatim,* judäischer Clan aus dem Geschlecht Salmon (1 Chr 2, 55). Unbekannt.

SUD (1), Fluß in Babylon (Bar 1, 4). Nicht identifiziert.

SÜDEN, hebr. *Negeb,* „Trocken" (daher „Süden").
1° **Süden** (10), vom Buch Dan verwendeter Ausdruck, um Ägypten zu bezeichnen (Dan 11, 15.29).
Könige → Ptolemäus 1°–6°.
2° **Süden** (2), gr. *notos,* in Mt/Lk gleichbedeutend mit → Saba.
3° **Süden (Kammern des)** (1), hb. *Hadre Teman,* Sternbild, Ijob 9, 9.
4° → Negeb.

SUF, „Schilf".
1° **Schilfmeer** (24) → Rotes Meer.
2° **Suf** (1), im Süden des Ostjordanlands (Dtn 1, 1).
= **Sufa** (1), in Moab (Num 21, 14).

SUFA (1) → Suf 2°.

SUKKIJITER (1), gr. *Troglodytai,* nicht identifiziertes Volk, das an den Küsten Libyens und Äthiopiens beheimatet sein soll und im ägyptischen Heer des Pharao Schischak dient (2 Chr 12, 3).

SUKKOT, „Hütten [aus Zweigen]" (vgl. Sechacha; Sukkot-Benot).
1° **Sukkot** (14), Aufenthaltsort bei der Rückkehr Jakobs nach Palästina (Gen 33, 17: Etymologie; vgl. Ps 60, 8 // 108, 8). Stadt Gads (Jos 13, 27). Gideon straft die Leute von Sukkot, die ihm Brot

verweigert haben (Ri 8, 5–6.8.14–16). Zwischen Sukkot und Zaretan befinden sich Schmelzöfen und Gießereien Salomos (1 Kön 7, 46 // 2 Chr 4, 17). Im Jordantal, vermutlich bei *Tell Akhsas.*
2° **Sukkot** (4), erste Etappe des Exodus zwischen Ramses und Etam in Ägypten (Ex 12, 37; 13, 20; Num 33, 5–6).
Vielleicht das heutige *Tell el-Maskhuta* bei Ismaïlia.

SUKKOT-BENOT (1), „Hütten der Töchter [= Kultdirnen?]" (vgl. Sukkot), nicht identifizierte babylonische Gottheit, deren Kult nach dem Fall des Nordreichs in Samarien eingeführt wurde (2 Kön 17, 30). *Sukkot* erinnert an *Sakkut* (Am 5, 26).

SUR
1° **Tor Sur** (1), in Jerusalem zwischen dem Tempel und dem Königspalast (2 Kön 11, 6 // 2 Chr 23, 5: **Tor des Fundaments** oder **Tor der Gründung**).
2° **Sur** (1), gr. *Sour,* vielleicht Dittographie von Tyrus, hebr. *Zor* (Jdt 2, 28).

SUSA (24), hebr. *Schuschan,* gr. *Sousa.*
Vokabular: Susa (11) Est 1, 1.4.8.16 u. ö.; **Zitadelle von Susa** (12) Neh 1, 1; Est 1, 2.5.; 2, 3.5.8; 3, 15; 8, 14; 9, 6.11.12; Dan 8, 2; **Leute von Susa** (1), Esr 4, 9.
Hauptstadt von Elam, eine der Hauptstädte des pers. Reichs, Winterresidenz der pers. Könige (vgl. Neh 1, 1: Nehemia, Mundschenk des Königs Artaxerxes hält sich dort auf; Est 1, 2; Dan 8, 2). Die Handlung des Buches Ester spielt in Susa (Est 1, 1.5; 2, 3.5.8; 3, 15; 4, 8.16; 8, 12.14–15; 9, 6.11–15.18). Heute *Schusch* im Iran.
Fluß → Ulai.

SUSANNA, hebr. *Schuschan,* „Lilie".
1° **Susanna** (11) **Tochter des Hilkija** (2): Dan 13, 2.29. Frau des Jojakim, sehr schön und gottesfürchtig. Von zwei Ältesten des Volkes des Ehebruchs angeklagt, weil sie sie nicht verführen konnten, und zum Tod verurteilt, wird sie im letzten Moment vom jungen Daniel gerettet (Dan 13).

2° **Susanna** (1), eine der Frauen aus der Umgebung Jesu (Lk 8, 3).

SUSI (1), Manassiter, Vater des → Gaddi 1°.

SUSITER, hebr. *Zuzim,* Gen 14, 5
→ Rafaïter 1°.

SYCHAR, Ort in Samarien (1), wo sich der Jakobsbrunnen befindet. Jesus begegnet hier der Samariterin (Joh 4, 5f.8.28–30.39–43). Vielleicht auf dem Gelände des alten *Sichem.*

SYENE (2), hebr. *Seweneh,* Stadt im äußersten Süden Ägyptens, nahe der äthiopischen Grenze, wo sich eine israelitische Kolonie befand. *Elephantine* der Griechen, heute *Assuan.*
Der Ausdruck *von Migdol bis Syene* (Ez 29, 10; 30, 6) bezeichnet die äußersten Nord- und Süd-Grenzen Ägyptens.
= ? **Sinim** (1), Land, aus dem die verbannten Israeliten heimkehren (Jes 49, 12).

SYNTYCHE (1), gr. Name „Zufall", „Glück" (vgl. Eutychus), Christin in Philippi, die Paulus ermahnt, in Eintracht mit der Evodia zu leben. Beide Frauen haben mit Paulus „für das Evangelium gekämpft" (Phil 4, 2–3).

SYRAKUS (1), Hafenstadt im SO von Sizilien. Paulus hält sich hier, auf dem Weg von Malta nach Rom, drei Tage auf (Apg 28, 12f).

SYRER (1), gr *Syros* (Lk 4, 27) → Naaman 3°.

SYRIEN (15), gr. *Syria,* vermutlich Abk. von *Assyrien* → Aram 1°.

SYROPHÖNIZIERIN (1), gr. *Syrophoinikissa* (Mk 7, 26) → Aram 1°g.

SYRTE (1), wahrscheinlich *die Große Syrte,* Golf der Zyrenaika (des heutigen Libyen). Das Schiff, auf dem Paulus als Gefangener nach Rom fährt, droht im Sturm in die Syrte zu geraten. Die Matrosen wollen dieses Seegebiet wegen der Untiefen meiden (Apg 27, 17).

T

TAANACH (7), alte kanaanäische Stadt, in ägypt. Texten erwähnt. Obwohl ihr König in der Liste der von Josua besiegten Könige steht (Jos 12, 21), bleibt Taanach lange Zeit unabhängig (Ri 1, 27) im Stamm West-Manasse (Jos 17, 11; 1 Chr 7, 29). Barak schlägt hier den Sisera (Ri 5, 19). Unter Salomo gehört die Stadt zum 5. Distrikt (1 Kön 4, 12). Sie ist den Leviten des Clans Kehat zugeteilt (Jos 21, 15 // 1 Chr 6, 55: **Aner**). Am Rand der Ebene Jesreel, 8 km südlich von Megiddo.

TAANAT-SCHILO (1), (vgl. Schilo), Ort an der NO-Grenze von Efraim (Jos 16, 6), an die 10 km SO von Sichem.

TABBAOT (2), „Ring", „Siegel", Haupt einer Familie von Tempeldienern, die aus dem Exil heimkehren (Esr 2, 43 // Neh 7, 46).

TABBAT (1), Ort am linken Ufer des Jordan, bei Abel-Mehola. Die Midianiter suchen hier vor Gideon Zuflucht (Ri 7, 22).

TABEAL (Sohn des) oder **Ben-Tabeal** (1), nach der masoretischen Vokalisierung „Nichtsnutz", vermutlich ein Aramäer aus Damaskus, ein hoher Beamter, den der König Reson von Damaskus und der König Pekach von Israel anstelle des Davididen Ahas auf den Jerusalemer Thron setzen wollen (Jes 7, 6).

TABEEL (1), hebr. *Tabʾel,* „Gott ist gut", vermutlich Samariter, ein Beamter des pers. Königs, der einen Brief mitunterzeichnet, in dem die Juden beim König angezeigt werden, weil sie versuchen, die Jerusalemer Stadtmauer wiederaufzurichten (Esr 4, 7).

TABERA (2), „Weideplatz" oder „Feuersbrunst" (vgl. Num 11, 1–3), Station des Exodus bei Kibrot-Taawa, einer der Orte, an denen das Volk sich bei Jahwe beklagt (Num 11, 3; Dtn 9, 22).

TABITA (2), aram. Name, gr. *Dorkas,* „Gazelle" (vgl. Ofra), Christin in Joppe, die „viele gute Werke tat und reichlich Almosen gab". Petrus erweckt sie vom Tod (Apg 9, 36–41).
= **Dorkas** (2), Apg 9, 36.39.

TABOR, gr. *Thabôr,* (vgl. Asnot-Tabor; Kislot-Tabor).
1° **Tabor** (7), Berg im Grenzgebiet der Stämme Issachar, Sebulon und Naftali (Höhe 588 m). Barak zieht hier seine Truppen zusammen, bevor er Sisera angreift (Ri 4, 6.12.14). Die Brüder Gideons finden hier in einer Schlacht gegen Midian den Tod (Ri 8, 18). In seiner majestätischen Größe wird der Tabor mit dem Karmel (Jer 46, 18) und dem Hermon (Ps 89, 13) verglichen. Auf dem Gipfel des Berges stand sehr wahrscheinlich ein Heiligtum (Hos 5, 1; vgl. Dtn 33, 19).
Eine bis ins 3. Jahrhundert zurückgehende Tradition sieht im Tabor den Berg der Verklärung Jesu (vgl. Mk 9, 2–8 parr).
2° **Tabor** (2), Stadt Sebulons an der Grenze zu Issachar (Jos 19, 22), den Leviten des Clans Merari zugeteilt (1 Chr 6, 62). Am Fuß des Tabor.
3° **Taboreiche** (1), in der Gegend von Bet-El (1 Sam 10, 3).

TABRIMMON (1), „[Der Gott] Rimmon ist gut" (vgl. Tob; Rimmon), Vater des → BEN-HADAD 1°.

TACHKEMONITER (1), 2 Sam 23, 8 → HACHMONITER.

TACHPANHES (7), hebr. Form des ägypt. „Festung des Negers" (vgl. Pinhas), gr. *Taphnas,* das *Daphne* der Griechen. Befestigte Stadt im Ostdelta des Nils. Zusammen mit Memfis genannt (Jer 2, 16; 44, 1; 46, 14; Ez 30, 13–18). Nach dem Fall Jerusalems (587) läßt sich eine Gruppe von Judäern in Tachpanhes nieder, unter ihnen Jeremia, der die Invasion des Königs Nebukadnezzar von Babylon in Ägypten ankündigt (Jer 43, 7–9; 44, 1; 46, 14; vgl. Ez 30, 13).
= **Tafnes** (1), Jdt 1, 9.

TACHPENES (3), „Die den König" oder „den Palast schützt", ägypt. Titel, kein Eigenname – entspricht dem hebr. Titel der Königin-Mutter „Hohe Frau" –, Gattin des Pharao und Schwägerin des Edomiterfürsten Hadad (1 Kön 11, 19–20).

TACHREA (1), dritter Sohn des Micha, Nachkomme des Königs Saul (1 Chr 9, 41).
= **Tarea** (1), 1 Chr 8, 35.

TACHTIM-HODSCHI (1) ?, 2 Sam 24, 6 → KADESCH 2°.

TADMOR (2), Stadt in der syrischen Wüste, von Salomo wiederaufgebaut (1 Kön 9, 18 // 2 Chr 8, 4). Das *Palmyra* der Griechen und der Lateiner.

TAFAT (1), gr. *Tabaat,* **Tochter Salomos** (1), Frau des Statthalters Ben-Abinadab (1 Kön 4, 11).

TAHAN (2), (vgl. Hanan?), dritter Sohn Efraims, dessen Nachkommen die Sippe der **Tahaniter** bilden (Num 26, 35). Ahnherr Josuas (1 Chr 7, 25).
= ? **Tahat** (2), 1 Chr 7, 20.

TAHASCH (1), „Delphin", einer der zwölf Söhne Nahors, des Bruders Abrahams, geboren von seiner Nebenfrau Rëuma (Gen 22, 24).

TAHAT, „Anstelle von", „Ausgleich".
1° **Tahat** (2), Station des Exodus zwischen dem Sinai und Kadesch (Num 33, 26–27).
2° **Tahat** (2), Levit des Clans Kehat, Ahnherr Samuels und des Sängers Heman (nach 1 Chr 6, 9.22).
3° **Tahat** (2) → TAHAN.

TALMAÏ (vgl. Bartholomäus).
1° **Talmaï** (3), einer der drei Söhne des → ANAK.
2° **Talmaï** (3), **Sohn des Ammihud** (1) **König von Geschur** (3), Schwiegervater Davids, Großvater Abschaloms (2 Sam 3, 3 // 1 Chr 3, 2). Nach der Ermordung seines Halbbruders Amnon flieht Abschalom zu Talmai, wo er drei Jahre bleibt (2 Sam 13, 37).
Vater der → MAACHA 8°.

TALMON (5), Torwächter, immer zusammen mit → AKKUB 2°.
Derselbe (?) wie → TELEM 2°.

TALTOR (4), hebr. *gaj*[?], in Jerusalem, im SW der Stadt, das nach dem Hinnom-Tal hinausführt. Der König Usija läßt es befestigen (2 Chr 26, 9). An diesem Tor beginnt und beendet Nehemia seine Inspektion der Stadtmauer (Neh 2, 13.15). Es wird zugleich mit der Mauer restauriert (Neh 3, 13).

TAMAR, gr. *Thamar,* „Palmenbaum" (vgl. Baal-Tamar).
1° **Tamar** (7), vermutlich Kanaaniterin. Nach dem Jahwisten ist Tamar nacheinander die Frau des Er, des ältesten Sohnes Judas, und dann nach dessen Tod und kraft des Leviratsgesetzes die Frau des zweiten Judasohnes Onan. Aber nach dem Tod Onans, der seinem Bruder die Nachkommenschaft verweigerte, will Juda der Tamar seinen letzten Sohn Schela nicht geben. Tamar verkleidet sich deshalb als Dirne und verkehrt mit ihrem Schwiegervater. Aus der flüchtigen Verbindung gehen Zwillinge, Perez und Serach, hervor (Gen 38, 6–30; Rut 4, 12; 1 Chr 2, 4). Im Stammbaum Jesu (Mt 1, 3).
2° **Tamar** (14), Schwester Abschaloms, Tochter Davids und der Maacha. Ihr Halbbruder Amnon,

der älteste Sohn Davids, vergewaltigt sie. Abschalom rächt seine Schwester, indem er Amnon tötet (2 Sam 13, 1–22.32; 1 Chr 3, 9).
3° **Tamar** (1), Tochter Abschaloms (2 Sam 14, 27).
4° **Tamar** (4), Stadt im Süden des Toten Meers (Ez 47, 18.19; 48, 28), von Salomo wiederaufgebaut (1 Kön 9, 18: K *Tamar;* Q *Tadmor).*
= **Palmenstadt** (1), wo der Keniter Hobab, der Schwiegervater des Mose, wohnt (Ri 1, 16).
= **Hazezon-Tamar** (2), von den Amoritern bewohnt, die Kedor-Laomer besiegt (Gen 14, 7). Von 2 Chr 20, 2 mit En-Gedi gleichgesetzt.

TAMMUS (1), assyro-babyl. Vegetationsgottheit, in Syrien unter dem Namen *Adonis* verehrt, der „Liebling der Frauen" (Dan 11, 37). In Jes 17, 10–11 sind mit den „lieblichen Gärten" ohne Zweifel die „Adonisgärten" gemeint, in denen Frühlingsblumen wuchsen. Der Kult dieses Gottes, dessen Begräbnis man im vierten Monat (Tammus = Juni/Juli) beging, um den Aufenthalt des Tammus in der Unterwelt zu beklagen, hat auch in Palästina Eingang gefunden (Ez 8, 14).

TANHUMET (2), „Trost" (vgl. Nahum), Vater des → SERAJA 6°.

TANIS (1) → ZOAN.

TAPPUACH, „Apfelbaum" (vgl. Bet-Tappuach).
1° **Tappuach** (6), Kanaanäische Stadt auf der Liste der von Josua besiegten Könige (Jos 12, 17), an der Grenze von Efraim und Manasse (Jos 16, 8; 17, 7.8). Hier wird auch die **Quelle von Tappuach** erwähnt (17, 7). Menahem von Israel straft die Stadt auf grausame Weise, weil sie ihm nicht ihre Tore geöffnet hat (2 Kön 15, 16: Korr. des hebr. *Tifsach*).
= **Tefon** (2), von Bakchides befestigt (1 Makk 9, 50). Etwa 40 km nördlich von Jerusalem.
2° **Tappuach** (1), Stadt in der Niederung Judas (Jos 15, 34), an die 20 km westlich von Betlehem.
3° **Tappuach** (1), Kalebiter der Söhne Hebrons (1 Chr 2, 43). Identisch mit dem Vorhergehenden oder mit → BET-TAPPUACH.

TARACH (2), Station des Exodus zwischen dem Sinai und Kadesch (Num 33, 27–28).

TARALA (1), Stadt Benjamins (Jos 18, 27).

TARSCHISCH, gr. *Tarsis,* 1°: „Schmelzofen"; 2°–3°: „Edelstein".
1° **Tarschisch** (26), Stadt oder Land, von Gen 10, 4 // 1 Chr 1, 7 von Jawan (Jonien) hergeleitet. Oft mit Tartessos an der SW-Küste Spaniens oder mit Sardinien gleichgesetzt. Die LXX denken an Karthago (Jes 23, 1.6.10.14; Ez 27, 12.25; 38, 13). Aufgrund von Gen 10, 4 muß aber Tarschisch oder „die Tochter Tarschisch" (Jes 26, 10) eher am „Ende der Welt" (vgl. Ps 19, 5; 22, 28; 61, 3; 65, 6; 67, 8; Jes 5, 26; 24, 16) liegen. Es ist ein fernes Land (Jes 23, 6f; 60, 9; 66, 19; Jon 1, 3), berühmt wegen seiner Reichtümer (1 Kön 10, 22 // 2 Chr 9, 21; Ps 72, 10; Jes 2, 16; Jer 10, 9) und seiner Händler (Ez 27, 12; 38, 13), das man nur mit hochseetüchtigen Schiffen erreichen kann. Deshalb der sprichwörtliche Ausdruck „Tarschischflotte" oder „Tarschischschiffe" (1 Kön 10, 22 // 2 Chr 9, 21; 1 Kön 22, 49 // 2 Chr 20, 36–37; Ps 48, 8; Jes 2, 16; 23, 1.14; 60, 9; Ez 27, 25; vgl. Jes 23, 10). Auf einem dieser Schiffe flieht der Prophet Jona von Jahwe weg, um nicht in Ninive predigen zu müssen (Jon 1, 3; 4, 2).
2° **Tarschisch** (1), Benjaminiter der Söhne Jediaëls, Familienhaupt und tapferer Krieger (1 Chr 7, 10).
3° **Tarschisch** (1), Beamter, genannt mit → MEMUCHAN.

TARSER (1), Bewohner von → TARSUS.

TARSUS (6) **in Zilizien** (2): Apg 21, 39; 22, 3. „Eine nicht unbedeutende Stadt" (Apg 21, 39). Unter Antiochus Epiphanes kommt es zu einem Aufstand der Bürger von Tarsus (2 Makk 4, 30f). Hauptstadt der römischen Provinz → ZILIZIEN. Mittelpunkt des hellenistischen Geisteslebens. Heimat des → APOLLONIUS 1°; PAULUS 1°.

TARTAK (1), unbekannte Gottheit, die von den Awitern in Samarien eingeführt wird (2 Kön 17, 31).

TARTARUS (1), 2 Petr 2, 4: eine Bezeichnung für die Unterwelt → HADES.

TASSI (1), „Der Eiferer" oder „Der Führer", Beiname des → SIMEON 5°.

TATTENAI, Statthalter des Gebiets jenseits des Eufrat (4), **Schetar-Bosnai** und andere einflußreiche Persönlichkeiten zeigen die Juden von Jerusalem beim Perserkönig Darius an, weil sie den Tempel wiederaufrichten (Esr 5, 3–17). Mit Berufung auf das Edikt des Kyrus gibt Darius den Juden die Erlaubnis, mit den Arbeiten fortzufahren. Daraufhin hören Tattenai, Schetar-Bosnai und ihre Gesinnungsgenossen auf, die Juden zu belästigen (Esr 6, 6–13).

TEBACH (2), „[Geboren zur Zeit eines] Massakers", einer der zwölf Söhne des Nahor, des Bruders Abrahams, geboren von seiner Nebenfrau Rëuma (Gen 22, 14). Stadt im Königreich Zoba, von David eingenommen und ausgeplündert (2 Sam 8, 8: Korr. des hebr. *Betach*).
= **Tibhat** (1), 1 Chr 18, 8. Lage unsicher.

TEBALJA (1), Torwächter, dritter der Söhne Hosas, Nachkomme Meraris (1 Chr 26, 11).

TEBET (1), assyro-babyl. Monatsname (Est 2, 16) für den 10. Monat (Dez./Jan.).

TEBEZ (4), Stadt etwa 15 km nördlich von Sichem, heute *Tubas*. Abimelech, der Sohn Jerubbaals, belagert sie und nimmt sie ein. Doch von einem befestigten Turm innerhalb der Stadt wirft eine Frau einen Mühlstein herab, der Abimelech den Kopf zerschmettert (Ri 9, 50–53; vgl. 2 Sam 11, 21.22).

TEFON (2) → TAPPUACH 1°.

TEHINNA (1), „Bitte um eine Gunst" (vgl. Hanan), einer der Söhne Eschtons, Nachkomme Kelubs (= Kalebs): 1 Chr 4, 11.

TEHOM, hebr. Name für den „Abgrund" des Uranfangs, gr. *Abyssos,* Chaos des Urmeers, erinnert an die babyl. *Tiamat,* das Chaosungeheuer, das von Marduk bei der Bildung des Kosmos besiegt wird. Ebenso hängt das hebr. **Jam,** „Meer", „Ozean", gr. *Thalassa,* mit dem ugar. Meeresgott *Jam* zusammen, dem Widersacher des Baal. Die biblische Poesie nimmt wiederholt die Bildersprache der babyl, und ugar. Mythen auf: Jahwe erweist sich als Herr über das Meer und die Ungeheuer, die in ihm wohnen. *Tehom* Gen 1, 2; 49, 25; Ijob 28, 14; Jes 51, 10; Hab 3, 10 u. ö. vgl. Lk 8, 31; Offb 11, 7; 17,8 ; 20, 3. *Jam* (Ijob 7, 12; 26, 12; 28, 14; 38, 8–11; Ps 74, 13 f; 89, 10 f; Jes 27, 1; Dan 7, 3 u. ö. vgl. Mk 4, 39 ff; Offb 21, 1).
→ LEVIATAN; RAHAB 1°.

TEKOA (8), gr. *Thekoe,* Stadt im Bergland Juda (Jos 15, 59 LXX; vgl. Jer 6, 1), ursprünglich kalebitisch (1 Chr 2, 24; 4, 5). Joab läßt von hier eine Frau holen, die David dazu bewegt, seinen Sohn Abschalom aus dem Exil nach Jerusalem zurückzurufen (2 Sam 14, 2.4.9). Die Stadt wird von Rehabeam wiederaufgebaut (2 Chr 11, 6). In der **Wüste Tekoa** führt Joschafat einen heiligen Krieg gegen Ammon, Moab und Edom (2 Chr 20, 20). Nach der Rückkehr aus dem Exil arbeiten Leute aus Tekoa an der Wiederherstellung der Jerusalemer Mauer mit (Neh 3, 5.27).
= **Thekoe** (1). In die Wüste Thekoe flüchten sich die Makkabäer Jonatan und Simon, als sie von Bakchides verfolgt werden (1 Makk 9, 33). Etwa 15 km südlich von Jerusalem.
Heimat des → AMOZ; IRA 2°.

TEKOAÏTER (7): 2 Sam 14, 4.9; 23, 26; 1 Chr 11, 28; 27, 9; Neh 3, 5.27. Bewohner von → TEKOA.

TEL-ABIB (1), „Ährenhügel" oder „Frühlingshügel" für das akk. *Til-abubi,* „Hügel der Flut", Ort in Babylon am Fluß Kebar, wo Ezechiel in einer jüdischen Kolonie von Deportierten lebt (Ez 3, 15). Der Name findet sich im heutigen Tel-Aviv wieder, der Hauptstadt Israels.

TELACH (1), 1 Chr 7, 25 → SCHUTELACH.

TELAÏM (1), hebr. *Telaʾim* → TELEM 1°.

TELASSAR (2), korr. in *Tel-Basar,* akk. *Tel-Baseri,* Ort am mittleren Eufrat (2 Kön 19, 12 // Jes 37, 12).

TELEM
1° **Telem** (1), Stadt im Negeb von Juda (Jos 15, 24).
= **Telaïm** (1), wo Saul das Volk zusammenruft und es vor der Schlacht gegen Amalek vorüberziehen läßt (1 Sam 15, 4).
2° **Telem** (1), Torwächter, schickt seine fremdländische Frau zurück (Esr 10, 24). Derselbe (?) wie → TALMON.

TEL-HARSCHA (2), (vgl. Harscha), Ort in Babylon, wo eine jüdische Kolonie von Deportierten lebt (Esr 2, 59 // Neh 7, 61).

TEL-MELACH (2), „Salzhügel" (vgl. Salzmeer), Ort in Babylon, wo eine jüdische Kolonie von Deportierten lebt (Esr 2, 59 // Neh 7, 61).

TEMA (6), einer der zwölf Söhne Ismaels (Gen 25, 15 // 1 Chr 1, 30), zusammen mit Dedan genannt (Jes 21, 14; Jer 25, 23), einem Karawanenvolk (Ijob 6, 19; Bar 3, 23). Oase in Südarabien (vgl. Jes 21, 14).

TEMACH (2), Haupt einer Familie von Tempeldienern, die aus dem Exil heimkehren (Esr 2, 53 // Neh 7, 55).

TEMAN (13), gr. *Thaiman,* „Süden" (vgl. Jamin), erster von den fünf Söhnen des Elifas, die als Söhne der Ada, der Frau Esaus, gelten (Gen 36, 11 // 1 Chr 1, 36). Fürst oder Clan in Edom (Gen 36, 15.42 // 1 Chr 1, 53).
Zwischen der Wüste Sinai und dem Gebiet von Juda (Hab 3, 3; vgl. Sach 9, 14). Berühmt wegen seiner weisen Männer (Jer 49, 7; Bar 3, 22.23). Die prophetischen Drohreden gegen Edom schließen die Stadt mit ein (Jer 49, 20; Ez 25, 13; Am 1, 12; Obd 9). Schwer zu identifizieren.
Heimat des → ELIFAS 2°; HUSCHAM.

TEMANITER
1° **Temaniter** (8): Gen 36, 34; 1 Chr 1, 45; Ijob 2, 11; 4, 1; 15, 1; 22, 1; 42, 7.9 aus dem Land → TEMAN.
2° **Temaniter** (1) → TEMNI.

TEMNI (1), judäischer Clan der Söhne Naars, kalebitischer Herkunft (1 Chr 4, 6).

TERACH, gr. *Thara.*
1° **Terach** (10) oder **Tarach** (2): Gen 11, 24; 1 Chr 1, 26. Nachkomme Sems und Vater Abrahams (Gen 11, 10.23–26 // 1 Chr 1, 17.26; Lk 3, 34), wohnt jenseits des Eufrat und dient vielen Göttern (Jos 24, 2). Nach dem Tod seines jüngeren Sohnes Haran verläßt er Ur in Chaldäa und zieht nach Kanaan, begleitet von seinen beiden anderen Söhnen Abram und Nahor sowie seinem Neffen Lot, aber in Haran angekommen, lassen sie sich dort nieder (Gen 11, 27–31). Terach stirbt in Haran (Gen 11, 32; vgl. Apg 7, 4).
= **Thara** (1), Ahnherr Jesu (Lk 3, 34).
2° **Terach** (2), hebr. *Tarach,* Station des Exodus zwischen dem Sinai und Kadesch (Num 33, 27–28).

TEREBINTHENTAL (3), hebr. *Emek ha-Elah* (vgl. Ela 1°–5°), Ort der Schlacht zwischen Israeliten und Philistern (1 Sam 17, 2.19); dort soll David den Goliat getötet haben (21, 10). Heute *Wadi-es-Sant,* an die 20 km SW von Betlehem.

TERESCH (3), Eunuch, genannt mit → BIGTAN.

TERTIUS (1), „Dritter", Schreiber des Paulus, wahrscheinlich der römischen Gemeinde bekannt (Röm 16, 22).

TERTULLUS (2), Anwalt des Hohen Rats, der in Cäsarea vor dem Statthalter Felix erscheint und Anklage gegen Paulus erhebt: er habe bei allen Juden Unruhe gestiftet und den Tempel entweiht (Apg 24, 1–8).

THABOR → TABOR.

THADDÄUS (2), abgeleitet vom aram. *Taddai,* „Der Mutige", oder von *Theodotos* oder auch *Theudas?,* einer der Zwölf → JUDAS 7°.

THAMAR → Tamar.

THARSEAS (oder **Tharseus, Tharser)** (1), nach 2 Makk 3, 5 Vater des → Apollonius 1°.

THEODOTUS (1), „Von Gott gegeben" (vgl. Theophilus; Timotheus; Dositheus), einer der drei Gesandten, die Nikanor zu den Juden schickt (2 Makk 14, 19).

THEOPHILUS (2), „Gottesfreund" (vgl. Theodotus; Philetus), wahrscheinlich ein wohlhabender Christ, dem Lukas seine beiden Schriften (Lk und Apg) widmet (Lk 1, 3; Apg 1, 1).

THESSALONICH (5), gr. *Thessalonike,* „Sieg der Thessalia" (vgl. Andronikus), nach dem Namen der Schwester Alexanders des Großen, der Frau des Königs Kassandrus von Mazedonien, des Gründers der Stadt. Hauptstadt der römischen Provinz Mazedonien seit 146 v. Chr. Seit 42 v. Chr. freie Stadt. Blühender Handelshafen am Thermaischen Golf. Zahlreiche Fremde. Jüdische Kolonie mit einer Synagoge.
Auf seiner zweiten Missionsreise (um 50) verkündet Paulus mit Silas und Timotheus hier das Evangelium. Es entsteht eine überwiegend heidenchristliche Gemeinde. Von jüdischer Seite wird eine Verfolgung ausgelöst, und Paulus muß überstürzt die Stadt verlassen (Apg 17, 1–13; vgl. Phil 4, 16). Von Korinth aus schreibt er den 1 Thess, nachdem Silas und Timotheus wieder bei ihm eingetroffen sind (1 Thess 1, 1). Wahrscheinlich ist er am Ende seiner dritten Missionsreise noch einmal durch Thessalonich gekommen (vgl. Apg 20, 1.3). Der 2 Thess gilt fast allgemein als das Schreiben eines späteren Paulusverehrers, der sich eng an den 1 Thess anschließt. Was hinter der Notiz 2 Tim 4, 10 steht („Demas hat mich aus Liebe zu dieser Welt verlassen und ist nach Thessalonich gegangen"), ist umstritten.
Heute *Saloniki.*
Heimat des → Aristarch; Sekundus.

THESSALONICHER (4): Apg 20, 4; 27, 2; 1 Thess 1, 1; 2 Thess 1, 1 aus → Thessalonich.

THEUDAS (1), (vgl. Thaddäus?), Führer einer jüdischen Aufstandsgruppe gegen die römische Besatzungsmacht. Nach dem jüdischen Geschichtsschreiber Josephus ist Theudas unter dem Prokurator Fadus (44–46 n. Chr.) aufgetreten. Die Gamalielrede (Apg 5, 36) setzt den Aufstand des Theudas in die Zeit vor der Steuerschätzung des Quirinius (um 6 n. Chr.) an, wahrscheinlich eine Verwechslung, falls man nicht zwei Personen des gleichen Namens und des gleichen Schicksals annehmen will.

THOMAS (11), vom aram. *Toma',* das auf gr. *Didymos,* „Zwilling", bedeutet. Er wird auch **Didymus** (3) genannt, und spielt im JohEv eine besondere Rolle: Er ist bereit, mit Jesus zu sterben (Joh 11, 16), fragt nach dem Weg, um ihm zu folgen (14, 5), begnügt sich nicht mit dem Zeugnis anderer, sondern möchte den Auferstandenen selbst sehen (20, 24–29; vgl. 21, 2f).
→ Zwölf; Liste S. 383.

THRAKER (1), gr. *Thrax* (vgl. Samothrake), aus Thrazien stammend, der Landschaft zwischen Mazedonien und dem Schwarzen Meer. In der syrischen Armee des Gorgias dient ein Thraker als Reiter (2 Makk 12, 35).

THYATIRA (4), Stadt im kleinasiatischen Lydien, Heimat der Purpurhändlerin Lydia in Philippi (Apg 16, 14). Einer der sieben Gemeindebriefe (Offb 1, 11) ist an die Gemeinde von Thyatira gerichtet (Offb 2, 18–29). Dort treibt eine Prophetin ihr Unwesen, die wohl zur Sekte der Nikolaiten gehört (vgl. Offb 2, 6.15).

TIBERIAS (3), eine nach dem herrschenden Kaiser Tiberius genannte Stadt, von Herodes Antipas zwischen 17 und 22 n. Chr. am SW-Ufer des Sees Gennesaret gegründet. Die Evangelien sagen nicht, ob Jesus die Stadt besucht hat. Nur Joh erwähnt die Stadt (6, 23) und spricht vom „See von Tiberias" (6, 1; 21, 1).
→ Kinneret.

TIBERIUS (1), *Tiberius Julius Caesar,* Adoptivsohn und Nachfolger des römischen Kaisers Augustus (14–37 n. Chr.). Im 15. Jahr seiner Herrschaft (27 oder 28) beginnt Johannes der Täufer seine Tätigkeit (Lk 3, 1).

TIBHAT (1) → Tebach.

TIBNI (3) **Sohn des Ginat** (2). Nach dem Tod Simris wird er von der Hälfte des Volkes Israel zum König proklamiert. Doch die Gegenpartei, mit Omri an der Spitze, trägt den Sieg davon. Tibni stirbt, und Omri herrscht über ganz Israel (1 Kön 16, 21–22).

TIDAL (2), Äquivalent für *Tudhalia* (Name der Hetiterkönige), **König der Völker** (2), verbündet mit → Amrafel.

TIFSACH (2), Umschrift des gr. *Thapsakos,* „Furt", Ort an der Nordgrenze des Salomonischen Reiches (1 Kön 5, 4). In 2 Kön 15, 16 ist wahrscheinlich mit dem gr. *Tappuach* anstelle des hebr. *Tifsach* zu lesen. Heute *Dibseh* am Eufrat.

TIGLAT-PILESER (6): 2 Kön 15, 29; 16, 7.10 oder *Tilgat-Pilneser* (1 Chr 5, 6.26; 2 Chr 28, 20), akk. *Tukulti-Apil-Escharra,* **König von Assyrien** (12), **der Großkönig** (1): Hos 5, 13 (745–727).
Es handelt sich um Tiglat-Pileser III., den eigentlichen Gründer des assyrischen Großreichs. In seinen Annalen wird „Menahem von Samaria" unter den ihm Tributpflichtigen des Jahres 738 erwähnt (2 Kön 15, 19–20; vgl. Hos 5, 13). Unter Pekach dringt er in Israel ein, bemächtigt sich mehrerer Städte, deren Bewohner er nach Assyrien deportiert (2 Kön 15, 29; vgl. 1 Chr 5, 6.26). Er erklärt sich bereit, Ahas von Juda gegen die syro-efraimitische Koalition zu schützen. Dafür muß Ahas Vasall Tiglat-Pilesers werden und ihm einen schweren Tribut zahlen. Im Jahr 732 erobert der Großkönig Damaskus und deportiert die Bevölkerung (2 Kön 16, 7–9 // 2 Chr 28, 16.20 (?).21). Tiglat-Pileser und Ahas treffen in Damaskus zusammen (2 Kön 16, 10–18).
= **Pul** (3), **König von Assyrien** (4), Krönungsname, den Tiglat-Pileser III. bei seiner Machtergreifung in Babalon (729) annimmt (2 Kön 15, 19; 1 Chr 5, 26).
Sein Sohn und Nachfolger → Salmanassar.

TIGRIS (6), hebr. *Hiddekel,* aram. *Diklat,* altpers. *Tigra,* gr. *Tigris,* ist mit dem Eufrat, östlich dessen er fließt, einer der beiden größten Ströme (Dan 10, 4) des westlichen Asiens (1718 km). Beiden Strömen verdankt → Mesopotamien seinen Namen. Der Tigris zählt zu den vier Paradiesesflüssen (Gen 2, 14; vgl. Sir 24, 25). Tobias und Rafael lagern am Ufer des Tigris (Tob 6, 1–2). Daniel hat hier die Vision von dem mit Leinen bekleideten Mann (Dan 10, 4). Vgl. auch Jdt 1, 6. Städte am Tigris → Assur 1°; Ninive.

TIKWA, „Hoffnung".
1° **Tikwa** (1) = **Tokhat** (1), Vater des → Schallum 7°.
2° **Tikwa** (1), Vater des → Jachseja.

TILON (1), hebr. [K]*Tolon,* Judäer, einer der Söhne Schimons (1 Chr 4, 20).

TIMÄUS (1) → Bartimäus.

TIMNA, hebr. 1°–2°: *Timna*[c]*;* 3°–4°: *Timnah* (vgl. Timnat-Serach).
1° **Timna** (3), heißt beim Jahwisten sowohl die Nebenfrau des Esausohnes Elifas und Mutter Amaleks (Gen 36, 12) als auch die Schwester Lotans, eines Sohnes Seïrs (Gen 36, 22 // 1 Chr 1, 39).
2° **Timna** (3), sechster Sohn des Esausohnes Elifas (nach 1 Chr 1, 36), Fürst oder Clan Esaus oder Edoms (Gen 36, 40; 1 Chr 1, 51).
3° **Timna** (4), Stadt im Bergland Juda (Jos 15, 57). Auf dem Weg nach Timna, wo die Schafschur stattfindet, begegnet Juda seiner als Dirne verkleideten Schwiegertochter (Gen 38, 12–14). Etwa 15 km westlich von Betlehem.
4° **Timna** (8), Ort in Dan (Jos 19, 43), an der Grenze Judas (Jos 15, 10). Simson heiratet hier eine Philisterin (Ri 14, 1–2.5; 15, 6). Unter Ahas von Juda erobern die Philister die Stadt (2 Chr 28, 18).
= **Timnata** (1), Jos 19, 43.
= **Tamnatha** (1), von Bakchides befestigt (1 Makk 9, 50).

TIMNAÏTER (1), hebr. *Timni,* Ri 15, 6; Bewohner von → TIMNA 4°.

TIMNAT-SERACH (2), (vgl. Timna 3°–4°), **im Gebirge Efraim** (2), Stadt, in der sich das Grab Josuas befindet (Jos 19, 50; 24, 30).
= **Timnat-Heres,** im Gebirge Efraim (1), Ri 2, 9.

TIMON (1), einer von den → SIEBEN.

TIMOTHEUS, gr. *Timótheos,* „Fürchtegott" (vgl. Theodotus).
1° **Timotheus** (18), syrischer Feldherr in Transjordanien (1 Makk 5, 6.11; 2 Makk 12, 2), genauer in Gilead (vgl. 1 Makk 5, 9f), vom Makkabäer Judas geschlagen, als er gegen die Ammoniter zu Felde zieht (1 Makk 5, 6–7). Zunächst jagt ihn Judas in die Flucht, dann reibt er sein Heer in Gilead völlig auf (1 Makk 5, 34.37–43; vgl. 2 Makk 12, 10–25). Der Sieg des Judas über Timotheus wird noch 2 Makk 8, 30–32; 9, 3 erwähnt. Die in 2 Makk 10, 24–37 erzählte Episode (Timotheus dringt in Judäa ein, erleidet eine vernichtende Niederlage und wird von Leuten des Judas getötet) hat in 1 Makk keine Parallele. Es müßte sich um Ereignisse handeln, die nach dem Feldzug des Judas gegen die Ammoniter gespielt haben. Vielleicht ist der Timotheus von 2 Makk 10, 24.32.37 – oder der von 2 Makk 8, 30–32; 9, 3 – auch eine andere Persönlichkeit.
2° **Timotheus** (24), Schüler und Mitarbeiter des Paulus.
Gebürtig aus Lystra in Lykaonien als Sohn eines heidnischen Vaters und einer judenchristlichen Mutter, nimmt ihn Paulus auf seiner zweiten Missionsreise (49–52) unter seine Mitarbeiter auf, nachdem er ihn „wegen der Juden" hat beschneiden lassen (Apg 16, 1–4). Von da an wird Timotheus für Paulus ein Helfer (19, 22), Reisebegleiter (20, 4), Mitarbeiter (Röm 16, 21; 1 Thess 3, 2), Bruder (2 Kor 1, 1; 1 Thess 3, 2; Phlm 1; vgl. Kol 1, 1; Hebr 13, 23), sein „geliebtes und treues Kind im Herrn" (1 Kor 4, 17; vgl. Phil 2, 22). In sechs Paulusbriefen wird Timotheus als Mitabsender genannt (2 Kor 1, 1; Phil 1, 1; 1 Thess 1, 1; Phlm 1; vgl. Kol 1, 1; 2 Thess 1, 1).
Timotheus begleitet Paulus nach Mazedonien (vgl. Apg 17, 14), trifft mit ihm in Athen zusammen (vgl. 17, 15; 18, 5), reist wieder nach Thessalonich zurück (1 Thess 3, 2.5), kommt dann nach Korinth (1 Thess 3, 6), wo er mit Paulus und Silas das Evangelium verkündet (vgl. 2 Kor 1, 19). Im Lauf seiner dritten Missionsreise schickt Paulus ihn von Ephesus nach Mazedonien (Apg 19, 22; vgl. Phil 2, 19), dann nach Korinth (1 Kor 4, 17; 16, 10). Schließlich trifft er mit Paulus in Mazedonien zusammen (Apg 20, 4). Er hat auch die wahrscheinlich ephesinische Gefangenschaft des Paulus geteilt (Phlm 1, 1; vgl. Kol 1, 1).
Die beiden Timotheusbriefe (1 und 2 Tim) enthalten zahlreiche Angaben, die für eine Biographie des Timotheus wertvoll wären, wenn die Briefe nicht in dem begründeten Verdacht ständen, im Bild des Apostelschülers die kirchlichen Amtsträger des beginnenden 2. Jahrhunderts allgemein anzusprechen, sie an ihre Pflichten zu erinnern und ihnen in den mannigfachen Gefährdungen (Irrlehren, Verfolgungen) Mut zu machen.

TIRAS (2), einer der sieben Söhne Jafets (Gen 10, 2 // 1 Chr 1, 5). Vielleicht Ahnherr der Etrusker?

TIRATITER (1), hebr. *Tirᶜatim,* judäischer Clan aus dem Geschlecht Salma (1 Chr 2, 55). Unbekannt.

TIRHAKA (2), gr. *Tharaka,* **König von Kusch** (2), Pharao der 25. Dynastie, äthiopischer Herkunft (690–664). Nach 2 Kön 19, 9 // Jes 37, 9 führt Tirhaka einen Feldzug gegen Assyrien, wodurch Sanherib gezwungen wird, die Belagerung der israelitischen Stadt Lachisch aufzugeben.

TIRHANA (1), Sohn der Maacha, der Nebenfrau Kalebs (1 Chr 2, 48).

TIRJA (1), dritter Sohn des Jehallelel, von Kaleb hergeleitet (1 Chr 4, 16).

TIRZA, hebr. *Tirzah,* gr. *Thersa,* „Gefallen" (vgl. Rizja).
1° **Tirza** (4): Num 26, 33; 27, 1; 36, 11; Jos 17, 3. In Manasse, eine der Töchter des → ZELOFHAD.
Vgl. das Folgende.

2° **Tirza** (14), alte kanaanäische Stadt, deren König auf der Liste der von Josua besiegten Könige steht (Jos 12, 24). Liegt in Manasse (vgl. das Vorhergehende). Nach Sichem wird Tirza Hauptstadt des Königreichs Israel (vgl. Hld 6, 4: „schön wie Tirza"?): Residenz Jerobeams I. (1 Kön 14, 17), Baschas (15, 21.33) – der dort begraben ist (16, 6) –, Elas, der dort ermordet wird (16, 8–9), Simris, der sich nach sieben Tagen Herrschaft selbst im brennenden Königspalast den Tod gibt (16, 15.17f), Omris, der hier sechs Jahre regiert bis zur Gründung Samarias, der neuen Hauptstadt (16, 23). Tirza ist Ausgangspunkt des Staatsstreichs, der Menahem auf den Thron bringt (2 Kön 15, 14.16). Heute *Tell el-Farah,* 10 km NO von Sichem.

TISBE (1), var. *Tibe,* Ort in Obergaliläa zwischen Kedesch-Naftali und Hazor, Heimat des Tobit (Tob 1, 2).

TISCHBE (1), nach dem gr. Ort in Gilead (1 Kön 17, 1). Heimat des → ELIJA 1°.

TISCHBITER (6): 1 Kön 17, 1; 21, 17.28; 2 Kön 1, 3.8; 9, 36 aus → TISCHBE.

TITANEN (1), gr. *Titanes,* Jdt 16, 6, wo sie parallel zu den „Giganten" stehen.
In der LXX gibt „Titanen" das hebr. *Rephaim* von 2 Sam 5, 18.22 wieder. Die gr. Mythologie erzählt vom Kampf der Titanen gegen Zeus.
→ ANAK; GOLIAT; NEFILIM; RAFAÏTER 1°.

TITUS, gr. *Titos.*
1° **Titus Manius** (1) → MANIUS.
2° **Titus** (13), Heidenchrist (Gal 2, 3), „Gefährte und Mitarbeiter" des Paulus (2 Kor 8, 23) und zugleich ein lieber „Bruder" (2, 13; 7, 6) und eifriger (7, 13; 8, 16) wie selbstloser (12, 18) Missionar. Er begleitet Paulus zum Jerusalemer „Konzil" (Gal 2, 1). Paulus schickt ihn mit Erfolg nach Korinth, um in der Gemeinde den Frieden wiederherzustellen (2 Kor 7, 6–15) und die Kollekte für Jerusalem vorzubereiten (8, 6.16–23; 12, 18). – Der Titusbrief läßt ihn auf Kreta wirken (Tit 1, 5) und zum Apostel nach „Nikopolis" kommen (Tit 3, 12). Nach 2 Tim 4, 10 schickt ihn der gefangene Paulus nach Dalmatien.
3° **Titus** (1) → JUSTUS 2°.

TIZITER (1), von *Tiz* oder *Toz?* (1 Chr 11, 45). Heimat des → JOHA 2°.

TOACH (1) → TOHU.

TOB (4), „Gut" (vgl. Abitub; Ahitub; Tabeel; Tabrimmon; Tob-Adonija; Tobija; Tobias; Tobit). In das **Land Tob** flieht Jiftach, und dort suchen ihn die Ältesten Gileads, als sie von den Ammonitern angegriffen werden (Ri 11, 3.5). Söldner aus Tob kämpfen in der ammonitischen Armee gegen David (2 Sam 10, 6.8). Nördlich des Jabbok? Im nördlichen Transjordanien, in *er-Taijibeh?*

TOB-ADONIJA (1), (vgl. Tob; Adonija), vielleicht Dittographie der vorhergehenden Namen „Adonija, Tobija" (2 Chr 17, 8). Sonst handelt es sich um einen neunten Leviten, den der König Joschafat mit zwei Priestern und fünf Beamten in die Städte Judas schickt, um das Volk im Gesetz zu unterweisen.

TOBIAS (43), **Sohn des Tobit** (2): Tob 3, 17; 9, 5 und der Hanna (1, 9.20; 2, 1). An einem Pfingsttag meldet er seinem Vater, daß ein erschlagener Jude unbeerdigt auf dem Platz liegt (2, 1–3). Der alt gewordene Tobit gibt seinem Sohn Ratschläge fürs Leben (4, 1–19) und schickt ihn nach Medien zu Gabaël, um eine dort niedergelegte größere Summe zu holen (4, 10; vgl. 1, 14; 4, 1). Tobias begibt sich mit dem Engel Rafael auf die lange und beschwerliche Reise. Er kommt nach Ekbatana zu Raguël, einem Vetter des Tobit (5, 1 – 7, 9). Tobias heiratet Sara, die Tochter Raguëls (8, 4–8). Nach der Hochzeit kehren die jungen Leute nach Ninive zurück (9, 1 – 10, 13). Die Blindheit des Vaters wird dank des von Rafael angegebenen Mittels geheilt. Nach dem Tod seiner Eltern zieht Tobias nach Ekbatana, wo er im Alter von 127 Jahren stirbt, nachdem er noch den Untergang Ninives erlebt hat (14, 14–15).
Sohn des → TOBIT.

TOBIEL (1), „Gott ist gut“ (vgl. Tob), Naftaliter, Vater des Tobit, Großvater des Tobias (Tob 1, 1; vgl. 1, 8).

TOBIJA, hebr. *Tobijah, Tobijahu,* „Jahwe ist gut“, gr. *Tob(e)ia(s),* (vgl. Tob).
1° **Tobijahu** (1), einer der acht Leviten, die der König Joschafat mit zwei Priestern und fünf Beamten in die Städte Judas schickt, um das Volk im Gesetz zu unterweisen (2 Chr 17, 8).
2° **Tobija** (2), einer der Heimkehrer aus dem Exil, der sich besonders freigebig zeigt (Sach 6, 10.14).
3° **Tobija** (2), Haupt einer Familie, deren Söhne nach der Rückkehr aus dem Exil ihre israelitische Herkunft nicht nachweisen können (Esr 2, 60 // Neh 7, 62).
4° **Tobija** (13) genannt **der Ammoniter** (3): Neh 2, 10.19; 3, 35. In Wirklichkeit handelt es sich um einen Juden, der Statthalter über das Ammoniterland ist. Mit Sanballat, dem Statthalter von Samarien, und Geschem, dem Statthalter der arabischen Föderation von Kedar, versucht er, sich dem Wiederaufbau der Jerusalemer Stadtmauer zu widersetzen (Neh 2, 10.19f; 3, 33–35). Die Wachsamkeit des Nehemia macht ihre Pläne und Machenschaften zunichte: den Angriff auf die Stadt (4, 1–3), die Attentate auf Nehemia und die Verleumdungen (6, 1–14). Tobija hat Verbündete unter den vornehmen Familien Judas – er ist der Schwiegervater des Schechanja, Sohn Arachs; sein Sohn Johanan hat die Tochter des Meschullam, Sohn des Berechja, geheiratet (6, 17–19) – und sogar unter den Priestern (13, 4–8).
5° **Tobija** (1), aus der Familie des Vorhergehenden, Vater des → HYRKANUS 1°.
6° **Land des Tobija** (1), wörtl. *die (Orte) des Tobija,* das Land der Ammoniter, zwischen Amman und dem Jordan, beherrscht von der jüdischen Familie der Tobiaden. Hier werden Juden umgebracht, ihre Frauen und Kinder deportiert (1 Makk 5, 13). Auf einem Feldzug kommt der Makkabäer Judas zu den **Tubianern,** dort lebenden Juden (2 Makk 12, 17). Dositheus, ein tapferer Reiter in der Gruppe der Tubianer, zeichnet sich in Idumäa aus (2 Makk 12, 35).

TOBIT (27), gr. *Tobeit* oder *Tobith* (vgl. Tob), Naftaliter (Tob 1, 1), Vater des Tobias.
Tobit ist die Hauptperson, der Held des „Buches Tobit“ (1, 1; vgl. 14, 1), das als autobiographische Erzählung beginnt (1, 3 – 3, 6). Tobit stellt sich als Israelit aus dem Stamm Naftali in Galiläa vor, als einer, der in seiner Jugend noch die Trennung der Nordstämme von Juda erlebt habe (1, 4). Er freilich sei Jerusalem und den vom Gesetz vorgeschriebenen Bräuchen treu geblieben und habe sich vor allem durch gute Werke ausgezeichnet (1, 3.5–8; vgl. 14, 1). Mit seiner Frau Hanna, von der er einen einzigen Sohn habe (1, 9), sei er mit seinem Stamm nach Assyrien deportiert worden (1, 3.10). Seine Treue gegenüber Gott habe sich ausgezahlt, denn „Salmanassar“ habe ihn zu seinem Einkäufer gemacht (1, 12–13). Doch dann habe er durch „Sanherib“ Verfolgungen und den Verlust seines Vermögens hinnehmen müssen (1, 15–20). Bei seinem Bemühen, die Toten zu bestatten, sei er blind geworden (2, 1–10; 7, 7; 14, 2) und habe noch den Spott seiner Frau geerntet (2, 14; 3, 6).
Vom vierten Kapitel ab wird die Geschichte in der dritten Person erzählt. Tobit wünscht sich den Tod (4, 1–2), hält seinem Sohn eine Art Abschiedsrede (4, 3–20; vgl. 14, 8.11), in der er besonders die Verpflichtung einschärft, eine Frau aus dem „Stamm deiner Väter“ zu heiraten (4, 12–13; vgl. 6, 16–18). Dann schickt er Tobias auf die Reise zu Gabaël nach Medien, um das hinterlegte Geld zu holen (4, 1.20; vgl. 1, 14). Als Reisebegleiter wird Asarja/Rafael gewonnen, und trotz der Vorwürfe seiner Frau Hanna machen sich beide auf den Weg (5, 1–22). Die Reise führt zu Raguël in Ekbatana, einem Vetter Tobits (9, 6; vgl. 6, 11–12.18; 7, 2–5). Der Vater zählt die Tage bis zur Wiederkehr seines Sohnes (9, 1; 10, 1). Als dieser dann in Ninive ankommt, gibt er Tobit das Augenlicht wieder (11, 1–15). Die Schwiegertochter Sara wird mit Freuden aufgenommen (11, 16–18), und Asarja offenbart sich als Engel Rafael (12). Die erbauliche Geschichte schließt mit einem Lobgesang Tobits zum Preise Zions (13, 1–14, 1) und einer nochmaligen Mahnrede an seinen Sohn, bevor er im Alter von 158 Jahren stirbt, nachdem er noch den Untergang Ninives vorausgesagt hat (14).

TOCHEN (1), Stadt Simeons (1 Chr 4, 32 // Jos 19, 7: *Eter*).

TOFEL (1), in der Araba (Dtn 1, 1). Heute vermutlich *et-Tafileh* im SO des Toten Meers.

TOFET (10), vokalisiert nach dem hebr. *boschet,* „Schande" (vgl. Astarte). Das Wort lautet ursprünglich wohl *Tafet,* „Brand" (vgl. Jes 30, 33). Tofet ist im Tal Ben-Hinnom, vor den Toren Jerusalems, der Ort, an dem Kinder zu Ehren des Moloch verbrannt werden (2 Kön 23, 10; Jer 7, 31–32; 19, 6.11–14). Diese Art von Brandopfern wurde von den Königen Judas Ahas und Manasse geübt (2 Kön 16, 3; 21, 6).

TOGARMA (2), von Gomer (= Kimmerer?) hergeleitet (Gen 10, 3 // 1 Chr 1, 6 P).
= **Bet-Togarma** (2), verkauft an Tyrus Pferde, Reittiere und Maulesel (Ez 27, 14). Mit Gomer, dem Verbündeten Gogs, genannt (Ez 38, 6). Land im Norden Obermesopotamiens, vielleicht Armenien.

TOHU (1), Efraimiter, Ahnherr Samuels (1 Sam 1, 1).
= **Toach** (1), Ahnherr Samuels, als Nachkomme Levis vom Clan Kehat vorgestellt (1 Chr 6, 19 // 1 Chr 6, 11: *Nahat*).

TOÏ (2), **König von Hamat** (2), schickt seinen Sohn Hadoram zu David, um ihm zum Sieg über den gemeinsamen Feind Hadad-Eser, den König von Zoba, zu beglückwünschen (2 Sam 8, 9–10).
= **Tou** (2), 1 Chr 18, 9–10.

TOKHAT (1) → TIKWA.

TOLA, hebr. *Tola',* „Zinnober".
1° **Tola** (5), erster von vier Söhnen Issachars (Gen 46, 13 // 1 Chr 7, 1), dessen Nachkommen die Sippe der **Tolaïter** bilden (Num 26, 24). Seine sechs Söhne (1 Chr 7, 2).
2° **Tola Sohn des Pua Sohn des Dodo** (1), aus Issachar, von Schamir im Gebirge Efraim, einer der „kleinen" Richter (Ri 10, 1).

TOLAD (1) → ELTOLAD.

TOLON (1) → TILON.

[TOTES MEER]. Liegt 392 m unter dem Meeresspiegel. Länge 76 km; Breite 16 km; Salzgehalt 25 %.
= **Meer der Araba** (5), hebr. *jam ha-'arabah,* nimmt das Wasser des Jordan auf (Jos 3, 16). Es dient als SW-Grenze des Territoriums der Stämme im Ostjordanland (Dtn 3, 17; 4, 49; Jos 12, 3) und ist Südgrenze des Reiches Jerobeams II. (2 Kön 14, 25).
= **Salzmeer** (9), hebr. *jam ha-melach,* mit dem Meer der Araba gleichgesetzt (Dtn 3, 17; Jos 3, 16; 12, 3), bezeichnet die SO-Grenze des Gelobten Landes (Num 34, 3.12), die zugleich Ostgrenze Judas (Jos 15, 2.5) und Benjamins (Jos 18, 19) ist. In Gen 14, 3 wird das Salzmeer mit dem Tal Siddim gleichgesetzt.
= **Östliches Meer** (3), hebr. *jam ha-kadmoni,* bezeichnet die Ostgrenze Israels, wie das Große oder Westliche Meer seine Westgrenze darstellt (Ez 47, 18f; Joel 2, 20; Sach 14, 8).
Das Tote Meer wird noch in folgenden Wendungen parallel zum Mittelmeer gesetzt: „von Meer zu Meer" (Ps 72, 8 // Sach 9, 10; Mich 7, 12); „von einem Meer zum anderen Meer" (Am 8, 12), womit die idealen Grenzen des Gelobten Landes angezeigt werden. Zuweilen steht für das Tote Meer nur das Wort „Meer" (2 Chr 20, 2; Jes 16, 8 // Jer 48, 32; Ez 39, 11).
→ ARABA; EBENE 1°; SODOM.

TRACHONITIS (1), vom gr. *trachon,* „steiniger Boden". Vulkanisches Gebiet im Osten von Galiläa, in NO der Dekapolis, südlich von Damaskus. Beim Auftreten Johannes des Täufers ist Philippus Tetrarch der Trachonitis und Ituräas (Lk 3, 1).

TRES TABERNAE, gr. *Treis Tabernai,* Rastort an der Via Appia, 48 km südlich von Rom. Römische Christen kommen hierher, um den gefangenen Paulus zu begrüßen (Apg 28, 15).

TRIPOLIS (1), „Dreistadt"; Vereinigung von Bürgern aus Tyrus, Sidon und Arwad (vgl. Amphipolis). Stadt an der phönizischen Küste zwischen Byblos und Arwad. Demetrius, Sohn des

Seleukus, geht hier im Frühjahr 161 an Land, nachdem er aus Rom entwichen ist (2 Makk 14, 1 // 1 Makk 7, 1).

TROAS (6), gr. *(Alexandreia he) Troas,* Hafenstadt an der NO-Küste des Ägäischen Meers, etwa 15 km vom alten Troja. Seit Augustus römische Kolonie in der Provinz Asien. Auf seiner zweiten Missionsreise hat Paulus hier das nächtliche Gesicht eines Mazedoniers, der ihn nach Europa hinüberruft (Apg 16, 8–11). Während seiner dritten Missionsreise kommt Paulus von Ephesus nach Troas, um dort auf Titus zu warten (2 Kor 2, 12–13). Ein zweitesmal bleibt er auf der Rückreise nach Jerusalem eine Woche in der Stadt, feiert mit der Gemeinde den Sonntagsgottesdienst und erweckt den aus dem Fenster gefallenen Eutychus zum Leben (Apg 20, 5–12). – In Troas soll Paulus bei Karpus seinen Mantel gelassen haben (2 Tim 4, 13).

TROPHIMUS (3), gr. *Trophimos,* „Nahrhaft", „Fruchtbar", **Asiat, Epheser** (1), Reisegefährte des Paulus auf dem Weg von Mazedonien nach Jerusalem (Apg 20, 4). Seinetwegen wird Paulus beschuldigt, den Tempel entweiht zu haben (21, 29). Nach 2 Tim 4, 20 hat ihn der Apostel krank in Milet zurückgelassen.

TRYPHÄNA (1) und **Tryphosa** (1), vielleicht zwei Schwestern, Christinnen in Rom (Röm 16, 12).

TRYPHON (20), „Schlemmer", „Wüstling", Beiname des syrischen Königs Diodotus (142–138). Ursprünglich Anhänger des Alexander Balas und Vormund von dessen Sohn Antiochus VI. (1 Makk 11, 39–54), bekämpft Tryphon Demetrius II. und bemächtigt sich Antiochias, wo er Antiochus zum König macht (1 Makk 11, 55f). Doch trachtet er selbst nach der Herrschaft (12, 39). Über die wachsende Macht des Makkabäers Jonatan beunruhigt, stellt Tryphon ihm eine Falle und nimmt ihn in Ptolemaïs gefangen (12, 41–49). Mit einem großen Heer (13, 1) bereitet er sich auf einen Angriff auf Judäa vor (13, 12). Er macht Simon den Vorschlag, Jonatan gegen zwei der Söhne Simons auszutauschen (dazu noch eine Geldsumme), aber er gibt den Gefangenen nicht frei. Als er aus Judäa vertrieben wird, läßt er Jonatan in Baskama hinrichten (13, 12–24). Danach tötet er auch Antiochus VI. und setzt sich die Krone Asiens aufs Haupt (13, 31–34). Von Antiochus VII. wird er in Dora eingeschlossen (15, 10–14.25), doch es gelingt ihm zu fliehen (15, 37–39).

THRYPHOSA (1) → Tryphäna.

TUBAL (8), (vgl. Tubal-Kajin), Volk und Land in Kleinasien (Zilizien?), immer genannt mit → Meschech 1°.

TUBAL-KAJIN (2), (vgl. Tubal; Kajin), Sohn des Lamech und der Zilla, Bruder der Naama, Ahnherr aller Schmiede und Erzarbeiter (Gen 4, 22).

TUBIANER (2): 2 Makk 12, 17.35 Land des → Tobija 6°.

TYCHIKUS (5), „Zufällig" (vgl. Eutychus), Reisegefährte des Paulus von Mazedonien nach Jerusalem (Apg 20, 4), „treuer Helfer" (Eph 6, 21–22; vgl. Kol 4, 7–8). Die Pastoralbriefe schicken ihn nach Ephesus (2 Tim 4, 12) und Kreta (Tit 3, 12).

TYRANNUS (1), vielleicht Lehrer der Beredsamkeit, der in Ephesus seinen Lehrsaal Paulus zur Verfügung stellt oder vermietet (Apg 19, 9f).

TYRER (8), hebr. *Zori,* gr. *Tyrios* (1 Kön 7, 14; 1 Chr 22, 4; 2 Chr 2, 13; Esr 3, 7; Neh 13, 16; 2 Makk 4, 49; Sir 46, 18 LXX; Apg 12, 20), Bewohner von → Tyrus.

TYRISCHE STEIGE (1), gr. *Klimax Tyrou,* Küstenstraße, die sich zwischen Tyrus und Ptolemaïs hochzieht. Nordgrenze des Militärbezirks, den der Makkabäer Simeon befehligte (1 Makk 11, 59).

TYRUS (57), hebr. *Zor,* „Fels" (vgl. Zur), gr. *Tyros.*

a) **Tyrus,** berühmte phönizische Stadt, die ihren Namen von der felsigen Insel hat, an der sie gelegen ist (Ez 26, 4–5.14; vgl. 27, 3–4.32).
Tyrus, die mächtige Stadt am Meer (Ez 26, 17; vgl. 27, 3), ist durch seinen Seehandel reich geworden (Jes 23, 3; Ez 27, 3.9.12–25; 28, 4–5.13.16; Sach 9, 3; vgl. Ps 45, 13; Neh 13, 16; 2 Makk 4, 32; Apg 12, 20). Es wird mit einem Schiff von vollendeter Schönheit verglichen (Ez 27, 3–9). Seit David und Salomo, die mit Hiram von Tyrus befreundet waren, bestehen gute Beziehungen zwischen Tyrus und Israel (2 Sam 5, 11 // 1 Chr 14, 1; 1 Kön 5, 15f; 9, 12–14; vgl. Am 1, 9). Sie werden durch die Heirat Ahabs mit der tyrischen Prinzessin Isebel verstärkt (1 Kön 16, 31). Der als uneinnehmbar geltenden Stadt wird von den Propheten ein plötzlicher und spektakulärer Untergang vorhergesagt (Jes 23; Ez 26—28; vgl. 29, 18; Jer 47, 4), weil sie Israel in Bündnisse hineinziehen wollte, die von Jahwe verabscheut werden, und weil sie sich über den Fall Jerusalems gefreut hat (Ez 26, 2; vgl. Ps 83, 8; Am 1, 9–10). Aber Tyrus gelangt wieder zu Wohlstand (Jes 23, 17f), und in der Makkabäerzeit ist es eine Stätte hellenistischer Kultur (2 Makk 4, 18; vgl. 4, 44.49).
Paulus hält sich sieben Tage bei den Christen von Tyrus auf, als er von der dritten Missionsreise nach Jerusalem zurückkehrt (Apg 21, 3–7).

b) **Tyrus und Sidon** (21). Nebeneinander genannt, bezeichnen die beiden Städte zunächst ein Gebiet, das der phönizischen Küste (2 Sam 24, 6–7; 1 Chr 22, 4; Esr 3, 7; Jdt 2, 28; 1 Makk 5, 15; Jes 23, 1–12; Jer 47, 4; Ez 27, 8; Joel 4, 4; Sach 9, 2–3; Apg 12, 20). Ihre Könige heißen mal König von Tyrus (2 Sam 5, 11), mal König der Sidonier (1 Kön 16, 31), oder Könige von Tyrus und Könige von Sidon (Jer 25, 22; 27, 3).
In den Evangelien hat der Ausdruck „Tyrus und Sidon“ eine theologische Bedeutung. Das heidnische Land, in das sich Jesus begibt (Mk 7, 31; Mt 15, 21), steht im Gegensatz zum „Haus Israel“, zu dessen verlorenen Schafen Jesus gesandt ist (Mt 15, 24). Indem Jesus die Bitte einer heidnischen Frau erfüllt, gibt er zu erkennen, daß seine zunächst nur für die Juden bestimmte Botschaft (Mt 10, 5–6; 15, 24) auch die Heiden angeht (Mk 7, 24–30 par), die außerdem sein Wort bereitwilliger aufnehmen (Mk 3, 8 // Lk 6, 17) und den Sinn seiner Wunder besser verstanden hätten (Mt 11, 21–22 // Lk 10, 13–14) als die Bewohner des Heiligen Landes.
König von Tyrus → HIRAM 1°.
Stadtgottgeit → MELKART.
Tyrer → HIRAM 2°.

U

UËL (1), Esr 10, 34 → JOËL 11°.

UFAS (2), Jer 10, 9; Dan 10, 5: unbekanntes Land. Vielleicht zu korr. in „Gold aus *Ofir*" oder „*reines* Gold".

ULAI (2), Fluß, der durch Susa fließt. In einer Vision Daniels (Dan 8, 2.16). Derselbe wie der → HYDASPES.

ULAM
1° **Ulam** (2), Manassiter, Nachkomme des Machir und der Maacha (1 Chr 7, 16), Vater des Bedan (7, 17).
2° **Ulam** (2), Benjaminiter, Nachkomme des Königs Saul, Erstgeborener des Eschek. Seine Söhne sind Bogenschützen (1 Chr 8, 39–40).

ULLA (1), aus Ascher, Vater von drei Söhnen (1 Chr 7, 39f).

UMMA (1), Stadt in Ascher (Jos 19, 30). Wahrscheinlich ist *Akko* zu lesen.

UNNI
1° **Unni** (2), levitischer Torwächter, dem Dienst an der Bundeslade zugeteilt (1 Chr 15, 18), Harfenspieler (15, 20).
2° **Unni** (1), Levit, Sänger, kommt zur Zeit Jeschuas aus dem Exil zurück (Neh 12, 9).

UR, 1°: akk. *Uru;* 2°: hebr. *Ur,* „Licht" (vgl. Achior; Schedëur; Uri; Uriël; Urija).
1° **Ur in Chaldäa** (4), Heimat der Familie Abrahams (Gen 11, 28) in Untermesopotamien. Abraham zieht von Ur nach Kanaan (Gen 11, 31; 15, 7; Neh 9, 7).
= **Land der Chaldäer** (1), das Abraham verläßt, um sich in Haran niederzulassen (Apg 7, 4).
2° **Ur** (1), 1 Chr 11, 35: Vater des → ELIFELET 2°.

URBANUS (1), römischer Name, Christ, aktives Glied der Gemeinde von Rom (Röm 16, 9).

URI, „Mein Licht" (vgl. Ur 2°).
1° **Uri** (6), Judäer, Sohn des Hur (1 Chr 2, 20), Vater des → BEZALEL 1°.
2° **Uri** (1), Vater des → GEBER 1°.
3° **Uri** (1), Torwächter, schickt seine fremdländische Frau zurück (Esr 10, 24).

URIËL, hebr. *Uri'el,* „Gott ist mein Licht" (vgl. Ur 2°.
1° **Uriël** (1), Levit des Clans Kehat, Ahnherr Samuels (nach 1 Chr 6, 9).
2° **Uriël** (2), Levit vom Clan Kehat, nimmt an der Überführung der Bundeslade unter David teil (nach 1 Chr 15, 5.11).
3° **Uriël aus Gibea** (1), 2 Chr 13, 2: Vater der Michaja → MAACHA 9°.

URIJA, gr. *Urias,* „Jah ist mein Licht" (vgl. Ur 2°).
1° **Urija** (26) **der Hetiter** (10), Krieger Davids (2 Sam 23, 39 // 1 Chr 11, 41), Während Urija an der Belagerung von Rabba im Ammoniterland teilnimmt, verführt David seine Frau Batseba, die schwanger wird. Vom König nach Jerusalem gerufen, weigert sich Urija, bei seiner Frau zu schlafen, während Joab und die Soldaten im Freien kampieren müssen. Auf Befehl Davids wird Urija in die erste Reihe gestellt und fällt im Kampf (2 Sam 11; 12, 9; 1 Kön 15, 5). Mann der → BATSEBA.

2° **Urija** (6), Priester in Jerusalem, Zeitgenosse des Propheten Jesaja, der ihn zum Zeugen nimmt für den Namen des Maher-Schalal-Hasch-Bas (Jes 8, 2). Auf Befehl des Ahas errichtet er in Jerusalem einen Altar nach dem Modell, das er in Damaskus gesehen hat, und bringt von da an die Opfer auf ihm dar (2 Kön 16, 10–11.15–16).
3° **Urijahu** (3) **Sohn des Schemajahu aus Kirjat-Jearim** (1), Prophet, dessen Sprüche gegen Jerusalem und Juda ihm die Verfolgung durch den König Jojakim eintragen. Er flieht nach Ägypten, wird von dort nach Jerusalem zurückgebracht und hingerichtet. Sein Leichnam wird in ein Massengrab geworfen (Jer 26, 20–23).
4° **Urija** (3), Vater des Priesters → MEREMOT 1°.
5° **Urija** (1), vornehmer Laie, steht bei der feierlichen Gesetzesverlesung zur Rechten des Esra (Neh 8, 4).

URMEER → TEHOM.

URUK (1) → ERECH.

USA, hebr. *Uzzaʾ* und *Uzzah* (vgl. Asasja).
1° **Usa** (8), Sohn Abinadabs aus Kirjat-Jearim. Mit seinem Bruder Achjo führt er den Wagen, der die Bundeslade vom Haus seines Vaters nach Jerusalem bringt. Als er die Lade berührt, stirbt er sofort. David nennt den Ort des Geschehens Perez-Usa „Wegraffung Usas" (2 Sam 6, 3–8 // 1 Chr 13, 7–11; vgl. 15, 13).
2° **Garten Usas** (2), in Jerusalem, Garten des Königspalastes, in dem die Könige Manasse und Amon begraben sind (2 Kön 21, 18.26).
3° **Usa** (1), Levit, Nachkomme Meraris, Ahnherr des Asaja (1 Chr 6, 14).
4° **Usa** (1), Benjaminiter, unter den Söhnen des Ehud (1 Chr 8, 7).
5° **Usa** (2), Haupt einer Familie von Tempeldienern, die aus dem Exil heimkehren (Esr 2, 49 // Neh 7, 51).

USAI (1), hebr. *Uzai* (Neh 3, 25) Vater des → PALAL.

USAL (3), hebr. *Uzal,* einer der dreizehn Söhne des Joktan (Gen 10, 27 // 1 Chr 1, 21), Stamm oder Gebiet in Südarabien (Ez 27, 19: hebr. *Meuzzal?).*

USEN-SCHEERA (1), 1 Chr 7, 24; von → SCHEERA gegründet; Lage unbekannt.

USI (vgl. Asasja).
1° **Usi** (4), Priester, Nachkomme Aarons und Ahnherr Zadoks (1 Chr 5, 31–32; 6, 36; Esr 7, 4).
2° **Usi** (2), erster der Söhne Tolas, des Sohnes Issachars. Aus seiner Familie kommen fünf militärische Führer (1 Chr 7, 2–5).
3° **Usi** (1), Benjaminiter, der zweite von fünf Söhnen Belas, Familienhaupt, tapferer Krieger (1 Chr 7, 7).
4° **Usi** (1), Benjaminiter, Vater des → ELA 5°.
5° **Usi Sohn des Bani Sohn des Haschabja Sohn des Mattanja Sohn des Micha aus den Söhnen Asafs** (1), Oberhaupt der Leviten in Jerusalem (Neh 11, 22).
6° **Usi** (1), Priester, Haupt der Priesterfamilie Jedaja zur Zeit des Hohenpriesters Jojakim (Neh 12, 19).
7° **Usi** (1), Priester, an der Seite des Nehemia bei der Mauerweihe in Jerusalem (Neh 12, 42).

USÏEL, hebr. *Uzziʾel,* gr. *Oziel,* „Gott ist meine Stärke" (vgl. Asasja).
1° **Usiël** (11), letzter von vier Söhnen des Levisohnes Kehat (Ex 6, 18; Num 3, 19; 1 Chr 5, 28; 6, 3; 23, 12). Seine Söhne (Ex 6, 22; 1 Chr 15, 10; 23, 20; 24, 24) bilden den Clan der **Usiëliter** (Num 3, 27; 1 Chr 26, 23: hebr. *Ozzieliter*). Zunächst fungieren sie bei der Übertragung der Lade (1 Chr 15, 10), dann sind sie im Tempel die Helfer der Priester (vgl. 1 Chr 23, 25–32; 26, 23).
Vater des → ELIZAFAN.
2° **Usiël** (3), Levit, Torwächter, dem Dienst an der Lade zugeteilt (1 Chr 15, 18: hebr. *Jaasiël*), Harfenspieler (15, 20: hebr. *Asiël* 16, 5; hebr. *Jëiël* oder *Asiël*).
3° **Usiël** (1), aus den Söhnen Hemans (1 Chr 25, 4).
= **Asarel** (1), Vorsteher der 11. Sängerklasse (1 Chr 25, 18).
4° **Usiël** (1), Levit aus den Söhnen Jedutuns, nimmt bei der Reform des Hiskija an der Reinigung des Tempels teil (2 Chr 29, 14).

5° **Usiël** (1), einer der Stammesfürsten Simeons, die sich im Gebirge Seïr niedergelassen haben (1 Chr 4, 42).
6° **Usiël** (1), Simeoniter, Ahnherr Judits (Jdt 8, 1).
7° **Usiël** (1), Benjaminiter, der dritte von fünf Söhnen Belas, Familienhaupt, tapferer Krieger (1 Chr 7, 7).
8° **Usiël** (1), Mitglied der Goldschmiedezunft (hebr. *Sohn des Harhaja*), Freiwilliger beim Wiederaufbau (Neh 3, 8).

USIËLITER (2), Num 3, 27; 1 Chr 26, 23 Clan des → Usiël 1°.

USIJA, „Jah ist meine Stärke“, gr. *Ozias* (vgl. Asasja).
1° **Usija von Aschtarot** (1), Krieger Davids (1 Chr 11, 44).
2° **Usija** (2), Levit vom Clan Kehat, Ahnherr Samuels (nach 1 Chr 6, 9).
3° **Usija** (1), Vater des → Jonatan 6°.
4° **Usija** (25), zehnter König von Juda (781–740). = **Asarja** (9): 2 Kön 14, 21; 15, 1.6–8.17.23.27; 1 Chr 3, 12 **Sohn des Amazja** (1) – dem er auf dem Thron folgt – und der Jecholja (2 Kön 15, 1f // 2 Chr 26, 3; vgl. 1 Chr 3, 12). Dieser Doppelname entspricht vielleicht einem Geburtsnamen und einem Thronnamen (→ Joahas 2°; Jojakim 1°; Zidkija 4°). Usija ist Zeitgenosse der israelitischen Könige Jerobeam II., Secharja, Schallum, Menahem, vielleicht auch Pekachja und Pekach (2 Kön 15, 1.8.13.17.23.27) und der Propheten Amos (Am 1, 1), Hosea (Hos 1, 1) und Jesaja (Jes 1, 1; 6, 1).
Von seiner Regierung berichten die Königsbücher nur, daß er das unter Joram verlorene Elat wiedereroberte (2 Kön 14, 22), daß er recht vor Jahwe handelte und bis zu seinem Tod vom Aussatz befallen war, so daß er gezwungen war, seinen Sohn als Mitregenten einzusetzen (2 Kön 15, 3–7 // 2 Chr 26, 4.21–23; vgl. 2 Kön 15, 34 // 2 Chr 27, 2). Der Chronist bringt zusätzliche Informationen (2 Chr 26, 6–15): Usija kämpft besonders gegen die Philister und Araber, unterwirft die Ammoniter und macht sie tributpflichtig, erbaut zahlreiche Befestigungen in Jerusalem und in der Wüste, gräbt Brunnen, entwickelt die Landwirtschaft, reorganisiert das Heer. Derselbe Chronist kennt schließlich auch den Grund für die Krankheit des Königs: weil er sich priesterliche Funktionen, die Darbringung des Weihrauchopfers, angemaßt habe (2 Chr 26, 16–20). Unter Usija hat ein Erdbeben stattgefunden (Sach 14, 5; vgl. Am 1, 1).
Usija gehört zu den Vorfahren Jesu nach Mt 1, 8–9.
Vater des → Jotam 2°.
Großvater des → Ahas 1°.
5° **Usija** (1), Priester der Söhne Harims, schickt seine fremdländische Frau zurück (Esr 10, 21).
6° **Usija** (1), Judäer, Vater des → Ataja.
7° **Usija** (12) **Sohn des Micha** (1), Simeoniter, „Bürgermeister“ der Stadt Betulia, stimmt – unterstützt von den Ältesten Kabri und Karmi – dem Plan der Judit mit vollem Vertrauen zu (Jdt 6, 15–21; 7, 23.30; 8, 9.28–31.35; 10, 6; 13, 18; 14, 6; 15, 4).

UTAI
1° **Utai Sohn des Ammihud Sohn des Omri Sohn des Imri Sohn des Bani** (1), Judäer des Clans Perez, wohnt nach dem Exil in Jerusalem (1 Chr 9, 4).
2° **Utai Sohn des Sabud** (1) – „Sohn des“ ist nach dem gr. Text von 3 Esr 8, 40 hinzugefügt; hebr. *und Sabbud* (*^{K}Sabud; ^{Q}Sakkur*) – Israelit der Söhne Bigwais, kehrt mit Esra aus dem Exil heim (Esr 8, 14).

UZ
1° **Uz** (2), erster der vier Söhne Arams (Gen 10, 23 // 1 Chr 1, 17).
2° **Uz** (1), Erstgeborener von zwölf Söhnen Nahors, des Bruders Abrahams, geboren von seiner Frau Milka (Gen 22, 21).
3° **Uz** (2), erster der beiden Söhne des Dischan, des siebten Sohns Seïrs (Gen 36, 28 // 1 Chr 1, 42). Vgl. den Folgenden.
4° **Land Uz** (3) in Edom (Klgl 4, 21; vgl. Jer 25, 20), Heimat des Ijob (Ijob 1, 1). Identisch mit den Vorhergehenden, besonders 3°.
5° **Uz** (1), gr. *Ox*, Simeoniter, Großvater der Judit (Jdt 8, 1).

V

VISION (Tal der) (2), hb. *Hizzajon* (vgl. Hasael), Jes 22, 1.5. In der Nähe Jerusalems, aber sonst unter diesem Namen unbekannt.

VORHÄUTE (Hügel der) (1), hebr. *Gib^cat ha-^cAralot,* nach Jos 5, 3 der Ort bei Gilgal, an dem die Israeliten von ihrem Einzug ins Gelobte Land beschnitten wurden. Vielleicht befand sich dort eine Schleiferei für Steinmesser.

W

WACHTTOR (1), hb. *Miphqad,* Tor des Tempels in Jerusalem (Neh 3, 31).

WAHEB (1), in Moab, bei Sufa und dem Arnonbach (Num 21, 14). Unbekannt.

WAJESATA (1), Est 9, 9: Bruder des → PARSCHANDATA.

WALKERFELDSTRASSE (3), im SO Jerusalems; sie führte wohl vom oberen Teich zur Walkerquelle (2 Kön 18, 17 // Jes 36, 2; 7, 3).

WALKERQUELLE (4), hebr. *En Rogel* (vgl. Roglim), an der Grenze von Juda und Benjamin (Jos 15, 7; 18, 16), außerhalb Jerusalems (2 Sam 17, 17), von der Gihonquelle unterschieden (1 Kön 1, 9; vgl. VV.33–45). Am Schnittpunkt des Kidron- und den Hinnomtals, etwa 300 m südlich des Schiloach. Heute *Bir-Ajjub* (Brunnen des Ijob).

WANJA (1), Israelit der Söhne Banis, schickt seine fremdländische Frau zurück (Esr 10, 36).

WASCHTI (10), pers. *Vahista* „Die Schönste" oder „Die Begehrte", gr. *Astin,* Frau des Perserkönigs Xerxes (Assuerus); sie wird verstoßen, weil sie sich geweigert hat, bei einem Festmahl vor dem König zu erscheinen (Est 1, 9–19). An ihre Stelle tritt Ester (Est 2, 1–4.17).

WASSERSTADT (17), wahrscheinlich Unterstadt von Rabba, der Hauptstadt der Ammoniter. Nach 2 Sam 12, 27 hat Joab nur diesen Teil Rabbas eingenommen, während David selbst die eigentliche Königsstadt eroberte (V.29 im Widerspruch zu V.26).

WASSERTOR (5), hebr. *Majim,* in Jerusalem; führt wohl eher in den Königspalast, als daß es zur Ostmauer der Stadt gehört (Neh 3, 26). Vor diesem Tor befindet sich ein großer Platz, auf dem sich das Volk versammelt, um die feierliche Verlesung des Gesetzes durch Esra zu hören (Neh 8, 1.3); dort werden auch Laubhütten aufgestellt (8, 16). Bei der Mauerweihe zieht der erste Festchor bis zum Wassertor hinauf (12, 37).

WEIDENBACH (1) hebr. *Arabim* (Jes 15, 7), an der Südgrenze oder im Norden Moabs?, ein Nebenfluß des Jordan, wo es viele Weiden gibt.

WOFSI (1), lat. *Vapsi,* Naftaliter, Vater des → NACHBI.

WOLFSKELTER (1), „Kelter Seebs" → OREB

X

XANTHIKUS (3), gr.-mazedonischer Monatsname für den 12. Monat (Febr./März), (2 Makk 11, 30.33.38).

XENIUS (1), „Gastfreundlich", Beiname des Zeus, wie er auf dem Garizim verehrt werden soll (2 Makk 6, 2).

XERXES (36), gr. Umschrift des hebr. *Ahaschwerosch,* daher die lat. Form *Assuerus,* vom pers. *Chschajarscha,* König der Perser, der **Großkönig** (2): Est 3, 13; 8, 12 (486–465).
Es handelt sich um Xerxes I., den Großen, Sohn des Darius. Nach Esr 4, 6 richten die Feinde Judas und Jerusalems zu Beginn seiner Herrschaft eine Beschwerde gegen die Bewohner Judas und Jerusalems.
Vielleicht ist er auch mit dem „vierten König" Persiens gemeint, der sich gegen das Reich von Jawan erheben wird (Dan 11, 2). In der Tat hat Xerxes 480 einen Feldzug gegen Griechenland unternommen.
Die Angaben des Buches Ester sind historisch kaum verwertbar, auch wenn das zeitgeschichtliche Kolorit getroffen sein mag.
Seine Offiziere → MEMUCHAM.
Seine Eunuchen → BIGTAN; HARBONA; MEHUMAN.

Z

ZAANAN (1), ein wohl durch die Invasion Sanheribs (701) bedrohter Ort (Mich 1, 11).
= ? **Zenan** (1), Ort in der Schefela Judas (Jos 15, 37).

ZAANANNIM (Eiche von) (2), heiliger Baum an der Grenze von Naftali und Issachar, in der Nähe des Tabor (Jos 19, 33; Ri 4, 11).

ZABDIËL → Sabdiël.

ZABULON → Sebulon.

ZACHARIAS (9), „Jah gedenkt" (vgl. Sachar; Sakkai?; Sakkur; Sichri). Priester der Klasse Abija, verheiratet mit Elisabet aus dem Geschlecht Aarons.
„Beide lebten so, wie es in den Augen Gottes recht ist", sie hatten keine Kinder und waren schon in vorgerücktem Alter. Während eines Opfers im Jerusalemer Tempel erhält Zacharias die Ankündigung des Engels Gabriel, daß Elisabet ihm einen Sohn gebären wird, dem er den Namen Johannes geben soll. Zacharias aber zweifelt und verlangt ein Zeichen. Daraufhin wird er mit Stummheit geschlagen bis zu dem Tag, an dem das Kind beschnitten wird (Lk 1, 5–25.59–64). Bei dieser Gelegenheit läßt Lukas den Zacharias einen prophetischen Lobgesang sprechen, das *Benedictus* (1, 67–79).

ZACHÄUS, hebr. *Sakkai,* vielleicht Diminutiv von *Secharja* (vgl. Zacharias)? oder „Der Reine"?
1° **Zachäus** (1), militärischer Führer, der mit seinem Sohn Josef und dem Makkabäer Simon an der Belagerung der idumäischen Festungen teilnimmt (2 Makk 10, 19).
Vielleicht identisch mit → Secharja 28°.
2° **Zachäus** (3), reicher Zöllner oder Obersteuereinnehmer in Jericho. Von kleiner Gestalt, steigt er auf einen Feigenbaum, um Jesus besser zu sehen. Der ruft ihn herab und kehrt in seinem Haus ein. Zachäus nimmt ihn mit Freuden auf und erklärt, in Zukunft seine Güter mit den Armen zu teilen. Jesus erkennt ihn als echten Sohn Abrahams an (Lk 19, 1–10).

ZADOK, gr. *Sadok,* vom hebr. *Zedek,* „Gerechtigkeit" (vgl. Adoni-Zedek; Melchisedek; Sadduzäer; Zidkija; siehe Justus).
1° **Zadok** (47) **Sohn des Ahitub** (2), Priester.
Zadok und Abjatar werden in 2 Sam und 1 Kön immer zusammen genannt, und zwar Zadok immer an erster Stelle. Beide sind als Priester dem Dienst an der Lade zugeteilt (2 Sam 15, 24–29; 1 Chr 15, 11) – 1 Chr 16, 39 macht aus Zadok den Priester des Höhenheiligtums von Gibeon –, beide stehen auf den Listen der hohen Würdenträger Davids (2 Sam 8, 17; 20, 25; vgl. 1 Kön 4, 4: eine Glosse). Beim Aufstand Abschaloms informieren sie über ihre Söhne den aus der Stadt geflohenen David über die Entwicklung in Jerusalem (2 Sam 15, 35–36; 17, 15–16). Nach dem Tod des Rebellen rufen sie als erste die Ältesten Judas auf, David auf den Thron zurückzurufen (2 Sam 19, 12–15). Als sich aber das Problem der Thronfolge stellt, unterstützt Zadok Salomo, während Abjatar sich für Adonija entscheidet (1 Kön 1, 7–45; vgl. 2, 22). Nach Davids Tod versetzt Salomo Abjatar nach Anatot und stellt Zadok an seinen Platz (1 Kön 2, 26–27.35; vgl. 1 Chr 29, 22; 1 Sam 2, 31–35). In der Folgezeit gelten die **Söhne Zadoks** als die einzigen legitimen Priester (Ez 40, 46; 43,

19; 44, 15; 48, 11). Der Chronist scheint aber zu bezeugen, daß die beiden konkurrierenden Priesterfamilien des Zadok und Abjatar wieder die gleiche Anerkennung erfahren. Er läßt beide von einem gemeinsamen Ahnherrn abstammen, von Aaron, Zadok über Eleasar, Abjatar über Itamar (1 Chr 24, 3.6.31; vgl. 18, 16).
Genealogie Zadoks (Vorfahren und Nachkommen) → S. 381.
Vater des → AHIMAAZ 2°; ASARJA 4°.
2° **Zadok** (2), Vater des → JERUSCHA.
3° **Zadok Sohn des Baana** (1), arbeitet freiwillig am Wiederaufbau der Jerusalemer Mauer mit (Neh 3, 4).
4° **Zadok Sohn des Immer** (1), ein anderer Freiwilliger (Neh 3, 29).
5° **Zadok** (1), Führer des Volkes, Mitunterzeichner der Gesetzesverpflichtung (Neh 10, 22).
6° **Zadok** (1), untadeliger Schriftgelehrter, Aufseher über die Vorräte im Tempel zur Zeit des Nehemia (Neh 13, 13).
7° **Zadok** (2), Ahnherr Jesu (Mt 1, 14).

ZAFENAT-PANEACH (1), ägypt. „Gott spricht: Er lebt", Name, den der Pharao dem Jakobsohn Josef beilegt (Gen 41, 45).

ZAFON (2), „Norden" (vgl. Baal-Zefon; Zifjon; Mizpa), Stadt im Ostjordanland, einige km nördlich von Sukkot. Ort eines feindlichen Treffens zwischen Efraim und Gilead (Ri 12, 1). Stadt Gads (Jos 13, 27).

ZAHAR (1), zusammen mit Helbon genannt, vermutlich Stadt oder Land im Norden von Damaskus, berühmt wegen seiner Wolle (Ez 27, 18). Lage unbekannt.

ZAÏR (1), Ort, der im Zusammenhang mit einem Krieg des Königs Joram von Juda gegen Edom erwähnt wird (2 Kön 8, 21). Vermutlich in Edom.

ZALAF (1), „Kapernstrauch", Vater des → HANUN 3°.

ZALMON, hebr. 1°: „Statue", „Bild"?; 2°–3°: „Schattig", „Dunkel".
1° **Zalmon aus Ahoach** (1), Krieger Davids (2 Sam 23, 28).
= **Ilai der Ahoachiter** (1), 1 Chr 11, 29.
2° **Zalmon** (1), Ausläufer des Berges Ebal oder des Garizim (Ri 9, 48). Identisch mit dem Folgenden?
3° **Zalmon** (1), bewaldeter Berg bei Sichem (Ps 68, 15). Identisch mit dem Vorhergehenden? Oder in Baschan gelegen?

ZALMONA (2), Station auf dem Exodus nach Kadesch (Num 33, 41–42).

ZALMUNNA (12) → SEBACH.

ZAMBRI → SIMRI.

ZARA (1) SERACH 4°.

ZARETAN (4), Ort im Jordantal, nahe Adam (Jos 3, 16), südlich von Bet-Schean und Abel-Mehola (1 Kön 4, 12). Josua verfolgt hier die Midianiter (Ri 7, 22: Korr. von *Zereda*). Nicht weit davon gibt es Gießereien (1 Kön 7, 46).
= **Zereda** (1), 2 Chr 4, 17.

ZEBAOT (282), gr. *Sabaoth* (Röm 9, 29; Jak 5, 4) oder *tôn dynameôn,* „Heerscharen" (= Schlachtreihen Israels: 1 Sam 17, 45; himmlische Heerscharen, Engel, Gestirne: Ps 103, 21; Gen 2, 1; kanaanäische Götter) → JAHWE e).

ZEBEDÄUS (12), gr. *Zebedaios,* „Geschenk Jahwes" (vgl. Sabad), Fischer am See Gennesaret (Mt 4, 21), betreibt wahrscheinlich ein größeres Unternehmen, da er Lohnarbeiter beschäftigt (Mk 1, 20).
Mann der → SALOME 1°.
Vater des → JAKOBUS 1°; JOHANNES 2°.

ZEBOIM, „Hyänen" (vgl. Zibon).
1° **Tal Zeboim** oder **Hyänental** (1), zwischen Rama und Jericho (1 Sam 13, 18).
2° **Zeboim** (1), Ortschaft, die nach dem Exil von Benjaminitern bewohnt wird (Neh 11, 34).

ZEBOJIM (5), vom Vorhergehenden abgeleitet?

Stadt in der Pentapolis, in der Nähe von Sodom und Gomorra (Gen 10, 19) und mit ihnen untergegangen (Dtn 29, 22; Hos 11, 8; vgl. Weish 10, 6). König → SCHEMEBER.

ZEDAD (2), an der (idealen) Nordgrenze des Gelobten Landes (Num 34, 8; Ez 47, 15).

ZEFANJA, gr. *Sophonias,* „Jahwe schützt" (vgl. Elizafan).
1° **Zefanja** (1), Nachkomme Kehats, Ahnherr des Sängers Heman (1 Chr 6, 21 // 1 Chr 6, 9: *Uriël*).
2° **Zefanja Sohn des Kuschi Sohn des Gedalja Sohn des Amarja Sohn des Hiskija** (1), Prophet unter Joschija (Zef 1, 1). Er hat wohl noch den Untergang Jerusalems erlebt (630–587?). Zeitgenosse des Jeremia. Er kündigt den Tag Jahwes an, der allen Bewohnern der Erde ein schreckliches Ende bereiten wird (1, 18). Der Gerichtspredigt folgen Verheißungen für eine Erneuerung des Gottesvolkes, für einen Rest demütigen und geringen Volkes (3, 12). Einer der zwölf „kleinen Propheten".
3° **Zefanja** (4) oder **Zefanjahu** (2) **Sohn des Maaseja** (3), hochgestellter Priester (2 Kön 25, 18), zweimal unter den Boten genannt, die der König Zidkija zu Jeremia sendet (Jer 21, 1ff; 37, 3). Als Oberster der Tempelwache weigert er sich, auf Weisung des Schemaja aus Nehelam Jeremia in den Block zu legen (Jer 29, 25–29). Er wird beim Fall Jerusalems von den Babyloniern gefangengenommen und in Ribla hingerichtet (2 Kön 25, 18.20f // Jer 52, 24.26f).
4° **Zefanja** (2), vielleicht derselbe wie der Vorhergehende, Vater des → JOSCHIJA 2°.

ZEFAT (1), Ri 1, 17 → HORMA.

ZEFATA (Tal) (1), bei Marescha: der König Asa von Juda schlägt hier den Kuschiter Serach (2 Chr 14, 9).

ZEFO (2), dritter der Söhne des Elifas, die als Söhne Adas, der Frau Esaus, gelten (Gen 36, 11f), ein Edomiterfürst oder Clan (Gen 36, 15).
= **Zefi** (1), 1 Chr 1, 36.

ZEFON (2) → ZIFJON.

ZELA (1), „Seite", Ort in Benjamin, Begräbnisstätte des Königs Saul und seiner Familie (2 Sam 21, 14).
= **Zela-ha-Elef** (1), in der Liste der Städte Benjamins (Jos 18, 28 LXX; hebr. *Zela, Elef).*

ZELEK der Ammoniter (2), Krieger Davids (2 Sam 23, 37 // 1 Chr 11, 39).

ZELOFHAD (11), „Im Schatten des Schreckens"? (vgl. Zilla), gr. *Salpaad,* **Sohn des Hefer** (3), **Sohn Gileads Sohn des Machir Sohn des Manasse** (2). Er stirbt während des Exodus wegen seiner eigenen Sünde (Num 27, 3) und hinterläßt keinen Sohn, aber fünf Töchter: **Machla, Noa, Hogla, Milka** und **Tirza** (Num 26, 33; 27, 1–7; Jos 17, 3ff; vgl. 1 Chr 7, 15). Diese Töchter erlangen von Mose das Recht, ihren Vater zu beerben (Num 27, 1–8), müssen sich aber innerhalb ihres Stammes verheiraten, damit das Gebiet zusammenbleibt (Num 36, 2–12). Die Namen der „Töchter Zelofhads" sind zugleich die Namen von fünf Clans, die man im Norden oder Nordosten von Sichem lokalisieren kann.

ZELOT (2), gr. *Zelotes* (Lk 6, 15 // Apg 1, 13), Mitglied der nationalistischen Freiheitsbewegung, die gegen die römische Besatzungsmacht kämpfte? Oder ein leidenschaftlicher Eiferer für das Gesetz des Mose?
Beiname des → SIMEON 10°.
Gleichbedeutend mit (?) → ISKARIOT.

ZELZACH (1), an der Grenze zwischen Benjamin und Efraim, Ort, in dem das Grab der Rahel liegt (1 Sam 10, 2; vgl. Gen 35, 19). Lage unbekannt.

ZEMARAJIM (2), „Die beiden Gipfel", in der Liste der Städte Benjamins (Jos 18, 22). Vielleicht in der Umgebung des **Berges Zemarajim,** im Gebirge Efraim (2 Chr 13, 4).

ZEMARITER (2), kanaanäischer Clan (Gen 10, 18 // 1 Chr 1, 16). An der syrischen Küste (Tripolis?). Bekannt bei den Ägyptern und Assyrern.

ZENAN (1), Ort in der Schefela Judas (Jos 15, 37).
= ? **Zaanan** (1), ein vermutlich durch die Invasion Sanheribs (701) bedrohter Ort (Mich 1, 11).

ZENAS (1), Abk. des gr. *Zenodoros,* „Geschenk des Zeus“ (vgl. Dositheus; Zeus), Jurist. Mit Apollos als Wandermissionar erwähnt, der auf die Unterstützung durch die Gemeinden angewiesen ist (Tit 3, 13).

ZER (1), befestigte Stadt in Naftali (Jos 19, 35).

ZEREDA
1° **Zereda** (1), Heimat des Königs Jerobeam I. (1 Kön 11, 26). Etwa 45 km NW von Jerusalem.
2° **Zereda** (1) → ZARETAN.

ZERET (1), Sohn der Hela und des Aschhur, in Juda (1 Chr 4, 7).

ZERET-SCHAHAR (1), Stadt Rubens, im Bergland der Araba (Jos 13, 19).

ZERI (1), (vgl. Zeruja), aus den Söhnen Jedutuns (1 Chr 25, 3).
= **Jizri** (1), Leiter der vierten Sängerklasse (1 Chr 25, 11).

ZEROR (1), „Kleiner Beutel“, „Kieselstein“?, Ahnherr des → KISCH 1°.

ZERUA (1), „Aussatz“ (1 Kön 11, 26), Mutter des israelitischen Königs → JEROBEAM 1°.

ZERUJA (26), „Mit der Wurzel des Mastixbaums parfümiert“ (vgl. Zeri), lat. *Sarvia,* Tochter des Isai, Schwester Davids und der Abigail (2 Sam 17, 25; 1 Chr 2, 16).
Mutter von ABISCHAI; ASAHEL 1°; JOAB 1°.

ZEUS (5), gr. Name, Genitiv *Dios* (vgl. Dionysos; Dioskuren; Diotrephes; Zenas), lat. *Jupiter.* Himmelsgott (vgl. Apg 19, 35, gr. *diopetes,* wörtl. „vom Zeus gefallen“ = „vom Himmel gefallen“), Personifikation des Götterhimmels, höchster Gott, Vater der Götter und der Menschen. Er residiert auf dem Olymp, der zugleich Berg und himmlischer Aufenthaltsort der Götter ist, daher der Name *„Zeus Olympius“* oder *Zeus Hypsistos* „Höchster Zeus“, worauf 2 Makk 3, 31 anspielt. Antiochus Epiphanes richtet zwei Zeusheiligtümer in Palästina ein. Er profaniert den Jerusalemer Tempel und weiht ihn dem Olympischen Zeus (2 Makk 6, 2). Der Zeusaltar wird „Greuel der Verwüstung“ oder „unheilvoller Greuel“ genannt (1 Makk 1, 54; vgl. Dan 9, 27; 12, 11; Mk 13, 14 par). Auf Verlangen der Samariter weiht Antiochus das Heiligtum des Berges Garizim dem Zeus Xenios, dem „Gastfreundlichen Zeus“ (2 Makk 6, 2), entsprechend dem „Jupiter Hospitalis“ der Römer. In 2 Makk 11, 21 ist von einem Monat des *Zeus Korinthius* die Rede; da ein solcher Monat unbekannt ist, wird der Text *Dios Korinthiou* gewöhnlich in *Dioskorou* korrigiert, den 13. (Schalt)monat Dioskoros des kretischen Kalenders.
In Lystra gibt es einen Tempel des „Zeus vor der Stadt“. Die Menge hält Barnabas für Zeus und Paulus für Hermes, und man will ihnen Opfer darbringen (Apg 14, 11–13).

ZIBA (16), ursprünglich Diener Sauls, meldet er David, daß es von der ehemaligen königlichen Familie noch einen Überlebenden gibt, den verkrüppelten Merib-Baal (2 Sam 9, 2–4). David überträgt dem Ziba, seinen fünfzehn Söhnen und zwanzig Sklaven, die Bebauung der Ländereien des Merib-Baal (9, 9–12). Beim Aufstand Abschaloms unterstützt Ziba den flüchtenden König mit Lebensmitteln. Auch behauptet er, Merib-Baal sei in Jerusalem geblieben, weil er hoffe, den Thron seines Großvaters wiederzugewinnen. Daraufhin verspricht David dem Ziba das Vermögen des Merib-Baal (16, 1–4). Als David nach Jerusalem zurückkehrt, versucht Merib-Baal den Vorwurf zu entkräften: Ziba habe ihn verleumdet. Halb überzeugt, gibt David dem Ziba nur die Hälfte der Ländereien des Merib-Baal (19, 16–19.25–31).

ZIBJA, hebr. 1° *Zibja*ʾ; 2°: *Zibjah,* „Gazelle“ (vgl. Pocheret-Zebajim).

1° **Zibja** (1), Benjaminiter, Familienhaupt in Moab (1 Chr 8, 9).
2° **Zibja aus Beerscheba** (2), Mutter des Königs Joasch von Juda (2 Kön 12, 2 // 2 Chr 24, 1).

ZIBON (8), „Hyänen" (vgl. Zeboim), dritter der Söhne des Horiters Seïr (Gen 36, 20 // 1 Chr 1, 38) und dritter der Horiterfürsten (Gen 36, 29f). Er hat zwei Söhne, Ana und Aja (Gen 36, 24 // 1 Chr 1, 40). In Gen 36, 2 lautet der hebr. Text: „Ana, *Tochter* Zibons". Zibon ist Eselszüchter (Gen 36, 24).
→ OHOLIBAMA 2°.

ZIDDIM, „Flanken".
1° **Ziddim** (1), befestigte Stadt Naftalis (Jos 19, 35).
2° **Feld der Seiten** (1), hebr. *Helkat ha-Ziddim* (Korr. in *Helkat ha-Zurim,* „Feld der Steinmesser"), in Gibeon, Ort des blutigen Kampfspiels zwischen zwölf jungen Männern Sauls und zwölf jungen Kämpfern Davids (2 Sam 2, 16).
→ HELKAT-HAZZURIM.

ZIDKIJA, gr. *Sedekias,* „Jah ist meine Gerechtigkeit" (vgl. Zadok).
1° **Zidkija Sohn des Kenaana** (4), ein Prophet am Hof des Königs Ahab. Durch eine symbolische Geste – er macht sich eiserne Hörner – kündigt er Ahab den Sieg über die Aramäer an. Er ohrfeigt den Propheten Micha Sohn des Jimla, weil dieser die Echtheit seiner Prophetie angezweifelt hat (1 Kön 22, 11.24f // 2 Chr 18, 10.23f).
2° **Zidkijahu** (2) **Sohn des Maaseja** (1), falscher Prophet zur Zeit des Jeremia, zugleich mit Ahab, dem Sohn des Kolaja, an Nebukadnezzar ausgeliefert, der beide lebendig verbrennen läßt (Jer 29, 21–23).
3° **Zidkijahu Sohn des Hananjahu** (1), einer der Beamten des Königs Jojakim, der durch die Verlesung des Jeremiabuches überzeugt wird. Er versucht vergeblich, den König von der Verbrennung des Buches abzuhalten (Jer 36, 12–25).
4° **Zidkija** (56) [dritter] **Sohn des Joschija** (4): Jer 1, 3; 27, 1; 37, 1; Bar 1, 8 und der Hamutal (2 Kön 24, 18 // Jer 52, 1), zwanzigster und letzter König von Juda (597–587).
= **Mattanja** (1), 2 Kön 24, 17. Name, den er vor seiner Thronerhebung trug (*Zidkija* ist der Thronname).
Zidkija wird von Nebukadnezzar zum König eingesetzt anstelle seines abgesetzten Neffen Jojachin (2 Kön 24, 17f // 2 Chr 36, 10f; Jer 37, 1). Seine Regierung ist vor allem durch den Fall Jerusalems (587) und das Ende des Königreichs Juda geprägt. Als Zidkija sich gegen den König von Babylon auflehnt und bei Ägypten Unterstützung sucht, beginnt Nebukadnezzar im Dezember 589 mit der Belagerung Jerusalems (2 Kön 24, 20 bis 25, 1 // Jer 39, 1). Achtzehn Monate später (Juni/Juli 587) wird eine Bresche in die Mauer geschlagen. Zidkija flieht und wird von den Chaldäern in der Ebene von Jericho gefangen, nach Ribla vor Nebukadnezzar gebracht, der seine Söhne vor seinen Augen umbringt, ihn blendet und gefesselt nach Babylon führt. Dort ist er gestorben (2 Kön 25, 2–7 // Jer 39, 2.4–7 // 52, 3–11).
Unter der Regierung des Zidkija setzt Jeremia seine Prophetentätigkeit fort (Jer 1, 3; 27, 1; 28, 1; 49, 34). Mehrere Male wird er von Zidkija um Rat gefragt (21, 1–7; 37, 3.7; 38, 14–27). Der Prophet empfiehlt ihm, sich dem König von Babylon zu unterwerfen (27, 12), sonst werde ihn Unglück und Gefangenschaft treffen (24, 8; 32, 4–5; 34, 2–6.21; 37, 17; vgl. 44, 20; Klgl 4, 20; Ez 12, 12f; 17, 15; 21, 30). Zidkija läßt Jeremia einsperren, mildert dann aber seine Haftbedingungen (Jer 32, 1–3; 37, 18–31; 38, 5–10). Nach Jer 29, 3 schickt Zidkija eine Gesandtschaft zu Nebukadnezzar nach Babylon (vgl. 51, 59). Zidkija soll auch Maßnahmen zugunsten der Freilassung von Sklaven ergriffen haben (Jer 34, 8). In 1 Chr 3, 15–16 werden zwei Zidkija unterschieden, ein Onkel und ein Bruder des Jojachin.
5° **Zidkija** (1), Ahnherr des Baruch (Bar 1,1).
6° **Zidkija** (1), Mitunterzeichner der Gesetzesverpflichtung (Neh 10, 2).

ZIFJON (1), der erste von sieben Söhnen Gads (Gen 46, 16). Seine Nachkommen bilden die Sippe der **Zifjoniter** (Num 26, 15).

ZIHA (3), Familienhaupt von Tempeldienern,

die mit Serubbabel aus dem Exil heimkehren (Esr 2, 43 // Neh 7, 46). Er steht mit Gischpa an der Spitze der Tempeldiener (Neh 11, 21).

ZIKLAG (15), lat. *Siceleg,* Stadt im Negeb, die der König Achisch von Gat dem vor Saul geflüchteten David gibt (1 Sam 27, 5f; 30, 1–14.26; 2 Sam 1, 1; 4, 10). Nach 1 Chr 12, 1–21 haben sich in Ziklag Leute aus Benjamin, Juda und Manasse mit David vor seiner Königsherrschaft verbündet. Ziklag, vormals Stadt Simeons (Jos 19, 5 // 1 Chr 4, 30), steht in der Liste der Städte Judas im Negeb (Jos 15, 31). Nach dem Exil wohnen dort Judäer (Neh 11, 28). Um 18 km NNO von Beerscheba.

ZILIZIEN (18), Landschaft im SO Kleinasiens, seit 57 v. Chr. römische Provinz.
Zilizien besteht aus einem Küstenlandstrich (Apg 27, 5) und dem gebirgigen Hinterland, dem „Oberzilizien" (Jdt 2, 21). Bis dorthin soll Holofernes mit seinem Heer vorgedrungen sein (Jdt 1, 7–12; 2, 25). Unter den Seleukiden ist es in diesem Gebiet zu zwei Aufständen gekommen (1 Makk 11, 14; 2 Makk 4, 30–31.36).
In Jerusalem streiten sich Juden aus Zilizien mit Stephanus (Apg 6, 9). Von dort her (→ Tarsus) stammt auch Paulus. Nach seiner Bekehrung hält er sich mehrere Jahre in Zilizien auf (Gal 1, 21; vgl. Apg 9, 30; 11, 25). Auf seiner zweiten Missionsreise zieht er mit Silas durch diese Provinz und stärkt die schon bestehenden Gemeinden (Apg 15, 41; vgl. V. 23).
Aus Zilizien hat Salomo Pferde eingeführt (1 Kön 10, 28 // 2 Chr 1, 16), wenn man die hebr. Bezeichnung *Keweh* oder *Koa* so deuten darf.
Städte → Mallus; Tarsus.

ZILLA (3), „Schatten", „Schutz", (vgl. Bezalel; Hazlelponi; Zelofhad), zweite Frau des Lamech, Mutter des Tubal-Kajin und vielleicht der Naama (Gen 4, 19–23).

ZILLETAI
1° **Zilletai** (1), Benjaminiter der Söhne Schimis, Familienhaupt in Jerusalem (1 Chr 8, 20).
2° **Zilletai** (1), Manassiterfürst, mit David vor dessen Königszeit verbündet (1 Chr 12, 21).

ZIN (10), Wüste an der Südgrenze des Gelobten Landes (Num 13, 21; 34, 3–4 // Jos 15, 1–3), schließt Kadesch ein (Num 20, 1; 27, 14; 33, 36; Dtn 32, 51). – Nicht zu verwechseln mit der Wüste → Sin 2°.

ZION
1° **Zion** (176), hebr. *Zijon* → Jerusalem b).
2° **Zion** (1), hebr. *Si'on* → Hermon.

ZIOR (1), Ort im Bergland Juda (Jos 15, 54), 8 km NO Hebrons.

ZIPPOR (7), „Vogel" (vgl. Zippora; Zofar): Num 22, 2.4.10.16; 23, 18; Jos 24, 9; Ri 11, 25. Vater des → Balak.

ZIPPORA (3), fem. von *Zippor,* gr. *Sepphora,* Tochter eines midianitischen Priesters – Reguel oder Jitro –, **Frau des Mose** (1), dem sie zwei Söhne schenkt (Ex 2, 16–22). Dem Jahwisten zufolge begleitet Zippora Mose zurück nach Ägypten und beschneidet unterwegs seinen Sohn (4, 20.25–26). In der elohistischen Darstellung kehrt Mose allein nach Ägypten zurück und trifft erst während des Exodus wieder mit Jitro, Zippora und seinen beiden Söhnen in der Wüste zusammen (18, 2–6).
= ? **Kuschiterin** (2), Num 12, 1: *Kuschiterin* wäre eine mögliche Bezeichnung für *Midianiterin.* Mutter des Eliëser und des → Gerschom 1°.

ZIZ (1), „Blume"?, nicht identifizierter Paß oder Aufstieg (2 Chr 20, 16). Verstümmelung von *Hazezon-Tamar* (20, 2)?

ZOAN (7), gr. *Tanis,* Stadt im NO des Nildeltas, sieben Jahre nach Hebron gegründet (Num 13, 22), Zeugin der Wunder, die dem Exodus voraufgingen (Ps 78, 12.43). Der König Hiskija schickt eine Gesandtschaft nach Zoan zum Pharao (Jes 30, 4), aber jedes Bündnis mit Ägypten ist vergeblich: „die Fürsten von Zoan sind Narren, was die Weisen dem Pharao raten, ist Unsinn" (Jes 19, 11.13 // *Memfis*). Am Tag Jahwes wird Zoan in Flammen aufgehen (Ez 30, 14 // *Memfis; No; Pi-Beset; Tachpanhes*).

= **Tanis** (1), Jdt 1, 10 (// *Memfis*).
Identisch (?) mit → Ramses 2°.

ZOAR (10), „Klein", „Gering" (Gen 19, 20). Stadt der Pentapolis, nahe bei Sodom und Gomorra (Gen 13, 10), im SO des Toten Meers, entgeht der Zerstörung. Lot sucht hier Zuflucht (Gen 19, 20–23.30). Stadt in Moab (Dtn 34, 3; Jes 15, 5; Jer 48, 34).
= **Bela** (2), dessen König verbündet ist mit → Bera.

ZOBA (13), aramäischer Stadtstaat in → Zölesyrien. Der König von Zoba führt Krieg mit Saul (1 Sam 14, 47). Unter den Söldnern, die am ersten Feldzug der Ammoniter gegen David beteiligt sind, gibt es auch Aramäer aus Zoba (2 Sam 10, 6.8 // 1 Chr 19, 6.10). Vgl. noch 2 Sam 23, 36; 1 Kön 11, 23; Ps 60, 2.
Heimat des → Jaasiël 2°; Jigal 2°.
→ Hamat-Zoba.

ZOBEBA (1), ein Sohn des Koz (1 Chr 4, 8). In Juda.

ZOFACH (2), aus Ascher, Sohn des Helem und Vater von elf Söhnen (1 Chr 7, 35–37).

ZOFAI (1) → Zuf.

ZOFAR (4), (vgl. Zippor) **aus Naamat** (4), Bildad der Schuachiter und Elifas der Temaniter sind die drei Freunde, die Ijob in seinem Unglück besuchen, ihn beklagen und trösten (Ijob 2, 11; 11, 1; 20, 1; 27, 13–23?; vgl. 32, 1–5). Am Schluß wirft ihnen Gott vor, sie hätten nicht recht von ihm geredet, wie es Ijob getan habe (42, 7–10).

ZOFIM (1), 1 Sam 1, 1 → Zuf.

ZOHAR, „Ocker".
1° **Zohar** (2), Hetiter, Vater des → Efron 1°.
2° **Zohar** (2), einer der sechs Söhne Simeons, des Sohnes Jakobs (Gen 46, 10 // Ex 6, 15).
= **Serach** (2), einer der (fünf) Söhne Simeons (1 Chr 4, 24), dessen Nachkommen die Sippe der **Serachiter** bilden (Num 26, 13).
3° **Zohar** (1), Sohn der Hela und des Aschhur, in Juda (1 Chr 4, 7).

ZÖLESYRIEN (6), gr. *Koile Syria,* „Tal-Syrien" → Aram 1° f).

ZONE (Maritime) (1), gr. *Paralia,* „Küste", „Gestade" (1 Makk 15, 38), vielleicht offizieller Name des Gebiets, das sonst durch seine Grenzen bezeichnet wird: „zwischen der Tyrischen Steige und der ägyptischen Grenze" (1 Makk 11, 59) oder „Ptolemaïs bis zu den Gerrenern" (2 Makk 13, 24).
Hauptort: → Jamnia.
Befehlshaber → Gorgias; Hegemonides; Kendebäus; Simeon 5°.

ZORA (10), Ort etwa 25 km westlich von Jerusalem.
Zora und Eschtaol (8) gehören zunächst zu Dan (Jos 19, 41). Aus Zora stammt Simson (Ri 13, 2), aber zwischen Zora und Eschtaol, im Lager von Dan, wird er sich seiner Berufung bewußt (13, 25), und dort wird er auch begraben (16, 31). Von diesen beiden Städten aus wandern die Daniter nach Nordpalästina (18, 2–28). Zora und Eschtaol stehen später in der Liste der Städte, die in der Schefela Judas liegen (Jos 15, 33; vgl. 1 Chr 2, 53). Zora wird von Rehabeam wiederaufgebaut (2 Chr 11, 10), und nach dem Exil ist es wieder von Judäern bewohnt (Neh 11, 29). In 1 Chr 2, 54 und 4, 2 werden die **Zoratiter** beide Male von Juda hergeleitet.

ZORATITER (3), 1 Chr 2, 53.54; 4, 2.
→ Zora.

ZOROBABEL (26) → Serubbabel.

ZUAR (5), aus Issachar, Vater des → Netanel 1°.

ZUF (3)
a) **Zuf** (2), Ahnherr des Elkana und des Samuel, Efraimiter (1 Sam 1, 1), Nachkomme Levis (nach 1 Chr 6, 20).
= **Zofai** (1), Nachkomme Levis (1 Chr 6, 11).
b) **Land Zuf** (1), in Efraim, Heimat Samuels, wo

er sich mit Saul trifft (1 Sam 9, 5f). Elkana, der Vater Samuels, wird **Zufiter** genannt, d. h., er stammt aus dem Land oder Clan Zuf (1 Sam 1, 1: Korr. des hebr. *Zofim*).

ZUR, „Fels" (vgl. Bet-Zur; Zuriël; Zurischaddai; Elizur; Pedazur; Tyrus). Siehe das aram. *Kepha* (vgl. Kefas).
1° **Zur** (3), Haupt eines midianitischen Clans (Num 25, 15), als einer der fünf midianitischen Vasallenkönige Sihons vorgestellt (Jos 13, 21), die von den Israeliten während des Exodus besiegt und getötet werden (Num 31, 8).
Vater des → KOSBI.
2° **Zur** (2), Benjaminiter aus Gibeon (1 Chr 8, 30 // 9, 36).

ZURIËL (1), „Gott ist mein Fels" (vgl. Zur), **Sohn des Abihajil** (1), Familienhaupt des Clans Merari (Num 3, 35).

ZURISCHADDAI (5), gr. *Sourisadai*, „Schaddai ist mein Fels" (vgl. Zur; Schaddai).
= **Sarasadai** (1), Simeoniter (Jdt 8, 1).
Vater des → SCHELUMIËL.

ZWÖLF (Die) (26), Diese Zahl der von Jesus auserwählten Jünger bezieht sich auf die zwölf Stämme Israels (vgl. Mt 19, 28). Sie werden später auch Apostel genannt und als Grundsteine des neuen Jerusalem bezeichnet (Offb 21, 12–14).
Absoluter Gebrauch: 26 x, davon 10 x in Mk (3, 16; 4, 10; 6, 7; 9, 35; 10, 32; 11, 11; 14, 10.17.20.43), 6 x in Lk (8, 1; 9, 1.12; 18, 31; 22, 3.47), 4 x in Mt (20, 17; 26, 14.20.47), 4 x in Joh (6, 67.70–71; 20, 24); Apg 6, 2 und 1 Kor 15, 5. Von diesen 26 x bezeichnen 8 Stellen den Verräter Judas als „einen der Zwölf".
Vier Listen der Zwölf: Mt 10, 2–4; Mk 3, 16–19; Lk 6, 13–16; Apg 1, 13.26–26. Jede Liste umfaßt drei Gruppen von je vier Aposteln (immer dieselben). Der erste jeder Gruppe (Petrus, Philippus und Jakobus, Sohn des Alphäus) bleibt unverändert, aber innerhalb der Gruppen ist die Reihenfolge verschieden (doch in der ersten Gruppe ist Mt = Lk; in der zweiten Mk = Lk; in der dritten Mt = Mk). Judas steht immer am Schluß; in der Apg wird er durch Matthias ersetzt.
→ Liste S. 383.

ZYPERN (7), Insel im östlichen Mittelmeer, unter der Herrschaft der Ptolemäer – Ptolemäus Makron war Statthalter (2 Makk 10, 12–13) –, dann der Seleukiden. Nach Zypern ist auch der Brief des Konsuls Luzius über das Bündnis zwischen Römern und Juden gerichtet (1 Makk 15, 23). Seit 22 v. Chr. ist die Insel römische Provinz. Das Evangelium gewinnt auf Zypern sehr bald zahlreiche Anhänger. Zunächst unter den Juden, die nach dem Martyrium des Stephanus von den verfolgten hellenistischen Judenchristen missioniert werden (Apg 11, 19). Später verkünden Paulus, Barnabas und Markus die Heilsbotschaft auch den Heiden, und es soll sich sogar der Prokonsul Sergius Paulus bekehrt haben (Apg 13, 4–13; 15, 39). Aus Zypern stammende Missionare sind unter den Begründern und Leitern der teilweise heidenchristlichen Gemeinde von Antiochia (Apg 11, 20; vgl. 13, 1). Auf seinen Seereisen kommt Paulus mehrmals an der Küste Zyperns vorbei (Apg 21, 3; 27, 4).
Heimat des → BARNABAS; MNASON.
Führer der zypriotischen Söldner → KRATES; NIKANOR 2°.
Andere mögliche Bezeichnungen der Insel → ELISCHA; KITTÄER.
Städte → PAPHOS; SALAMIS.

ZYPERN, aus (4): 2 Makk 4, 29; Apg 4, 36; 11, 20; 21, 16.

ZYRENE (2), gr. *Kyrene* (1 Makk 15, 23; Apg 2, 10), Stadt in Nordafrika, im heutigen Libyen, etwa 800 km westlich von Alexandria, gr. Kolonie, dann seit 75 v. Chr. röm. Provinz. Dort wohnen viele Juden: nach Zyrene ist auch der Brief des Konsuls Luzius über das Bündnis zwischen Römern und Juden gerichtet (1 Makk 15, 23). Aus Zyrene stammende Juden leben in Jerusalem und haben dort ihre eigene Synagoge (Apg 2, 10; 6, 9). Judenchristliche Zyrener gehören zu den Begründern der antiochenischen Gemeinde (11, 20; 13, 1).
Heimat des → JASON 4°; LUZIUS 2°; SIMEON 15°.
Meerbusen westlich von Zyrene (der Zyrenaika) → SYRTE.

ANHANG

VERZEICHNISSE UND LISTEN

NAMENSLISTEN

1. Genealogische Listen

a) Nachkommenschaft des

Kain (Gen 4, 17–22).
Set (Gen 4, 25–26).
Adam (Gen 5, 1–32 // 1 Chr 1, 1–4).
Sem bis Abraham (Gen 11, 10–32 // 1 Chr 1, 24–27).
Nahor (Gen 22, 20–24).
Ketura (Gen 25, 1–4 // 1 Chr 1, 32–33).
Ismael (Gen 25, 12–16 // 1 Chr 1, 32–33).
Jakob → Liste S. 376f
Esau (Gen 36, 1–5.9–14 // 1 Chr 1, 35–37).
Seïr (Gen 36, 20–28 // 1 Chr 1, 38–42).
Söhne Jakobs (Gen 46, 8–27).
Mose und Aaron (Ex 6, 16–25).
Juda (1 Chr 2; 4, 1–23).
Simeon (1 Chr 4, 24–27.34–37).
Ruben (1 Chr 5, 1–8).
Gad (1 Chr 5, 11–15).
Manasse (1 Chr 5, 24; 7, 14–19).
Levi (1 Chr 6, 1–15).
Issachar (1 Chr 7, 1–3).
Benjamin (1 Chr 7, 6–12; 8, 1–32).
Naftali (1 Chr 7, 13).
Efraim (1 Chr 7, 20–27).
Ascher (1 Chr 7, 30–40).

b) Vorfahren und Nachkommen des

David (Rut 4, 18–22 // 1 Chr 2, 9–17; 3, 1–24).
(Söhne Davids → Liste S. 380)
Saul (1 Chr 8, 29–40 // 9, 35–44).

c) Stammbäume

der Hohenpriester → Liste S. 381
der Sänger (1 Chr 6, 18–29).
Judits (Jdt 8, 1).
Jesu (Mt 1, 1–17; Lk 3, 23–38).

2. Andere Verzeichnisse von Personen

a) Fürsten, Führer, Könige, Beamte in Israel

Stammesfürsten (Num 1, 5–15; 2; 7, 12–83; 10, 13–27).
Führer der levitischen Clans (Num 3, 17–35).
nach Kanaan entsandte Kundschafter (Num 13, 3–16).
mit der Verteilung Kanaans beauftragte Fürsten (Num 34, 17–29).
Heerführer Davids (2 Sam 8, 15–18 // 20, 23–26).
Heerführer und Statthalter Salomos (1 Kön 4).
Könige von Juda (1 Chr 3, 10–16).
Beamte der zivilen und militärischen Verwaltung (1 Chr 27).
politische und geistliche Machthaber (Lk 3, 1–2).

b) Fürsten, Könige, Beamte außerhalb Israels

Fürsten Edoms (Gen 36, 15–19.40–43 // 1 Chr 1, 51–54).
Könige Edoms (Gen 36, 31–39 // 1 Chr 1, 43–50).
Fürsten der Horiter (Gen 36, 29–30).
Könige von Midian (Num 31, 8).
hohe persische und medische Beamte (Est 1, 14).
syrische Befehlshaber (2 Makk 12, 2).

c) Priester, Leviten, Sänger, Torwächter

Priester und Leviten bei der Überführung der Lade (1 Chr 15, 4–24; 16, 5–6).
Klassen der Priester (1 Chr 24, 7–18).
Klassen der Leviten (1 Chr 23, 6–23; 24, 20–30; 26, 21–32).
Klassen der Sänger (1 Chr 25, 1–31).
Klassen der Torwächter (1 Chr 26, 1–19).
aus dem Exil heimgekehrte Priester und Leviten (Neh 12, 1–9).
an einem Bußgottesdienst beteiligte Leviten (Neh 9, 4–5).
Priester und Leviten zur Zeit des Hohenpriesters Jojakim (Neh 12, 12–26).

d) Laien, Priester, Leviten und andere

von Joschafat beauftragte „Katecheten" (2 Chr 17, 7–8).
Heimkehrer aus dem Exil (Esr 2, 1–61 // Neh 7, 6–63; Esr 8, 1–20).
mit Ausländerinnen verheiratete Männer (Esr 10, 18–44).
Freiwillige beim Wiederaufbau der Jerusalemer Mauer (Neh 3, 1–32).
Teilnehmer an der feierlichen Gesetzesverlesung (Neh 8, 4.7).
Mitunterzeichner der Gesetzesverpflichtung (Neh 10, 2–28).
Bevölkerung Jerusalems (Neh 11, 4–24 // 1 Chr 9, 4–34).
Teilnehmer an der Mauerweihe in Jerusalem (Neh 12, 32–42).

e) Sonstige

Krieger Davids → Liste S. 378
Lobpreis der Erzväter (1 Makk 2, 51–60; Sir 44, 16–50, 1; Hebr 11, 4–32)
die Zwölf → Liste S. 383
die Sieben (Apg 6, 5).
die fünf Propheten und Lehrer in Antiochien (Apg 13, 1).
Namen von Christen (Röm 16, 1–15.21–23; Kol 4, 7–17; 2 Tim 4, 9–14. 19–20; Phlm 1–2.23–24).

3. Verzeichnisse von Stämmen, Völkern, Ländern

Völkertafeln (Gen 10 // 1 Chr 1, 5–23; Apg 2, 9–11).
Völker von → KANAAN a).
Stämme Israels → Liste S. 376.
Sippen in Israel (Num 26).
Herrschaftsbereich Davids (Ps 60, 8–11).
Erbfeinde Israels (Ps 83, 7–12).
Nachbarn Israels (Ps 87, 4).
mit Nebukadnezzar verbündete oder von ihm bedrohte Völker (Jdt 1, 5–12).
Empfänger des vom Konsul Luzius geschriebenen Briefes (1 Makk 15, 22–23).
jüdische Diaspora (Jes 11, 11).
christliche Diaspora (1 Petr 1, 1).
Verschiedenes (Jes 66, 19; Jer 25, 20–26; Ez 27, 10–25).

4. Verzeichnisse von Städten und anderen Orten

a) Städte

von Josua besiegte Städte Kanaans (Jos 12, 7–24).
von Israel nicht eroberte Städte Kanaans (Ri 1, 27–35).
Städte Judas oder Judäas (Jos 15, 21–62; 1 Sam 30, 27–31; 2 Chr 11, 6–10; Neh 11, 25–30;
Mich 1, 10–15; 1 Makk 9, 50.52).
Simeons (Jos 19, 2–8; 1 Chr 4, 28–31).
Benjamins (Jos 18, 21–28; Neh 11, 31–35).
von anderen israelitischen Stämmen (Jos 19, 10–47 passim).
Asylstädte in Israel (Dtn 4, 41–43; Jos 20, 7–8).
levitische Städte (Jos 21, 9–42 // 1 Chr 6, 39–66).
Städte Moabs (Jes 15 // Jer 48).
Städte Ägyptens (Ez 30, 13–18).
kleinasiatische Städte (Offb 1, 11; 2, 1.8.12.18; 3, 1.7.14).
→ DEKAPOLIS; PENTAPOLIS 1°; 2°.

b) Grenzen

Grenzen Kanaans (Num 34, 1–12; vgl. Ez 47, 15–20).
Grenzen und Städte der Stämme Israels
östlich des Jordan (Jos 13, 8–32; vgl. Num 32, 3.34–42).
westlich des Jordan (Jos 15, 1–19,51).

c) Itinerare

des Exodus (Num 21, 10–20; 33, 1–49).
der Armee des Holofernes (Jdt 2, 21–28; 3, 9–10).
des Makkabäers Judas in Gilead (1 Makk 5, 24–54).
des Agressors, der vom Norden her eindringt (Jes 10, 28–32).
der Paulusreisen:
1. Missionsreise (Apg 13, 4—14, 27)
2. Missionsreise (Apg 15, 40—18, 22)
3. Missionsreise (Apg 18, 23—21, 27)
– Reise nach Rom (Apg 27, 1–28, 16).

d) Topographie Jerusalems (Neh 2, 13–15; 3, 1–32; 12, 31–39).

STÄMME ISRAELS

Alphabetische Reihenfolge der Stämme Israels, die wir wie folgt abkürzen

A	Ascher
B	Benjamin
D	Dan
E	Efraim
G	Gad
I	Issachar
Jo	Josef (= Efraim und Manasse)
Ju	Juda
L	Levi
M^o	Manasse (östlich des Jordan)
M^w	Manasse (westlich des Jordan)
N	Naftali
R	Ruben
Se	Sebulon
Si	Simeon

Nach Gen 29, 32 – 30, 25; 37, 17 f; 35, 22–26; 46, 8–24 gelten als:

Söhne der Lea: Ruben, Simeon, Levi, Juda, Issachar und Sebulon;
Söhne der Rahel: Josef und Benjamin;
Söhne der Bilha, der Magd Rahels: Dan und Naftali;
Söhne der Silpa, der Magd Leas: Gad und Ascher.

Zum besseren Verständnis der folgenden Stämmelisten vgl. → ISRAEL b).

Listen der Stämme

Die zwölf Söhne Jakobs

Gen 29, 32 – 30, 25; 35, 17f	R	Si	L	Ju	D	N	G	A	I	Se	Jo	B
Gen 35, 22–26	R	Si	L	Ju	I	Se	Jo	B	D	N	G	A
Gen 46, 8–24	R	Si	L	Ju	I	Se	G	A	Jo	B	D	N
Ex 1, 2–5	R	Si	L	Ju	I	Se	B	D	N	G	A	Jo
1 Chr 2, 1–2	R	Si	L	Ju	I	Se	D	Jo	B	N	G	A
1 Chr 2 – 8	Ju	Si	R	G	M^o	L	I	B	N	M	E	A

Segenssprüche und Verwünschungen

Gen 49, 3–27	R	Si	L	Ju	Se	I	D	G	A	N	Jo	B
Dtn 33, 6–24	R	Ju	L	B	Jo	Se	I	G	D	N	A	
Dtn 27, 12–13	Si	L	Ju	I	Jo	B	R	G	A	Se	D	N
Ri 5, 14–18	E	B	(M)	Se	I	(N)	R	(G)	D	A	Se	N

Stammesführer

Num 2, 3–33	Ju	I	Se	R	Si	G	E	M	B	D	A	N	
Num 7, 12–78	Ju	I	Se	R	Si	G	E	M	B	D	A	N	
Num 10, 14–27	Ju	I	Se	R	Si	G	E	M	B	D	A	N	
Num 1, 5–15	R	Si	Ju	I	Se	E	M	B	D	A	G	N	
Num 13, 4–15	R	Si	Ju	I	E	B	Se	M	D	A	N	G	
Num 34, 14.19–28	R	G	M^o	Ju	Si	B	D	M^w	E	Se	I	A	N
1Kön 4, 8–19	(E)							N	A	I	B	G	(Ju)
1 Chr 27, 16–22	R	Si	L	Ju	I	Se	N	E	M^w	M^o	B	D	

Landverteilung

Jos 13 – 19	R	G	M^o	Ju	E	M^w	B	Si	Se	I	A	N	D
Ri 1	Ju	Si	B	Jo	M	E	Se	A	N	D			
Jos 21, 4–7	Ju	Si	B	E	D	M^w	I	A	N	M^o	R	G	Se
1Chr 6, 40–48	Ju	B				M^w	I	A	N	M^o	R	G	Se
Jos 21, 9–38	Ju	Si	B	E	D	M^w	M^o	I	A	N	Se	R	G
1 Chr 6, 50–65	Ju	Si	B	E		M^w	M^o	I	A	N	Se	R	G
Ez 48, 1–28	D	A	N	M	E	R	Ju	B	Si	I	Se	G	
Ez 48, 31–34	R	Ju	L	Jo	B	D	Si	I	Se	G	A	N	

Musterungen

Num 1, 20–43	R	Si	G	Ju	I	Se	E	M	B	D	A	N		
Num 26, 5–50	R	Si	G	Ju	I	Se	E	M	B	D	A	N		
1 Chr 12, 25–38	Ju	Si	L	B	E	M^w	I	Se	N	D	A	R	G	M^o
Offb 7, 5–8	Ju	R	G	A	N	M	Si	L	I	Se	Jo	B		

HELDEN DAVIDS

HEERFÜHRER

	2 Sam 23		1 Chr 11		1 Chr 27
8	Dies sind die Namen der Helden Davids:	11	Dies ist die Liste der Helden Davids:		
				2	An der Spitze der 1. Abteilung für den 1. Monat stand
	Jischbaal der Hachmoniter (gr.)		Jaschobam Sohn Hachmonis...		Jaschobam Sohn Sabdiels...
				4	An der Spitze der Abteilung für den 2. Monat stand
9	Eleasar Sohn des Ahoachiters Dodo...	12	Eleasar Sohn des Ahoachiters Dodo...		Dodai der Ahoachiter...
11	Schamma Sohn des Age der Harariter...				
18	Abischai Bruder Joabs und Sohn der Zeruja	20	Abischai Bruder Joabs		
20	Benajahu Sohn des Jojada...	22	Benaja Sohn des Jojada...	5	Der 3. Heerführer... war Benajahu Sohn des Jojada...
24	Asael Bruder Joabs...	26	Tapfere Helden waren Asael Bruder Joabs	7	Der 4.... Asael Bruder Joabs...
	Elhanan Sohn des Dodo aus Betlehem		Elhanan Sohn des Dodo aus Betlehem		
25	Schamma aus Harod	27	Schammot der Haroditer	8	Der 5.... Schamhut der Serachiter
	Elika aus Harod				
26	Helez aus Bet-Pelet		Helez der Peloniter	10	Der 7.... Helez der Peloniter aus Efraim...
	Ira Sohn des Ikkesch aus Tekoa	28	Ira Sohn des Ikkesch aus Tekoa	9	Der 6.... Ira Sohn des Ikkesch aus Tekoa...
27	Abieser aus Anatot		Abieser aus Anatot	12	Der 9.... Abieser aus Anatot, ein Benjaminiter...
	Sibbechai (Mebunnai) aus Huscha	29	Sibbechai aus Huscha	11	Der 8.... Sibbechai aus Huscha, ein Serachiter...
28	Zalmon aus Ahoach		Ilai der Ahoachiter		
	Mahrai aus Netofa	30	Mahrai aus Netofa	13	Der 10.... Mahrai aus Netofa, ein Serachiter...
29	Heleb Sohn des Baana aus Netofa		Heled Sohn des Baana aus Netofa	15	Der 12.... Heldai aus Netofa, von Otniel...
	Ittai Sohn des Ribai aus Gibea in Benjamin	31	Itai Sohn des Ribai aus Gibea vom Stamm Benjamin		
30	Benaja aus Piraton		Benaja aus Piraton	14	Der 11.... Benaja aus Piraton, ein Efraimiter

	2 Sam 23		1 Chr 11
	Hiddai aus Nahale-Gaasch	32	Hiddai aus Nahale-Gaasch
31	Abialbon aus Bet-Araba		Abiel aus Bet-Araba
	Asmawet aus Bahurim	33	Asmawet aus Bahurim
32	Eljachba aus Schaalbon		Eljachba aus Schaalbim
	Jaschen aus Nun	34	Jaschen der Guniter
33	Schama aus Harar		Jonatan aus Harar,
			der Sohn Schages
	Ahiam aus Harar,	35	Ahiam aus Harar,
	der Sohn Scharars		der Sohn Sachars
34	Elifelet aus Maacha,		Elifal, der Sohn Urs
	der Sohn Ahasbais		
		36	Hefer aus Mechera
			Ahija aus Gilo
	Eliam aus Gilo,		
	der Sohn Ahitofels		
35	Hezro aus Karmel	37	Hezro aus Karmel
	Paarai aus Arab		Naarai, der Sohn Esbais
36	Jigal aus Zoba,	38	Joël, der Bruder Natans
	der Sohn Natans		
	Mibhar aus Gad		Mibhar, der Sohn Hagris
37	Zelek, der Ammoniter	39	Zelek, der Ammoniter
	Nachrai aus Beerot,		Nachrai aus Beerot,
	der Waffenträger Joabs,		der Waffenträger Joabs,
	des Sohnes der Zeruja		des Sohnes der Zeruja
38	Ira aus Jattir	40	Ira aus Jattir
	Gareb aus Jattir		Gareb aus Jattir
39	Urija der Hetiter	41	Urija der Hetiter
	Im ganzen siebenunddreißig		Sabad, der Sohn Achlais
		42	Adina, der Sohn Schisas,
			aus dem Stamm Ruben
		43	Hanan, der Sohn Maachas
			Joschafat aus Meten
		44	Usija aus Aschtarot
			Schama und Jëiël,
			die Söhne Hotams, aus Aroër
		45	Jediaël, der Sohn Schimris,
			und sein Bruder Joha aus Tiz
		46	Eliël aus Mahanajim
			Jeribai und
			Joschawja, die Söhne Elnaams
			Jitma der Moabiter
		47	Eliël, Obed und Jaasiël aus Zoba

SÖHNE DAVIDS

geboren in Hebron:

2 Sam 3	1 Chr 3
2 sein Erstgeborener Amnon, von Ahinoam aus Jesreel; 3 sein zweiter Sohn Kilab, von Abigajil, der Frau Nabals aus Karmel; der dritte Abschalom, Sohn der Maacha, der Tochter des Talmai . . . 4 der vierte Adonija, Sohn der Haggit; der fünfte Schefatja, Sohn der Abital; 5 der sechste Jitream, von Davids Frau Egla.	1 Sein Erstgeborener Amnon von Ahinoam aus Jesreel; der zweite Daniel von Abigajil aus Karmel; 2 der dritte Abschalom, Sohn der Maacha, der Tochter des Talmai . . . der vierte Adonija, Sohn der Haggit; 3 der fünfte Schefatja, von der Abital; der sechste Jitream, von seiner Frau Egla.

geboren in Jerusalem:

2 Sam 5	1 Chr 3	1 Chr 14
14 Schammua (Schimi) Schobab Natan Salomo	5 Schima Schobab Natan Salomo diese vier waren Söhne der Batseba . . .	4 Schammua (Schima) Schobab Natan Salomo
15 Jibhar Elischua	6 Jibhar Elischama (Elischua) Elifelet	5 Jibhar Elischua Elpelet
Nefeg Jafia	7 Nogah Nefeg Jafia	6 Nogah Nefeg Jafia
16 Elischama Eljada Elifelet	8 Elischama Eljada Elifelet: neun	7 Elischama Beeljada Elifelet

GENEALOGIE DER HOHENPRIESTER
Vorfahren und Nachkommen Zadoks

1 Chr 5, 29–40		1 Chr 6, 35–38	Esr 7, 1–5	1 Chr 9, 11	Neh 11, 10–11
29 Aaron		35 Aaron	Aaron		
30 Eleasar		Eleasar	Eleasar		
Pinhas		Pinhas	Pinhas		
31 Abischua		Abischua	5 Abischua		
Bukki		36 Bukki	Bukki		
32 Usi		Usi	Usi		
Serachja		Serachja	4 Serachja		
33 Merajot		37 Merajot	Merajot	Ahitub	Ahitub
	36 Asarja		Asarja		
Amarja	37 Amarja	Amarja	3 Amarja		
34 Ahitub	38 Ahitub	Ahitub	Ahitub	Merajot	Merajot
Zadok	**Zadok**	38 **Zadok**	**Zadok**	**Zadok**	**Zadok**
35 Ahimaaz		Ahimaaz			
Asarja					
36 Johanan					
		Bar 1, 7			
	39 Schallum	Schallum	2 Schallum	Meschullam	Meschullam
	Hilkija	Hilkija	Hilkija	Hilkija	Hilkija
	40 Asarja		Asarja	11 Asarja	
	Seraja		Seraja		11 Seraja
	Jozadak				
	Neh 12, 10–11				
	Jeschna				
	Jojakim	Jojakim?			Jojakim *(korr.)*
					10 Jedaja *(korr.)*
	Eljaschib				
	Jojada				
	Jonatan				
	Jaddua				
			1 Esra		

NACHKOMMENSCHAFT LEVIS NACH DEM CHRONISTEN

(1 Chr 5, 27–29; 6; 23—26; vgl. Ex 6, 16–24; Num 3, 17–20)

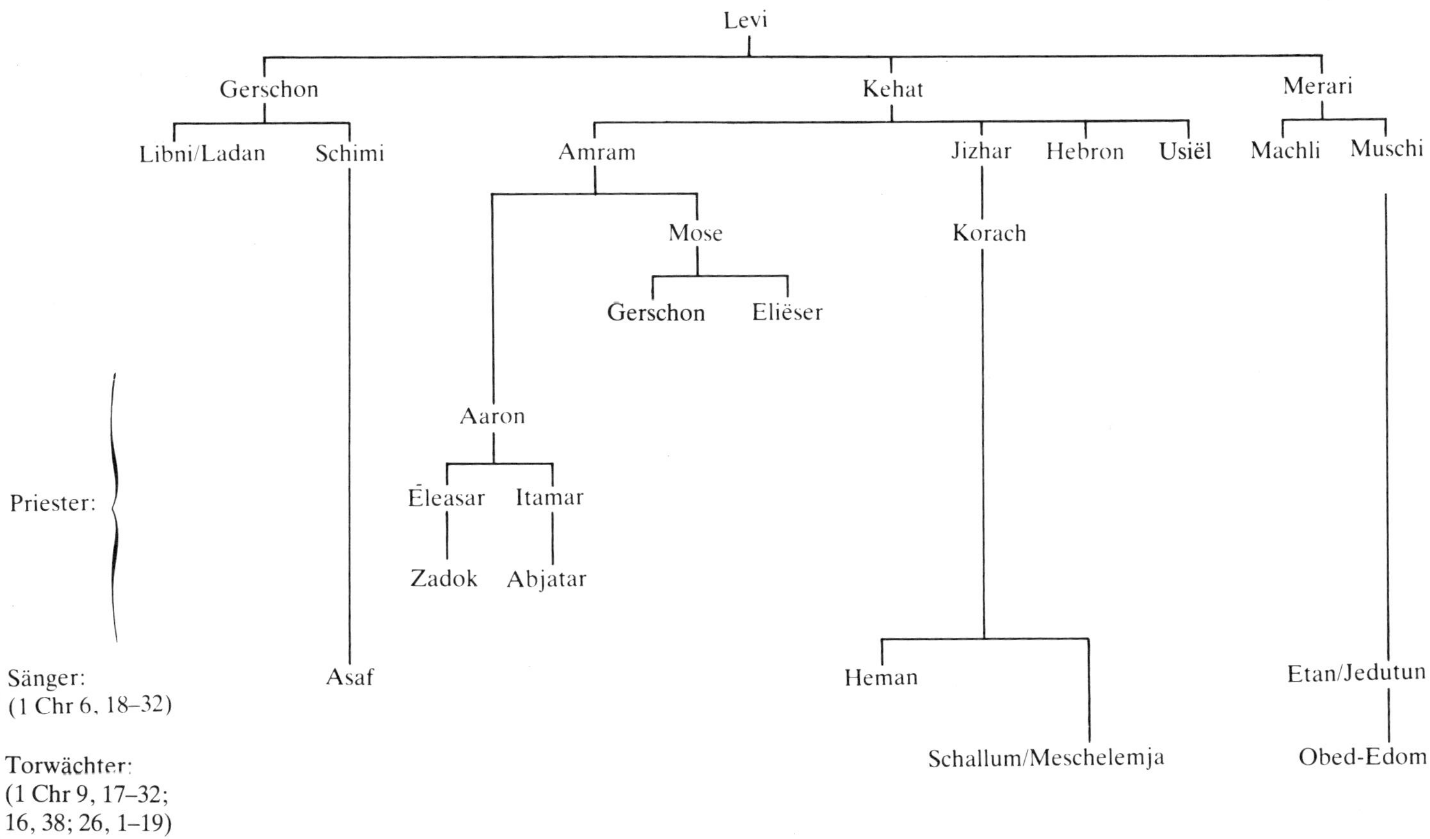

VERZEICHNISSE DER ZWÖLF

Drei Gruppen zu je vier Gliedern. Der Anführer jeder Gruppe ist immer derselbe. → ZWÖLF, S. 369.

Mt 10, 2–4	Mk 3, 16–19	Lk 6, 13–16	Apg 1, 13.25–26
2 Petrus	16 Petrus	14 Petrus	13 Petrus
Andreas sein Bruder		Andreas	
			Johannes
Jakobus Sohn des Zebedäus	Jakobus	Jakobus	Jakobus
Johannes sein Bruder	Johannes	Johannes	
	18 Andreas		Andreas
3 Philippus	Philippus	Philippus	Philippus
			Thomas
Bartholomäus	Bartholomäus	Bartholomäus	Bartholomäus
Thomas			
Matthäus	Matthäus	15 Matthäus	Matthäus
	Thomas	Thomas	
Jakobus Sohn des Alphäus	Jakobus	Jakobus	Jakobus
4 Thaddäus	Thaddäus		
Simon Kananäus	Simon Kananäus	Simon der Zelot	Simon der Zelot
		16 Judas Sohn des Jakobus	Judas
Judas Iskariot	19 Judas Iskariot	Judas Iskariot	
			26 Matthias

Die miteinander identischen Gruppen sind jeweils eingerahmt.

FRAUEN

	Frauen und Nebenfrauen*		Mütter	Töchter	Sonstige
	1. Mütter von Völkern, Geschlechtern				
Adam	Eva				
Lamech	Ada 1° Zilla			Naama 1°	
Abraham	Sara	Hagar* Ketura*			
Isaak	Rebekka				Amme: Debora 1°
Jakob	Lea Rahel	Silpa* Bilha*		Dina	
Juda	Batschua	Tamar* 1°			
Josef	Asenat				
Ascher				Serach	
Efraim				Scheera	
In Juda: Kaleb	Asuba 1° Efrata	Efa* Maacha* 2°		Achsa	
Mered	Bitja				
Die Söhne Hurs					Schwester: Hazlelponi
Aschhur	Hela Naara				
Jerachmeel	Atara				
Abischur	Abihajil 4°				
In Benjamin: Schaharajim (oder Gera?)	Baara Huschim Hodesch				
Jëiël	Maacha 4°				

	Frauen und Nebenfrauen	Mütter	Töchter	Sonstige
In Manasse:				
Machir	Maacha 3°			
Zelofhad			Hogla Machla Milka 2° Noa Tirza	
Gilead?				Schwester: Molechet
In Ascher:				
Die Söhne Hebers				Schwester: Schua
Verwandte der Patriarchen:				
Haran			Milka 1° Jiska	
Nahor	Milka 1° Rëuma*			
Esau	Ada 2° Basemat 1° Jehudit Mahalat 1° Oholibama			
Elifas	Timna*			

2. Frauen in Königshäusern

NB. Die „Mutter" bezeichnet die „Königinmutter".

Saul	Ahinoam 1° Rizpa*		Merab Michal	
David	Ahinoam 2° Abigajil Maacha 8° Haggit Abital Egla Michal Batseba Abischag		Tamar 2°	Schwestern: Abigal Zeruja Nichte: Abihajil 5° Enkeltochter: Tamar 3°

	Frauen und Nebenfrauen*	Mütter	Töchter	Sonstige
Salomo	Naama 2°	Batseba	Basemat 2° Tafat	
Juda:				
Rehabeam	Maacha 9° Mahalat 2°	Naama 2°		
Abija		Maacha 9°		
Asa		Maacha 9° (Großmutter)		
Joschafat		Asuba 2°		
Joram	Atalja		Joscheba	
Ahasja		Atalja		
Joasch		Zibja		
Amazja		Joaddan		
Usija		Jecholja		
Jotam		Jeruscha		
Hiskija		Abija 4°		
Manasse		Hefzi-Bah		
Amon		Meschullemet		
Joschija		Jedida		
Joahas		Hamutal		
Jojakim		Sebuda		
Jojachin		Nehuschta		
Zidkija		Hamutal		
Israel:				
Jerobeam I.		Zerua		
Ahab	Isebel 1°		Atalja	
Joram		Isebel 1°		
Edom:				
Hadad	Mehetabel			
Ägypten:				
Ptolemäus V.	[Kleopatra 1°]			
Ptolemäus VIII.	Kleopatra 3°			
Syrien:				
Antiochus II.	[Laodike] [Berenike 1°]			
Antiochus IV.	Antiochis*			
Alexander Balas Demetrius II.	} Kleopatra 2°			
Persien:				
Xerxes	Waschti Ester			

	Frauen und Nebenfrauen*	Mütter	Töchter	Sonstige
Palästina:				
[Herodes] Philippus Herodes [Antipas]	Herodias		[Salome 2°]	
Herodes [Agrippa I.]			Berenike 2° Drusilla	

3. Andere Frauen im Alten Testament

Amram	Jochebed		Mirjam	
Mose	Zippora			
Aaron	Elischeba			
Zur			Kosbi	
Dibri			Schelomit 1°	
Lappidot	Debora 2°			
Heber	Jaël			
Simson	Delila*			
Elkana	Hanna 1° Peninna			
Elimelech	Noomi			Schwieger-töchter: Rut Orpa
Boas	Rut			
Sabad		Schimat		
Josabad		Schomer		
Schallum	Hulda			
Hosea	Gomer		Lo-Ruhama	
Serubbabel			Schelomit 2°	
Ijob			Jemima = Täub-chen/Kezia = Zimtblüte/Keren-Happuch = Schminkhörn-chen	
Tobit	Hanna 2°			Großmutter: Debora 3°
Raguël	Edna		Sara	
Tobias	Sara			
Manasse	Judit			Ohne einen
Haman	Seresch			Mann:
Jojakim	Susanna 1°			Pua
Penuël			Hanna 3°	Schifra
Zacharias	Elisabet			Rahab
Salmon	Rahab (Mt 1, 5)			Noadja

4. *Jüngerinnen Jesu, Christinnen* → Christen, S. 388f

CHRISTEN

Die Zwölf → S. 383

Palästina-Syrien

Nach Ostern nicht mehr erwähnte Jünger

Männer		Frauen
Josef 10°	Simon 11°	Maria 3°
Josef 11°	? Zachäus	Maria 4°
Lazarus		Marta
Nikodemus		Johanna
? Jairus		Salome 1°
? Simon v. Zyr.		

Nach Pfingsten

Die Sieben:

Männer		Frauen
Stephanus	Timon	Maria, die Mutter Jesu
Philippus	Parmenas	
Prochorus	Nikolaus	
Nikanor		
Agabus	Mnason	
Judas Barsabbas		

Jerusalem

Männer		Frauen
Jakobus 3°		Maria 5°
Josef Barsabbas		Rhode
Hananias 1°		Saphira

Lydda:

Männer		Frauen
Äneas (?)		

Joppe:

Männer		Frauen
Simon, ein Gerber		Tabita

Cäsarea:

Männer		Frauen
Kornelius		

Damaskus:

Männer		Frauen
Hananias 2°	Judas 8°	

Antiochia:

Die Fünf

Männer		Frauen
Barnabas	Manaen	
Simeon Niger	Saulus/Paulus	
Luzius v. Zyrene		

Zypern

Männer		Frauen
Sergius Paulus		

Kleinasien

Lystra:

Männer		Frauen
Timotheus		Lois
		Eunike

Kolossä:

Männer		Frauen
Epaphras	Archippus	Aphia
Philemon	Onesimus	

Laodizea:

Männer		Frauen
		Nympha(s)

Ephesus:

Männer		Frauen
Apollos	Onesiphorus	
Erastus 1°		
Trophimus		

Pergamon

Männer		Frauen
Antipas		

Thyatira:

Männer		Frauen
		„Isebel“

Troas:

Männer		Frauen
Karpus	Eutychus	

Mazedonien-Griechenland

Männer		Frauen
	Philippi:	
Klemens		Lydia
Epaphrodites		Evodia
		Syntyche
	Thessalonich:	
Aristarch		
Sekundus	? Jason 5°	
	Beröa	
Sopater		
	Athen:	
Dionysius		Damaris
	Kenchreä:	
		Phöbe
	Korinth:	
Aquila	Luzius 3°	Priszilla
Achaikus	Quartus	Chloë
Erastus 2°	Sosipater	
Fortunatus	Sosthenes 2°	
Gaius 3°	Stephanas	
Jason 6°	Tertius	
Krispus	Justus 2°	

Rom

Männer		Frauen
Ampliatus	Linus	Klaudia
Andronikus	Nereus	Julia
Apelles	Olympas	Maria 6°
Asynkritus	Patrobas	Persis
Epänetus	Philologus	Tryphäna
Eubulus	Phlegon	Tryphosa
Hermas	Pudens	
Hermes	Rufus	
Herodion	Stachys	
Junias	Urbanus	
Aristobul (Leute des)		
Narzissus (Leute des)		

Sonstige (Männer)

Mitarbeiter des Paulus:

Silas	Tychikus
Timotheus	Artemas
Markus	Jesus Justus
Lukas	Kreszens
Titus	Zenas

Gegner des Paulus oder Ketzer:

Demas	Alexander 6°
Phygelus	Hymenäus
Hermogenes	Philetus

Andere:

Alexander 3°	Gaius 4°
Demetrius	Judas 6°
Diotrephes	Theophilus

ZEITTAFELN

Allgemeine Chronologie

Auf der rechten Seite stehen Daten der palästinensischen und biblischen Geschichte, auf der linken Daten der allgemeinen Weltgeschichte. (Die Unterscheidung läßt sich nicht immer streng durchführen.)

Im Abschnitt V zeigt das Sternchen (*) einen Wechsel der Dynastie in Israel an. Falls nichts anderes vermerkt ist, vererbt sich in Juda der Thron vom Vater auf den Sohn (Abschnitte V und VI).

Die Namen der Fürsten, Könige, Statthalter oder Hohenpriester sind in KAPITÄLCHEN gesetzt.

Fett gedruckt werden die Namen der Propheten oder die Titel der biblischen Bücher beim Datum ihrer vermutlichen Abfassung.

Kursiv gesetzt sind außerbiblische Schriften oder Dokumente.

I. VORZEIT

Ende der letzten Eiszeit. Sammler und Jäger. Ausbreitung der Menschheit.	13000	
Tierzucht und Ackerbau. Dörfer und erste Städte.	9000	
Bemalte Keramik.	5000	
Metallbearbeitung (Kupfer). Anfänge der Schrift (sumerische Tontafeln in Uruk).	3500	

II. PATRIARCHENZEIT

Erste Stadtkulturen. Ausbildung der Schrift.	3000	Frühe Bronzezeit (3100–2100). Kanaaniter.
Ägypten: Das Alte Reich (Große Pyramiden). Hauptstadt: Memfis.		Vorfahren Abrahams als Nomaden in Mesopotamien.
Mesopotamien: Sumer, Akkad.		
Ägypten: Das Mittlere Reich (2030–1720). *Ächtungstexte.*	2000	Mittlere Bronzezeit (2100–1550). Amoriter. Im 20. und 19. Jh. kontrolliert Ägypten die palästinensische Küste *(Erzählung des Sinuhe).*

Mesopotamien: sumerische Renaissance (Ur III). Wachsende Bedeutung der Amoriter.		Seit 1850 „ABRAHAM" in Kanaan.
Akkadische Schöpfungs- (Enuma elisch) und Flutepen (Gilgamesch). Erste babylonische Dynastie (Amoriter) seit etwa 1830: HAMMURABI (um 1728–1686). *Kodex Hammurabi.*		
Ägypten: Die Hyksos (1720–1550). Hauptstadt: Tanis.	1700	Die Patriarchen in Ägypten.

III. MOSE – JOSUA

Ägypten: Das Neue Reich, 18.–20. Dynastie (1550–1070). Hauptstadt: Theben. THUTMOSIS III. (1468–1436): Feldzüge in Palästina und Syrien.	1500	Späte Bronzezeit (1550–1200). Die Horiter in Palästina.
	1400	*Amarna-Briefe* (die Chabiru; Abdi-Chepa, König von Jerusalem).
AMENOPHIS IV./ECHNATON (1374–1347): exklusiver Kult des Gottes Aton. *Atonhymnus.* Hauptstadt: Tell el-Amarna.		
TUT-ANCH-AMUN (1347–1338).	1350	
Ugarit (Ras Schamra: *alphabetische Keilschrifttexte; Mythen und Legenden.*		
Kleinasien und Nordsyrien: die Hetiter. SUPPILULIUMA (1370–1336).		
Ägypten: 19. Dynastie (1304 bis 1184). SETI I. (1304–1290).		
RAMSES II. (1290–1224): Residenz in Pi-Ramses. Kampf gegen, dann Bündnis mit den Hetitern.	1300	*Stelen* von Seti I. und Ramses II. bei Bet-Schean. Hebräische Sklaven bauen an der Residenz von Pi-Ramses.
	1250	Exodus unter MOSE. Sinai.
MERNEPTAH (1224–1204): Im 5. Regierungsjahr Feldzug in Palästina, wo er das „Volk Israel" besiegt *(Merneptah-Stele).*		
Mesopotamien: Vorherrschaft der Assyrer.		Zwischen 1220 und 1200 dringt Josua in Palästina ein.

IV. RICHTERZEIT BIS SALOMO

Ägypten: 20. Dynastie (1184–1070). Ramses III.: Um 1175 Sieg über die „Seevölker“, die in Ägypten eindringen wollen	1200	Eisenzeit I (1200–900). Die von Ramses III. zurückgeschlagenen Philister setzen sich an der palästinensischen Küste fest.
		Die „Richter“ (1200–1025). Um 1125 Sieg der Debora und des Barak über die Kanaaniter bei Taanach.
Mesopotamien: Um 1100 assyrische Vorherrschaft unter Tiglat-Pileser I., dann Niedergang und Verfall.	1100	
Entstehung aramäischer Königreiche (Damaskus, Zoba, Hamat, zeitweilig Babylon)		
Ägypten: 21. Dynastie (1070–945). Hauptstadt: Tanis.	1050	Sieg der Philister bei Afek und Tod Elis. SAMUEL, Prophet und Richter. SAUL, König (1030–1010). Siege über die Ammoniter und Philister. Niederlage und Tod bei Gilboa.
Ägypten: Pharao SIAMON (975–955).	1000	DAVID (1010–970) erobert Jerusalem um 1000, siegt über Philister, Moabiter, Zoba, Damaskus, Ammoniter, Amalekiter, Edomiter.
Damaskus: König RESON. Ägypten: Pharao PSUSENNES II. (955–950).		SALOMO (970–931) heiratet u. a. die Tochter eines Pharao. Bau des Tempels. Handel mit Phönizien und Arabien. Literarische Aktivitäten.

V. DIE KÖNIGREICHE JUDA UND ISRAEL

(931–722/721)

Ägypten: 22. Dynastie (945–725). Hauptstadt: Bubaste.		Eisenzeit II (900–600). Versammlung der Nordstämme in Sichem und Schisma, um 931.

		ISRAEL	JUDA
Ägypten: Schischak I. (945–925). Palästinafeldzug.		Jerobeam I. (931–910) gründet das Nordreich.	Rehabeam (931–913) zahlt Tribut an Schischak. *Schischak-Stele* bei Megiddo.
		Nadab (910–909).	Abija (913–911).
Damaskus: Tabrimmon.		*	
		Bascha (909–886).	Asa (911–870), verbündet mit Ben-Hadad gegen Bascha.
Ben-Hadad I.	900		
		Ela (886–885).	
		*	
		Simri (7 Tage)	
		*	
Assyrien: Assurnasirpal II. (883–859) Ägypten: politische Ohnmacht.		Omri (885–874) erbaut Samaria; beherrscht Moab.	
Damaskus: Ben-Hadad II.		Ahab (874–853): heiratet die Phönizierin Isebel. Krieg gegen Ben-Hadad II. *Elfenbeinarbeiten in Samaria* (1 Kön 22, 39).	Joschafat (870–848), verbündet mit Ahab. Beherrscht Moab.
Assyrien: Salmanassar III. (858–824) schlägt bei Karkar am Orontes (853) zwölf verbündete Könige, darunter Ben-Hadad und Ahab.		**Elija** der Prophet. Ahasja (853–852).	
Moab: *Mescha-Stele* (um 840).	850	Joram (852–841): Feldzug gegen Mescha von Moab.	Joram (848–841), heiratet Atalja, die Tochter Ahabs.
		Elischa, der Prophet.	
		Feldzug Jorams und Ahasjas von Juda gegen Hasael	Edom macht sich frei.

Damaskus: Hasael wird von Salmanassar III. besiegt.		bei Ramot-Gilead. Joram wird mit seiner ganzen Familie von Jehu ermordet. *	Ahasja (841) wird auf Befehl Jehus ermordet.
		Jehu (841–814) verliert Gilead an Hasael; zahlt Tribut an Salmanassar.	Atalja (841–835) gefährdet den Bestand der davidischen Dynastie; sie wird ermordet.
Ben-Hadad III. wird von Salmanassar III. besiegt.		Joahas (814–798) wird von Ben-Hadad III. bedrängt.	Joasch (835–796), Sohn des Ahasja, restauriert den Tempel; wird ermordet.
Assyrien: Adadnirari III. (810–783) macht Ben-Hadad III. tributpflichtig (805).	800	Joasch (798–783) zahlt Tribut an Adadnirari. Siege über Ben-Hadad III. und Amasja. *Ostraka von Samaria.*	Amazja (796–781). Sieg über Edom. Niederlage durch Israel. In Lachisch getötet.
Schwäche Assyriens zwischen 783 und 745.		Jerobeam II. (783–743) stellt Israel in seinen Grenzen wieder her. Die Propheten **Amos** und	Usija-Asarja (781–740) stellt seine Herrschaft bis Elat wieder her.
Ägypten: Rivalität zwischen der 22. (Bubaste) und 23. Dynastie (Theben).	750	dann **Hosea.**	
Assyrien: Tiglat-Pileser III. (745–727) annektiert die eroberten Länder und siedelt die Bevölkerung um. König von Babylon (729) unter dem Namen Pul.		Secharja (743). * Schallum (743). *	
		Menahem (743–738) zahlt Tribut an Tiglat-Pileser.	Jotam (740–736). Die Propheten **Jesaja** und **Micha.**
Damaskus: Rezin wird 738 Tiglat-Pileser tributpflichtig. Um 732 Feldzug Tiglat-Pilesers gegen Rezin. Tod Rezins und Ende der Unabhängigkeit von Damaskus.		Pekachja (738–737) wird von Pekach ermordet. * Pekach (737–732) verbündet sich mit Rezin gegen Ahas. Galiläa und Gilead werden von Tiglat-Pileser annektiert. *	Ahas (736–716) wird von Rezin und Pekach in Jerusalem belagert; ruft Tiglat-Pileser um Hilfe und wird ihm tributpflichtig. **Verheißung des Emmanuel** (Jes 7)

Assyrien: SALMANASSAR V. (726–722).		HOSCHEA (732–724) verbündet sich mit Ägypten. Belagerung Samarias.
SARGON II. (721–705) gründet nach dem Fall Samarias die assyr. Provinz Samarien.		722/21 Fall Samarias. Die Bevölkerung wird deportiert und durch Fremde ersetzt.
		Ende des Nordreichs.

VI. LETZTE PERIODE DES KÖNIGREICHS JUDA

(721–587)

		JUDA
Assyrien: Sargon erobert Aschdod (711).		HISKIJA (716–687): Gesandtschaft Merodach-Baladans
Babylonien: MERODACH-BALADAN (721–711 und 703)		Weiteres Wirken **Jesajas.**
Ägypten: 25. (nubische) Dynastie. SCHABAKA (710–696).		
TIRHAKA (Mitregent um 690; König 685–664).		Bautätigkeit des Hiskija in Jerusalem. *Inschrift am Schiloach-Kanal.*
Assyrien: SANHERIB (704–681) Feldzug gegen die Koalition des Westens.	700	Sanherib dringt in Judäa ein; Belagerung Jerusalems. Hiskija zahlt Tribut.
ASARHADDON (680–669) nimmt Tirhaka Unterägypten weg (671).		MANASSE (687–642) wird Assyrien tributpflichtig.
ASENAPPAR (669–630?): seine Bibliothek in Ninive. Um 650 wird er von PSAMMETISCH I. aus Ägypten vertrieben (26. Dynastie).	650	AMON (642–640).
Babylon: neubabylonische Dynastie (629–539).		JOSCHIJA (640–609): Auffindung des **Gesetzbuches** (622). Religiöse Reform bis nach Samarien. Erste Redaktion der Bücher **Josua, Richter, Samuel** und der **Könige.**
Babylonier (König NABOPOLASSAR) und Meder (KYAXARES) zerstören 612 Ninive und setzen dem assyrischen Großreich ein Ende (606).		Die Propheten **Zefanja** (um 630), **Jeremia** (seit 627) und **Nahum** (um 612). Joschija fällt (609), als er sich dem Vordringen des Pharao Necho (609–594) widersetzt.

		Joahas (609): wird nach drei Monaten von Necho abgesetzt und durch seinen Bruder ersetzt.
		Jojakim (609–597): seit 605 Vasall des babylonischen Königs.
Nebukadnezzar (605–562) schlägt die Ägypter bei Karkemisch und bemächtigt sich Syriens. Erobert Aschkelon (Dez. 604). Wird in Ägypten geschlagen (Ende 601).	600	Weiteres Wirken des **Jeremia.** Um 600 verweigert Jojakim den Tribut. Der Prophet **Habakuk** (?).
		Jojachin (598–597): Belagerung Jerusalems durch Nebukadnezzar. Übergabe der Stadt am 16. März 597. Erste Deportation nach Babylon (auch des Königs).
		Zidkija Sohn des Joschija (597–587).
		Um 593 beginnt **Ezechiel** zu wirken. 589: Empörung Zidkijas gegen Babylon. 588: Beginn der Belagerung Jerusalems. Jeremia wird verfolgt.
587: Belagerung von Tyrus, die dreizehn Jahre dauert. Aufstand des Pharao Hofra (Apries).		Juni/Juli 587: Einnahme Jerusalems. Zidkija gefangengenommen; Tempel und Stadt zerstört. Zweite Deportation der Bevölkerung. Gedalja wird Statthalter und Sept./Okt. 587 ermordet. Jeremia nach Ägypten verschleppt. 582/581: dritte Deportation.
568/567: Feldzug Nebukadnezzars gegen den Pharao Amasis (566–526).		
		561: Jojachin vom babylonischen König Ewil-Merodach begnadigt.
Persien: Kyrus König der Perser (555) und der Meder (549). Erobert Sardes (546).	550	Der Prophet **Deuterojesaja** (Trostbuch Jes 40–55).

VII. PERSISCHE EPOCHE

(538–333)

Kyrus zieht Okt. 539 in Babylon ein.		538: Edikt des Kyrus. Rückkehr aus dem Exil unter der Führung des Hochkommissars Scheschbazzar. Restauration des Brandopferaltars.
		537: Grundlegung des Zweiten Tempels.

Kambyses (530–522) erobert Ägypten, das bis 400 (27. Dynastie) unter pers. Herrschaft bleibt.		
Darius I. (521–486) reorganisiert das pers. Großreich: Syrien und Palästina bilden die 5. Satrapie, Ägypten die 6.		520–515: Bau des Zweiten Tempels. Serubbabal Hochkommissar. Jeschua Hoherpriester. Die Propheten **Haggai** und **Sacharja.**
Darius von den Griechen bei Marathon geschlagen (490). Xerxes I. (486–465), von den Griechen bei Salamis geschlagen (480). Artaxerxes I. Longimanus (465–423). Aufstände in Ägypten und Syrien.	500	498–399: *Papyri der jüdischen Kolonie von Elephantine.* **Obadja.**
		458 (oder 428? 398?): Mission des Esra in Jerusalem. Die Gesetzgebung des Pentateuch, von Esra vereinheitlicht, wird durch Artaxerxes bestätigt. Verlesung des Gesetzes **(Pentateuch?)**
		445–443: 1. Mission des Nehemia in Jerusalem. Wiederaufbau der Mauern. Widerstand des Statthalters von Samaria Sanballat, des Ammoniters Tobija und des Arabers Geschem.
		Unter Xerxes und Artaxerxes: **Maleachi;** vielleicht **Ijob; Sprichwörter; Hohelied** und **Rut.** Zahlreiche **Psalmen.** 432: 2. Mission des Nehemia. Reformen im Geist des Deuteronomiums.
Darius II. Nothus (423–404).		419: *Verordnung des Darius über das Paschafest (Elephantine-Papyrus).* 410: Zerstörung und Wiederaufbau (402) des Jahwetempels in Elephantine
Artaxerxes II. Mnemon (404–359).	400	Wohlstand der Juden in Babylon *(Archiv der Familie Muraschu).*
Artaxerxes III. Ochos (359–338).	350	Judäa bildet einen theokratischen Staat (eigene Münzen). Der Prophet **Joël** und vermutlich das Werk des Chronisten: Bücher der **Chronik** und **Esra-Nehemia.**
Arses (338–336). Darius III. Codomannus (336–330). Eroberungen Alexanders des Grossen (334–323): Kleinasien, Syrien, Ägypten, Persien, Indien.		Um diese Zeit: **Sach** 9–14; **Jona; Tobit.**

VIII. HELLENISTISCHE EPOCHE

(333–63)

			332: Eroberung Palästinas durch Alexander.
323: Alexander stirbt in Babylon. Seine Generäle (die Diadochen) teilen sich sein Reich.			320–200: Palästina unter den Lagiden.
Ägypten: die Lagiden	Syrien-Babylonien: die Seleukiden.		
Ptolemäus I. Soter (323–285)	Seleukus I. Nikator (305–281).	300	
Ptolemäus II. Philadelphus (285–246).	Antiochus I. Soter (281–261).		In Alexandria griechische Bibelübersetzung **(Septuaginta).**
	Antiochus II. Theos (261–246).	250	Tobija Statthalter des Ammoniterlands. Aktive Hellenisierung Palästinas **Kohelet** und **Ester** (?)
Ptolemäus III. Euergetes I. (246–221).	Seleukus II. Kallinikos (246–226). Seleukus III. Keraunos (226–223).		Ptolemäus III. und Ptolemäus IV. bringen als Sieger Opfer in Jerusalem dar.
Ptolemäus IV. Philopator (221–205) schlägt Antiochus bei Raphia (217).	Antiochus III. der Große (223–187):		
Ptolemäus V. Epiphanes (204–180).	erobert 202–200 Palästina. Belagerung und Einnahme von Gaza;		
Ende der Vorherrschaft Ägyptens.	schlägt den General Ptolemäus V. Skopas bei Panion (200);	200	200–142: Palästina unter den Seleukiden. Die Charta Antiochus' III. bestätigt das theokratische Statut der Juden.
	wird 189 bei Magnesia am Sipylos von den Scipionen geschlagen; Friede von Apamäa (188); wird in Elymais getötet (187).		

			Simon II. Hoherpriester. **Jesus Sirach.**
Ptolemäus VI. Philometor (180–145).	Seleukus IV. Philopator (187–175).		Onias III. Hoherpriester. Heliodor plündert den Tempelschatz
	Antiochus IV. Epiphanes (175–164):	175	Jason Hoherpriester
170: Mitregentschaft von Kleopatra II. und ihrem Bruder Ptolemäus VII. Physkon.	169: 1. Feldzug in Ägypten. Bei der Rückkehr Plünderung des Tempels.		Menelaus Hoherpriester (172).
	168: 2. Feldzug in Ägypten. Muß sich zurückziehen.		167: Beginn der großen Verfolgung. Der Tempel wird dem Olympischen Zeus geweiht. Der Priester Mattatias beginnt den jüdischen Aufstand.
	165: Unternehmungen in Armenien und im Iran.		Judas Makkabäus (166–160).
	Antiochus V. Eupator (164–161). Lysias übt die Gewalt aus.		164: 1. Feldzug des Lysias. Reinigung des Tempels und Wiedereinweihung. **Buch Daniel.** 163: 2. Feldzug des Lysias. Antiochus V. gibt den Juden die Religionsfreiheit zurück.
	Demetrius I. Soter (161 bis 150): läßt Antiochus V. und Lysias umbringen.		Alkimus Hoherpriester. Bündnis des Judas mit den Römern.
			160: Nikanor bei Adasa geschlagen und getötet. Jason von Zyrene schreibt das um 124 im **2. Makkabäerbuch** verarbeitete Werk. April/Mai 160: Judas in Berea getötet.
			Jonatan folgt seinem Bruder Judas (160–143). Von Bakchides bedrängt. 157–152: Jonatan „richtet“ in Michmas.

	152–150: Alexander Balas macht Demetrius I. die Herrschaft streitig; der fällt im Kampf.		152: Jonatan Hoherpriester. Gründung der essenischen Gemeinde von Qumran?
	Um 150 Mitredat I., Partherkönig, Herr fast des ganzen Iran.	150	
Ptolemäus VI. bei Antiochia tödlich verwundet.	ALEXANDER BALAS (150–145): 147–145: Demetrius II. macht Alexander Syrien streitig und tötet ihn bei Antiochia.		Jonatan wird von Alexander Balas zum „Befehlshaber und Statthalter“ ernannt. Jonatan schlägt den Statthalter von Zölesyrien Apollonius.
PTOLEMÄUS VII. Physkon (145–116).	DEMETRIUS II. (145–140 und 129–125).		145: Jonatan wird von Demetrius II. in seinen Ämtern bestätigt.
	ANTIOCHUS VI. Dionysius (145–142) von Tryphon in Antiochia zum König eingesetzt.		144: Jonatan wird von Antiochus VI. in seinen Ämtern bestätigt. Erneuerung der Bündnisse mit Rom und Sparta.
			143: Jonatan von Tryphon gefangengenommen und getötet.
	TRYPHON (142–138) verdrängt Antiochus VI.		SIMON folgt seinem Bruder Jonatan (143–134), verbündet sich 142 mit Demetrius II. Juni 141: Ende der seleukischen Besetzung. Erneuerung der Bündnisse mit Sparta und Rom.
	ANTIOCHUS VII. Sidetes (138–129).		
			Febr. 134: Simon von seinem Schwiegervater Ptolemäus getötet. Ende des **1. Makkabäerbuchs.**
	129–64: die Nachfolger des Sidetes verzehren sich in brudermörderischen Kämpfen.		JOHANNES HYRKANUS, Sohn Simons (134–104), erobert Moab und Samaria. ARISTOBUL I. (104–103) nimmt den Königstitel an.

Um 84: ARETAS III., König der Nabatäer, besetzt Zölesyrien.	100	ALEXANDER JANNÄUS (103–76): neue Eroberungen; Kampf gegen die Pharisäer.
70: Der König von Armenien TIGRANES Herr von ganz Syrien.		ALEXANDRA (76–67). Ihr Sohn HYRKANUS II. Hoherpriester (76–67 und 63–40). Er folgt seiner Mutter auf dem Thron (67); wird von seinem jüngeren Bruder verdrängt:
		ARISTOBUL II. (67–63), König und Hoherpriester.
64: POMPEJUS macht in Antiochia Syrien zur römischen Provinz.		Pascha 65: Hyrkanus II. und Aretas III. belagern Jerusalem; sie müssen sich auf Weisung des Pompejus zurückziehen und werden dann von Aristobul II. besiegt.
		Zwischen 100 und 50: das **Buch Judit.**

IX. Die Römische Epoche

(ab 63 v. Chr.)

		63: Pompejus erobert Jerusalem, ernennt Hyrkanus II. zum Hohenpriester. Tatsächlich regiert aber der Minister des Hyrkanus, der Idumäer ANTIPATER, in Judäa.
	50	Um 50 in Alexandria das **Buch der Weisheit.** *Die Psalmen Salomos.*
48: CÄSAR schlägt Pompejus bei Pharsalus. Pompejus in Ägypten getötet.		
		47: Cäsar ernennt Hyrkanus zum Ethnarch. Herodes, der Sohn Antipaters, ist „Stratege“ von Galiläa.
44: Cäsar ermordet.		
		43: Antipater stirbt an Gift.
41–31: ANTONIUS im Osten; Oktavian im Westen.		41: Antonius ernennt Herodes und dessen Bruder Phasaël zu Tetrarchen.
40: Die Parther in Syrien und Palästina.		40: Die Parther ernennen ANTIGONUS, einen Sohn Aristobuls II., zum König und Hohenpriester. Herodes sucht in Rom Zuflucht.
Ende 40: Der Senat ernennt Herodes zum König		39–37: Kampf zwischen Herodes und Antigonus.

38: Die Parther werden aus Syrien und Palästina vertrieben.

38–37: SOSIUS Statthalter von Syrien.

31: Seeschlacht von Aktium; Niederlage und Selbstmord des Antonius.

OKTAVIAN Kaiser (Augustus) von 29 v. Chr. bis 14 n. Chr.
Syrien kaiserliche Provinz.

23: Herodes erhält die Trachonitis, Batanäa und die Auranitis sowie (20) Paneas.

Um 10 (?): Volkszählungen im Reich zu Steuerzwecken.

ARETAS IV. König der Nabatäer (9 v. Chr. bis 39 n. Chr.).

9–6: SENTIUS SATURNINUS Legat in Syrien.

6–4: QUINTILIUS VARUS Legat von Syrien.

Ende 4: Augustus bestätigt das Testament des Herodes, verweigert aber Archelaus den Königstitel.

4 v. Chr.–6 n. Chr.: ARCHELAUS Tetrarch von Judäa und Samaria.

4 v. Chr.–39 n. Chr.: HERODES ANTIPAS Tetrarch von Galiläa und Peräa.

Anfang 37: Herodes heiratet Mariamne I., Enkelin Aristobuls II. und Hyrkanus II.

Juni (?) 37: Jerusalem wird von Sosius und Herodes eingenommen.

37–4 v. Chr.: HERODES DER GROSSE, König, läßt Hyrkanus II. (30) und Mariamne I. (29) hinrichten. Zahlreiche Bauten und Wiederaufbauten: Burg Antonia, Königspalast in der Oberstadt, Antipatris, Phasaelis, Samaria (Sebaste), das Herodion, Cäsarea.

Winter 20/19: Beginn des Tempelbaus.

9–8: Herodes fällt bei Augustus zeitweilig in Ungnade.

Um 7: Herodes läßt seine beiden Söhne Alexander und Aristobul, die ihm Mariamne I. geboren hatte, erdrosseln.

Um 7/6: Geburt JESU VON NAZARET.

März 4: Herodes läßt seinen ältesten Sohn Antipater hinrichten und macht ein Testament zugunsten des Archelaus und des Herodes Antipas (Söhne der Samariterin Malthake) sowie des Philippus (Sohn der Kleopatra).

Ende März/Anfang April 4: Tod des Herodes in Jericho.

Pascha 4: Archelaus unterdrückt einen Aufstand in Jerusalem und begibt sich nach Rom, um sich von Augustus zum Herrscher machen zu lassen

Aufstand des Galiläers Juda und des Pharisäers Zadok. Verweigerung der Kaisersteuer

4 v. Chr.–34 n. Chr.: Philippus Tetrarch von Ituräa (Paneas) und Trachonitis.

1

6: Augustus setzt Archelaus ab und verbannt ihn nach Vienne (Gallien).
Um 6: Zensus in Palästina unter Quirinius, dem Statthalter von Syrien.

6–41: Judäa prokuratorische Provinz mit Cäsarea als Hauptstadt.

19. August 14: Tod des Augustus.

Tiberius Kaiser (14–37).
15–26: Valerius Gratus Prokurator.

25

26–36: Pontius Pilatus Prokurator.

33–34: Philippus stirbt ohne Erben, und Tiberius verleibt seine Tetrarchie der Provinz Syrien ein.

35–39: L. Vitellius Legat von Syrien.

Herbst 36: Pilatus wird nach Rom zurückgerufen.
März 37: Tod des Tiberius.

Caligula Kaiser (37–41).
Marcellus Prokurator.

(Ursprung der zelotischen Bewegung?). Varus verfolgt die Aufrührer und kreuzigt 2000 Mann.

Himmelfahrt des Mose (apokryph).

6 (?)–15: Hannas, Sohn des Set, Hoherpriester.

Zwischen 5 und 10: Geburt des Paulus in Tarsus.

Um 17: Gründung von Tiberias durch Antipas.

18–36: Josef/Kajaphas Hoherpriester.

Herbst 27: Predigt Johannes des Täufers und Beginn der öffentlichen Tätigkeit Jesu (Lk 3, 2).

7. April 30: Kreuzigung und Tod Jesu.

Pfingsten 30: Urgemeinde in Jerusalem.

Um 34: Martyrium des Stephanus. Beginn der christlichen Mission in der jüdischen Diaspora. Bekehrung des Paulus.

Um 35: Pilatus läßt Samariter am Garizim niedermetzeln.

Pascha 36: Vitellius ersetzt Kajaphas durch Jonatan, einen Sohn des Hannas.

Um 36 (oder 38): Paulus flieht aus Damaskus und geht nach Arabien.

37: Caligula gibt Agrippa I. die Tetrachien des Philippus und des Lysanias mit dem Titel eines Königs (37–44).

38: Verfolgung der Juden in Alexandria.

39–42: P. Petronius Legat von Syrien.

39: Caligula verbannt Antipas nach Gallien und gibt seine Tetrarchie Agrippa I.

41: Caligula wird von Verschwörern erdolcht.

Klaudius Kaiser (41–54).
Agrippa I. erhält von Klaudius Judäa und Samaria. Sein Bruder Herodes wird König von Chalkis (41–48) und heiratet Berenike, eine Tochter Agrippas.
Frühjahr 44: Nach dem Tod des Herodes Agrippa I. wird Judäa wieder prokuratorische Provinz.

44–46: Cuspius Fadus Prokurator.

46–48: Tiberius Alexander Prokurator.

48–52: Ventidius Cumanus Prokurator.

48–53: Agrippa II. König von Chalkis.

49: Klaudius vertreibt die Juden aus Rom, weil sie „auf Anstiften des Chrestos“ Unruhe stiften (Sueton).

50–60: Ummidius Quadratus Legat von Syrien.

52: Gallio, Bruder des Seneka, Prokonsul von Achaia.

Pascha 37: Vitellius ersetzt den Hohenpriester Jonatan durch seinen Bruder Theophilus (37–41).

Um 37: Gründung der Gemeinde von Antiochia.

39: Caligula befiehlt, sein Standbild im Tempel aufzustellen.

34–45: Petrus in Samaria, der Küstenebene und Jerusalem.

Das Königreich Herodes des Großen ist wiederhergestellt.

Vor Ostern 44: Agrippa läßt Jakobus, den Bruder des Johannes, enthaupten und Petrus ins Gefängnis werfen.

47: Herodes von Chalkis, Verwalter des Tempels, macht Hananias, Sohn des Nebedäus, zum Hohenpriester (47–52/59).

Zwischen 46 und 48: 1. Missionsreise des Paulus.

Um 48: Hungersnot in Judäa. Paulus und Barnabas bringen der Jerusalemer Gemeinde eine Kollekte von Antiochia.

Das Jerusalemer „Konzil“: die Heidenchristen werden vom Gesetz befreit.

50 Um 50: Griechische Übersetzung der aramäischen **Logienquelle** („Q“).

49–52: 2. Missionsreise des Paulus.

Winter 50 – Sommer 52: Paulus in Korinth. **Erster Thessalonicherbrief** (51). Rückkehr nach Jerusalem (?), dann nach Antiochia.

52–60: Antonius Felix Prokurator heiratet Drusilla, die Schwester Agrippas II.

52–59: Jonatan Hoherpriester.

53: Klaudius gibt Agrippa II., zum Tausch für Chalkis, die Tetrarchien des Philippus und Lysanias (53–95) und die Eparchie des Varus (Nordlibanon).

53–58: 3. Missionsreise des Paulus; Apollos in Ephesus, dann in Korinth.

Nero Kaiser (54–68).

55: Nero fügt dem Königreich des Agrippa einen Teil Galiläas und Peräas hinzu.

54–57: Paulus in Ephesus. **Philipperbrief** (?). Um Ostern 57 **erster Korintherbrief.** Kurzbesuch in Korinth. Rückkehr nach Ephesus. **Galaterbrief** (?). Ende 57 Reise durch Mazedonien. **Zweiter Korintherbrief.**

Winter 57–58: Paulus in Korinth. **Römerbrief.**

Pascha 58: Paulus in Philippi, dann per Schiff nach Cäsarea (Philippus und Agabus).

Sommer 58: Paulus zum Pfingstfest in Jerusalem. Jakobus, der Herrenbruder, Leiter der judenchristlichen Gemeinde.

Paulus wird im Tempel verhaftet und vor Gericht gestellt (Hoher Rat, dann in Cäsarea vor Felix).

Von 59 bis 67 ernennt Agrippa II. sechs Hohepriester, unter ihnen Hanan, Sohn des Hannas (62).

58–60: Gefangenschaft in Cäsarea. **Philemonbrief** (?)

60–63: Corbulon. Legat von Syrien

60–62: Porcius Festus Prokurator.

60: Paulus vor Festus. Appellation an den Kaiser. Schiffsreise nach Rom. Sturm, Schiffbruch, Überwinterung in Malta.

61–63: Gefangenschaft in Rom.

62–64: Lucceius Albinus Prokurator.

62: Der Hohepriester Hanan läßt den Herrenbruder Jakobus steinigen.
Simeon, Sohn des Kleopas, übernimmt die Leitung der Jerusalemer Gemeinde (Eusebius).

Hanan von Agrippa II. abgesetzt.

63–66: Cestius Gallus Legat von Syrien.

Juli 64: Brand Roms und Christenverfolgung.

64–66: Gessius Florus Prokurator

66: Aufstand der Juden in Alexandria. Der Präfekt von Ägypten Alexander Tiberius läßt mehrere tausend niedermetzeln.

66–67: Nero gibt Vespasian und dessen Sohn Titus den Auftrag, die Ordnung in Palästina wiederherzustellen.

67–69: Mucius Legat von Syrien.

März 68: In Gallien Aufstand des Legaten Vindex.

Juni 68: Selbstmord Neros.

Galba Kaiser (Apr. 68– Jan. 69).

Vespasian Kaiser (69–79), überträgt Titus die Belagerung Jerusalems.

63: Freilassung des gefangenen Paulus? Spanienreise? oder Enthauptung?

Sommer 66: In Jerusalem läßt Florus Juden kreuzigen. Unruhen in Cäsarea und im ganzen Land.

Sept. 66: Cestius Gallus greift Jerusalem an und muß sich unter schweren Verlusten zurückziehen.

Flucht der Urgemeinde nach Pella.

67: Vespasian erobert mit 60000 Mann Galiläa.

Martyrium des Petrus und Paulus (?) in Rom.

67–68: Die Zeloten und der aus Galiläa entkommene Johannes von Gischala sind mit den Idumäern Herren von Jerusalem. Hanan und führende Juden werden umgebracht.

68: Vespasian erobert die Küstenebene und das Jordantal (Zerstörung von Qumran). Nach dem Tod Neros beginnt er mit der Belagerung Jerusalems.

69: Unterwerfung des restlichen Judäa. Die Zeloten halten sich in Jerusalem, Herodion, Massada und Machärus.

Um 70: **Markusevangelium.**

Ostern 70: zahlreiche Pilger in Jerusalem. Wenig später dringt Titus mit vier Legionen in die Stadt ein.

29. 8. 70: Eroberung des inneren Vorhofs und Brand des Tempels.

Ende 70: Judäa kaiserliche Provinz. Cäsarea römische Kolonie.

Sept. 70: Einnahme der Oberstadt und des Herodespalastes.

71–72: Lucilius Bassus Legat von Judäa.

Sommer 71: Triumph des Vespasian und Titus in Rom. *Titusbogen.*
Einnahme von Herodion und Machärus durch L. Bassus.

73: Flavius Silva Legat von Judäa.

Ostern 73: Belagerung von Massada durch F. Silva. Eleasar und seine Leute begehen Massenselbstmord.

Ein Teil der judenchristlichen Gemeinde kehrt nach Jerusalem zurück.

Rabbi Johannan ben-Zakkai gründet die Akademie von Jamnia als Ersatz für den Hohen Rat. Gamaliel II. sein Nachfolger. Anfänge der *Mischna.*

Zwischen 70 und 80: *Viertes Buch Esra.*

Um 78: Josephus, *Jüdischer Krieg.*

Titus Kaiser (79–81).

Zwischen 80 und 90: **Evangelien des Matthäus** und **Lukas, Apostelgeschichte. Jakobusbrief.**
Kolosserbrief (?), **Epheserbrief** (?).
Hebräerbrief. Zweiter Thessalonicherbrief.

Domitian Kaiser (81–96), Bruder des Titus.

Um 93: Josephus, *Jüdische Altertümer.*

95: Flavius Clemens, Vetter Domitians, als Christ (?) hingerichtet und seine Frau Flavia Domitilla nach Pandataria verbannt.

Um 95: **Johannesevangelium. Johannesbriefe. Offenbarung.** *Brief des Klemens von Rom an die Korinther.*
Didache (?). **Erster Petrusbrief.**

Nerva Kaiser (96–98).

Trajan Kaiser (98–117).

100

Um 100: **Pastoralbriefe** (?). **Judasbrief.**

107: Claudius Attikus Herodes Statthalter von Judäa.

107: Martyrium des Simeon von Jerusalem.
Um 110: die *sieben Ignatiusbriefe,* des Bischofs von Antiochia, und sein Martyrium in Rom.

117: Jüdischer Aufstand im ganzen Orient.
LUSIUS QUIETUS Legat von Judäa, schlägt den Aufstand nieder.

HADRIAN Kaiser (117–138).

TINEIUS RUFUS Legat von Judäa.

Die Provinz Judäa wird zur Provinz Syrien-Palästina. Juden wird das Betreten Jerusalems verboten.

Um 120: **Zweiter Petrusbrief** (?).
POLYKARP, Bischof von Smyrna, *Philipperbrief*.
Oden Salomos.

Um 130: *Barnabasbrief*. Papias, Bischof von Hierapolis.

131–135: zweiter jüdischer Aufstand. SIMEON BEN KOSEBA/BAR KOCHBA erobert Jerusalem. Verfolgung der Christen.
134: Einnahme Jerusalems, das zur römischen Stadt „Aelia Capitolina" wird.

NACHFOLGER ANTIOCHUS' DES GROSSEN

Die vor dem Namen stehende Zahl bezeichnet die Thronfolge der Seleukidenkönige. Antiochus III. ist also der 6. in der Dynastie. Bei den fünf ersten (vgl. S. 398 Spalte 2) ging der Thron vom Vater auf den Sohn über. Der fünfte, Seleukus III., war ein Bruder Antiochus d. Gr.

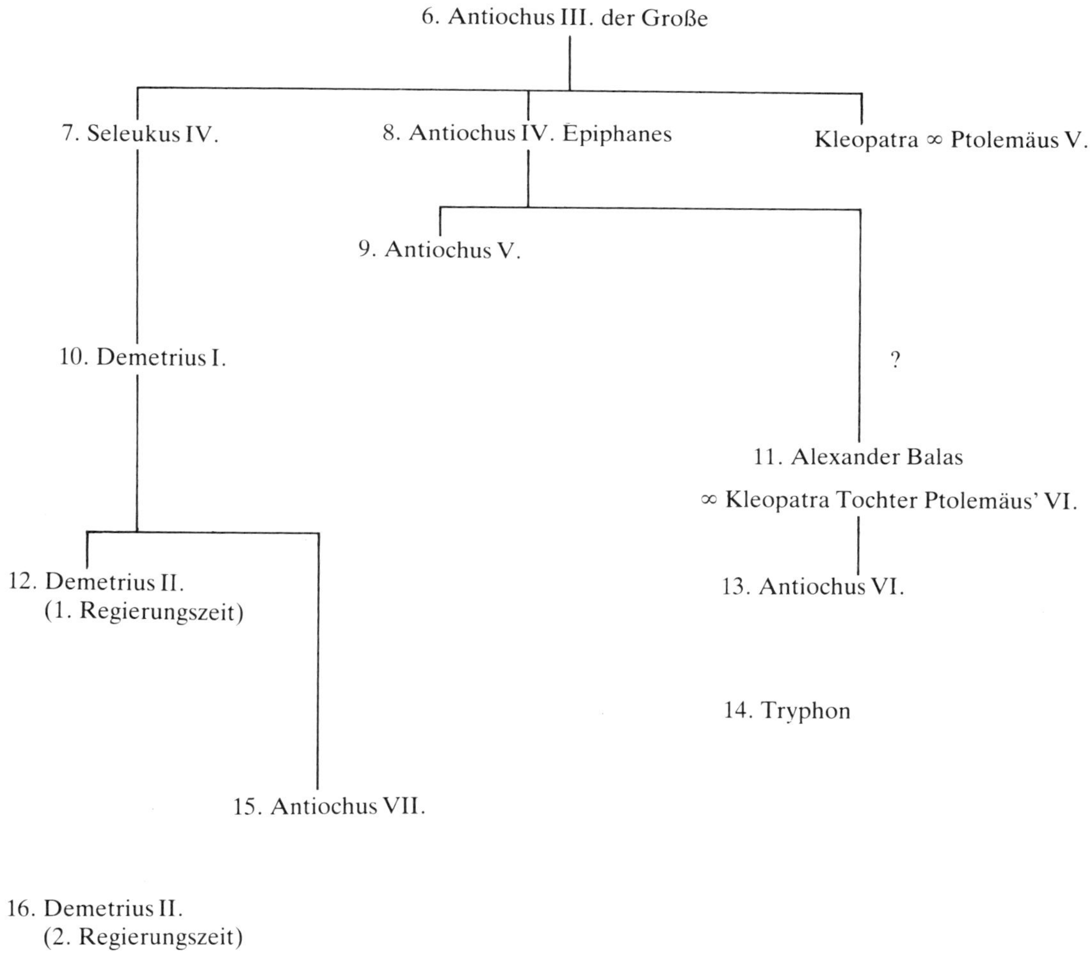

NB. Das Zeichen ∞ weist auf die ehelichen Verbindungen hin.

DIE DYNASTIEN DER HASMONÄER UND HERODIANER

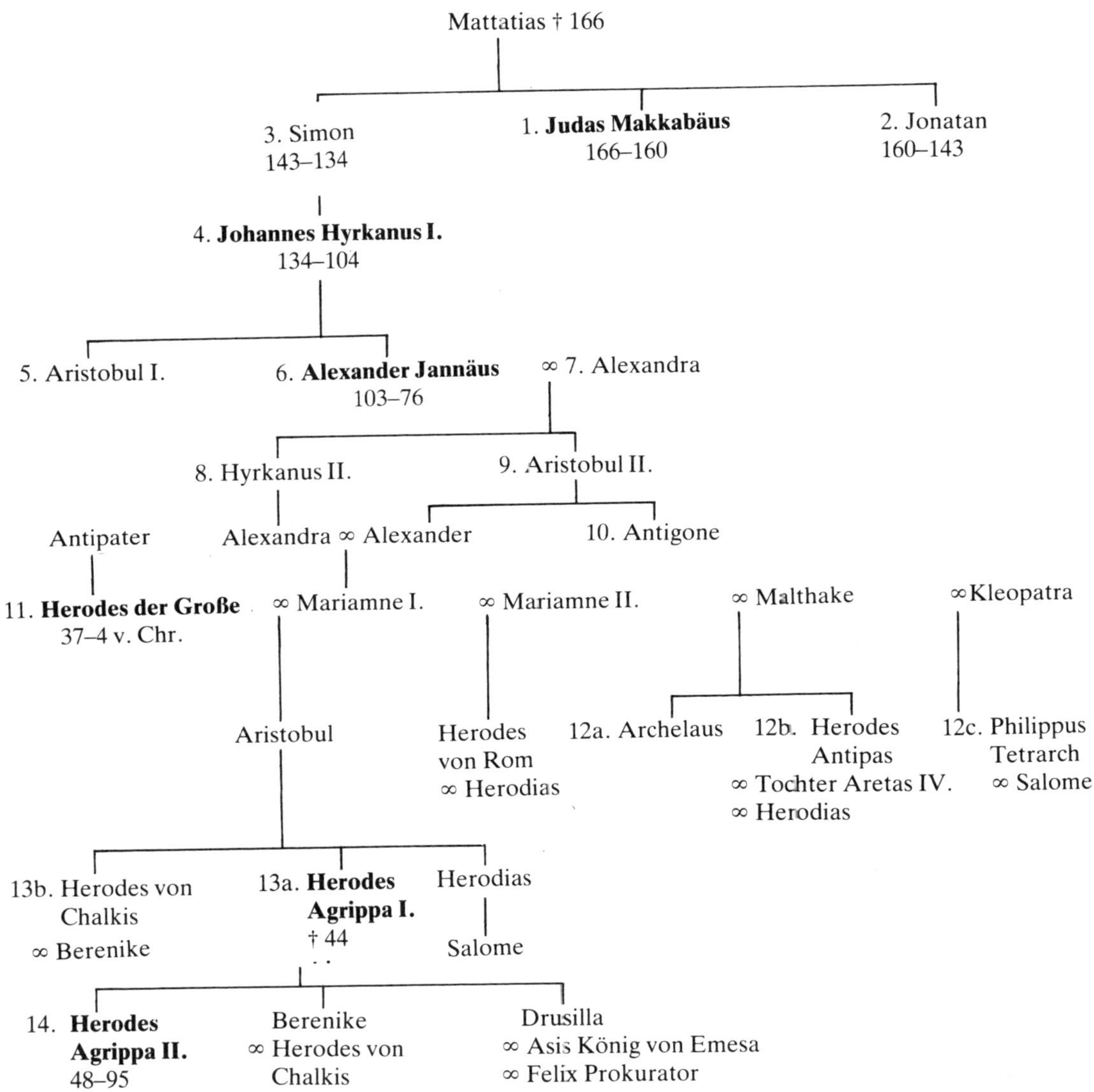

N.B. Das Zeichen ∞ weist auf die ehelichen Verbindungen hin.

SYNOPSE DER HAUPTPERSONEN

1. Von den Richtern

ÄGYPTEN				
Pharaonen				
	Kuschan-Rischatajim *(Edom? Mesopotamien?)* Eglon *(Moab)* Sisera *(Kanaan)* Oreb und Seeb; Sebach und Zalmunna *(Midian)*			1200
				1050
	ARAM	AMMON	Sonstige	
	Könige und andere	Nahasch	Agag *(Amalek)*	
	Geschur: Talmai			1000
	Zoba: Hadad-Eser Schobach			
	Hamat: Toï Hadoram	Hanun	Hiram *(Tyrus)*	
	DAMASKUS		Hadad *(Edom)*	
	Reson			
				950

IN DER BIBEL

bis Salomo

JUDA und ISRAEL			
Könige	*Hohe Beamte und Heerführer*	*Propheten*	*Priester*
„Große" Richter: Otniël, Ehud, Barak, Gideon	und	Debora	
Abimelech *(Sichem)*			
			Eli *(Schilo)*
		Samuel	
Saul	Abner		Ahija 1° Ahimelech 1° *(Nob)*
Jschbaal			
David	Joab Benaja 1° Adoram Joschafat 3° Seraja 1° Ahitofel	Gad Natan	Abjatar Zadok Ira
Salomo	Elihaf und Ahija 2° Joschafat 3° Asarja 3° Sabud Eliab 5° Adoram		Asarja 4°

2. DIE BEIDEN

ÄGYPTEN	DAMASKUS	ASSYRIEN	Sonstige		KÖNIGREICH	
Pharaonen	*Könige und Beamte*	*Könige*	*Könige*		*Könige*	*Beamte, Heerführer*
Schischak					Rehabeam	
	Tabrimmon				Abijam	
					Asa	
	Ben-Hadad I.			900		
			Ittobaal *(Tyrus)*			
					Joschafat	Adna *(Heerführer)*
	Ben-Hadad II. Naaman					
				850	Joram	
	Hasael		Mescha *(Moab)*			
					Ahasja	
					Atalja	
	Ben-Hadad III..				Joasch	
				800		
					Amazja	
					Usija	Hananja *(Heerführer)*
		Tiglat-Pileser III.		750		
			Schalman *(Moab)*			
					Jotam	
					Ahas	Asrikam
	Rezin					
	Ende des Königreichs Damaskus	Salmanassar V.				

PARALLELEN KÖNIGREICHE

JUDA		KÖNIGREICH ISRAEL			
Propheten	*Hohepriester*	*Könige*	*Beamte*	*Propheten*	*Übrige*
Schemaja 1°		Jerobeam I.		Ahija 3°	
Iddo 3°		Nadab			
Oded 1°		Bascha			
Asarja 10° o					
Hanani		Ela	Arza		
		Simri			
		Omri			Tibni
		Ahab	Obadja	Elija	
Elieser	Amarja 3°			Elischa	
				Jehu 1°	
				Micha Sohn des Jimla	
				Zidkija 1°	
		Ahasja			
		Joram			
		Jehu 2°			Jonadab *(Rechabiter)*
	Jojada 3°				
Secharja 6°					
		Joahas			
		Joasch			
	Asarja 7°	Jerobeam II.		Amos	Amazja *(Oberpriester von Bet-El)*
				Hosea	
				Jona	
		Secharja 9°			
		Schallum			
		Menahem			
Micha					
		Pekachja			
Jesaja	Urija	Pekach		Oded 2°	
		Hoschea			
		Ende des Königreichs Israel			

ÄGYPTEN	BABYLON	ASSYRIEN	Sonstige		KÖNIGREICH	
Pharaonen	*Könige und Beamte*	*Könige*	*Könige*		*Könige*	*Beamte und Heerführer*
		Sargon II.				
	Merodach-				Hiskija	Eljakim
[Schabaka]	Baladan					Schebna
		Sanherib		700		Joach
Tirhaka						
		Asarhaddon			Manasse	
		Assurbanipal				
				650	Amon	
					Joschija	Ahikam
						Achbor
		MEDER				
						Asaja
						Schafan
		[Kyaxares]				Joach
Necho						Maaseja
					Joahas	
					Jojakim	Elischama
						Delaja
	Nebukad-					Elnatan
	nezzar			600		Gemarja
						Zidkija 3°
					Jojachin	
					Zidkija	Schefatja
						Gedalja
						Juchal
	Beamte:					Paschhur 3°
	Nebusaradan					Jonatan 9°
	Nergal-					Seraja 3°
Hofra	Sarezer					
	Nebuschas-				*Statthalter:*	*Offiziere*
	ban		Baalis	587	Gedalja	Jischmael
			(Ammon)			Johanan 9°
						Jonatan 10°
						Seraja 6°
	Ewil-					Jaasanja 2°
	Merodach					
		Astyages				

JUDA	
Propheten	*Hohepriester*
Jesaja	Asarja 8°
Zefanja 2°	Hilkija 2°
Jeremia	
Hulda	
Nahum	
Urija	
	Paschhur 1°
Habakuk?	
Jeremia	Seraja 4°
Hananja	Jojada 4°
Im Exil:	Zefanja 3°
Ezechiel	
Ahab	
Zidkija 2°	
Schemaja 3°	

3. PERSISCHE

PERSIEN			
Könige	*Hohe Beamte*	*Statthalter der besetzten Gebiete*	
Kyrus	Mitredat *(Kämmerer)*		550
Darius I.		Tattenai *(Transeufrat)*	
			500
Xerxes		Rehum *(Samaria)*	
Artaxerxes I.	Nehemia *(Mundschenk)*		450
		Sanballat *(Samaria)* Tobija *(Ammon)* Geschem *(Kedar)*	
Darius II.			400

MAZEDONIEN	
Könige	350
Philippus II.	
Alexander der Große	

Darius III.

EPOCHE

JUDÄA			
Statthalter	*Beamte*	*Propheten*	*Hohepriester*
Scheschbazzar			
Serubbabel		Haggai Sacharja ? Obadja	Jeschua 4°
Nehemia *Staatsminister für jüd. Angelegenheiten:* Esra	*Distriktsverwalter:* Refaja Schallum 14°; 15° Malkija Nehemja 2° Haschabja	Noadja Schemaja 22°	Eljaschib
		Joël	

4. HELLENISTISCHE

ÄGYPTEN	SYRIEN	ANDERE REICHE	ROM	
Könige	*Könige und Befehlshaber*	*Könige*	*Konsuln und Legaten*	
[Ptolemäus I.]	[Seleukus I.]			300
		Ares *(Sparta)*		
[Ptolemäus II.]				
	[Antiochus II.]			
[Ptolemäus III.]	[Seleukus II.]			250
	[Seleukus III.]			
[Ptolemäus IV.]	Antiochus III. d. Gr.			
[Ptolemäus V.]				200
		Philippus V. *(Mazedonien)*		
		Eumenenes *(Pergamon)*	(Scipio)	
	Seleukus IV.			
Ptolemäus VI.	Heliodor			
	Apollonius 1°			
	Antiochus IV. Epiphanes			175
	Andronikus 1°	Aretas I. *(Nabatäer)*		
	Apollonius 2°	Perseus *(Mazedonien)*		
	Seron			
	Lysias			
	Nikanor 1°			
	Gorgias		Q. Memmius	
	Ptolemäus 9°		T. Manius	
	Antiochus V. Eupator			
	Gorgias			
	Demetrius I.			
	Bakchides			
	Nikanor 1°			
	Alexander [Balas]			
				150
Ptolemäus VII.	Demetrius II.			
	Apollonius 4°			
	Lasthenes			
	Antiochus VI.			

EPOCHE

JUDÄA			
Hohepriester	*Makkabäer*	*Heerführer*	*Sonstige*
Onias I.			
Onias II.			
Simeon 4°			
			Johannes 3° *(Unterhändler)*
Onias III.			
Jason 3° Menelaus Lysimachus	Mattatias 1°		Simeon 6° Sostratus *(Präfekt der Akropolis)* Philippus 4° *(Aufseher)*
	Judas 1°		
	Simon 5°		
Alkimus	Eleasar	Secharja 28° Josef 7° Asarja 23° Dositheus Sosipater	Eupolemus und Jason *(Gesandte)*
	Jonatan 18° Johannes 2°		
Jonatan 18°			
		Mattatias 2° Judas 2°	
Simon 5°		Jonatan 19°	Numenius und Antipater 1° *(Gesandte)*

ÄGYPTEN	SYRIEN	Andere Reiche	ROM	
	Könige und Beamte	*Könige*	*Konsuln*	
	Tryphon	Arsakes VI. *(Parther)* Attalus II. *(Pergamon)* Ariarathes V. *(Kappadozien)*	Luzius	
	Antiochus VII. Athenobius Kendebäus			134

5. RÖMISCHE

Römische Kaiser	*Hohe Würdenträger*	*Prokuratoren Judäas*	
Augustus	Quirinius *(Syrien)*		
			1
Tiberius	Lysanias *(Ituräa)*	Pontius Pilatus	
			30
	Aretas IV. *(Nabatäerkönig)*		
Klaudius	Sergius Paulus *(Zypern)* Gallio *(Achaia)*		50
Nero		Felix	
	Publius *(Malta)*	Porzius Festus	60

JUDÄA			
Hohepriester	*Makkabäer*	*Heerführer*	
	Johanan 20°		
	Judas 3°		
	Mattatias 3°		
		Judas 3°	
Johanan 20° [Hyrkanus I.]	Ptolemäus 11°		

EPOCHE

Dynastie des Herodes	*Hohepriester*	*Christen*	*Sonstige*
Herodes [der Große]			
		Jesus *(Geburt)*	? Judas der Galiläer
Archelaus			
Herodes [Antipas]	Hannas	Johannes d. T.	
[Herodes] Philippus 6°	Kajaphas		
[Herodes] Philippus 5°		Jesus *(Tod)*	
		Petrus	
		Johannes 2°	Gamaliel
		Stephanus	
		Saulus/Paulus	
		Philippus 8°	Simon Magus
		Barnabas	
		Titus	Theudas
Herodes [Agrippa I.]		Jakobus *(Apostel)*	
		Silas	
		Timotheus	
		Apollos	
		Jakobus *(Herrenbruder)*	
	Hananias 3°		
		Paulus *(Gefangener)*	
[Herodes] Agrippa II.			

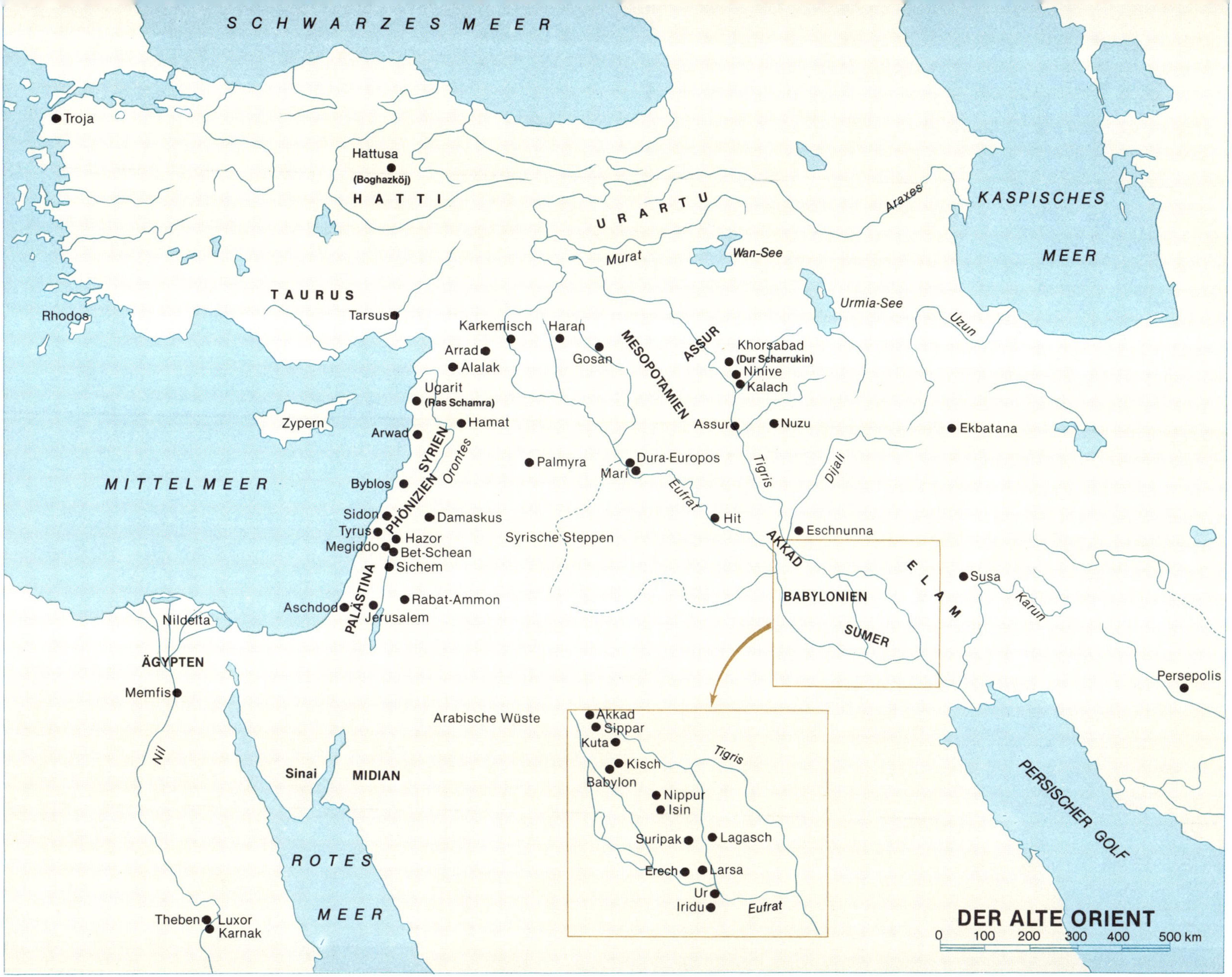
DER ALTE ORIENT
0 100 200 300 400 500 km
SCHWARZES MEER
KASPISCHES MEER
MITTELMEER
ROTES MEER
PERSISCHER GOLF
Troja
Hattusa
(Boghazköj)
HATTI
TAURUS
Rhodos
Tarsus
URARTU
Murat
Wan-See
Araxes
Urmia-See
Uzun
Karkemisch
Haran
Gosan
MESOPOTAMIEN
ASSUR
Khorsabad
(Dur Scharrukin)
Ninive
Kalach
Assur
Nuzu
Ekbatana
Arrad
Alalak
Ugarit
(Ras Schamra)
Hamat
Zypern
Arwad
SYRIEN
Orontes
Palmyra
Dura-Europos
Mari
Tigris
Dijali
Eufrat
Byblos
PHÖNIZIEN
Sidon
Tyrus
Megiddo
Hazor
Bet-Schean
Sichem
Damaskus
Syrische Steppen
Hit
Eschnunna
AKKAD
ELAM
Susa
Karun
BABYLONIEN
SUMER
PALÄSTINA
Aschdod
Jerusalem
Rabat-Ammon
Nildelta
ÄGYPTEN
Memfis
Nil
Arabische Wüste
Sinai
MIDIAN
Persepolis
Theben
Luxor
Karnak
Akkad
Sippar
Kuta
Kisch
Babylon
Tigris
Nippur
Isin
Suripak
Lagasch
Erech
Larsa
Ur
Iridu
Eufrat

DER EXODUS
MITTELMEER
Akko
Meer von Kinneret
BASCHAN
Jarmuk
Edrei
Ebene Jesreel
Jordan
GILEAD
Jabbok
KANAAN
Jogboha
Gebirge
Bet-Nimra
Jaser
Pisga
Elale
Jericho
Heschbon
Nebo
Medeba
Meon
Wüste
Beer (?)
Hebron
Atarot
Dibon
Gaza
Juda
Aroer
Abarim
Ar
Arnon
Totes Meer
Mensaleh-See
Port-Said
Beerscheba
Arad
Horma
Sered
Bach von Ägypten
AMALEK
NEGEB
Tamar
Pelusium
Sebkhat Bardawil
Tanis
El Kantara
Balla-See
Kedesch
Hor (?)
Wüste Zin
GOSCHEN
Timsa-see
EDOM
Wüste Schur
Bitter-Seen
ARABA
Wüste Paran
Kairo
Suez
Quellen des Mose
Badiet und Tih
Ezjon-Geber
Elat
Ain Hawara
Nil
Wüste
Serabit el Khadim
Sin
Hazerot (?)
Golf von Akaba
Serbal
SINAI
Dschebel Musa
Dschebel Katharina
ROTES MEER
Tem
Tadra Hala el Bedr
0 50 100
Mittelmeer
Mensaleh-See
Pelusium
Tanis
Tachpanhes
Tell el Her
El Kantara
Kantir
GOSCHEN
Balla-See
Wadi Tumilat
Timsa-See
Tell Artabi
Tell el Maskuta
Serapeion
Dschebel Geneffe
Bitter Seen
Dschebel Abu Hasan
Bir Soueys
Dschebel Ataka
0 50 km
Quellen des Mose

ZUR ZEIT DER RICHTER
Kedesch nach Ri 1 eroberte Städte
Afek nicht eroberte Städte
JUDA Namen der Stämme
MITTELMEER
Tyrus
ASCHER
Lajisch/Dan
DAN
Kedesch
Achsib
Akko
Rehob
Afek
SEBULON
NAFTALI
Meer von Kinneret
Jarmuk
Betlehem
ISSACHAR
Dor
Megiddo
Taanach
Bet-Schean
Jibleam
Jabesch
MANASSE
Besek
MANASSE
Piraton
Sichem
Jabbok
EFRAIM
Silo
GAD
Ofra
Jordan
Bet-El
BENJAMIN
Schaalbim
Geser
Ajalon
Ekron
DAN
Rama
Kirjat-Jearim
Gibea
Jerusalem
Aschdod
Eschtaol
Zora
Bet-Schemesch
Timna
Betlehem
RUBEN
TOTES MEER
Aschkelon
JUDA
Gat
Hebron
Gaza
Debir
Arnon
Arad
0
50 km

Vereinigtes Königreich unter David und Salomo
Von David und Salomo unterworfene Gebiete
Gebiete, die David und Salomo tributpflichtig waren
Königreich Israel nach der Trennung
Königreich Juda nach der Trennung
Unabhängige Gebiete
Gebal (Byblos)
ZOBA
PHÖNIZIEN
Damaskus
Sidon
ARAM
Tyrus
Dan
JORDAN
Ramot-Gilead
Megiddo
ISRAEL
AMMON
Samaria
Sichem
Rabba
Jafo
Bet-El
Heschbon
PHILISTER
Jerusalem
Dibon
Hebron
Gaza
MOAB
Kir-Heres
Beerscheba
JUDA
Bozra
Kadesch (?)
EDOM
Ezjon-Geber

PALÄSTINA IM ALTEN TESTAMENT

Sichem
Garizim
Piraton
Zafon
Sukkot
Jabbok
Penuel
Mahanajim
Gilgal
Schalischa
Mizpe-Gilead
Afek
Tappuach
Adama
Jafo
Zereda
Schilo
Jogboha
Asor
Ono
Gilgal
AMMON
Ramatajim
Jaser
Bet-Dagon
Hadid
Jeschana
Lod
Ofra
Naara
Rabbat-Ammon
Bet-El
Rimmon
Gimso
Bet-Horon das untere
Beerrot
Bet-Nimra
Bet-Horon das obere
Mizpa
Mischmas
Jericho
Jabneel
Ekron
Geser
Rama
Geba
Gilgal
Ajalon
Gibbeton
Gibea
Abel-Schittim
Kefira
Gibeon
Kirjat-Jearim
Anatot
Bet-Haram
Heschbon
Sorek
Eschtaol
Jerusalem
Bet-Jeschimot
Aschdod
Bet-Schemesch
Zora
Nebo
PHILISTER
Bamot-Baal
Libna
Betlehem
Medeba
Aseka
Socho
Etam
Baal-Meon
Aschkelon
Adullam
Tekoa
Keila
Gat
Bet-Zur
Atarot
Marescha
Bet-Tappuach
Kirjaton
Eglon
Hebron
Gaza
Lachisch
Adorajim
Dibon
Debir
En-Gedi
Sif
Arnon
Aroër
Jutta
Kir-Moab
Karmel
ARABISCHES MEER (TOTES MEER)
Gerar
Eschtemoa
Maon
Ziklag
Rabbat-Moab
Arad
Scharuhen
Beerscheba
Molada
Kir-Heres
MOAB
Zoar
mehr als 900 m
von 600 bis 900 m
von 400 bis 600 m
von 100 bis 400 m
von 0 bis 100 m
Tiefebene
von 0 bis 300 m
mehr als 300 m
10 5 0 10 20 30 km

JERUSALEM ZUR ZEIT DES ALTEN TESTAMENTS

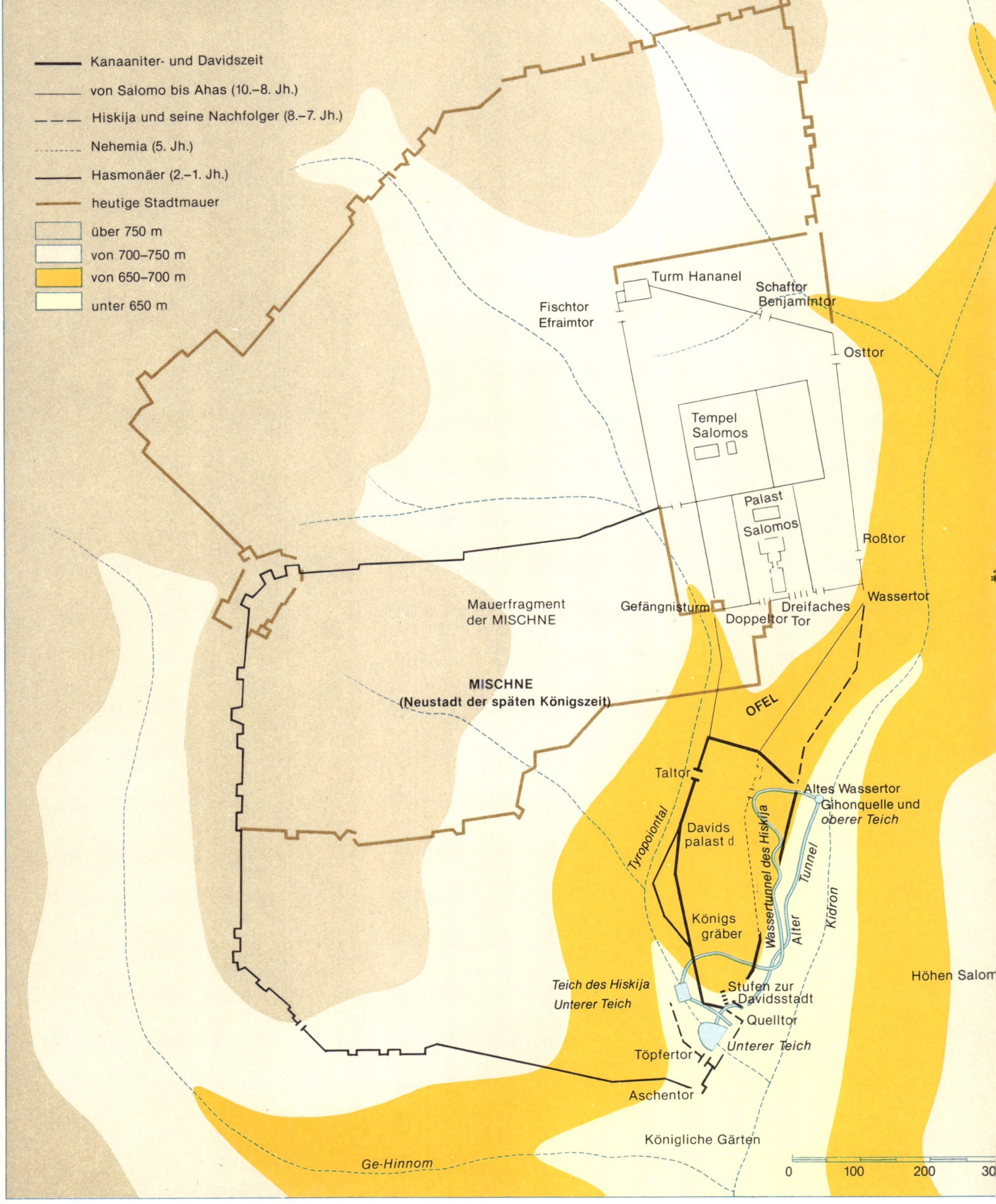

JERUSALEM ZUR ZEIT DES NEUEN TESTAMENTS

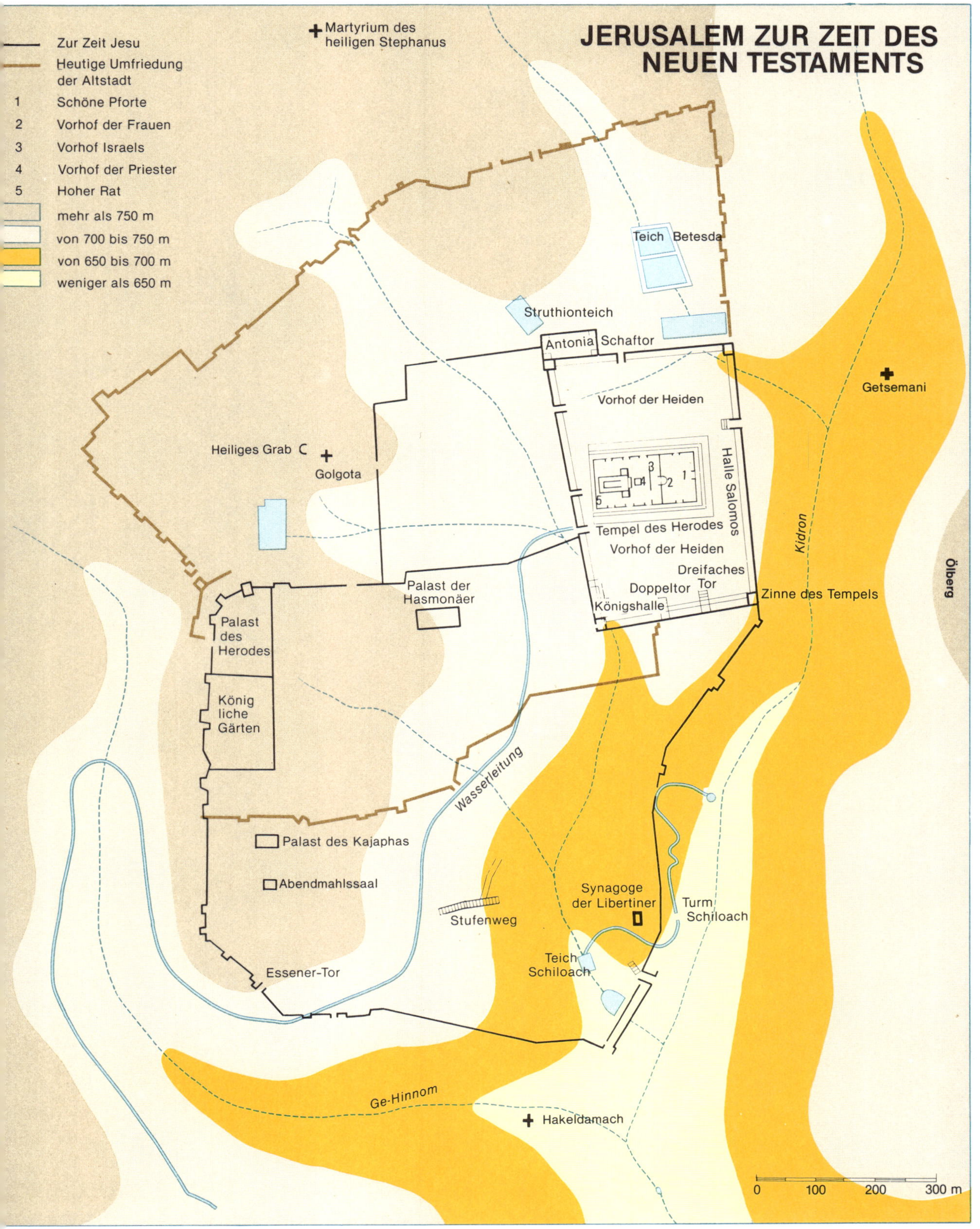

Donau
THRAZIEN
MAZEDONIEN
SCHWARZES MEER
KAUKASUS
Byzanz
Athen
Sparta
Pergamon
LYDIEN
Sardes
Ipsus
Milet
LYZIEN
KRETA
RHODOS
KAPPADOZIEN
Trapezunt
Halys
ARMENIEN
ATROPATENE
ZILIZIEN
Tarsus
Karkemisch
Antiochia
Nisibis
SYRIEN
OSRHOENE
ZYPERN
Palmyra
MITTELMEER
Ekbatana
Sidon
Tyrus
Damaskus
Dura-Europos
Tigris
LIBYEN
Zyrene
Ktesifon
Eufrat
Samaria
Jerusalem
Alexandria
Pelusium
Babylon
Susa
Memfis
Petra
Elat
ÄGYPTEN
ROTES MEER
ARABIEN
Nil
Theben
Persiches Reich
Reich der Ptolemäer
Reich der Seleuziden
Griechisches Reich
Römisches Reich
0 100 200 300 400 500 km
DAS PERSISCHE, GRIECHISCH

ND RÖMISCHE REICH

UMGEBUNG VON JERUSALEM
Beerset
Baal-Hazor
Efraim
Bet-Horon das untere
Bet-El
Elasa
Beerot
Dok
Mizpe
Michmas
Jericho
Hadascha
Kafar-Salama
JERUSALEM
Qumran
Wüste Juda
Betlehem
Bet-Basi
Bet-Sacharja
Bet-Sajit
Tekoa
Bet-Zur
SIDON
LIBANON
PHÖNIZIEN
ZÖLESYRIEN
HERMON
SABADÄER
DAMASKUS
Litani
TYRUS
PANEION
Kedesch
GALILÄA
Hule-See
Azor
Maked
PTOLEMAIS (AKKO)
Gennesaret
See Gennesaret
Kaspin
Rafon
Baskama (Haifa)
Arbela
Bosur
Alema
Jarmuk
GADARA
Edrei
GALAADITIS
HAURAN
Dor
ARBATTA
Die große Ebene
Bosora
STRATONS TURM (CÄSAREA)
Efron
SKYTHOPOLIS (BET-SCHEAN)
MARITIME ZONE
SAMARIEN
Samaria
Sichen
Garizim
FARATON
Tefon
AKRABATENE
Jordan
Jabbok
JOPPE (JAFO)
Hadid
Ramatajim
Timna
Gadora
Lydda
Efraim
Jaser
Philadelphia (Amman)
Modeïn
Bet-El
AMMONITERLAND
Geser
Mizpe
JAMNIA
Bet-Horon
Birta
Ekron
Jericho
Emmaus
Kidron
JERUSALEM
ASCHDOD
SCHEFELA
JUDÄA
Nebo
Medeba
ASCHKELON
Adullam
MARESCHA
Bet-Zur
Hebron
Adora
GAZA
Asphaltsee
Arnon
NABATÄER
IDUMÄA
Beerscheba
PALÄSTINA UND BENACHBARTE LÄNDER IN DEN MAKKABÄER-BÜCHERN
Grenze des von den Juden zu Beginn der Ereignisse bewohnten Landes
von Bakchides befestigte Plätze
0
50 k

PALÄSTINA IM NEUEN TESTAMENT

DIE REISEN DES APOSTELS PAULUS
Erste Reise
Zweite Reise
Dritte Reise
Gefangenschaftsreise
SCHWARZES MEER
MITTELMEER
Rom
Tres-Tabernae
Forum Appii
Puteoli
Brindisi
Messina
Rhegium
SIZILIEN
Syrakus
Malta
MAZEDONIEN
Thessalonich
Beröa
Amphipolis
Apollonia
Philippi
Neapel
Samothrake
THRAZIEN
THESSALIEN
ACHAIA
Athen
Korinth
Kenchreä
Marmara
Nikomedien
Nizäa
BITHYNIEN
PONTUS
PAPHLAGONIEN
ARMENIEN
Ankara
GALATIEN
KAPPADOZIEN
Troas
Assos
Adramyttium
MYSIEN
Doryläum
Lesbos
Mitylene
Pergamon
LYDIEN
ASIA
PHRYGIEN
Antichochia
Chios
Samos
Hierapolis
Laodizea
Kolossä
Ephesus
Trogyllion
Milet
KARIEN
PISIDIEN
PAMPHYLIEN
Ikonion
Lystra
Derbe
LYKAONIEN
Tarsus
ZILIZIEN
Perge
Attalia
Patmos
Kos
Knidos
LYZIEN
Myra
Patara
Rhodos
Seleuzia
Antiochia
SYRIEN
Salamis
ZYPERN
Paphos
Phönix
Kauda
KRETA
Kaloi Limenes
Kap Salmone
Damaskus
Beirut
Sidon
Tyrus
Ptolemais
Nazaret
GALILÄA
Cäsarea
Samaria
Antipatris
Joppe
Lydda
Jerusalem
Gaza
Zyrene
ZYRENAIKA
Alexandria
LIBYEN
ÄGYPTEN
Große Syrte
0
100
200
300 km